상담학 사전

4

이 사전은 2009년도 정부재원(교육인적자원부 학술연구 조성 사업비)으로
한국연구재단의 지원을 받아 연구되었음(NRF-2009-322-B00024).

상담학 사전

4
ㅊ~ㅎ/기타

연구 책임자 **김춘경**　　공동 연구자 이수연 · 이윤주 · 정종진 · 최웅용

학지사

상담학 사전

4

차단
[遮斷, blocking]

집단상담자가 집단상담에서 부정적 영향을 주거나 집단과 집단구성원의 성장을 저해하는 비생산적인 행동을 하는 집단구성원을 제재하고, 상처받기 쉬운 집단구성원을 보호하기 위해 개입하는 것. 집단상담

행동제한(behavior restriction) 혹은 저지라고도 하는데, 집단상담자가 필요한 순간에 적절한 차단을 하지 않으면 의도하지 않았다 하더라도 그러한 행동을 허용하거나 강화하는 작용을 할 수 있다. 집단상담자가 차단을 해야 할 상황으로는 집단구성원이 지나치게 질문만 계속할 때, 제3자의 험담을 하거나 비밀을 누설하거나 다른 집단구성원에게 언어적·비언어적 공격을 할 때, 지금-여기 중심의 이야기보다 그때-거기의 과거 사실을 주로 이야기하거나 잡담을 늘어놓을 때 등이다. 차단을 행할 때는 집단구성원의 인격을 공격하지 않으면서도 비생산적인 행동을 막기 위해 집단상담자의 민감성과 즉시성, 촉진적 태도가 필요하다. 차단은 음성적으로 이루어질 수도 있고 손짓과 같이 비음성적인 방식으로 이루어질 수도 있다. 행동을 제한하는 방법으로는 집단상담자가 적절한 피드백을 사용하여 바람직한 방향으로 유도하거나, 적절한 선에서 한계를 설정할 수 있다. 혹은 솔직한 자기 노출의 모범을 보여 다른 집단구성원에게 스스로 자신을 열어 보이는 것이 좋다는 것을 알려 줄 수도 있다.

차별강화
[差別強化, differential reinforcement]

행동수정에서 특정 행동의 빈도를 증가시키기 위해 여러 행동 중에서 하나만 골라 선택적으로 강화하는 것. 행동치료

변별강화라고도 부르는 차별강화에서는 하나의

특정 자극이 있을 때 하는 행동만을 강화하고 다른 자극이 있을 때 하는 행동은 강화하지 않는다. 따라서 하나의 반응행동이 A라는 자극에 대해 일어날 때는 일관성 있게 강화하고 B나 C 등 다른 자극에 대해 일어날 때는 일관되게 강화하지 않으면, 각 자극상황은 어떤 행동을 하면 강화를 받을 가능성이 있다는 것을 알려 주는 단서가 되는 것이다. 차별강화는 부적절하고 공격적인 행동 등의 문제행동을 수정하는 데 효과적으로 사용될 수 있다. 차별강화에는 타행동 차별강화(DRO), 상반행동차별강화(DRI), 저반응비율 차별강화(DRL) 등이 있다.

관련어 │ 상반행동차별강화, 저반응비율 차별강화, 타행동 차별강화

차별적 정서이론
[差別的情緒理論, differential emotions theory: DET]

각각의 상이한 정서들은 개별적인 각성패턴을 가지고 상이한 목적으로 유발된다고 하는 아이자드(Izard)가 전개한 이론.

정서중심 료

아이자드(Izard)는 기쁨, 흥미, 슬픔, 분노, 공포, 혐오와 같은 뚜렷하게 구분되는 몇몇의 정서는 생의 초기에서부터 나타난다고 하였다. 이러한 정서는 행동을 동기화, 조직화하고 조절하는 데 독특한 적응적 기능을 가지고 있으며, 성격발달이나 환경에 대한 반응에서 개인차를 만드는 중요한 요인이 된다고 보았다. 또한 이들 각각의 상이한 정서들은 연속적인 것으로 존재하는 것이 아니라 개별적인 각성패턴을 가진다고 하였다. 아이자드는 이러한 생각을 토대로 정서는 각각 상이한 목적에 따라 유발된다는 전제를 세워 차별적 정서이론을 주장하였다. 차별적 정서이론에서는 10개의 기본 정서(흥미, 즐거움, 놀람, 슬픔, 화, 혐오, 경멸, 공포, 죄책감, 수치심/수줍음)를 가정하고 있는데, 이들 정서는 개인으로 하여금 환경에 적응할 수 있도록 준비시키는 일차적인 동기시스템에 해당한다는 사실이 전제된 것이다. 아이자드는 소수의 기본 정서는 인간이 가지고 태어난 것이며, 전 세계적으로 공통된 것이라고 주장하였다. 그리고 각각의 정서는 독특한 주관적·현상학적 속성과 특유의 얼굴표정 패턴을 가지고 있고, 서로 다른 신경생물학적 과정을 포함하고 있다고 하였다. 또한 각각의 정서는 상이한 행동결과를 유발하며, 적응적 기능을 담당한다. 이후의 연구에서 차별적인 기본정서에 대해 다음과 같은 사실을 부연 설명하였다. 기본 정서 체계는 인간행동의 일차적인 동기체계를 구성하고 있으므로 정서는 지각이나 사고, 행동을 동기화하는 중요한 요소임을 전제로 하고 있다. 그리고 각각의 기본 정서는 지각이나 인지행동을 구조화하는 방식에서 뚜렷한 기능을 가지고 있다. 기본 정서와 행동과의 관계는 출생 초기에 형성되며 시간이 경과하면서 안정되는데, 특정한 행동을 동기화하고 조직하고 유지하려는 기본 정서의 속성은 성격발달에도 영향을 미친다. 즉, 기쁨이나 긍정적인 정서가 지속적으로 높은 수준을 유지하면 사회적 상호작용이 촉진되고 외향적인 성격 특성을 나타낸다는 것이다. 그리고 개인에게 의미 있는 상황에서는 일관성 있게 이에 적절한 기본 정서가 활성화된다고 보았다. 비록 각각의 정서는 타고난 적응적 기능을 가지고 있지만 정서나 인지, 행동패턴 간의 문제로 위협이나 도전에 대한 반응에서 비적응적 행동을 유발할 수도 있다.

차크라
[-, chakra]

영적 에너지. **명상치료**

차크라는 산스크리트어로 '바퀴' 또는 '원형'을 의미하고, 요가나 명상의 주요 개념이다. 요가에서는 '소용돌이'라는 의미로서 영적 에너지의 소용돌이를 말한다. 차크라는 교감, 부교감 신경계, 그리고 자

율신경계와 연결되어 있는데, 수많은 차크라가 존재한다. 각 차크라는 특정 색깔, 연꽃잎, 기하학적 도형(yantra), 동물 또는 거룩한 상징(mantra) 등이 결합되어 있다. 차크라는 프라나(prana)라고 하는 미세한 생명력이 활동하는 중심 센터로서, 차크라의 반사인 크세트람(ksetram)에 집중함으로써 감각이 일어나고 신경을 통해 차크라로 전달되고 두뇌로 이동한다. 그란티(granthi)는 쿤달리니(kundalini)가 올라가는 길에 방해가 되는 심리적, 정신적 결절 또는 마디를 말한다. 그란티는 수슘나 나디(sushumna nadi)를 따라 흐르는 프라나의 흐름을 막는데, 차크라의 각성을 방해하는 육체적 쾌락, 부정적 생각, 집착, 애정, 야망, 정열 등이 있다. 차크라가 활성화되어 그란티를 넘어 각성되면 존재의 보다 높은 영역에 눈을 떠 개인적 자아를 버리게 되고 이원성을 넘어 보다 높은 영역으로 들어갈 수 있는 힘을 얻는다. 이에 차크라는 탄트라(tantra) 요가수행에서 중요한 개념이 된다.

관련어 탄트라 요가

착각
[錯覺, illusion]
편견과 잘못이 일반적이고 지속적으로 이루어지면서 특정한 형태로 일관성을 유지하는 상태. 인지치료

슈타인(Stein)은 착각을 현실과 다르게 지각하는 것이라고 하였으며, 착각은 거짓된 정신이미지이면서 동시에 유쾌하고 무해하며, 심지어 유용하다는 주장을 펼쳤다. 사회인지심리학을 바탕으로 테일러(Taylor)와 브라운(Brown)은 정신건강에 새로운 견해를 제시하면서, 자신과 세계에 대한 정확한 인지가 정신건강에 필수적이라는 전통적인 개념에 도전하여 어떤 착각은 정신건강에 보다 더 도움이 될 수 있다고 하였다. 이러한 점에서 이를 긍정적 착각이라고 명명하였다. 긍정적 착각은 자기 자신에 대한 지나친 긍정적 견해, 과장된 개인 통제력, 비현실적

낙관주의로 나눌 수 있다.

참만남집단
[-集團, encounter group]
친교적 집단경험을 통하여 태도, 가치관 및 생활양식의 변화 등 개인적 성장과 변화를 목표로 하는 집단. 집단상담

참만남집단은 1946년과 1947년에 시카고대학교의 상담센터에서 로저스(Rogers)와 동료들이 카운슬러 훈련 장면에서 집중적인 집단경험을 도입한 것이 시발점이 되었다. 이는 보다 경험적이고 치료적인 차원에서 개인 성장에 초점을 맞추어 발전되었다. 인구이동이 격심하고 기술이 발달하면서 현대인은 대인접촉에서도 표면적이고 피상적으로 변해 갔고, 그 때문에 서로 진실된 자기(있는 그대로의 자기)로 되돌리고자 하는 인간성 회복운동이 일어났다. 이것이 참만남운동(encounter movement)이다. 참만남집단은 구조적 참만남집단과 비구조적 참만남집단의 두 가지 전개방식으로 발전하였고, 이후 미국 서부지역 캘리포니아를 중심으로 급속하게 팽창한 성장 지향적인 집단활동을 포함하는 인간 잠재력운동(human potential movement)으로 통합되었다. 참만남집단은 일반적으로 집중적인 고도의 친교적 집단경험을 통하여 태도, 가치관 및 생활양식의 변화 등을 포함하는 개인적 변화를 목표로 한다. 이 목표달성을 위해 참만남집단은 깊이 있는 면대면의 상호작용이 가능한 6~20명으로 구성된 소집단활동이 주가 된다. 또한 이 집단모형은 '지금-여기'의 상황에 초점을 맞추고, 개방성과 솔직성, 대인적 직면, 자기노출, 그리고 직접적이고 강한 정서적 표현을 격려한다. 집단에서는 자아와 사회에 대한 각성을 증가시키고 행동을 변화시키고자 노력하지만, 이 집단구성원은 보통 환자라고 불리지 않으며 집단경험은 통상 심리치료라고 명명되지 않는다. 우리나라에서는 이상훈, 한철우, 이근진, 김정

애, 김순복, 김용주 등이 인간성 계발과 교육방법 개선을 위한 연구모임을 시작하였고, 같은 해 교육계 처음으로 인성개발집단수련(T-집단)을 실시하였는데 이것이 오늘날의 한국인성개발연구원의 모체가 되어 계속 발전해 가고 있다. 이 연구원은 1989년 사단법인체로 발전하면서 우리나라 집단상담 운동에 크게 기여하였고, 1983년 로저스의 『Carl Rogers on Encounter Groups』를 번역하면서 집단상담에 대한 학술적인 연구활동을 병행하였다.

관련어 T-집단

참자기
[-自己, true self]

주관적인 자기 느낌을 통해 통합되고 연결된 성격적 측면.
대상관계이론

위니콧(D. Winnicott)이 유아의 정서적 발달을 자기(self) 발달과 관련지어 설명하기 위해 사용한 개념이다. 위니콧은 자기의 개념을 참자기와 거짓자기로 구분하였다. 참자기는 선천적인 잠재력에 근원을 두고 있으며 성격의 핵심으로 일차적 사고과정과 연결된다. 출생 초기의 유아가 가지고 있는 참자기는 심장활동과 호흡 등 신체기능에 근거하는데, 이 시기의 참자기는 총체적인 감각운동의 생동감에 국한된다. 참자기의 다른 측면은 어머니와의 융합을 통해 드러난다. 유아는 내면의 자연스러운 욕구들이 충족되는 경험을 통해 자신이 원하는 것은 모두 이루어진다고 하는 주관적 전능감을 갖는다. 좋은 어머니는 유아의 전능성에 대해 반응해 주고 그것을 의미 있게 만들어 준다. 어머니가 유아의 전능성 경험을 지속적으로 만족시켜 주기 때문에 유아는 마술적으로 자신의 욕구를 충족해 주는 외적 실체가 존재한다고 믿게 된다. 이러한 믿음을 토대로 유아는 점차 주관적 전능성을 포기할 수 있으며, 그 결과 참자기의 자발성이 외부세계의 사건과 결합되어 전능한 창조와 통제의 환상을 가질 수 있다. 참자기는 삶의 생동감의 원천이다. 참자기가 형성되는 모든 과정은 유아 자신의 방식과 속도에 부합되어야 한다. 따라서 유아의 성장발달을 위해서는 일차 모성 몰입과 같은 촉진적인 환경이 지속적으로 제공되어야 한다. 적절한 부모의 돌봄은 세 단계, 즉 '안아주기', '함께 지내기', '함께 살기' 단계로 진행된다. 안아주기를 잘하기 위해서는 유아에게 필요한 것이 무엇인지 이해해야 한다. 위니콧은 상반되는 두 환경이 유아에게 필요하다고 하였다. 즉, 융합의 상태와 미분화된 채 자극 없이 있을 수 있는 고요한 상태다. 유아에게 필요한 두 상태에서 각각 대상으로서 어머니와 환경으로서 어머니의 역할을 충실히 할 때 유아는 안아주기 환경을 제대로 경험한다. 이러한 경험이 성공적으로 이루어지게 되면, 유아는 서서히 '함께살기'단계로 이동한다. 함께 산다는 것은 한 개인으로서의 유아가 실재하는 외적 대상이며 자기와 분리된 존재인 어머니와 관계를 맺는 상태다.

관련어 거짓자기

참조색인의 결여
[參照索引-缺如, lack of referential index]

3인칭을 지칭하는 말이지만 정확하게 무엇을 지칭하는지 모호한 형태로 표현하는 최면화법. **최면치료**

밀턴모형 최면화법의 일종으로, 내담자에게 구체적으로 누가 무엇을 하는지 밝히지 않고 표현하는 것을 말한다. 예를 들어, "사람들은 누구나 쉽게 할 수 있다."라는 표현은 '사람들'이 구체적으로 누구인지, 또는 몇 명의 사람을 말하는 것인지 알려 주지 않는다. 이러한 표현은 듣고 있는 내담자도 '쉽게 할 수 있음'을 내포하고 있다. 이렇듯 상담자가 원하는 방향으로 내담자를 쉽게 유도할 수 있다.

관련어 밀턴모형

창의성
[創意性, creativity]

집단상담자가 집단구성원의 문제를 해결하기 위하여 새로운 아이디어로 접근하는 경향. `집단상담`

집단에서 사용되는 창의성은 집단상담자 자신과 다른 생활양식이나 가치관 또는 새로운 경험에 대해 개방적이다. 또한 창의성은 기존의 형식적인 기술과 예정된 규칙에 얽매이지 않는다. 그렇기 때문에 집단상담자는 자신이 생활에서 이끌어 낸 새로운 생각을 특정 집단을 위한 아이디어로 발전시키기도 한다. 예를 들어, 개인생활과 직업생활에서 스트레스를 받고 있는 집단상담자는 이와 유사한 문제를 지닌 직업인을 위한 지지집단을 만들어 낼 수도 있다. 이는 집단의 구조와 폭넓은 접근방식을 연구하는 데 창의성을 북돋는 것이다. 창의성을 갖춘 상담자의 특징은, 첫째, 개성과 동조성 중에서는 개성을 선택한다. 둘째, 모험과 안전 중에서는 모험을 선택한다. 셋째, 문제해결과 기법의 반복 중에서는 문제해결을 선택한다. 넷째, 새로운 것과 기존의 것 중에서는 새로운 것을 선택한다. 이처럼 모험, 개성, 새로운 것 등이 창의성의 필수조건이지만, 그것들이 극단적으로 되면 오히려 창의성에 손상을 끼칠 가능성이 있다. 창의성이란 기존의 형태를 파괴하여 새로운 형태를 만드는 것을 의미하기 때문에 파괴와 건설을 동시에 내포하고 있다. 지나치거나 무모한 모험 또는 개성의 강조는 자칫 파괴를 위한 파괴에 그쳐 버릴 가능성이 있으므로 주의해야 한다. 일단 기존의 생각을 수용하되 그것을 최종적인 것으로 받아들이지 않고 그 속에서 새로운 것을 추가적으로 산출하는 것이 바로 창의성이다. 그러므로 효과적인 집단상담을 위해서 상담자는 기존의 상담 접근이나 방법을 비판하고 수용하되, 보다 새롭고 효과적인 것을 추가적으로 변화시켜 나가는 자세를 지녀야 한다.

창의성검사
[創意性檢査, creativity test]

개인의 창의력을 측정하는 검사. `심리검사`

창의성검사는 지능과는 다른 인간 지성의 중요한 측면인 창의성을 측정하고자 하는 것이다. 종래의 지능검사는 주로 수렴적(收斂的) 사고, 즉 일정한 방향으로 이끌어 가는 사고를 측정해 왔지만, 창의성 검사는 발산적(發散的) 사고, 즉 사고의 방향이 다종다양하게 변해 가는 것을 측정한다. 이에 따라 창의성 사고 특성을 유창성(사고의 빠르기), 유연성(아이디어 시각의 폭), 독창성(아이디어의 독자성), 구체성(아이디어의 구체화나 풍부함)의 네 가지 차원에서 측정하고 있다. 검사의 특징은 일문 다답(一問多答)의 문제를 만들며, 채점기준은 있지만 정답으로 무엇이 나올지 예상할 수 없는 면이 있다. 예를 들면, 독창성에서는 많은 사람들이 내는 답은 0점, 사람들이 그다지 내지 않는 적절한 답에 고득점을 준다. 이것이 종래의 검사와 다른 점이다. 창의성과 지능의 관계는 지능지수 120 이상에서는 상관이 낮다. 또 일반적으로 학력과 창의성의 상관도 낮게 나타나고 있다. 하지만 창의성은 학력에 영향을 준다.

관련어 │ 지능, 창의성

창작적 경험
[創作的 經驗, composition experiences]

음악치료활동 중 창작과정을 거치며 경험하는 모든 것의 통칭. `음악치료`

협동심을 발달시키고 감정, 생각, 경험의 공유를 촉진한다. 입원한 아동의 경우 노래가사를 쓰는 것은 알 수 없는 두려움과 감정을 표현하는 방법이다. 종말기 환자의 경우는 삶과 죽음의 의미에 관한 감정을 표현하는 도구이며, 또한 남겨진 사랑하는 가족을 위한 창조적인 유산이 된다. 내담자를 위한 또는 내담자와 함께하는 노래를 통한 치료는 자기인식(self-awareness)과 카타르시스의 순간을 촉진할 수 있다. 조직화 계획수립능력발달, 창조적 문제해결기술발달, 자기책임성 조장, 내면세계와 의사소통하고 기록하는 능력발달, 가사를 통한 치료적 주제탐구능력조성, 부분을 전체로 통합하고 종합하는 능력발달 등을 목적으로 한다.

창조
[創造, creation]

이 세상이 생기기 전인 태초의 시기에 하나님이 세상 만물과 인간을 말씀으로 만든 행위. 목회상담

이 세상의 모든 것을 하나님이 만들었다는 창조에 대한 교리는 기독교의 윤리를 형성하는 중요한 신학적 주제 중 하나다. 하나님이 이 세상을 창조할 때는 모든 것이 선하도록 창조하였으며, 특히 인간을 완전함의 모범인 자신의 형상을 본떠 창조하였기 때문에 인간은 노력과 발전을 통해 하나님에 대한 믿음을 갖고 의로워질 수 있다고 하였다. 기독교(목회) 상담에서 추구하는 목적이 바로 이러한 인간의 창조 시의 본래 모습을 회복하도록 하는 것이다. 즉, 삶의 문제를 지닌 내담자가 하나님이 이 세상과 사람을 창조할 때의 원래 모습 그대로를 회복한다면 근본적인 문제해결이 가능하다고 보았다.

관련어 기독교상담, 목회상담, 하나님의 형상

창조적 과정
[創造的過程, creative process]

음악치료의 세 과정 중 하나로, 모든 예술이 지니고 있는 창의성을 바탕으로 하는 내담자만의 고유한 창조적 능력이 발현되는 과정. 음악치료

음악치료는 내담자가 치료과정 중에 스스로 대안을 선택하고, 그것을 시도하고 체험하면서 본질적으로 창조적 과정을 거치게 된다. 내담자 스스로 새롭고 창조적인 방법을 경험함으로써 자기 자신을 표현하는 능력을 기르고 욕구를 충족시키는 체험을 한다. 음악치료에서의 창조성은 판단을 배제하고 음악치료과정 중의 모든 활동에서 나타나는 내담자만의 독특하고 새로운 모든 것을 수용하는 개념이다. 내담자의 창조성은 그들의 정신 내적인 측면이 반영되기 때문에 내담자가 지니고 있는 문제에 대한 통찰력이나 변화를 위한 에너지를 제공하는 밑거름이 된다. 치료사는 이러한 창조적 과정을 거치면서 내담자에게 접근할 수 있는 융통성과 다양성이라는 자원을 확보할 수 있다. 창조적 과정은 작곡, 연주 등 어떤 음악적 요소에서도 그 기능을 다한다.

창조적 글쓰기
[創造的 -, creative writing]

전문적 · 학술적 · 기술적 · 보도적 글쓰기를 제외한 모든 형태의 글쓰기. 문학치료(글쓰기치료)

소설, 시, 실화와 같이 학술이나 보도의 목적이 아니라 창작을 목적으로 하는 모든 글쓰기를 창조적 글쓰기라 한다. 영화나 연극 대본도 창조적 글쓰기 범주에 넣을 수 있다. 학교에서는 학생들의 상상력이나 정서적 표현을 바탕으로 정서훈련을 위해 창조적 글쓰기를 교육적으로 활용한다. 상상력을 바탕으로 하는 모든 글쓰기를 창조적 글쓰기라고 할 때, 이는 소위 문학이라는 범주보다 더 우연적이고 과정 지향적인 글쓰기가 된다. 위티와 라브란트(Wittey & LaBrant)는 창조적 글쓰기 혹은 작문을 유의미한 경험의 기록, 유사한 관심을 가진 집단원의 경험 공유, 정신적 · 신체적 건강을 위한 개인적 표현의 자유 등이 필요할 때 활용하는 것이라고 하였다. 또한 창조적 글쓰기는 학생들의 자기표현을 위한 언어기반교육에도 사용한다. 창조적 글쓰기를

통해서 대학에서는 작문의 기술력을 증대시킬 수도 있다. 경험을 재구성하고 자기표현을 자유롭게 하여 정서적 보건을 꾀할 수도 있다. 또한 문제해결력도 기를 수 있다. 창조적 글쓰기를 할 때는 등장인물, 시점, 구성, 배경, 대화, 문제, 주제 및 동기 등을 정하고, 이야기의 구성에 맞게 작문을 하는데, 과정 전체는 은유적이다. 글쓰기치료에서는 창조적 글쓰기의 은유적 과정을 통해서 구체화를 지향한다. 조각가가 무형의 감정을 3차원의 사물로 만들어 내는 것이라면, 대상에 대한 글을 쓰는 것은 직접적으로 무형적이고 복잡한 감정에 재연결하여 의사소통이 가능해지는 것이라 할 수 있다.

녕에 장애를 일으키고 무의식으로 가는 길도 막혀 버린다고 하면서, 표현예술치료에서 창조적 에너지의 중요성을 이야기하였다. 할프린은 창조적 생명 에너지와 연결된 예술과정이 치료적 은유를 가지도록 하기 위해 다음과 같은 제안을 하였다. 첫째, 자연 속에 있는 생명에너지를 우리 자신의 근본적 특질과 동일시해 본다. 둘째, 무의식과 상상력을 예술적 표현으로 연결해 본다. 셋째, 예술창조과정에서 자신의 심리적 은유를 찾아낸다. 넷째, 예술매체로 작업하면서 느끼는 한계성을 경험하고, 돌파를 경험하고, 자유로운 흐름을 경험해 본다. 다섯째, 예술작품이 주는 메시지와 만나 본다.

창조적 에너지
[創造的 -, creative energy]

무용동작치료에서 말하는 인간 생명의 정수로서 계속적으로 흐르다가 부서지고, 약하다가 강해지고, 늘어났다가 줄어들고, 무거워졌다가 가벼워지고, 사라졌다 다시 모이면서 끊임없이 움직이며 변화하는 생물학적 · 정서적 · 정신적 생명의 힘. 무용동작치료

무용동작치료에서 이야기하는 창조적 에너지는 목적 지향적이지 않으며, 특정 결과물에 초점을 맞추고 있지 않기 때문에 생명에너지 과정으로서의 창조적 특성을 지닌다. 따라서 우리의 마음과 몸이 창조적 에너지 흐름에 일치할 때 에너지와 표현의 자유, 그리고 고양된 의식의 감각을 느낄 수 있고, 우리 자신보다 큰 그 자기(the Self) 혹은 신성함을 체험할 수 있다고 하였다. 만약 일상적 생활에서 어떤 도전을 만났을 때, 이 창조적 생명 에너지와 연결되는 경험을 한다면 새로운 관점의 지혜를 얻을 수 있고, 우리 존재 자체가 자유롭게 된다는 것이다. 메이(May, 1976)는 창조력 치료의 관계에 대해 정서적 건강의 가장 높은 수준의 척도를 나타내는 것이 창조력이라고 하였다. 할프린(D. Halprin, 2003)은 생명력으로서의 창조성이 결핍되면, 우리의 안

창조적 용기
[創造的勇氣, the courage to create]

불안, 과민성, 무방비성이라는 값비싼 대가를 지불하더라도 비존재로부터 도피하려 하지 않고 비존재와 만나 투쟁하는 것으로 비존재가 존재를 낳게 하는 것. 실존주의 상담

실존주의적 심리치료사인 메이(R. May, 1976)는 『창초적 용기(The courage to create)』라는 저서에서 용기에는 신체적 용기, 도덕적 용기, 사회적 용기, 창조적 용기 등이 있는데, 그중에서도 창조적 용기가 가장 중요하다고 하였다. 용기는 절망과 대립하는 것이 아니며, 또한 단순히 고집이나 아집을 요하는 것도 아니다. 왜냐하면 인간은 반드시 타인과 함께 창조하지 않으면 안 되는 존재이기 때문이다. 메이에 따르면, 용기의 주된 성격은 우리들 자신의 존재 속에 중심이 되는 것을 획득하는 것이라고 한다. 그것 없이는 인간은 스스로를 공허한 존재로 만들어 버리기 때문이다. 더욱이 용기라는 것은 무분별성(rashness)과 혼동되어서는 안 되지만, 또한 사랑이나 충성과 같은 타인의 개인적 가치 중에서 하나의 미덕이나 가치로 간주되어서도 안 된다. 용기란 다른 일체의 정신적인 미덕을 가능케 한다고 보는 것이다. 인간에게서 존재를 가능케 하고 생성을 가능케

하려면 용기가 필요하다. 자아란 존재가 현실성을 띠기 위해서는 자신의 주장이나 관여(commitment)는 불가결한 조건이다. 인간은 수많은 결단에 의해 인간의 가치성과 존엄성에 도달하는데, 틸리히(P. Tillich)가 용기를 존재론적이라고 부르는 것도 바로 이러한 이유에서다. 인간이 자기 자신, 자신의 존재를 선언할 수 있는 긍정적인 선택이 곧 용기다. 그러나 창조적 용기가 가장 중요한 이유는, 도덕적 동기가, 예를 들어 악과 부정을 시정하는 것이라면 창조적 용기는 거기에 새로운 사회가 건설될 수 있는 새로운 형태를 발견하는 것이기 때문이다. 창조적 용기를 이해하는 데 도움을 주기 위해 메이(1975)는 창조성에 대해, "창조성이란 기본적으로는 새로운 무엇을 제작하고 산출해 내는 과정"을 의미하며, "창조적 인간이란 존재 그 자체를 표명하는 인간이며 인간의 의식을 확대시키는 인간이다. 따라서 인간의 창조성은 자신의 이 세계에서의 존재를 충실하게 하려는 인간의 가장 기본적인 현시라고 할 수 있다."라고 설명하였다. 그는 도피적 창조성과 진지한 창조성을 구별하고 있는데, 도피적 창조성이란 만남이 결여된 실재와의 만남이 전혀 없는 창조성을 의미한다. 창조성이란 행위로서 현시되어 비로소 볼 수 있는 것이므로 인간의 창조성은 만남의 요소란 것이다. 창조성은 만남의 행위 속에서 생겨나며 그 행위의 중심에 있는 만남에 의해 이해되어야 한다는 것이다. 창조성의 제2의 요소는 강렬성, 또는 메이가 열정이라고 부르는 관여의 질을 말한다. 창조성은 인식의 강렬성, 의식의 고양을 특징으로 한다. 창조성은 인간의 창조적 활동 자체의 참여에 대한 희열감각이며, 또한 자신의 잠재력을 실현한다는 체험을 수반한 기분을 의미하기도 한다. 따라서 인간의 창조적 활동은 전체적인 성격 내에서의 의식의 고양이 포함되어 있다. 인간의 가능성에는 제한이 있고, 창조성 그 자체 또한 한계성이 필요하다는 것이 메이의 주장이다. 왜냐하면 인간의 창조적 행위는 자신을 제한하는 것과 또 그에 대한 모순된

투쟁에서 일어나는 것이라고 보았기 때문이다. 이러한 한계성에도 불구하고 인간은 가치를 추구하고 창조하는 존재다. 가치를 추구할 수 있는 능력은 창조성의 일면이기 때문에 가치 추구성과 창조성은 불가분의 관계에 있고, 또한 시간이라는 눈앞의 상황을 초월하는 가치성을 창조해 나감으로써 환경과 사회의 공익을 위해 그 사회를 변형시켜 나갈 수 있는 용기를 지닌 존재가 인간이다. 동시에 진(眞), 선(善), 미(美)를 위한 탐구에 대한 헌신에서 이것을 성취할 수 있는 용기 있는 윤리적인 존재다. "인간은 창조적 행위로 죽음을 넘어갈 수 있다. 이것이야말로 창조성이란 것이 그렇게도 중요한 이유인 것이며"(May, 1976), 인간의 창조적 용기는 죽음의 실존까지 직면하고 초월할 수 있는 용기이고, 메이는 이러한 용기를 필요로 하는 존재로 인간을 특징짓고 있다.

창조적 음악치료
[創造的音樂治療, Creative Music Therapy]

즉흥연주에 대한 반응을 이용하는 접근법으로 노도프와 로빈스(Nordoff & Robbins)가 개발한 음악치료기법이기 때문에 노도프 로빈스 모델(Nordoff-Robbins Model)이라고도 함.

`음악치료`

창조적 음악치료는 미국의 작곡가이면서 피아니스트인 노도프(Paul Nordoff)와 영국의 특수교육학자인 로빈스(Clive Robbins)가 아동을 위해 개발한 음악치료기법으로서, 슈타이너(Rudolf Steiner)의 이론에서 영향을 받았다. 노도프와 로빈스는 인본주의를 바탕으로 해서 모든 아동은 음악적 자아를 품고 있기 때문에 음악적 자극이 주어지면 그에 대한 반응을 할 수 있다는 가설을 세웠다. 이들은 모든 사람은 선천적으로 음악성을 지니고 태어나며, 그 선천적 음악성은 개인의 성장 및 발전에 일조한다고 믿었다. 이는 곧 자기실현적 잠재력이며, 이러한 잠재력을 최대한 이끌어 내고자 즉흥음악을

활용한다. 즉흥음악을 체험하면서 개인은 자신의 정서, 신체, 인지적 문제를 극복하는 내적 창조성을 도출할 수 있기 때문이다. 노도프는 1958년 장애 아동들의 음악적 반응을 경험하면서 음악의 치료적 효과를 확신하게 되었고, 로빈스와의 만남으로 새로운 음악치료의 장을 열었다. 노도프와 로빈스는 『Therapy for Handicapped Children』(1965)을 출판하기도 하였다. 노도프와 로빈스의 이러한 음악치료기법을 창조적 음악치료라 명명하게 된 것은 창조성이 가지고 있는 치료적 측면을 중시하여 인간이 지닌 창의성을 최대한 활용하는 즉흥연주를 매개로 하기 때문이다. 창조적 음악치료에서 창조성이란 인간의 건강한 본성을 뜻하는 동시에 창조적 음악치료의 핵심 개념인 음악아동(music child)과 연관된다. 노도프와 로빈스는 모든 인간은 내면에 선천적 음악성을 지니고 있으며, 이는 치료과정 중 치료사와 치료적 동맹을 용이하게 하는 개인 본성의 일부분인 음악아동으로 체험된다고 하였다. 반면, 음악아동과는 달리 개인의 창조적 본성 발현을 방해하는 장애나 문제를 가진 부분을 조건 아동 혹은 제한 아동(condition child)이라 하는데, 장애를 오랫동안 지녀 온 개인의 경우 음악아동이 조건 아동에 갇혀 제대로 활동하지 못하게 되고, 그 결과 아동의 발달에 문제가 발생하는 것이다. 노도프와 로빈스의 창조적 음악치료는 음악을 매개로 하여 조건 아동에 갇힌 음악아동의 본성을 깨우고 활성화시켜 이를 개인의 성장 및 발전을 돕는 데 쓸 수 있도록 함으로써 옛 자기(old self)를 변화시켜 새로운 자기(new self)를 형성하는 것이 목적이다. 창조적 음악치료를 시행하는 음악치료사는 음악의 예술적 창의성 및 미적 감각을 이용하여 내담자 문제에 다가가고, 각각의 회기를 녹음·기록하여 분석과 연구를 거친다. 이를 통하여 지속적 사정을 행하고 치료계획을 수립한다. 내담자와 치료사는 동료적(Co-active) 창조자로 다양한 음악을 즉흥적으로 만들어내고, 내담자는 특별한 능력을 요구받지 않는 자유롭고 안전한 환경에서 자기를 표현할 수 있다. 창조적 음악치료를 실행할 때는 2명의 치료사가 한 팀이 되어 한 사람은 피아노에서 내담자의 치료적 음악 경험을 체험하고, 다른 한 사람은 내담자가 즉흥연주를 할 수 있게 도와주면서 피아노에서 유도하는 치료사에게 적절한 반응을 할 수 있도록 한다. 이와 같은 창조적 음악치료의 대상은 원래는 아동이었지만 연령이나 발달수준에 관계가 없다. 창조적 음악치료는 음악적 만남을 통한 라포 형성, 음악적 반응 유도, 음악적 능력 및 표현능력, 상호 반응능력 개발과 같은 단계를 거친다. 창조적 음악치료를 행하는 치료사는 내담자와 동료적 관계를 맺고 내담자의 내적 능력에 관한 믿음과 존중을 지니고 즉흥연주를 도와주면서 내담자의 개인 성장과 발전에 힘써야 한다.

관련어 | 음악아동

창조적 절망감
[創造的絕望感, creative hopelessness]

원치 않는 생각과 감정을 통제하려고 시도하는 것이 소용 없음을 체험함으로써 나타나는 자연스러운 감정.

수용전념치료

수용전념치료(ACT)의 단계에서 첫 번째 목표는 내담자가 이제까지 사용해 온 통제전략이나 해결책이 효과적이지 못하고 부적절하게 사용된 것임을 깨닫도록 돕는 것이다. 치료자는 내담자가 문제를 해결하기 위해 이제까지 사용해 온 것을 자세히 검토하며, 변화의제가 효과가 있었는지 실제적으로 경험한 바를 조사한다. 이 과정을 통해서 내담자가 충분히 노력하지 않았거나 동기화가 안 된 것이 문제가 아니라, 문제를 해결하려는 노력과 투쟁 자체가 문제임을 깨닫도록 탐색해 나간다. 즉, 사적 경험에 의해 내담자가 사용하는 해결적인 방법이 문제를 악화시키며, 그로 인해 실제로 내담자의 가치

에 이르지 못한다는 것을 알게 한다. 이는 자신의 고통을 다루는 방법이 지금까지 작동하지 않았음을 깨닫는 데 도움을 준다. 이러한 종류의 절망감은 창조적이다. 왜냐하면 내담자가 새로운 것을 시도하도록 해 주고 내담자의 고통을 정당화해 주는 타당한 요소를 지니기 때문이다(문현미, 2006). 다시 말해, 창조적 절망감에서 창조적인 부분이란 불필요한 경험통제를 마침내 포기하고 선택한 가치에 어울리는 삶을 사는 것에 관심을 가질 때 오는 열린 마음을 언급하는 것이다. 절망감을 느끼는 것이나 절망감을 믿는 것이 목표가 아니며, 이런 과정은 대개 희망적으로 느껴진다. 효과적이지 않은 것은 포기하는 과정을 가속화하는 것이 목표다. 이처럼 ACT에서는 내담자가 이전의 해결책이 효과적이지 않고 개인적으로 많은 손실을 가져왔다는 것을 깨달음으로써 실제로 경험통제나 회피의 노력을 내려놓은 것으로 옮겨 갈 수 있도록 돕기 위해 치료자는 이를 통합하여 창조적 절망감을 촉진하고자 한다. 창조적 절망감은 일종의 자기타당화로서, 치료적으로 이는 내담자가 그동안 해 온 투쟁의 무익함에 대한 자신의 경험을 타당화하고, 자기타당화에서 오는 완전히 새로운 가능성에 마음을 열기 시작하는 과정을 의미한다. 내담자도 자신이 사용했던 방법이 효과적이지 않았다는 것을 안다. 치료자가 덧붙이는 것은 그 경험이 타당한 것일 수도 있지만 효과적이지 않은 것일 수도 있다는 점이다. 일단 여러 가지 행동의 효용성에 대한 경험이 탐색되면 내담자와 치료자 모두 그 문제와 그것을 해결하려는 시도가 얼마나 광범위한지를 이해하게 되고, 치료자는 치료시간 내에서 창조적 절망감을 개발하고자 시도한다. 창조적 절망감의 유발에서 중요한 것은 ACT 치료자의 목표가 내담자의 정서반응이나 느낌을 유도하는 것이 아니라, 효과가 없는 감정통제 의제에서 벗어나는 레퍼토리 확장 행동의 유도임을 이해하는 것이다(Zettle, 2007). 창조적 절망감을 개발하기 위한 상당히 많은 노력에도 불구하고 성과가 없

을 때에는 그에 관한 다양한 이야기와 은유가 사용될 수 있다. 은유나 비유적 이야기는 내담자의 일상적인 언어적 방어를 불러일으킴 없이 영향을 미칠 수 있기 때문이다. 웅덩이에 빠진 사람에게 땅을 파도록 삽을 주는 꼴이라는 이야기는 ACT에서 사용하는 핵심적인 은유로, 도구(삽)는 그 사람이 구멍에서 나오는 방법을 창조해 내지 못하게 만들고 오히려 구멍을 더 크게 만들 뿐이며, 그렇기에 삽을 내려놓는 것이 목표라는 것을 제안하고 있다. 내담자에게 효과적이지 않은 변화계획을 검토하고, 자신이 웅덩이에 빠져 있다는 것을 알아차리도록 해야 한다. 치료가 진행되면서 내담자가 또 다른 통제전략에 휩싸인다면 호랑이를 내쫓으려고 고기를 주었더니 호랑이가 더 크고 힘이 세고 더 굶주린 상태로 돌아왔다는 이야기(Eifert & Forsyth, 2005)처럼 다른 은유를 다시 언급할 수도 있고, "다시 땅을 파고 계신 겁니까?"라는 식으로 가볍게 질문을 던질 수도 있다.

관련어 | 수용전념치료

창출
[創出, emergence]

체계 속에 어떤 구조가 형성되고 이를 유지하는 과정에서 나타나는 새로운 질서. 체계치료

한 체계의 부분들의 상호작용은 통합을 함으로써 새로운 속성들이 부분적 특징이 아닌 전체로서의 체계 특성을 갖게 되며, 이는 복합적 단위의 특별한 조절능력을 통해 나타난다. 하나의 체계는 환경과 상호작용을 하며, 이를 위해 무질서하고 복잡한 환경세계를 정리된 체계의 복합성(complexity) 속으로 변환시켜야 한다. 환경세계의 내부 복잡성의 질서는 계속 증가하므로(열역학 제2법칙) 복합적 체계는 선별전략(strategy of selection)을 통해 이 다양성을 축소시켜야 한다. 이러한 정보처리의 규칙

은 가치, 규범, 역할 또는 선험적인 언어에서부터 특화되고 상징적으로 일반화된 조절매개체에 이르기까지 다양한 영향을 받는다. 복합성을 감소시키거나 선별적인 연계망이 필요해지면 상위조절단계의 새로운 창출수준(level of emergence)이 형성된다. 창출은 복잡성의 단순한 축적이 아닌 이전 복합성의 단절과 새로운 복합성의 형성이다. 상위단계의 창출질서는 하위단계의 질서보다 적은 복잡성을 띤다. 각 체계 수준에서의 자기복합성의 범위는 체계와 환경 사이에 발생하는 차이의 종류와 진화론적으로 검증할 수 있는 조건들에 의해 나타난다. 이처럼 창출현상은 특별한 체계적 맥락 없이 독자적 요소로 실제성을 띠는 이미 현존하는 부분들의 단순한 축적과는 구분된다. 특정 수준의 창출 특성은 체계가 스스로 만들어 낸 것이지 체계를 이루고 있는 부분들의 특성으로는 설명을 할 수 없다. 상위의 창출수준은 질서형성을 통해 설명할 수는 있지만, 체계의 하위수준과 상위수준을 서로 통합해서 축소시킬 수는 없다. 이들 각각은 고유한 생명력을 지닌다. 체계의 복합성(예, 정신체계)을 통해 조건 지어지고 창출질서(예, 사회체계)가 형성되는 일련의 과정을 독일의 사회학자 루만(Luhmann, 1984)은 상호침투(interpenetration)의 개념으로 설명하였다. 자기준거(self-reference) 체계이론의 발달로 복잡한 체계를 생동감 있게 관찰할 수 있게 되었으며, 특히 인간의 삶에 효율적으로 적용하는 것이 가능해졌다. 칠레의 신경생물학자인 마투라나와 바렐라(Maturana & Varela, 1995)는 삶이라는 현상을 자기생성의 원리를 통해 순수한 기계론적 입장에서 설명하였으며, 그동안 설명할 수 없었던 살아 있는 체계의 잉여가치에 대한 신비로움을 풀어냈다. 여기에서 삶은 기계론적인 자기준거과정으로 이해할 수 있다. 따라서 체계의 특별한 특성은 전체를 고려한 부분들의 가능성에 대한 확장이 아니라 제한을 통해 나타난다고 보아야 한다.

채널링
[-, channeling]

무의식적 생각의 힘을 따라가는 글쓰기. 자동글쓰기라고도 함.
문학치료(글쓰기치료)

채널링이란 인간과 다른 차원의 존재들 사이에 이루어지는 일종의 상호 영적 교신(靈的交信) 현상을 말한다. TV나 라디오 채널을 돌려 주파수가 맞으면 특정 방송이 나오듯이, 초의식(超意識) 상태에서 서로 파장이 동조되면 고차원적 존재들과 대화가 가능해진다. 이러한 채널링을 행하는 사람을 보통 채널러(channeler)라고 한다. 채널링은 수로를 타듯 의식의 흐름을 따라 막힘없이 글을 쓰는 기법으로, 저항을 막고 무의식에 감추어져 있거나 억압되어 있는 정서 혹은 사고를 끌어낼 수 있다. 채널링이 이루어지는 방법에는 세 가지가 있다. 첫째, 채널러가 완전히 의식을 비우고 트랜스(trance, 의식불명) 상태에 빠진 채 다른 차원의 존재가 채널러의 육신을 빌려 음성으로 메시지를 전하는 방법, 둘째, 채널러가 의식이 있는 상태에서 텔레파시의 형태로 상호 교신하여 메시지를 주고받는 방법, 셋째, 채널러가 의식이 있는 채 자동기술(自動記述) 형태로 메시지를 주고받는 방법이다. 이 중 세 번째 방법을 저널치료에 적용한 것이 자동글쓰기다. 의식의 흐름 글쓰기나 반자동글쓰기에서 나타나는 효과와 비슷한 결과물을 얻을 수 있다.

관련어 반자동글쓰기, 의식의 흐름, 자동글쓰기

채색 집-나무-사람
[彩色-, chromatic house-tree-person: C-HTP]

페인(Payne, 1948)이 시도하였고, 나중에 벽(Buck)과 해머(Hammer)가 사용한 투사기법. **미술치료**

집-나무-사람(HTP)을 변형한 검사로서, HTP 그림에 색깔을 추가한 것이다. 이와 같은 채색방법은 로르샤흐 검사의 채색카드와 마찬가지로 정서적 자극에 대한 내담자의 반응방식, 내성, 통제를 보는 데 효과적이고, 퇴행이나 병리성도 쉽게 나타나는 것으로 알려져 있다.

의 개입 없이 환자 혼자서 책을 읽고 반응하고 치료적 효과를 얻는 환자와 책의 직선적 관계로서 독서 요법에 해당하는 것이다.

관련어 | 독서치료, 상호작용 문학치료

채팅상담
[ㅡ相談, chatting counseling]

인터넷상에서 문자메시지를 교환하면서 실시간으로 상담자와 내담자가 대화하는 형식의 상담. **사이버상담**

채팅상담은 채팅방식을 이용하여 상담자가 내담자의 문제해결과 성장을 조력하는 과정이다. 채팅상담은 대면상담과 달리 내담자가 상담자와 직접 얼굴을 마주 보며 대해야 하는 두려움이 없기 때문에 내담자가 자신의 고민을 좀 더 진술하고 쉽게 나눌 수 있다는 장점이 있다. 다수의 내담자를 대상으로 하는 집단상담도 가능하며, 일정한 시간에 만나 문자언어를 통하여 실시간으로 이루어지기 때문에 위기상담활동에도 매우 효율적이다. 따라서 내담자에게 채팅상담은 다른 사이버상담 방법보다 즉시적이고 상호적이라는 점에서 큰 호감을 준다.

책 처방
[冊處方, book prescription]

환자나 내담자의 치료를 돕기 위해 적합하다고 생각되는 책을 선정해 주는 초기의 독서치료(reading bibliotherapy)를 가리키는 말. **문학치료(독서치료)**

초기의 독서요법에서 의사는 책 처방을 위해 병원도서실의 사서와 긴밀하게 협력했는데, 이는 사서가 환자들뿐 아니라 그들의 모습이 그려진 문학작품을 가장 잘 아는 사람이라고 보았기 때문이다. 이후 수많은 사서, 상담사, 국어교사, 사회복지사가 개개인의 정서적 성장이나 위기에 대한 통찰력을 가져다주는 데 도움이 된다고 생각하는 권장도서 목록을 작성해 왔다. 이것은 문학치료사나 촉진자

척도
[尺度, scale]

측정하려고 하는 심리적 특성에 대해 정보를 제공하는 서로 관련 있는 문항이나 진술을 모아 놓은 것. **심리측정**

심리척도는 특정한 심리적 특성을 측정하기 위하여 서로 관련된 진술문들로 구성되어 있다는 점에서 상관없는 여러 개의 진술문을 단순히 한데 모아 놓은 것과는 구별된다. 일반적으로 진술문이 실제 어떤 척도를 이루고 있는지 알기 위해서는 논리적·경험적으로 생각해 보아야 한다. 즉, 진술이 척도를 구성하려면 먼저 동일한 특성을 측정해야 하고(논리적 관련성), 진술문에 대한 반응의 상관을 통하여 경험적으로 지지할 수 있어야 한다(경험적 관련성). 인성, 흥미, 능력, 적성, 태도 및 실기를 측정하기 위한 검사들은 모두가 척도에 기초한 평가도구다. 척도는 기본적인 특성(자기조절, 완벽주의, 분노, 언어능력 등)을 측정하기 때문에 결과(행동, 태도, 정서 등)를 기술한 것이라 할 수 있다. 상담자는 척도를 통해서 부모, 가족구성원, 교사 및 다른 사람들로부터 여러 장면에서의 증후와 기능에 관한 정보를 얻는다. 척도의 유형은 분류기준을 어떻게 잡느냐에 따라 여러 가지로 구분할 수 있는데, 일반적으로 가장 흔히 사용하고 있는 척도는 리커트 척도(Likert scale), 서스톤 척도(Thurstone scale), 의미변별척도(semantic differential scale)다. 태도나 의견을 측정하기 위해 널리 사용되는 절차가 1932년 리커트(Likert)가 개발한 리커트 척도다. 이 척도의 길이는 대체로 긴 편에 속하고 문항은 측정하려고 하는 특성에 관한 매우 긍정적이거나 매우 부정적

인 것으로 구성된다. 이 척도에서는 여러 정적 문항과 부적 문항에 대하여 피험자는 자신의 정의적 특성이 어느 방향에 어디쯤 놓이는지를 결정한다. 피험자의 점수는 반응한 문항의 반응선택란에 부여된 수치를 합산한 것이다. 리커트 기법은 두 가지 특징을 지닌 문항으로 구성된 척도를 만든다. 첫째, 문항은 내재된 정의의 연속선상에서 정적이거나 부적인 극단을 나타낸다. 정적이거나 부적이 아닌 진술문은 판단자의 반응에 근거해서 제거해야 한다. 둘째, 각 진술문에 대한 반응과 전체 진술문에 대한 반응 사이에 합치성이 있어야 한다. 일단 논리적 기준이나 경험적 기준에 따라 진술문을 제거한 다음 나머지 문항을 사용해서 척도를 구성한다. 리커트식은 척도화 방법 중에서 가장 많이 이용되는 기법이고, 이 기법이 개발된 이래 반응대안과 진술형태의 변형 및 강제선택형 등 여러 변형이 등장하였다. 원래 전형적인 리커트식 척도는 '매우 그렇다' '그렇다' '잘 모르겠다' '그렇지 않다' '전혀 그렇지 않다' 중 하나에 표시하도록 되어 있는 5개의 반응대안이 있었다. 그러나 반응대안을 짝수로 하거나, 신뢰도를 높이기 위해 반응대안을 늘리거나, 아동이나 지적 수준이 낮은 사람을 위해 반응대안을 줄이는 경우가 있다. 이 같은 리커트 척도는 피험자에게 자신이 지니고 있는 정의적 특성의 방향(정적, 부적)과 강도(강, 약)를 고려해서 반응하도록 하기 때문에 피험자의 반응에서 두 가지 형태의 정보를 얻을 수 있다. 서스톤 척도는 태도가 여러 차원이나 관심을 포함하고 있을 때 핵심 태도를 측정하기 위해 1928년 서스톤(Thurstone)이 개발하였다. 이 척도는 대체로 12~46개 정도의 문항으로 구성된다. 척도에 포함된 각 문항은 척도를 통하여 측정하려는 변인의 양적 연속선상에서 다른 문항들과 중첩되지 않게 특정한 위치에 놓이게 되며, 문항이 놓이는 위치가 바로 그 문항의 척도치가 된다. 각 문항의 척도치는 실제로 그 척도를 실시할 집단과 유사한 특성을 지니고 있다고 판단하는 일련의 판단자들 간 판단의

일치 정도에 따라 결정된다. 따라서 연속선상에 각 문항이 놓이는 위치에 따라 각 문항에 상응하는 척도치(scale value)가 주어진다. 만약 응답자가 어떤 문항이 자신과 일치된다고 생각하면 ∨표시를 하고, 일치하지 않는다고 생각하면 아무런 표시도 하지 않는 것이다. 각 응답자의 총점은 우선 ∨표시를 한 모든 문항의 척도치를 합산한 점수를 표시한 문항의 수로 나누면 된다. 척도치는 주어진 문항에 대해 일치한다고 응답한 피험자에게 주어지는 점수다. 문항이 정적인 것일수록 척도치는 더 커지고 부적인 문항일수록 척도치는 더 작아진다. 따라서 일반적으로 척도점수를 높게 받은 사람은 정적인 정의적 특성을 가지고, 낮은 척도점수를 받을수록 부적인 정의적 특성이 있다고 해석할 수 있다. 최종적인 척도에 포함시킬 문항들은 내림차순이나 오름차순으로 배열하지 않고 무선적으로 배열하여 지시문을 작성한다. 보통 지시문은 응답자가 자신이 일치한다고 생각되는 진술문 옆에 ∨표를 하도록 하는데, 서스톤 척도의 예는 다음과 같다.

> 다음 각 진술문을 읽고 현재 당신에게 해당되면 ∨표를 하시오.
>
> □□죽음과 자살에 대해 생각해 보았다.
> □□자살할 방법을 결정하였다.
> □□내가 평소 즐기는 활동에 더 이상 관심이 없다.
> □□강박적 사고 때문에 잠들기 어렵다.
> □□필요한 일을 행하고 싶은 동기가 부여되지 않는다.
> □□좀처럼 집중하기가 어렵다.
> □□우울하다.
> □□종종 기분이 가라앉는다.
> □□다른 사람들과 어울리고 싶지 않다.
> □□긍정적 사고보다는 부정적 사고가 지배적이다.

의미변별척도는 1957년 오스굿(Osgood)과 그의 동료들이 개발한 것으로, '개념의 함의를 의미 공간(semantic space)의 위치로 측정하는 방법'을 말한다(Kerlinger, 1973). 오스굿 등은 3개의 요인으로 구성되는 개념의 의미공간을 가정하고 있다. 즉, 평

가요인(evaluation factor), 능력요인(potency factor), 활동 요인(activity factor)이 각각 독립된 X, Y, Z축을 이루는 3차원의 의미공간을 구성한다. 의미변별척도법은 이와 같이 만들어진 의미공간에서 각 개념의 위치를 상대적으로 비교·분석하는 방법이다. 개념의 의미변별은 반드시 3차원의 의미공간에서만 가능한 것이 아니라, 경우에 따라서는 앞에서 말한 3개의 요인을 알맞게 조합한 2차원의 평면에서도 분석할 수 있다. 이 같은 의미변별척도는 서로 대립되는 형용사로 양극을 이루고 있는 평정척도로, 대개 다음과 같은 절차에 따라 제작한다. 먼저 변별하고자 하는 개념을 결정한다. 다음으로 의미공간의 축을 구성하는 요인을 선정한다. 즉, 평가요인, 능력요인, 활동요인 가운데 세 가지 요인을 모두 사용할 것인가 아니면 그중 어느 하나 또는 둘만을 골라서 사용할 것인가를 결정해야 한다. 그런 다음 척도의 단계를 어떻게 나눌 것인지 결정한다. 대개 5단계 또는 7단계를 많이 이용한다. 이와 같이 변별하려는 개념과 의미 공간의 축, 그리고 척도의 단계를 결정한 뒤에는 그 결정에 따라서 상반되는 형용사들을 짝지어 척도를 구성하면 된다. 의미변별척도를 실시하는 방법은 간단한데, 피험자에게 척도를 주고 해당 개념이 척도상 상반되는 형용사로 짝지어진 양극적 단계에서 어디에 위치하는지를 표시하도록 하면 된다. 평가요인, 능력요인, 활동요인에 해당하는 몇 가지 상반되는 형용사군을 열거하면 다음과 같다.

- 평가요인: 좋은-나쁜, 가치 있는-가치 없는, 친절한-잔인한, 무정한-부드러운, 깨끗한-더러운, 옳은-옳지 않은, 유쾌한-불유쾌한 등 가치판단적인 형용사군
- 능력요인: 강한-약한, 큰-작은, 무거운-가벼운, 굵은-가는 등 능력에 관계되는 형용사군
- 활동요인: 능동적인-수동적인, 빠른-늦은, 뜨거운-찬, 날카로운-무딘 등 개념의 활동성과 관련되는 형용사군

의미변별척도에서 변산을 초래하는 주요 원천은 개념, 척도, 피험자의 세 가지다. 따라서 의미변별척도에서 얻은 점수를 분석하는 데는 이러한 변산의 원천을 중심으로 개념 간, 척도 간, 피험자 간 상호 비교를 할 수 있다. 그리고 의미변별척도의 자료는 집단적으로 묶어서 분석할 수도 있고 개인별로도 할 수 있다. 일반적으로 의미변별척도의 결과를 분석하는 방법에는 평균치를 비교하는 방법과 의미공간에서 개념들이 서로 얼마나 가까이 또는 멀리 떨어져 있는가를 알아보는 거리군집(distance-cluster) 방법이 있다. 의미변별척도의 예는 다음과 같다.

		청소년의 음주	
(평)	1. 유쾌한	: : : : : :	불유쾌한
(활)	2. 네모진	: : : : : :	둥근
(활)	3. 수동적인	: : : : : :	능동적인
(평)	4. 추한	: : : : : :	아름다운
(능)	5. 우아한	: : : : : :	조잡한
(활)	6. 빠른	: : : : : :	느린
(평)	7. 좋은	: : : : : :	나쁜
(능)	8. 약한	: : : : : :	강한
(활)	9. 무딘	: : : : : :	날카로운
(능)	10. 무거운	: : : : : :	가벼운
(평)	11. 어두운	: : : : : :	밝은
(평)	12. 깊은	: : : : : :	얕은

척도질문
[尺度質問, scaling question]

내담자가 자신의 문제, 문제의 우선순위, 변화에 대한 의지와 확신, 문제해결에 대한 희망, 문제가 해결된 정도 등에 대해 주관적인 평가를 내리게 하고, 이를 0부터 10까지의 척도로 평정해 보도록 하는 기법. 해결중심상담

이 질문은 문제의 심각성 정도를 나타내고, 목표 성취 정도와 그 결과에 대한 평가를 수치로 명확히 하는 데 도움이 된다. 또한 이루지 못할 것 같은 큰 목표를 다루기보다는 "다음 주까지 1점을 더 올리기

위해서 어떤 것을 할 수 있을까?"처럼 수행 가능한 작은 변화를 목표로 삼아 내담자가 문제해결을 하는 단계를 구체화하여 제시할 수 있도록 한다. 척도질문은 해결중심상담에서 예외를 찾는 작업을 힘들어하는 내담자에게 유용하다. 내담자의 기분에 대해 척도질문을 적용하면, 상담과정이 진행되면서 내담자에게 어떤 변화가 일어나고 있는지 명확하게 가시적인 근거가 되며, 이를 통해 예외를 보다 쉽게 발견하는 효과가 있다. 예를 들어, 상담 초기에 내담자 자신의 우울에 대한 척도가 7점이었다가 어느 정도 상담이 진행된 다음 2점으로 낮아졌다면, 긍정적인 변화를 쉽게 파악할 수 있게 된다. 이렇게 긍정적인 변화를 가능하게 한 것이 무엇이었는지 탐색해 나가면서 예외를 발견할 수 있다. 또한 척도질문은 상담의 초기에 내담자가 느끼는 문제의 정도를 점수화하고, 상담을 통해 도달하고자 하는 점수를 목표로 설정하게 할 수도 있다. 이를 통해서 치료자와 내담자가 상담의 진행상태와 문제해결의 현황에 대해 인식할 수 있는 것이다. 목표로 했던 점수가 달성되면 치료자는 내담자를 칭찬하고, 그 변화를 만들기 위해 어떻게 했는지, 그리고 그 변화를 계속 이루어 나가려면 무엇을 해야 하는지 등에 대한 구체적인 내용을 폭넓게 질문할 수 있다. 척도질문은 내담자가 전문적인 지식을 가지고 있지 않거나, 자신을 표현하는 제대로 된 기술을 가지고 있지 않다 해도 0부터 10까지의 양적 개념을 이해할 수만 있으면 어느 대상에게든지 쉽게 적용할 수 있다는 장점이 있다.

관련어 예외질문

기적척도 [奇蹟尺度, miracle scale] 내담자가 자신의 문제가 해결되는 기적이 일어나는 상황에 대해 이야기를 진행할 때, 현실의 삶에서 이루어진 그 기적의 정도를 측정하는 데 사용하는 기법이다. 해결중심상담에서 기적질문에 내담자가 적절하게 응답을 잘하면, 기적척도를 사용하여 기적에 관한

대화를 더욱 확장해 나갈 수 있다. 예를 들어, "0점은 문제해결을 위해 도움을 요청했을 때이고, 10점은 기적이 일어난 다음 날이라고 하면 오늘은 몇 점입니까?"라며 기적을 이루는 과정에서의 오늘을 평가해 보도록 하는 것이다. 기적척도질문을 통해 내담자의 삶에 이미 나아진 것은 무엇이고, 그러한 변화를 위해서 노력한 것은 무엇이었는지 조명해 볼 수 있다. 또한 기적척도는 기적이 이루어지는 최종점에서 시작하여 일련의 단계로 나누어 각 단계마다 내담자의 생각, 감정, 행동방식, 그리고 내담자의 일상생활에서 다양한 영역의 상호작용 등에 대해서도 생각해 보도록 할 수 있다.

녹색얼굴들 [綠色-, green faces] 주로 아동에게 적용하는 척도질문으로서, 녹색얼굴들은 아동이 자신의 감정과 생각을 척도로 쉽게 표현하기 위한 도구의 하나다. 녹색얼굴들은 입과 눈썹을 단순한 선으로 표현한 10개의 작은 얼굴로 구성되어 있다. 이 그림을 통해 아동은 자신의 문제에 대해서 느끼는 정서적 압박감의 정도를 표현할 수 있는데, 자신이 느끼는 정서의 개수만큼 녹색얼굴을 선택하면 된다. 예를 들어, 한 아동은 치료초기에는 자신의 감정의 정도를 나타내 보라는 질문에 9개의 얼굴을 선택했다가, 회기를 거듭하여 자신의 문제에서 느껴지는 압박감이 줄어들수록 선택하는 얼굴의 개수가 줄어들었다. 이러한 척도를 아동에게 사용함으로써 아동은 자신의 문제를 통제하고 조절하는 것이 다른 사람의 능력이 아닌 자신의 힘에 좌우된다는 것을 깨닫고, 변화가 생기기 위해서는 자신의 삶에서 무언가를 노력해야 한다는 의식을 갖게 된다.

무지개척도 [-尺度, rainbow scale] 아동에게 적용하는 척도질문의 도구로서, 무지개척도는 여러 색깔의 무지개로 그려진 아치로 구성되어 있으며 각각의 아치는 크기가 매우 다양하다. 그리고 무지개의 모든 색깔을 포함하고 있어서, 아동들이 좋아

하는 색깔에 따라 무지개를 선택하는 것을 방지해 놓았다. 치료자는 회기 중에 아동들에게 자신의 감정이나 느낌의 정도를 나타내는 무지개를 고르도록 할 수 있다. 아동들은 보통 치료가 시작되는 초기에는 작은 무지개를 선택하다가 자신의 문제가 해결되는 시점에서는 점점 큰 무지개를 선택하는 경향이 있다. 이러한 척도를 아동에게 적용하는 것은 문제나 그 해결방법에 대해 외부의 다른 사람들이 일반적으로 생각하고 느끼는 것과는 달리, 아동의 주관적인 감정이나 느낌을 파악할 수 있다는 데 중요한 의의가 있다.

하트척도 [－尺度, heart scale] 내담자의 생각이나 느낌들, 혹은 문제해결에 대한 주관적인 생각을 알아보기 위한 척도질문을 아동에게 적용하기 위해 고안한 척도 도구의 하나다. 작은 플라스틱으로 된 모양판을 탁자 위에 올려놓고, 아동들에게 자신의 삶에서 얼마만큼의 사랑이 존재하는지 표시해 보도록 하는 것이다. 아동들은 자신이 주관적으로 느끼는 사랑의 정도를 하트모양과 같은 작고 다양한 조각을 이용하여 표현한다. 치료자는 이러한 하트척도를 통하여 아동이 현재 자신의 삶에서 느끼고 있는 주관적인 사랑의 정도와 그에 대한 중요성을 파악할 수 있다.

희망척도 [希望尺度, hope scale] 내담자가 자신의 문제해결을 위한 예외가 전혀 없다고 느낄 때, 자신에게 남아 있는 희망의 정도에 점수를 매겨 보도록 하는 해결중심접근의 질문기법이다. 해결중심상담에서 때때로 내담자가 자신이 가지고 있는 문제의 부정적인 영향력이 너무나 커서 매우 힘겨운 상태에 빠지고, 자신의 상황에 대해서 잘 인식하지 못하는 경우가 있다. 이때는 기적질문으로도 별로 반응하지 않고, 기적척도가 0점이라고 대답하는 등 암흑과 같은 절망상태에 있을 수 있다. 이러한 내담자에게는 희망척도를 사용하여, 즉 "10점은 앞으로 상황이 나아질 것이라는 완전한 희망을 가진 상태이고 0점은 희망이 전혀 없는 상태라고 할 때, 현재 당신은 몇 점이라고 생각하십니까?"라는 질문을 해서 현재 내담자가 느끼고 있는 희망의 정도를 평가해 볼 수 있다. 희망척도질문으로 평정한 희망 점수가 0점인 내담자라도, 자신의 상태를 객관적으로 인식할 수 있는 기회가 되기 때문에 변화를 위한 동기를 자극할 수 있다.

천사의 가루
[天使－, angel dust]

환각제인 펜사이클리딘을 지칭하는 속어. 중독상담

⇨ '펜사이클리딘' 참조.

천식
[喘息, asthma]

호흡곤란, 천명(喘鳴), 해수(咳嗽), 객염을 주증상으로 하는 호흡기 질환. 이상심리

천식에는 기관지 천식과 심장 천식이 있다. 기관지 천식은 알레르기 혹은 감염으로 기관지에 점액 분비나 점막종창으로 기도가 좁아져 생기는 것이다. 심장 천식은 심장기능의 장애로 폐에 울혈이 일어나 생기는 것이다. 기관지 천식의 원인으로는 알레르기, 감염, 심인성 등이 있다. 이 중에서 단 하나만으로 발증하는 경우는 적으며, 모든 증례에서 이 세 가지 인자가 각종 비율로 관여하여 나타난다. 기관지 천식의 진단은 전형적인 호흡 곤란 발작인 것, 천명인 것, 청진으로 라셀게로이쉬(Rasselgeräusch: 딸랑거리는 소리)를 듣는 것, 알레르기의 원인인 알레르겐을 증명하는 것, 호흡기능의 저하 등을 종합하여 내린다. 치료로는, 알레르겐이 분명한 경우에는 체계적 둔감법을 실시한다. 알레르겐으로는 가

족 내 진애, 계란이나 우유와 같은 단백질, 동물의 털 등 많은 것을 들 수 있으며, 이러한 알레르겐은 소량씩 피내 주사를 하여 둔감화한다. 감염도 기관지 천식의 원인이나 유인이 된다. 치료로는, 감염의 원인으로 여겨지는 세균을 화학치료제로 제압한다. 심인성으로는 영유아의 분리체험이 문제로 제기된다. 기관지 천식 환자를 보면 영유아기에 부모나 조부모를 잃은 후에 발증하는 경우가 있다. 이에 따라 기관지 천식의 발작이 '상실한 대상을 다시 찾는 절규'를 상징하는 것으로 해석하는 학자도 있다. 기관지 천식 환자는 불안, 억울 경향을 나타내는 경우가 많은데, 이 같은 정서적 증상에 대해서는 적절한 심리상담을 병행하는 것이 바람직하다. 기관지 천식 발작을 일종의 조건반사로 보고 체계적 둔감법이나 바이오피드백과 같은 행동치료를 실시하는 경우도 있다.

철자 시
[綴字詩, alphabet poems]

철자를 순서대로 두고, 각 철자를 그 행의 두음으로 하는 말로 이어가는 운문형식. 문학치료(시치료)

철자 시는 원래 아이들이 철자를 배우는 데 도움이 되는, 기억하기 쉬운 반복적 리듬의 운문이나 노래를 가리키는 말이었다. 철자가 있는 거의 모든 언어 문화권에 철자를 사용한 압운 시가 존재한다. 초기 영어권의 압운 시 중 널리 유행했던 것은 거의 300년의 역사를 가지며, 그런 오래된 원형들로 수많은 변형 시가 만들어졌다. 글쓴이가 특정 주제를 선택하고, 그 주제에 맞춰 철자의 순서에 따라 각 철자로 시작하는 낱말을 선택하여 의미 있는 구를 만들어 나가는 과정으로 하나의 완성품이 된다. 글쓰기 치료에서 자발적으로 글을 쓰기 힘든 사람들에게 흔히 적용하는 방법이다. 주어진 조건 없이 자유롭게 글을 쓴다는 것에 부담을 느끼는 경우, 철자에 따라 낱말을 선택하도록 하면 스스로 창작해야 한다

는 부담감을 줄여 주면서 그 안에서 반영되는 무의식적 언어 선택을 관찰할 수 있다. 철자 시를 쓸 때는 참여자의 능력에 따라 몇 개의 철자로 할지를 정하고, 철자를 순서대로 배열한다. 글의 주제를 정하고, 각 철자의 순서에 따라 그 철자로 시작하는 낱말을 선택하여 하나의 의미 있는 구나 절, 문장을 만든다. 철자의 순서는 거꾸로 할 수도 있다. 가능하다면 리듬감이 있으면 더 좋다. 단, 이 방법으로 글을 쓸 때는 한 행을 너무 길게 하거나 어려운 말을 쓰지 않도록 하여 간결하고 쉽게 하는 것이 좋다. 이 기법은 자발적으로 글을 쓰기 힘들어하는 참여자에게 쉽게 글을 쓸 수 있는 동기를 부여한다. 가나다를 두음으로 해서 만든 글자 학습 노래나 영화 〈Sound of Music〉의 '도레미송'이 철자 시의 예다.

철자장애
[綴字障礙, spelling disorder]

철자를 쓰는 데 글자 모양, 크기, 진하기 등의 문제로 판독이 어려운 경우나, 소리 나는 대로 쓰거나, 또는 삽입, 대체, 생략 등의 철자 오류를 보이는 학습 장애의 하위 유형. 특수아 상담

철자장애의 주된 특성은 읽기장애가 없으면서 철자기능(spelling skill)의 발달에서 임상적으로 의미 있는 장애를 보이는데, 이는 단지 낮은 정신연령, 시력의 문제, 혹은 불충분한 학교교육 등의 이유만으로 설명할 수 없다. 철자를 말로 하는 능력과 단어를 정확하게 쓰는 것 모두에 장애가 있는 경우다. 철자의 오류뿐만 아니라 문법 또는 구두점의 적절한 사용에도 어려움이 있다. 단지 손으로 쓰는 필기에만 문제가 있는 아동은 포함되지 않는다. 어떤 경우에는 쓰기 문제가 동반될 수도 있다. 『정신장애의 진단 및 통계편람 제5판(DSM-5)』에서는 '쓰기 표현의 장애(disorder of written expression)'라는 용어를 사용하고 있다.

관련어 구어장애, 수학장애, 읽기장애

ㅊ

철학상담
[哲學相談, philosophical counseling]

내담자가 자신의 삶에 대해 철학적 사유를 하도록 이끄는 대화를 통해서 내담자 스스로 자신의 인생관, 세계관, 가치관과 관련된 모든 문제를 해결하도록 도와주는 과정으로, 철학실천이라고도 함. 철학상담

현대적인 의미에서의 철학상담은 1981년 아헨바흐(Achenbach)가 철학상담소를 개설한 것을 시작으로 보고 있다. 그다음 해에는 국제철학실천협회(Internationale Gesellschaft fuer Philosophische Praxis: IGPP)가 창설되어 철학상담이 하나의 독립된 분야로 자리를 잡는 데 결정적인 역할을 하였다. 아헨바흐의 철학상담의 개념과 방법에 관한 견해는 20세기 초 철학상담이 세계적으로 확산되는 과정에서 철학상담의 정체성을 확립하려는 학술적인 논의의 중심에 있었다. 철학상담자는 내담자의 인생관, 세계관, 가치관과 관련된 제반 문제를 스스로 풀 수 있도록 철학적 단서들과 접근법 등을 제공해 주는 역할을 하였다. 철학상담이 다른 심리상담 접근법과 구분되는 것은 바로 이러한 철학적 사고를 통해 내담자의 문제에 접근한다는 점이다. 아리스토텔레스가 철학을 '당혹감에서 궁금해하기'라고 정의를 내린 것처럼, 인간과 그 세계를 둘러싸고 있는 다양한 문제를 인식하고, 이를 풀어내는 사고의 과정이 바로 철학인 것이다. 철학상담은 인간의 이러한 철학적 사고의 과정을 통해 당면한 문제를 인식하고, 풀어내고자 하는 시도라 할 수 있다. 내담자의 철학적 사고과정을 돕기 위해 철학상담자는 다양한 대화적 상호작용으로 내담자의 사고를 자극한다. 이같은 철학상담자의 도움은 전문가로서의 지시적인 개입이 아니라, 동료로서의 상호 협력하는 존재로 그 역할을 맡는 것이다. 또한 철학상담에서는 내담자가 지니고 있는 다양한 문제에 대하여 정상과 비정상을 구분하는 것이며, 비정상적인 문제를 치료하고자 하는 접근법이 아니라 내담자의 여러 가지 문제가 그 삶을 불편하게 만들고 그 불편함의 근본 원인을 탐구하여 인식함으로써 해결하고자 한다. 따라서 심리치료의 본질은 치료에 있고, 철학상담의 본질은 철학적 상호작용이 일어나는 대화에 있다고 할 수 있다. 이렇게 철학상담에서 철학적 사고를 매개로 이루어지는 새로운 대화형식은 내담자가 당면한 문제를 지각하고, 그 배경을 이해하며, 내담자의 입장을 확인하여 생각을 다르게 해 볼 수 있는 관점을 열어 주는 것이다. 라베(Raabe, 2010)는 철학적 대화의 목적을 다음 세 가지로 제시하였다. 첫째, 내담자가 자신의 삶에서 현재 직면한 문제를 해결하는 것이다. 둘째, 내담자가 스스로 문제해결을 할 수 있는 능력인 자율성을 향상시키는 것이다. 셋째, 내담자의 삶에서 만나게 될 새로운 문제를 해결할 수 있는 능력을 키우는 것이다. 라베의 철학적 대화의 목적은 곧 철학상담의 목표를 제시한 것이라고 할 수 있다. 철학상담의 접근법에서 인간의 마음의 병, 혹은 삶의 문제를 치유하거나 해결하고자 하는 철학의 실천활동은 현대에 들어와 삶의 예술, 철학카페, 철학적 심리치료, 임상철학 등 다양한 형태로 나타나고 있다.

관련어 삶의 예술, 임상철학, 철학카페

철학상담치료학회
[哲學相談治療學會
Korean Society of Philosophical Practice]

철학상담과 철학적 치료를 통하여 되도록 많은 사람들에게 참된 삶의 철학적 지혜와 철학 실천의 혜택이 돌아가도록 하고자 설립된 학회. www.philcounseling.net 학회

철학상담치료학회는 철학상담 및 철학치료 등 각종 철학실천과 관련된 임상과 연구, 회원의 권익실천을 목적으로 2007년 첫 스터디 모임을 시작하였다. 그리고 인터넷 카페 개설, 2009년에는 철학상담치료학회를 설립하였고, 2010년 학회 홈페이지 개설 후 지금까지 이어져 오고 있다. 주요 활동으로는 철학상담의 이론개발과 임상방법 연구, 철학치료와

관련된 각종 연구, 임상 및 교육활동, 철학상담 및 치료의 제도적 정착을 위한 사업 등이 있다. 학회에서 취득 가능한 자격증은 '철학상담치료 수련감독' '철학상담치료 전문가' '철학상담치료사(1~3급)'가 있다.

철학카페
[哲學 –, café philosophique]

1992년 소테(Sautet)가 프랑스 파리에 처음 만든 철학의 실천활동 가운데 하나. 철학상담

철학카페는 소크라테스를 위한 카페(Un café pour Socrate)라고도 불렸다. 철학카페는 철학적 전문지식이 아니라 일상적, 사회적 문제나 자기 자신의 삶의 문제를 다른 사람들과 함께 생각하는 계기를 만들어 줌으로써, 즉 참여하여 경청하고 함께 생각하고 함께 이야기하도록 함으로써 공적, 철학적 의사소통을 하면서 스스로 생각할 수 있고, 삶의 정위감을 찾도록 하는 것이다. 철학카페는 카페, 레스토랑 혹은 공적 공간에서 이루어지며, 이곳에서는 철학적 주제들을 포괄적으로 다룰 뿐만 아니라 사랑, 선과 악, 자기인식, 정서적 건강, 감성, 쾌락, 아름다움, 노동, 욕구, 행복 등 삶의 문제와 직접적으로 관련된 문제를 다룬다. 철학카페는 때로는 작가카페(Autorencafé)라는 이름하에 철학적 책을 쓴 저자들을 초빙하여 강연을 듣기도 하였다. 이와 같이 프랑스에서 처음 만들어진 철학카페는 이후 여러 나라의 철학카페에 많은 영향을 주었다. 1997년에는 독일 뒤셀도르프에서 철학카페가 열렸으며, 현재는 프랑스, 독일, 미국, 영국, 일본, 남미, 벨기에 등 세계적으로 약 150개 정도의 카페가 열려 활동 중에 있다. 철학카페는 철학정원(Der Philosophische Garten)이나 철학살롱(Philosophischer Salon)이라는 이름으로도 불리고, 독일의 라디오 방송 WDR5에서는 철학라디오(Das Philosophische Radio)의 형식으로 시도되면서 대중과 직접 철학적 이야기를 나누는 활동으로 전개되고 있다. 요컨대 철학카페는 대중과의 직접적인 만남이나 공적인 대중매체에서의 만남을 통하여, 철학적 주제나 구체적인 삶의 문제에 관하여 함께 철학하기를 함으로써 세계에 대한 비판적 의식을 갖고 삶의 문제를 해결하고자 하는 것이다.

관련어 | 삶의 예술

첨도
[尖度, kurtosis]

도수분포의 뾰족한 정도. 통계분석

도수분포의 모양은 집중경향치(평균, 중앙치, 최빈치 등)와 변산도(범위, 표준편차, 왜도, 첨도 등)와 같은 여러 가지 측정치에 따라 달라진다. 첨도는 연구자들이 많은 양의 자료에 대하여 빨리 감지할 수 있도록 해 주는 여러 유용한 통계 중 하나로서, 분포의 '정점(peakedness)'을 뜻하는 그리스어에서 파생되었다. 분포의 정점은 평균을 중심으로 한 각 개인의 점수위치에 따라 영향을 받는다. 개인들의 점수가 평균을 중심으로 가까이 몰려 있을수록 분포의 정점은 더욱 뾰족한 모양, 즉 첨도가 커진다. 뾰족한 모양의 성질에 따라 분포는 일반적으로 중첨(mesokurtic, 정규분포 모양), 고첨(leptokurtic, 정규분포보다 더 뾰족한 모양), 저첨(platykurtic, 정규분포보다 더 완만한 모양)의 세 가지로 기술된다. 정규분포는 분포의 형태가 좌우 대칭을 이룬다. 왜도(skew)는 분포의 비대칭성 정도, 즉 분포가 기울어진 정도와 방향을 나타낸다. 왜도가 0이면 분포의 형태가 좌우 대칭인 정규분포를 뜻하며, 음수면 부적 편포, 양수면 정적 편포를 말한다. 반면, 분포의 뾰족한 정도를 의미하는 것은 첨도로서, 분산도가 크면 집단이 이질적이고 분포의 높이가 낮아지며, 분산도가 작으면 집단이 동질적이고 분포의 높이가 높아진다. 정규분포의 첨도는 0이며, 첨도가 0보다 크면 정규분포보다 더 뾰족한 모양을 갖는 고첨(혹

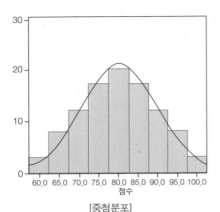

[중첩분포]

〈주〉 N=100, R=60-100, M=80, SD=9.67,
Kurtosis=-0.596, SE=0.478

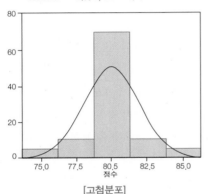

[고첨분포]

〈주〉 N=100, R=75-85, M=80, SD=1.95,
kurtosis=2.166, SE=0.478

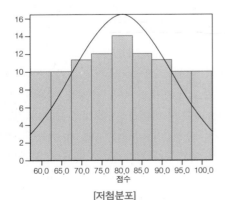

[저첨분포]

〈주〉 N=100, R=60-100, M=80, SD=12.43,
kurtosis=-1.095, SE=0.478

출처: American Counseling Association (2009). *The ACA Encyclopedia of Counseling.* Alexandria, VA: American Counseling Association. p. 309.

은 첨용)이 되고, 첨도가 0보다 작으면 분포의 높이가 정규분포보다 낮아지는 저첨(혹은 평용)이 된다. 예를 들어, 어떤 중학교에서 전교생 700명에게 수학 학력고사를 실시하였고, 가능한 점수의 범위는 0~100점, 65점 이하를 매우 부족, 66~75점을 부족, 76~85점을 보통, 86~95점을 우수, 95점 이상을 매우 우수라고 평가한다고 하자. 700명 학생의 수학 학력고사 점수가 중첨을 나타낸다면 점수는 거의 정규분포를 보일 것이다. 이것은 학생들의 수학지식과 기능수준이 골고루 분포되어 있다는 것을 의미한다. 즉, 매우 부족한 65점 이하의 점수를 획득한 학생과 매우 우수한 95점 이상의 점수를 획득한 학생이 일부가 있고, 대다수 학생의 점수는 평균을 중심으로 집중되어 76~85점의 점수범위에 속한다는 것을 의미하는 것이다. 만약 700명 학생의 수학 학력고사 점수가 고첨분포를 보인다면, 이는 거의 모든 학생의 수학지식과 기능수준이 같거나 매우 유사하다는 것을 의미한다. 즉, 매우 부족한 65점 이하의 점수를 획득한 학생과 매우 우수한 95점 이상의 극단의 점수를 획득한 학생이 극히 일부에 지나지 않고, 대부분의 점수는 76~85점을 범위로 평균에 집중적으로 몰려 있으며, 수학지식과 기능에서 매우 동질적인 집단임을 의미하는 것이다. 또한 만약 700명 학생의 수학 학력고사 점수가 저첨분포를 보인다면, 학생들의 수학지식과 기능수준이 모든 점수대에 걸쳐 나타나고 있다는 의미다. 즉, 매우 부족한 65점 이하부터 매우 우수한 95점 이상까지 각 점수대 빈도가 비슷하게 분포되어 있고, 수학지식과 기능에서 매우 이질적인 집단임을 의미하는 것이다.

청각장애
[聽覺障礙, hearing impairment]

청력의 손실 때문에 언어를 수용하고 표현하는 일에 제한과 기능상 결함이 있는 상태. 특수아상담

청각장애가 있으면 학업성취도, 사회 및 직업 활

동 등에서 다양한 부정적인 영향을 미친다. 우리나라의 「장애인 복지법 시행령」 별표 1에서는 청각장애인의 기준을 다음과 같이 정하고 있다. "두 귀의 청력손실이 각각 60dB 이상인 사람, 한 귀의 청력 손실이 80dB 이상, 다른 귀의 청력손실이 40dB 이상인 사람, 두 귀에 들리는 말소리의 명료도가 50% 이하인 사람, 평형기능에 상당한 장애가 있는 사람." 그리고 교육적 측면에서 제정된 우리나라의 「장애인 등에 대한 특수교육법 시행령」 제10조에 따른 별표에서는 청각장애를 가진 특수교육 대상자 선정기준을 다음과 같이 정하고 있다. "청력손실이 심하여 보청기를 착용해도 청각을 통한 의사소통이 불가능 또는 곤란한 상태이거나 청력이 남아 있어도 보청기를 착용해야 청각을 통한 의사소통이 가능하여 청각에 의한 교육적 성취가 어려운 사람." 이러한 청각장애아 교육의 역사는 18세기 말경에야 청각장애 관련 학교가 설립될 정도로 비교적 짧다. 18세기에는 프랑스를 중심으로 수화법(manual method), 독일을 중심으로 구화법(oral method)이 의사소통의 중요한 방법으로 각각 강조되었다. 1770년 프랑스 파리에서는 세계 최초의 농학교가 설립되어 청각장애아를 사회로 복귀시키고자 몸짓, 표정 및 지문자를 통한 수화를 이용하여 의사소통법을 지도하였다. 이와 달리 독일을 중심으로는 전통적인 수화사용을 포기하고 농아가 상대방 입술의 움직임과 얼굴표정으로 의사소통을 하며 발성연습을 통하여 음성언어를 습득하는 구화법 혹은 독순술이 사용되었다. 이 때부터 프랑스를 중심으로 한 수화주의와 독일을 중심으로 한 구화주의가 오늘날까지 농아교육에서 대립적으로 논쟁을 벌이고 있다. 한편, 20세기 중엽 미국에서는 종합적 의사소통법(total communication)과 구소련의 신구화주의(neooralism)가 청각장애 아동의 교육에 새로운 대안으로 나타났다. 우선 종합적 의사소통법은 의사소통에서 사용할 수 있는 모든 수단(독화, 발화, 수화, 지문자, 몸짓 등)을 사용하는 것이며, 신구화주의는 구화법과 지문자를 병용하는 것을 의미한다. 우리나라의 청각장애아 교육은 1909년 미국 감리교 선교사였던 홀(Hall) 여사가 최초로 실시하였다. 청각장애를 일으키는 원인은 매우 다양하며 확실하지 않은 경우도 흔하다. 이는 청각기관의 각 부위(외이, 중이, 내이)에 따른 원인과 발생 시기별(출생 전, 출생 시, 출생 후, 성인기) 원인질환 등으로 살펴볼 수 있다. 청각장애 아동에 대한 출현율은 개념 정의, 조사방법 등에 따라 차이가 나타날 수 있는데, 우리나라 보건복지부(2005)의 장애인 실태조사에서 청각장애인의 출현율은 0.49%이며, 그중 0~17세가 0.04%이고, 연령 범위가 높을수록 출현율이 큰 것으로 나타났다. 무엇보다도 청각장애의 발견은 빠르면 빠를수록 좋은데 장애의 원인, 정도 및 특성 등을 조기에 파악하는 것은 청각손실을 최소화할 뿐만 아니라 언어발달을 돕거나 혹은 보상교육을 하는 등에서도 중요성이 매우 크다고 할 수 있다. 청각장애 아동의 주된 발달상 특성은 의사소통인데, 이것은 청력의 손상에 따른 듣기 능력의 저하에서 기인한다. 따라서 언어적 측면, 인지영역, 학업성취도, 사회성, 직업 및 정서 영역 등에도 전체적으로 부정적인 결과를 초래하기도 한다. 청각장애 아동의 교육에서 주 관심사는 학교와 사회에서 원활한 의사소통의 실현을 통하여 독립적인 학습 및 사회 활동을 돕는 데 있다. 청각장애 아동을 대상으로 하는 의사소통방법에는 구화법, 수화법, 동시법(simultaneous method), 큐드스피치(cude speech), 로체스터법(rochester method), 종합법, 이중언어·이중문화접근법(bilingual method) 등이 있다. 구화법은 화자의 입술 움직임이나 얼굴 표정을 보고 말을 이해하는 것이며, 수화법은 구두 혹은 청력에 의한 의사소통이라기보다는 손짓, 몸짓, 표정 등을 사용하는 수화와 손가락의 모양을 변화시켜 자모와 수를 표시하는 지문자를 사용하는 대화형태를 의미한다. 동시법은 구화사용과 동시에 수화 및 지문자를 병용하는 의사소통방법이고, 큐드스피치는 독화에서 입 모양은 같지만 의미가 다른 단어나 시각적으로 구별이 불가능한 음은 읽기가 곤란하므로 수지로 단서를 제공하여 독화를 쉽게 하도록 만들어 주는 방법이다. 로체스터법은 구화법과 지문자를 병용하는 대화법으로 처음에는 지문자를 사용하고 점차 발성 및 발어를 통하여 언어습득을 해 나가는 의사소통 방법을 말한다. 종합법은 앞의 다양한 의사소통법의 한계성으로 인하여 청각장애인과 비장애인 간, 혹은 청각장애인 상호 간 효과적인 의사소통을 위하여 의사소통이 가능한 모든 방법, 즉 구화, 수화, 지화, 몸짓, 낱말카드, 그림 등을 활용하는 형태이다. 이중언어·이중문화접근법은 청각장애 아동 중심의 교육, 사회 및 문화를 인정하는 교육의 본질을 강조한 교육철학을 바탕으로 시작되었는데, 수화(자연 수화)를 우선 모국어로 인정하고 나중에 음성 언어와 문자 언어를 제2외국어로 도입하여 이해하는 새로운 패러다임으로의 변환을 일으킨 의사소통 접근방법이다.

관련어 | 구화법, 동시법, 로체스터법, 수화법, 이중언어·이중문화접근법, 종합법, 큐드스피치

청각통합훈련
[聽覺統合訓練, auditory integration training: AIT]

청각교정을 통하여 뇌의 운동을 활성화하는 훈련 방법.

특수아상담

프로그램화된 음으로 청각통로를 통하여 고막에서 뇌신경까지 집중적으로 자극을 가하여 관련된 각 신경이 정상적으로 활동하게 함으로써 이 신경들이 담당하는 언어와 행동을 바르게 하는 훈련법으로, 음악을 이용하기 때문에 청각 음악치료법이라고도 부른다. 1960년대 초 50대 초반의 일반외과 의사인 베라르(G. Berard)는 자신의 귀가 멀어 가고 있음을 알고 이비인후과에 가 보았지만 나이가 들었기 때문에 어쩔 수 없다는 절망적인 이야기만 들었다. 그는 이에 굴하지 않고 자신의 귀를 고치기 위해서 다시 이비인후과 공부를 시작하였다. 그 후 이비인후과 전문의가 되었지만 별 뾰족한 수가 없음을 깨닫고 연구에 몰두하다가, 소리의 자극에 의하여 노쇠한 청각이 회복될 수도 있다는 것을 알아내어 AIT를 완성시켰다. AIT를 사용하여 자신의 죽어 가던 청각을 살려 내고, 이후 학습장애아인 자신의 딸에게 AIT를 적용하여 정상적인 학습을 할 수 있도록 도움을 주었다. 그 후 환자를 진료하는 과정에서 학습장애, 언어장애, 우울증 및 자폐증 아이들이 정상인과 다른 청각을 갖고 있다는 것을 알게 되었고, 그들의 청각기관이 어떤 소리는 실제보다 크게 또는 작게 뇌로 전달되어 뇌의 정상적인 활동을 방해한다는 사실을 발견하였다. 그리하여 신경정신계통의 질환으로 알려져 온 많은 증세가 비정상적인 청각 때문에 일어나고 이 증상은 청각이 정상이 되면서 좋아지는 것을 확신하였다. AIT는 미국의 한 소녀 조지아나가 자폐증으로 고생을 하다가 AIT를 받고 회복된 뒤 그녀의 어머니가 「기적의 소리(The Sound of a Miracle)」라는 소설을 썼고, 그 소설의 요약본을 『리더스다이제스트』에 올려놓으면서 세상에 알려지게 되었다. 베라르 박사는 자폐증에서 나타나는 소리에 대한 민감성과 이에 따르는 행동의 장애는 청각에서의 왜곡 때문일 수 있다고 주장하였다. 이러한 왜곡은 아동의 청력그래프에 나타나는 최고점으로 알아낼 수 있고, 치료는 여과기를 사용하여 최고점을 없애는 것이 포함되었다. 만약 아동이 청력검사를 참아 낼 수 없다면 표준화된 청각통합훈련을 시행한다. 여기에는 헤드폰을 이용하여 전기적으로 처리된 음악을 총 10시간(대략 10일 동안 하루 30분씩 2회기) 듣는 것이 포함된다.

청년문화
[靑年文化, youth culture]

청년기의 사람들에게 나타나는 공통적인 사고방식, 감정, 행동양식에 대한 통칭. 학교상담

청년문화의 사전적 의미는 청년층이 가지고 있는 행동양식이나 가치관을 대표하는 문화이며, 그 특징은 기성의 가치관이나 전통적인 행동양식에 대한 저항이다. 그러나 요즘에는 이데올로기나 정치적 주장보다 풍습이나 놀이의 형태로 표현되는 경우가 많다. 청년기는 경계인(marginal man)이라고 불리듯이 청소년에서 성인이 되는 과도기에 해당하며, 일상생활의 여러 국면에서 많은 모순과 부딪치게 된다. 주변 어른들은 청년의 자립을 기성의 가치관에 맞출 것을 기대하고 강요하지만, 그들은 기성의 관념이나 체계에 동조하지 않고 그것에서 일탈하거나 저항하는 방향으로 자립하고자 한다. 이런 맥락에서 청년문화의 특징은 한편으로는 자연스러운 사회화 과정을 겪으면서 기성문화에 동조하거나 기성세대의 부조리와 구조적인 모순에 반발하면서 일탈적으로 표현된다. 또한 이념과 비전을 바탕으로 한 새로운 문화를 지향하면서 기성문화를 변혁하는 문화형성의 주체가 되기도 한다. 이러한 관계를 통하여 청년문화는 청소년 문화와 다르면서, 또한 기성세대의 문화로는 만족하기 어려운 여러 욕구를 내포하는 독특한 문화, 즉 신세대 문화를 형성한다. 그러나 다른 한편으로 청년문화는 청소년과 성인 사이에 긴 세대로서 겪는 어려움 때문에 문화적인 정체성에서 혼돈을 경험하고, 양자의 사이를 매개하는 교량역할을 수행하는 과제를 가지고 있다. 이와 같은 청년문화는 특정한 세대의 차원이 아니라 기성의 질서와 지배적 문화체계와의 관련 속에서 대안을 꿈꾸고 실천하는 일련의 행위와 비전, 그리고 그것을 추동하고 지지하는 다양한 집단의 문화적 연대를 폭넓게 가리킨다. 한국 사회에서는 이러한 청년문화가 1970년대와 1980년대에 각기 다른 방식으로 모습을 드러낸 바 있다.

청년심리학
[靑年心理學, psychology of adolescence]

사춘기(대개 12, 13~15, 16세)와 청년기(15, 16~22, 23세)의 심리적 특징을 연구대상으로 하는 발달심리학의 하나. 아동청소년상담

아동에서 성인으로 옮겨 가는 시기인 청년의 심리에 관한 연구로서, 이에 대한 연구가 늦은 편이었지만 제2차 세계 대전 후에 그 중요성이 인정되어 점차 발전해 가고 있다. '정신적 이유기(離乳期)' 또는 '어린이에서 성인으로의 과도기'라고도 불리는 청년기는 매우 불안정한 상태이기에 '질풍노도(Sturm und Drang)'를 경험한다. 또한 이때는 자아가 확립되는 시기이며 이론적으로나 실제적으로 중요한 문제를 안고 있다. 청년심리학의 내용으로는 자아의식이나 사회의식의 맹아와 형성, 성역할의 분화, 자아정체감(ego-identity)의 확립, 인생관의 형성, 직업생활, 결혼생활을 중심으로 한 인생설계의 준비 등이 일반적이지만, 청년기의 열등감과 우월감, 불안과 공포, 우울과 무기력, 사랑과 증오, 사회적 승인 욕구와 고독감, 나아가 정신병리로서의 비행, 범죄, 자살, 신경증, 조울증, 분열병 등도 다루고 있다.

관련어 | 아동심리학, 노인심리학

청능훈련
[聽能訓練, auditory training]

청각장애 아동에게 잔존하는 음향학적 단서를 가장 효과적으로 사용하는 방법을 가르치는 훈련과정. 특수아상담

청능훈련의 목표와 계획을 수립할 때는 먼저 정상 아동 및 청각장애 아동의 청능 및 말 지각 발달수준을 파악하여 개별 아동에 따라 발달단계를 기초로 청능훈련의 장단기 목표와 계획을 수립해야 한

다. 이를 위해 적절한 청능 및 말 지각 평가가 필요하며, 이 같은 평가는 청능훈련의 구체적인 계획 수립 및 훈련의 성과를 파악하는 데 정보를 준다. 청능훈련에서는 우선 소리의 존재에 대한 인식을 갖게 하고, 두 번째 단계로 여러 가지 환경음을 변별하도록 하며, 마지막으로 말소리를 변별하도록 한다.

관련어 구화교육

청력도
[聽力圖, audiogram]

주파수대에서의 개인의 청력역치(dB)를 그래프로 표시한 것.
특수아상담

청력도는 청각장애가 전음성인지 감음신경성인지를 파악할 수 있도록 해 주고, 장애가 특히 심하거나 심하지 않은 음역 등 개인의 청각장애 특성을 알려 준다. 임상적 청력도는 기도전도와 골도전도를 측정한 청력역치를 보여 준다. 기도전도보다 골도전도의 측정 결과가 더 좋다면 기도와 골도 사이의 차이, 즉 전음성 청력손실이라는 것을 의미한다.

관련어 골도청력 검사, 기도 청력검사, 순음 청력검사

청력선별검사
[聽力選別檢査, hearing screening test]

난청 고위험군에 해당하는 사람을 선별하기 위하여 시행하는 청력검사. **특수아상담**

우리나라에서 청력선별검사를 시행하는 장소는 대부분 이비인후과나 언어치료실이다. 청력검사에서 가장 많이 사용하는 것은 순음 청력검사인데, 이는 소리의 높이(주파수, Hz)와 강도(데시벨, dB)를 측정하는 방법이다. 사람이 들을 수 있는 대부분의 말소리는 500~2,000Hz 사이에 해당하는데, 순음 청력검사에서는 일반적으로 1~110dB 사이와 125Hz

(저음)에서 8,000Hz(고음) 사이의 소리에 대한 반응을 측정한다. 이 검사는 기도(또는 기전도) 청력검사와 골도(또는 골전도) 청력검사의 두 가지를 실시한다. 기도 청력검사는 이어폰을 끼고 외이와 중이를 통하여 소리가 전달되는 순음청력을 측정하는 것이며, 골도 청력검사는 골도 이어폰을 사용하여 진동이 직접 두개골을 통하여 내이에 전해지도록 하는 검사방법이다. 외이나 중이에 장애가 있고 내이의 기능이 정상인 경우 기도청력은 떨어지지만 골도청력은 거의 정상으로 나타난다. 반면 내이에 이상이 있는 경우는 기도청력이나 골도청력이 거의 비슷하게 낮게 나타난다. 순음 청력검사 외에도 말소리를 순음 대신 이용한 어음청력검사, 너무 어리거나 기타 장애 때문에 청력검사가 어려울 때 실시하는 장난감을 사용하는 청력검사, 신체반사를 실시하는 검사, 뇌파를 이용하는 검사 등이 사용되고 있다.

관련어 어음청력검사

청소년
[靑少年, juvenile]

어린이와 어른의 중간 단계에 있는 사람. **아동청소년상담**

어른(청년)과 어린이의 중간 시기로서, 청소년에 대한 연령규정은 법규마다 다르지만 '청소년 기본법'에서의 청소년은 9세 이상 24세 이하의 사람으로 규정되어 있다. 그리고 아직은 형법상 성인으로 취급될 나이가 되지 않은 젊은 사람을 의미한다. 일반적인 경우는 13~18세의 아이들을 말하고, 학년으로는 중1에서 고3까지를 지칭한다. 청소년이 되면 신체적인 변화가 일어나며, 청소년이라는 용어는 법률상 능력을 언급하는 데 사용되는 '미성년(minor)'과 구분된다.

청소년 미술치료
[靑少年美術治療, adolescence art therapy]

불안이나 병리적 증상을 가진 청소년에게 미술을 매체로 행하는 조력활동. 미술치료

청소년기는 학령기가 끝나는 12, 13세에서 성숙이 완료되는 18~21, 22세까지를 말한다. 이 시기는 성적으로 성숙해지고 생리적으로 급성장하며, 지적·정서적·신체적 특성들이 미숙한 상태에서 성숙한 상태로 바뀌어 가는 과도기적 시기, 다시 말해 자아정체성과 역할혼미의 갈등을 겪으면서 자아를 찾아 가는 시기다. 이때는 특히 자신의 용모에 많은 관심과 이성에 대한 강한 호기심으로 자신의 신체적 변화를 긍정적으로 수용하는 데 어려움을 겪을 수 있다. 예를 들면, 체중에 지나치게 집착한 결과 문제행동으로 거식증이나 폭식증과 같은 식이장애가 일어날 수 있다. 따라서 청소년을 대상으로 하는 미술치료는 청소년이 신체적 변화의 경험을 통하여 자신에 대한 관심이 확장되어 있는 현실적 자신과 이상 속의 자신을 조절할 수 있도록 도와주는 것이다. 즉, 청소년 미술치료는 청소년이 자신 속에 남아 있는 아동기의 행동양식과 변화하는 자신의 외모 및 사회적 위치에서 현실과 이상의 거리를 올바로 인식하게 함으로써 성인이 되어 가는 과정에서 건강한 정체성을 형성하도록 도움을 주는 것이다. 청소년 미술치료에서의 치료적 과정은 치료자의 이론적 접근과 임상경험에 따라 다를 수 있지만, 일반적으로 청소년을 대상으로 한 심리치료의 목표는 다음과 같다. 첫째, 긍정적인 나르시시즘을 갖도록 하여 자아를 강화할 수 있어야 한다. 둘째, 집단역동접근이 바람직하며 치료자의 중재행위를 통해서 사회적 통합에 도움이 되어야 한다. 셋째, 청소년의 표현은 무의식 속의 혼돈에 의한 것으로서 언어로 쉽게 표현하지 못할 수도 있다는 것을 알아야 한다. 넷째, 자신이 열망하고 관심을 갖는 것이 무엇인지 파악할 수 있도록 도움을 주어야 한다

(Pessin & Friedman, 1949). 따라서 청소년 미술치료는 청소년의 다양하고 급격한 변화에 부응하는 창조적 과정의 활동으로 이루어져야 하며, 이러한 활동으로 청소년은 가정이나 학교에서의 학습으로는 알지 못했던 다양하고 새로운 인식을 할 수 있다. 이와 같은 청소년 미술치료는 대부분 부모, 학교, 의사, 법정 등 제삼자의 권유로 행해진다. 이 경우 청소년은 본인의 의지가 아니라 제삼자의 권유에 따라 미술치료사와 만나기 때문에, 대부분이 미술치료사에게 부정적인 태도를 취하거나 소극적인 반응을 보이기 쉽고, 나아가 반응하지 않은 채 침묵하거나 폭력적인 언어를 구사하는 경우가 흔하다. 따라서 미술치료사는 이 같은 청소년에게 미술치료의 역동성을 초래하고 치료사와의 관계에 대한 적극적인 반응을 유도하기 위하여, 청소년에게 미술치료에 대한 정보를 전달하는 것이 중요하다. 다시 말해, 청소년에게 지금-여기에 대한 시각을 갖도록 하고, 미술치료사가 자신에게 도움이 된다고 인식하도록 만들며, 향후 진행될 미술치료에 인내를 가지고 함께하겠다는 의지를 갖도록 해야 하는 것이다. 요컨대, 청소년을 대상으로 하는 미술치료의 역할은, 청소년이 스스로 주체가 되어 자신을 찾는 행위를 해야 함을 파악하도록 해야 하므로 청소년으로 하여금 자생적이고 긍정적인 자기애를 형성할 수 있도록 하는 것이다.

청소년 인성검사
[靑少年人性檢査, Personality Assessment System for Adolescent: PAS-A]

정상적인 청소년의 인성을 측정하는 검사. 심리검사

중·고등학생의 성격을 체계적으로 측정, 진단하고자 변창진(2008)이 개발한 검사다. 비교적 짧은 문장의 160개 문항으로 이루어진 자기보고형 검사다. 초등학교 4~6학년을 대상으로 한 120개 문항

의 아동인성검사(Personality Assessment System for Child, PAS-C)도 있다. 사회성, 활동성, 안정감, 자신감, 사려성, 동조성, 독립성의 7개 기술척도와 불안증, 우울증, 반사회적 행동의 3개 임상척도, 학습과진/부진 변별 척도인 보조척도, 허구척도 및 미정척도의 2개 타당도 척도로 구성되어 있다. 기술척도는 정상적인 사람들이 보편적으로 가지고 있는 성격 특성 중에 발달적 측면에서 중요하고 대표적이라고 생각되는 것을 측정한다. 각각의 척도내용은 다음과 같다. 사회성 척도는 원만한 대인관계에서 필요한 친화성, 사교성, 협동성, 포용성 등을 평가한다. 활동성 척도는 일상생활에서 얼마나 적극적으로 개입하고 활발하며 민첩하게 행동하는가를 측정하고, 안정감 척도는 일시적이며 급격한 감정 변화, 정서에 어느 정도 안정되어 있는가를 측정한다. 자신감 척도는 자신의 능력이나 생각, 행동에 대하여 어느 정도 신뢰하는가를 비롯한 자아개념을 측정한다. 사려성은 일을 처리할 때 깊이 따져 이치에 맞게 생각하고 판단하는지, 충동적으로 행동하는지를 측정하며, 동조성은 집단의 규준이나 기대에 부응하고, 유사한 생각이나 행동을 하려는 경향성을 측정한다. 독립성은 타인의 지시나 명령에 따르지 않고 자신의 의지에 따라 자주적으로 행동하고 책임지려는 경향을 측정한다. 임상척도는 아동기에 나타나기 쉬운 정신병리적 증후 또는 경향을 발견, 진단하기 위한 것으로 세부내용은 다음과 같다. 불안증 척도는 뚜렷한 이유 없이 막연한 불안을 느끼고 긴장하며 걱정하는 경향을 측정한다. 우울증 척도는 삶에 대한 비애, 절망감과 같은 우울한 정서를 측정한다. 그리고 반사회적 성격척도는 청소년기에 흔히 발견되는 비도덕적이고 반사회적인 성향을 조기에 발견할 목적으로 비행행동을 측정한다. 타당성 척도인 허구척도는 의도적으로 자신을 미화시켜 나타내는 정도를 확인하여 검사결과를 해석하는 데 참고하기 위한 척도다. 미정척도는 '모르겠다'고 답한 문항을 일컫는 것으로, 허구척도와 마

찬가지로 검사를 해석할 때 참고용으로 사용한다. 마지막으로 학습과진/부진 변별척도는 학습과진아 및 부진아에게 발견되는 정서적·성격적 특성을 측정하여 결과에 따른 조치와 지도를 위해 고안된 척도다. 척도별 남녀 크론바흐 알파값은 다음과 같다. 사회성(남 .82, 여 .81), 활동성(남 .85, 여 .83), 안정감(남 .81, 여 .80), 자신감(남 .88, 여 .83), 사려성(남 .83, 여 .82), 동조성(남 .86, 여 .81), 독립성(남 .82, 여 .84), 불안증(남 .84, 여 .83), 우울증(남 .88, 여 .80), 반사회적 성격(남 .80, 여 .80), 허구 척도(남 .81, 여 .82), 학습과진/부진 변별 척도(남 .84, 여 .84)로 나타났다. PAS-A는 PAS-C와 더불어 표준화를 거친 뒤 마인드프레스에서 출판되고 있다.

관련어 | 객관적 인성검사, 한국판 아동 인성검사

청소년 적성검사
[青少年適性檢査, Aptitude Test for Adolescence]

고등학생의 진로탐색을 위해 적성능력을 측정하는 검사.
심리검사

고등학생의 적성능력을 측정하여 적합한 직업 분야에 대한 정보를 제공하기 위해 개발된 검사로, 고용노동부 홈페이지 워크넷(www.work.go.kr)에서 이용할 수 있다. 적성요인에 따른 최대능력수준을 측정하여 현재 개인의 강점과 약점 및 잠재력을 비롯하여, 자신의 희망직업에서 요구하는 적성요인과 자신의 검사점수를 비교하여 제시해 주므로 진로방향을 설정하는 데 도움을 받을 수 있다. 총 10개

의 적성요인(언어, 수리, 추리, 공간, 지각, 과학, 집중, 색채, 사고유연성, 협응능력)으로 구성되어 있으며 내용은 다음과 같다. 언어능력은 상황에 적합한 단어 사용, 글의 핵심 파악, 어휘 이해 정도를 평가하며 어휘 찾기, 주제 찾기 문항으로 구성된다. 수리능력은 간단한 계산문제 및 계산식을 도출해 내는 능력을 말하며, 단순수리, 응용수리 문항으로 구성된다. 추리능력은 주어진 정보에 근거하여 이들의 관계를 논리적으로 추론해 내는 능력을 말하며 문장추리로 측정한다. 공간능력은 추상적, 시각적 이미지를 생성, 유지, 조작하는 능력으로 심상 회전, 부분 찾기로 구성된다. 지각속도는 시각적 자극을 신속하게 식별해 내는 능력으로 문자지각, 기호지각으로 구성된다. 과학능력은 과학의 일반적인 원리를 파악하는 능력을 말한다. 집중능력은 방해자극에 상관없이 목표과제를 수행하는 능력을 말하며 색채집중척도로 구성된다. 색채능력은 프리즘을 통과해서 나타나는 스펙트럼상 색상의 위치를 정확하게 아는 능력을 말하며 색상지각척도로 측정한다. 사고유연성은 주어진 정보를 다른 시각에서 해석할 수 있는 능력을 말하며 성냥개비 척도로 측정한다. 마지막 협응능력은 시각적 평가에 기초한 정확한 손동작 능력을 말하며 선 그리기로 측정한다. 하위척도별 신뢰도 크론바흐 알파는 .92~ .60으로 나타났다.

관련어 ㅣ 직업가치관, 직업적성, 직업흥미, 진로발달, 진로성숙도, 진로탐색

청소년 진로발달검사
[青少年進路發達檢査, Career Development Inventory for Adolescence]

한국교육정보원에서 개발한 청소년 진로발달수준을 평가하는 검사. 심리검사

중 · 고등학생을 대상으로 진로성숙 수준 및 진로 미결정 수준을 동시에 확인하여 진로발달 정도를 평가하는 검사로, 고용노동부 홈페이지 워크넷(www.work.go.kr)에서 이용할 수 있다. 청소년 진로발달검사는 포괄적인 수준에서 진로발달 정도를 파악할 수 있다. 검사의 구성 및 내용은 다음과 같다. 크게 진로성숙도검사와 진로 미결정 검사로 이루어져 있는데, 먼저 진로성숙도는 진로에 대한 태도, 진로와 관련된 지식의 정도, 진로 행동의 정도를 측정한다. 진로 미결정 검사는 동기 부족, 결단성 부족과 같은 성격요인, 직업이나 자신에 대한 지식 부족을 나타내는 정보요인, 그리고 진로와 관련되는 내 · 외적 갈등요인으로 구성되어 있다. 검사문항 간 내적 합치도(크론바흐 알파)는 .81~.49 범위로 나타났으며, 청소년 직업흥미검사, 학업적 자기조절 설문지, 한국직업능력개발원의 진로성숙도검사, 진로 미결정 검사와 높은 상관이 있는 것으로 나타났다.

관련어 ㅣ 직업가치관, 직업적성, 직업흥미, 진로발달, 진로성숙도, 진로탐색

청소년 학습전략검사
[青少年學習戰略檢査, Assessment of Learning Strategies for Adolescent: ALSA]

학습전략분석 및 프로그램 활용을 통한 학습검사. 심리검사

학습전략 분석 및 프로그램 활용을 통한 학습전략의 증진을 위해 2005년에 김동일이 개발한 검사로, 대상은 초등학교 고학년부터 고등학생까지다. 학습부진 문제를 극복하기 위해 다양한 학습전략에 대한 연구가 이루어지고 있는 가운데 개발된 알자(ALSA)는 학생들의 학습전략 프로그램인 '알자(ALSA)와 함께하는 공부방법 바로 알기'와 연계하여 청소년의 학습동기를 높이고 적합한 학습능력 탐색의 기회를 제공한다. 또한 효과적인 학습전략을 알려 주어 궁극적으로 청소년 자신에게 적합한 학습방법을 제시해 준다. 이 검사는 학습전략 자체

ㅊ

만 측정하는 것을 넘어서 자아효능감과 학습동기 및 학습전략을 동시에 점검함으로써 학업성취의 정서적 측면과 교수적 측면을 모두 포함하고 있다. 학습전략 프로그램 전후에 실시되었던 기존의 검사지는 종류 및 문항 수가 과도하게 많은 반면, 이 검사는 하나의 검사지로 프로그램의 효과성을 검증할 수 있다.

청소년 행동평가척도
[青少年行動評價尺度, Adolescent Behavior Assessment Scales: ABAS]

청소년의 부적응 행동을 포괄적으로 평가하고 문제청소년을 사전 판별하기 위한 검사. 심리검사

학교폭력 및 집단 따돌림, 인터넷 중독과 비행, 청소년 성매매 등 현대 청소년이 많이 경험하고 있는 문제행동을 평가하고 문제 청소년을 사전에 판별하기 위하여 이해경, 신현숙, 이경성(2004)이 개발한 검사다. 만 12~18세 청소년을 대상으로 하는 자기보고형 검사이며, 부모용과 교사용도 추가로 개발하였다. 심리적 장애에 대한 임상적 진단보다는 일반 청소년의 부적응 문제를 판별하고 사전예방차원에서 개발된 검사다. 2개의 타당도 척도, 11개의 문제 척도 및 개인 인적 사항으로 구성되어 있다. 하위척도별 구성내용은 다음과 같다. 개인 인적 사항은 학교명, 이름, 성별, 연령, 가족구성, 가정생활 수준, 부모의 학력 및 직업, 자신의 휴학·전학·퇴학 경험, 그리고 교내 봉사 및 사회봉사 경험 유무를 알아보기 위한 항목으로 구성되어 있다. 타당도 척도는 피험자가 동일한 문항에 대해 일관성 있게 응답하는지를 확인하는 비일관성 척도 10개 문항, 사회적으로 바람직한 방향으로 응답하는 경향성을 측정하는 긍정반응 경향 척도 19개 문항으로 구성되어 있다. 문제행동영역은 예비조사(이해경 외, 2003)를 토대로 11개의 행동문제영역, 즉 인터넷 중독, 가족관계, 섭식, 진로, 또래관계, 공격행동, 교사관

계, 학업·주의, 학교 부적응, 비행, 충동·과다 행동을 측정하는 137개 문항으로 구성되어 있다. 문제행동 영역별 신뢰도 크론바흐 알파는 인터넷 중독 .91, 가족관계 .90, 섭식 .90, 진로 .88, 또래관계 .84, 공격행동 .85, 교사관계 .87, 학업·주의 .88, 학교 부적응 .83, 비행 .81, 충동·과다 행동 .71로 나타났다. 문제척도의 세부내용과 문항 수 및 문항의 예는 다음과 같다. 인터넷 중독은 인터넷 과다사용으로 인한 일상생활 부적응과 내성, 금단증상을 평가하며 14개 문항으로 구성된다(예, 인터넷 때문에 중요한 일에 소홀해진다). 가족관계는 부모와의 갈등을 비롯한 반항, 가출경험의 유무를 확인하며 15개 문항으로 구성된다(예, 부모와 생각이 달라서 대화가 안 된다). 섭식은 섭식과 관련한 스트레스 또는 무리한 다이어트 행동을 측정하며 12개 문항으로 구성된다(예, 스트레스를 받거나 불안하면 쉬지 않고 먹는다). 진로는 진로의사결정 곤란, 미성숙과 관련된 문제를 평가하며 10개 문항으로 구성된다(예, 어떤 진로를 택할 것인지 결정하기 어렵다). 또래관계는 친구와의 관계위축, 집단 괴롭힘 피해 경험과 관련되며 15개 문항으로 구성된다(예, 또래(선후배 포함)에게 괴롭힘을 당한다). 공격행동은 일반적인 공격성, 즉 공격적인 언어 및 행동, 집단 괴롭힘 가해경험과 관련된 문제를 평가하며 13개 문항으로 구성된다(예, 친구들을 집적거리거나 괴롭힌다). 교사관계는 선생님과의 관계에서 일어나는 문제, 갈등, 반항 등을 평가하며 11개 문항으로 구성된다(예, 선생님과 사이가 나쁘다). 학업·주의는 주의산만, 학업수행의 저조 등을 측정하며 12개 문항으로 구성된다(예, 주의집중이 어렵다). 학교 부적응은 학업수행의 저조, 학교생활에서 규칙위반 등을 평가하며 16개 문항으로 구성된다(예, 학교에 가기가 싫다). 비행은 지위 비행, 성 비행, 인터넷 관련 비행 등을 평가하며 13개 문항으로 구성된다(예, 학교에서 정한 규칙을 어긴다). 충동·과다 행동은 충동적인 행동, 지나치게 행동이

나 말이 많은 경향을 측정하며 6개 문항으로 구성된다(예, 쉽게 주의가 산만해진다). 청소년은 문제행동을 평가하는 각 문항에 대하여 자신이 최근 6개월 동안 얼마나 자주 문제행동을 경험했는지에 따라 0점(전혀 그런 적이 없다)에서 3점(항상 그렇다)까지 4점 리커트 척도로 평정한다. 청소년 행동평가 자기보고형 ABAS-S와 부모용 ABAS-P, 교사용 ABAS-T는 표준화를 거친 뒤 학지사 심리검사연구소에서 출판되고 있다.

관련어 청소년 문제행동, 한국청소년자기행동평가척도

청소년기
[青少年期, adolescence]

급격한 신체적, 생리적 변화가 일어나서 인간으로서의 모든 기능을 수행할 수 있는 상태에 도달하고 더 이상의 성장이 없는 시기. **발달심리**

청소년기를 영어로 adolescence라고 한다. 이 말은 라틴어의 '성장하다'를 뜻하는 'adolescere'에서 그 어원을 찾을 수 있다. 오늘날과 같이 청소년기라는 뜻으로 사용하기 시작한 것은 1904년 미국의 발달심리학자 스탠리 홀(Stanley Hall)이 자신의 저서인 Adolescence에서 사용하면서부터다. 청소년기를 연령별로 규정짓는 것에 대하여 학자들마다 약간의 차이가 있으며, 우리나라 청소년기본법에서는 9~24세 이하로 명시하고 있다. 일반적으로 청소년기는 아동기와 성인기의 사이를 말하며 대개 중학생, 고등학생, 대학생이 해당한다. 아동에서 성인으로 바뀌는 과도기(過渡期)로서 신체적, 정서적, 인지적, 도덕적 변화가 활발하지만 불균형을 이루는 시기이며, 사춘기, 심리적 이유기, 질풍노도의 시기, 제2의 반항기라고도 한다. 이 시기의 가장 큰 특징은 급격한 신체적, 생리적 변화다. 생리적으로 제2차 성징이 나타나는데 여자는 초경을 하면서 배란과 더불어 임신이 가능해진다. 남자는 고환의 성장, 변

성, 몽정 등이 나타나고 공통적으로는 음모가 생기기 시작한다. 이 같은 신체적 변화에 따른 신체상을 형성하게 되며 긍정적인 신체상은 높은 학업성취도와 심리적 행복감을 준다. 피아제(Piaget)는 이 시기에는 형식적 조작사고가 발달하여 행동하기 전에 변인들의 기능과 상호관계를 개념적으로 탐색하여 결론을 내림으로써 가능성을 생각할 수 있는 체계적이고 논리적인 사고능력과 문제해결을 위하여 주어진 사실에 근거하여 체계적으로 가설을 설정하고 검증을 통하여 결론을 이끌어 내는 가설 연역적 사고를 할 수 있다고 하였다. 이러한 사고의 발달로 추상적이고 융통성 있는 사고를 할 수 있으며, 이 능력은 성인기까지 지속적으로 발달한다. 이 시기의 청년들은 자신을 특별하고 독특한 존재로 여기는 청소년기 자아중심성(adolescent egocentrism) 경향이 두드러지고 다른 사람을 의식하면서 관심을 끌기 위해 특별한 행동과 말투를 하는 경향이 있다. 또한 정치나 사회에 대한 관심도 높아진다. 도덕적 특성으로는 자신에 대하여 엄격한 평가를 하며, 추상적이고 내재적인 자아를 탐색하고 다른 사람의 관점을 이해하면서 사회적 규범을 준수하려는 인습적인 도덕적 판단을 하게 된다. 이와 더불어, 모든 사람이 지켜야 하는 보편적이고 객관적인 윤리나 도덕관보다는 개인적이고 주관적인 도덕적 사고로 판단하는 도덕적 상대주의가 이 시기의 도덕적 특성이다. 청소년기는 자아의 발달이 두드러지는데 자신의 존재에 대한 의문이 강하며 이상적 자아가 강하고 실재적 자아와 이상적 자아 간의 갈등과 통합, 자아정체성(self-identity)과 정체성 혼미(identity diffusion)에 따른 정체성 위기(identity crisis) 등을 통하여 정체성을 형성해 나간다. 또한 이 시기는 심리적 이유기로서 부모로부터 떠나려 하고 부모를 대체할 마음의 이성친구나 동성친구를 계속 구하며, 인생관을 확립하고 직업이나 결혼에 대한 미래의 계획을 세우고 사회에서 자신을 확립하고자 한다. 이러한 과정에서 여러 가지 심리적 어려움을 겪게 되는

데, 그 예로 신경증이나 심인증이 나타날 수 있으며, 청소년 상태로 계속 머물고 싶어하는 모라토리움(moratorium)을 형성하기도 한다.

관련어 | 가출, 감각추구, 괴롭힘, 모라토리움, 사회인지, 심리적 이유, 자살, 자아인지, 정체성, 조망수용능력, 형식적 조작기

청소년 위기 [靑少年危機, adolescent crisis]
신체적, 생리적으로 급격한 변화를 보이는 제2성장기인 사춘기에 나타나는 발달적, 상황적, 심리적 평형을 현저하게 상실한 상태를 말한다. 이 시기의 위기는 정서적 혼란에서 비롯되며 크게 두 가지 형태로 나누어 볼 수 있다. 하나는 발달과정에서 누구나 겪게 되고 예측 가능한 발달적 위기이며, 다른 하나는 예측이 불가능하고 정신적, 심리적 기능장애를 겪는 우발적인 위기다. 이 시기에 주로 나타나는 청소년 위기는 가출, 자살, 폭력, 왕따 또는 따돌림, 약물남용, 성 문제, 괴롭힘 등이다. 이를 촉발하는 원인은 크게 개인 내적 요인과 개인 외적 요인으로 구분할 수 있다. 개인 내적 요인은 급격한 신체적 성장, 제2차 성징의 출현, 부모로부터 독립하고자 하는 심리적 이유기, 미래조망 수용능력의 부족, 감각추구 경향, 정체성 혼미 등이 있다. 개인 외적 요인은 TV, 인터넷 등의 발달, 산업화에 따른 물질만능주의, 가치관의 혼돈, 입시 위주의 교육, 가족기능의 약화, 가족의 붕괴 등이다. 이러한 개인 내·외적 요인 간의 갈등 때문에 우울, 불안 등의 부정적 정서를 지니게 되어 여러 가지 위기상황에 직면하게 된다.

청소년기 자아중심성 [靑少年期自我中心性, adolescent egocentrism] 청소년기 사회인지발달의 특성으로서, 자신의 신념과 가치관을 중요시하여 자신과 다른 사람이나 사회의 보편적인 신념과 가치관을 분명하게 구분하지 못한 채 자신을 특별한 존재로 여기고 자의식이 강한 것을 말한다. 청소년기 자아중심성은 엘킨드(Elkind)가 피아제(Piaget)의 자아중심성을 청소년기의 특성에 적용하여 확장한 개념이다. 청소년기 자아중심성은 형식적 조작사고가 발달하는 11~12세경에 나타나기 시작하여 15~16세경에 정점을 이루지만 여러 가지 사회적 경험을 통하여 바람직한 사회인지 능력을 발달시킴으로써 서서히 사라진다. 청소년기 자아중심성은 개인적 우화(personal fable)와 상상적 청중(imaginary audience)으로 구분하여 설명할 수 있다. 개인적 우화는 다른 사람과 달리 자신은 아주 특별하고 독특한 존재로, 자신의 생각과 감정 등은 다른 사람과 완전히 다르다고 생각하는 것이다. 예를 들어, 자신이 느낀 사랑, 우정 등은 다른 사람은 전혀 느끼지 못한다고 여기며 죽음, 위험, 위기, 고통 등은 자신에게 일어나지 않을 것이고 일어난다고 해도 전혀 해가 되지 않을 것이라는 허구적이고 비합리적인 신념을 가진다. 개인적 우화의 경향은 자신감과 위안을 줄 수 있고 때로는 빈곤퇴치, 환경운동, 시민운동과 같이 적극적인 사회운동에 참여하기도 한다. 개인적 우화는 강한 자의식, 자신에 대한 관심, 자기과신에서 비롯되며, 이 같은 경향은 여자보다 남자에게 더 많이 나타난다. 이 특성의 출현은 발달과정상 자연스러운 현상이며 현실검증 능력이 발달하면서 자신과 타인을 보다 객관적으로 지각하고 이해하며 친밀한 대인관계를 형성해 나가면서 서서히 사라진다. 개인적 우화는 위기행동, 비행, 중독 등의 감각추구행동으로 나타나는 부정적 영향을 주고, 그것이 지나치면 자살상념 및 우울증과 관련이 된다. 또 다른 청소년기의 특징인 상상적 청중은 실제로 자신이 관심의 대상이 아님에도 불구하고 다른 사람들에게 많은 관심과 주목을 받고 있다고 여기면서 자신은 주인공이고 다른 사람은 청중으로 생각하여 다른 사람의 시선을 의식하고 즐겁게 하기 위하여 눈에 띄는 행동을 한다. 상상적 청중현상이 높은 청소년은 부정적 자아개념, 낮은 자아존중감, 낮은 수준의 자아정체성 확립, 그리고 사회적 기술 또한 낮은 수준을 나타낸다.

청소년기 좌절증후군 [靑少年期挫折症候群, adolescent collapse syndrome] 청소년기에 좌절을 경험함으로써 발생하는 독특한 병리적 상태를 말한다. 이 증후군은 초기에는 신경증과 비슷한 증상을 보이다가 점차 등교거부, 폭력, 자살기도, 강한 반항, 가출 등의 일탈행동을 보이며 피해적 사고, 문제나 갈등의 원인이 타인에게 있다는 사고, 사고력 저하 등의 사고장애를 나타내고, 무감동, 무위(無爲), 의욕감퇴 등의 의욕장애, 그리고 퇴행을 보이기도 한다. 이 때문에 표면적으로는 등교거부, 가정에서의 폭력, 자살, 비행, 틀어박히기 등으로 나타나 단순한 비행행동으로 다루기 쉬우나 상담이나 정신과 치료를 받지 않으면 점점 더 악화되거나 만성화될 수 있다. 이 같은 증상은 과민성, 내성결여(耐性缺如)와 같은 자아발달에서의 문제를 지니고 있는 가운데 정신적 충격이 가해져서 발생하는 것으로 보이며, 치료는 심리상담, 약물치료, 생활지도 등을 병행하는 것이 좋다. 초기에는 치료하기가 쉽지만 악화되거나 만성화되면 오랜 기간의 치료가 필요하다. 학술적으로 정착된 용어는 아니다.

청소년비행
[靑少年非行, juvenile delinquency]

청소년의 절도, 강간, 약물사용 등의 청소년 범죄와 음주 및 흡연 등의 일탈행동. [아동청소년상담]

청소년비행은 넓은 뜻으로는 '나쁜 일'을 한 아이의 행동을 말하는데, 성인과 다르게 과거의 객관적 범죄행위뿐 아니라 장래에 죄를 범할 가능성도 내포한다. 법률을 위반한 의미에서의 비행보다는 반사회적 행위에 초점을 두고 있다. 즉, 미성년자로서 지켜야 할 규칙을 위반하는 행위, 부모에 대한 불복종, 상습적인 학교 결석, 가출, 음주, 성 행위 등을 말한다. 우리나라 「소년법」 제4조에서는 청소년비행을 청소년에 의한 범죄행위, 촉법행위, 우범행위로

제시하고 있다. 이처럼 법률적으로는 세 가지 의미가 있는데, 가정법원의 심판대상이 되는 범죄소년(형벌 법령에 저촉된 행위를 한 19세 미만의 소년), 촉법소년(형벌 법령에 저촉된 행위를 한 10세 이상 14세 미만의 소년), 우범소년(방치하면 형벌 법령에 저촉될 위험성이 강한 10세 이상의 소년)이다. 한편, 싸움, 흡연 등의 불량행위와 관련이 있으면 비행소년이라는 말을 사용한다. 비행행동을 어떻게 보느냐 하는 것은 입장에 따라 원인과 대응에 차이를 보인다. 예를 들면, 문제행동으로 보는가, 메시지 혹은 신호로 보는가에 따라 대응과 예방이 달라진다. 청소년비행은 본인이나 가족에게만 그 원인을 국한시키기보다는 사회문제의 일환으로 사회적 책임을 지고 대책을 강구해야 한다.

청소년상담
[靑少年相談, youth counseling]

아동 후기부터 청년 후기까지의 과도기에 있는 청소년과 그 주변환경을 대상으로 하는 상담. [아동청소년상담]

청소년상담은 인간발달단계 중 아동 후기부터 청년 후기까지의 단계에 속하는 청소년과 청소년 관련인(부모, 교사, 청소년 지도자 등), 그리고 청소년 관련 기관(가정, 학교, 청소년보호 기관 등)을 포함하는 영역을 대상으로 하는 상담이다. 청소년 단계에 발생하는 다양한 문제는 청소년 자신의 발달과업의 특징에서 유발되는 경우도 있지만, 주변의 다양한 환경과의 관계에서 발생하는 경우도 많기 때문에 청소년상담의 대상을 청소년뿐만 아니라 그와 관련된 사람들과 기관까지 포함하는 것이 현재 추세다. 우리나라의 청소년상담은 학교생활지도인 훈육의 차원에서 시작되었다. 1980년대에 들어와서는 학교 중심으로 전개되던 청소년상담이 보다 다양한 영역으로 확산되어 근로청소년, 비행청소년, 무의탁청소년 등 점차 상담범위가 확대되었고, 지역사

회 내에서도 상담기관이 설립되어 학교 중심의 상담에서 탈피하여 청소년들을 보다 조직적으로 돕는 활동으로 개념이 광범위해졌다. 그리고 1990년대에 들어와서는 「청소년기본법」이 제정되면서 청소년상담이 정부의 주요 정책에 반영될 수 있는 기초가 마련되어 상담과 청소년 정책과의 연계성이 확보되기에 이르렀다. 청소년상담에서 상담목표로 삼는 것은 다른 발달단계보다 특히 청소년기에 중요한 문제로 부각되는 학업, 진로, 대인관계, 성격, 행동습관 등에 대한 심리적 역기능 상태의 치료 및 문제해결뿐만 아니라, 문제발생 시 상황에 대처할 수 있는 지혜와 힘을 기를 수 있도록 문제의 예방 및 발달과 성장 또한 목표로 삼았다. 청소년상담의 활동영역은 관련된 여러 가지 자료를 통한 청소년 이해활동, 문제해결과 예방을 돕는 전문적인 상담활동, 자신을 둘러싸고 있는 다양한 환경을 이해할 수 있는 정보제공활동, 청소년 자신의 미래를 위한 올바른 선택을 할 수 있도록 도와주는 정치활동, 그리고 청소년의 지속적인 성장과 발달을 돕는 추수지도활동 등을 포함한다. 이러한 청소년상담은 성인 상담과는 달리 내담자인 청소년이 상담에 비자발적으로 참여하게 되는 경우가 많다. 따라서 상담의 현장에서 대다수의 청소년들은 비협조적이고 거부적인 모습을 보인다. 이에 따라 청소년상담자는 청소년과 학부모의 상담에 대한 기대를 정확하게 파악하고 효과적으로 대처해야 한다. 특히 청소년과 학부모는 상담에 대해 서로 다른 기대를 가지고 있을 수 있는데, 상담자는 이를 잘 파악하고 그 차이를 줄여 나가는 것이 필요하다.

관련어 발달단계, 청소년, 학교상담

청소년상담사
[青少年相談士, youth counselor]

청소년의 발달적 특성과 문제를 이해하고 문제를 해결하는 데 도움을 주는 조력자. 학교상담

상담 관련 분야의 상담실무경력 및 기타 자격을 갖춘 자로서 국가고시에 합격하고 연수 100시간을 이수한 다음 여성가족부 장관으로부터 청소년상담사의 국가자격을 부여받는다. 이 자격시험은 2003년에 처음으로 시행되었으며, 자격은 1급, 2급, 3급으로 나누어져 있고, 여성가족부에서 주최하고 한국청소년상담원에서 주관하며 한국산업인력공단에서 시행한다. 청소년상담사의 국가자격을 제도화한 목적은, 첫째, 일반 상담과 차별화된 청소년 문제에 초점을 둔 전문상담자를 양성한다. 둘째, 청소년상담사를 전문화하고 상담자의 자질을 향상한다. 셋째, 청소년 문제에 대한 열의와 관심으로 높은 자질을 지닌 인력을 선발하는 데 있다. 청소년상담사의 주요 활동으로, 1급은 청소년상담을 주도하는 지도인력으로서 청소년상담에 관한 정책개발 및 행정업무 총괄, 상담기관의 설립 및 운영, 청소년의 제 문제에 대한 개입, 2급과 3급 청소년상담사를 교육하고 훈련한다. 2급은 기간인력으로서 청소년 정신을 육성하는 청소년상담사이며 청소년상담의 전반적 업무 수행, 청소년의 각 문제영역에 대한 전문적 개입, 심리검사 해석 및 활용, 청소년상담과 관련된 독자적 연구설계 및 수행, 3급 청소년상담사 교육 및 훈련이다. 3급은 실행인력으로서 유능한 청소년상담사이며 기본적인 청소년상담업무 수행, 집단상담의 공동지도자 업무수행, 매체상담 및 심리검사 등의 실시와 채점, 청소년상담 관련 의뢰체계 활용, 청소년상담실 관련 제반 행정적 실무를 담당한다.

관련어 한국청소년상담원

청중참여시키기
[聽衆參與 –, audiencing]

이야기치료에서 정의예식과 회원재구성대화를 위해 청중집단을 구성하여 그들과 함께 이야기를 더욱 발전시키고, 대안적 이야기의 시작을 격려하며, 이를 강화하기 위해 사용하는 방법. 이야기치료

이야기치료과정에서 새롭게 구성된 대안적 이야기(alternative story)를 더욱 풍부하게 만들고 강화하기 위한 기법으로, 치료과정 중에 청중을 참여시키기도 한다. 청중의 역할은 주로 내담자의 이야기와 관련이 있는 사람들이 초대된다. 이 청중은 치료과정에 함께 참여하여 내담자의 대안적 이야기와 관련된 자신들의 이야기를 함으로써, 이를 지지하여 더욱 풍성하게 해 주고 그 영향력을 확대시키는 역할을 한다. 이야기치료에서의 청중참여시키기는 청중으로 초대된 사람들이 상담과정에서 내담자의 이야기와 동등한 영향력을 가지고 적극적인 상호관계 속에서 치료과정을 구성해 나간다는 점에서 다른 상담분야에서 사용하는 '청중'의 의미와는 차이가 있는 독특한 특성을 가진다.

관련어 대안적 이야기, 정의 예식, 회원재구성대화

청킹
[–, chucking]

기억대상이 되는 자극이나 정보를 서로 의미 있게 연결하거나 묶는 인지과정. 인지치료

단기기억에 관한 연구에서 사용되는 용어이며 '덩이짓기'라고도 불린다. 정보를 의미 있는 묶음으로 만드는 것을 뜻하는데, 이러한 인지과정은 결과적으로 단기기억의 용량을 확대시키는 효과가 있다. 인지심리학과 기억법에서는 인간의 뇌가 정보를 기억하는 방법을 감각기억, 단기기억, 장기기억으로 구분한다. 먼저, 1단계인 감각기억은 1초 안에 사라지는 것으로서 시각이나 청각 등 감각기관으로 들어온 정보를 극히 짧은 순간 저장하는 기억이다. 감각기억의 용량은 상당히 크지만 감각기억에 파지된 정보는 즉시 처리되지 않으면 곧 소멸된다. 2단계인 단기기억은 최대 30초 동안 기억하며 감각기억에 파지된 정보에 주의를 기울이면 그 정보는 단기기억으로 전이한다. 단기기억은 정보가 감각기억에 잠시 머물러 있다가 20~30초가량 잠시 의식으로 기억되는 것이므로 단기기억을 의식이라고도 한다. 마지막 3단계인 장기기억은 오랫동안 기억되는 것으로서 감각기억과 단기기억의 과정을 거쳐 장기적으로 저장된다. 영구적인 기억 저장고로서 용량은 거의 무제한이다. 인간의 뇌는 기억대상이 되는 자극이나 정보를 서로 의미 있게 단어와 문장, 단락으로 연결하거나 묶는 인지과정을 거쳐 기억하도록 한다. 이렇게 의미 있는 체계로 묶음 처리를 하는 과정이 '조직화', 즉 청킹이다. 기억 대상이 되는 자극이나 정보를 의미 있는 묶음 덩이로 만드는 청킹은 단기간에 기억의 용량을 확대시키는 효과가 있다. 인간의 뇌는 순간적으로는 저장이 가능하지만 몇 초가 지나면 기억하기 힘들다. 그러나 의미 덩이인 청킹 단위로 하면 좀 더 쉽게 기억할 수 있다. 1956년 밀러(Miller)의 연구 '마법의 숫자 7 ± 2: 인간의 정보처리능력의 한계'에서는 인간의 단기기억 용량으로 7 ± 2가 제시되었다. 이러한 용량제한에 따라 인간의 뇌가 단기기억을 효율적으로 사용하기 위해서는 정보를 5~9 사이의 의미 덩이, 즉 청크(chuck)로 만들어 기억하면 편리하다. 예를 들면, 전화번호부를 보거나 외울 때 1234567890 대신 12-3456-7890과 같이 하이픈을 사용하여 끊어서 읽어주면 기억하는 데 훨씬 효율적이다.

관련어 단기기억

체계경계
[體系境界, system boundary]

체계가 환경과의 차이를 만들어 내고 이를 유지하며 차이를 조절하는 데 사용하는 한계. 체계치료

모든 체계론적 분석의 출발은 체계와 환경 사이의 구분이라고 할 수 있다. 경계를 유지한다는 것은 체계를 유지하는 것이다. 경계는 체계와 환경을 구분 짓고 연결하는 이중기능을 가지고 있다. 이러한 이중기능은 조작적 폐쇄체계에 대한 이론에서 결정적인 의미를 지닌다. 경계는 일련의 사건들을 체계 안과 밖으로 정돈하는 기준을 제공해 준다. 또 경계는 하나의 체계를 환경으로부터 구분 짓는 역할을 수행함과 동시에 환경으로부터 자율적으로 관련성을 결정하는 조건을 제공한다. 구성주의(constructivism)적 관점에서 보면 체계와 환경, 전경과 배경 사이의 경계는 관찰자의 주관적인 인식론적 관심에서 발생한다. 알맞은 체계경계의 특징은 체계진단적 설명의 결과에 기인해야 하며, 이 설명은 경계를 확정짓기 전에, 즉 사실을 규정짓기 전에 이미 구비되어 있어야 한다. 체계는 그 경계를 어떻게 규정하느냐에 따라 완전히 다른 역동성과 정체성을 나타낸다. 하나의 가족을 자기 준거적이고 순환적인 커뮤니케이션과 행동을 하는 사회체계로 본다면, 상호작용하는 대상이 추가될 경우 완전히 다른 단위로 이해해야 한다. 관찰자가 서술하고 싶어 하는 체계의 역동은 그 스스로가 실제(경계)를 만들어 나간다. 즉, 서술과 이에 필요한 절단 사이의 회귀성은 체계의 의미 있는 구성을 위한 기준을 만든다. 이는 관찰자가 흥미 있어 하는 역동을 그대로 그리기 위해 어떤 체계 구성요인이 축소되어야만 하는가와 관련된다. 체계는 수평적 경계와 함께 수직적으로도 구분 지을 수 있는데, 전자는 개인적이고 공간적인 결정을, 후자는 다양한 창출단계를 말한다. 체계이론의 기능-구조적 관점은 루만(Luhmann, 1984)의 사회체계이론(social system theory)에서도 중요한 위치를 차지

하고 있다. 사회체계의 경계는 무엇이 그에 속하고 무엇이 속하지 않는지를 구분하는 선별 메커니즘의 맥락으로 이해할 수 있다. 예를 들어, 상담자들은 가족상담을 진행하면서 상담실에 '체계'가 앉아 있다고 주장할지도 모른다. 상담장면에서는 중요한 부분 체계들이 일상생활에서와는 완전히 다르게 나타날 수도 있다. 상담자는 상담초기에는 가족구성원들이 속해 있는 심리적·사회적·경제적으로 매우 폭넓게 얽혀 있는 상황에 대한 정보가 없기 때문이다. 체계의 경계는 상담이 어느 정도 진행이 되면서 내담자의 진술을 토대로 적절하게 구성된다. 경계가 구성되는 중요한 단서로는 상담에 참여한 사람들의 진술, 좋아하거나 또는 어렵게 느끼는 일상생활 영역들, 전형적인 하루 일과, 공간적·물질적 조건에 대한 정보, 문제가 발생하는 시공간적 조건 등을 들 수 있다. 상담자는 경계를 설정하는 것이 본인 자신이라는 사실을 명확히 알고 있어야 한다. 또 다른 예로, 사무실에 근무하는 회사원의 경우 사장이 함께 있을 때와 그렇지 않을 때 전혀 다른 체계 특성을 띤다. 또한 대화를 나누는 행위에도 경계가 형성되는데, 대화를 나누는 사람들 사이에서는 의미 있는 반응을 보일 것 같은 잠재적 대화 상대와 관련된 나름의 틀이 형성된다. 이 틀은 고정된 것이 아니라 주변의 맥락 속에서 끊임없이 변화한다.

체계이론
[體系理論, system theory]

모든 연구분야에서 그 연구대상을 각각의 요소들이 상호작용하는 복합체로 인식하고, 그에 대한 어떤 원리나 원칙을 상술하기 위한 체계에 관한 학제 간 연구를 통칭하는 말. 체계치료

체계이론은 1947년 생물학자 베르탈란피(Bertalanffy)가 일반체계이론(general system theory: GST)을 제창하면서 알려진 개념으로, 사이버네틱스(Cybernetics), 파슨스(T. Parsons)의 행위이론(action theory), 루만(N. Luhmann)의 체계이론과 같은 분야로 확산되었다. 체계라는 용어는 자정체계(self-regulating systems)라 할 수 있는데, 이는 자연계, 인간 신체 내 물리적 체계, 환경, 인간의 학습과정 등에서 볼 수 있는 피드백을 통한 자기수정(self-correcting) 작업을 일컫는다. 베르탈란피가 제시한 이래, 체계이론이라는 용어는 다양한 분야에서 쓰이고 있다. 체계는 상호작용, 상호적 관계활동 등을 구성하는 요소로, 심리학에서는 조직심리학이나 산업심리학에서 활발히 적용되고 있다. 심리학 분야에서 말하는 체계이론은 인간의 행위와 경험은 복합 체계 내에서 이루어지는 결과라고 인식한다. 바커(R. Barker), 베이트슨(G. Bateson), 마투라나(H. Maturana) 등과 같은 학자들의 연구가 체계이론을 담고 있다. 이들은 인간의 행위를 인간 개인의 동기화, 정동, 인식, 그리고 사회체계 등이 복합적으로 영향을 미쳐 비롯되는 체계적 결과물로 보았다. 체계이론의 핵심은 인간의 신체와 정신, 심리 등을 하나의 유기적 관계 내에서 보는 관점과 전체를 각 요소 간 체계적 관계로 인식하는 태도라 할 수 있다.

체계적 가족치료
[體系的家族治療, systemic family therapy]

역동적으로 변화하는 가족체계에 집중하여, 각 체계의 역기능적인 상호작용유형을 파악하고 이를 변화시키고자 하는 치료적 접근. **전략적 가족치료**

체계적 가족치료는 일반적으로 밀란의 가족치료 모델을 뜻한다. 체계적 시각은 인간과 환경을 서로 영향을 주는 체계적이고 통합적인 개방체계로 간주하는 것이다. 그런 만큼 인간행동의 문제를 일방적이고 단편적 입장에서 원인을 해명하는 것이 아니라, 체계 내에서의 관계, 전체와 부분의 관계, 환경과의 상호작용 또는 전후관계의 맥락에 초점을 맞

춘다. 체계이론은 심리적 접근보다는 환경의 변화를 강조하는 만큼 포괄적이라는 장점이 있다. 또한 다양한 수준을 연결하고 파악하는 데 도움이 되며, 단선적인 결정론적 원인-결과론을 배제하고 순환적인 인과론을 가능하게 하여 개인의 증상이나 행동에 따른 낙인을 감소시킬 수 있다. 순환론적 인과론은 가족구성원이 연쇄적으로 행동하고 반응하는 것을 전제로 하며, 이러한 광범위한 초점은 체계모델이 가지고 있는 장점이다. 반면에 체계이론은 설명적이라기보다는 해설적이고 추상적이며 모호하다는 단점이 있다. 문제나 증상의 원인을 설명하지 않기 때문에 그것을 실증적으로 증명하기 어려운 것이다. 다시 말해, 실제로 문제나 증상의 발생을 설명하거나 변화의 발생을 설명하는 이론으로서는 부족하며, 지나치게 일반화된 이론이기 때문에 특수한 상황에 적용하는 것은 힘들다. 그러나 특히 체계적 가족치료가 의미 있는 것은 가족치료사가 가족치료에 개입하여 구축하는 생태 체계에서의 생활 경험이 변화의 주요 자원이 된다는 점이다. 키니와 로스(Keeney & Ross, 1985)는 치료자가 가족의 변화를 돕는 과정을 치료자가 의미 있는 소리 또는 새로운 의사소통을 제시하여 가족이 보완적인 변화와 안정의 유형을 재조직하는 것으로 간주하였다. 말하자면 가족치료사는 가족을 변화시키는 것이 아니라 가족이 새로운 현실을 구축하는 데 참여함으로써 변화를 선택할 수 있는 하나의 맥락을 창조하도록 도움을 주는 것이다. 이와 같은 체계적 가족치료는 체계이론에 입각하여 어떤 측면을 사정과 개입의 중심으로 보는가에 따라 치료적 접근과 전략이 다르게 나타난다. 인공두뇌학 개념에 크게 의존하는 밀란학파는 체계란 기본적으로 변화·발전하지만, 단지 안정된 것으로 나타나는 것일 뿐이라는 관점을 강조한다. 그리고 최근 체계적 가족치료라는 용어는 일반적으로 밀란모델을 염두에 두고 사용된다. 밀란모델은 베이트슨(Bateson)의 인공두뇌학적 인식론에 대한 연구 프로젝트에 이론적 기반을 두

고 있다. 즉, 헤일리(Haley)의 전략적 가족치료이론, MRI 단기가족치료센터의 상호작용이론과 함께 베이트슨의 의사소통이론을 바탕으로 하는 것이다. 그러나 밀란모델은 혁신적으로 가족이론에 대한 비지시적이며 조직적인 접근법으로서 전략적 가족치료와 공통되는 기반을 공유하지만, 베이트슨의 체계이론을 가장 순수하고 구체적으로 적용한 학파다. 이를테면 행위에서의 차이, 관계에서의 차이, 가족구성원이 사건을 어떻게 다르게 인지하고 해석하는가의 차이를 체계론적 관점으로 탐구하려는 노력, 가족구성원을 연결시켜 주는 관련성 및 규칙을 알아내려는 노력, 가족게임에 대한 접근 등 베이트슨의 인공두뇌학적 체계이론을 실천적으로 적용하려는 것이다. 밀란학파에서는 역기능적 가족게임이 지속될 경우 문제나 증상을 해결할 수 있는 대안을 모색하지 못하며, 문제를 해결하려는 의도와 해결하고자 하는 인식 자체를 문제로 보고 있다. 따라서 치료를 통하여 가족의 인식이나 전체를 변화시켜 가족체계 전체의 변화를 유도한다는 점에서 2차적 변화를 추구하고, 게임의 규칙을 변화시키려고 한다. 이들은 그동안 치료가 어려웠던 사례들, 특히 신경증적 거식증과 정신분열증에 도전하여 가족 전체를 내담자로 포함하면서 주로 역설적 기법에 기초한 여러 창조적 기법을 활용하여 치료에서 극적인 성공을 거두었다. 또한 밀란학파의 경우 다른 모형과 달리 팀 접근방식을 취하며, 치료과정에서도 장시간 단기치료 형태를 취하고 있다. 가족치료과정에서 가족은 종종 구체적인 충고나 지시를 원하지만, 밀란모델에서는 가족의 이러한 희망을 따르지 않는다. 이미 친구나 다른 전문가들에게 충고나 지시를 많이 받았어도 효과가 없었다고 보며, 이러한 충고나 지시가 가족의 자율성을 침해하고 자유를 속박한다고 보기 때문이다. 따라서 이들은 가족이 다른 해결책을 발견하는 능력, 자유롭게 변화할 수 있는 능력을 강화하는 데 중점을 둔다.

관련어 | 밀란모델

체계적 둔감
[體系的 鈍感, systematic desensitization]

불안 극복을 위한 행동수정방법으로서, 불안을 일으키는 자극에 대해 불안을 가장 적게 일으키는 자극부터 불안을 가장 많이 일으키는 자극의 순서로 불안 위계표를 작성하고 상상을 통해 제시하면서 불안에 상반되는 반응으로 근육의 긴장이완을 적용하여 불안을 형성한 조건형성을 깨뜨리는 것. 행동치료

둔감은 감감, 탈감으로도 불리는데, 울페(Wolpe, 1958)가 개발한 방법이다. 내담자가 낮은 정도의 불안에 맞서는 행동을 할 수 있게 되면 바로 좀 더 불안을 일으키는 상황을 상상하게 하여 불안을 일으키는 상황에 점진적으로 혹은 체계적으로 더 둔감해지도록 만드는 방법이다. 체계적 둔감의 기본 요소는 근육의 긴장이완, 불안위계의 작성, 체계적 탈감이다. 학습심리학의 관점에서 볼 때 불안은 원래 중립적인 자극이 수동 조건형성을 통해 고통스러운 자극과 연합되어 형성된 것으로서, 정서의 경우 일단 형성되면 쉽게 소거되지 않는 특성이 있다. 울페는 불안을 해소시키는 역조건형성 가설을 제안하고 상호 제지의 원리라고 이름지었다. 상호 제지의 원리는 불안과 상반되는 반응이 불안을 일으키는 자극이 있는 곳에 함께 일어나게 하여 불안 반응을 부분적으로 혹은 전적으로 억압한다면 불안을 일으키는 자극은 그 힘을 잃게 된다는 것이다. 울페는 조작이 가능하면서 불안과 상반되는 반응을 찾던 중 제이콥슨(Jacobson)이 제안한 점진적 이완훈련을 발견하여 체계적 둔감법에 적용하였다. 울페는 공포증 내담자에게 불안을 야기하는 자극을 실제로 대응시키는 것은 위험하고 점진적 이완훈련을 적용하기가 어렵기 때문에 이것이 가능한 상상을 통해 대응하도록 하였다. 다음으로, 상담자는 불안을 일으키는 과거, 현재, 미래의 자극을 확인하기 위해 실시하는 평가면담으로 불안위계표의 내용이 되는 자료를 수집한다. 그리고 심리검사를 사용하거나 내담자에게 불안을 일으키는 모든 상태를 빠짐없이 상세하게 적도록 한다. 자료가 수집되면 상담

자와 내담자는 상담을 통해 빠진 것이 없는지 면밀하게 검토하고 빠진 것이 있을 경우 보충한 다음 불안을 일으키는 자극을 강도에 따라 순서대로 표로 만든다. 불안위계는 주제위계(主題位階, thematic hierarchies)와 시공위계(時空位階, spatial-temporal hierarchies)의 형태로 나뉜다. 주제위계는 공통적으로 규정된 주제를 표현하는 불안야기자극에 초점을 두는데, 그 주제는 공간적·시간적 접촉, 외형적 유사성, 불안야기기능의 유사성, 내적 반응 또는 기타 언어적·상징적 의미를 통하여 형성된 자극군 등이 가능하다. 이것은 개, 자동차, 번개 등 비교적 간단하고 구체적인 주제일 수도 있고 비난, 거절, 죽음 등 복잡하고 추상적인 것일 수도 있다. 시공위계는 시간적·공간적으로 고정된 표적에 초점을 둔다. 이 표적은 내담자의 생활에 가장 강한 불안을 일으키는 상황 또는 사건으로서, 주제가 단일할 수도 있고 복합적일 수도 있다. 주제위계와 시공위계는 통합이 가능하다. 탈감을 위해서는 자극의 상상이 불안을 일으키는지, 내담자가 불안을 야기하는 상황에 들어가 있는 자신을 상상할 수 있는지 평가해 보고 상상의 시작과 종료 지시에 즉시 응하는 능력이 있는지 검증해 보아야 한다. 이를 위해 상담자는 근육이완훈련 뒤에 불안을 일으키지 않는 중립적인 상황 몇 가지를 상상해 보도록 하고, 다음으로 즐겁고 유쾌했던 경험 몇 가지를 상상해 보게 한다. 이를 통해 확인이 되면 탈감에 들어간다. 불안위계 중 불안을 가장 약하게 일으키는 자극상황을 도입하고 내담자가 이 상황 속에 들어가 있는 것을 상상하도록 잠시 시간을 준다. 그리고 상상을 중단시키고 긴장이완을 하도록 한다. 도입한 불안자극을 상상하는 동안 불안이 상승하지 않으면 다음으로 높은 불안 강도의 자극상황을 상상하도록 한다. 상상하는 동안 조금이라도 불안이 상승하면 상상을 그만두고 긴장이완을 충분히 하도록 한다. 그런 다음 그전에 도입했던 좀 더 약한 자극의 상상을 다시 시작한다. 체계적 둔감법은 초기에는 공포증 치료에만 적용되었으나 점차 복잡한 사례의 불안감소방법으로 발전되어 객관적인 위험이나 위협이 없는데도 심각한 괴로움을 겪는 불안 공포증 내담자, 정신신체장애(psychosomatic disorders) 내담자 등으로 더 넓게 적용되었다.

관련어 긴장이완훈련, 불안위계표, 탈감

체계적 수퍼비전
[體系的−, systemic supervision]

가족을 하나의 체계로 보고, 가족 내 다양한 관계와 역동을 점검하는 가족치료에 대한 수퍼비전. 상담 수퍼비전

체계적 수퍼비전은 수퍼비전 관계 내에서 가족역동의 반복을 통한 훈련을 목표로 한다. 수퍼비전과 그 근거가 되는 이론이 서로 일관성이 있어야 한다는 것을 동형성(isomorphism)이라고 하는데, 이는 만약 치료의 목표가 상담자와 가족 사이의 명확한 경계를 유지하는 것이라면 수퍼비전에서는 수퍼바이저와 수련생 사이에도 명확한 경계가 있어야 한다는 것이다. 또한 수퍼비전이 그 치료접근법이 추구하는 것과 동일한 방법으로 '적극적이고 지시적이며 협동적'이어야 한다고 설명하였다. 예를 들어, 수련생이 자신의 원가족에서 학습한 대인관계 행동패턴을 이해하지 못한다면, 자신의 가족에게 느끼는 감정을 내담자에게 투사할 위험성이 있다는 것이다. 따라서 수퍼바이저는 이러한 수련생의 원가족 경험이 그들의 임상 과정에 어떠한 영향을 미치는지 관심을 기울여야 한다. 수퍼비전에서 이 수련생의 원가족 경험에 대해 직접적으로 다루기 위해서, 수퍼바이저는 수련생이 가계도, 가족사, 가족조형 등의 기법을 활용하여 자신의 원가족에 대해 탐색하는 것을 도와주고, 그 관계패턴을 확인하도록 해 주어야 한다. 게츠와 프로틴스키(Getz & Protinsky, 1994)는 수퍼비전에서 이 같은 원가족 접근은 가족과 작업하고자 하는 수련생에게 필요한 영역임을 임상적

으로 증명하였다.

관련어 심리역동적 수퍼비전, 인간중심 수퍼비전, 인지행
동 수퍼비전

체계적 접근
[體系的接近, systematic approach]

진로상담에서 상담자와 내담자가 공동으로 목표를 정하고 그
목표를 구성하기 위한 방책을 선택하며 그것을 체계적으로 추
진하는 상담과정. 진로상담

진로상담도 다른 상담과 마찬가지로 상담자에게
필요한 기본 태도나 필요조건은 같다. 즉, 상담자에
게 필요불가결한 것은 따뜻한 신뢰로 충만한 인간
관계이고, 상담자는 수용, 공감적 이해, 자기일치 등
의 기본적 태도를 지녀야 하며, 언어로 하는 커뮤니
케이션 능력이 있어야 한다. 그러나 진로상담에서
의 문제는 상담자와 내담자 간의 수준 높은 인간관
계가 성립되거나 내담자가 좋은 마음의 상태가 되
는 것만으로는 해결되지 않고, 구체적인 목표의 달
성을 지원하는 데 충분한 조건을 갖추어야 한다. 이
런 점에서 진로상담은 일반 상담보다 범위와 방법
이 광범위하고 포괄적이다. 그리고 체계적 접근은
일반적으로 다음과 같은 순서로 진행된다. 첫째는
상담의 시작, 둘째는 문제의 파악, 셋째는 목표의 설
정, 넷째는 방책의 실행, 다섯째는 결과의 평가, 마
지막으로 종료다.

체계화 범주
[體系化範疇, well-formed criteria]

NLP에서 형식조건에 맞게 잘 설정된 준거, 또는 성취 가능하
고 확증 가능한 성과를 표현하는 것에 대한 사고방식. NLP

체계화 범주는 자신이 어떤 일을 하는 이유에 해
당하며, 그것을 행함으로써 얻는 것이라고 할 수 있
다. 일반적으로 부, 성공, 즐거움, 건강, 황홀감, 사
랑, 학습 등 명사화되어 있다. 체계화 범주는 자신
이 일을 해야 하는 이유가 무엇이고, 누구를 위해 일
을 하며, 누구와 결혼을 하고, 어떻게 관계를 형성하
면서 어디서 살아야 하는지를 좌우한다. 즉, 자신이
차를 구입할 때 어떤 모델을 살 것인가, 옷을 살 때
어떤 디자인을 선택할 것인가, 그리고 외식을 할 때
어느 곳으로 갈 것인가 등을 결정한다. 한 사람이
다른 사람들의 기준에 맞추는 것은 좋은 라포를 형
성하는 데 도움을 된다. 다른 사람의 기준에 맞추기
를 하는 것은 상대방의 가치에 동의해야 한다는 것
이 아니라 상대방의 가치를 존중함을 보여 주는 것
이다. 따라서 맞춤 성과와 윈윈(win-win) 해결책의
기초가 된다. 그러나 체계화 범주는 사람들마다 매
우 다르게 해석되어 부정적인 결과를 초래할 수 있
다. 예를 들어, 아내에게 능력이라는 것은 일을 성
공적으로 잘 해내는 것의 준거였다. 이 경우 능력이
란 말은 현상에 대한 단순한 설명에 불과하고 그 자
체가 높은 가치를 가진 준거는 아니다. 하지만 남편
에게 능력이라는 것은 자신의 마음이 어떤 일에 몰
두하면 그 일을 잘 할 수 있을 것이라는 느낌을 의미
하였다. 이 같은 차원에서 능력을 느낄 수 있는 것
은 그에게 자긍심을 심어 주었고, 그 능력은 높게 평
가되었다. 그러므로 아내가 남편에게 능력이 없다
고 말하면 남편은 아내의 진정한 뜻을 이해할 때까
지 매우 화가 나 있을지도 모른다. 이와 같이 원만
한 관계를 위해서는 각기 자신의 준거에 대한 상대
적 중요성을 알아차려야 한다.

체액론
[體液論, humorism]

인간의 신체 내부에 흐르는 액체의 양에 따라 성격형성과 특
성을 설명하는 논리적 틀. 성격심리

이 이론은 고대 그리스의 의사인 히포크라테스가
인간의 체액비율에 따라 혈액(blood), 흑담즙(black

bile), 황담즙(yellow bile), 점액(phlegm)의 네 가지 유형으로 성격을 설명한 것에서 시작되었다. 이후 서기 200년경에 갈레노스(Galenos)는 히포크라테스가 제시한 네 가지 체액에 따라 제시한 성격유형을 기준으로 담즙질, 우울질, 점액질, 다혈질이라고 명명하였다. 네 가지 성격 유형 중 어떤 것이 특별히 우월하다고 할 수는 없고, 유형마다 고유하고 독특한 능력이 있다. 담즙질(choleric)은 성을 잘 내는 특성을 가지고 있으며, 흔히 성마르고 초조하며 공격적이고 흥분하기 쉬우며 변덕스럽고 충동적인 경향이 강하다. 그래서 자신의 실패를 받아들이는 것을 어려워하고 성급한 면이 있으며 자신이 미워하는 사람은 철저하게 미워하는 경향이 있어서 무자비한 행동을 보이기도 한다. 이 같은 경향은 자신의 주위에 사람이 없어서 외롭고 적을 많이 갖는 이유가 되기도 한다. 이와 달리 이 유형의 긍정적인 측면은 외향적이고 낙천적이며 행동력이 강하다는 점이다. 능동적이고 의지가 강하며 독립적이어서 스스로 어려운 일을 잘 헤쳐 나가고 어떤 일을 수행할 때 충분히 생각하고 실행계획을 세운 다음 일을 추진하여 일에 대한 성과가 좋은 편이다. 이러한 특성 때문에 사회 지도자가 많다. 따라서 담즙질의 특성을 나타내는 말로는 천성적 지도자, 역동적, 활동적, 변화추구, 강한 의지력, 단호함, 이성적, 독립적, 자신감, 목표 지향적, 전체를 봄, 조직적, 실제적 해결책을 찾음, 생산적, 타인의 참여 요구, 타인에게 동기부여, 단체활동을 즐김, 옳은 주장을 펼침, 재치성 등이 있다. 우울질(melanchoria)은 내성적, 비관적, 사색가의 특성을 가지고 있다. 이 유형의 장점은 풍부한 감정, 예민함, 진리 추구 경향, 깊은 생각으로 다른 사람들이 보지 못하는 면을 본다. 이들은 사람들에 대한 태도와 행동이 성실하지만 다른 사람 앞에 서는 것을 싫어하여 시인, 철학자, 목회자가 많다. 인간의 70% 이상이 이 유형에 속한다. 이 유형의 단점은 일에 추진력이 부족하고, 우유부단하며, 피해의식이 있고, 위축되어 있으며, 비난에 민감

하다. 또 비관적, 비판적 사고, 불평, 절망, 분노 등의 부정적 감정과 사고의 경향이 있다. 우울질의 특성은 사려성, 분석적, 진지함, 목적의식, 예술적, 철학적, 타인에 대한 민감성, 자기희생적, 신중, 이상추구, 계획에 따라 실천, 완벽주의, 세밀, 꾸준함과 철저, 질서, 조직력, 깔끔, 경제적, 문제 파악력, 창조적 해결책 고안, 높은 완성도, 높은 기준, 헌신적, 타인을 염려함, 불평에 대하여 경청 등이 있다. 점액질(phlegmatic)은 관찰자, 내성적, 비관적인 특성을 가지고 있다. 이 유형의 장점은 객관적으로 사고하고 감정조절을 잘하며 다른 사람의 이야기를 분석하고 효율적인 방법으로 일을 처리한다는 것이다. 단점은 일에 대한 의욕이 적고 비판적이며, 지나치게 분석적인 경향이 강한 것이다. 이 유형의 특성은 겸손, 온유함, 태평스러움, 느긋함, 고요, 냉정, 침착, 인내심, 균형 잡힌 생활, 일관성, 조용하면서 위트가 있음, 동정심, 친절, 감정을 드러내지 않음, 현실을 즐겁게 받아들임, 적응, 유능하고 꾸준함, 행정적 능력, 문제중재, 유쾌하고 즐거움, 경청을 잘함, 사람들을 관찰함, 친구가 많음 등이다. 다혈질(sanguine)은 외향적, 낙천적, 웅변가적 특성을 가지고 있다. 이들은 개방적이어서 자신에 대하여 다른 사람들에게 알리는 편이며, 온화하고 정이 많아 친구와 주변에 사람들이 많고, 의리가 강하여 약한 사람을 돕고자 한다. 이런 장점에 비하여 이 유형은 비현실적이라는 단점을 지니고 있다. 가족보다는 친구를 더 생각하고 배려하려는 경향이 강하다. 진지한 면이 부족하여 인생을 낭비하며 보낼 가능성이 있다. 이 유형의 특성은 호감, 이야기를 잘함, 유머감각, 좋은 기억력, 피부접촉을 좋아함, 풍부한 감정, 자기표현, 명랑, 호기심, 순진, 현재를 중시, 어린아이 같은 마음, 새로운 일 만듦, 창조적, 기발함, 정력적, 부지런함, 사람들을 끌어들임, 명랑, 즐거움, 불평이 없음, 타인의 칭찬을 받고 싶어 함 등이 있다.

관련어 | 체질론, 체형론

ㅊ

체질론
[體質論, constitution theory]

신체유형에 따라 인간의 성격을 분류하고 설명하고자 하는 틀로서 성격유형론의 하나. `성격심리`

1942년에 미국의 셸던(W. Sheldon)은 신체유형과 기질 간의 관계를 상관 연구하여 인간의 신체유형을 내배엽형(endomorphic type), 중배엽형(mesomorphic type), 외배엽형(ectomorphic type)의 세 가지 기본 유형으로 분류하여 각 유형의 성격 특성을 설명하였다. 이러한 신체유형은 태생기의 배(morphic)의 발생 특징에 따라 결정된다. 즉, 내배엽형은 내배엽에서 발생하는 소화기관이 잘 발달되어 비만형이 되는데, 사교적이고 온화하며 다른 사람에게 관심과 애정이 많고 느긋하고 차분한 기질을 지닌다. 내장 긴장형이라고도 한다. 중배엽형은 중배엽에서 발생하는 골격이나 근육이 잘 발달되어 근육형이 되는데, 힘이 넘치고 경쟁적이며 공격적이고 대범한 기질을 지닌다. 신체긴장형이라고도 한다. 외배엽형은 외배엽에서 발생하는 피부조직이나 신경계통이 잘 발달되어 쇠약형이 되는데, 억제적이고 지적이며 내향적, 초조함, 자의식적 기질을 지닌다. 대뇌긴장형이라고도 한다.

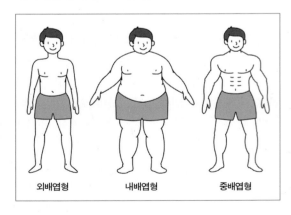

외배엽형   내배엽형   중배엽형

관련어 | 체액론, 체형론

체험과정
[體驗過程, experiencing process]

젠들린(Gendlin)이 제시한 인간중심상담의 주요 개념으로서, 개인이 외부와의 상호작용에서 과정으로서의 감정과 체험을 가지는 것. `인간중심상담`

젠들린에 따르면, 로저스(Rogers)의 인간중심상담에서는 내담자가 표현하는 것이나 표현에 내재된 기분을 존중하여 수용하는 것을 중시했지만, 그러한 행위가 구체적으로 내담자 속의 무엇을 향하고 있으며, 무엇을 촉진하려는 것인지는 명확하지 않다. 그때까지 로저스가 사용한 '유기체적 경험'이라는 개념은 개인 속에 잠재하는 내용(content)으로 간주되어 왔다. 그러나 개인 안에는 그러한 내용만이 존재하고 있는 것이 아니라 외계와의 상호작용과 함께 과정(process)으로서 살아오며, 과정으로서의 감정이나 경험이 끊임없이 일어난다. 상담에서 내담자가 바로 대처하고 표명하고 언어화하고자 하는 것, 그리고 상담자가 응답하고 촉진하고자 하는 것은 이 과정으로서 존재하는 감정 혹은 경험의 존재라고 할 수 있다. 젠들린은 그것을 '체험과정'이라고 부른 것이다. 예를 들면, 우리는 어떤 사물이나 사건이나 타인에 대해서 언어화할 수 있는 것도 내용 이전의 것으로서 특정 느낌의 체험과정을 항상 가지고 있다. 그것은 말이나 개념 자체가 아니라 무한히 언어화, 추상화할 수 있는 어떤 느낌(sense)이다. 그것이 불명료하거나 충분히 상징화할 수 없을 때 우리는 고통스러워하며 상담의 도움을 필요로 한다. 그리고 상담은 내담자의 이러한 내적 체험과정을 적절하게 상징화하고 표현하고 인식할 수 있도록 도움을 준다. 체험과정은 인간중심상담이 내담자의 말에 대한 단순한 수용이나 말의 반사와 같은 형식성을 넘어서 내담자에게 보다 깊은 내적 수준에서 다가가는 것을 가능하게 만들었다는 의미를 지니는 개념이다.

체험확장
[體驗擴張, expansion of the experience]

게슈탈트 치료의 목표 중 하나로, 억압했던 자신의 부분에 다시 접촉하게 해 주어 체험영역, 즉 '나-경계'를 확장시켜 주는 것이다. 게슈탈트

게슈탈트 이론에서 심리장애를 겪고 있는 사람들은 자기 자신의 감정과 욕구의 상당 부분을 억압하고 있기 때문에 그것과의 접촉이 차단되어 있다. 그들은 자신의 억압된 감정이나 욕구에 직면하는 것을 두려워하므로 그것을 방어하기 위해 많은 에너지를 소모하고, 그 결과 창의적이고 자유로운 삶을 살지 못한다. 어떤 의미에서 심리증상들은 개체의 정신적·신체적 기능이 제약을 받아 나타나는 현상이라고 볼 수 있다. 따라서 게슈탈트 치료에서는 이런 개인의 방어를 해제하고 억압했던 자신의 부분에 다시 접촉하게 해 주어 체험영역, 즉 '나-경계'를 확장시켜 주는 것을 주목표로 삼고 있다. 이 과정을 통하여 유기체의 자연스러운 기능을 복원시킬 수 있다고 본 것이다. 체험영역의 확장은 제한된 틀에서 벗어나 자신의 감정과 욕구를 자유롭게 표현하도록 해 주며, 불안과 공포증에서 벗어나 점차 삶의 다양한 가능성을 향해 도전할 수 있도록 한다.

관련어 ┃ 나-경계

체형론
[體形論, somatotype theory]

몸집이나 몸의 형태에 따라 인간의 성격유형을 분류하고 성격 특성을 설명하고자 하는 성격유형이론의 하나. 성격심리

1921년 독일의 정신과 의사 크레치머(E. Kretschmer)는 인간의 신체유형을 관찰하여 비만형(pyknic type), 근육형(athletic type), 쇠약형(leptodomic type)의 세 가지 기본 유형으로 분류하고, 이 유형에 속하지 않는 유형은 이상신체형(dysplastic type)으로 구분

하였다. 그리고 이 신체유형에 따라 인간의 성격과 정신장애를 분류하고자 하였다. 그는 임상사례를 통하여 신체유형과 정신질환 간에 상관이 있다는 것을 확인하였으나 타당성이 낮아서 실제 임상장면에서는 적용되지 않는다. 유형별로 살펴보면 다음과 같다. 비만형은 정서가 불안정하고 조울장애를 보이는 경향이 강하다. 성격은 사람 사귀는 것을 즐기며 활발하지만 기분의 변동이 심한 것이 특징이다. 근육형은 정신분열증 및 조울병을 나타내는 경향이 있지만 정력적이다. 쇠약형은 전체 신장의 성장은 정상적이지만 체격이 부실한 편이다. 체중이 적게 나가고 팔이 가늘며, 화사한 손, 골근이 약하고, 여위고 평평한 가슴 등이 특징이다. 이들은 내향적이며 정신분열적 기질을 보이고, 성격은 꼼꼼하면서 신경질적이고 깔끔하며 혼자 있는 것을 즐긴다. 이상신체형은 앞의 세 가지 범주에 속하지 않는 유형을 말한다.

관련어 ┃ 체액론, 체질론

체화된 마음이론
[體化-理論, theory of embodied mind]

마음에 관한 기존 연구의 한계를 극복하기 위하여 등장한 인지과학의 세 가지 패러다임 가운데 기호주의와 연결주의에 이어서 등장한 세 번째 패러다임. 철학상담

기호주의(symbolism)는 우리가 현재 다루고 있는 컴퓨터의 작동방식에 기반을 둔 이론체계다. 여기서 마음은 일정한 사고규칙에 따라 기호로 표현된 정보를 처리하는 표상체계다. 기호주의가 제시하는 인지구성은 지나치게 규칙 준수적이고 형식적이라는 비판이 제기되었다. 반면에 연결주의(connectionism)는 인간의 뇌의 생리적 구조를 반영하는 인지구성을 제시하는데, 그러한 구성을 갖춘 인지체계는 학습이 가능하고 인간의 뇌가 보여주는 가소성을 갖는다. 따라서 연결주의에는 기호

ㅊ

주의에 비하여 인간을 닮은 인지구성을 제시하는 장점이 있지만, 그럼에도 인지체계에는 유연성과 환경의 관련성을 설명하는 데 한계가 있다. 체화된 마음이론에서는 인지적 행위자의 몸과 환경이 차지하는 역할을 강조한다. 마음이 작동하기 위해서는 몸과 환경의 개입이 필수불가결하다는 의미에서 마음은 몸과 환경에 체화되어 있다는 것이다. 마음의 체화는 존재론적 차원에서는 마음이 뇌를 포함한 몸에 구현되어 있음을 의미하고, 인식론적 차원에서는 마음을 몸이나 환경과 분리해서는 제대로 이해할 수 없으며 양자의 관계 속에서 고려해야 한다는 것을 의미한다. 요컨대 체화된 마음이론이 기호주의나 연결주의와 구분되는 것은 마음이 기능하고 작용하는 방식을 몸과 환경과의 연관 속에서 이해하는 것이다. 이러한 체화된 마음이론은 1990년대 이후로 철학, 언어학, 심리학, 생물학, 신경과학, 인공지능 등 마음의 연구와 관련된 여러 분야에서 주장되어 다양한 견해가 표명되었다. 이를테면 바렐라, 톰슨과 로슈(Varela, Thompson, & Rosch, 1991)는 인지를 다음과 같은 세 가지 의미에서 체화된 활동으로 간주하였다. 첫째, 인지는 여러 가지 감각운동능력을 지닌 몸을 통하여 나타나는 경험에 의존한다. 둘째, 개별적 감각운동능력은 그 자체가 더 포괄적인 생물학적·심리학적·문화적 맥락에 속한다. 셋째, 감각운동과정, 지각, 활동은 살아 있는 인지로부터 근본적으로 분리할 수 없다. 체화된 마음이론에 관한 대표적 이론가들, 예를 들어 레이코프(Lakoff), 존슨(Johnson), 바렐라, 톰슨, 로슈, 클라크(Clark) 등의 이론에 나타나 있는 공통점은 세계와 상호작용하는 몸을 통하여 마음을 이해해야 한다는 것이다. 체화된 마음이란 유기체의 감각운동능력이 자신의 환경과의 상호작용에 의해 유기체의 적응도를 높이는 방식을 말한다. 요컨대 체화된 마음이론에서 몸과 환경은 인지과정에서 중요한 역할을 하고, 몸과 마음은 분리될 수 없는 것이며, 인지·정서·지능 등은 환경적 복잡성을 다루기 위한 진화의 산물이다. 체화된 마음이론에서 질병은 사람들이 환경이 제기하는 복잡성에 적절하게 대처할 수 없을 때 발생하는 것, 다시 말해 신체적·정신적·사회적 차원에서 항상성이 적절하게 유지되지 못할 때 발생하는 것이다. 이와 같이 체화된 마음이론에서는 마음을 몸과의 관계 속에서 규명함으로써 환경을 간과한 전통적 심리(치료) 이론과 달리, 인간의 마음은 몸을 통하여 환경과 상호작용하는 것으로 간주하였다. 체화된 마음이론은 건강과 안녕에 대한 현대적 해석의 이론적 기초를 제공하였다.

초기 부적응 도식
[初期不適應圖式, early maladaptive schema]

생애초기에 발달되는 자기 자신 및 타인과의 관계에 대한 평가와 기억, 감정, 인지, 신체감각으로 구성되어 있으며, 유의미한 문제를 일으킬 정도로 자기패배적이고 역기능적인 감정과 사고패턴을 가진 채 사고 전반에 만연된 주제 혹은 패턴의 도식. 도식치료

초기 부적응 도식은 심리적으로 핵심 주제를 말하며, 유기, 학대, 무시, 거절 등의 아동기 주제와 관련된 일련의 기억, 정서, 신체감각 및 인지의 집합이라 할 수 있다. 대부분의 도식은 자신과 환경을 이해하고 다루어 나가는 참조의 틀로 기능하며, 아동기에 중요한 타인들과의 관계 속에서 형성된다. 초기 부적응 도식은 환경적 요인인 핵심 정서 욕구 미충족, 고통스러운 외상경험과 개인적 요인인 정서적 기질이 상호작용하는 과정에서 형성된다. 광범위한 행동에 영향을 주는 주제 또는 패턴의 형태로 기억, 감정, 인지, 신체감각으로 구성되어 있으며, 자기 자신 및 타인과의 대인관계에 대한 평가를 반영하고, 아동기 혹은 청소년기에 발달하여 생애 전반에 걸쳐 정교화된다. 대부분의 초기 부적응 도식은 특정 도식과 연관된 사건에 의해 환경과 관련된 자신에 대한 무조건적인 신념을 활성화하는 작용을 한다. 개인이 자신의 심리도식을 초래한 아동기 사

건의 잔상자극에 접하면, 그 사건과 연합된 정서와 신체감각은 편도체계에 따라 무의식적으로 활성화된다. 자극을 의식하면 정서와 신체감각은 인지보다 더 빨리 활성화된다. 이러한 정서와 신체감각의 활성화는 자동적이고 거의 평생 지속된다. 개인의 부적응적 행동은 초기 부적응 도식에 대한 반응으로 발달한 것이라고 볼 수 있다. 즉, 행동은 심리도식으로 유도된 것이지 심리도식의 일부는 아니다. 현재까지 밝혀진 18개의 초기 부적응 도식은 크게 다섯 가지 영역으로 범주화할 수 있다. 그 다섯 가지를 심리도식영역(schema domains)이라고 부르며, 이것은 충족되지 못한 정서적 욕구를 중심으로 분류한 것이다. 심리도식영역 및 이와 관련된 초기 부적응 도식을 보면 다음과 같다. 첫째, 단절 및 거절(disconnection and rejection) 영역은 다른 사람들과의 관계에서 안정적이고 만족스러운 애착형성을 하지 못하도록 영향을 미친다. 이 영역에 문제가 있는 내담자는 안전, 안정감, 돌봄, 공감, 감정공유, 수용, 존중 등에 대한 욕구가 자신이 예상한 대로 충족되지 않을 것이라고 본다. 이 영역에는 유기/불안정(abandonment/instability) 도식, 불신/학대(mistrust/abuse) 도식, 정서적 결핍(emotional deprivation) 도식, 결함/수치심(defectiveness/shame) 도식, 사회적 고립/소외(social isolation/alienation) 도식이 있다. 둘째, 손상된 자율성 및 손상된 수행(impaired autonomy and performance) 영역에 문제가 있는 내담자는 부모로부터 자신을 분화시키거나 독립적으로 기능하지 못하도록 방해하는 자신 및 세상에 대해 기대를 가지고 있다. 자신의 정체성에 대한 모호함 때문에 상담목표 설정에 어려움을 겪는다. 이 영역에는 의존/무능감(dependence/incompetence) 도식, 위험/질병에 대한 취약성(vulnerability to harm/illness) 도식, 융합/미발달된 자기(enmeshment/undeveloped self) 도식, 실패(failure) 도식이 있다. 셋째, 손상된 한계(impaired limits) 영역에 문제가 있는 내담자는 상호성과 자기훈련의 측면에서 적절

한 수준의 내적인 한계를 발달시키지 못한다. 내적인 한계, 타인에 대한 책임감, 장기적인 목표 지향 등에서 결함을 가지고 있다. 이 영역에는 특권 의식/웅대성(entitlement/grandiosity) 도식, 부족한 자기통제/자기훈련(insufficient self-control/self-discipline) 도식이 있다. 넷째, 타인-중심성(other-directedness) 영역에 문제가 있는 내담자는 자신의 욕구보다는 다른 사람의 욕구를 충족시키는 것이 훨씬 더 중요하다고 생각한다. 자신보다 타인의 욕구에 주목하기 때문에 자신의 내면을 들여다보지 못하고 자신의 생각과 느낌을 잘 표현하지 못한다. 이 영역에는 복종(subjugation) 도식, 자기희생(self-sacrifice) 도식, 승인-추구/인정-추구(approval-seeking/recognition-seeking) 도식이 있다. 다섯째, 과잉 경계 및 억제(overvigilance and inhibition) 영역에 문제가 있는 내담자는 자신의 자연스러운 감정과 충동을 억제하고 융통성 없는 경직된 내면의 규칙을 지니고 있다. 이 영역에는 부정적/비관주의(negativity/pessimism) 도식, 정서적 억제(emotional inhibition) 도식, 엄격한 기준/과잉 비판(unrelenting standards/hypercriticalness) 도식, 처벌(punishment) 도식이 있다.

관련어 | 심리도식작용

초기 통합상담
[初期統合相談, primal integrative counseling]

인생 초기, 즉 인간의 태아기 때의 삶에 대한 정서적 재경험을 통해 내담자의 문제를 해결하려는 심리상담 접근법의 하나.
초기 통합상담

'초기(primal)'라는 단어는 '시작의' 혹은 '최초의'라는 뜻을 가진 말이며 '통합(integrations)'은 '하나로 만들기' 혹은 '전체로 완성하기'라는 의미다. 초기 통합치료에서는 인간의 초기를 출생과정과 출생 이전 태아기의 삶으로 간주하고, 이때의 경험이 일

생에 많은 영향을 준다고 주장하였다. 따라서 이 시기에 대한 근원적 인식을 통해 내담자가 가지고 있는 현재의 문제를 근본적으로 치료할 수 있다고 설명하고 있다. 초기 통합상담의 목표는 내담자의 실제 자기(real self)와 접촉하고 그것을 해방시키는 데 있다. 인간은 삶을 살아가면서 오랫동안 자아를 보호하기 위해 많은 방어기제를 사용한다. 그러나 자기(self)는 방어기제의 층 안에 여전히 본질적으로 존재하고 있으므로 심리상담을 통해 이러한 실제 자기의 모습에 접근할 수 있다고 보았다. 또한 초기 삶의 정서적 경험은 성인기의 정서적 경험에 비해 상대적으로 덜 억압되고, 덜 수정되고, 덜 분화되기 때문에, 개인이 심리적 스트레스의 초기 근원과 접촉하면 깊고 강한 감정을 느낄 수 있다고 보았다. 즉, 초기경험들은 방어기제에 영향을 받지 않고 더 생생하고 명확한 형태인 자아의 상태를 반영하고 있다는 것이다. 이러한 초기상태의 자아를 경험하는 것은 카타르시스의 형태로 자아의 긴장감을 방출하여 해소하게 되며, 이 경험은 내담자의 현재 문제를 해결하는 데 밑바탕이 된다. 초기 통합상담은 과거에 다른 형태의 심리상담을 받은 적이 있고 통제에서 벗어나는 과정의 중요성을 인식하고 있는 사람들에게 유용하다. 이러한 상담기법에 대해 경험이 없는 사람들은 자신의 초기경험을 재인식하고 경험하는 과정에서 방어기제에 영향을 받지 않은 진정한 자신의 모습을 마주하고 진실한 감정을 이야기하는 효과에 당황해할 수 있기 때문이다.

초기 학습세트
[初期學習 -, early learning set]

최면치료에서 트랜스를 유도하기 위해 어린 시절 처음으로 학습했을 때의 심신상태로 만드는 것. **최면치료**

학습세트란 학습할 수 있는 심신상태로 만들어 놓는 것인데, 이를 활용한 최면유도법은 에릭슨(Erickson)이 즐겨 사용한 기법으로 그의 제자인 로시(Rossi)가 명명하였다. 내담자가 어린 시절에 처음으로 어떤 것을 배운 상황으로 되돌아가도록 하여 그때의 심신상태가 되게 하는 것이다. 예로는, 배티노와 사우스(Battino & South)가 이를 활용하여 응용한 유도문을 들 수 있다. "……이제 당신에게 말합니다. 나는 언제였는지 알지는 못하지만 당신은 어린 시절에 학교나 유치원에 갔을 때 처음으로 글자를 배웠습니다. 글자를 익힌다는 것은 놀라운 일이라고 생각했습니다. ……하지만 당신은 하나씩 마음속에 이미지를 그리면서 익힐 수 있었습니다. ……이제 당신은 과거에 처음에는 어렵게 생각한 것을 결국 잘 배웠듯이 다른 것도 그렇게 잘 배울 수 있습니다."

관련어 | 에릭슨 최면, 최면

초기기억
[初期記憶, early memory]

초기 어린 시절(생후 6개월부터 8세)에 경험한 사건에 대한 선별된 기억으로 개인심리학의 주요 개념. **개인심리학**

초기기억은 어린 시절에 가진 삶에 대한 초기관점이나 기억들이 현재 인간관계에 미치는 영향을 평가하기 위해 그 시절에 대한 기억을 말하도록 하는 것으로서 개인심리학의 주요 상담기법이다. 초기기억에는 경험한 사건뿐만 아니라 사건과 관련된 감정이나 생각도 포함된다. 초기기억을 통해 내담자의 감각양식(인생의 목적이나 기대, 요구, 신념체계, 생활양식, 기호, 인간관계, 방식 등)을 명확하게 하여 문제해결을 촉진하는 실마리를 발견한다. 아들러(Adler)는 초기기억이 한 개인이 자기 자신과 다른 사람, 삶 등을 어떻게 지각하는지, 삶에서 무엇을 갈구하는지, 삶에서 무엇이 일어날 것이라고 예견하는지에 대한 간략한 틀을 제시해 준다고 믿었다. 사람들은 그들의 과거사건을 선택적으로 기억하기 때문에 선택적으로 회상할 수 있는 인간관계, 상황은 대개 그들에게 중요한 것들이다. 아동의 초기기억은 그의 생활양식, 잘못된 신념, 사회적 상호작용, 행동목표에 관해 가치 있는 단서를 준다. 사람이 자신의 무수한 경험 중에서 기억하기 위해 선택한 4세, 5세, 또는 6세 때의 생활에서의 순간인 초기기억은 개인적인 생활양식의 원형이거나 혹은 왜 자기 삶의 계획이 본인에게 특별한 형태로 정성스럽게 만들어지는지를 알려 주는 유용한 암시다. 초기기억에서 사람들은 기억되는 사건들과 사건에 대한 감정, 사건 자체에 대한 자신의 초기 태도, 다른 사람과 자신의 관계, 그리고 자기 삶의 관점을 드러낸다. 초기기억은 개인의 행동에 대한 지침이 반영되어 있다. 기억된 사건은 기억한 것처럼 실제로 일어났거나, 그것에 대한 설명이나 가정이 덧붙여졌거나, 결코 일어나지 않았던 일일 수도 있다. 어느 경우라도 결과는 같다. 초기기억은 세계와 그 자신에 대한 주관적 견해와 복잡한 세상에 대처하기 위해 스스로 선택했던 행동의 경로를 반영한다. 이렇게 이해되는 초기기억은 심리치료에서 가장 큰 도움이 된다. 소위 내담자의 무의식에서 헤매거나 귀중한 자료를 가져다줄 자유연상에 기대하는 대신 치료자는 초기기억으로 생활양식을 이해하기 위해 중요한 자료에 초점을 맞추면서 적극적인 길로 인도하도록 해 준다. 그런 자료에는 꿈과 그의 삶에서의 다른 사람 및 치료자와 내담자의 관계에 대한 관찰 또한 포함된다. 그러나 초기기억은 특별히 중요한 문제, 내담자 자신의 실수의 본질, 포부, 그리고 자신을 둘러싼 세계에 재빨리 초점을 두게 한다. 치료자는 내담자와 치료적 분위기를 형성한 다음, 초기기억에 관심을 보이면서 내담자에게 "가능한 한 돌이켜 당신의 어린 시절부터 가장 초기의 기억들을 생각해 보고 말해 주세요."라고 자유롭게 말하도록 한다. 그다음 "그중에서 가장 확실하게 생각나는 것은 무엇입니까?" "그것을 생각하니 지금 기분이 어떻습니까?"라고 질문한다. 아들러의 상담에서는 초기기억과 보고를 구별한다. 어린아이였을 때 "나는 행복한 어린 시절을 보냈어요." 또는 "나의 부모님은 나를 거부했고 늘 외로웠어요."와 같은 일반적인 삶의 보고는 도움이 되지 않는다. 초기기억에는 생생한 구체적인 사건과 함께 그와 관련된 정서들이 포함되어야 한다. 이 오랜 기억들은 현재 나타나는 행동에 대한 이유가 아니다. 그것들은 원인이 아니며, 현재 행동을 결정하지 않는다. 그것들은 힌트다. 허구를 이해하도록 하며, 목표를 향해 움직이도록 하고 어떤 장애를 극복해야 할지를 알려 준다. 초기기억을 모으면 치료자는 내담자의 투쟁, 태도, 희망, 행동을 이해할 수 있다. 치료자에게 그것은 내담자가 중요한 것을 얻는 방식과 노력의 방향을 알아내는 단서가 된다. 초기기억은 내담자가 없애고 싶어 하는 위험과 내담자가 품고 있는 가치를 나타낸다. 초기기억을 해석함으로써 치료자는 내담자의 현재 태도와 의도를 있는 그대로 반영해 줄 수 있다. 초기기억은 내담자의 잘못된 신념과 개인적 논리를 축약해서 보여 줄 수 있기 때문에, 적극적인 해석과 초기기억의 심상은 내담자가 잘못된 신념을 재구성하는 데 확실한 도구가 되기도 한다.

초대하기
[招待 −, inviting]

치료자가 질문 및 질문 속에 내포된 전제를 이용하여 내담자가 새로운 의미를 찾거나 만들어 내도록 요구하면서 새로운 경험을 하도록 유도하는 기법. **해결중심상담**

보조맞추기가 해결중심접근의 치료초기에 내담자의 견해를 지지하며 대화를 이끌어 내는 역할을 한다면, 초대하기는 치료자가 하는 질문에 내담자가 초점을 맞추게 함으로써 치료적 대화에 본격적으로 개입시키는 과정이다. 초대하기 과정을 통해서 내담자는 '차이점'을 알고 '새로운 경험'을 하게 되는데, 여기서 차이점이란 내담자가 원하는 것이 무엇인지, 해결하기를 원하는 삶의 영역에서 이미

변화가 시작되고 있는 것은 무엇인지, 또한 실제적으로 변화가 가능한 것은 무엇인지 등에 대한 차이점을 인식하는 것이다. 이 과정에서 내담자가 차이점을 수용하는 것은 현재 자신의 상태와 변화를 위한 능력, 그리고 문제해결의 목표가 무엇인지 명확하게 인식하도록 하는 해결중심접근과정을 보다 쉽게 받아들이도록 해 준다. 그리고 차이점의 인식으로 새로운 경험을 할 수 있도록 유도하는데, '새로운 경험'이란 긍정적, 예외 지향적, 그리고 해결 지향적인 치료자의 질문이 내담자가 기존의 삶에서 해 왔던 신념이나 행동의 패턴과는 다르게 새로운 사고방식 및 행동방식을 경험하도록 이끄는 역할을 한다는 것이다.

관련어 | 보조맞추기

초두효과
[初頭效果, primacy effect]

첫 만남에서 느낀 인상, 외모, 분위기 등이 그 사람에 대한 고정관념을 형성하여 대인관계에서 작용하는 것. 학교상담

처음 만났을 때 느끼는 첫인상은 그 사람이나 대상에 대한 전반적인 신념이나 지식, 그리고 기대를 형성하는 데 결정적인 역할을 한다. 이 초두효과는 대인관계에서 다른 사람에 대한 인상을 형성해 나가는 가장 초기단계라 할 수 있다. 처음 만났을 때 느끼는 첫인상은 그 사람이나 대상에 대한 전반적인 신념이나 지식, 그리고 기대를 형성하는 데 결정적인 역할을 한다. 이 초두효과는 대인관계에서 다른 사람에 대한 인상을 형성해 나가는 가장 초기단계라 할 수 있다. 런더스(Rundus, 1971)는 대학생들에게 20개의 단어쌍을 큰 소리로 제시한 후 회상검사를 실시한 결과목록의 중간보다 처음 몇 개 단어와 마지막 몇 개 단어가 더 잘 기억되었다. 초두효과는 이러한 서열위치효과(serial position effect) 중 하나로 처음 항목이 더 잘 회상되는 것을 초두효과, 끝 부분에 있는 항목이 더 잘 회상되는 것을 최신효과(recency effect)라 한다(현성용 외, 2008).

관련어 | 최신효과, 후광효과

초등학교상담
[初等學校相談, elementary school counseling]

초등학교에 다니는 학생의 교육적 발달과 자아실현을 돕기 위한 전문적인 활동. 학교상담

상담영역에서 상대적으로 최근에 발달한 분야다. 초등학교상담은 개인의 통찰력 향상이나 행동변화에 초점을 두기보다는 아동의 발달적 경험을 촉진하는 데 중점을 두어야 한다(Muro & Kottman, 1995). 즉, 초등학교상담은 학교생활 적응, 정서적 긴장 해소, 감각적 인식능력의 발달, 사회적 관계 향상, 신체적 발달 등을 촉진하는 데 도움을 준다. 이러한 특성에 따라 초등학교상담은 치료적 상담보다는 예방적·발달적 상담이 강조되며, 정신건강운동에서 선봉자라 할 수 있다. 지금까지 어느 다른 전문직도 순수하게 예방적·발달적 관점에서 사람들을 다루지 않았다. 초등학교상담의 또 다른 특성은 생활지도와 상담을 주로 담임교사가 행하거나 보건교사, 그리고 최근에는 전문상담인턴교사나 사회복지사 등이 담당하고 있다. 또한 아동은 양육자와 또래관계에서 많은 영향을 받기 때문에 그들을 대상으로 한 부모상담, 가족상담, 부모교육 프로그램, 또래상담, 다양하고 구체적인 생활지도 프로그램, 발달에 도움이 되는 프로그램 등을 포함할 것을 강조하고 있다. 결과적으로 초등학교상담자는 아동이 최적의 상태에서 전인체로 발달하도록 도와주는 것이 가장 중요한 임무다.

관련어 | 전문상담교사, 학교상담, 학교상담사

초등학생 도형창의성검사
[初等學生圖形創意性檢查,
Korean Figural Creativity Test for
Elementary school Students: K-FCTES]

초등학생의 창의성을 측정하기 위한 검사. `심리검사`

도형 그리기를 통하여 창의성을 측정하기 위해 2008년에 전경원과 전경남이 개발한 검사로, 대상은 초등학생이다. 창의성의 주요 척도인 유창성, 독창성, 민감성, 개방성을 측정하는 도형 검사도구인데, 도형을 통하여 아동의 창의력과 특성을 파악하여 창의성의 발달을 돕는 데 의의가 있다. 또한 전통문양뿐만 아니라 의생활 및 주생활과 관련된 사물의 형태 중 일부를 자극도형으로 사용함으로써 한국인의 생활정서나 의식이 독창적으로 반영된 창의성검사라 할 수 있다. 검사의 결과를 해석할 때는 개인의 수준에 적절한 지도 방안 및 활동의 예를 제시해 주어 교육기관과 가정에서 아동의 창의성 발달을 위한 구체적인 역할을 수행하는 데 충분한 도움을 제공하고 있다. 이 검사는 논문 작성자를 위해 각 척도 및 영역별 점수를 T점수로 환산한 자료를 제공한다. 하위검사는 소검사 1과 2로 구성되어 있는데 소검사 1은 으뜸도형으로 그리기로, 갓의 일부분을 선으로 제시한 다음 이를 이용하여 연상되는 모양을 완성하는 것이다. 총 18개의 같은 도형이 제시되어 있으며 유창성과 독창성을 측정한다. 소검사 2는 모듬 도형으로 그리기로, 제시된 5개의 도형(갓의 일부분, 之의 변형, 수막새 일부분, 태극무늬의 일부분, 점)을 이용하여 자유롭게 완성하는 것이

다. 소검사 2에서는 개방성과 민감성을 측정한다.

초심리학
[超心理學, parapsychology]

초감각적 지각, 염력, 죽음 후의 의식의 생존 등 통상적인 수용기나 효과기를 매개로 하지 않는다고 보는 생물과 환경 사이의 상호작용을 연구하는 학문. `초월영성치료`

미국 듀크대학의 조지프 B. 라인(Joseph B. Rhine) 박사 등을 중심으로 하여 인간의 초능력현상을 연구한 학파로, 초심리학은 투시(clairvoyance), 천리안, 텔레파시(telepathy), 염력(psychokinesis), 제6감(extrasensory perception), 기시감(dejavu), 사전인지(precognition), 예언, 점, 초능력, 심령현상 등을 연구한다. 초심리학자들은 1927년부터 본격적으로 연구를 시작했는데, 초기에는 사후 생존 문제에 초점을 맞추었지만 현재는 텔레파시와 투시(EPS), 염력(PK) 등의 초능력 문제에 관심을 집중하고 있다. 종래 심리학은 자연과학의 원리에 입각해 있었기 때문에 초심리학과 같이 자연과학의 원리를 넘어선 연구가 심리학에서 자리를 차지하는 데 저항이 많았다. 지금도 초심리학에 입각한 상담이나 심리치료이론은 없다. 그렇다고 해서 초심리학을 부정하는 논의가 상담계나 심리치료계에서 격심하게 행해지는 것은 아니다. 심리학의 세계는 근년에 초월심리학, 영성심리학 등의 이름으로 초심리학에 관심을 갖기 시작했다고 할 수 있다.

초심자의 마음
[初心者 -, beginner's mind]

해결중심치료에서 내담자의 문제와 상황을 선입견 없이 이해할 수 있는 치료자의 자세. `기타 가족치료` `해결중심 치료`

해결중심접근의 치료에서는 내담자나 내담자의 가족을 접하고 그들의 문제와 상황을 개념화하는

데 전문가인 치료자의 사전지식이나 전문가적 견해, 혹은 개인적인 가치관에 영향을 받지 않도록 하는 것을 중요시하고 있다. 이러한 치료자의 자세는 치료자가 원하는 문제해결책이 아니라, 내담자나 그의 가족이 원하는 문제의 해결책을 찾을 수 있도록 해 준다. 또한 내담자 스스로 자신의 문제를 이해하고, 그에 대한 책임을 느끼게 하는 효과가 있다.

이 같은 퇴행이 늪, 웅덩이, 습지, 수렁, 시궁창, 진흙탕, 철조망, 질퍽한 땅, 광야, 울타리 등으로 표현되는 경우가 많다. 초원심상으로 내담자가 맺은 모성과의 관계를 분석할 수도 있다. 그러한 체험이 일어날 경우 내담자에 따라서 격한 감정이나 불안한 정서를 드러내기도 한다.

관련어 | KB 심상치료, 유도시각심상

초원심상
[草原心像, the meadow]

KB 심상척도 중 하나로, KB 및 GMIP에서 중요하게 다루며 내담자의 정신세계를 질적, 양적으로 확장 체험할 수 있도록 유도하는 심상척도. 심상치료

초원심상은 심상치료에서 매우 자주 다루는데, 자연풍경(Landscape) 심상, 파노라마 심상(Katathyme Panorama)이라고도 불린다. 심상척도 중 꽃심상이 내담자의 정신세계를 확인하는 과정이라면, 초원심상은 확인된 정신세계를 넓혀 가면서 심상체험의 능력을 키우고 깊이 있게 유도하는 것이라 할 수 있다. 초원심상은 내담자의 현재 정서상태 및 마음이 지닌 문제의 내용, 구조, 특징 등을 드러내며, 이에 수반되는 부정적 정서도 같이 보여 준다. 형태는 다른 심상과 마찬가지로 계절, 시간적 배경, 넓이, 초원 구성요소, 분위기, 기후, 내담자의 기억 등에 따라서 매우 다양하게 그려진다. 이에 더하여 초원심상에서는 현장감이 동반되어 풀 냄새, 꽃향기, 새소리, 시냇물 소리, 바람소리, 풀벌레 소리 등 후각 및 청각적 심상이 같이 체험되기도 한다. 초원심상은 내담자가 직접 경험한 장소로 그려질 수도 있지만 상상으로 그려질 수도 있고, 초원이라는 배경에 과거장면이나 기억을 함께 떠올릴 수도 있다. 이때 내담자가 직접 경험한 장소나 현재 기억하고 있는 장소는 매우 중요한 분석단서가 된다. 유도시각심상을 체험할 때 내담자는 경우에 따라서 유아기적 심리상태로의 퇴행을 겪기도 하는데, 초원심상에서는

초월론
[超越論, transcendentalism]

1836년 미국의 철학자와 문필가로 구성된 'Transcendental Club'의 주장을 지칭하는 용어로, 개인의 도덕적 완성과 자연과의 친화를 주장한 사상. 철학상담

선가험론(先可驗論), 초절론(超絕論)이라고도 하는 초월론은 근대 칸트철학에서 본격화한 이론이라고 볼 수 있다. 초월론이라는 용어는 원래 라틴어 'transcendentalia'에 기초를 두고 있는데, 경험적인 유한적 존재자를 넘어 궁극적인 존재로 올라간다는 의미가 있다. 그러므로 전통철학에서는 이 용어가 형이상학적 의미로 사용되어, 현상계를 넘어 본 체계로 올라간다는 의미에서 '초월'의 뜻을 갖는 것이다. 그러나 근대 칸트(Kant)에 이르러 이 용어는 인식론적 의미로 쓰이기 시작하였다. 1803년 스탈(Staël)이 실러(Schiller)에게 대화 도중 독일어 'transzendnetal'의 의미를 묻자, 그는 이 용어의 의미를 제대로 이해하기 위해서는 칸트의 저서를 이해해야 한다고 말하였다. 이처럼 '초월론(선가험론)'이라는 용어는 칸트에 이르러 철학의 전문용어로서 확고한 자리를 차지하게 되었다. 칸트는 자신의 초월론(Transzendentalismus)을 기존과는 완전히 다른 의미로 사용하고자 하였다. 그는 근대에 이르러 형이상학이 몰락하는 여왕 헤쿠바(Hecuba)의 신세처럼 되어 가는 것을 목격하고, 더군다나 흄(Hume)이 형이상학에 관련된 책을 모두 아궁이에 집어넣고

태워 버리라고 주장한 것을 듣게 되면서 전통 형이상학을 전면적으로 비판하고 '학문으로서의 형이상학(Metaphysik als Wissenschaft)'을 어떻게 정립할 것인가에 대해서 근본적으로 작업하기 시작하였다. 바로 이 과정에서 등장한 철학이 초월철학(선가험철학, Transzendentale Philosophie)이다. 여기에 담겨 있는 초월론은 우리의 인식능력이 유한적인 현상계를 넘어 초월계로 나아가기 전에 과연 그런 능력이 우리에게 있는지 집중적으로 검토하고자 하였다. 그래서 그의 초월론은 인식 일반의 성립의 가능조건, 즉 대상인식의 정당성의 조건이 어떻게 마련될 수 있는지 검토하는 데 집중하였다. 그는 우리 모두가 동의할 수 있는 보편성과 필연성을 지닌 인식이 성립하기 위해서는 경험에 앞서서(a priori) 대상으로부터 내용을 받아들이는 수용성으로서의 감성(sinnlichkeit)의 시간 · 공간 형식과 이로부터 받아들인 다양한 내용을 분류 · 정리하는 지성(verstand)의 12범주가 먼저 존재해야 한다고 주장하였다. 그는 경험에 앞서 있어야 할 이들 감성의 직관과 지성의 사유가 종합하여 인식이 성립된다고 하였다. 이처럼 경험에 앞서서 경험을 가능하게 하는 상황을 연구하는 철학이 그의 초월철학이다. 바로 이와 같은 맥락에서 감성의 직관이 관여할 수 없는 초월적 존재들에 관련하여 인식을 주장한 지난날의 독단 형이상학을 비판하고, 경험의 한계 내에서의 인식의 정당성을 마련하고자 하였다. 나아가 그는 경험을 초월해 있는 영역, 이른바 신, 영혼불멸, 자유와 같은 것에 대해서는 이론적 접근을 거부하고 실천적(도덕적) 접근을 주장하였다. 이렇게 함으로써 그의 초월론은 재래의 형이상학의 잘못을 비판하면서 동시에 형이상학의 참다운 길을 모색하였다. 칸트의 초월론에는 인식 일반의 가능조건으로서의 '초월적 통각(transzendentale apperzetion)'이 자리하고 있으며, 이에 따른 자기의식은 근대의식철학, 주체철학의 확립에 크게 기여하였다. 이후 후설(Husserl)의 현상학이나 하이데거(Heidegger)의 존재론에도 많은 영향을 미쳤다. 그러나 오늘날 초월론은 의식보다 언어와 무의식을 중시하는 의사소통 철학이나 구조주의와 포스트구조주의 철학으로부터 주관주의의 한계를 벗어나지 못한다는 비판을 받기도 한다. 하지만 다른 한편 칸트의 초월론과 달리 그의 이론을 미국에서 새롭게 활성화시킨 초월론도 존재한다. 이 초월론은 'Transcendental Club'을 통해 활성화된 입장이기도 한데, 에머슨(Emerson), 리플리(Repley), 소로우(Thoreau) 등은 칸트의 '초월적'이라는 명칭을 차용하고 또 유럽의 낭만주의를 수용하여, 당시 자본주의를 낭만주의 관점에서 비판하고 개인의 도덕적 완성을 중시하면서 흑인 노예제를 반대하는 운동을 펼쳐 나갔다. 이들은 이상주의적 관념론자로서 이성보다는 감정과 직관을, 사회보다는 개인을, 전통적인 관습이나 제도보다는 자연적 가치를 중시하는 관점에서 미국의 문예부흥에 지대한 영향을 미쳤다. 초월주의는 미국의 청교도 정신과 더불어 자유주의의 이상을 발전시키는 데 막중한 역할을 하였다.

초월명상
[超越冥想, transcendental meditation: TM]

각성, 수면, 꿈과 같이 더없이 행복한 의식상태에 이르는 것.
초월영성치료

박티 요가(Bhakti yoga)에 기원을 둔 것으로, 인도의 마하리쉬 마헤시(Maharishi Mahesh)가 1959년에 처음으로 미국에 도입하여 1960년대부터 본격적으로 보급되었고, 최근까지 수백만 명이 이 수행을 실천해 오고 있다. 마헤시는 우리의 의식상태는 초월상태(transcendental state)라는 제4의 의식상태가 존재한다고 주장하였다. 초월상태란 수면이나 꿈과 같이 우리의 생명 유지에 절대 필요한 생리학적 상태를 말하며, 이는 스트레스나 긴장을 해소해주고 몸과 마음을 정화시키는 작용을 한다. 초월명

상은 다른 명상과 다르게 다음과 같은 특징이 있다. 첫째, 밝은 삶(vitreous life)을 사는 것이 곧 초월상태에 이르게 하는 것이므로 이 명상을 실천하는 데 특별한 준비를 하지 않아도 된다. 둘째, 이러한 마음작용의 자연적 경향성은 아무런 목표 없이 방황하는 것이 아니라 무한한 행복과 기쁨을 향하여 나아가기 때문에 이러한 행복상태에 이른다는 것이며, 이는 특별한 노력을 들이지 않고서도 자연스럽게 도달한다. 셋째, 초월명상은 주의를 기울이거나 집중하기 위하여 부동의 상태를 취하는 등 특별한 노력을 하지 않아도 된다. 초월명상의 수행과정은 먼저, 스승이 산스크리트어의 옴(ohm)과 같은 진언(mantra)을 수행자에게 제시하면 수행자는 이 진언을 유성 또는 무성으로 반복하여 읊조린다. 이 진언은 비밀스럽게 유지되어야 하므로 다른 사람들에게 알려서는 안 된다. 마음이 흐트러지고 여러 가지 생각으로 혼란스러우면 조용히 처음의 그 진언으로 되돌아온다. 명상을 하는 동안 진언에만 의식을 집중하겠다는 의도적인 노력을 해서는 안 된다. 대신에 진언을 자연스럽게 경험할 수 있도록 한다. 이렇게 하면 자신의 생각이 보다 섬세하고, 보다 미묘하고, 보다 창의적인 차원으로 자연스럽게 옮겨져 마침내 가장 섬세한 수준의 사고상태를 초월하여 사고의 근원에 이른다. 초월명상은 사고의 근원, 즉 가장 순수한 각성을 이루게 해 주는 과정이다. 수행자는 명상이 가진 정신건강상 또는 신체 건강상 유익한 점들과 수련으로 인한 긍정적 기대를 가져야 한다는 설명을 듣는다. 이러한 사전절차를 마치면 수행자는 외부자극의 유입이 적은 조용한 환경에서 편안히 앉아 눈을 감고 하루 두 차례 한 번에 20분 정도 수련한다. 이와 같이 초월명상의 효과를 검증한 연구들이 지속적으로 이루어지고 있는데,『미국건강증진저널(American Journal of Health Promotion)』 1998년 5/6월호에 따르면, 초월명상은 불안과 고혈압 감소, 신체이완과 자아실현도 및 심리치료에서 다른 명상법이나 이완법보다 효과가 크며, 또한 술, 담배 및 마약 사용을 감소시키는 것으로 알려졌다. 이러한 연구에 힘입어 미국 국립보건연구원(NIH)은 초월명상의 대체 의학적 가치를 연구하기 위하여 2천5백만 불을 지원하기도 하였다.

관련어 마음챙김, 명상, 박티 요가, 이완반응법, 임상표준명상법

초월영성치료
[超越靈性治療, transcendental spiritual psychotherapy]

개인을 넘어서 다른 사람들, 나아가 전 우주와 연결된 존재로서의 개인을 상정하고 이러한 연결성을 개인이 자각, 인식하면서 이에 기반을 두고 개인의 심리적 어려움을 극복하여 참된 자신, 더 통합되고 발전된 자신을 찾도록 도움을 주는 활동.

초월영성치료

초월영성치료의 접근법은 인간의 삶에서 일어나고 있는 모든 사건은 개인을 초월하여 서로 연결되어 있다는 가정을 하고 있다. 즉, 마음과 영성의 연결, 사상이나 성차의 연결, 인종의 차이를 초월한 사람과 사람과의 연결, 집단과 사회와의 연결, 과거세대와 미래세대와의 연결, 온갖 살아 있는 생명체와의 연결, 대자연과의 연결, 대우주와의 연결, 인간을 초월한 우주의 자기진화와의 연결이다. 인간은 온갖 욕망과 집착으로 고통을 받는 현실적인 삶을 초월하기 위해서 '자신의 마음상태'를 초월해야 한다. 마음상태를 초월해야 한다는 것은 실재의 삶과 공간을 두어 그 삶과 동일시하지 않아야 한다. 다시 말해, 실재하는 삶의 밖에서 자신의 삶을 바라보고 삶의 의미를 자각하여 의연하게 대처할 수 있는 마음의 상태에 이르는 것을 말하며, 이러한 마음의 상태를 초월영성이라고 한다. 내가 해야 할 것, 내가 이 세상에 태어난 의미와 사명을 실현시키는 것이 인생이며, 인생에서 일어나고 있는 사건들은 설혹 그것이 아무리 힘들고 괴롭다 해도 문제가 일어나게 된 데에는 무언가 의미가 있기 때문에 무언가에 대해서 깨닫고, 무언가를 배우도록 재촉하는 것과

같다는 것이다. 윌버(Wilber, 1996)에 따르면, 우리 모두는 끝없는 대우주 속에서 각자 자신이 해야 할 일, 실현시켜야 할 의미와 함께 지금-여기에 존재한다고 보았다. '동일한 우주에서 태어난 이 지구와 생태계와 인류는 하나'라고 본 것이다. 여기서 우주란, 물질에서부터 정신 및 신에 이르는 존재의 전 영역이 형상화된 것을 의미한다. 그리고 인간은 전 우주의 진화과정에서 '자기 자신에 대한 의식'을 가지고 스스로를 돌이켜 볼 수 있게 된 최초의 존재이므로 스스로 우주진화의 일부임을 '자각'하면서 주어진 사명을 완수할 수 있어야 한다는 것이다. 또한 인간의 궁극적 목표는 초월자가 되려는 욕구, 전체와 하나가 되려는 충동, 나아가 참존재(atman)와 일체화하려는 욕구를 가지고 있으며, 전 우주와 자기는 분열이 없고 내가 우주이며 우주가 나인 상태에 이르는 것이라고 보았다. 민델(Mindel, 1987)은 인생에는 눈에는 보이지 않지만 '나를 초월한 큰 파도'나 '큰 강물의 흐름'과 같은 힘이 작용하고 있다고 보았다. 본래 있는 것은 다만 마음도 신체도 아니며 이들과 함께하면서 초월한 인생의 큰 흐름은 과정뿐이며, 이 '과정'이 우리에게 필요한 것, 깨달을 필요가 있는 것을 끊임없이 보내 주고 있다는 것이다. 요가와 명상에서도 인간은 자신과 외부에서 오는 감각경험을 차단하고, 마음의 평정상태에 이름으로써 무의식의 내용을 분명하게 관찰하여 자신의 참존재와 만날 수 있어야 한다는 것을 강조한다. 이처럼 현대심리학자들은 인간이 겪는 갈등과 혼란을 다루기 위해서 현실적인 삶보다는 이를 초월하여 보다 근본적인 세계와의 만남이 인간의 문제를 해결할 수 있다고 보고, 이를 위한 접근을 시도하고 있다. 즉, 보이지 않은 세계와의 만남, 의식적으로는 알 수 없지만 내 자신의 삶이 무엇인가와 연결되어 있음을 자각하는 일, 외부의 감각을 차단함으로써 욕망에 대한 집착에서 벗어날 수 있는 이러한 초월적인 접근이 필요한 것이다. 상담에서도 인간의 무의식에 뿌리 깊게 박힌 상처를 다루기 위해서는 의식적인 기법들로는 한계가 있으며, 무의식을 다룰 수 있는 초월적인 영성기법이 도입되어야 한다고 본다. 이를테면 명상적인 기법을 사용하여 무의식적인 마인드에서 만들어지는 불안과 걱정을 다룸으로써 보다 더 자각이 깊어지고 자신의 삶을 보다 평화의 세계로 안내할 수 있게 된다.

초월적 최면치료
[超越的催眠治療, transpersonal hypnotherapy]

의식, 잠재의식적 과정뿐만 아니라 초의식이나 초월적인 측면도 다루는 최면치료의 한 흐름. 최면치료

문제행동의 수정뿐 아니라 심신의 안녕상태까지 목표로 하는 최면치료로, 최면을 통해 초의식이나 초월적인 측면까지 다루는 것을 말한다. 이는 인본주의 심리학과 초월심리학을 통합하여 최면치료에 적용하였다. 총체적 건강, 즉 전일적 건강을 성취하는 데 관심을 두고 발달하였다.

관련어 인본주의, 초월심리학, 최면

초의식
[超意識, superconscious]

자아초월적인 영적 에너지. 초월영성치료

아사지올리(Assagioli, 1965)가 자신의 종합심리치료의 일부로 도입한 개념으로, 초의식은 의식과 무의식이 나란히 존재하는 것을 시사하였다. 아사지올리에 따르면, 초의식은 마음의 영역으로 창조적이며 변형을 일으키는 영적 에너지들이 접촉하면서 자연스럽게 발생한다. 초의식에서 인간은 고차적인 직관과 예술적·철학적·과학적·윤리적 명법 및 인도적, 영웅적 행동의 재촉과 같은 동경을 받는다. 그것은 타자에게 향하는 애정과 같은 고차적 감

정의 원천이다. 또 천재와 명상, 계몽, 황홀상태의 원천이기도 하다. 초의식은 명상, 적극적 상상(active imagination), 음악과 같은 폭넓고 다양한 기법과 훈련을 통하여 접촉할 수 있다.

초이론적 모형
[超理論的模型,
transtheoretical model: TTM]

프로차스카(Prochaska)와 그의 동료들이 개발한 통합적 치료접근법의 하나로, 기존의 심리치료 체계를 분석하여 심리치료에 필요한 주요 요소를 변화단계별로 정리한 틀.
초월영성치료

초이론적 모형은 개인의 변화를 다섯 단계로 구분하여 각 변화단계에 맞추어서 치료전략을 계획하고 통합하는 것이 좀 더 효과적인 상담으로 이끌 수 있다고 강조하는 조직적이고 체계적인 치료접근방법이다. 변화단계란 개인의 문제를 해결하기 위한 개인의 의도, 태도, 행동의 복합체가 단계적으로 변하는 양상을 말한다. 이런 변화의 다섯 단계는 다음과 같다. 첫째는 숙고 전 단계(pre-contemplation stage)로서, 이때의 내담자는 자신의 문제가 무엇인지 알지 못하고 문제가 있다 하더라도 그것이 자신의 어려움이라고 느끼지 못하여 자신의 문제에 대한 변화의 필요성을 깨닫지 못한다. 둘째는 숙고단계(contemplation stage)로서, 이때의 내담자는 문제에 대한 인식이 증가하고 행동변화의 필요성은 지각하고 있지만 행동변화를 위한 실행에 대하여 양가감정을 가지고 있어 행동변화를 위한 선택과 실행을 쉽게 결정하지 못한다. 셋째는 준비단계(preparation stage)로서, 이때의 내담자는 행동변화가 자신에게 더 큰 이점이 있다는 것을 확인하여 행동변화를 위한 작은 노력을 시도한다. 이러한 노력에 내담자는 변화에 대한 결심뿐만 아니라 문제해결능력에 대한 자기신뢰 혹은 자기효능감을 갖게 된다. 넷째는 실행단계(action stage)로서, 이때의 내담자는 행동변화

에 대한 동기를 가지고 있으므로 행동변화에 필요한 여러 가지 방법을 적극적으로 실행에 옮기고 몰입한다. 다섯째는 유지단계(maintenance stage)로서, 이때의 내담자는 행동의 긍정적인 변화를 지속하고 있지만 때로는 이전 단계로 후퇴하는 경우가 있기 때문에 재발을 방지하는 것도 이 단계에 포함된다.

관련어 통합치료

초자아
[超自我, superego]

성격구조의 한 부분으로서, 성격의 도덕적·사회적·판단적 측면. 정신분석학

상위자아(上位自我)라고도 불리는 초자아는 개인이 성장하는 동안 부모에게 영향을 받은 전통적 가치관, 사회규범과 이상, 그리고 도덕과 양심이 자리 잡고 있는 부분이다. 초자아는 현실보다는 이상을 그리고 쾌락보다는 완벽을 추구하는데, 도덕이나 가치에 위배되는 원초아의 본능적 충동을 억제하고 자아가 현실적인 목표 대신에 도덕적이고 이상적인 목표를 추구하도록 만든다. 도덕원리 혹은 당위원리에 따르며, 무엇이 옳고 그른지, 또 어떤 것을 해야 하고 어떤 것을 하지 말아야 하는지 등을 판단한다. 초자아는 양심과 자아이상(ego-ideal)이라는 두 가지 하위체계를 가지고 있다. 양심은 잘못된 행동에 대해 처벌이나 비난을 받는 경험에서 생기는 죄책감이며, 본능적인 욕구를 억제하고 충동이 바람직한 형태로 표출되도록 유도하는 기능을 갖는다. 자아이상은 옳은 행동에 대해 긍정적인 보상을 받는 경험으로 형성되는데, 바람직한 행동규범을 제시하는 역할을 한다. 자아이상이 형성되는 데에는 세 가지 심리표상이 작용한다. 첫째는 존경스럽고 전지전능한 부모의 표상이며, 둘째는 부모나 그외 다른 사람들로부터 인정받거나 칭찬받은 경험이 토대가 되어 형성된 이상적인 자기상이다. 셋째는

중요한 사람들과 이상적인 관계를 맺었던 관계 그 자체다. 이러한 세 가지 심리표상이 혼합되어 자아이상을 형성한다. 자아이상에 따라 생활하지 못했다고 여길 때 수치심을 느끼며, 양심에 어긋나는 행동을 했다고 여길 때에는 죄책감을 느낀다. 지나치게 강한 초자아는 행동을 위축시키고 긴장이나 불안을 가중시킬 수 있으며 죄책감, 우울, 열등감에 사로잡히게 한다. 프로이트(S. Freud)는 오이디푸스콤플렉스의 결과 초자아가 형성된다고 보았다. 남아의 경우 어머니를 사랑하게 되면서 아버지에 대한 살해욕구와 거세불안이 유발되는데, 그 결과 남아는 이성(異性)의 부모에 대한 근친상간적 소망을 포기하고 동성의 부모인 아버지와 동일시한다. 이러한 과정을 거쳐 남아는 아버지의 도덕적 가치관을 수용하여 초자아를 형성해 나간다. 한편, 성격구조 안에서 초자아의 발달이 미약하여 도덕적이고 윤리적인 의식이 부족한 상태를 초자아 결손(superego lacunae)이라고 한다. 초자아는 욕동이 만족되거나 포기되어야 하는 상황에서 수용될 수 있을 만한 방법을 규정하는 기능을 가지고 있는데, 양심과 자기이상을 포함하여 욕동으로 동기화된 비수용적인 행동을 제한한다. 초자아가 건강하게 형성되지 못한 개인은 비양심적이고 반사회적인 행동을 하게 된다.

관련어 | 구조모형, 양심, 원초아, 자아, 자아이상

초현실주의
[超現實主義, surrealism]

초현실주의는 추상주의와 더불어 20세기 미술에서 가장 중요한 예술운동 가운데 하나로, 일상적 상태와는 대조적인 꿈과 정신의 세계에서 의식에 속박되지 않는 상상력의 권리 회복과 아울러 인간정신의 해방을 목표로 한 사조. 미술치료

초현실주의는 이성의 세계를 배척하고 비합리적인 세계를 그렸지만 의식 자체를 전면적으로 부정하지는 않고 오히려 의식을 표면화하였다. 또한 정치적으로는 혁신혁명을 표명했고, 예술적으로는 종래의 예술형식을 격렬하게 파괴하는 양상으로 나타났다. 그러나 초현실주의는 파괴에만 그치는 것이 아니라 이성이나 합리적인 것을 부정할 수 있는 구체적인 대안을 제시하였다. 모든 기성의 예술이 부정된 후 초현실주의가 선택한 미지의 탐구영역은 지금까지 방치되어 왔던 의식하의 세계, 즉 무의식의 세계였다. 바람직한 입장에서 이성적인 것을 승화시키고자 했던 초현실주의는 현실적인 것과 상상적인 것이 서로 모순되지 않는 지점, 이른바 초현실을 찾아냄으로써 경직된 이성이나 사회제도의 억압으로부터 근대인을 해방시킬 수 있는 가능성을 찾으려 하였다. 그리하여 초현실주의는 종래의 사회적 관습이나 합리적 사고방식으로 제약된 상상력의 세계에 절대적인 우위를 인정하며, 꿈이나 환상이 내포하고 있는 가치를 적극적으로 평가하였다. 즉, 그들은 지각보다 이미지를 앞세웠고, 이러한 이미지의 형태는 일상성의 논리가 지배하는 밝은 의식 세계에서는 찾아볼 수 없는 것이다. 다시 말해, 모든 것이 일상성에서 벗어날 때 뜻밖의 것에 놀라움을 갖게 하며, 또 이런 의외의 것이 크면 클수록 그만큼 강렬한 충격을 던져 주는 것이다. 초현실주의자들은 이와 같은 불가시의 무의식 세계를 표현하기 위하여 자동기술법(automatism), 전치·전위법(dépaysement), 편집광적 비평(paranoic critic)을 사용하였다. 먼저 자동기술법은 프로이트(Freud)의 자유연상과 같은 상태를 만들기 위한 기법으로, 꿈·광기·무의식 등 인간의 내면 깊숙이 꿈틀거리고 있는 비합리의 세계를 이성의 억압으로부터 과감히 해방시키기 위하여 이성의 통제를 받지 않고 미적 판단과 윤리적 판단을 개입시키지 않으며 순수하게 마음의 움직임을 그대로 기술하는 것이다. 자동기술법의 대표적인 것으로는 에른스트(Ernst)가 주로 사용했던 프로타주, 데칼코마니, 콜라주 등이 있으며, 초현실주의의 초기 2, 3년 동안은 특히 수면의 시대라고 불릴 만큼 자동기술법이 많이 사용되었다. 다음으로 전치·전위법은 사람을 이상한

환경 속에 놓는다는 것을 의미한다. 물체나 이미지를 그것이 놓여 있던 본래의 일상적인 질서에서 떼어 내어 전혀 그 사물의 속성과는 관계없는 엉뚱한 곳에 놓음으로써 보는 사람에게 심리적인 충격을 주는 것이다. 그렇게 함으로써 보는 이의 마음속 깊이 유폐되어 있던 무의식의 세계를 해방시킬 수 있다고 보는 것이며, 이 기법은 특히 마그리트(Magritte)가 많이 사용하였다. 마지막으로 편집광적 비평은 실물보다 더욱 사실적으로 치밀하게 그린 일상적 사물에 아주 의외의 환상적 해석을 더함으로써 잠재의식의 세계를 나타내는 것이다. 따라서 이것은 심상세계의 색채사진을 연상시키며 자동기술법보다 적극적인 방법이다. 이것은 달리(Dali)가 주로 사용한 기법으로, 달리의 작품 속에는 실물처럼 보이는 현실의 모든 물체가 변형되어 나타나거나 일그러져 있다. 이것은 그가 정신 이외의 세상의 모든 것은 허무이며, 모든 물질적인 것은 허무와 환각이라고 보는 것에 기인한다. 이상과 같이 초현실주의에서는 꿈과 무의식의 세계를 표현하기 위하여 여러 가지 특이한 기법을 사용했던 것이다. 초현실주의에서의 무의식에 대한 중시와 무의식을 표현하기 위한 기법 등은 미술치료에도 많은 영향을 미쳤다.

촉진자
[促進者, facilitator]

로저스(Rogers)가 집단지도자 혹은 집단상담자 대신 사용하고자 한 개념으로서, 집단에서 의사소통 돕기, 기존 체계를 연결하거나 강화하기, 자원을 전달하거나 개발하기 등으로 집단의 변화를 이끄는 사람. **집단상담**

로저스는 집단촉진자의 태도와 신념을 학문적 배경보다 더 중요한 집단발달의 요소로 보았다(Rogers, 1970). 대면 집단의 지도자는 구성원이 거리낌 없이 진심으로 서로 이야기하는 가운데 원만한 만남을 촉진할 수 있도록 안전하고 자유로운 분위기를 만들어 주면서 최종적으로는 구성원이 되도록 하는

집단운영을 이상(理想)으로 삼는다는 점에서 지도자나 훈련자 등의 권위적 명칭을 피해촉진자라는 명칭을 사용하였다. 집단이 보다 활성화되도록 하기 위해서는 모든 집단구성원이 보다 적극적으로 집단과정에 참여하여 개인적 목표와 집단적 목적을 달성할 수 있어야 한다. 집단촉진자는 이를 위해 유도된 목표나 진행절차 없이 시작되는 집단에서 심리적으로 안전한 분위기를 조성하려는 노력을 해야 한다. 또 집단구성원이 개인적인 문제를 탐색하거나 새로운 행동을 실험해 보려고 할 때 격려와 지지를 해 주고 특정 집단구성원의 문제에만 관심을 갖지 않으면서 소외되는 집단구성원을 초청하여 가능한 한 많은 집단구성원을 참여시키려고 해야 한다. 집단구성원의 자발성을 촉진하고 집단상담자에게 의존하는 경향을 줄이기 위한 노력도 필요하다. 또 집단구성원 중 한 사람으로서 타인과 사적인 수준에서의 깊은 의사소통을 하기 위해서 자신과 다른 집단구성원 간에 이어지는 의사소통의 사실적인 의미를 파악하도록 애써야 한다. 공격적이고 판단적인 태도가 아닌 참된 자신의 모습으로 피드백하면서 집단구성원들을 직면시켜야 하는 것도 중요하다. 집단의 독특한 성격 때문에 종래의 집단에서처럼 집단상담자가 집단의 방향을 지시하며 집단활동을 통제하는 것이 아니라, 한 사람의 집단구성원인 동시에 촉진자로서 단순히 집단의 분위기를 자유롭고 신뢰할 수 있게 조성해 줌으로써 개인과 집단 자체의 성장과정을 돕는다.

관련어 | 집단지도자

총알받이
[-, cannon fodder]

정서중심부부치료에서 초기회기에 부부가 상대 배우자에게 직접적으로 상처를 주는 말을 할 때 치료자가 그 배경을 이해하고, 점차 공격적 태도를 변화시키도록 하는 것. **정서중심부부치료**

부부치료의 초기과정에서는 내담자가 상대 배우

자에게 상처가 되는 말을 많이 한다. 이에 대해 치료자는 상처를 주는 말의 원인이 어디에 있는지 이해한 다음, 내담자에게 내재되어 있는 고통에 집중하여 서로 상처를 주는 말과 공격적인 행동이 긍정적인 방향으로 변화되도록 노력해야 한다.

총체화
[總體化, totalizing]

어떤 문제나 사건을 특정한 상황이나 흐름 속에서 일반화하여 받아들이는 것. '일반화'라고도 함. 이야기치료

총체화는 기존 사회의 이원론적이고, 양자택일적인 사고에서 출발하였다. 즉, 내담자 혹은 치료자가 삶의 문제나 특정한 현상을 구조화된 방식으로 일반화하여 해석하고 의미를 부여하는 것을 말한다. 총체화 현상은 내담자가 호소하는 문제적 이야기에서 흔히 찾아볼 수 있다. 예를 들어, "나의 삶은 너무나 무의미해요." "나는 무슨 일이든지 실패하고 엉망으로 만들어 버리는 사람이에요." "모든 사람이 나를 싫어해요." 등은 자신의 삶 전체가 현재 진술하고 있는 이야기의 부정적인 영향 아래에 있는 것처럼 총체화시켜 진술하는 것이다. 하지만 실제 그 내담자의 삶 전체가 하나도 빠짐없이 현재 진술하고 있는 내용의 영향을 받았다고 말하기는 어렵다. 물론 몇 번은 지금 진술하는 내용과 일치하는, 혹은 비슷한 해석과 의미를 부여할 수 있는 일이 있을 것이다. 그런데 이처럼 부분적인 것을 단서로 하여 삶 전체의 정체성을 규정하는 것이 바로 총체화다. 이는 내담자가 자신의 삶에서 겪는 어려움을 객관적으로 이해하지 못하게 만들고, 그 삶에서 긍정적인 영향력을 미치는 것들, 혹은 지속되어야 하는 것들까지 문제의 부정적인 영향 아래에 놓아 버릴 가능성이 있다. 따라서 보다 효과적인 외재화 대화를 위해서, 혹은 총체화를 방지하기 위해서 풍부한 서술이 선행되어야 한다. 이러한 노력은 문제적 이야기의 더

많은 공간(gap)을 발견하게 하여 보다 긍정적이고 희망적인 변화가 가능하도록 만든다.

관련어 | 문제적 이야기, 외재화 대화

최대성능검사
[性能檢査, test of maximum performance]

심리검사를 분류할 때 능력적인 요소를 측정하는 검사. 심리검사

최대수행검사(maximum performance test)라고도 하며, 피검자가 가지고 있는 지적·심동적 능력이 최대한 발휘될 수 있는 최선의 조건에서 측정하는 검사를 말한다. 일정한 시간이 주어지고 그 시간 안에 피검자가 자신이 지닌 최대한의 능력을 발휘하는 것인데, 개인이 특정 분야에서 얼마나 잘하는지 또는 얼마나 많이 알고 있는지에 관련된 능력을 측정한다. 각 문항마다 정답이 있어서 해당 점수로 피검자의 능력을 결정한다. 성능검사에는 지능검사, 적성검사, 사고능력검사, 인지능력검사, 심리언어검사, 장애진단검사 등이 있다.

최면
[催眠, hypnosis]

스스로 혹은 타인에 의해, 잠들기 직전의 상태처럼 몸과 마음이 최대로 이완된 상태를 유지하면서도 의식은 깨어 있어서 집중성이 높고 각성 정도가 고양된 상태. 최면치료

'hypnosis'는 그리스 신화의 '잠의 신'인 힙노스(Hypnos)에서 유래된 것으로 최면에 대한 정의는 학자마다 다르다. 밀턴 에릭슨(Milton Erickson)은 "결코 마술적인 힘이나 악령을 작용하게 하는 무서운 것이 아니다. 그것은 의식적인 각성의 특별한 상태 중 하나일 뿐이다. 또한 일상생활 속에서 관심이나 생각의 과정이 특정한 방향으로 집중될 때 나타나는 현상이기도 하다. 최면으로 새로운 능력을 창

조할 수는 없지만 개인이 소유한 능력을 보다 잘 활용할 수 있도록 도와줄 수 있다."라고 말하였다. 자신이 최면을 행하는 것도 가능한데, 이것을 자기최면(self hypnosis)이라고 한다. 통상의 최면을 이와 구별하여 타인최면(hetero hypnosis)이라고 부르기도 한다. 최면으로 유도되면 심리 · 생리적 변화상태에 있으며 의식성의 변화, 피암시성의 고도진전, 기억상기의 고도진전, 자율기능의 변화 등이 생겨 최면성 혼수상태가 된다. 최면치료자는 내담자에게 주의집중, 이완, 심호흡 등을 지시하거나 단순 자극을 반복하면서 그것과 병행하여 적절한 언어암시성을 주고 점차 최면상태로 유도해 나간다. 이때 최면의 상태에 빠진 내담자는 일반적인 의식상태와는 다른 변성의식상태를 체험하는데, 이를 트랜스(trance)라고 한다. 이 상태에서는 각성 시보다 지각, 감각, 기억, 사고 등에 대한 비현실적인 체험이 용이해지기 때문에 일반적으로 어려운 심리적 체험을 최면 중에 조작함으로써 비교적 단기간에 심리치료의 효과를 느끼기 쉽다고 생각하고 있다. 최면 트랜스는 각성상태에 가까운 최면부터 매우 깊은 몽유최면까지 몇 가지 단계로 나누어지지만 대개 경최면, 중등도 최면, 심최면으로 구분한다. 최면의 일반적인 특성은, 첫째, 신체적으로 이완되고, 둘째, 호흡이 깊어지고 고르게 되며, 셋째, 암시의 효과가 극대화되고, 넷째, 급속안구운동(rapid eye movement, REM) 현상이 나타난다. 최면은 트랜스상태와 거의 비슷하다고 볼 수 있지만, 최면은 구체적인 동기를 가지고 특정 목표를 이루기 위하여 암시를 적용하는 상태로 트랜스상태를 활용하는 것이다. 스스로 도달하는 경우도 있지만, 상담장면에서는 상담자가 시선고정법, 손 개폐법, 환상기법, 이미지기법, 이완기법, 암시화법 등 다양한 방법으로 내담자의 최면을 유도한다. 최면현상과 피최면 정도는 최면감수성에 따라 개인차가 있다. 최면능력은 몇 가지 조건에 따라 크게 좌우되기도 하는데, 그 조건은 다음과 같다. 첫째, 신뢰관계형성으로, 내담자가 자발적인 의지를 갖고 상담자를 믿는 것이다. 둘째, 심리적 환경의 조성으로, 최면에 대한 기본적인 이해와 적절한 기대감의 조성 및 심신의 이완을 의미한다. 셋째, 물리적 환경의 조성으로, 적절한 주변환경과 적절한 음향을 의미한다. 최면은 기준에 따라 자기최면과 타인최면, 교육최면과 치료최면, 무대최면과 임상최면으로 분류한다.

관련어 | 암시, 최면감수성, 최면치료, 트랜스, 최면단계

최면감수성
[催眠感受性, hypnotic sensitivity]
최면유도나 암시에 의해 최면반응이 나타나기 쉬운 정도.
최면치료

최면감수성은 내담자가 최면에 걸릴 수 있는 성향인 피암시성(suggestibility)의 정도를 말한다. 피암시성과 최면감수성은 엄밀하게 말하면 서로 다른 것이다. 피암시성은 내부나 외부에서 투입되는 자극을 암시로 받아들이는 경향성으로, 피암시성이 높으면 높을수록 최면에 잘 걸릴 수 있다는 것이다. 반면에 최면감수성은 피암시성의 증가로 나타나는 최면의 민감도를 말한다. 따라서 최면능력은 최면감수성으로 파악할 수 있다. 최면감수성이 높으면 상상력이 풍부하고 사려가 깊으며 직관적이어서 어떤 일에 집중하여 창조적인 성과를 거둘 수 있다(한국경제신문). 이러한 최면감수성에 대해서는 다음과 같은 여러 가지 견해가 제시되었다. 최면은 유전적이라는 견해(Stern, Spiegel, & Nee, 1979)를 비롯하여, 최면은 피험자의 최면감수성뿐만 아니라 최면사의 지위, 감수성, 지명도와 친숙성, 경험 등 최면사의 변인도 관련되어 있으며, 연습을 함으로써 증진시킬 수 있다(McConkey & Sheehan, 1976). 이와 같이 최면감수성은 생득적이거나 학습으로 획득될 수 있지만, 최면능력은 개인에 따라 다르게 나타난다. 사람마다 최면에 걸리는 정도가 다르고 평생

비교적 일정하게 유지되지만, 상담을 받으려는 내담자의 동기나 상담자에 대한 믿음, 상담자와 내담자의 협력관계 등에 영향을 받는다. 일반적으로 최면에 잘 걸릴 확률이 높은 사람은 집중력이 강한 사람, 지적인 사람, 기억력이 좋은 사람, 생각이 단순한 사람, 상상력이 풍부한 사람, 감정표현을 잘하는 사람, 나이가 어린 사람, 몰입을 잘하는 사람, 협조적인 사람, 최면에 대하여 기대하고 원하는 사람이다. 반면, 최면에 잘 걸리지 않거나 최면의 피험자로서 적절하지 않은 사람은 회의적인 사람, 비판적인 사람, 냉소적인 사람, 정서보다 논리적인 사람, 지적 수준이나 언어이해능력이 낮은 사람, 정신박약아, 노약자, 뇌 손상자 등이다. 따라서 이를 고려하여 상황에 맞게 대처할 수 있어야 한다.

관련어 │ 최면, 피암시성

최면단계
[催眠段階, hypnotic stage]
최면상황에서 들어갈 수 있는 최면상태의 수준. 최면치료

사람이나 상황에 따라 최면의 깊이가 달라지는데 최면상태는 최면사의 기술 또는 사용된 유도기법, 내담자의 자연적인 피최면 능력, 다루어진 내담자 문제의 정서적 내용, 내담자의 동기, 최면사와 내담자의 신뢰에 영향을 받는다. 일반적인 최면의 수준은 다음과 같다. 첫째, 얕은 최면상태(light state or hypnoidal)는 최면유도가 시작되는 시기로서 호흡 패턴이 변하고 신체가 이완되기 시작하며 눈을 감게 되는 상태다. 둘째, 중간 최면상태(medium state)는 부분적으로 기억이 상실되거나 무감각 혹은 체온변화가 가능한 상태다. 셋째, 깊은 최면상태(somnambulistic state)는 무대최면에서 볼 수 있는 수준으로서 눈을 뜨더라도 최면상태에 머물러 있고 환각현상과 시간왜곡현상이 가능한 상태다. 넷째, 코마상

태(coma state)는 의식은 암시에 반응하지만 신체적으로는 작용하지 못하는 상태다. 다섯째, 카타토니아 상태(catatonia state)는 신체가 굳은 상태로 장시간 유지될 수 있는 상태다. 여섯째, 가장 깊은 최면상태인 극심저 상태(ultra depth)는 수술을 할 수 있을 정도로 완전한 무통경험이 가능한 상태다. 최면에 걸리는 사람 중에서 깊은 수준의 최면상태로 들어갈 수 있는 사람은 전체의 5% 정도이고, 나머지 대부분의 사람은 얕은 수준의 최면상태를 경험한다. 따라서 대부분의 임상치료는 얕은 수준의 최면상태에서 이루어진다.

관련어 │ 최면

최면상담
[催眠相談, hypnocounseling]
상담을 위한 강력한 보조수단이나 부가적인 촉매제로 최면을 활용하는 상담의 한 방법. 최면치료

최면상담은 일반적으로 최면치료나 최면요법이라는 용어와 의미에 큰 차이는 없다. 하지만 최근 미국의 상담심리학자들이 전통적으로 통용되던 최면치료 또는 최면요법과 구별하여 사용하는데, 트랜스나 깊은 최면상태의 유도를 목적으로 하거나 그러한 것을 일차적인 상담전략으로 삼지 않고, 예방 또는 내담자의 성장이나 발달을 지향하는 상담에서 최면을 상담기법으로 활용하는 것을 말한다. 이에 대해 휴 거니슨(Hugh Gunnison)은 '내담자중심적인 치료적 분위기에서 에릭슨(Erickson)적 최면화법을 상담자의 촉매제, 보조수단, 도우미로 사용하는 것'이라고 정의하였다. 내담자는 최면상태에서 새로운 관점을 갖게 되고, 최면이 끝난 다음 자신이 했던 작업의 일부나 단편을 기억하고 의식하지 못하는 사이에 변화를 알아차리게 된다. 에릭슨의 최면화법 및 치료기법은 매우 다양하다. 대표적인 최면-암시 화법으로는 활용, 아날로그적 표현, 일치시키

기, 표상체계 활용, 예스 세트, 메타포적 언어 이용, 앵커링, 이중구속 이용, 분할하기와 연결짓기, 수평적 커뮤니케이션과 관점바꾸기, 메타포 활용, 역설적 개입, 역경치료, 모호성, 혼란기법 등이 있다. 상담전략으로는 대리자아기법, 환상이완기법, 환상문기법, 다이얼 · 미터기 · 게이지 기법(DMG) 등이 있다.

관련어 | 에릭슨 , 최면

최면적 질문
[催眠的質問, hypnotic question]

상담자가 의도한 특정 방향으로 내담자의 의식이나 관심을 집중시키기 위해 최면치료에서 사용하는 질문. 최면치료

에릭슨 최면에서 내담자를 자연스러운 최면상태로 유도하거나 상담자가 원하는 방향으로 유도할 때 활용하는 간접적이면서 자연스러운 질문을 말한다. 예를 들어, 우울한 상태의 내담자에게 지난 시절 행복했거나 성공했던 경험에 관하여 질문함으로써 우울한 기분에서 벗어나도록 도울 수 있다. 이 방법은 때때로 혼란과 착란을 위해 쓰이기도 하는데, 계속적인 부정적 패턴을 멈추게 하는 등 기존의 사고 패턴을 방해하는 데도 유용하다. 예를 들어, 관절염의 통증 때문에 침울하게 지내는 어느 할아버지에게 제일 행복했던 때를 묻는 질문을 할 수 있다. 이 질문은 순간적으로 할아버지의 내적 세계에 혼란을 주면서 기존의 침울한 정서패턴을 깨트리는 효과를 발휘한다. 이렇듯 최면적 질문은 최면을 유도할 뿐 아니라 치료적 효과까지 얻을 수 있으며, 트랜스 유도성 탐색(trans derivational search: TDS)과 함께 에릭슨 최면을 이해하는 데 중요한 개념 중 하나다.

관련어 | 에릭슨 최면, 최면, 트랜스 유도성 탐색

최면치료
[催眠治療, hypnotherapy]

정신적 장애나 병을 치료하기 위해 내담자를 최면상태로 유도하여 암시를 통해 무의식에 잠재된 원인을 제거하거나 변화시키는 치료방법으로서, 최면요법이라고도 함. 최면치료

최면유도 암시에 의해 최면상태로 유도한 다음 치료암시를 주고 심리적 상태, 신체적 증상, 심신 증상을 변화, 교정, 치료하려고 하는 심리치료의 하나다. 최면유도 암시에는 신체의 동요, 무릎에 손 밀착, 양손의 밀착, 양팔의 상승, 기억의 상실, 신체의 경직, 감각의 상실 등이 있다. 최면 심도(深度)가 높으면 자발성이 약해지고, 동시에 발언도 적어지며 이윽고 의식(각성) 수준이 저하한다. 최면을 거는 사람의 암시를 받기 쉽고 암시 그대로 되기 쉽다. 치료암시에는 직접 "야뇨가 발생하면 즉시 눈이 떠져서 화장실에 간다."라거나 버스 멀미에는 "아주 기분 좋게 탄다." 등의 암시가 있다. 이것은 야뇨, 멀미, 틱, 손톱 물어뜯기 등의 나쁜 버릇, 불안, 공포 증상, 불면, 마음이 불안하여 안절부절못하거나 오해받거나 우울상태, 통증 등의 경감이나 제거에 유효하다. 그러나 초심자가 하는 최면치료는 최면치료 후 각성하지 않은 채 있는 경우가 있으며, 기운(氣運)을 붙이지 않으면 안 된다. 또 즉효성은 있지만 장기간의 최면치료는 반드시 유효하지는 않다. 이러한 치료가 이루어지는 기제는 마음의 작용이 기의 작용인 에너지 형태로 나타나 물리적, 신체적인 변화를 초래하는 것이다. 일반적인 치료과정은 준비단계, 유도단계, 최면치료단계, 종결단계로 진행된다. 준비단계는 최면을 유도하기 전에 내담자가 해결하기를 원하는 문제와 그와 관련된 감정을 확인하고, 최면치료과정에 대한 오리엔테이션을 하는 단계다. 다음은 최면에 들어가기 위한 예비작업으로 유도단계다. 유도단계는 일종의 준비운동단계로 편안한 자세를 유도하거나 명상음악을 활용하는 등 여러 가지 이완기법을 활용할 수 있다. 최면치료

단계에서는 최면을 본격적으로 유도하고 다양한 기법을 활용하여 치료적 작업을 수행한다. 마지막 종결단계는 최면치료를 마무리한다는 암시를 주고 천천히 눈을 뜨게 한 뒤 최면치료에 대해 정리하고 교훈을 찾으면서 끝맺음한다. 주요 기법에는 감정해소, 연령퇴행작업, 전생퇴행작업 등이 있다. 이 치료방법은 최면유도를 통해 활성화된 잠재의식을 활용하는데, 잠재의식은 기본적으로 자연 치유력이 있기 때문에 자가치료도 가능하다. 최면치료는 프로이트(Freud)가 최면을 통해 무의식의 존재를 인식했지만 정신분석과 자유연상에 밀려 쇠퇴의 길을 걷다가 제1차 세계 대전 후 전쟁 신경증 환자를 치료하는 데 유용한 도구로 활용되면서 다시 각광을 받게 되었다. 이후 헐(Hull)이 최면치료를 보다 표준화·객관화하였고, 에릭슨(Erickson)이 새로운 최면분야로 확장시켰다. 현재는 각종 불안증이나 공포증, 어릴 때 겪은 심리적 외상을 치료하는 데는 물론, 체중조절 및 알레르기 치료, 금연이나 금주를 위한 치료 장면에도 활용되는 등 매우 다양하게 활용되고 있다. 또한 현대의학으로는 치료가 어려운 난치병이나 심인성 질환에 효과를 나타내면서 대체의학의 한 분야로도 각광받고 있다.

관련어 | 대체의학, 암시, 에릭슨, 최면, 헐

최면치유
[催眠治癒, HypnoHealing]

최면을 통하여 심인성장애를 치료하는 기법. 최면치료

1960년대 초에 앳킨슨-볼(Atkinson-Ball)이 개발한 기법으로, 심리적 원인의 신체증상을 치유하는 데 최면을 활용하였다. 앳킨슨-볼은 영국에 최면치료 및 최면치유 대학(Atkinson-Ball College of Hypnotherapy and HypnoHealing)을 설립하기도 하였는데, 마음이 몸을 치유할 수 있다고 보고 이를 근거로 개발한 것이다. 비행기 사고로 부상을 당한 공군 조종사의 치료에서 큰 효과를 보았다고 알려져 있으며, 다양한 심리적 장애 치료에 활용되고 있다.

관련어 | 앳킨슨-볼, 최면

최면한숨
[催眠-, hypnotic sigh]

최면상태에서 나타나는 특이한 호흡상태. 최면치료

최면상태에서 종종 나타나는 특유의 호흡상태로서, 마치 한숨을 쉬는 듯 호흡하는 것을 말한다. 일반적으로 가슴이 답답할 때 한숨을 쉬게 되는데, 최면상태에서도 자주 한숨을 쉬기 때문에 이를 의식상태의 한숨과 구별하기 위해 명명하였다. 이 같은 현상은, 최면상태는 이완된 상태이고 이완된 상태에서는 호흡의 속도가 느려지기 때문에 나타나는 것으로 보고 있다.

관련어 | 최면

최빈적 성격
[最頻的性格, modal personality]

특정 사회 집단성원의 다수에게서 공통적으로 보이는 성격구조와 특성. 성격심리

미국의 문화인류학자 두보이스(C. Dubois)가 처음 제창한 개념이다. 그는 부족, 민족, 국민 등의 모집단에서 추출한 표집에 대해 양적·질적 조사를 실시하고, 그 결과를 토대로 이 개념을 제시하였다. 이 조사에서 가장 많은 빈도를 보이는 것이 사회적 성격, 그 나라의 국민성의 하위성격에 해당한다. 예를 들면, 월리스(Wallace)는 로르샤흐 검사를 타스카롤라 인디언에게 실시하여 로르샤흐 반응의 각

지표에 해당하는 최빈치를 구한 다음 그 패턴에서 부족의 최빈적 성격을 확인하고 해석하였다. 또한 인켈스(Inkeles)와 레빈슨(Levinson)은 최빈적 성격 분석을 도식화하기 위하여 권위와의 관계, 자아개념, 기본적 갈등과 처리방식 등의 세 가지 성격요인을 제안하기도 하였다.

최소제한환경
[最小制限環境, least restrictive environment]

장애 학생의 교육을 위해 장애 학생을 전형적인 일반 학교 환경에서 배제하는 것을 최소화해야 한다는 것. 특수아상담

통합교육의 기본 원리 중의 하나로, 장애 학생은 교육서비스와 필요한 지원을 받아 적절한 진전을 이루기 위해 가능한 한 일반적이고 정상적인 교육환경에 배치되어야 한다는 개념이다. 장애 학생을 비장애 학생과 최대한 통합하고 학생의 장애가 매우 심하여 일반 학급에서의 교육 및 부가적 지원과 서비스가 만족스러운 방식으로 제공되지 못할 경우에만 분리된 교육이나 학교로 학생을 배치해야 한다. 따라서 장애 학생을 무조건 분리된 환경에 배치하는 것은 최소제한환경의 개념에 위배된다. 학생이 장애를 가졌다는 이유만으로 무조건 특수교육이 제공되는 학급에 배치하는 것은 적절하지 않으며, 또한 동일한 장애로 진단되었다고 해서 그 장애가 있는 모든 학생들을 한 학급에 배치하는 것 역시 적절하지 않다고 본다. 적합한 지원이 제공되고 교사나 교직원의 인식이 바뀐다면 다양한 장애 수준의 학생들이 일반 학급에서 교육을 받을 수 있다는 관점이다. 예를 들어, 학습장애 학생이 읽기에서 부가적인 지원이 필요한 경우에는 특수 교사로부터의 학습지원과 특별히 고안된 소프트웨어 프로그램을 제공받을 수 있다.

관련어 | 주류화, 통합교육

최적의 좌절
[最適 – 挫折, optimal frustration]

좌절을 겪는 개인이 그것을 소화하여 좌절을 자기 것으로 만드는 현상. 미술치료

최적의 좌절은 마음의 성장을 위하여 반드시 필요한 과정이다. 미술에서 최적의 좌절은 작업과정에서 어딘지 모르게 마음에 들지 않는 작품이 주는 좌절이다. 작품제작에서는 대부분의 경우, 좌절하고 견디며 다시 좌절하고 견디는 과정이 끝없이 반복되고, 그 좌절은 완성된 작품에서도 경험할 수 있다. 작품제작과정에서 끝없이 좌절과 인내를 반복했다면, 작품이 완성한 후 느끼는 좌절은 가볍고 즐길 만한 것이다. 미술치료에서 좌절은 치료자와의 관계 및 작품과의 관계에서 일어난다. 미술치료는 치료자와 내담자와 작품이라는 삼자관계를 주축으로 하는 만큼, 좌절은 작품과 내담자의 관계에서 일어나고, 치료자는 그것을 소화할 수 있도록 도와주는 역할을 한다. 말하자면, 미술치료에서 최적의 좌절은 내담자가 자신의 작품에 깊숙이 몰두하는 순간에 일어나는 것이다. 최적의 좌절이 일어나는 순간은 분리되어 있던 자신의 내면이 화폭으로 옮겨지는 때다. 이 순간은 작품에서 뭔가 설명하기 어려운 것을 느낄 때이며, 어떻게 그려야 할지 약간은 막막한 느낌을 받을 때다. 이 같은 좌절은 지나치게 약하지도 않고 지나치게 강하지도 않다. 이 순간 미술치료사는 보조자아처럼 기능하여 내담자가 좌절을 딛고 일어설 수 있도록 돕는 것이다. 마음에 들지 않는 그림을 포기하지 않고 완성할 때, 마음의 에너지는 고착된 지점에서 한 걸음 움직이기 시작했음을 보여 주는 것이다.

추리통계
[推理統計, inferential statistics]

표본에서 얻은 어떤 특성의 통계치를 기초로 표집에 따른 오차를 고려하면서 모집단의 모수치를 확률적으로 추정하는 통계적 방법. 통계분석

자료를 통계적으로 처리하는 일은 수집해 놓은 자료를 의미가 드러나도록 분석하는 과정이라고 볼 수 있다. 자료를 통계적으로 분석하는 방법은 기술통계(descriptive statistics)와 추리통계(inferential statistics)로 크게 나눌 수 있는데, 기술통계는 주어진 집단을 기술·요약하는 데 관심이 있을 뿐 이 집단에서 얻어진 결과를 가지고 다른 어떤 집단의 특성을 추정하는 데는 관심이 없다. 반면에 추리통계는 표본의 자료를 토대로 가설을 검증하거나 앞으로의 사상을 확률적으로 예측하는 데 관심이 있다. 기술통계와 추리통계의 근본적인 차이점은 연구결과의 일반화에 있다. 연구결과를 일반화하려면 일반화시킬 수 있는 모집단이 있어야 하므로 추리통계에서는 표집방법이 고려되어야 한다. 추리통계에서 주요한 개념은 유의수준(significance level)과 효과 크기(effect size)다. 유의수준은 영가설이 사실인 경우에 이것을 기각함으로써 범하는 오류의 확률이고, 또한 영가설(null hypothesis)의 기각 혹은 채택의 통계적 의사결정을 위한 임계치(critical value)다. 상담학에서는 유의수준을 확률(p) 혹은 알파수준(α)이라고 부른다. 예를 들어, 알파수준이 .01이라면, 제1종 오류(Type I error)가 발생하지 않을 가능성이 95%, 거꾸로 말하면 제1종 오류가 발생할 가능성이 5%다. 따라서 확률(알파수준, 유의수준)이 낮으면 낮을수록 제1종 오류가 발생할 가능성은 줄어든다. 여기서 제1종 오류란 영가설이 사실인 경우에 이것을 기각함으로써 발생하는 오류를 말한다. 추리통계는 모집단에서 추출된 특정의 표본에 대해서 설정한 가설을 검증하고 확률을 추정하기 위해서 사용할 수 있다. 따라서 연구자는 연구결과를 논의하면서 영가설을 기각하고 대립가설을 채택

할 때 유의수준을 통하여 보다 확신을 가질 수 있다. 변인들 간 관계의 정도는 효과크기를 계산해 봄으로써 알 수 있다(LaFountain & Bartos, 2002). 효과크기란 2개의 집단, 예컨대 실험집단과 통제집단의 평균 차이를 통제집단의 표준편차로 나눈 값을 말한다. 이것은 두 집단 간 평균의 차이 점수를 일종의 단위 표준점수로 변환한 것이다. 통제집단의 표준편차를 분모로 하여 효과크기를 산출한다는 것은 실험집단이 통제집단에 비하여 얼마나 효과가 있는가를 나타내는 입장이다. 결과적으로는 효과크기가 표준점수 z와 마찬가지이므로 효과크기를 나타내는 수치들은 의미 있게 상호 비교될 수 있다. 즉, 서로 다른 척도를 사용한 연구결과라 하더라도 각 연구에서 통제집단의 표준편차라고 하는 공통의 기준에 의거하여 변환시킨 z점수이므로 효과크기는 서로 의미 있게 비교하고 해석할 수 있다. 추리통계의 검증방법은 크게 모수통계 검증(parametric statistical test)과 비모수통계 검증(nonparametric statistical test)으로 구분해 볼 수 있다. 모수통계 검증은 추리통계에서 모집단의 특성인 모수(parameter)에 대하여 추리를 할 때 모집단의 분포에 대한 가정을 포함하는 통계적 방법이다. 교육 및 심리 연구에서 대부분의 모집단 분포는 정규분포를 가정한다. t검증, 변량분석(ANOVA), 중다변량분석(MANOVA), 공변량분석(ANCOVA), 정상분포에 의한 z검증 등의 통계적 방법이 모수통계 검증에 해당한다. 반면, 비모수통계 검증은 모집단의 형태나 모집단 모수치에 관한 가정이 필요 없는 방법으로, 모집단의 정상성에 의심이 갈 때 사용하는 통계적 방법이다. 이는 분포무관방법(distribution-free method) 혹은 자유분포통계검증이라고도 한다. 명명척도나 서열척도, 그리고 표본이 작은 경우 등 모수적 방법을 적용하기에 곤란한 자료를 분석하는 데 유용하다. 흔히 사용하는 비모수통계 검증으로는 χ^2검증, 순위(서열)에 기초한 Mann-Whitney U검증, Kruskal-Wallis 검증 등이 있다. 추리통계는 통계적 유의성의 여부

ㅊ

를 확인하고, 특정 가설을 채택 혹은 기각할 것인지를 결정하는 데 도움이 된다. 또한 상담자들에게 양적 연구결과에 대하여 공통 언어를 제공하며, 특정 표본을 통하여 보다 큰 모집단에 대한 특정 사실을 일반화하거나 추론하는 데 도움을 준다.

관련어 | 모수통계, 비모수통계

추수상담
[追隨相談, follow-up counseling]

상담을 종결한 후에 일상생활에서 내담자의 경험, 목표, 어떤 대상에 대한 작업 등에 대하여 내담자를 돕기 위한 활동.
개인상담

추수상담은 다음과 같은 기능을 하기 때문에 상담을 종결한 후에도 진행되는 것이 바람직하다. 첫째, 상담과정에서의 경험을 일상생활에서 일반화할 수 있도록 돕는다. 둘째, 내담자의 행동변화를 지속적으로 점검한다. 셋째, 내담자가 잘하는 점은 강화하고 부족한 점은 보완하도록 해 준다. 넷째, 상담자에게는 상담과정에서 상담목표, 상담전략 및 기법 등의 적용이 적절하였는지를 점검하여 임상적 역량을 강화할 수 있게 해 준다.

추적과 반영
[追跡 - 反映, tracking and reflecting]

정서중심부부치료에서 치료자가 부부의 상호작용과정과 구조에 집중하여 명확히 밝히는 과정. 정서중심부부치료

정서중심부부치료에서는 부부의 상호적인 관계 속에서 일정한 유형의 고리가 존재한다고 보고 있다. 따라서 부부치료의 초기에는 부부가 표현한 것과 치료자가 관찰한 것을 토대로 추적과 반영을 사용하여 부부의 전형적인 상호작용의 고리를 종합하고 명확히 하는 것이 중요하다. 이에 따라 치료과정

에서 부부의 관계를 관찰할 때는 다음과 같은 가정을 취하며 상호작용 패턴을 명확히 하고자 노력한다. 첫째, 각 배우자의 반응은 다른 배우자의 반응을 유발하는 신호가 된다. 둘째, 부부의 행동은 부부의 상호작용을 재활성화하는 방향으로 조직화된다. 셋째, 부부의 상호작용 고리 속에서 나타나는 부부의 행동은 유기와 단절에 대한 불안 등의 일차적 정서에 대한 화, 비난과 같은 이차적 정서를 불러일으킨다. 넷째, 부정적인 고리는 지속적으로 강화되는 경향이 있다. 다섯째, 부부의 상호작용 고리는 고통과 애착에 대한 불안을 지속시킨다. 또한 부부의 상호작용을 추적하고 반영하는 것을 통하여 부부의 상호작용 패턴을 구성해 나갈 때는 다음의 세 가지 관점에 집중한다. 첫째, 체계론적 반응으로 한 배우자의 반응은 다른 배우자의 행동에 의해 유발된 것이므로 지속적이고 순환적인 반응 촉발과 반응의 상호작용을 파악한다. 둘째, 정서적 관점으로 분노와 두려움 같은 애착 관련 정서적 경험에 집중한다. 셋째, 애착이론적 관점으로 부정적 상호작용의 고리를 파악하는 단서로는 애착 두려움과 불안 정감이 될 수 있으므로 이러한 정서에 집중한다. 정서중심부부치료자는 부부의 상호작용에서 반복되는 패턴을 추적하고, 이를 부부에게 다시 반영한다. 이를 통하여 부부에게 반복적인 상호작용 고리가 존재한다는 것을 명확히 하고, 이 고리를 외재화함으로써 부정적 고리에 대한 변화를 시도하는 것이다. 추적과 반영은 치료자가 부부의 불화를 '부정적인 고리'라는 맥락에서 이해할 수 있도록 하고, 또한 겉으로 드러나는 이차적 정서에 집중하기보다는 이면에 숨어 있는 내재된 정서경험을 확대시키는 효과가 있다. 치료자는 이와 같은 부부의 상호작용 고리를 파악하기 위해서 부부의 최근 사건, 반복되는 상호작용 패턴, 회기 내에서 보이는 상호작용의 순간 등에 관심을 가지고 추적과 반영을 해야 한다.

관련어 | 부정적 상호작용 고리, 재구성

추적조사
[追跡調査, follow-up study]

개인이나 집단의 특성이나 전반적 측면의 변화를 장기적으로 관찰 또는 조사하는 것. 연구방법

동일한 연구대상을 오랜 기간 계속 추적하면서 관찰하는 방법인 종단적 접근(longitudinal approach)에서는 추적조사로 대상의 변화(성장, 개선 등)에 대한 특징을 파악하고, 또한 그 일반적 경향이나 원칙을 이해할 수 있다. 횡단적 접근(cross-sectional approach)에 비해 종단적 접근은 대상에 대한 일회적 혹은 단면적인 조사연구에서는 파악할 수 없는 성장(발달)이나 변화의 특징, 원칙을 명확히 할 수 있다는 장점이 있다. 하지만 오랜 시간에 걸쳐 조사 연구해야 한다는 단점이 있다. 아동의 치료·교육이나 성장과 발달은 시간적·역사적 과정을 갖는데, 그 과정에서 여러 요인의 역동적인 작용이나 원리를 명확히 하는 것이 필요하다. 특히 한 사람의 정서장애아의 장애치료에 대한 접근에는 장기간의 추적조사와 연구가 행해져야 한다.

관련어 | 종단적 연구

축소자
[縮小者, minimizers]

긴장과 갈등의 상태에서 위축되고 겁에 질리는 등 자신의 에너지를 축소시켜 반응하는 유형의 사람. 이마고치료

자신이 원하지 않는 상황에 있을 때 어떤 사람은 위축되고 움츠러들며 말이 없어진다. 이런 사람을 축소자라 부르는데 이들은 자신의 에너지의 흐름을 최소화하는 경향을 가지고 있기 때문이다. 축소자는 화가 나거나, 걱정이 있거나, 불안이 있으면 위축되는 반응을 보이는 경향이 있다. 그럼에도 불구하고 이러한 축소자에게 오늘 기분이 어떠냐고 물으면 "괜찮다." 또는 "아무 문제가 없다."라고 답하며 마치

아무 일도 없는 듯 행동하려고 애를 쓴다. 이러한 유형의 사람들은 거의 말을 하지 않고 의사소통하지 않으며 집 안의 조용한, 혼자 있을 수 있는 곳을 찾아다니면서 움츠리고 에너지를 위축시켜 자신을 보호하려고 한다. 그런데 축소자들은 자신과 전혀 다른 사람들과 관계를 맺는 경향이 있다. 이들은 화가 나거나 공포에 질렸을 때 위축되는 자신과는 다르게 표출하는 사람, 즉 확대자에게 끌리는 경향이 있다.

관련어 | 확대자

축어록
[逐語錄, verbatim record]

상담자와 내담자 간 상담과정의 음성녹음이나 비디오 녹화를 문자화한 것. 상담 수퍼비전

축어록에는 대화의 내용뿐만 아니라 침묵이나 몸짓, 표정 등의 비언어적 표현도 포함되어 있다. 축어록은 수퍼비전 과정에서 여러 목적으로 사용되는데, 상담회기 중 특정 부분을 발췌하여 축어록을 만든 다음 집중적으로 분석하기도 하고, 한 회기 전체를 축어록을 만들어 상담의 전체 흐름을 검토하고 다음 상담계획을 세우기도 한다. 축어록은 상담회기를 문자로 기록한 형태이기 때문에 상담수련생이 내담자에게 질문을 한꺼번에 한다거나 미완성 진술과 같은 잘못된 개입을 시각적으로 쉽게 인지할 가능성이 녹음테이프나 녹화테이프보다 높다. 따라서 그에 따른 피드백이 더욱 합리적으로 이루어질 수 있다. 또한 축어록은 문서라는 친숙한 교육적 양식을 사용하므로 교실에서 임상 수퍼비전으로 옮기는 과도기 과정으로 학생들에게 적용하기 좋다는 장점을 가지고 있다. 이 같은 축어록의 장점에 대해 아서와 그포에르(Arthur & Gfoerer, 2002)는 축어록이 상담훈련의 초기단계에 있는 수련생에게 특히 유용하다고 주장하였다.

관련어 | 과정노트, 사례노트, 자기보고

축어록 양식

[逐語錄樣式, verbatim format]

상담내용을 사실대로 기록하여 보고하는 양식. `수퍼비전`

수퍼바이지는 내담자와의 상담내용을 수퍼비전에 여러 가지 형식으로 발표하고 보고할 수 있는데, 그중 한 가지로 축어록 양식은 상담내용을 그대로 기록한 다음 심리적, 상담적 분석을 실시하여 보고하는 것이다. 이것은 수퍼비전 과정에 필수적인 요소라 할 수 있다. 수퍼바이저는 축어록을 통하여 수퍼바이지가 사례개념화를 할 수 있도록 도와주고 상담과정에 어떤 부분을 수정하고 보완해야 하는지 구체적으로 조언해 준다. 다음은 축어록 양식의 한 예로, 유영권이 제안한 것이다.

축어록 양식

축어록 기록 날짜: _____

축어록: _____

상담날짜: _____

상담횟수: _____

상담자 이름: _____

상담시간: _____

Ⅰ. 내담자 이니셜 ____ 나이 ____ 성별 ____ 혼인 여부 ____
  자녀 ____
  이전의 상담경험 _____
  누구로부터 위탁받았는가 _____

Ⅱ. 내담자의 가족관계 및 성장과정
  (가계도표 그림 기재)

Ⅲ. 내담자가 호소하는 주요 문제

Ⅳ. 내담자와의 관계배경
  (지금까지 어떤 관계였고, 지난번 상담에서 드러난 주요 문제는 무엇인가?)

Ⅴ. 내담자의 상태관찰
  (내담자를 만났을 때 상담자의 첫인상과 내담자의 인상 착의, 행동 특징에 대해 기술. 상담과정 중 비언어적 표현에 관심을 두고 볼 것)

Ⅵ. 진단과 상담의 목표
  (내담자에 대한 여러 가지 정보를 가지고 어떤 진단을 하였고 그것에 대해 어떤 상담이론과 목표를 정하여 준비하고 진행할 것인가에 대한 기술. 내담자가 제시한 상담목표와 상담자가 인지한 상담목표가 일치하는가? 일치하지 않는다면 협상된 상담목표에 도달하였는가?)

Ⅶ. 상담내용
내담자와의 상담내용을 기록. 말로 표현된 내용뿐만 아니라 표현되지 않은 감정과 중간 정지, 비언어적 표현, 상담자의 감정 변화 등을 상세히 기록

• 한 주제의 긴 내용은 [/]에 넣어 요약
• 비언어적 표현은 (/)에 넣어 기록
• 상담자의 해석은 기록하지 말 것
• 한 사람의 대화 연속기록은 Single Spaced, 상담자와 내담자 대화 사이 기록은 Double Spaced
• 각 대화에 이니셜과 번호 기입
  예) C1: 지금 기분이 어떠세요?
    K1: 어디론지 쑤욱 빨려 들어가는 것 같아요. 아무 정신도 없고 어떻게 해야 할지 모르겠어요(한숨을 내쉬며 의자 깊숙이 몸을 움츠린다).
• 대화를 기록하면서 오른쪽에 5센티미터 여백을 남겨 놓을 것

Ⅷ. 내담자 분석
  a. 내담자 상태에 대한 평가
  b. 내담자 문제의 해결 정도(Intrapersonal)
  c. 내담자의 문제가 인간관계에 어떤 영향을 주는가 (Interpersonal)
  d. 심리학적 평가
    (내담자의 심리상태는 어떤가? 혹시 DSM-Ⅳ의 진단에 맞는 증상을 보이지는 않는가?)

Ⅸ. 상담자 분석
  a. 관계
    (상담자가 상담하기 전 내담자와의 관계에 대해 어떤 감정을 가졌고, 상담 중, 후에 어떤 감정 변화가 생겼는가? 상담자 자신에 대한 통찰이 있었는가?)
  b. 상담적 도움
    상담자로서 내담자를 위해 무엇을 하려고 하였는가? 당신의 반응들과 상담진행 방법론에 관한 평가
  c. 상담적 진단, 전략, 방향
    (상담목표의 성취 정도 평가, 다음 상담기회에는 어떤 점을 보완해서 상담에 임할 것인가? 장기적으로 내담자에게 어떤 변화가 있기를 바라는가?)

출생순위
[出生順位, birth order]

형제자매 관계에서 출생에 따라 형성되는 상대적 출생의 위치. 개인심리학

가족관계와 형제의 출생순위가 인성발달에서 중요한 요인이 된다는 것을 처음 지적한 학자가 아들러(Adler)다. 그는 출생순위에 따라 열등의 경험이 달라질 수 있다고 하였다. 출생순위는 내담자의 생활양식에 관한 많은 것을 예측할 수 있게 해 준다. 출생순위와 가족 내 위치에 대한 해석은 어른이 되었을 때 세상과 상호작용하는 방식에 큰 영향을 미친다. 아동기에 다른 사람과 관계하는 독특한 방식을 배워서 익히고, 성인이 되어서도 그 상호작용 방식을 답습한다. 출생순위는 아동이 가족구성원에게 얼마나 많은 영향을 주는가에 따라, 또 가족이 아동에게 어떤 영향을 주는가에 따라 역동적으로 설명할 수 있다. 아들러는 출생순위가 심리적(psychological) 순위여야 한다고 주장하였다. 예를 들어, 한 가족 내의 오누이는 2명의 독자(獨子)로 키울 수 있다. 마찬가지로 10년 터울의 두 형제도 독자처럼 키울 수 있다. 생애 초기의 6~8년을 지각하고 회상하면 심리적 위치를 알 수 있는데, 아들러는 이 기간에 생활양식이 확립된다고 믿었다. 슐만(Shulman)은 맏이가 심한 지적장애라면 둘째 아이가 첫째를 대신해 맏이의 역할을 할 것이고, 아이를 사산한 다음에 낳은 아이는 보통의 경우보다 더 특별한 맏이로 키울 수 있다는 예를 제시하면서 출생순위는 연대순보다도 '심리적인 논리'라고 강조하였다. 모든 아동이 소속감을 갖기 위해 노력한다는 것은 매우 중요한 사항이다. 출생순위에 따른 심리적 위치 외에도 아동은 출생할 때 가족의 상황과 환경에 따라 다른 심리사회적 영향을 받는다. 실제적 출생순위보다는 가족 내 위치에 대한 개인의 해석이 더 중요한 것이다. 출생순위에 따라서 맏이, 둘째(중간), 막내, 독자 등으로 나누어 설명하면 다음과 같다. 맏이는 일반적으로 크게 주목받으면서 부모의 기쁨이자 관심의 대상으로 인생을 시작한다. 동생이 태어나기 전까지 가정의 중심인물로 '왕'처럼 지내다가, 동생이 태어나면 좋았던 위치에서 쫓겨나게 된다. 그래서 맏이에게는 '폐위당한 왕' '일일천하(King for a day)'라는 별명이 붙는다. 그는 더 이상 특별하거나 특수한 위치에 있지 않다. 새로운 인물(침입자)이 그가 누리고 있던 사랑을 약탈해 갔다고 믿기 쉽다. 맏이가 받는 폐위의 쓰라린 고통의 정도와 양상은 부모의 양육태도와 동생과의 연령차, 성 등의 여러 가지 변수에 따라 다양하게 나타날 수 있다. 폐위의 경험은 열등감을 심화시킬 수 있는데, 열등감의 보상 기제의 방향이 크게 둘로 나뉘는 것과 같이 폐위를 경험한 맏이의 태도도 크게 두 가지 양상을 보인다. 첫 번째 양상은 동생의 출현 이전에 누리던 특권을 되찾고, 새로 태어난 경쟁자를 제2의 위치로 몰아내려는 시도를 한다. 부모의 도움으로 이 같은 노력이 성공하면 일반적으로 맏이들은 새로 등장한 사람(동생)을 수월하게 상대한다. 맏이는 보통 어른들과의 관계가 좋고, 어른들의 기대와 가치에 쉽게 동의하며, 사회적 책임을 지고, 생활과제에 대처할 때 사회적으로 수용 가능한 방법을 사용한다. 이런 행동은 부모역할에 대한 모방으로 익히는 것이다. 이때 맏이에게는 동생을 돌보고 책임지는 일이 나이에 비해 과중하거나 부당하게 요구될 위험이 있다. 맏이는 폐위당한 지위와 잃어버린 천국을 회복하고자, 그중에서도 특별히 어머니의 관심을 되찾고자 새로운 노력을 한다. 어머니의 관심을 얻지 못하게 되면 예전에 누렸던 우위를 아버지를 통해 찾으려고 한다. 어린 자녀의 출산으로 부인의 배려와 관심이 줄어들어 무의식적으로 소외감을

ㅊ

1959

느낄 수 있는 상황에서 맏이의 아버지에게로의 전향은 매우 긍정적으로 또는 회의적으로 작용할 수 있다. 이런 노력이 성공하지 못하면 아이는 흔히 난폭하고, 비판적이고, 비순종적으로 행동한다. 맏이의 폐위 경험은 공동체 생활을 하는 데 인간에 대한 적대주의로까지 발달하기도 한다. 이런 아이들은 흔히 강하고, 시기심과 공명심이 많아 지나치게 경쟁적 행동을 보인다. 위치 회복의 노력이 실패하면 권위에 대한 집착이 강해지고, 권위에 높은 가치를 둔다. 흔히 과거에 집착하고 새것에 대해서는 적의를 표현하는 보수적인 성향이 강하게 발달하기도 한다. 두 번째 양상은 폐위를 기억하면서 자신이 매우 작고, 약하고, 무기력하다고 생각하면서 동생에게 정복당하는 데 좌절하여 속수무책인 경우다. 맏이의 상황은 대개 불안정하다고 볼 수 있다. 첫째가 얼마나 응석받이였는가에 따라 이 폐위의 쓰라린 고통의 강도가 정해진다. 생에 대한 위축감과 씁쓸한 감정이 그 사람의 전체 삶의 기본 정서가 되기도 한다. 이는 사회생활을 하면서 다른 사람과 협력하고 협조하는 데 방해가 될 수 있다. 둘째는 태어나면서부터 주변의 관심을 맏이와 나누어 가진다. 전형적으로 둘째 아이는 경쟁 속에 있는 것처럼 행동하고, 항상 압박을 받는 입장이라고 느끼며, 인생을 마치 더 나이 많은 형이나 누나를 이기기 위한 훈련 상태로 본다. 첫째 아이와 둘째 아이의 경쟁적인 투쟁은 그들의 나머지 생에도 영향을 미친다. 나이가 어린 아동은 맏이의 약점을 찾는 요령을 발달시키고, 맏이가 실패한 것을 달성하여 부모에게 칭찬을 받으려고 한다. 대부분의 둘째 아이는 보다 독립적이고 반항적이고 민감하며, 공공연히 부모에게 자신의 위치를 확인받고 싶어 한다. 또한 요구를 더 많이 하고 맏이가 추구하지 않는 것에 관심을 가지는 경향이 높다. 셋째 아이가 태어나면 둘째 아이 또한 '주위의 관심이 줄어든' 아이가 되고 만다. 종종 형제가 셋인 가정의 둘째 아이는 자신의 위치가 양쪽에서 압박을 받는다고 느낀다. 이와 같은 경우

를 사람들은 '샌드위치 상황'으로 표현한다. 그들은 자신만이 불이익을 당한다고 느낀다. 종종 맏이가 막내를 돌보아 주는 것으로 한편이 되면 둘째는 자신의 힘든 처지를 더욱 비관한다. 둘째는 혼자만 부모의 관심과 사랑을 독차지한 경험이 없기 때문에 객관적으로 더 적은 관심을 경험해도 이것을 부족하거나 결핍으로 느끼지 않는 특징이 있다. 다른 아이가 자기보다 먼저 있었기 때문에 그의 존재는 맏이와 비교할 때 기존의 질서를 방해한 침입자로 인식되고, 가족의 사회체계 내에서 '사이에 낀 아이'로서 자신의 역할과 정체성을 발견하는 데 어려움을 갖는다. 둘째가 전체 환경에서 무시되거나 간과되는 느낌을 운즈너(Unzner, 1990)는 자동차의 '스페어 타이어'와 같은 느낌이라고 표현하였다. 둘째는 자신의 위치에서 아래위의 형제들에 의해 권력이 약해지도록 내버려 두든지, 아니면 형제들을 희생시켜서라도 지위를 올리려고 하든지 두 가지 경향 중 하나를 나타낸다. 첫째 유형으로 둘째들은 종종 최고가 되고자 한다. 가족의 분위기가 자녀 간의 경쟁을 조장하는 쪽이라면 경쟁은 꽤 치열해진다. 아들러는 이를 도보경주에 참여한 '달리기 선수'에 비유해서 설명하였다. 첫째의 발소리를 들으며 조금만 더 노력하면 따라잡아 선두를 차지할 수 있다고 생각하고, 다른 한편 뒤에서 쫓아오는 셋째의 발소리를 들으며 잡히지 않으려고 앞으로 더욱 매진해 나간다. 이런 상황에 있는 둘째는 학교에서 다른 사람을 능가하려는 경향을 보여 가장 부지런하고 성실한 학생이 될 수 있다. 경쟁을 해야 하는 형제들이 이길 수 없는 상대라고 인식하면 협력하는 방법을 취해 같은 편을 만든다. 맏이가 협동적이고 동생을 잘 돌보고 도와주는 경우 둘째는 맏이를 통해 많은 이득을 본다. 이때는 나이가 중요한 변수다. 아들러는 둘째를 긍정적으로 평가한다. 사회적 관심과 공동체감이 기본 전제가 되는 협력적 행동을 상황적으로 많이 훈련받을 수 있기 때문이다. 일반적으로 둘째는 인생에서 쉽게 길을 발견할 수 있고, 고

도의 협동심과 자립심을 발달시킬 수 있다고 보았다. 둘째의 경쟁태도가 너무 강한 경우에는 혁명가나 개혁가가 될 소지가 많다. 두 번째 유형은 맏이가 매우 우수한 아이인 경우, 둘째가 감히 도전하지 못하겠다고 느끼거나 다른 이유 때문에 둘째가 첫째에게 도전할 생각을 단념하고 위축되거나 실의에 빠지는 경우다. 막내는 언제나 가족의 어린애로서, 아무리 나이를 먹어도 귀염둥이, 집안 전체의 아기로 가장 많은 관심을 받는 위치에 있다. 그들에게는 부모뿐만 아니라 함께 놀아 주고 돌보아 주는 든든한 손위 형제가 있다. 다른 아이들이 모두 자기보다 앞서 태어났고, 폐위 충격의 경험이 없이 자라는 특별한 상황에서 성장한 막내는 부모는 물론 형제나 친척에게도 응석을 부릴 수 있는 환경 때문에 다른 사람에게 쉽게 도움을 요청하고, 자신을 돌보게 하고, 노력 없이 누리는 성취와 특권을 당연하게 여긴다. 긍정적 측면에서 보면 막내는 처음부터 사회적 맥락에서 성장할 수 있으므로 사회적 능력을 획득할 수 있는 좋은 조건에서 산다고 볼 수 있다. 막내는 다른 모든 형제를 이기려는 극단의 노력을 하거나 다른 형제의 원조와 보살핌을 계속 받는 아기로 남으려는 두 가지 경향 중 하나를 보인다. 막내는 가끔 매우 강하게 성장하여 다른 형제자매들을 능가하기도 한다. 자신보다 앞선 형제가 많을 경우, 다른 형제자매들과 끊임없이 비교한다. 가장 작고, 가장 약한 존재로 진지하게 받아들여지지 않는 불쾌한 상황에서 열등감을 계속 경험하는 현실을 보상받기 위해 다른 사람을 추월하려는 우월추구의 노력을 강화한다. 자신의 약점을 이용하는 막내는, '나는 어리다.' '다른 사람들은 나를 도와야 한다.' 또는 '내가 다른 사람을 능가하려고 노력하면 세상은 나를 사랑하지 그들을 사랑하지 않는다.'는 신념을 발달시킨다. 또 다른 경우는 자신의 약한 상태를 그대로 유지하면서, 버릇없고 응석을 부릴 수 있는 상황에서 가능한 유익을 얻으려 하거나 매우 유약하여 의기소침해지는 때도 있다. 두 경우 모두 다른

사람보다 우월해지려는 극단의 노력의 결과로 나온 것이다. 응석을 부릴 확률이 가장 높은 막내가 문제아가 될 가능성이 맏이에 이어 두 번째로 높다. 독자는 처음부터 계속해서 부모의 관심을 독차지하고, 부모의 사랑과 보호를 늘 혼자 받기 때문에 자신의 중요성을 과장하는 경향이 있다. 독자는 다른 아이와 나누어 가지거나 협동하는 것은 배우지 못하지만, 어른들을 어떻게 다루어야 하는지는 쉽게 터득한다. 독자는 '폐위의 경험'이라는 사실 한 가지를 제외하면 맏이와 거의 같은 상황이라고 할 수 있다. 경쟁 없이 자라서 경쟁자가 될 가능성은 희박하다. 그들은 결코 자신의 위치에서 쫓겨나지 않으며 경쟁자 때문에 압박을 느끼지도 않는다. 부모의 관심을 독차지하면서 누린 독자의 장점은 정신적·심리적 발달에는 장애가 될 수 있다. 독자는 어머니의 익애(溺愛)를 받기 쉽고, 지나치게 의존적일 수 있다. 어머니와 연합이 맺어지면 아버지와는 경쟁관계에 있게 된다. 동시에 응석의 정도에 따라 어머니와의 강한 고착 또는 공생 관계를 형성한다. 이 같은 상황을 아들러는 '모성 콤플렉스'라고 하였다. 가장 부족하다고 지각되는 부분은 또래집단 관련 사항일 것이다. 다른 아이들과는 달리, 그들은 다른 형제들과 친하게 주고받고 지낸 경험이 없기 때문에 또래집단을 포함한 새로운 상황에 대처해야 하는 초기의 학교경험을 힘들어할 수 있다. 협동심 형성에서, 나이가 들어도 그들은 어린 시절에 관심과 애정의 초점이 되었던 경험을 반복하려고 한다. 항상 무대의 중심에 있기 때문에 사회생활에서 더 이상 관심의 중심이 되지 않으면 자신의 위치가 도전 또는 위협을 받는다고 생각하면서, 불공평하다고 느낀다. 그들은 다른 사람들과 동등한 공동체인으로서 느끼려 하지 않고, 함께 나누려는 노력도 하지 않는다. 자신의 의지대로 무엇인가가 되지 않을 때 크게 실망하고, 심지어 자신의 이기주의가 완전히 옳다고 본다. 독자가 성인이 되어서 얼마나 공동체에 생산적으로 관여할 수 있는가는 그들의 사회적

위치와 유동성에 달려 있다. 사회에서 높고 안정된 지위를 차지하고 있다면 일반적으로 협동적이고 유용한 사람이 된다. 그러나 자신의 우월의 입장이 성공하지 못하고, 사회적 위치가 내려가면 쉽게 불평분자, 비평가, 불만가, 가정의 폭군이 되기 쉽다. 또한 힘과 권위를 상실한 것을 거만함, 냉담함 그리고 폭력이나 위세로 보상하고자 한다. 아들러는 독자에 대해서 매우 비관적이었다.

관련어 | 가족구도, 형제관계

충격치료
[衝擊治療, shock therapy]

생체에 전류를 흐르게 하는 등 특정 충격을 가해 경련과 같은 반응을 유발하여 치료적 효과를 내는 치료. 기타

오늘날과 같이 정신치료나 그와 관련된 약물이 발달하기 이전 정신질환 치료에서 생체에 어떤 종류의 충격을 가하여 치료를 실행하는 경우가 자주 있었는데, 이를 통틀어 충격치료라고 한다. 망상 환자의 냉수욕, 저혈당 유발을 위한 인슐린 충격치료, 카르지아졸 정주(靜注) 경련 치료, 두부에 소량의 전류를 흐르도록 하여 경련을 유발하는 전기충격치료(electroshock therapy, electroconvulsive therapy: ECT) 등이 포함된다. 일반적으로 충격치료는 주로 전기충격치료를 말하며, 다른 치료방법으로는 더 이상의 치료책을 찾을 수 없을 때 주로 시행한다. 충격치료를 처음 시행한 때는 고대라고 알려져 있다. 수세기 전, 두통이나 정신적인 문제를 가진 사람들의 치료에 뱀장어를 사용하여 뱀장어가 가지고 있는 전기로 충격을 주는 방법을 활용하기도 하였다. 16세기 초에는 정신질환 치료에서 경련유도를 위한 방법으로 사용되었고, 1785년 『런던의학저널(London Medical Journal)』에 문서로 경련유도의 치료적 활용이 발표되기도 하였다. 1930년대 중반부터 이탈리아 정신과 의사인 체를레티와 비니(U.

Cerletti & L. Bini)는 동물실험을 거쳐 일반 임상에 활용하였다. 1937년에는 스위스에서 최초로 충격치료에 관한 국제회의가 열렸다. 이때부터 전기충격치료가 의학의 한 형태로 소개되면서, 1940년대와 1950년대에 많이 이용하게 되었다. 1960년대 이후로는 여러 가지 문제점이 드러나 법적으로 엄격한 규정을 두게 되면서 그 사용이 현저하게 줄어들었다. 그러다가 1976년 블래츨리(Blatchley)가 지속적인 전류를 활용하여 효능성을 다시 한 번 증명하였다. 1970년대는 전기충격치료에 대한 주제가 미국정신의학협회(American Psychiatric Association)에서 최초로 발표되기도 하였다. 현대에도 심한 우울증, 조증, 양극성장애, 정신분열증, 긴장증 등에 미국을 비롯한 여러 국가에서 전기충격치료를 적용하고 있는데, 환자에게 더 이상의 방법이 없을 때 최후의 대안으로만 쓰인다. 여전히 논쟁의 여지가 있지만 기억상실, 두통, 뇌 손상과 같은 증상에서는 효과가 입증되어 있다. 전기충격치료는 전극배치, 치료횟수, 전류파형 등에 따라서 다르게 적용될 수 있는데, 대개는 전기충격치료를 행한 다음 약물치료를 지속한다. 요즘은 전기충격치료 실행을 위해서는 반드시 약정된 문서로 정보를 상세히 설명한 뒤, 그에 동의를 받아야만 시행할 수 있다.

충동살인
[衝動殺人, impulsive homicide]

살인에 대한 욕구를 통제할 수 없어 행동으로 실천한 살인. 교정상담

사람을 살해하고 싶다는 욕구를 억제하지 못하고 살인에 도달한 경우를 의미한다. 병적인 경우는 정신분열병 초기나 간질의 몽롱한 상태에서 나타난다고 알려져 있다. 또 가학증에 의한 살인도 다수는 충동살인으로 본다. 살인의 동기는 싸움, 애정의 상실, 강도, 성적 충동, 원한 등이 있다. 싸움이나 입싸

움이 원인이 된 살인은 발끈하여 자신을 억제할 수 없어 행하는 살인이지만 서로 주고받는 대화가 원인이 되며, 충동살인과는 다르다. 성적 충동은 쾌락살인이라고 불리는 경우가 많으며, 동기는 쾌락이라고 해석되지만 성적 충동이 사디즘과 결부되어 있는 경우 충동살인에 이르는 경우가 많다. 교사에게 질책당하고 반 친구끼리 발끈하여 싸운 결과 친구가 죽은 경우 살인의 강한 충동의 존재가 인정되지 않을 때에는 충동적 살인으로서 충동살인과는 구별해야 한다.

충동억제
[衝動抑制, impulse inhibition]

자기통제능력의 한 요인이며 성급하게 행동하거나 생각하거나 말하는 것 등을 스스로 통제하는 능력. 발달심리

맥코비(Maccoby)는 충동억제가 아동기에 발달하는 능력이며, 이 능력은 정서억제, 행동억제, 결론억제, 선택억제의 네 가지 요인으로 구성되어 있다고 하였다. 정서억제는 격렬한 화를 참는 것과 같은 감정의 강도를 통제하는 능력이다. 이는 다른 하위요인보다 먼저 발달하기 시작하는데 대략 생후 4개월 이후부터 성인에 이르기까지 전 생애에 걸쳐서 발달한다. 행동억제는 하고 있던 행동을 멈추는 것으로서 아동은 하던 행동을 멈추는 것보다 새로운 행동을 시작하는 것이 더 쉽다. 이 능력은 초등학교 1학년 이후 발달하기 시작한다. 결론억제는 충동적으로 결론을 내리거나 판단하지 않고 신중하게 고려하며 과제수행에서 실수를 줄이는 능력이다. 입학하기 전 유아는 과제수행에서 반응속도가 빠르고 정확도가 낮지만 연령이 증가하면서 숙고하는 경향이 향상되고 반응시간이 길어진다. 이 능력은 인지적 사고와 판단을 하는 데 필요하기 때문에 다른 억제능력에 비하여 다소 늦은 학령기에 발달한다. 선택억제는 단기간 내의 작은 보상에 만족하기보다는 더 큰 만족을 위하여 장기적 보상을 선택하는 능력이다. 이렇게 볼 때 선택억제능력은 만족지연능력과 밀접한 관련이 있다. 그러나 만족지연능력(delay of gratification)은 다소 일찍 발생하고 단기적인 지연선택이 가능하지만 선택억제능력은 보다 장기적인 보상에 대한 선택이며, 12세경에 이르러 발달한다.

관련어 | 만족지연, 행동억제

충동적 인터넷 사용
[衝動的 – 使用, net compulsions]

온라인 게임, 온라인 쇼핑, 온라인 경매 등의 행위를 충동적이고 강박적으로 하는 상태. 중독상담

온라인상에서 행해지는 이러한 행위들은 직접 상대방을 만나거나 특정 장소에 가지 않아도 쉽게 접근이 가능하다는 용이성 때문에 보다 쉽게 과도한 사용으로 이어지는 특징이 있다. 충동적 인터넷의 사용은 막대한 재산상 손실을 가져오고, 일상적인 생활을 방해하며, 가족과 같은 중요한 인간관계의 형성과 유지를 방해하는 결과를 낳는다. 영(Young, 1999)은 충동적 인터넷 사용을 인터넷 중독의 한 형태로 설명하였다.

관련어 | 가상관계중독, 인터넷 중독, 중독

충동조절장애
[衝動調節障礙, impulse control disorder]

자신이나 타인을 해하려는 충동이나 유혹을 조절하는데 있어서 반복적인 실패를 경험하는 장애. 이상심리

DSM-IV에서 '유아기, 아동기, 청소년기에 보통 처음으로 진단되는 장애' 또는 '달리 특정지어지지 않는 충동조절장애' 부분에 묘사되었었다. DSM-5에서는 품행장애를 '파괴적, 충동통제 및 품행장애 (Disruptive, Impulse Control, and Conduct Disorders)'

중 하나의 장애로 포함시키고 있다. 이 장애는 발병 되는 연령에 따라 두 가지 유형으로 구분한다. 즉, 10세 이전에 문제행동이 나타나는 아동기-발병형 (childhood-onset type)과 그 이후에 나타나는 청소년기-발병형(adolescent-onset type)으로 구분된다. 또한 문제행동의 심각한 정도에 따라 가벼운 (mild) 정도, 중간(moderate) 정도, 심각한(severe) 정도로 분류된다.

관련어 | 품행장애

충분히 기능하는 사람
[充分-機能-, fully-functioning person]

인간중심상담이론에서 로저스(Rogers)가 심리적 건강에 도 달한 이상적 인간상을 묘사하기 위하여 사용한 개념으로, 자 신을 완전히 지각하고 자신의 능력을 발휘하여 실현경향성을 끊임없이 추구하며 성장해 가는 사람. **인간중심상담**

가설적인 인간상으로서 인간중심상담의 궁극적 인 목표이기도 하다. 충분히 기능하는 사람은 자신 의 자아를 완전히 자각하는 사람이다. 로저스는 충분히 기능하는 사람은 최적의 심리적 적응, 최적의 심리적 성숙, 완전한 일치, 경험에 완전히 개방되어 있는 사람이라고 보았다. 이때 로저스가 정의한 성숙한 행동의 개념은 현실적으로 인식하는 능력, 자신의 행동에 대한 책임을 평가하는 능력, 자신의 행동에 대하여 책임지는 능력, 자신의 감각에서 나온 증거에 따라 경험을 평가하는 능력, 경험에 대한 평가를 새로운 증거가 생기면 바꾸는 능력, 타인을 자신과 다른 개체로 받아들이는 능력, 자신과 타인을 존중하는 능력이다. 로저스는 이 같은 성숙의 개념을 충분히 기능하는 사람의 관점에 포함시킨 것이다. 인간중심상담이론에서 충분히 기능하는 사람은 보다 적응적인 방향으로, 경험에 개방적인 자세로 계속해서 변화하는 과정 중에 있는 사람이다. 로저스가 제안한 충분히 기능하는 사람의 특성은 다음과 같다. 첫째, 경험에 개방적이다. 긍정적이거나

부정적인 감정을 자신이 민감하게 인식하고 이를 억압하지 않으며 자유롭게 표현하거나 받아들일 수 있고 타인과의 관계에서 자신을 완전히 개방할 수 있다. 둘째, 현재에 충실하게 살아가며 자신이 사는 매 순간에 주의를 기울이는 능력이 있다. 따라서 실존적 삶, 즉 매 순간에 충실한 삶을 영위한다. 자신의 본질을 스스로 형성해 나간다는 것을 알기 때문에 자신의 경험을 중요하게 여기고 자발성을 갖는다. 셋째, 자신의 유기체를 신뢰한다. 의사결정을 해야 하는 상황에서 다른 사람들의 판단이나 견해에 의존하지 않고 자신의 유기체적 경험을 판단의 기준으로 삼는다. 자기신뢰는 개인적 자유감에 이르도록 하며 자신의 행동과 결과에 대해 책임을 지는 능력을 갖추도록 해 준다. 넷째, 창조적이다. 그들은 자신이 속한 문화에 구속되거나 수동적으로 동조하는 것이 아니라 자신의 욕구를 만족시키기 위해 삶의 모든 영역에서 독창적인 창작물을 만들어 내고 창조적 삶을 통해 삶의 희열을 경험하며 살아간다. 다섯째, 제약 혹은 억제 없이 선택의 자유를 가진다. 따라서 자신의 느낌과 반응에 따라 충실하게 살아간다. 자신이 원하는 것은 무엇이든지 실제로 행할 수 있다고 느끼므로 자신의 삶에 대한 지배감을 갖고 자신의 미래를 결정한다. 여섯째, 어려움에 직면할 수 있다. 즉, 자신의 내면에 살리기 좋은 감정이나 나쁜 감정도 그대로 받아들이면서 주체적, 창조적, 건설적으로 인생에 대처해 간다. 언제나 자신을 신뢰하며 긍정적으로 받아들이는 사람이다.

관련어 | 인간중심상담

충분히 좋은 어머니
[充分-, good enough mother]

유아의 심리적 성장과 발달의 요구를 가장 적절하게 수용하고 반응해 주는 양육자. **대상관계이론**

충분히 좋은 어머니는 위니콧(D. Winnicott)의 다

양한 이론적 개념을 단적으로 집약하고 있는 개념이다. 프로이트(S. Freud)에게 어머니는 욕동을 만족시켜 주는 대상으로 이차적인 중요성을 지니는 존재에 불과한 데 반해, 위니콧은 어머니의 양육과정이 유아의 성장과 정서발달에 절대적으로 중요하며 따라서 충분히 좋은 어머니의 역할은 매우 필요하다고 강조하였다. 충분히 좋은 어머니는 유아의 전능감에 대해 적절하게 반응해 주고 그것을 의미 있게 만들어 준다. 유아는 어머니와의 관계에서 지속적으로 전능감을 경험하며, 그 결과 참자기가 발달하고 자신에게 적절한 삶을 살 수 있다. 유아는 자신의 자발적인 욕구와 몸짓에 대해 어머니가 전적으로 거울반응을 해 주고 동일시해 줌으로써 융합에 이른다. 위니콧에 따르면, 융합은 어머니와 유아가 하나가 된다는 의미다. 융합의 상태에서 건강한 어머니는 유아와 하나가 되지만 동시에 자신은 아이와 분리된 존재라는 것을 인식하고 있는 상태다. 그러나 유아는 아직까지 자신과 자신이 아닌 것 간의 분리를 충분히 인식하지 못하고 있다. 만족스러운 융합의 상태를 경험하며 어머니-유아 모체로부터 자기(self)가 출현하는 것을 'I' 단계라고 한다. 그 후 'I am' 단계에 이르러 유아는 자기로 존재하며 살아가고 있음을 인식하게 되는데, 자기는 아직 취약한 상태이므로 적절한 모성 돌봄이 필요하다. 이와 같은 적절한 모성 돌봄이 지속되면 상당한 심리적 성장이 이루어지는 'I am alone' 단계로 진행된다. 충분히 좋은 어머니는 다양한 관점에서 설명될 수 있다. 첫째, 유아의 자발적 욕구에 대해 거울반응을 해 주고 또 유아가 독립적이면서도 동시에 자아 관계성을 느낄 수 있도록 해 주는 어머니다. 유아가 흥분된 때에는 어머니가 유아의 몸짓과 욕구에 대해 반응해 주어야 하지만, 유아가 고요한 때에는 어머니가 유아를 침범하거나 요구하지 않는 하나의 환경으로서만 존재해야 한다. 둘째, 유아의 중간 대상 경험을 존중해 주는 어머니다. 어머니가 유아와 공모하여 중간 대상을 인정하고 존중해 줄 때,

이러한 환영의 과도기적 단계가 창조적인 환상의 근원이 되며 나아가 객관적인 외부현실을 창조한다. 셋째, 유아의 공격성을 견디어 냄으로써 유아가 대상을 사용할 수 있도록 도와주는 어머니다. 어머니가 유아에게 잔인한 자아로 인식되지만 그 생존을 유지할 때 비로소 유아는 자신의 환상 속의 파괴에도 불구하고 실제 세계 속에 살아남는 다른 사람이 있음을 깨닫는다. 이러한 과정을 통해 유아는 자신의 전능한 통제 너머에 존재하는 현실을 인식하고 타인을 인식한다. 만약 충분히 좋은 어머니가 제공되지 않을 경우, 유아는 어머니에 순응하여 어머니의 몸짓을 마치 자신의 것으로 받아들이고 거짓 자기를 발달시킨다.

취소
[取消, undoing]

자신이 한 행동을 원상복귀하려는 것. 정신분석학

신경증적 방어기제의 하나로 자신의 성적 혹은 공격적 욕구와 행동으로 인해 어떤 대상에게 피해를 주었다고 무의식적으로 느낄 때 상대방에게 준 피해를 취소하고 원상복귀하려는 것을 의미한다. 예를 들면, 부정하게 번 돈의 일부를 자선사업에 사용하는 것, 다이너마이트로 번 돈으로 노벨상을 만든 것, 아내를 때리고 꽃을 사다 주는 것, 혹은 강박신경증 환자가 반복적으로 손을 씻는 행위 등이 이에 해당된다.

관련어 | 방어기제

취학상담
[就學相談, guidance for schooling]

진학방향에 대하여 도움을 주는 활동. 학교상담

주로 병약하거나 발달장애를 가진 아이의 진학

ㅊ

방향을 결정하기 위하여 행하는 활동이다. 이 상담은 교육청에서 행하는 것과 민간단체에서 행하는 것으로 구분할 수 있다. 일반적으로 교육청의 취학 견해와 학부모의 견해가 일치하는 경우에는 어려움이 없지만 부모가 희망하는 취학과 교육청이나 학교 측에서 '적절'하다고 생각하는 취학방향이 다른 경우에는 여러 가지 어려움이 따른다. 이때 '상담'이라는 이름만으로 부모를 설득하거나 강요해서는 안 된다. 견해의 충돌을 피할 수 없다고 해도 아이를 좀 더 깊이 이해하는 것과 부모와 학교관계자가 서로 이해해 나가는 것을 결부시켜 가는 것 자체가 취학상담의 목적이다.

측정의 표준오차
[測定－標準誤差, standard error of measurement]

동일한 대상을 수없이 많이 반복측정해서 얻은 오차점수 분포의 표준편차. 심리측정

고전적인 검사이론에 따르면 어느 검사에서 한 개인이 실제로 얻은 관찰점수는 진점수(true score)와 오차점수(error score)의 합으로 본다. 검사자가 알고자 하는 것은 진점수인데, 검사를 통하여 측정한 관찰점수에는 진점수와 오차점수가 함께 섞여 있다. 오차점수는 ＋일 때도 있고, －일 때도 있으며, 0일 경우도 있다. 오차점수가 0이 아닐 경우 관찰점수는 진점수를 과대 혹은 과소 평가하게 된다. 측정의 표준오차(SEM)는 관찰점수를 가지고 진점수를 추정하는 데서 발생하는 오차의 정도를 따지는 문제와 관련이 있다. 예를 들어, 어느 학생의 키를 측정한다고 하자. 키를 여러 번 측정하여 얻은 관찰점수는 어떤 분포를 이룰 것이고, 이 점수분포에서 평균과 표준편차를 구할 수 있다. 그러면 이때 얻은 평균치는 그 키의 진짜 길이, 즉 진점수가 되고 표준편차는 측정의 표준오차가 된다. 그리고 측정의 표준오차는 진점수를 중심으로 관찰된 점수 분

포의 변산 정도를 나타내는 하나의 지수가 된다. 요컨대, 동일한 대상을 아주 여러 번 측정해서 오차 점수들을 계산해 보면 어떤 분포를 이룰 것이고(오차 점수의 표집분포), 이러한 표집분포의 표준편차가 바로 측정의 표준오차다. 이론상으로는 오차 점수의 표집분포에서 표준편차를 계산하여 측정의 표준오차를 구하지만, 실제로는 한 집단에서 얻은 점수 분포의 표준편차(SD)와 검사의 신뢰도(r_n)를 근거로 하여 측정의 표준오차를 추정한다. 즉, $SEM = SD\sqrt{1-r_n}$이라고 하는 공식으로 추정한다. 측정의 표준오차는 결국 표준편차이므로 여느 표준편차와 마찬가지 방식으로 해석할 수 있다. 오차 점수의 분포가 정상분포를 이루고 있다는 가정하에 측정의 표준오차는 진점수를 중심으로 관찰점수의 분포를 알려 주는 유용한 지수 역할을 한다. 그러나 실제로 진점수는 모르고 관찰점수만 알 수 있을 뿐이므로 관찰점수를 가지고 진점수를 추정하는 문제로 돌아가게 된다. 흔히 95% 또는 99% 신뢰수준을 가지고 진점수를 포함할 점수의 범위를 추정한다. 즉, 관찰점수가 X일 때 $X \pm 1.96SEM$의 범위에 진점수가 들어 있을 확률은 95%이고, $X \pm 2.58SEM$의 범위에는 99%가 된다. 예를 들어, 측정의 표준오차가 5인 지능검사로 측정된 어느 내담자의 지능지수가 120이라고 할 때, 이 내담자의 진짜 지능지수는 $120 \pm 1.96 \times 5$, 대략 110~130 사이에 있을 확률이 95%라고 말할 수 있다. 이처럼 측정의 표준오차는 측정오차의 표준편차이기 때문에 정상분포곡선의 성격에 비추어 검사점수의 신뢰한계를 구할 수 있어서 상담자는 내담자가 그렇게 될 가능성에 대해 진술을 할 수 있고, 또한 그의 실제 점수가 어디에 놓이게 될지 가능한 점수구간도 보고할 수 있다.

관련어 | 변산도, 정상분포

측정척도
[測定尺度, scales of measurement]

어떤 비교를 통해서 특정 사물의 특성을 분류 혹은 측정하기 위해 사용하는 도구. `심리측정`

척도는 측정의 수준에 따라 명명척도(norminal scale), 서열척도(ordinal scale), 등간척도(interval scale), 비율척도(ratio scale)로 구분된다. 또한 척도는 완전한 독자성을 가진 변인, 즉 불연속적 변인을 측정하는 불연속적 척도(discrete scale)와 변동될 수 있는 변인, 즉 연속적 변인을 측정하는 연속적 척도(continuous scale)로 구분된다. 이에 더해 자료를 수량적으로 기술해 주는 양적 척도(quantitative scale)와 성질상 수량적이 아닌 자료를 기술해 주는 질적 척도(qualitative scale)로 구분되기도 한다. 이러한 상호 관련된 개념을 이해하는 것이 사회과학 분야에서 척도가 어떻게 사용되는가를 이해하는 주요 관건이 된다. 명명척도, 서열척도, 등간척도, 비율척도는 목적이 서로 다르다. 명명척도는 '명명'이라는 표현 그대로 이름을 짓는 척도다. '1번 학생' '2반 교실' '3학년 4반 담임교사'라는 말들에 들어 있는 1, 2, 3, 4라는 수치는 모두 개인 혹은 집단의 이름으로 쓰인 것이다. 주소의 번지수, 자동차의 번호, 대학생의 학번, 교실의 호수 등은 모두 수치로 표현하는데, 이때의 수치는 모두 이름을 대신한다. 예컨대, 3번을 부르면 김갑돌이 대답한다. 이 같은 성질을 지닌 명명척도는 크고 작거나, 많고 적은 것 등의 정도나 양을 나타내지 못한다. 이를테면, 8번 학생은 4번 학생보다 키가 20센티미터 크다는 것을 표현하지 못한다. 그러므로 명명척도는 단순히 분류의 기능밖에 하지 못하며, 명명척도로 나타낸 수치를 가지고 가감승제 등 일체의 수리적 계산을 할 수 없다. 서열척도는 말 그대로 서열을 나타내는 수치다. 여기서 서열은 그 같은 순서를 매기는 데 적용된 기준에 따른 순서라는 의미다. 따라서 어느 수치 앞의 수치 혹은 뒤의 수치는 그것보다 상대적으

로 크다거나 아니면 작다는 것을 나타낸다. 예컨대, 학생들의 키를 순서대로 서열 지어서 늘어놓았을 때 가장 작은 학생부터 아니면 그 반대로 1번, 2번, 3번으로 번호를 매기는 경우 이 1, 2, 3의 수치는 그에 해당되는 학생을 명명하는 일뿐만 아니라 2번 학생은 1번보다 크고 3번보다는 작다는 서열까지 나타낸다. 그러나 서열척도에 의한 수치 역시 가감승제의 계산을 할 수 없다. 때때로 더하거나 빼는 계산을 하여 그 결과로 나타나는 답, 즉 합(合)과 차(差)에서 어떤 의미를 찾고자 하는 경우도 있지만 이때의 의미란 정밀한 것이 되지 못한다. 예를 들면, '아주 좋아한다'는 반응에 3, '보통 좋아한다'에 2, '조금 좋아한다'에 1을 대응시켜 아주, 보통, 조금이라는 반응이 각각 몇 번씩 나타나는가의 빈도를 확인하여 좋아하는 정도를 수치로 표현하고자 하는 경우, 아주와 보통 사이의 간격이 보통과 조금 사이의 간격과 같다는 보증이 없는 한에서는 그 수치의 의미가 거의 없다. 요컨대, 서열척도는 분류와 서열화의 기능을 하며, 제한된 한도 내에서 가감의 계산을 하는 데 쓰일 수 있다. 등간척도는 수치의 간격과 그 수치를 빚어낸 특성의 차이가 각각 같은 척도를 말한다. 예를 들면, A학생의 지능지수가 140이고, B학생은 120, C학생은 100인 경우에 지능지수의 간격은 모두 20으로 같다. 등간척도로는 가산과 감산이 가능하며, 두 수치의 합(合)이 2배이면 그 속성도 2배이고, 차(差)의 수치가 반이면 그 수치를 빚어낸 측정의 대상도 반이다. 그러나 여전히 등간 척도에 의한 수치는 완전한 수치가 아니다. 왜냐하면 8이 4의 2배임에는 틀림없지만, 국어 시험성적이 80점인 학생의 실력이 40점인 학생의 2배라고 말할 수는 없기 때문이다. 요컨대, 등간척도는 분류, 서열, 등간의 성질을 가지고 있다고 할 수 있다. 비율척도는 해당되는 수치의 발생근거가 분명한 수치로서, 수치 간의 비율이 일정하여 곱셈과 나눗셈을 할 때의 그 곱과 몫이 의미가 있다. 예를 들면, 0이라는 수치는 그것을 빚어낸 속성이 하나도 없음을 뜻하

며, 5라는 수치는 그 5를 빚어낸 대상이 0에서 시작하여 1, 2, 3, 4를 차례로 거친 다음에 5에 해당되는 양 또는 정도에 다다랐음을 뜻한다. 이러한 성질을 가지고 있는 대표적인 예가 학생의 키, 몸무게 등이다. 이것들은 절대 영점에서 시작된 것이다. 그러므로 비율척도에 의한 수치는 가감승제의 계산이 모두 가능하며 분류, 서열, 등간, 절대영점을 표시한다. 불연속적 척도와 연속적 척도는 측정되어야 할 사물, 개념 혹은 대상에 관한 것이다. 어떤 것들은 완전한 독자성을 지닌 한정된 범주로 쉽게 분류될 수 있는데, 이러한 것들을 불연속적 변인이라고 한다. 연구자가 등록된 투표자를 1, 등록되지 않은 투표자를 2로 표시하는 것은 이들을 분류하기 위해서 불연속적 범주를 사용하고 있는 것이다. 왜냐하면 부분적으로 투표를 등록하는 것은 이론적으로나 실제적으로 가능하지 않기 때문이고, 이 척도로 분류될 때 등록된 투표인가 아닌가만 알 수 있다. 불연속적 척도는 상담자가 수행하고 싶은 연구를 위해 참여자를 분류하고자 할 때 특히 유용하다. 어떤 것들은 완전한 독자성을 지닌 한정된 범주로 분류될 수 없는데, 이러한 것들을 연속적 변인이라고 한다. 예를 들어, 어떤 사람이 벡 우울증 척도-2판(Beck Depression Inventory-Second Edition: BDI-II)에서 우울증의 중간 범위에 해당하는 14~19점의 점수를 받았다고 했을 때, 이 같은 수량적 분류가 그의 남은 인생에서도 계속해서 그 정도의 우울증을 보인다는 것을 가리키지는 않는다. 우울증의 수준은 수많은 요인들에 의해 오르내릴 수 있으며, 같은 사람이 몇 주 후에 동일한 검사를 했을 때 0~13점이라는 낮은 범위의 점수를 얻을 수도 있다. 이러한 점수는 변인의 연속적 성질 때문에 우울증을 절대적으로 나타내는 것이 아니다. 많은 심리검사가 연속적 척도로 되어 있다. 연속적 척도는 BDI-II에서의 참여자 범주(최소, 가벼운, 보통, 심각한)가 각각 1, 2, 3, 4로 코드화될 때처럼 가끔 불연속적 범주로 전환되는 경우도 있다. 척도가 가지는 또 다른 특징

은 연구자가 관심을 가지고 있는 청중에게 자료를 기술하는 방법이다. 어떤 척도는 단지 숫자적인 분류만 제공하여 양적인 평가의 형태를 취하게 만든다. BDI-II는 이 같은 양적 평가형태의 예에 해당한다. 왜냐하면 숫자적인 자료는 이 도구를 실시함으로써 획득된 결과이기 때문이다. 어떤 척도는 수량적인 것 외에도 다른 형태의 분류, 즉 질적 분류를 제공한다. 자동차 운전자에게 신호를 보내는 방향 표시등을 점검하는 것은 수량적 결과를 제공하지 않기 때문에 질적인 측정이다. 질적 척도와 양적 척도 모두 유용한 정보를 제공하기 때문에 연구자가 어떤 것이 청중에게 가장 도움이 된다고 판단하는가에 따라 양적 척도를 행할 수도 있고 질적 척도를 행할 수도 있다.

측좌핵
[側坐核, nucleus accumbens]

동기 및 보상과 관련된 정보를 처리하는 뇌의 보상체계.
뇌과학

뇌의 좌우에 신경들이 모여 있는 곳으로, 무슨 일이든 시작하면 반응이 나타난다. 약물복용을 강화하기도 하여 사실상 모든 약물남용에 관여하는 것으로 보이며, 몰두와 집중력이 이곳의 자극과 활동에 따라 나타난다.

관련어 | 뇌, 약물남용

치료로서의 미술
[治療 – 美術, art as therapy]

미술활동을 창조하는 행위 자체를 치료적이라고 보는 것으로서, 미술의 치료적 기능을 강조하는 관점. 미술치료

크레이머(Kramer)가 주창한 관점으로, 미술제작에서의 승화를 중시하며 미술작품을 창조하는 행위

자체를 치료적인 것으로 보는 입장이다. 크레이머(Kramer,2000)는 미술을 삶의 경험에 상응하는 것을 창조함으로써 인간경험의 범위를 확장시키는 것이라고 보았다. 미술적 경험은 상징의 세계에서 생기며, 그 세계는 인공적인 세계지만 참된 정서를 불러일으키는 힘을 가지고 있다. 또 상징들의 추상적인 틀 속에서 일어나기 때문에 죄책감이나 불안함 없이 깊은 무의식적 내용을 표현할 수 있다. 이 말은 곧 사람들이 미술적 경험을 통하여 내재된 감정을 승화시켜 내적 억압과 부인의 짐에서 벗어날 수 있다는 의미다. 또한 크레이머는 "미술작품에 내담자의 갈등적 핵심이 표현되어 있지만, 그것이 중성화되어 표현됨으로써 작품에 생생함을 주고 작품의 형식과 내용을 결정짓는다."라고 하였다. 이와 같이 크레이머는 특히 미술제작에서의 승화작용에 주목하여, 미술의 치료적 속성이 미술에 대한 내담자의 연상을 통하여 자기표현과 승화작용을 함으로써 자아가 성숙할 수 있다고 보았다. 이 같은 입장은 미술작업으로 내담자의 파괴적·반사회적 에너지를 분출하도록 하여 그것을 감소시키거나 전환시킬 수 있다는 것이다. 또한 내담자는 미술작업과정에서 자신의 원시적 충동이나 환상에 접근하면서 갈등을 재경험하고 자기훈련과 인내를 배우는 과정에서 그 갈등을 해결하고 통합한다는 것을 의미한다.

치료와 창조성
[治療 – 創造性, therapy and creativity]

울만(Ulman)이 제시한 것으로 미술치료에 관한 통합적 입장.
`미술치료`

미술치료에 관한 견해에는 미술과 치료 중 어디에 중점을 두는가에 따라 상이한 입장으로 나누어진다. 미술에 중점을 두고 '치료에서의 미술(art in therapy)'을 주장하는 나움부르크(Naumburg)의 입장과 치료에 중점을 두고 '치료로서의 미술(art as therapy)'을 주장하는 크레이머(Kramer)의 입장이 있다. 울만은 양자의 입장을 통합하여 미술과 치료 양자를 중시하는 의미에서 치료와 창조성이라는 통합적 입장을 제시하였다. 울만은 치료는 회기 자체보다 오래 지속하는 성격과 생활에서 좋은 변화가 나타나도록 하기 위하여 계획된 절차이고, 미술을 자신과 세상을 발견하고 그들 사이의 관계를 확립하는 수단이자, 내부와 외부세계가 만나는 장소로 규정하였다. 따라서 미술치료는 미술과 치료 양자에 충실해야 한다. 또한 그는 미술의 제작과정을 가장 광범위한 인간 능력이 필요한 것으로 보고, 충동과 통제, 공격과 사랑, 환상과 실제, 의식과 무의식 등 갈등적 요소의 통합이 필요하다고 하였다. 그가 제시한 미술의 통합적 특징은 성격 내에서 반대하는 힘들을 단합시키거나 개인과 외부세계의 욕구를 화해시키는 것이다. 즉, 미술치료는 그러한 통합적 성격을 지닌 미술이라는 수단을 사용하여 인격의 통합 혹은 재통합을 돕는 것이다.

`관련어` | 치료로서의 미술

ㅊ

치료의 5단계 과정
[治療 – 五段階過程, five part process: 5PP]

핼프린의 무용동작치료에서 사용하는 심리치료과정으로, 내담자의 생활에서 작업주제를 발견(identification)하는 단계부터 직면(confrontation), 해소(release), 변화(change), 성장(growth)의 5단계. `무용동작치료`

치료의 5단계 과정 중 첫 번째 단계인 발견에서는 내담자의 생활이나 문제의 증상에 관련된 자료를 발견하고 확인하여, 그중 의미가 있다고 여기는 자료에 초점을 맞추어 작업주제를 선택하고, 그 주제를 표현하여 이름을 짓는 활동을 한다. 마치 예술작품에 제목을 달듯이 자신의 치료회기에서 다루고 싶은 작업주제를 선택할 수 있다. 두 번째 단계인 직면에서는 이전 단계에서 선택된 문제나 주제에 더 깊이 들어가서 탐색하는 과정이다. 이 단계에서 개인무의식(그림자) 차원의 자료들을 직면하게 되는데, 대부분 부정적 이미지와 같은 강한 감정들과 마주치게 된다. 이는 난국 및 장애 탐색의 결과로 직면되는 미해결 과제와 관련된 미해결 감정들이다. 세 번째 단계인 해소에서는 직면된 부정적이고 강한 감정들을 방출하거나, 내보내기(letting go)를 통해 부정적 감정의 해소나 감소를 경험한다. 이 단계를 통해 난국과 미해결 과제와 관련된 감정과 이미지가 감소하거나 사라진다. 네 번째 단계인 변화에서는 해소의 결과로 새로운 감정과 이미지가 떠오르면서 새로운 상태에 도달하고 통찰이 일어난다. 이 단계에서는 변화의 상태를 내적으로 각인하고 체화하는 작업이 일어난다. 다섯 번째 단계인 성장은 이전 단계에서 변화되고 통찰된 것들을 내담자의 현실생활과 연결시키고 적용하는 과정이다. 그 적용에는 다양성과 창의성이 요구되므로 창의적 문제해결과정이 된다. 이상의 5단계는 심리치료 실천모형을 직접적으로 무용동작치료에 적용한 것으로, 매 단계마다 언어표현과 표현예술이 함께 사용된다. 예를 들어, 주제의 발견단계에서 동작으로 탐색할 수 있고, 그러한 동작표현의 유도를 위해 그림그리기와 언어 사용이 병행된다. 장기치료과정에서 5단계는 선형적이라기보다는 순환적이고 반복적으로 나타나지만, 단회기 동작과정에서도 여기 그리고 지금의 즉시성과 즉흥성에 따라 각각의 단계가 독립적으로 나타나거나 한두 단계가 서로 연결되어 분명하게 나타난다. 이 점은 동작이 가진 특수성으로, 동작의 무의식성이 동작 표현에 의해 상징을 띠

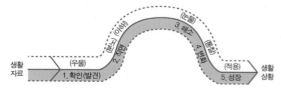

[5단계 과정 그래프]

출처: 임용자(2004). 표현예술치료의 이론과 실제. 서울: 문음사.
      p. 101.

면서 게슈탈트의 형성과 해소가 즉시적으로 가능하다는 장점을 지니고 있다. 치유예술가의 전설적 존재로 알려진 핼프린(A. Halprin)의 딸인 핼프린(D. Halprin, 2003)은 어머니의 뒤를 이어 무용동작치료자로 전향하였다. 펄스(Perls)의 제자로서 게슈탈트 치료자가 된 핼프린(D. Halprin)은 핼프린(A. Halprin)의 예술치료에 게슈탈트 심리치료를 깊이 접목하여 발전시켰으며, 예술표현 매체를 심리치료의 도구로 사용하는 데 심리치료의 5단계 과정을 실천하고 있다.

치료자 원형
[治療者原型, healer archetype]

융(C. G. Jung)이 분석가와 피분석가 간의 관계에서 발생하는 현상을 설명하기 위해 사용한 원형적 역동 의미. 분석심리학

융은 분석가가 피분석가의 상처에 전염되거나 분석가의 상처가 반응할 수 있기 때문에 노출된 치료관계가 위험할 수 있다고 말하였다. 분석가는 치료과정에서 끊임없이 무의식과 관계를 맺어야 하고, 치료자 원형과 자신을 동일시하면서 팽창된 자아를 만들어 낼 수 있다. 분석가는 분석을 통해 자신만의 개인적 상처를 의식적으로 인식한다. 그러나 이러한 상처는 치료과정에서 활성화될 수 있다. 특히 피분석가가 분석가와 비슷한 상황에 있을 때 치료자 원형이 드러날 수 있다. 상처 입은 피분석가의 상처가 무의식적으로 분석가에게 잠재적인 영향을 미치는 것이다. 피분석가의 상처는 분석가의 치료자 원형을 활성화시킨다. 분석가는 자신에게 영향을 미치는 것이 무엇인지 깨닫고, 의식적이든 무의식적이든 피분석가에게 인식하여 돌려준다. 이 같은 방법으로 치료자 원형이 피분석가와 분석가 간에 나타난다.

관련어 원형

치료적 공동체
[治療的共同體, therapeutic community: TC]

집단구성원 사이의 대인관계, 집단에서 받는 정신적 억압감, 그것에 대한 개개인의 자기관리능력 등에 중점을 둔 공동체 생활을 통하여 마약 중독자를 재활시키고 사회복귀를 목표로 하는 시설. 중독상담

전형적인 치료적 공동체에서 치료는 1~2년에 걸쳐 이루어진다. 일반적으로는 매우 강제적인 직면에 의한 생활양식 전반에 걸친 개선에 중점을 둔다. 이 치료방법에 대하여 지나치게 억압적이고 권위주의적이라는 비판적 견해도 있지만, 자신을 다시 세우려는 강한 목적의식을 가진 사람에게 효과가 있다. 이 관점에서 볼 때 이 프로그램은 마약중독자 일반에게는 그다지 효과를 기대할 수 없다. 왜냐하면 많은 마약중독자들은 자기를 부정(denial)하거나 최소화(minimization)하는 경향이 있기 때문이다. 다시 말해, 환자 스스로 자신이 마약중독자라는 자기인지를 전제로 한 개선의욕이 행해지지 않는 한 이 프로그램의 효과는 기대하기 어려운 것이다. 그러나 법원에 의한 법적 강제치료가 일관적으로 행해지는 경우에는 상당한 효과가 있다. 우리나라의 대표적인 치료적 공동체로는 한국마약퇴치운동본부에서 운영하는 '송천 쉼터'가 있다. 송천 쉼터에서는 마약중독자들이 재활의 의지를 가지고 공동체 안에서 서로를 지지하면서, 다양한 교육이나 직업훈련을 통해 재발을 방지하고 사회적응훈련을 목적으로 여러 가지 치료 프로그램이 운영되고 있다.

관련어 | 약물중독, 중독

치료적 관계
[治療的關係, therapeutic relationship]

치료자가 내담자의 성장을 방해하지 않는 진정한 돌봄과 배려의 만남을 발전시키면서 내담자에게 진실한 태도를 보이고 내담자와의 친밀감을 촉진하는 애정 어린 우정의 관계. 실존주의 상담

실존주의적 심리치료의 핵심은 치료회기가 진행되는 동안 줄곧 치료자와 내담자 간의 두 세계 내 존재(being-in-the-World)가 함께하는 것이다. 이러한 치료적 만남은 지금-여기서 일어나는 치료자와 내담자 모두의 주관적 경험을 포함한다. 내담자에 대한 치료적 태도를 얄롬(I. Yalom, 1980)은 치료적 사랑(therapeutic love)이라고 했는데, 이는 전이(transference)와 저항(resistance)을 포함한 다른 어떤 치료적 문제보다도 중요하다. 실존주의적 심리치료과정에서는 치료자와 내담자 간의 관계에 주된 초점을 두고 있는데, 이러한 치료적 관계는 나-당신(I-thou) 관계(Buber, 1970)의 특별한 형태다. 그러한 관계를 얄롬(1980)은 보상을 기대하지 않는 애정 어린 우정(loving friendship)이라고 불렀다. 다시 말해, 내담자는 치료자를 여러 가지 방식으로 경험할 수 있지만, 치료자는 자신의 개인적 필요와 더불어 내담자의 성장을 방해하지 않는 진정한 돌봄과 배려의 만남을 발전시키고자 노력한다. 어떤 의미에서 치료자는 동시에 두 공간에 있는데, 하나는 자신에게 다른 하나는 내담자에게 진실한 태도를 보이는 것이다. 내담자를 진정으로 돌봄으로써 치료자는 내담자와의 친밀감이 촉진되도록 한다. 비록 내담자가 화를 내거나, 적대감을 표출하거나, 진실하지 못하거나, 자기중심적이거나, 우울하거나, 매력적이지 않다 하더라도 치료자는 내담자에 대한 진실한 사랑의 감정을 가져야만 한다(Sequin, 1965). 치료적 관계가 발전함에 따라 내담자는 치료자의 진정한 개방성과 함께 나누고자 하는 분위기를 경험할 수 있다.

관련어 | 세계 내 존재, 저항, 전이

ㅊ

치료적 광야캠핑국제학회
[National Association of Therapeutic Wilderness Camping: NATWC]

www.natwc.org 학회

치료적 광야캠핑국제학회는 치료적 광야캠핑기구를 설립·지원하고 유지시키는 것으로서, 수행자들은 조직과 같이 생활하고, 청소년들이 가지고 있는 문제를 그들의 삶 속에서 더 나은 방향으로 바꿀 수 있도록 대중적으로 교육할 책임을 가지고 설립되었다. 현재 NATWC는 대표적인 치료적 광야 프로그램을 전국의 청소년들에게 보급하고 있다. 주요 활동으로는 부모에게 공정한 참고문헌을 제시하고, 적절한 프로그램을 전문적으로 조사하는 일을 하며, 문서화와 자료공유, 영역 내에서의 진전을 위해서 치료 광야 캠핑에 관한 정기간행물 출판, 청년기를 통과하는 사람들을 돌보기 위해 매년 회의를 포함한 치료적 광야 전문가들이 모든 수준의 훈련 기회 제공, 인증이사회(COA) 후원 등이 있다. NATWC는 네트워킹, 교육, 상담원 증명서, 그리고 연구의 지원과 영역에서의 정치적 활동 등의 산업적 활동으로 최고의 실습이 될 수 있도록 최선을 다하고 있다.

치료적 난국
[治療的亂國, therapeutic impasse]

심리치료의 과정에서 치료자와 내담자 간의 대화가 상호적으로 형성되지 않고 일방적이 되는 현상. 기타 가족치료

심리치료과정에서 치료자와 내담자 사이에 묻고 대답하는 문답식 대화가 실패하고, 상대방이 자신의 말을 일방적으로 이해해 주기 바라는 형태의 대화가 지속되는 상태를 말한다. 이때 치료자와 내담자 사이에는 서로 다른 사고의 교류가 일어나지 않고 일방적인 이해만을 구한다. 이러한 치료적 난국의 상황에서는 서로 상대방의 말을 듣지 않고 같은 말을 계속 되풀이하는 현상이 나타난다. 치료자는 이 같은 상황에서 자신이 듣지 않고 있는 것이 무엇인지 생각해 보아야 한다.

치료적 문서
[治療的文書, therapeutic documentation]

이야기치료과정에서 치료자가 내담자의 삶을 재제작하는 것을 격려하거나 대안적 이야기를 강화하기 위한 방법으로 사용하는 여러 가지 문서. 이야기치료

선언문, 편지, 증명서, 가이드북, 상장 등 치료과정에서 내담자를 위해서나 내담자가 작성한 문서들이 여기에 속하며, 내담자와의 대화를 기록한 메모나 이야기 지도도 해당한다. 이야기치료과정을 통해서 내담자의 삶의 이야기는 재구조화되고, 문제적 이야기에 대한 새로운 해석과 의미가 드러난다. 그리고 마침내 대안적 이야기(alternative story)로의 재구조화(re-construction)가 점점 더 명확하게 모습을 드러낸다. 이러한 과정에서 치료자는 여러 가지 기법을 사용하여 내담자의 이야기를 더욱 풍성하게 만들고 선호하는 이야기(preferred story)를 강화하는데, 이를 위해 내담자의 문제적 이야기를 재해석하는 새로운 의미의 발견을 축하하는 상장을 만든다거나, 내담자의 재구조화된 이야기를 증명하는 증명서를 발행하기도 한다. 또는 회원재구성대화를 통해 내담자가 소유하게 된 새로운 회원권을 내담자와 함께 만들거나 모습을 그림으로 표현하도록 격려하기도 한다. 혹은 치료자가 다음 차례의 상담회기가 다가오기 전에 내담자가 계속해서 상담에 적극적으로 참여하도록 격려하거나 상담의 진행상황을 재인식시켜 주는 등의 목적을 가진 편지를 내담자에게 보낼 수도 있다. 이렇게 상담과정에서 다양한 치료적 목적으로 만들어진 문서들을 치료적 문서라고 한다.

관련어 강화, 대안적 이야기, 선호하는 이야기, 회원재구성

치료적 미술작품
[治療的美術作品, therapeutic artwork]

개인의 심리적 고통이나 문제해결을 돕는 미술활동의 결과물.
미술치료

크레이머(Kramer, 2002)에 의하면, 치료적으로 의미가 있는 미술작품의 특징은 다음과 같다. 첫째, 미술작품은 촉발하는 힘(evocative power)이 있어야 한다. 이 같은 미술작품은 보는 사람의 마음에 파동을 일으킨다. 진심은 통하기 때문에 작품에 진심이 들어 있으면 그것을 보는 사람의 마음에 파장이 일어나 변화를 가져올 수 있다는 것이다. 둘째, 미술작품은 내적 구조를 가지고 있어야 한다. 이는 미술작품은 부분들이 통합되어 있어야 한다는 의미다. 이를테면 단순히 예쁘게 그려져서 가벼운 느낌을 주는 미술작품은 장식적 효과는 있지만 치료적으로 의미가 있는 것은 아니기 때문이다. 셋째, 미술작품에는 전체적인 일관성이 있어야 한다. 미술작품에는 상보적인 관계나 극단적 표현, 그리고 이질적인 것들이 함께 나타날 수 있는데, 이러한 요소들이 작품 속에서 전체적으로는 하나의 흐름으로 연결되어야 한다. 넷째, 미술작품에서 일부를 추가하거나 삭제할 경우에는 완결성이 떨어진다. 미술작품은 여러 가지 색채, 형태, 위치, 부분들의 관계 및 구성이 유기적으로 결합되어 하나의 전체가 되는 것이다. 말하자면, 단순하게 부분들이 합쳐진 것이 아니라 유기적으로 상호 연결되어 시너지 효과를 초래하는 것이다. 이와 같이 치료적으로 의미가 있는 작품의 제작은 내담자가 내면의 진실을 진지하게 표현할 때 가능하다. 이것은 내담자의 내적 진실과 치료적으로 의미가 있는 작품은 상호 연관되어 있음을 말해 준다.

치료적 성격 변화를 위한 필요충분조건
[治療的性格變化 – 必要充分條件, necessary and sufficient conditions of therapeutic personality change]

로저스(Rogers)가 1957년에 제시한 것으로, 인간중심상담에서 내담자의 긍정적 변화가 일어나기 위해 반드시 있어야 하는 조건. **인간중심상담**

로저스는 성격변화를 위한 필요충분조건으로 다음 여섯 가지를 제시하고, 이 조건이 일정 기간 지속되어야 한다고 말하였다. 첫째, 내담자와 상담자의 심리적 접촉, 즉 내담자는 상담자와 인간관계를 형성하고 있어야 한다. 둘째, 내담자는 자신의 체험, 즉 자신이 현실에서 체험하고 있는 것(예를 들면, 학교에서 괴롭힘을 당하는 공포)과 자기개념, 즉 자신이 생각하는 자신의 상(예를 들면, 자신은 남자답다)이 어긋나 있기 때문에 현실의 체험을 정확하게 의식할 수 없다. 셋째, 상담자는 내담자와의 관계 중에서는 (그 이외의 장면에서는 다를지도 모르지만) 현실의 체험과 자신의 상이 일치하여 체험을 정확하게 살려 의식할 수 있어야 한다. 넷째, 상담자가 내담자의 무슨 감정이든 비판과 평가를 내리지 않고 무조건 기쁘게 그 감정을 수용하려고 하는 기분을 경험해야 한다. 다섯째, 상담자의 공감적 이해, 즉 상담자가 내담자의 마음 속 감정세계를 마치 자신의 것처럼 느껴야 한다. 단, 내담자의 감정에 휩쓸리지 않고 어디까지나 내담자의 것으로서 그 감정을 경험하고 이해해야 한다. 여섯째, 넷째와 다섯째의 조건이 어떤 형태로든 내담자에게 전해진 상태여야 한다. 이상의 여섯 가지 조건을 충족시키면 내담자가 누구라도 성격변화가 일어나기 쉽다. 이것은 내담자중심 상담의 전제가 되어야 한다.

관련어 | 이상화된 자기, 인간중심상담

치료적 요인
[治療的要因, therapeutic factors]

집단경험을 통하여 참가자의 긍정적인 변화와 성장을 촉진하는 요인. **놀이치료**

⇨ '치유적 요인' 참조.

치료적 유머
[治療的 –, therapeutic humor]

긍정적인 치료효과를 위해 상담장면에서 활용되는 유머. **개인상담**

유머는 인간생활에 활력소로 작용하는데, 특히 심각한 문제가 제기되는 상담장면에서 유머를 사용하면 치료적 효과가 있다. 유머는 내담자가 자신을 익살스럽게 만들 수 있는 건강한 능력을 계발하는 데 도움이 된다. 치료장면에서 적절한 유머를 사용하는 것은 내담자에게 문제를 바라보는 새로운 조망을 갖게 하고 문제를 객관화하게 한다. 흔히 만성적인 문제나 상황에 있는 사람들은 문제를 보는 시각과 대처방안이 획일적이고 경직되어 생활 속에서 문제해결을 위한 해학적 요소를 발견하지 못하는 경우가 많다. 이러한 경우 유머의 메시지는 삶이 보다 향상될 수 있다고 하는 희망을 불러일으킨다. 문제를 긍정적 맥락에서 보며 긍정적으로 묘사하게 함으로써 문제를 새로운 관점에서 바라볼 수 있게 한다. 그 결과 긍정적인 정서를 갖게 되어 문제해결에 대한 접근이 용이해진다. 유머는 일단 상담자와 내담자 간에 신뢰관계가 형성된 이후에 사용하는 것이 적절하다. 라포가 형성된 상태에서 사용하는 유머는 내담자를 이완시키고 안정감을 느끼게 해 주지만, 그렇지 않은 경우에는 상담 분위기를 어색하게 만들고 내담자의 감정을 불편하게 만들 수 있다. 유머는 냉소적으로 무시하는 의미로 잘못 전달될 수 있기 때문에 조심스럽게 사용된다. 냉소적 유머는 상담관계에 부정적 영향을 미칠 수 있다. 다양한 상담접근에서 유머를 치료요소로 활용하고 있다. 합리정서행동치료는 유머를 치료장면에서 적극적으로 활용한다. 합리정서행동치료에서는 내담자의 정서적 혼란이 자신을 너무 심각하게 받아들여서 생기는 것으로 보고, 걱정을 만들어 내는 비합리적 신념을 감소시키기 위해 유머가 필요하다고 본다. 따라서 치료장면에서 치료자가 유머를 사용하기도 하고 혹은 내담자로 하여금 유머감각을 발달시키도록 하여 내담자의 삶을 합리적인 방향으로 조명하게 만든다. 엘리스(A. Ellis)는 내담자를 갈등상태로 몰아넣는 과장된 사고에 대항하기 위해 치료장면에서 유머를 적극적으로 활용하였다. 유머는 내담자의 신념체계에 변화를 초래한다는 점에서 인지적 장점과 정서적 장점을 모두 지닌다. 유머는 내담자가 집착하고 있는 특정 생각이 어리석다는 것을 인식시키며, 내담자 자신을 덜 심각하게 받아들이도록 변화시키는 데 유용한 치료요소다. 현실치료 장면에서도 내담자의 상황이 생각보다 심각하지 않다는 것을 깨닫게 해 주기 위해 유머를 활용한다. 내담자의 비합리적 행동이나 책임감 결여 등이 드러날 때 직면하기 위해 사용한다. 심각한 상황에서 웃을 수 있다는 것은 문제에 대한 통찰, 해결방법의 탐색, 변화에의 능력을 촉진하는 데 효과가 있다.

치료적 중립성
[治療的中立性, therapeutic neutrality]

치료자가 내담자에게 자신의 개인적인 사항을 제공하지 않고 객관성을 유지하는 것. **개인상담**

전통적인 정신분석적 접근에서는 치료자의 철저한 중립성과 익명성을 요구한다. 치료자는 자신의 생활과 개인적인 세부사항을 제공하지 않는다. 자신에 대해 말하지 않을 뿐만 아니라 개인적인 반응도 내담자와 공유하지 않는다. 치료자는 내담자의 전이를 촉진하기 위해 마치 빈 화면(blank screen)과도 같은 역할을 한다. 환자의 사고진행을 방해하지 않기 위해 중립적인 자세를 유지한다. 이러한 치료적 중립성을 유지함으로써 내담자의 무의식에 담긴 내용들을 현실에서 다룰 수 있도록 투사가 일어나게 한다. 치료자는 완전한 객관성을 유지하며 모든 정서적 반응을 피한다. 중립의 규칙은 치료자가 내담자의 갈등 중에서 그 어느 것도 선호하지 않는 것을 뜻한다. 치료자가 나타내는 편향은 역전이로 간주된다. 이러한 치료적 중립성이 유지될 때 내담자가 치료자의 개인적 측면에 대해 아무것도 알지 못하고, 따라서 치료자에 대한 관점은 모두 내담자의 무의식이 투사된 것으로 간주된다.

관련어 | 전이, 정신분석, 투사

치료적 환경
[治療的環境, therapeutic environment]

상담자가 준수해야 할 권장사항이 유지될 때 이루어지는 긍정적인 상담장면. **현실치료**

현실치료의 실제 상담과정은 치료적 환경을 조성하고 내담자의 행동 변화를 유도하는 데 초점을 둔다. 현실치료의 치료적 환경은 선택이론의 개념들이 실제로 적용된다. 내담자에게 아무것도 강요하지 않고 자유로운 분위기 속에서 내담자의 창의적인 새로운 행동을 촉진한다. 우볼딩(R. Wubbolding)은 효과적인 치료적 환경을 조성하기 위해 세 가지 금지사항과 열세 가지 권장사항을 제시하였다. 세 가지 금지사항은 다음과 같다. 첫째, 상담자는 내담자를 비판하거나 처벌하지 않으며 내담자와 논쟁하지 않는다. 둘째, 상담자는 내담자의 변명을 받아들이지 않는다. 셋째, 상담자는 내담자를 쉽게 포기하지 않는다. 한편, 열세 가지 권장사항은 다음과 같다. 첫째, 주의를 기울인다(use attending behavior). 내담자와의 자연스러운 시선 접촉 유지하기, 진지한

관심 표명하기, 열린 마음으로 내담자를 받아들이고자 하는 수용적 자세 유지하기, 경청하는 자세로 내담자의 언어적 행동 반영하기, 내담자의 비언어적 행동에 주의 기울이기, 내담자의 의견을 다른 말로 바꾸어 말하기 등은 상담자와 내담자 간의 상담관계를 촉진하는 데 도움이 된다. 둘째, AB-CDEFG 법칙을 준수한다(practice the AB-CDEFG). 내담자와의 우호적인 관계를 형성하기 위해 상담자가 항상 지켜야 할(Always Be) 다섯 가지 행동규범으로서, 항상 침착하고 예의바를 것(Always Be Calm and Courteous), 항상 확신을 지닐 것(Always Be Determined), 항상 열성적일 것(Always Be Enthusiastic), 항상 확고할 것(Always Be Firm), 항상 진실할 것(Always Be Genuine)이다. 셋째, 판단을 보류한다(suspend judgement). 상담자는 내담자의 어떠한 행동도 내담자 자신의 욕구를 충족하려는 최선의 선택행동으로 간주한다. 내담자의 행동을 판단하거나 비난하지 않고 내담자의 지각체계를 통해 내담자의 행동을 이해한다. 넷째, 예상하지 않은 행동을 한다(do the unexpected). 내담자는 좌절과 갈등상태에서 상담실을 찾아온다. 따라서 내담자의 좋은 세계 안에는 부정적인 사진들로 가득 차 있을 수 있다. 이러한 내담자에게 자신의 또 다른 바람(wants)을 탐색하도록 하여 잠시나마 고통스러운 상태에서 벗어나게 한다. 또한 내담자가 새로운 관점에서 자신의 욕구와 바람을 조망할 뿐만 아니라 새로운 행동을 창의적으로 모색하도록 기회를 제공한다. 다섯째, 유머를 사용한다(use humor). 현실치료에서는 웃음을 고통에 대한 치유제로 보기 때문에 상담 중에 유머를 적극적으로 활용할 것을 권장한다. 여섯째, 자기 자신이 된다(be yourself). 상담자는 자신의 성격과 일치되도록 가장 자기다운 모습으로 상담에 임한다. 상담자 자신이 진취적이면 진취적인 모습 그대로, 또 부드러우면 부드러운 모습 그대로 상담한다. 일곱째, 자신을 개방한다(share yourself). 상담자가 진지하고 개방적인 태도로 내담자

를 대할 때 상담자는 내담자의 신뢰를 얻으며 내담자의 좋은 세계 안으로 들어갈 수 있다. 여덟째, 은유적 표현에 귀를 기울인다(listen for metaphors). 상담자는 내담자의 드러난 표현 그 이면에 어떤 진심이 담겨 있는지 탐색한다. 내담자의 은유적 표현을 탐색함으로써 내담자가 이미 알고 있는 것을 더 깊이 이해하도록 도와주고, 드러나지 않은 것들에 대한 통찰을 제공하며, 또한 내담자의 정서를 표현하도록 도와준다. 아홉째, 주제에 귀를 기울인다(listen for themes). 상담자는 내담자가 하는 이야기의 핵심적인 주제를 파악하고 그것을 확인하거나 반영해 준다. 내담자의 지각과 바람을 재확인해 줌으로써 주제를 명확하게 하고 내담자의 이탈을 방지하며, 상담의 방향을 적절하게 설정해 나간다. 열째, 요약하고 초점을 맞춘다(use summaries and focus). 상담자는 내담자가 하는 이야기 내용을 요약하여 내담자가 진심으로 원하는 것에 초점을 맞출 수 있도록 도와준다. 내담자가 원하는 것, 아직 충족하지 못한 욕구, 현실적으로 성취할 수 있는 것 등에 초점을 맞춘다. 열한째, 결과를 인정하거나 책임지도록 한다(allow or impose consequences). 내담자로 하여금 바람직하지 않은 선택행동에 따른 부정적인 결과를 인정하거나 혹은 스스로 책임질 수 있도록 이끌어 준다. 열두째, 침묵을 허용한다(allow silence). 내담자는 침묵하는 동안 자신의 생각을 정리하고, 내면의 심리적 사진과 지각을 명료하게 하며, 문제해결을 위한 행동 계획을 수립하기도 한다. 따라서 내담자의 침묵을 방해하지 않고 적극적으로 활용함으로써 상담효과를 높일 수 있다. 열셋째, 윤리적으로 행동한다(be ethical). 상담자 윤리강령에 따라 내담자의 궁극적인 복지를 위한 상담활동을 전개한다. 상담자는 자신의 윤리적 한계를 제대로 인식하고 준수한다. 특히 내담자가 자신이나 제3자에게 손상을 입히려는 것이 명백할 경우에는 합법적인 절차를 통해 통보하고 대처한다.

치료최면
[治療催眠, therapeutic hypnosis]

치료를 목적으로 실시하는 최면. **최면치료**

심리치료를 비롯하여 의료적 차원에서 실시하는 최면을 총칭하는 것이다. 최면을 이용하여 치료를 하는 것은 최면치료(hypnotherapy)라고 한다.

관련어 최면, 최면치료

치료특수교육
[治療特殊教育, therapeutic special education]

장애 학생의 무한한 생명력을 유지 · 발전시키고, 생리적 자기조절기능의 평형상태(homeostasis)를 회복시키며, 장애 때문에 발생한 결함을 보충함과 동시에 생활기능을 되찾아 주는 교육활동. **특수아상담**

치료특수교육은 일반적인 교육방법으로는 충분한 효과를 기대할 수 없는 심신에 결함을 지닌 장애 학생에게 의학적 · 심리학적 치료의 수단을 접근시키는 교육방법으로 특수교육의 한 분야다. 그러나 한 장애 학생에 대하여 신체적인 면은 의사가 치료하고 정신적인 면은 교육자가 교육한다는 뜻이 아니라, 치료와 교육이라는 양쪽 활동이 역동적으로 관계되어 통합적으로 수행되는 것을 뜻한다. 치료의 개념은 어떤 작용에 따라 장애 또는 결함이 일어났을 때 그것을 정상으로 회복시키는 작용이고, 교육은 현재 시점에서 개인의 능력을 신장시키는 작용이다. 그런데 치료나 교육에서 개인의 능력을 회복 또는 신장시킬 수 있다는 것은 개인에게 잠재적인 능력이 존재한다는 것을 전제로 한다. 다시 말하면, 회복 또는 신장시킬 수 있는 힘을 무엇이 억압하든지 장애 또는 결함을 제거하는 것이 치료이고, 제거했다고 하더라도 그대로 머물러 있으면 안 되고 그것을 자극제로 하여 능력을 더욱 신장시키는 것이 교육이다. 그러므로 장애 학생의 내적 잠재능력이 억압 또는 장애되는 것을 배제하는 것과 신장하는 작용은 외적으로 같은 작용이기 때문에 치료와 교육의 역할은 연속선상에 존재한다고 볼 수 있다. 우리나라 「특수교육진흥법」에서는 치료교육을 장애 때문에 발생한 결함을 보충함과 동시에 생활 기능을 회복시켜 주는 심리치료, 언어치료, 물리치료, 작업치료, 보행훈련, 청능훈련 및 생활적응훈련 등의 교육활동이라고 정의하였다. 이 같은 치료특수교육은 다음의 10대 원리가 있다. 첫 번째는 활동의 원리로서, 집단활동 속에서 학습경험을 확충하도록 한다. 특히 학급 집단 속에서 또래끼리, 학생과 교사 간의 원만한 인간관계와 신뢰감을 바탕으로 자유롭고 재미있게 그리고 다양한 자료를 조작할 수 있는 작업, 운동, 놀이 등은 그 자체가 장애 학생에게는 치료교육인 것이다. 두 번째는 흥미의 원리로서, 흥미와 관심을 환기시켜 주의를 지속시키고 학습효과를 높이도록 한다. 그러기 위해서는 교재·교구를 연구·개발하여 사용해야 한다. 프뢰벨의 교구, 몬테소리의 교구와 같은 보조교구는 물론, 재활훈련 하위영역별로 교재·교구가 사용될 때 장애 학생의 학습에 대한 흥미와 관심을 환기시킬 수 있다. 세 번째는 허용의 원리로서, 허용적 환경과 허용적 인간관계가 조성되어야 한다. 장애 학생이 일상생활 속에서 겪는 욕구불만과 좌절, 불안과 초조, 열등감과 공포, 심리적 갈등에 대해서 적극적으로 경청하고 수용하고 재진술을 함으로써 신뢰감을 얻을 수 있도록 해야 한다. 네 번째는 상찬의 원리로서, 치료교육과정에서 장애 학생의 긍정적인 행동에 대해 강화를 주어 학습을 촉진해야 한다. 바람직하지 못한 행동에 대해서는 무관심 내지는 무시해 버리고, 바람직한 행동에 대해서는 격려와 인정, 공감, 강화를 하여 학습행동에 대하여 활력을 주고 학습의욕을 왕성하게 만든다. 다섯 번째는 자신감의 원리로서, 쉽고 단순하며 일상생활 속에서 가까이 경험할 수 있는 학습과제를 선정하고 이를 해결하도록 하여 성공감을 경험하면서 자신감을 갖도록

해야 한다. 장애 학생에게 자신감을 높여 줄 수 있는 학습과제로는 점토 세공, 손가락 그림 그리기, 판화, 협동화 등의 자유로운 표현활동과 창작활동이 있고, 학급에서 한 가지 역할을 부여한 다음 그 역할을 수행하도록 하여 소속과 애정의 욕구를 충족시키고 다른 사람에게 인정받을 수 있는 기회를 주어 그 효율성을 높일 수도 있다. 여섯 번째는 예견의 원리로서, 장애 학생의 이상행동을 예견하여 예방토록 한다. 각종 질병, 발한, 복통, 설사, 배설, 피로 등의 생리적 현상을 예견할 수 있고 교우 간의 갈등, 싸움, 폭언 등도 교사의 관심 여하에 따라 통제가 가능하다. 그래서 예견의 원리를 '3분 전의 원리'라고도 하며, 아동의 행동 발생 3분 전을 통찰, 예견하고 지도해야 하는 중요성을 특수교육에서는 강조하고 있다. 일곱 번째는 변화의 원리로서, 장애 학생에게 작용하는 학습환경의 변화를 추구해야 한다. 교실 수업의 장면을 운동장, 나무 그늘, 강당, 학교 동산, 교외 등으로 옮기거나 교실환경 게시물의 변화, 학급비품의 이동, 대청소 활동으로 교구위치의 변동과 공간적 변화와 수업시간의 융통성 있는 운영, 학교 일과 운영의 변동, 수업방법의 변화, 장애 학생 활동방법의 변화, 분단 바꾸기, 짝 바꾸기, 역할 분담 바꾸기, 학교행사 추진 등의 시간적 변화를 추구할 수 있다. 또한 교사는 교육활동 상황에서 학생에게 과정 환경 혹은 심리적 환경이 되므로 교사의 독창적이고 창조적인 태도변화는 학생의 자발성을 고취시키고 학습의 독립성을 증진시키는 변인이 된다. 여덟 번째는 집중의 원리로서, 어떤 목표를 정하여 그것을 향하여 꾸준히 나아가도록 한다. 장애 학생은 주의가 산만하거나 한 가지 일을 끝까지 완성하지 못하여 성취욕구를 충족해 볼 기회와 경험이 적기 때문에 정서적인 안정과 심신의 이완, 흥미와 관심 등을 지속시키고 완성의 기쁨과 성취동기를 높일 수 있는 방안을 강구하여 주의를 집중하고 학습의 효율성을 높이도록 해야 한다. 아홉 번째는 공재의 원리로서, 치료교육의 상황에서는 교사와

학생이 언제나 함께 생활해야 한다. 수업시간은 물론이고 휴식시간, 식사시간, 봉사활동, 특별활동 등 여러 가지 상황에서 학생과 함께하면서 학생의 심리적 안정을 도모하여 자기개방을 경험하도록 해야 한다. 열 번째는 체감의 원리로서, 친밀도와 신뢰감 형성을 위해 교사의 신체적 접촉이 이루어져야 한다. 학생의 머리를 쓰다듬어 주는 것, 악수하는 것, 손을 잡고 흔드는 것, 가볍게 어깨를 두드리는 것 등은 친밀감을 주고 심리적 안정을 준다. 특히 치료교육활동으로 이루어지는 물리치료, 작업치료, 언어치료, 감각·지각 훈련, 신체활동훈련 등 다양한 학습장면에서 자연스러운 피부접촉은 학습동기와 흥미를 높이는 강화제가 된다.

치매
[癡呆, dementia]

정상적으로 발달한 지능이 뇌의 기질적 장애에 의해 새로운 정보를 학습하거나 과거경험을 기억하지 못하는 상태.

이상심리

치매가 있는 사람들은 기억 및 학습, 주의력, 시지각, 계획 및 의사결정, 언어능력, 또는 사회적 인식과 같은 인지기능의 적어도 하나(흔히 하나 이상)의 심각한 저하를 경험한다. 특정 형태의 치매가 있는 사람들은 성격 변화를 겪을 수 있으며, 그 증상은 꾸준히 악화될 수 있다. 치매 증상은 새로운 경험을 뇌에 새기는 능력인 기명력의 저하, 계산력의 손상, 사고내용의 빈곤, 글을 적을 때 생각을 더듬어 가는 과정의 장애 등이 있다. 치매는 지적장애와 달라서 과거에 경험하고 획득한 기억이나 지식의 단편이 어딘가에 남아 있다. 그러나 지적 능력이 저하되고 성격 전체에서의 변화도 나타난다. 일반적으로는 기분의 불안정, 고등 감정의 둔마, 관계하지 않음, 기분이 좋지 않음, 성미가 급함, 완고, 보수성, 자발성 감퇴 등이 나타나며, 반사회적 행동이 나타나는 경우도 있다. 치매를 일으키는 질환에는 노인성 치매, 초노기 치매, 뇌동맥 경화증, 진행성 마비, 두부 외상, 간질, 만성 알코올중독, 알코올 정신병(코르사코프병) 등이 있다. 질환에 따라 일어나는 지능저하는 다소 차이가 있다. 노인성 치매에서는 기억장애가 특히 현저하고, 뇌동맥 경화증에서는 성격의 저하가 그다지 뚜렷하지 않은 비전반적 치매가 특징적이며, 간질성 치매는 사물에 대한 이해력이 낮고 사소한 것에도 방해를 받는 사고현상이 현저하다. 그리고 진행성 마비에서는 실제적 판단능력이 손상되고 매우 바보스러운 행동을 하게 된다. DSM-IV에서는 원인과 증상에 따라 알츠하이머형 치매, 혈관성 치매, 인간 면역결핍 바이러스병으로 인한 치매, 두부 외상으로 인한 치매, 파킨슨병 치매, 헌팅턴병으로 인한 치매, 피크병으로 인한 치매, 크로이츠펠트야콥병 치매, 일반적인 의학적 상태 치매, 물질로 유발된 지속성 치매 등이 있고, 원인을 알지 못하는 경우에는 달리 분류되지 않는 치매 등으로 분류하고 있다. DSM의 최신판인 DSM-5에서는 치매라는 용어가 주요신경인지장애(major neurocognitive disorder) 그리고 경도신경인지장애(mild neurocognitive disorder)로 대체되었다. 노인기에 나타나는 대표적인 노인성 치매, 즉 신경인지장애가 알츠하이머병이다. 알츠하이머병은 1907년 이 질환을 공식적으로 식별한 독일 의사인 알로이스 알츠하이머(Alois Alzheimer)의 이름에서 따온 것으로, 기억장애가 가장 현저한 인지기능장애로 점진적으로 진행하는 질병이다. 기술적으로 말하면 환자는 이 증후군의 초기의 경미한 단계에서 알츠하이병에 기인한 경도신경인지장애라는 DSM-5 진단을 받으며, 후기의 더 심각한 단계에서는 알츠하이머병에 기인한 주요신경인지장애라는 집단을 받는다. 치매와 비슷해 보이지만 구별되는 장애로는 분열성 치매와 가성 치매가 있다. 분열성 치매는 정신분열병이 만성화된 환자가 보이는 것으로 환경 적응능력이 낮으며, 가성 치매(pseudo-dementia)는 우울증 환자가 주로 호소하는 것으로 히스테리로 인지기능의 손상이 일시적으로 나타나는 것이 특징이다.

관련어 | 노인성 치매, 알츠하이머병

치유 숲길
[治癒 −, forest therapeutic trail]

숲 치료에서 심신의 안정을 꾀하는 치유의 목적으로 만든 숲길.
원예치료

치유 숲길은 숲이 지니고 있는 다양한 치유적 기능을 이용하여 심신의 건강을 증진시키기 위해 숲 속에 만든 길을 뜻한다. 이는 숲의 기후, 지형적 특성 등을 파악하고, 그 숲이 지닌 수목이나 그 외의 생태환경적 요소들을 활용하여 일반인의 건강 증진 및 다양한 심신의 질환을 치유하는 데 유효하다. 치유 숲길은 조성된 위치에 따라서 순수하게 치유를 목적으로 치유의 숲에 조성되는 치유 숲길과 그 외 자연휴양림, 삼림욕장, 도시 숲, 자연공원, 일반 공원과 같이 일반적 숲에 만들어진 치유 숲길로 나누어진다. 유형이 어떠하든 치유 숲길은 건강증진을 위해 모든 사람이 언제 어디서나 편하게 이용할 수 있도록 만들어지는데, 치유를 원하는 사람은 누구든지 장소나 위치에 구애를 받지 않고 쉽게 접근할 수 있도록 하기 위해서다.

관련어 | 산림치유

치유적 요인
[治癒的要因, curative factor]

회복과 재활, 성장과 발달을 도모하는 요인으로 치료적 요인 이라고도 함. 집단상담

심리상담에서 치유적 요인은 내담자 요인과 상담자 요인으로 나눌 수 있으며 치료과정에서 적절하게 반영되어야 한다. 실존주의 상담가인 얄롬(Yalom)은 치유적 요인으로 열한 가지를 들고 있다. 첫째는

희망 심어 주기(instillation of hope)다. 집단형성 전의 오리엔테이션에서 환자의 긍정적 기대를 강화시키고 부정적인 선입견을 제거하며, 집단의 치료효과를 분명하게 설명하면서 시작한다. 둘째는 보편성(universality)이다. 많은 환자들은 자신이 느끼는 사회적 고립감 때문에 나만 힘들다는 느낌이 고조되어 있다. 모임의 초기단계에서 자신만 그렇다는 느낌이 사실이 아니라는 것을 보여 주는 것은 환자에게 위안이 된다. 셋째는 정보전달(imparting information)이다. 치료자와 환자들이 제공하는 충고, 제안 또는 직접적인 지도뿐만 아니라 치료자가 제시해 주는 정신건강, 정신질환, 일반 정신역동에 관한 교수적 강의가 포함된다. 그러나 일반적으로 상호작용 집단치료에서 치료자나 환자가 자신의 경험을 뒤돌아보고 검토할 때, 교수적인 정보나 충고에는 높은 가치를 두지 않는다. 넷째는 이타주의(altruism)다. 자신이 타인에게 중요할 수 있다는 사실을 발견하는 경험은 생기를 주며 자아존중감을 북돋워 준다. 서로에게 지지, 위로, 조언, 통찰을 제공하고, 서로 비슷한 문제를 공유한다. 거의 모든 환자는 다른 집단원에게 자신의 긍정적 변화에 대한 공을 돌리며 때로 다른 환자의 분명한 조언이나 충고를 이야기하기도 한다. 단지 그들이 곁에 있다는 것만으로도 느끼게 되는 편안하고 지속적인 관계를 맺어 서로 성장하도록 해 주었음을 이야기하도록 한다. 다섯째는 초기 가족집단의 교정적 재현(corrective recapitulation of the primary family group)이다. 집단원들의 상호작용은 무궁무진하게 다양한 유형이 나타나며, 어떤 집단원은 지도자에게 무력하게 의존하는데 이때 지도자가 모든 것을 알고 있다고 생각하면서 엄청난 능력을 가진 존재로 받아들인다. 중요한 것은 초년기의 가족 내 갈등이 다시 살아날 뿐만 아니라 이러한 갈등들이 교정적으로 다시 살아난다는 점이다. 여섯째는 사회화 기술의 발달(development of socializing techniques)이다. 기본적인 사회기술의 개발인 사회적 학습은

가르칠 기술의 본질과 그 과정의 명료성이 집단치료의 유형에 따라 매우 다양하기는 하지만 모든 집단치료에서 작용하는 치료적 요인이다. 일곱째는 모방행동(imitative behavior)이다. 집단치료에서 환자가 자신과 유사한 문제를 지닌 다른 환자의 치료과정을 관찰함으로써 도움을 얻는다. 일반적으로 이러한 현상은 대리(vicarious) 또는 관찰(spectator) 치료라고 부른다. 모방행동은 치료초기에 더 중요한 역할을 하며, 모방행동이 오래가지는 못할지라도 새로운 행동을 실험할 수 있도록 경직된 개인을 풀어주고 이를 통해 적응적 연속순환(adaptive spiral)을 시작할 수 있도록 만든다. 여덟째는 대인관계 학습(interpersonal learning)이다. 인간은 상호적인 대인관계의 결속을 중요하게 여기며 자신에게 중요한 타인으로부터 나오는 평가에 기초하여 자아, 즉 자기역동을 발달시킨다. 집단치료 초기의 목표인 불안이나 우울의 완화에서 다른 사람들과 의사소통을 배우고, 더 남을 믿고, 정직하며, 사랑하는 법을 배우는 것 등으로 변화한다. 아홉째는 집단응집력(group cohesiveness)이다. 집단원들이 집단에 남아 있도록 하는 모든 힘의 합이며, 그들이 느끼는 집단의 매력이다. 응집력은 집단의 과정이 진행되는 동안 변화가 나타나는 유동적인 것이다. 그 자체로 하나의 강력한 치료적인 힘일 뿐만 아니라, 다른 치료적 요인이 최상의 기능을 하도록 하기 위한 하나의 필수적인 선행조건이다. 열째는 정화(catharsis)다. 지지적인 집단유대가 형성된 집단후기에 더욱 가치 있게 평가된다. 정서를 개방적으로 표현하는 것은 의문의 여지없이 집단치료과정에 절대적으로 필요하다. 하지만 그것은 과정의 한 부분일 따름이며 다른 요인의 보완이 있어야 한다. 열한째는 실존적 요인이다. 실존적 요인들을 올바로 인식함으로써 치유는 촉진되며 진정한 의미로 완성되게 된다. 실존적 요인들은 다음과 같다. 인생이때로는 부당하고 공정하지 않다는 것을 인식한다. 궁극적으로 인생의 고통이나 죽음은 피할 길이 없음을 인식한다. 내가 아무리

다른 사람과 가깝게 지낸다 할지라도, 여전히 홀로 인생에 맞닥뜨려야 한다는 것을 인식한다. 나의 삶과 죽음에 대한 기본적인 문제들을 직면하고, 좀 더 솔직하게 나의 삶을 영위하고 사소한 일에 얽매이지 않는다. 내가 다른 사람들로부터 아무리 많은 지도와 지지를 받는다 할지라도 내 인생을 살아가는 방식에 대한 궁극적인 책임은 나에게 있다는 점을 알게 된다.

치유정원
[治癒庭園, healing garden, restorative garden, therapeutic garden]
치유를 목적으로 하여 다양한 원예 활동을 통한 심신의 회복을 지향하는 기능성 정원. **원예치료**

치유정원은 최근 급속도로 인기를 얻고 있는데, 정해진 영역 내의 시설물을 이용하여 식물을 가꾸면서 관찰하고, 수확하는 등의 체험과정을 돕는 기능성 정원을 말한다. 정원을 치료에 활용했던 것은 고대 이집트에서부터 찾아볼 수 있다. 고대 이집트의 궁중 의사는 스트레스 및 여러 정신적 곤란을 겪고 있는 왕족에게 정원 산책을 치료책으로 처방하여 권장했고, 정원에서 하는 다양한 작업이 정신질환 증상을 줄여 준다는 사실을 발견하였다. 동양에서도 일본의 선원(Japanese Zen Garden)이나 승려들의 수도원 등에서 치유과정을 돕는 장소로 치유정원이 활용되기도 하였다. 15세기부터는 정신적 질환으로 고통받는 사람들을 위해 옥외 레크리에이션이 활용되었는데, 이때부터 옥외 공간을 활용한 치료가 높은 평가를 받게 되었다. 20세기 의학기술의 발전으로 치유정원에 대한 치료적 활용은 감소했다가, 최근 들어 다시 대체 치료의 한 방법으로 주목을 받기 시작하였다. 환경심리학자인 울리히(R. Ulrich)는 녹색의 풀, 꽃, 물 등 살아 있는 자연물이 군집한 정원이 치료적 효과를 낼 수 있다는 생각을 하게 되었고, 마르쿠스(Marcus)와 바네스(Barnes)

는 병원의 정원 활용에 대한 연구를 하였다. 이들의 연구에서 가장 두드러진 것은 치유정원을 사용하는 이들 스스로 정원이라는 옥외 환경이 무엇인가 치료적인 효과를 발휘할 것이라는 기대를 한다는 점이었다. 이들은 1996년 애리조나 피닉스 소재의 선한 사마리아인 지역의료센터(Good Samaritan Regional Medical Center) 내의 치유정원, 캘리포니아 그린브레이 소재 해군병원 종양학과(Oncology Department, Marin General Hospital)의 치유정원 등에서 행해진 사례연구로 치유정원의 효과를 증명하였다. 이렇게 울리히를 비롯한 환경심리학자들과 자연주의자들의 연구로 치유정원이 긍정적인 감정을 환기시키고, 부정적 정서를 감소시키며, 스트레스를 유발하는 사고를 막아 주고, 주의집중능력을 강화하는 효과를 내는 데 도움을 준다는 것이 밝혀졌다. 치유정원의 목적은 사람들이 안정감을 되찾고, 스트레스를 줄이고, 편안함을 느낄 수 있도록 도움을 주는 것이다. 정원에서의 다양한 활동과 정원이 주는 환경적 요소를 활용하여 여러 가지 프로그램화된 작업을 통해 자연에 더 많이 접촉함으로써 그 목표를 달성하도록 한다. 연구초기에는 병원, 요양소, 클리닉 센터, 거주보호기관, 보건기관 등에서 환자를 비롯한 직원 및 의료진, 방문객 등의 편의와 안녕을 위해서 치유정원을 사용했지만, 최근에는 일반인을 위한 치유정원으로 확대되고 있는 추세다. 치유정원을 만들 때에는 일반 정원을 설계할 때의 요소들이 고려되지만, 기능성, 지속성, 경제성, 시각 및 청각적 요소 등에서 치유목적을 먼저 고려한다는 점에서 일반 정원과는 차이가 있다. 치유정원이 갖추어야 하는 요소로는 단순성, 형태, 피부의 느낌, 계절적 요소, 색채 등이 제공하는 다양성, 공간이 주는 균형감, 공간을 이용하는 사람들이 지향하고 있는 특수성, 세부 공간마다 이어지는 자연스러운 변화, 공간의 목적에 알맞은 적절한 규모 등이다. 이를 바탕으로 하여 접근, 활동, 체험 등이 용이하도록 각 요소 및 형태, 장비들을 선택하고, 정원에서 이루어지는 모든 작업이 쉽게 진행될 수 있도록 한다. 특히 정원을 사용하는 사람들의 안전을 위해 위험요소 제거 및 오염원을 최소화하여 안락한 공간을 만들어야 하며, 계절이나 성별 및 연령 등 여러 변수를 고려하여 주사용자들에게 적합한 공간이 되어야 한다. 이를 위해서는 정원 설계 관련자뿐만 아니라 의료진, 자원봉사자, 원예치료사, 사용자들의 각별한 노력과 협조가 필수적이다. 치유정원의 주목적 외에도 정원 내 꽃꽂이와 같은 부수적 활동을 통해서 참여자들의 창조능력 및 상상력 증대와 같은 효과도 이끌어 낼 수 있다. 특히 아동들에게는 식물관찰을 통한 지각능력 신장을 기대할 수도 있다. 치유정원에 대한 효과가 여러 문화권 내에서 증명되면서, 치유정원은 개인적 공간 및 종합적 사회활동을 위한 공간을 제공하는 등 신체 및 정신적 안전을 제공하는 기능을 맡게 되었고, 환자의 재활 등 직접적 도움을 주는 대체의학적 의미도 지니게 되었다.

치환
[置換, displacement]

외부세계의 특정 대상에 대한 욕구나 충동을 무의식적으로 다른 대상에게 돌리는 것. 정신분석학

전위(轉位)라고도 한다. 무의식중에 어떤 대상에게 향해진 자신의 감정의 대상을 다른 것으로 바꾸거나 본래 해결해야 할 문제를 다른 목표나 다른 방법으로 옮겨 놓아 버림으로써 불안, 공포, 갈등을 해소하려는 것을 뜻한다. 본능적 충동의 표현을 재조정하여 위협을 덜어 주는 대상에게로 대치하는 것인데, 위협적인 대상으로부터 보다 더 안전한 대상에게로 에너지 방향을 돌리는 것이다. 좌절, 원하는 대상을 상실하는 것에 대한 두려움, 욕망에 압도당할 것 같은 불안감 등을 다루게 해 준다. 자아는 불안을 느낄 때 위협적 대상에서 보다 안전한 대상에게로 이동시켜 충동을 해소하려고 한다. 강하고 위협적인 대상이 촉발한 충동을 그보다 더 약하고 덜

위협적인 대상에게 돌린다. 충동이나 욕구를 유발한 원래의 사람이나 사물에게서 그 욕구를 충족시킬 수 없을 때 다른 사람이나 대상에게로 심적 에너지를 향하게 한다. 그렇게 함으로써 원래 대상을 향해 부정적인 감정을 표출했을 때 발생할 수 있는 불안을 피하고자 한다. 즉, 대상으로부터의 공격을 막거나 불안, 죄의식, 욕구불만 등을 해소하려고 한다. 예를 들어, 직장상사에게 추궁당하고 분노가 쌓였을 때 그것을 상사에게 직접적으로 표출하지 못하고 대신에 집에 와서 가족에게 화를 표출하는 경우, 시어머니에 대한 불만과 공격성을 직접적으로 표현하는 대신에 설거지하면서 그릇 닦는 소리를 요란하게 내는 행위, 부모에게 꾸중을 들은 형이 동생에게 자신의 분노와 욕구불만을 표출하거나 강아지를 발로 걷어차는 것 등이 치환에 해당한다. 그러나 다른 사람에게로 향한 적대감을 자기 자신에게 향하도록 하는 경우 자기멸시와 우울증 등의 역기능에 빠진다.

관련어 | 방어기제

친권
[親權, parental right]

자녀를 양육, 보호하며 자녀가 소유하고 있는 재산을 관리하는 부모로서의 권리이자 의무. 부부상담

부모는 미성년자 자녀의 친권자가 되며 양자는 양부모가 친권자가 된다. 친권은 부모가 공동으로 행사하는 것이 원칙이지만, 이혼이나 별거 등으로 의견이 일치하지 않아 분쟁이 발생하는 경우에는 당사자의 청구에 따라 가정법원이 정한다. 일반적으로 한쪽 부모가 경제적 무능, 신체적 질병, 범죄로 인한 구속 등 다양한 요인에 의해 친권을 행사할 수 없는 상태에 있으면, 다른 쪽의 부모가 이를 행사한다. 부모가 이혼한 경우는 부모의 협의에 따라 친권자를 정하며, 만약 협의가 이루어지지 않으면 가정

법원은 직권 또는 당사자의 청구에 따라 친권자를 지정해야 한다. 한편, 부모의 협의가 이루어진 경우라 할지라도 자녀의 복리에 위배되는 경우는 가정법원이 보정을 명령하거나 직권으로 친권자를 정할 수 있다.

친밀한 관계
[親密 - 關係, the intimacy bond]

형성된 인간관계 속에서 서로에 대한 깊은 신뢰와 애정을 바탕으로 자기공개가 일어나는 유형의 관계. 생애기술치료

인간 사이에서 보다 친밀하고 깊은 관계를 형성하는 것은 감정을 관리하거나, 사회적인 가면을 쓰고 있거나, 혹은 방어적인 보호막을 형성하는 것들로부터 자유로워지는 것을 의미한다. 즉, 상대방이 자신을 보다 진실하게 이해하고 받아들일 수 있도록 자신을 보호하기 위해 감추어 두었던 것들을 드러내는 과정을 통해서 보다 깊고 친밀한 관계의 형성이 가능하다. 이러한 자기공개는 개인정보의 공개와 자신의 감정을 표현하는 것을 포함하고 있다. 먼저, 개인정보의 공개란 점진적으로 보다 사적인 정보를 공개하는 것을 의미한다. 이러한 정보공개를 하는 것의 위험요소는 정보공개에 대한 본인의 '거부'와 '결핍된 신뢰도'로, 이러한 두 가지 원인 때문에 개인의 정보를 상대방에게 공개하는 것이 꺼려지고 이것은 결국 상대방과 보다 친밀한 관계를 형성하는 데 방해가 되는 주요 요인이 된다. 이러한 방해요인을 제거하고 보다 안정적이고 친밀한 관계를 형성하기 위해서는 용기를 가지고 먼저 상대방에게 자신의 개인정보를 공개하거나, 혹은 상대방이 먼저 용기 있게 본인의 개인정보를 공개할 때 이에 맞추어서 자신의 개인정보도 공개하는 것이다. 개인정보 공개는 개인의 장점과 약점을 모두 포함한다. 다음으로, 다른 사람과의 관계에서 자신의 감정을 표현하는 것은 보다 친밀한 유대를 형성하는

데 중요한 방법 중의 하나다. 또한 상대방이 자신의 감정을 자유롭게 표현할 수 있도록 열린 대화를 해야 하며, 상대방의 감정을 추측하거나 자의적으로 해석하는 것을 피해야 한다. 생애기술치료를 제시한 넬슨 존스(Nelson-Jones)는 보다 친밀한 인간관계를 위한 감정을 표현하는 방법을 다음과 같이 제시하였다. 첫째, 자신의 감정 인식하기다. 감정을 표현하기 위해서는 자신이 느끼는 감정에 대해서 주의를 기울여야 하며, 그러한 것들 중에서 어떠한 것을 어느 시기에 표현할 것인지를 결정해야 한다. 둘째, '나' 전달법 사용하기다. 감정이라는 것은 매우 주관적이기 때문에 상대방에게 자신이 느끼는 감정 그대로 이해하고 받아들이기를 강요해서는 안 된다. 셋째, 긍정적인 감정뿐만 아니라 부정적인 감정도 표현하기다. 부정적인 감정을 표현해서 상대방이 공격당했다는 느낌을 주는 것을 방지하기 위해서는 긍정적인 표현과 부정적인 표현을 함께 사용해야 한다. 예를 들어, "너를 너무 많이 만나는구나."라고 감정을 표현하기보다는 "너를 자주 만나고 싶긴 하지만 내 자신을 위한 공간도 필요해!"라고 표현하는 것이다. 넷째, 지속되는 부정적인 감정 나누기다. 성적인 관계에서 지루함을 느낀다거나, 상대방에게 무심해진 것과 같은 반복적으로 지속적인 부정적 감정을 표현하는 것은 문제해결의 시작이 될 수 있다. 다섯째, 토론하기다. 자신의 감정만 표현하고, 그 반응을 듣지 않는 오류를 피해야 한다. 관계란 상호 교류를 목적으로 하는 것이기 때문에나 자신의 감정표현뿐만 아니라, 그에 따른 상대방의 반응을 듣고 이를 통해 대화를 발전시켜 나가야한다. 여섯째, 자신의 행동 주시하기다. 인간관계는 상대방과 자신 모두의 영향력 속에 있는 것이기 때문에 부정적인 감정은 상대방뿐만 아니라 자신의 잘못된 행동이나 상대방을 받아들이지 못하는 것 때문일 수도 있는 것이다.

관련어 기쁨의 관계, 돌봄의 관계, 동료로서의 관계, 신뢰의 관계, 의사결정의 관계

친절한 설득
[親切 – 說得, gentle persuasion]

성학대, 불안, 폭력, 약물남용 등의 정신적인 문제를 안고 살아가는 집단에게 삶을 시각화하고 미래를 향해 나아가기 위한 방법을 발견하도록 하는 기법. 해결중심상담

성학대, 불안, 폭력, 약물남용 등의 정신적인 문제를 안고 살아가는 사람들은 대부분 과거의 비생산적이고 비합리적인 생각과 신념을 되풀이하는 경향이 있다. 친절한 설득은 이들에게 기존에 되풀이해 왔던 생각과 신념, 행동과는 다른 시각과 새로운 의미로 자신의 삶을 바라볼 수 있도록 해 주는 것이다. 이를 위해 치료자는 집단치료에서 집단구성원들이 처음에 자기 자신을 소개하면서 그 집단에 오게 된 이유와 달성하고자 하는 목표를 설명하도록 한다. 그런 다음 기존에 소유하고 있었고, 또한 계속해서 되풀이하고 있는 신념체계가 자신의 삶에, 그리고 대인관계에 미치는 영향을 구체화하여 시각적으로 확인할 수 있도록 한다. 예를 들어, 치료자는 칠판에 3개의 칸을 그려서 각각 설득자, 학대, 반응이라고 적고, '설득자' 칸에는 내담자의 삶에서 자기 자신을 건강하지 않다고 믿게 만든 사람의 이름을 적도록 한다. '학대' 칸에는 설득자에게 당한 부정적인 영향(학대)에 대해서 기록하도록 한다. '반응' 칸에는 설득자의 학대에 대한 내담자 자신의 반응, 즉 자신에 대한 생각, 신념, 행동 등을 적도록 한다. 여기까지 작업이 끝나면 치료자는 집단구성원들에게 "이 신념을 계속 간직하고 싶은 사람이 있습니까?"라고 질문한다. 이 같은 질문은 내담자 스스로 자신의 부정적인 신념이나 행동패턴을 인식하고 변화의지를 인식하도록 하는 효과가 있다. 그다음 단계로 치료자는 내담자의 현재 삶에서 가장 가치 있다고 느끼는 것이 무엇인지 말하도록 한다. 이 단계에서 내담자는 변화의 방향성을 설정할 수 있게 된다. 그리고 내담자에게 멘토의 중요성을 강조한 다음 다시 칠판에 3개의 칸을 그리고 각각 멘토, 처우, 반응을 쓴다. 이어서 멘토와의 관계에서 느끼는

ㅊ

처우와 그에 따른 자신의 반응에 대하여 쓰도록 한다. 내담자는 단계적으로 진행되는 친절한 설득과정을 거치면서 점차 자신의 고정된 과거신념이나 생각, 행동에 대해 새로운 시각을 가지게 되고, 새로운 변화를 위한 자각을 한다. 친절한 설득은 치료자가 내담자에게 잘못된 신념이나 행동패턴을 갑작스럽게 지적하여 오히려 수치심을 느끼게 한다거나 절망에 빠져 변화에의 의지가 저하되는 것을 방지할 수 있다.

관련어 | 가족역동집단, 과정집단, 오전-오후과정집단

친족
[親族, kinship]

가족이 시간이 지남에 따라 확대되고 누적되어 생기는 혈연집단. `가족치료 일반`

두 사람이 결혼으로 부부가 되고, 자녀를 낳아 가면서 하나의 가족을 이루게 된다. 또한 시간이 흐르면 각 부부의 원가족과 자녀들이 출가하여 더욱 많은 가족구성원이 생긴다. 이들은 가족이라는 하나의 공동체감을 중심으로 서로 상호작용을 하면서 유대관계를 맺는데, 이를 친족이라고 한다. 우리나라의 '민법'에서는 친족의 범위를 부계나 모계의 차별 없이 8촌 이내의 혈족, 4촌 이내의 인척, 그리고 배우자로 정하고 있다. 여기서 혈족은 혈연으로 맺어진 집단을 뜻하며, 인척은 결혼으로 맺어진 관계를 뜻한다. 이렇게 법률로 인정되는 친족은 부양관계와 상속관계에서 법적인 권리와 의무를 가진다.

관련어 | 가족

친화성
[親和性, affiliation]

정서적 유대와 상관없이 다른 사람과 긍정적인 정서적 관계를 맺고 그 관계를 유지하려는 욕구나 동기 또는 행동. `개인상담`

친화성은 미소, 응시, 말 걸기, 웃음 등의 행동으로 다른 사람과의 관계를 구축하고 유지하는 특성이 있다. 친화성의 대상은 개인뿐만 아니라 집단도 해당하며, 함께 즐기고 협력하여 무언가를 달성하겠다는 공동성의 동기나 그에 입각한 행동을 포함한 개념이다. 친화성의 특성을 활용한 기법으로는 구조적 가족치료의 주요 기법의 하나인 합류하기(joining)가 있다. 이는 상담자가 가족구성원과 동료관계를 맺음으로써 가족에 대한 자료를 수집하고 진단하여 치료적 변화를 유도하는 것이다. 여기서 동료관계란 가족 전체 또는 가족의 하위체계에 대한 상담자의 친화적인 행동이 참여하기로 나타나는 것이라 할 수 있다. 그것에 대하여 반응하는 가족 자신의 친화성은 여러 가지이며 때로는 상담자로서의 중립성을 넘어서서 참여하기를 시도할 필요가 있다. 또 상담자 자신이 갖는 친화성이나 그에 대한 태도, 방책도 참여하기의 중요한 요소다.

관련어 | 애착, 합류하기

칠각지
[七覺支, seven factors of enlightenment]

거짓과 참, 선함과 악함을 가려 바른 선택을 하게 수행하도록 하는 일곱 가지 가르침. `동양상담`

일곱 가지 수행의 과정이 깨달음의 과정을 완성시켜 준다는 의미에서 7개의 줄기, 즉 칠각지라고 말한다. 일곱 가지를 차례로 닦아 익혀 나가는 것인데, 첫째는 염각지(念覺支)로 사념처 등의 바른 견해를 항상 생각하며 지키는 수행을 말한다. 둘째는 택법각지(擇法覺支)로 염각지의 지혜로 선한 것만 택하는 것을 말한다. 셋째는 정진각지(精進覺支)로 선한 것만 택해 선법을 부지런히 닦는 것을 말한다. 넷째는 희각지(喜覺支)로 계율에 기초한 정진각지를 닦음으로써 바른 힘을 얻는 것을 말한다. 다섯째는 제각지(除覺支)로 선정의 힘이 더욱 깊어져 산란, 혼침이 없어지고 심신이 편안한 상태가 되는 것

을 말한다. 여섯째는 정각지(定覺支)로 선정력에 따라 일체가 평등해지고 번뇌망상이 일어나지 않는 것을 말한다. 일곱째는 사각지(捨覺支)로 마음의 평정이 흔들리지 않아 선정에 들 때나 나올 때나 모두 마음이 고요하고 흔들리지 않는 경지에 이르는 상태를 말한다.

침묵
[沈默, silence]

언어적으로 표현하지 않고 조용하게 있는 상태. 개인상담

침묵은 일반적으로는 무언, 정적, 무음의 상태를 가리키지만, 상담분야에서는 그 외에도 충실한 의미를 가진 독자적인 현상으로 간주한다. 피카르트(Max Picard)에 따르면 침묵은 사람이 일상 회화 가운데 말하는 것을 그만두거나 자신의 사정으로 상대방에게 입을 다물게 할 때와 같은 공백상태가 아니라, 그 이상의 것, 말이 그곳에서 생겨 나와 말이 끝나자 다시 그곳으로 돌아가는 것과 같은 존재하는 것 자체에 의미가 있는 근원적인 것이다. 예를 들어, 두 사람이 대화를 할 때 거기에는 침묵이라는 제3자가 있어서 두 사람의 이야기에 귀를 기울인다. 그러한 침묵에서의 대화는 두 사람 사이에 직접 주고받는 대화보다 훨씬 많은 것이 상대방에게 전해지는 것이다. 상담에서 침묵은 상담자가 잠시 멈추고 내담자가 주제에 대하여 말하거나 상세하게 설명하게 하는 리드의 수동적 형태로서, 내담자가 말하거나 숙고하는 것을 촉진하는 것이다. 상담자가 내담자의 침묵을 존중하여 얼마만큼 내담자와 행동을 같이하고 귀나 마음을 기울일 수 있는가 하는 것은 상담자의 능력에 달려 있다. 로저스(Rogers)는 상담에서 25분 이상 침묵을 계속하는 사례가 있는데, 이 속에서 내담자는 스스로 큰 깨달음을 얻거나 문제가 해결되는 경우도 있다. 한편, 집단상담에서 집단상담자와 집단구성원 중 어느 누구도 말하지

않는 순간이 계속되는 경우도 침묵이라 한다. 집단 시작시점에 침묵이 가장 빈번하며 집단발달과 함께 침묵의 빈도는 줄어드는 경향이 있다. 집단에는 생산적인 침묵과 비생산적인 침묵이 모두 있을 수 있다. 생산적인 침묵은 집단원이 그 집단 내에서 이야기되거나 행한 것을 내면화할 때 생긴다. 비생산적인 침묵은 집단원이 말하는 것을 거부하거나 고통스럽고 귀찮게 여길 때 생긴다. 침묵은 때때로 지도자에게 신호역할을 하는데, 그때 지도자는 '이 침묵이 생산적인가?'를 자문해 보아야 한다. 집단구성원을 관찰할 때 심도 있는 작업의 결과로 깊은 생각을 하고 있는 것처럼 보인다면, 침묵은 허락되어야 한다. 때때로 2분 내지 3분 동안, 또는 생산적인 것이 될 만큼 오랫동안 침묵이 지속될 수도 있다. 그때 지도자는 그 밖의 어떤 사람들이 침묵을 깰 때까지 기다리거나 "많은 사람이 무슨 일이 일어났는지에 대해 깊이 생각하는 것처럼 보입니다. 나는 여러분의 생각을 즉시 함께 나누고 싶어요."와 같은 말로 그 침묵을 깨야 한다. 그러나 흥미가 없어서 집단구성원이 침묵한다면 지도자는 초점을 바꾸어야 하는 신호로 받아들여야 한다. 집단구성원이 그 회기에 열중하지 않고 회기 초기에 침묵을 할 때 지도자는 침묵을 내버려 두면 안 된다. 그들에게 필요한 것은 활동이나 어떤 토론이기 때문에 그들이 깰 때까지 기다리는 것이 아니라 지도자가 무엇을 말해야 되는지 초점을 바꾸어야 한다. 만약 집단구성원이 누가 시작해야 할지 몰라 한다면 지도자는 15초 내지 20초 후에 침묵을 깨고 집단을 시작할 것을 제안한다. 지도자가 그 침묵이 매우 생산적이라고 느낀다면 누군가 말하기 시작할 때 지도자는 그 집단구성원에게 "조금 더 기다려요. 다른 사람들이 깊게 생각하고 있는 것처럼 보입니다."라고 말할 수 있다.

관련어 집단상담

침묵의 힘
[沈默 -, power of silence]

심리치료의 과정에서 치료자가 내담자에게 평범하지 않은 질문을 하고 그 질문에 답하기까지 조용히 기다려 주어 내담자에게 질문에 대해 생각할 수 있는 시간을 충분히 주는 것에 대한 효과. **해결중심상담**

심리치료의 과정에서 내담자의 대답을 기다리는 치료자의 침묵은 아무 생각 없이 시간을 보내거나 무관심한, 혹은 치료에 협력적이지 않은 태도의 침묵과는 구별된다. 이것은 치료과정에서 내담자의 이야기가 혼란에 빠지거나, 평범하지 않거나, 예상하지 못했던 독특한 질문에 당황하는 내담자에게 편안한 마음으로 충분히 생각하고 말할 수 있도록 배려하는 침묵을 뜻한다. 예를 들어, 척도질문이나 기적질문이 내담자에게는 자신의 느낌이나 생각에 점수를 매긴다거나, 일어나지 않을 것 같은 기적에 대해 상상하는 것이 다소 생소하고 어색한 일일 수도 있다. 이때 치료자는 내담자가 이러한 독특한 질문에 대해서 충분히 적응하고 생각할 수 있는 시간을 주기 위해 침묵으로 기다려 줌으로써 내담자를 편안하게 안정시킬 수 있다. 이는 결과적으로 내담자가 치료적 대화에 적극적으로 참여하게 만드는 효과가 있다.

관련어 | 기적질문, 척도질문

침입적 - 반복적 사고
[侵入的 - 反復的 思考, intrusive-repetitive ideation]

전쟁, 성폭력 등의 외상 후 스트레스를 경험한 사람에게 나타나는 사고의 한 형태로, 외상경험이 개인의 일상생활을 지배하는 부적응적 사고형태. **위기상담**

침입적-반복적 사고는 개인에게 심각한 문제를 야기한다. 외상에 대한 부정적 경험들을 스스로 억압하려 하지만 그 경험의 이미지가 시각, 청각, 후각, 촉각 등을 자극하여 일상생활의 적응을 방해한다. 이 사고는 시각적인 이미지를 띠는 것이 많으며, 시간이 지날수록 초기의 외상과 관련이 없어 보이는 일반 자극과 연합되어 더욱더 일상생활의 적응을 어렵게 만든다. 그리고 일상생활의 의식적인 생활뿐만 아니라 환각으로 재현되거나 악몽으로도 나타난다. 침입적-반복적 사고가 지속되면 죄책감, 슬픔, 분노, 격노 등의 부정적 감정을 야기한다. 이 같은 부정적 감정을 느끼지 않기 위해 알코올이나 약물에 의존할 수도 있는데, 일시적인 효과를 보이면 점점 중독으로 발전될 수 있다.

관련어 | 외상 후 스트레스 장애

침투 가능한 경계
[浸透可能 - 境界, permeable boundary]

경험적 접근의 가족치료에서 말하는 건강한 가족 상호작용의 한 형태로, 가족 외 외부 사람의 접근을 허용하면서도 가족만의 정체성을 유지하는 관계. **경험적 가족치료**

건강한 가족관계에서의 상호작용에는 몇 가지 특성이 있는데, 그중 하나가 침투 가능한 경계를 가지고 있다는 점이다. 이는 가족 이외의 다른 사람이 가족체계에 접근 하는 것을 거부하지 않지만, 가족 특유의 명료한 정체성과 경계성을 잃지 않는 관계적 특징이 있다. 이때 경계성은 가족과 외부환경과의 경계 혹은 가족 내에서 상위 체계와 하위체계 사이의 경계를 말한다. 따라서 가족이 침투 가능한 경계의 상호작용을 하고 있을 때는 외부인의 투입으로 가족구성원들 간의 관계에 긴장이나 갈등의 정도가 높아지지는 않는다.

ㅋ

카더멈
[- , Cardamom]

신경강장, 안정, 머리를 맑게 하는 작용, 방부, 항경련, 구풍(驅風), 소화, 이뇨, 거담, 식욕촉진 등에 효과가 있는 허브로서, 열대 아시아가 원산지이며 스리랑카, 인도, 과테말라, 엘살바도르에서 재배. 향기치료

카더멈은 갈대처럼 생긴 다년생 허브로 3미터까지 자라고, 가장자리가 보라색인 노란색 꽃이 피며 옅은 노란색의 열매가 맺힌다. 카더멈 오일은 뇌와 신경계를 자극하여 머리를 맑게 하고, 신경을 강화하는 효과가 있어서 집중력 저하, 신경피로 및 우울증에 도움이 된다. 카더멈 오일은 일반적인 신체 강장제로 유명하며 복통, 장 경련, 소화불량, 위장 내 가스 참과 같은 소화성 질환의 치료에 효과적이다. 또한 비장의 기가 약한 사람에게 생기는 무기력감, 식욕부진, 설사 등의 증상에 카더멈 오일을 사용할 수 있다.

카르마 요가
[- , karma yoga]

현세의 악행을 끊어서 업을 소멸시키는 데 목표를 둔 심신훈련법. 명상치료

카르마는 산스크리트어로 행동, 행위를 의미한다. 인간의 생각, 말, 행동은 행위, 기억, 욕망의 형태로 업(業)이 되며 업은 지워지지 않는다. 이러한 업은 긍정적 업과 부정적 업이 있으며, 긍정적인 업

은 긍정적인 것으로 부정적인 업은 부정적인 것으로 저장되고 반복적으로 이루어진다. 현재 자신의 신분이나 고뇌 등은 과거에 행한 행위의 결과, 즉 업보(業報)로 여겨 이 행위는 아무리 올바른 것이라 할지라도 업보가 따르며 이 행위는 사후에도 계속 이어져 윤회된다고 믿는다. 업보는 행위 후 결과를 기대하는 욕망에서 비롯되므로 행위의 동기나 그 결과에 대한 욕망을 포기하면 업보가 발생하지 않는다. 집착하지 않은 행위로 자신에게 주어진 의무를 완수함으로써 과거의 업을 소멸시키고 또 다른 업을 쌓지 않도록 만드는 것이 이 요가의 목표다. 인간의 행동은 대부분 자아 중심적 행위이므로 업을 짓게 된다. 그러므로 카르마 요가를 통해 자아 중심적 행위에서 일어나는 미묘한 반응들을 관찰하여 자아가 없는 행위, 자아가 없는 표현으로 전환시킬 수 있다. 이를 위한 카르마는 언어, 마음, 지능, 삼스카라(samskara)의 측면에서 행해진다. 언어적 측면에서는 언어표현과 행동이 일치하여 균형이 되도록 하며, 마음 측면에서는 마음이 창조적이고 긍정성을 가지도록 동기부여를 하는 수행을 한다. 지능 측면에서는 어떤 것에 대한 이유를 알려고 하는 것, 그것이 자기이해와 관련이 되는가 등의 생각을 하는 것이다. 삼스카라 측면에서는 무의식에 저장된 기억, 인상, 행을 자각하고 부정적이며 혼란스러운 영향을 제거하는 수행을 한다. 카르마 요가는 경험적인 깨달음의 절차, 영적인 자각을 발전시키고 달성하는 데 기초가 된다. 그러므로 카르마 요가는 다른 수행요가와 함께 이루어질 때 더욱 자연스럽게 요가의 목표에 도달할 수 있다.

관련어 | 라자 요가, 만트라 요가, 명상, 박티 요가, 요가, 즈나나 요가, 쿤달리니 요가, 팔실수법, 하타요가

카르마 [–, karma] 업(業)을 말하는 것으로 몸, 입, 뜻으로 짓게 되는 행동과 그것을 이루어지게 하는 작용을 말한다. 업은 짓는다는 입장에서 보면 먼저 정신의 작용, 곧 마음속에 생각이 일어나고, 이것

이 행동으로 나타나 선과 악을 짓게 되는 것이다. 세계 속에서 일체의 만상은 모두 우리의 업으로 생겨난다. 우리가 제각기 뜻을 결정하고 마음의 결정을 동작과 말로 실천하게 되면 그 결과가 업력이 되고 업력에 의하여 잠재세력이 형성된다. 이들의 세력은 없어지지 않고 반드시 결과를 불러오는데, 그래서 삶과 이 세계는 모두 이 업의 결과에 귀속된다. 인생이나 세계가 천차만별로 나타나는데 그것이 서로 다른 모양으로 나타나는 것은 개별 업이 가진 차별의 결과다. 따라서 몸으로 세 가지 악업을 지으면 괴로운 보를 받게 되는데, 그것은 살생하는 것, 시기하고 훔치는 것, 바람피우는 것 등이다. 또 입으로 하는 네 가지 악업은 거짓말, 이간 붙이는 말, 욕설, 꾸며 대는 말이다. 그리고 탐욕, 성냄, 어리석음이 있다. 이 모든 것이 열 가지 악업이고, 이와 반대인 열 가지 선업은 이것과 반대로 행하면 이루어진다. 불교의 업설은 전적으로 인간의 자유의지에 맡겨져 있음을 알 수 있다. 불교의 심업의 내용을 보면 어느 하나라도 인간의 사회생활과 무관한 것은 없다. 업에는 반드시 보가 따른다. 그래서 자기 자신은 물론 그 결과에 대한 사회적 책임으로 깊이 박혀 있는 것이다. 그런데 어떤 사람이 나쁜 일을 크게 저질렀는데도 잘 살고 있는 경우를 우리는 흔히 볼 수 있다. 그와 반대로 선한 일만 하는데도 불우하게 살다 가는 사람이 있다. 여기서 불교는 삼세업보설(三世業報說)을 말한다. 현재 업인이 있는데 그 과보가 지금 나타나지 않는 경우와 과보는 있는데 그 업인이 현재 발견되지 않는 경우가 있다. 전자는 과보가 현세에 나타나지 않았지만 다음 생, 즉 내세에 있다는 것이고, 후자는 업인이 현세 이전, 즉 지난 생에 있어 온 것을 지금 받고 있는 것이다. 그래서 『중아함(中阿含)』 권 3에서는 다음과 같이 설명하고 있다. "만일 고의로 업을 지으면 반드시 그 과를 받게 되는 것이니, 현세에 받을 때도 있고 내세에 받을 때도 있다."

카리스마
[- , charisma]

다른 사람들에게 정서적 감동을 주어 행동의 변화를 가져오는
개인의 정서적 · 사회적 능력. 성격심리

이 말의 어원은 그리스어 'Kharisma'에서 비롯되
었으며, 재능 또는 신의 축복을 뜻한다. 초기에는
종교적 의미로 주로 사용되었는데, 신성한 능력, 전
지전능함을 뜻하여 부처, 예수, 무함마드 등 종교적
지도자의 능력을 지칭하였다. 이후 근대에 이르러
베버(M. Weber)는 지배의 한 형태로 카리스마를
제시하였다. 그는 카리스마를 지닌 사람은 다른 사
람들을 사로잡는 능력이 있어서 다른 사람을 지배
하고 다른 사람은 카리스마를 지닌 사람에게 복종
하는 관계를 형성한다고 주장하였다. 즉, 카리스마
는 개인적인 절대적 신앙에 근거하여 주술적이거나
초자연적인 능력을 지니거나 영웅적인 자질로 다른
사람을 지배하는 것을 말한다. 카리스마를 지닌 사
람은 그들의 추종자들에게 강력한 정서적 호소력을
갖고, 마력적인 존재로 보이면서 추종자들이 맹목
적 충성이나 복종을 한다. 특히 특정 이데올로기와
연결될 때 카리스마의 영향은 더욱 증가한다. 이러
한 카리스마를 긍정적으로 지닌 사람을 예로 들면,
주술사, 예언자, 개혁자, 영웅적 군인, 강렬한 선동
가 등이다. 이와 반대로 부정적 카리스마를 지닌 사
람을 예로 들면, 폭력조직의 두목이 조직원들에게
절대적이고 맹목적인 복종을 요구하는 것이나 사이
비 종교 단체의 교주가 신도들에게 무조건적 추종
을 강요하는 것 등이 있다. 최근의 심리학적 측면에
서 카리스마는 개인의 특질로서 받아들이고 있다.
이 측면에서 카리스마는 정서적 의사소통능력과 사
회적 기술능력으로 만들어진다. 즉, 자신이나 타인
의 정서나 감정을 정확하게 이해하고 자발적으로
표현하여 효과적으로 다른 사람에게 전달함으로써
그 사람에게 감동을 불러일으키고 행동의 변화를
이끌어 내는 영향력이 카리스마다. 이와 더불어 카
리스마를 지닌 사람들의 공통적인 특성은 열정, 추
진력, 설득력, 비전, 자신감, 그리고 다른 사람의 말
을 적극적으로 경청하는 능력 등이다.

카유푸트
[- , Cajeput]

신경강화, 진통, 방부, 항경련, 거담, 해열, 발한, 구충 등에 효
과가 있는 나무로서, 말레이시아와 인도네시아, 미국 등에서
재배. 향기치료

카유푸트는 높이가 10미터까지 자라는 중간 크기
의 나무로, 몸통을 이루는 원줄기의 높이는 1.5미터
정도이고 원대목에서 여러 개의 줄기가 자라 나오
며 작은 초관에서 더 작은 줄기와 가느다란 가지들
이 자란다. 나무의 표면은 흰빛을 띠며 종이처럼 얇
은 조각이 떨어진다. 카유푸트는 신경계 강화제로
쓰이며 피로, 나른함, 불안감을 덜어 주는 데 사용할
수 있다. 그리고 복통 및 장염, 이질, 위경련, 내장
기생충과 같은 내장 염증의 증상을 완화시킨다. 또
한 벌레 물린 곳의 가려움을 줄여 주고, 습진과 건선
증상을 제거하며, 호흡계 질환에는 카유푸트 증기
흡입법을 사용한다.

카타르
[- , catarrh]

조직이 붕괴되지 않고 점막의 분비기능에 이상이 생겨 헐면서
부어오르는 염증. 이상심리

분비액의 종류에 따라 장액성, 점액성, 농성, 박
리성, 카타르로 나누어진다. 카타르는 비인두, 기

관, 기관지, 소화관, 자궁 경부 등의 장기에서 나타
난다.

카타르시스
[−, catharsis]

⇨ '정화 효과' 참조.

카타르시스 글쓰기
[−, cathartic writing]

종이 위에 소리를 지르거나 울음을 터트리는 글쓰기.
문학치료(글쓰기치료)

카타르시스 글쓰기는 감정 정화 글쓰기라고도 한
다. 일기 또는 저널은 분노, 고통, 상처, 두려움, 공
포, 외로움, 죄책감, 수치심, 근심, 의구심, 불안 등
모든 감정을 쏟아 내는 가장 안전한 장소일 뿐 아니
라 언제든 필요할 때 곁에 있어 주는 친구다. 격한
감정에 압도당했다면 낙서로 시작해도 좋다.

관련어 낙서

카타르시스의 원리
[−原理, catharsis theory]

독서치료 원리의 하나. **문학치료(독서치료)**

카타르시스의 원리는 아리스토텔레스가 『시학』
제6장에서 "비극은 연민과 공포를 환기시키는 사건
을 통하여 감정을 카타르시스한다."라는 정의를 내
린 이후 문학이 독자에게 주는 직접적인 효용을 통
해서 독서치료에 적용된 원리를 말한다. 카타르시
스라는 말은 정서적 소산이라고 정의할 수 있는 극

예술 용어로, 극에서 한 사람 이상의 등장인물에게
서 발생하는 감정이나 정서를 청중의 경험의 일부
처럼 동일한 현상으로 받아들여 감정이 정화되는
것이다. 즉, 슬픔, 공포, 연민, 큰 웃음 등 강한 감정
을 경험한 결과로 일어나는 정서상의 극적인 변화
다. 최근에는 회복, 소생, 재활성과 같은 용어로 청
중에게 끼치는 영향에 맞추어 쓰이기도 한다. 카타
르시스라는 용어를 맨 처음 사용한 사람은 아리스
토텔레스다. 그는 극 중에서 등장인물이 겪는 것을
청중이 머릿속으로 이해하는 것 또는 문학적 영향
으로 카타르시스를 언급하면서, 이 과정으로 갇히
거나 억압된 정서나 에너지가 풀려나온다고 하였
다. 아리스토텔레스 이전에 카타르시스라는 용어는
순전히 의학적으로 사용되었는데, 아리스토텔레스
가 이를 의학적 은유로 사용한 것이다. 이로 인해
정화(purification)나 소산(cleansing)이 카타르시스
의 적합한 번역이 될 수 없다면서, 루카스(Lucas)는
깨끗이 함(purgation)이 더 적절하다고 주장하였다.
사람들은 실제 생활에서는 슬픔이나 공포에 너무
심하게 치우칠 수도 있고 이상하리만큼 느끼지 못
할 수도 있는데, 비극을 통해서 적절한 균형을 유지
할 수 있게 되어 사람들이 고결하고 행복해질 수 있
다고 한다. 비극을 보면서 청중이 그 같은 정서를
적절한 수준으로 느끼는 방법을 배우게 된다는 것
이다. 현대에서는 청중이 비극을 보면서 감정이입
을 통하여 엑스터시를 경험하기 때문에 카타르시스
를 두고 쾌락적이라는 해석을 하기도 한다. 다시 말
해서 비극 속에 그려진 것과 비교해 보았을 때 자신
의 삶은 그보다는 덜 비극적이라는 안심을 하는 것
이다. 현대 미학에서는 카타르시스가 극에 관련되
어 청중이 경험한 정서의 비움으로 언급되기도 한
다. 이런 엑스터시는 희극이나 멜로드라마, 그 외
대부분의 극 양식에서 나타나고 있다. 오랫동안 배
설의 의미를 지니고 있었던 카타르시스라는 용어는
현대심리치료, 특히 프로이트의 정신분석학에 적용
되면서 표현행위, 좀 더 정확하게 말해서 개인의 억

압되고 무시되었던 과거의 사건과 관련된, 혹은 한 번도 제대로 드러내거나 표현하지 못한 깊은 감정을 경험하는 것으로 정의되고 있다. 현대심리학계에서는 분노조절에서 카타르시스적인 공격성의 유용성에 대한 의견이 분분하다. 스트레스 해소(blowing off steam)가 단기적으로는 심리적 스트레스를 경감해 주지만 이런 완화가 보상기제로 활성화될 수 있어서 그 같은 행위를 강화하고 장차 감정의 폭발을 조장할 수도 있다는 것이다. 카타르시스는 또한 문제의 뿌리가 되는 원인과 꿈에 대한 대화와 관련되어 감정을 이완시키는 것이기도 하다. 독서치료에서 카타르시스의 원리는 카타르시스의 이런 개념들을 적용하여 책 속의 등장인물의 감정, 사고, 성격, 태도 등에 대한 감상을 글이나 말로 표현하게 하여, 내담자 혹은 독자의 내재된 슬픔을 표출시킴으로써 격정적인 감정을 순화시키고 억압되었던 경험이나 행위들을 풀어낼 수 있게 하는 것이다. 작품에 대한 감상을 매개로 하여 처음에는 간접적인 경험을 표현하지만 점차 내담자 혹은 독자의 실생활에 대한 직접적인 표현형태로 나아간다.

카터-맥골드릭의 가족발달단계
[-家族發達段階, family developmental stage(Cater-McGoldrick)]

가족발달단계에 따른 가족체계의 변화에 대하여 카터와 맥골드릭이 분류한 이론. **가족치료 일반**

카터와 맥골드릭(Cater & McGoldrick, 1980)은 가족치료 및 가족교육의 실제에 맞는 가족발달단계론을 제시하였다. 이 단계론은 체계변화의 이론에 입각한 것으로 가족발달단계의 이행에는 제2차 변화, 즉 체계변화가 필요하다는 입장을 보인다. 특정 단계 내의 문제는 제1차 변화에서 해결할 수 있는 것이어서 현존 구조에서 가족이 재균형화하면 좋은 것이다. 이에 대하여 제2차 변화는 불연속적인 것으

로, 체계 그 자체를 변화시킬 수 있는 관점에서 가족생활의 단계를 6단계로 구분하였다. 그 단계와 각 단계에 따르는 주요 과업을 정리하면 다음과 같다. 제1단계는 개인이 부모 밑을 떠나 독립하여 생활하고 있지만 아직 결혼하지 않은 젊은 성인의 시기다. 이때 이룩해야 할 과업은 부모-자녀의 분리를 수용하고, 친밀한 동료관계를 발달시키며, 직업 등을 통하여 자아를 확립해 나가는 것이다. 제2단계는 결혼에 의한 양 가족의 결합이 이루어지는 신혼부부의 시기다. 이때는 두 사람이 각각 새로운 체계에 대한 변화에 적응하고 독립된 부부체계를 형성하며, 확대가족과 친구와의 관계를 재편성하는 것이다. 제3단계는 유아를 기르는 시기로서, 이때는 가족체계에 새롭게 유입되는 성원을 수용하는 것이다. 이를 위해 자녀의 탄생에 따르는 부부체계를 조정하고, 부모역할을 새롭게 수행하며, 부모의 역할, 조부모의 역할을 포함하여 확대가족과의 관계를 재편성한다. 제4단계는 청년기의 자녀를 갖는 가족의 시기로, 이때는 자녀의 독립을 추진하고, 가족의 경계를 유연하게 하는 것이 과업이 된다. 따라서 청년의 자녀가 자유롭게 가족체계를 출입할 수 있도록 부모-자녀관계를 재구조화하게 된다. 또한 부부는 중년의 시기에 들어가는데, 자녀에게 집중했던 관심을 다시 직업상의 달성에 초점을 맞추고, 노후에 관심을 갖기 시작한다. 제5단계는 자녀의 취직과 결혼 등의 이유로 독립하는 과정이 이루어지는 시기다. 이때 부부는 자녀가 가족체계로부터의 출입이 증대하는 것을 수용하고, 부모-자녀관계를 성인 간의 관계로 발달시키는 것이 필요하다. 또한 자녀의 배우자의 부모, 형제나 손자를 포함한 사람들과의 관계를 재편성하고, 부부의 노년을 준비하는 시기다. 제6단계는 노년기 가족의 시기로, 다양한 세대적 역할의 변화를 수용하는 시기다. 이때는 자신 및 부부의 기능을 유지하고, 생리적인 노화에 직면하여 새로운 가족적·사회적인 역할을 선택하며, 중년세대가 한층 중심적인 역할을 취하도록 지원하는 것이

발달과업이다. 또한 배우자나 형제, 친구의 죽음에 직면하여 자신의 죽음의 준비를 시작하고, 삶을 재음미하면서 인생을 통합한다. 이와 같은 가족발달단계의 기준은 부부와 자녀로 구성된 핵가족의 발달을 기준으로 하였는데, 이는 이혼가족이나 재혼가족 등의 발달단계에 적용하는 데 한계가 있다. 이러한 단점을 보완하기 위해서 카터와 맥골드릭은 현대사회의 새로운 동향에 맞춘 가족생활주기와 현대적 과제를 포함한 생활 과업에 따른 가족발달단계를 소개하였다. 먼저, 이혼 및 재혼에 동반한 가족생활주기의 분열과 재형성 과정은 다음과 같다. 제1단계는 이혼을 결심하는 시기다. 이때는 부부관계의 긴장을 해결할 수 없게 되어 부부관계를 계속하는 것이 어렵다는 현실을 수용하고, 결혼에 실패한 자신을 받아들이는 단계다. 제2단계는 현재의 가족체계 해체를 계획하는 시기다. 이때는 가족체계 중 유효한 대처능력에 대한 활용 방안을 검토하여 자녀의 보호, 방문, 경제문제 등을 협의하는 단계다. 제3단계는 별거하는 시기다. 이때는 부모로서 협력적인 관계를 계속 가지려는 노력을 하며, 부부 또는 부모-자녀관계를 재구성하고, 확대가족과의 관계를 재조정하는 단계다. 제4단계는 이혼이 이루어지는 시기다. 이때는 이혼에 따른 분노, 죄책감, 미움 등의 정서적 문제를 극복하고 결혼에 걸었던 희망이나 꿈, 기대를 상실한 아픔을 회복하는 단계다. 이혼에 의한 가족형태의 변화단계 다음으로 카터와 맥골드릭이 제시한 확대가족과의 접촉 유지, 재혼에 의한 가족형성과 발달과정을 요약하면 다음과 같다. 제1단계는 새로운 애정관계에 돌입하는 시기다. 이때는 최초의 결혼에 대한 상실감을 회복하고, 결혼생활의 재적응과 새로운 가족을 형성한다. 제2단계는 새로운 결혼과 가족에 대한 설계가 이루어지는 시기다. 이때는 죄악감, 갈등, 서로의 요구, 충성심, 과거의 미해결된 고통 등에 관한 정서적 문제를 해결하는 것이 주된 과업으로, 공간, 시간, 가족이 되는 것 등을 둘러싼 질서와 경계를 확립하고,

새로운 애정관계에 대한 진지한 관심과 노력, 이전 배우자와 협력관계를 유지하기 위한 방법을 모색하며, 두 가족체계 사이에서 두려움이나 충성심을 중심으로 한 갈등에 휘말릴 자녀를 원조하며, 새로운 배우자와 자녀를 포함한 확대가족과의 관계에 의해서 이전의 가족에서 상실된 것을 회복하려는 노력을 기울이고, 이전 배우자의 확대가족과 자녀의 관계를 유지하기 위한 방법을 모색한다. 제3단계는 재혼과 가족의 재구성이 이루어지는 시기다. 이때는 이전의 배우자에 대한 애착을 해소하고, 이전과는 다른 가족모델을 받아들이는 것이 주된 발달과업이다. 이를 위해 새로운 배우자, 계부모를 포함할 수 있는 가족경계를 재형성하고, 가족체계의 복잡성을 허용하는 새로운 하위체계를 가진 가족관계를 회복하며, 생물학적 부모, 조부모와 다른 확대가족과 모든 자녀와의 관계가 가능한 공간을 설정하고, 계부모와 자녀로 구성된 재결합 가족의 통합을 촉진하기 위한 기억이나 역사를 공유하는 등의 노력을 기울인다.

관련어 | 가족발달, 가족생활주기

카테터
[- , catheter]

의학용어로서, 체강이나 관상기관에서 내용을 채취하거나, 검사나 치료를 위해 약물을 주입 또는 관찰하기 위해 사용하는 관장기구. 이상심리

체강이란 복막강이나 흉막강 등을 말하고, 관상기관이란 식도나 방광 등을 말한다. 카테터는 고무나 금속, 플라스틱 등으로 만들어지며 굵기나 길이, 형태가 다양하다. 네라톤 카테터, 심장 카테터, 기관 카테터 등이 있는데, 예를 들어 네라톤 카테터는 고무로 만들어져 유연성이 풍부하기 때문에 방광뇨를 인공적으로 밖으로 내보내거나 관장 등에 많이 쓰인다.

카텍시스학파
[– 學派, Cathexis School]

교류분석

⇨ '교류분석 학파' 참조.

카페인
[– , caffeine]

가장 보편적으로 사용되고 있는 중추신경 흥분제의 하나.

중독상담

카페인은 주로 커피나 홍차, 감기약, 초콜릿, 음료수, 일부 아스피린 제제 등에 들어 있는 알칼로이드 결정체로 무색, 무취이며 약간 쓴맛이 난다. 소량 투여 시에는 정신을 맑게 해 주고, 사고력이 증진되며, 혈압을 올리고, 심장을 빨리 뛰게 하고, 위를 자극하며, 피로감을 없애 주는 효과를 가지고 있다. 하지만 환각을 목적으로 다량의 카페인을 과다 섭취하는 경우에는 신경과민, 두통, 불안, 안면 홍조 등의 증세가 나타나기도 한다. 또한 습관성이 있어서 복용을 중단하면 불안감, 두통, 초조, 우울증 등의 금단증상이 나타난다.

관련어 | 흥분제

카페인 관련 장애
[–關聯障礙, caffeine-related disorders]

중독상담

⇨ '카페인 유발장애' 참조.

카페인 유발장애
[–誘發障礙, caffeine-induced disorders]

일반적으로 근육연축, 두서없는 사고와 언어의 흐름, 빈맥 또는 심부정맥, 평균 시간 이상의 각성상태의 지속, 정신운동성 초조 등의 증상을 보이는 카페인으로 유발되는 장애.

중독상담

카페인은 가장 보편적인 중추신경 흥분제로서 커피의 주성분이며, 커피 외에도 일상생활에서 흔히 섭취하는 홍차, 청량음료를 비롯하여 진통제, 감기약, 두통약, 각성제, 살 빼는 약 등에 포함되어 있고 초콜릿과 코코아에도 적은 함량이지만 포함되어 있다. 카페인이 포함된 음료나 약물을 장기간 섭취하면 내성이 생기고 금단현상도 보이는 등 의존성이 나타난다. 카페인으로 인한 내성과 금단현상은 물질의존이나 물질남용의 진단기준에 해당될 만큼 현저한 부적응을 초래하지는 않지만 하루 1그램 이상 섭취하면 일반적으로 근육연축, 두서없는 사고와 언어의 흐름, 빈맥 또는 심부정맥, 지칠 줄 모르는 기간, 정신운동성 초조 등의 증상이 나타난다. 카페인 중독은 250밀리그램 이상의 카페인을 섭취했을 때 안절부절못함, 신경과민, 흥분, 불면, 안면홍조, 잦은 소변, 소화내장기의 장애, 근육경련, 두서없는 사고와 언어의 흐름, 빠른 심장박동 또는 심부정맥, 지칠 줄 모르는 기간, 정신운동성 초조 중 다섯 가지 이상의 증후가 나타나는 경우를 말한다. 또한 이와 같은 증상 때문에 사회적·직업적 또는 다른 중요한 기능영역에서 현저한 고통이나 장애를 유발할 때 카페인 중독으로 진단한다. 이 밖에도 카페인의 과용으로 심한 불안증상이 나타나는 카페인 유도성 불안장애나 숙면 방해와 불면이 나타나는 카페인 유도성 수면장애를 보일 수도 있다. 하루에 카페인 100밀리그램 정도의 양을 섭취했을 때 안절부절못하고 신경이 예민해지며 흥분되고 잠이 잘 오지 않으며 소변이 잦고 소화에 어려움이 생길 수 있다. 그러나 하루에 1,000밀리그램 이상을 섭취하면 근육경련, 사고와 언어의 두서없음, 빠른 맥박 또는 심부정맥, 정신운동성 초조, 과도한 흥분으로 지칠 줄 모름 등의 증상이 나타나며 심한 경우에는 탈진, 귀울림, 충동성, 환시 등이 나타날 수도 있다. 또한 과용하면 심부정맥, 위장관계의 통증이나 설사와 같은 신체적 증상이 생기고 악화될 수 있다. 장기사용 시에는 위궤양을 악화시키고 심장 부정맥을 야기할 수 있다. 급속하게 10그램 이상의 카페인을 복용하는 경우 대발작과 호흡 부전으로 사망에 이를 수도 있다. 카페인 중독은 다량의 카페인을 섭취해도 일어나지 않을 수 있는데, 이는 내성이 생기기 때문이다.

카페인 중독
[– 中毒, caffeine intoxication]

카페인이나 카페인이 들어 있는 음료 또는 물질을 장기간 섭취하거나 복용하여 내성과 금단현상을 보이는 상태. 중독상담

일반적으로 카페인을 하루에 250밀리그램(커피 3잔에 들어 있는 카페인의 양에 해당됨) 이상 섭취하면 중독증상이 나타날 가능성이 높다. 하루에 1,000밀리그램 이상 섭취하면 안절부절못하게 되고, 신경이 과민해지며, 잠자기 힘들어지고, 소화불량이 생길 수 있다. DSM-IV에 따르면, 카페인을 하루에 250밀리그램 이상 섭취하고, 열두 가지 증상 중에서 다섯 가지 이상 나타나 일상생활에서의 기능이나 적응이 손상되는 경우를 카페인 중독으로 진단한다고 규정하고 있다. 카페인 중독의 진단에 이용되는 열두 가지 증상은 안절부절못함, 신경과민, 흥분, 불면, 안면홍조, 잦은 소변, 소화장기의 장해, 근육경련, 두서없는 사고와 언어의 흐름, 빠른 심장박동 혹은 심부정맥, 한동안 지치지 않음, 정신운동성 초조다.

관련어 | 금단증상, 내성, 중독

카프만 삼각형
[– 三角形, Karpman triangle]

교류분석

⇨ '드라마 삼각형' 참조.

칸나비노이드
[– , cannabinoid]

몸에서 생성되어 정신적·육체적 과정을 제어하는 천연화학물질. 뇌 과학

마리화나의 주성분이기도 하며, 흥분을 유발하는 물질로 신경세포를 촉진한다고 밝혀지기도 하였다. 체내에 이 물질의 수용체가 너무 적으면 외상 후 스트레스 장애나 공포증, 만성 통증이 발생하기도 한다.

관련어 | 외상 후 스트레스 장애

칸나비스
[– , cannabis]

식물 대마에서 추출한 물질로 피우거나 먹어서 흡입할 수 있는 자극제. 이상심리

칸나비스는 대마초, 마리화나(marijuana), 해시시(hashish), 도가니(pot), 풀(grass), 궐련(dope) 등 여러 명칭으로 불린다. 대마초 혹은 마리화나는 대마 잎과 상단부를 건조시켜 피울 수 있도록 한 것이고, 해시시는 대마 잎 상하단부에서 나오는 진액을 건조하여 만든 것이다. 이 같은 칸나비스는 신체적 의존이나 금단현상이 심각하지는 않지만 장기간 사용할 경우 중독이 일어날 수 있다.

캐넌 – 바드 이론
[– 理論, Cannon–Bard theory]

정서적 경험과 신체적 각성이 동시에 발생한다는 정서이론.

`인지치료`

신체적 변화를 지각한 후에 정서적 경험이 이루어진다고 주장하는 제임스-랑게(James-Lange) 이론과 달리, 1927년 소개된 이 이론은 신체적 지각과 정서적 경험이 동시에 일어난다고 보았다. 미국의 생리학자인 월터 캐넌(Walter Cannon)과 그의 제자인 필립 바드(Philip Bard)는 생리적 반응을 관찰한 결과, 정서의 인지적 측면이 초래되기에는 정서경험이 지나치게 빨리 일어난다고 보았다. 정서의 생리적 변화를 감지하지 못할 경우에도 인지적 측면을 경험할 수 있다고 주장하였다. 제임스(W. James)는 심장박동이나 호흡과 같은 자율신경계에 의한 신체변화에 대한 느낌을 정서라고 함으로써 정서경험에서 자율신경의 역할을 강조하였다. 이와 달리, 캐넌은 자율신경계를 차단하여도 정서가 경험된다고 주장하면서 정서는 시상(thalamus)이라는 뇌가 매개한다고 보았다. 이후 캐넌의 제자 바드는 시상하부(hypothalamus)가 정서를 매개하는 데 중요한 역할을 한다고 보았다. 즉, 정서는 피질에 영향을 미치는 시상 및 시상하부에서 기인한다는 것이 이들의 주장이다. 이 이론에 따르면, 시상은 감정의 경험을 제어하고 시상하부는 감정의 표현을 제어한다. 캐넌과 바드는 동물실험 결과를 근거로 이러한 결론을 내리게 되었다. 그들은 동물의 척수를 절단한 다음 정서를 야기하는 상황에 놓아두었다. 동물은 말초신경계의 생리적 변화를 경험하지 못했음에도 불구하고 얼굴과 소리를 통해 자신의 정서를 표현하였다. 또한 캐넌이 보고한 초기 연구결과에 따르면, 척수가 절단된 환자의 경우 마비가 되었음에도 불구하고 감정을 느끼는 능력은 그대로 유지되었다. 또 다른 연구결과에서는 안면마비 증세를 가진 환자가 정서를 경험하는 능력을 유지하고 있음

을 관찰하였다. 비록 환자가 더 이상 자신의 얼굴을 움직이거나 얼굴의 감각을 느끼지는 못했지만 다른 사람의 정서상태를 인식할 수 있었고, 자신의 정서를 경험하는 데 아무런 문제가 없다고 보고하였다. 그 환자는 얼굴표정을 지을 수 없었음에도 불구하고 일상적인 정서반응을 보여 주었다.

`관련어` │ 제임스 – 랑게 이론

캘리포니아 성격검사
[– 性格檢査, California Psychological Inventory: CPI]

MMPI 문항에 기초한 정상인의 적응을 평가하기 위한 검사.

`심리검사`

12~70세 정상인의 사교성, 인내성, 책임감과 같은 대인관계 행동을 이해하고 진단하기 위하여 고프(H. Gough)가 개발하였다. MMPI를 기초로 개발하였으며, 총 434문항 중 194문항이 MMPI 문항과 일치한다. 하지만 MMPI가 임상장면에서 이상행동을 평가하기 위해 고안되었다면, CPI는 보통 사람들의 행동을 설명하기 위해 제작되었다. 4개의 척도군과 18개의 하위척도로 구성되어 있으며, 자세한 내용은 다음과 같다. 제1군은 심리적 안정감, 우월성, 자신감 정도를 측정하며 지배성, 지위 상승 욕구, 사교성, 사회적 안정감, 자기수용, 행복감의 척도로 구성되어 있다. 제2군은 사회적 성숙도 및 책임감 강도를 측정하며 책임감, 사회화 정도, 자기통제력, 관용성, 좋은 인상, 동조성의 척도로 구성되어 있다. 제3군은 성취 능력 및 지적 능력 정도를 평가하며 순응적 성취, 독립적 성취, 지적 효율성의 척도로 구성되어 있다. 그리고 제4군은 지적 형태 및 흥미 양식을 측정하며 심리적 예민성, 융통성, 여성성의 척도로 구성되어 있다. 1987년 개정판에는 기존의 18개 하위척도와 더불어 독립성, 공감척도가 추가되었다. 이외에도 개인의 적응 수준 파악에 사용되는 벡

터척도 세 가지, 즉 내재성-외재성 척도, 규범 선호-규범 회의 척도, 자기이해와 자기실현 척도가 있다. CPI의 해석은 척도별 점수에 따른 프로파일 분석으로 이루어진다.

관련어 │ 객관적 성격 진단검사, 다면적 인성검사

커넥팅
[- , connecting]

영화와 영화 사이에 어떤 연관이 있는지, 내담자의 삶과 삶의 사건이 무슨 연관이 있는지 연결시켜 내담자의 통찰력을 북돋아 주는 기술. 영화치료

커넥팅은 영화치료에서 사용하는 기술로, 내담자가 영화에 대한 이야기나 자신의 삶에 대한 이야기를 하면서도 그것이 어떻게 연결되어 있는지 모를 때 치료자가 연결을 해 주는 것이다. 치료자는 표면적으로 보기에 전혀 상관없어 보이는 사건을 연결시키는 질문을 함으로써 내담자가 지금-여기에서 숙고할 기회를 준다. 또한 내담자에게 커넥팅 질문을 할 때 이러한 사건과 사건을 연결해 줄 심리학적 자산이나 통찰력이 부족한 경우는 치료자가 적절하게 해석해 주어 커넥팅할 수 있다.

커리어넷
[- , career-net]

여러 가지 진로정보를 제공하는 우리나라의 인터넷 웹사이트 중 하나. 진로상담

한국직업능력개발원에서 1999년 12월에 교육인적자원부의 지원을 받아 다양한 진로정보를 인터넷으로 제공하기 위하여 개설한 웹사이트다. 이곳에서 제공하는 진로정보는 직업 사전, 학과 사전, 학교 정보, 직업 적성검사 · 직업흥미검사 · 진로성숙도검사 · 직업가치관검사 등 진로에 관한 심리검사, 진로탐색활동과 의사결정 프로그램 등의 프로그램, 미래의 직업세계, 진로지도 자료와 지역 진로 및 교사 연수자료 등의 진로교육 자료, 사이버상담 등을 제공하며 각 영역에 대하여 초등학생, 중학생, 고등학생, 대학생/일반인, 교사 등 연령이나 대상에 따라 구분하여 자료를 검색할 수 있다.

관련어 │ 노우, 워크넷

커플 및 부부상담
[- 夫婦相談, couple and marital counseling]

결혼을 했거나 하지 않은 커플의 정체성 문제와 어려운 문제의 해결, 커플관계 개선을 목적으로 하는 상담. 부부상담

커플 및 부부상담은 두 사람과 그들의 관계에 존재하는 역동을 다루기 때문에 개인으로 상담할 때보다 더욱 풀기 어렵고 더욱 격앙되는 면이 있다. 초기 부부상담은 결혼하지 않은 커플이나 동성 커플을 포함하지 않았다. 그러다가 이후에 커플상담 용어를 포함하고 결혼형태의 다양화로 혼전 동거와 동성애 커플을 포함하는 것으로 확대되었다. 현재 우리나라에서는 결혼한 부부를 대상으로 하는 상담인 부부상담이 일반적으로 행해지고 있다. 커플 및 부부상담에는 다양한 이론적 접근법이 있고 접근법

에 따라 관점과 목표가 다르다. 따라서 이를 간략화하기가 어렵지만 각 접근법을 간단히 정리하면 다음과 같다. 첫째, 정신분석적 커플 및 부부상담은 개인이 자신의 배우자 또는 파트너의 무의식 과정뿐 아니라 자신의 무의식 과정을 인식하도록 돕는 데 초점을 맞춘다. 이 이론은 해결되지 못한 어린 시절의 미해결 과제가 현재 관계에 미치는 영향을 탐색한다. 정신분석적 커플 치료자들은 현재의 관계 속에서 형성된 상호작용과 각자의 생애발달 초기에 일어나는 상호작용의 관계를 이해하고 수용하려는 시도를 한다. 여기서 주요 관점 중 하나는 관계의 맥락에서 개인을 보는 것이다. 정신분석적 접근은 초기 부모-자녀의 상호작용에 존재하는 역동에 기초하여 파트너를 선택하는 사람으로서 개인을 본다. 둘째, 행동주의 커플 및 부부상담은 현재 폭넓게 사용되는 것으로, 객관적 행동에 초점을 맞춘다. 이 커플상담의 유형은 부정적 상호작용을 감소시키는 반면, 감정적 교환을 수용함으로써 커플관계 향상에 주의를 기울인다. 개인 행동치료처럼 행동주의 커플상담은 친밀한 관계를 형성하거나 지지하는 데 중요한 영향을 끼치는 원인을 환경으로 보고 있다. 이 이론을 적용하는 전문가는 커플의 각 구성원이 다른 한 구성원의 행동을 조절하기 위해 관여하는 사이클에 관심을 집중한다. 따라서 행동주의 커플상담은 시간 제한적, 증상 중심적 상담이라고 할 수 있다. 셋째, 인지행동주의 커플 및 부부상담은 관계에서 각 개인의 행동뿐 아니라 타인의 행동에 대한 해석까지 상담 대상에 포함한다. 여기서 목표는 커플이 주요 문제에 대해 그 사고가 타당한지와 정확한지를 검증하고, 그에 따른 사고를 수정하기 위해 사고를 인식하는 것을 도와준다. 예를 들어, 커플이 서로에 대해 '항상' '결코'와 같은 용어를 사용할 때, 상담사는 커플에게 이러한 현상과 관련하여 결과를 예측하도록 촉진한다. 인지행동 커플 상담사는 또한 정확하지 않은 가정을 찾아보도록 하며, 커플이 더 정확한 가정을 발견하는 데 도움

을 준다. 넷째, 정서에 초점을 맞춘 커플 및 부부상담은 특정 애착과 연계하여 관계 문제를 본다. 이 이론에 따르면 삶의 초기단계에서 형성된 애착문제는 관계의 정서적 결합을 방해하며, 커플은 첫째(두려움과 불안감)와 둘째(화남과 방어)의 강점 뒤에 숨을 것이다. 관계의 어려움은 관계가 파트너로부터 정서적 안정감을 제공받지 못할 때 나타난다. 애착의 어려움은 버려짐과 같은 이차적 두려움으로 이끌어 그 관계를 더욱 어렵게 만들 수 있다. 이 이론을 사용하는 상담은 관계 속에서 상호 교류하는 느낌과 감정의 표현에 초점을 둔다. 감정의 표현을 통해 커플은 그들의 상호작용을 더욱 기능적으로 변화시킬 수 있는 방안을 찾으며, 궁극적으로 애착에서의 그들의 욕구를 만족시킬 수 있다. 다섯째, 체계적 커플 및 부부상담은 독특한 체계 내에서 커플을 본다. 개인심리학이 전통적으로 문제를 야기하는 내적 과정에 초점을 맞추는 반면, 체계이론은 문제의 원인을 파악하기 위해 전체적인 관점을 사용하며 개별 복합성의 관점에서 문제원인을 규명한다. 따라서 체계적 커플 상담사는 가족가계도(가족 역사와 관계 패턴을 그린 도해), 가족조각역동(부부의 역동과 위치를 신체적으로 표현)과 같은 기술을 사용하거나, 커플이 관계에 대해 가지고 있는 신화나 자신의 관점에서 바라본 관계의 이야기를 나누도록 격려함으로써 자신의 생각이 전부가 아니라 전체의 일부분이라는 것을 인식하도록 도울 수 있다. 커플 및 부부상담 분야는 지난 70년 동안 크게 발전해 왔으며, 그 당시 커플에서 나타난 치료의 문제점과 많은 연관성을 가지고 발달하였다. 또한 당면한 커플의 문제를 돕기 위해 많은 상담사가 상담 이론에만 의존하지 않고, 여러 가지 다양한 유형의 갈등과 커플의 욕구에 응답하는 통합적 접근을 사용하는 경향이 있다.

ㅋ

컴퓨터 단층촬영
[－斷層撮影, computed tomography: CT]

신체의 횡단면을 보기 위해 특수 엑스레이 장치와 컴퓨터를 사용하는 진단적인 영상장치. 뇌 과학

X-선 연속사진들을 컴퓨터로 2차원 또는 3차원의 영상으로 만든 것인데, X-선에 비해 구조물 겹침이 적어 구조물이나 병변을 좀 더 명확하게 보여준다. MRI보다 경제적이고 검사시간이 짧은 장점이 있지만 X-선에 노출된다는 단점도 있다.

컴퓨터 매개 의사소통
[－媒介意思疏通, computer-mediated communication]

컴퓨터를 활용한 의사소통. 사이버상담

사이버상담의 의사소통방식으로서 약자로 CMC라고 부르며, Host-User 방식과 Client-User 방식의 의사소통으로 구분한다. 컴퓨터 매개 의사소통을 통한 상담은 일대일 상담, 일 대 다수 상담, 다수 대 다수 상담, 정보습득 등이 있다. 일대일 상담은 전자우편방식과 채팅방식이 있다. 전자우편을 통한 상담은 인터넷에 계정을 가지고 있는 사람들끼리 메일로 상담을 하는 것이다. 채팅방식은 상담자와 내담자가 동시에 인터넷에 접속해 있어야 하며 실시간 대화가 가능하다는 특징이 있다. 일 대 다수 상담은 한 사람의 상담자와 다수의 내담자가 전자게시판을 통해 집단으로 상담을 받는 것이다. 이 방식도 채팅상담으로 가능하다. 다수 대 다수 상담은 공개토론의 형식을 취한다. 컴퓨터 컨퍼런싱 패러다임으로 많은 내담자를 대상으로 다수의 상담자가 함께 상담을 진행할 수 있다. 정보습득은 인터넷을 활용하여 무궁무진한 자료의 보고에서 관심 있는 자료를 획득할 수 있다는 인터넷의 장점을 활용한 것으로서, www(월드 와이드 웹)을 통해 전자우편, 뉴스그룹, 토론그룹, 전자대화 등을 통합적으로 사용할 수 있다.

관련어 사이버상담

컴퓨터 보조검사
[－補助檢査, computer-based testing]

평가의 과정에서 검사도구의 실시, 분석, 해석을 위해 컴퓨터 공학, 소프트웨어 프로그램 혹은 웹사이트를 활용하는 것. 심리측정

컴퓨터와 관련 기술의 급속한 발전은 교육적·임상적 장면에서 전문상담자가 내담자를 평가할 때 기존의 검사자원을 이용하는 능력을 향상시켰다. 컴퓨터 보조검사는 정신병리적 진단에만 국한되는 것이 아니라 성격, 행동, 지능, 능력, 진로발달 및 탐색, 관계 등을 포함한 다양한 영역을 평가하는 데 큰 도움이 된다. 이렇게 상담전문가가 이용할 수 있는 매우 다양한 컴퓨터 보조사정도구들이 있다. 컴퓨터 기술을 이용할 수 있는 도구로는 벡 우울척도(Beck Depression Inventory-II), 스트롱 흥미검사(Strong Interest Inventory), 성격사정검사(Personality Assessment Inventory), 성격유형검사(MBTI), 결혼만족도검사(Marital Satisfaction Inventory) 등이 있다. 또한 피험자의 개별능력에 따라 서로 다른 문항들을 선택하여 제시하는 개별적인 적응검사로 피험자 맞춤검사(tailored test)라 할 수 있는 컴퓨터 이용 개별적응검사(computer-adaptive testing: CAT)도 있다. CAT는 검사의 난이도가 피험자의 능력수준에 적합할 때 측정오차가 최소화되어 가장 많은 검사정보를 얻을 수 있다는 논리에 기초하여, 제시된 문항을 맞추면 더 어려운 문항을, 틀리면 더 쉬운 문항을 제시하도록 문항의 제시순서를 미리 정해 놓은 검사다. 미국의 대학원 입학 자격시험인 GRE(graduate record examination)는 컴퓨터 이용 개별적응 검사의 좋은 예라 할 수 있다. CAT는 컴퓨터 프로그램이 내담자의 능력수준을 신속하게 평가하

고, 내담자의 적성을 파악하는 데 적합한 평가문항들을 구조화하며, 지필검사보다 훨씬 더 신속하고 정확하게 처리한다. 컴퓨터 기술은 정신건강 상담자, 결혼 혹은 가정 상담자, 학교상담자뿐만 아니라 전문상담자로서 일하는 사람들에게 평가와 검사에 훨씬 더 쉽게 접근하도록 하였다. 그렇지만 상담자들은 소속 상담학회의 윤리규정에 명시되어 있는 검사와 평가 및 해석에 관한 지침에서 벗어나서는 절대로 안 된다. 또한 상담자가 컴퓨터 보조검사를 이용하더라도 사용하고자 하는 검사도구에 대한 전문적인 교육과 훈련을 충실하게 받아야 하는 것이 윤리적인 자세다. 더욱이 많은 검사가 컴퓨터 소프트웨어에 의해 작성된 서술형 보고서와 함께 채점되고 해석될 수 있는데, 그러한 경우 해당 검사가 측정하고자 하는 것의 구인(construct)에 대한 이해가 필요하다. 한편, 드러먼드와 존스(Drummond & Jones, 2006)는 컴퓨터 보조검사의 장점과 단점을 여러 가지 제시하였다. 장점으로는 신속하고 경제적인 자료의 수집, 더욱 정확한 채점의 가능성, 컴퓨터로 처리되는 분석과 서술형의 이야기체 보고, 내담자와 상담자 모두에게 검사결과에 대한 즉각적인 피드백, 내담자의 이전 문항에 대한 반응에 적합한 검사문항의 구조와 순서의 제시, 검사 소프트웨어에 의한 정보처리로 반복적인 상담업무에 소요되는 시간 단축 등이 있다. 단점으로는 검사 당시 내담자의 정서적 상태를 고려하지 못하여 나타나는 해석상의 혼란, 컴퓨터 보조도구를 위해 사용되는 규준자료의 불충분성, 정보수집에서 경제적일 수 있지만 장비와 시설을 갖추는 데 많은 비용이 필요하다. 또한 컴퓨터 보조검사는 일부 전통적이고 광범위한 자료는 컴퓨터 포맷에 적합하지 않을 수 있고, 치료적 관계형성에서 대단히 중요한 인격적 개입의 결여가 발생할 수 있으며, 컴퓨터 기반의 진단평가가 만들어지는 기준이 면밀하게 관찰되지 않을 수 있고, 진단검사를 위한 과정이나 특정 검사를 진행하는 과정에서 많은 비용과 시간이 소요될 수 있다는 단점도 있다. 만약 전문적인 상담자가 앞에서 언급한 긍정적인 면을 고려하여 컴퓨터 기반의 진단평가를 활용한다 하더라도, 평가와 상황별 개념화 과정을 통하여 내담자에 대한 최종적인 상담결과를 검토할 때는 그것을 유일한 평가도구로 활용하지는 않을 것이다. 최종적인 평가결과는 언제라도 활용 가능한 수많은 평가방법으로 수집된 정보들과 내담자와의 인터뷰가 포함된 종합적인 검토에 따라 도출해야 한다. 그렇게 하지 않으면 내담자에게 결코 최선의 상담을 제공할 수 없을 것이다.

컴퓨터 조력상담
[-助力相談, computer assisted counseling]

컴퓨터를 이용한 상담. 사이버상담

컴퓨터 조력상담은 상담자와 내담자가 서로 같은 공간에서 만나 대화를 하는 것이 아니라 각자의 컴퓨터를 이용하여 서로 멀리 떨어져서 원격으로 상담에 참가하는 경우와 컴퓨터가 상담자의 역할을 대신하여 내담자가 컴퓨터를 활용하여 본체에 내장된 하드웨어나 인터넷 서버에서 필요한 상담 도움, 즉 심리검사 혹은 상담 의사소통을 하는 경우로 크게 나누어진다. 사이버상담의 발전역사를 볼 때 전자의 방법이 먼저 발전하였고, 최근에는 후자의 방법으로 더 크게 발전하고 있는 추세다. 현재는 보통 사이버상담으로 통칭되고 있다.

관련어 | 사이버상담, 컴퓨터 매개 의사소통

컴퓨터 진로지도시스템
[-進路指導 -, Computer-Assisted Career Guidance Systems: CACGS]

진로지도장면에 컴퓨터 시스템을 활용하는 것. 진로상담

초·중등학교와 대학뿐만 아니라 지역사회센터

등 다양한 장면에 보급되어 있는 컴퓨터 시스템을 활용하여 진로상담 및 진로교육 서비스가 제공되는 형태다. 개인상담이나 집단상담장면에서 내담자는 상담자와 함께 컴퓨터 진로지도시스템을 통해 자신의 흥미와 적성을 탐색하고, 자신과 연결되는 교육 및 직업 대안에 대해서도 구체적으로 파악할 수 있다. 상담자는 내담자의 진로 및 진학계획과 관련된 정보를 포트폴리오 형태로 컴퓨터에 보관하고, 내담자의 진로발달영역의 학습이 어떻게 진행되고 있는지를 점검하고 상담하는 데 유용하게 활용한다. 또한 내담자 스스로 시스템에 접속하여 자신의 흥미나 적성 등에 대해 파악하고 자신의 특성이 직업세계 대안과 어떻게 연결되는지를 탐색하는 과정에서 도움을 받을 수 있다. 한편, 웹 기반 진로지도 프로그램은 인터넷 공간에서의 사이버상담을 포함하는데, 웹마스터나 웹디자이너의 도움을 받아 사이트 화면을 구성한다. 초기화면, 메뉴화면, 안내화면, 실행화면 등으로 구분되며, 일반적으로 가이드라인에 따라 각 화면이 제작된다. 초기화면은 진로지도 프로그램 홈페이지의 역할을 하며 프로그램과 관련된 전반적인 정보를 제공한다. 메뉴화면은 웹의 구조를 보여 주는 지도(map)를 작성하는 것이다. 이용자의 수준과 욕구에 따라 이해 가능한 논리로 제시된다. 안내화면은 이용자가 하나의 프로그램을 선택할 때 프로그램에 대한 안내를 제공하는 내용으로 구성된다. 안내문은 이용자의 연령층을 고려하여 작성되어 있고 지루하지 않도록 흥미롭게 만든다. 실행화면은 구체적인 프로그램 내용을 제공한다. 예를 들어, 적성과 흥미 등을 측정하는 검사도구가 탑재되어 있다면, 이와 함께 검사를 평가하여 판정하는 내용도 함께 제시된다. 그리고 프로그램에 참여한 후에는 결과를 제공하여 다시 다음 프로그램에 참여하게끔 동기를 부여하도록 제작되어 있다.

관련어 | 사이버상담

케모브레인
[–, chemobrain]

항암치료 후 흔히 나타나는 인지적 기능의 저하 증상. 뇌 과학

항암치료 후 결정을 담당하는 뇌의 특정 부위에 에너지 사용이 현저하게 줄어들어 뇌 기능의 변화를 가져옴으로써 정신이 멍해지고 생활기능이 저하되는 증상을 가리킨다.

관련어 | 뇌

케스틴버그 동작 프로파일
[–動作–,
Kestenberg movement profile: KMP]

케스틴버그(Kestenberg)가 라반동작분석(LMA)의 영향을 받아, 프로이트의 심리성적발달과 신체동작 및 리듬패턴의 연구를 통합하여 개인의 심리운동발달을 측정하는 동작진단의 체계로 만든 것. 무용동작치료

케스틴버그 동작 프로파일은 인간의 비언어적 행동을 관찰하고 주시하며 해석하기 위한 기구로서, 처방, 진단, 치료계획, 그리고 다양한 층의 내담자의 중재 및 상호작용에 사용할 수 있다. KMP의 구조는 두 가지 주요 하부조직, 즉 긴장–흐름 에포트(시스템 1)와 형태–흐름 구체화(시스템 2)로 이루어져 있다. 시스템 1은 태아와 신생아를 비롯한 삶 전체에 걸친 동작(긴장–흐름 리듬과 긴장–흐름의 속성) 양식에서 시작되는 전개방향을 구성하며, 내부의 욕구와 감정 및 필요를 기술하고 있다. 이 시스템은 환경의 도전(사전적 노력)과 노력의 반응에 대하여 반사적인 성인들의 양식으로 발전된다. 시스템 2는 사람과 사물에 대한 관계를 다루면서 전개방향을 구성한다. 즉, 양극성 형태–흐름과 단극성 형태–흐름은 태아와 신생아 및 그 후의 삶에 계속 이어지는 동작 양식을 보여 준다. 심리학적 측면에서 볼 때, 시스템 1은 자아발전의 방향을 묘사하는 반면 시스템 2는 사물과의 관계에 대한 발전적 방향을 묘사하

고 있으며, 시스템 2의 동작양식들은 시스템 1의 동작양식들의 구조가 된다.

긴장-흐름 [緊張-, tension-flow] 케스틴버그 동작 프로파일(KMP)의 구조를 이루는 두 가지 축의 하나로 시스템 1이라고 불린다. 자유로운 흐름은 이완 및 연속성과 일치하고, 제한된 흐름은 억제 및 비연속성과 일치한다. 긴장-흐름의 근본적인 리듬은 자유로운 흐름의 긴장과 제한된 흐름의 긴장이 교차하는 것이며, 이것은 신경자극의 용이성과 억제성을 반영하고 있다. 또한 한 사람의 긴장-흐름의 변화가 결국 다른 사람들과 유사할 때 파장 동조(attunement)가 발생한다. 이와 같은 시스템 1은 긴장-흐름 리듬, 긴장-흐름의 속성, 사전적 내적 충동, 에포트로 이루어져 있다.

형태-흐름 [形態-, shape-flow] 케스틴버그 동작 프로파일(KMP)의 구조를 이루는 두 가지 축의 하나로 시스템 2라고 불린다. 형태-흐름은 신체의 하나 혹은 그 이상의 차원의 성장과 수축의 교차에 관여한다. 신체의 다양한 형태는 자신과 환경의 관계에 대한 변화를 표출하는 데 이용된다. 사람들은 일반적인 환경조건에 대해서는 형태의 균형적인(양극성의) 변화로 반응하며, 개별적인 자극에 대해서는 형태의 비균형적인(단극성의) 변화로 반응한다. 케스틴버그(kestenberg, 1985)는, 신체형태의 변화의 연속, 형태-흐름의 근본적인 리듬은 성장(흡입할 때와 웃을 때)과 수축(배출할 때와 찡그릴 때)이 교대로 일어난다고 하였다. 즉, 신체가 수축할 때 사람들은 자기 신체의 외적인 부분을 내부로 끌어당기는 힘을 느끼며, 이때는 신체가 환경에 노출되는 것이 감소한다. 이와는 반대로 신체가 성장할 때는 신체의 바깥으로 확장되어 외적으로 끌어당기는 힘을 느끼게 되며, 이때는 신체가 환경에 노출되는 것이 증가한다.

방향설정의 형태 [方向設定-形態, self-di-rected shape] 케스틴버그 동작 프로파일(KMP)의 동작 양식의 하나로, 자신과 타인들과의 신체적 경계구역의 확장을 가능하게 하는 것이다. 이 동작들은 공간에 있는 사람들과 사물들을 연결하는 것과, 자신을 방어하기 위한 방어적 경계를 형성하는 데 이용된다. 자아방어의 명확한 경계를 설정하는 능력은 단극성 형태-흐름보다 훨씬 발전적으로 진보된 단계로 간주되고 있다. 예를 들어, 단극성의 수축에서는 개인이 작아지거나 위험한 환경 내지 공격자로부터 움츠리는 것이지만, 방향설정의 형태를 사용함으로써 개인은 공격자로부터 신체를 방어할 수 있는 공간 속의 간격을 창출한다.

형태-흐름 디자인 [形態-, shape-flow design] 케스틴버그 동작 프로파일(KMP)의 동작양식의 하나로, 생의 초기에 편안함과 불편함의 감정과 매력과 혐오라는 감정에 기여하며, 안전함과 지지라는 감정의 구조를 창조한다. 형태-흐름 패턴은 인간관계에 대한 내부의 감정을 표현하고 조직하는 수단이 된다. 예를 들어, 사람들은 안전하다고 느낄 때는 자기 신체의 경계를 확장하며 성장하려는 경향이 있다. 반면에 불안전한 환경에 직면하면, 성장은 내부의 감정과 외적인 표출 사이의 충돌을 발생시킨다. 감정과 표현의 균형에 이러한 방해물이 있을 때, 개인은 갈등적인 동작의 양식을 행하게 되고, 인간관계에서 자신의 필요와 감정을 효율적으로 의사소통하는 데 어려움을 겪는다.

단극성 형태-흐름 [單極性形態-, shape-flow of monopolarity] 케스틴버그 동작 프로파일(KMP)의 동작양식의 하나로, 다른 사람들과의 관계에서 불쾌하거나 유해한 접촉을 피할 수 있는 원천을 제공하는 것이다. 사람들은 편안함을 느낄 때 성장하고, 만족을 표현하여 타인과의 접촉을 증진시킨다. 하지만 신체가 고통스러워하고 불쾌한 감정을 느낄 때는 축소현상이 일어나서 타인과의 접촉을 감소시

ㅋ

킨다. 이와 같은 성장과 수축의 리듬 중 어느 한쪽의 단극적 성향을 취하는 것은 상호 차별적인 구조를 형성하여 안전과 위험에 대한 감정의 반응을 제공할 수 있다.

양극성 형태 – 흐름 [兩極性形態 – , shape – flow of polarity] 케스틴버그 동작 프로파일(KMP)의 동작양식의 하나로, 출생 후부터 자아의 감정을 표면화시키는 비언어적인 매개체와 기쁨 및 불쾌감과 관련된 기분을 제공한다. 유아와 보호자는, 형태 – 흐름 패턴을 공유함으로써 호흡작용과 접근방식에 서로 적응하고 상호작용을 통한 상호 지지에 기반을 두는 관계로 발전할 수 있다. 신뢰는 양립적인 호흡리듬과 지지적인 접근방식에 내재하는 예측성에 의해 형성된다.

긴장 – 흐름의 속성 [緊張 – 屬性, tension – flow attributes] 케스틴버그 동작 프로파일(KMP)의 동작양식의 하나로, 감정의 수준과 필요를 표현하는 기능을 말한다. 긴장 – 흐름의 속성으로 근육긴장의 탄력성과 동작의 연속성 및 비연속성이 있으며, 이것들은 긴장의 흐름을 통제하고 기쁨과 안정, 불쾌감과 위험이라는 구체적인 감정에서 발생한다. 무용동작치료의 목적은 내담자의 긴장 – 흐름 속성을 측정하는 것이다. 사람들이 행하는 자유로운 동작과 제한적인 동작의 비율은 그들이 얼마나 불안하고 억눌림을 당하고 있는지를 나타낸다.

긴장 – 흐름 리듬 [緊張 – , tension – flow rhythm] 케스틴버그 동작 프로파일(KMP)의 동작양식의 하나로, 규칙적이거나 비규칙적으로 발생하는 근육긴장의 변화양식을 말한다. 긴장 – 흐름은 열 가지 양식에서 관찰이 가능하다. 즉, 빨아 댈 때, 덥석 달려들어 물 때, 근육이 긴장했을 때, 달릴 때, 멈추었다가 움직이기 시작할 때, 파동이 심할 때, 감정이 격할 때, 점프할 때, 그리고 힘차게 달릴 때다. 그 리듬

들은 마음껏 누릴 수 있는 것과 호전적인 것으로 나누어진다. 열 가지 리듬은 모두 잠재적으로 태아에게 중요하며, 이후에는 연령에 맞는 기능을 제공하면서 성인들의 동작에 저변으로 남는다. 개인이 선호하는 방식은 자신의 주된 긴장 – 흐름 리듬에 반영되어 있다.

켈로그의 묘화 발달단계
[– 描畵發達段階, Kellogg's development of drawing]

켈로그(Kellogg)가 제시한 연령에 따른 그림형태의 변화과정.
미술치료

켈로그는 1970년 그림의 발달단계를 연령에 따라 구분한 것이 아니라, 전 세계 여러 나라에서 20년 동안 수집한 백만 점 이상의 2~4세 유아의 그림을 분석하여 그림의 발달과정을 밝혔다. 유아의 그림은 점 찍기와 단순한 선 긋기와 같은 초보적 낙서, 일반적이고 기본적인 형태나 도식들이 하나 혹은 둘 이상 모여 다른 형태를 만들어 내는 도식 및 연합, 태양 형태의 인물, 만다라 모양 인물형태, 인물과 해님의 결합상태, 인물의 두형 표시, 팔 없는 인물, 몸통 부착 인물, 초보적 인물, 완전한 인물표현 등의 순서로 대상이 점점 뚜렷하게 표현되는 단계를 거치면서 그림이 순차적으로 발달해 나간다. 2~4세 유아가 선을 나타내는 형태는 대략 스무 가지로 구분할 수 있는데, 예를 들면, 점, 수직선, 수평선, 사선, 곡선, 반복된 수직선, 반복된 수평선, 반복된 사선, 반복된 곡선, 개곡선, 폐곡선, 지그재그선, 고리선, 반복된 고리선, 달팽이선, 중복원, 반복된 원, 펼친 원, 교차된 원, 불완전한 원이 있다. 이와 관련하여 구체적인 모양은 다음 그림에 제시되어 있다. 이러한 형태들은 두 가지 이상의 기본 도형이 함께 표현되는 연합과 셋 이상의 도형으로 표현되는 집합이 나타난다. 도형은 서로 다른 2개의 도형이 각각 분리된 것, 겹친 것, 하나가 다른 하나를 포함하

는 것의 세 가지 방식으로 표현될 수 있으며, 예순여 섯 가지의 기본 도형은 표와 같다. 유아는 집합과 연합을 이루면서 디자인을 하기 시작하는데, 만다 라형, 태양형, 방사선형 등으로 얼굴형태나 인물의 모습을 구성한다. 4세 이상의 유아는 사람, 동물, 집, 건물 등의 주변 사물을 사실적으로 그리고, 얼굴 모양과 비슷한 도형들이 나타나면서 장식적 표현이 있다. 이와 관련하여 사람의 형태가 발달되는 과정 을 아래 [사람 형태의 발달과정] 표에 제시하였다.

1		점	11		폐곡선
2		수직선	12		지그재그선
3		수평선	13		고리선
4		사선	14		반복된 고리선
5		곡선	15		달팽이선
6		반복된 수직선	16		중복원
7		반복된 수평선	17		반복된 원
8		반복된 사선	18		펼친 원
9		반복된 곡선	19		교차된 원
10		개곡선	20		불완전한 원

[긁적거림의 종류 스무 가지]

출처: Kellogg, R. (1970). Analyzing children's art. Palo Alto, Calif.: National Press Books.

쌍	분리된 것	겹친 것	포함한 것
직사각형과 직사각형			
직사각형과 타원형			
직사각형과 삼각형			
직사각형과 제멋대로의 모양			
직사각형과 그리스 십자			
직사각형과 대각 십자			
타원형과 타원형			
타원형과 삼각형			
타원형과 제멋대로의 모양			
타원형과 그리스 십자			
타원형과 대각 십자			
삼각형과 삼각형			
삼각형과 제멋대로의 모양			
삼각형과 그리스 십자			
삼각형과 대각 십자			
제멋대로의 모양과 제멋대로의 모양			
제멋대로의 모양과 그리스 십자			
제멋대로의 모양과 대각 십자			
그리스 십자와 그리스 십자			
그리스 십자와 대각 십자			
대각 십자와 대각 십자			

[도형의 예순여섯 가지 집합 및 연합]

출처: Kellogg, R. (1970). Analyzing children's art. Palo Alto, Calif.: National Press Books.

11. 비교적 완전한 사람 형태	
10. 몸에 팔이 붙은 사람	
9. 다양한 몸체를 지닌 사람	
8. 팔이 없는 사람 형태	
7. 머리 윗부분에 특징을 지니지 않은 사람 형태	
6. 머리 윗부분에 다양한 특징을 가지며 팔이 머리에 부착된 사람 형태	
5. 해님 얼굴와 인물 형태	
4. 해님 모양	
3. 집합	
2. 도식과 연합	
1. 초보적인 낙서	

[사람 형태의 발달과정]

출처: Kellogg, R. (1970). Analyzing children's art. Palo Alto, Calif.: National Press Books.

관련어 | 로웬펠드의 묘화발달단계, 리드의 묘화발달단계, 린스트럼의 묘화발달단계, 묘화의 발달

코너스 평정척도
[－評定尺度, Conners Rating Scale]

과잉행동 및 주의력결핍(ADHD)을 사정하기 위한 척도.
`심리검사`

아동 및 청소년의 ADHD를 진단하기 위해 코너스(Conners, 1969)가 개발한 규준 지향적 질문지다. 6~14세의 아동을 대상으로 하는 코너스 부모 평정척도(Conners Parent Symtom Questionaire: CPSQ)와 코너스 교사 평정척도(Teacher Rating Scale: TRS)가 있다. 1997년 개정된 코너스 평정척도는 청소년용 자기보고 척도를 포함하여 6개의 주요 척도와 5개의 보조 척도가 더해진 통합 평가시스템을 구성하고 있다. 부모용 척도가 총 80문항, 단축형은 27문항이며, 교사용 척도는 총 59문항, 단축형은 28문항이다. 이 개정판은 ADHD 진단 외에도 가족문제, 정서문제, 분노조절문제, 불안문제 등을 평가할 수 있다. 우리나라의 경우는 코너스 평정척도 중 ADHD 아동의 부모 및 교사가 자주 보고하는 10개 문항으로 구성된 단축형 평정척도를 주로 사용하고 있다. 진술되고 있는 행동에 대해 0(전혀 없음)~3점(아주 심함)까지 평정하며, 단축형 기준으로 부모형은 16점 이상, 교사용은 17점 이상일 때 ADHD로 진단할 수 있다.

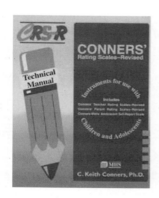

`관련어` 과잉행동 및 주의력결핍, 행동평정척도

코데인
[－, codeine]

아편이나 모르핀에서 추출한 약물로 아편제제의 일종. 메틸모르핀(methyl morphine)이라고도 함. `중독상담`

코데인은 생아편에 약 0.5~2.5% 정도 포함되어 있는 아편추출물로서, 1932년 프랑스의 약사 로비케(P. Robiquet)가 아편에서 추출하였다. 무색무취의 백색 결정체이며 쓴맛이 나는 코데인은 통증완화나 기침을 치료하는 데 효과가 있어서 기관지염, 인두염, 후두염, 기침, 백일해, 폐결핵, 신경통, 급경련통 등 중간 정도의 통증을 완화하는 진통제와 지사제로도 사용된다. 하지만 코데인은 중추신경계에 작용하기 때문에 남용할 경우 중독될 수 있다. 또한 모르핀과 헤로인 중독을 치료하기 위한 약물치료요법에 사용되기도 한다. 하지만 많은 양을 투약했을 경우 모르핀과 같은 중독의 효과가 발생하여 의식불명, 극소 동공, 느리고 얕은 호흡, 청색증, 저혈압, 폐부종 등을 유발할 수 있다. 과다복용의 초기 징후로는 차갑고 습한 피부, 피부 발진, 혼돈, 초조, 안절부절증, 어지럼증, 혈압강하, 호흡곤란, 서맥, 동공수축 등이 나타난다. 미국에서는 길거리에서 마약처럼 팔리며 스쿨보이 혹은 팝스라고도 한다.

`관련어` 모르핀, 아편, 헤로인

코르사코프 증후군
[－症候群, Korsakov's syndrome]

만성적인 알코올 섭취에 따른 뇌 손상으로 과거 기억을 상실하고 새로운 정보를 기억하지 못하는 상태.
`이상심리` `중독상담`

장기간 알코올을 과다 섭취하고 영양의 불균형으로 비타민 B1이 결핍되어 발병한다. 이 병은 주로 금단현상으로 짧은 시간 착각, 망상, 대뇌 흥분, 신체적 불안정, 사고력 저하를 보이는 진전섬망(delirium tremens)과 함께 시작되는 경우가 많고, 특징적으로 순간적인 기억력인 단기기억력의 감퇴가 뚜렷하여 방금 전 순간의 기억을 할 수 없어서 같은 사항을 되풀이해서 묻는다. 이와 관련하여 지각적 결함, 주도성의 상실, 공상한 것을 실제의 일처럼 이야기하는 작화증을 보인다. 어느 정도의 기간에 치료를 시행하면 호전되는 경우도 있지만, 대부분은 기질성 치매로 남는다.

관련어 | 기억상실장애, 베르니케 증후군, 알코올중독, 진전 섬망

코리앤더
[-, Coriander]

신경강장, 전반적인 강장, 진통, 항우울, 항박테리아, 항감염, 식욕촉진, 가스배출 등의 효과가 있는 식물로서, 지중해와 서아시아가 원산지이며 러시아, 루마니아, 베트남에서 재배. 향기치료

코리앤더는 일년생 식물로 30~90센티미터까지 자라고, 연녹색의 잎을 내며 흰색의 작은 꽃이 피고 다 익으면 갈색이 되는 열매가 맺힌다. 코리앤더 오일은 신경강장 효과가 있어서 전반적인 무기력감, 심리적 피곤, 신경탈진과 같은 증상에 도움이 되며, 진정시키는 효능과 고양시키는 효능을 동시에 가지면서 근심과 과도한 생각, 걱정으로 인한 신경성 우울증 치료에 도움을 준다. 또한 장 기능을 활발하게 해 주기 때문에 식욕부진, 소화불량, 복부팽만감, 헛배 부름 등에 사용하며, 통증을 약화시키는 효과로 폐색과 근육통, 근육강직을 치료하는 데 효과적이다.

코칭
[-, coaching]

경영 수퍼비전에서 유래한 수퍼비전 형태로, 코칭방식을 활용하여 수퍼바이저가 상담수련생의 다양한 상담기술을 점검하고 그 훈련을 돕는 것. 상담 수퍼비전

코칭은 짧고 비형식적인 수퍼비전을 통해서 이루어질 수도 있고, 형식적인 수퍼비전을 통해서 이루어질 수도 있는데, 무엇이든 간에 상담수련생의 협력적이고 자율적인 학습태도에 중점을 둔다. 즉, 수퍼비전에서 수퍼바이저는 보통 "당신은 이 시간을 통해서 무엇을 배우고 싶습니까?" 혹은 "우리가 이것을 어떻게 효과적으로 학습할 수 있을까요?"라고 수련생에게 질문을 한다. 이렇게 자율적인 질문에 따라 수련생은 스스로 수퍼비전에 필요한 것을 결정하는 기회를 얻는다. 이때 수퍼바이저는 수련생의 상담회기를 관찰하고 평가하는 권위자의 역할보다는, 수련생의 이야기를 경청하고 그들이 스스로 필요한 답을 찾을 수 있도록 해 주는 조력자의 역할을 한다. 이러한 특성은 인간중심접근의 수퍼비전과 특성이 비슷하다. 코칭은 초보상담자나 숙련된 상담자 모두에게 적용할 수 있지만, 숙련된 상담자나 동료 수퍼비전에서 효과가 더 크다.

관련어 | 동료 수퍼비전, 인간중심 수퍼비전

코칭 기술
[-技術, coaching skills]

상담자가 내담자의 보다 질 높은 삶과 인간관계를 위하여 필요한 인생의 기술을 훈련시키는 기술. 생애기술치료

코칭을 시행하는 대부분의 상담자는 상담과정을 통해서 내담자에게 직접적 혹은 간접적으로 여러 가지 삶의 기술을 전달한다. 하지만 이러한 삶의 기술들이 내담자 실제의 삶 속에서 온전히 그 역할을 제대로 발휘할 수 있도록 훈련시키는 기술에 대해서는 많은 주의를 기울이지 않고 있다고 생애기술

치료에서는 주장하고 있다. 따라서 코칭기술이라는 개념의 전문적인 훈련을 통하여 보다 효과적으로 내담자가 인생의 기술, 즉 말하고, 시연하고, 연습을 하는 등의 기술을 잘 습득할 수 있도록 상담자가 도움을 준다.

관련어 | 인생코칭

코카인
[-, cocaine]

남미의 코카관목의 잎에서 발견한 향정신성 약물 중 하나인 강력한 흥분제. **중독상담**

기원전 5천 년경에 남아메리카의 페루에서 원주민들이 처음 사용한 것으로 알려져 있다. 코카인의 원료인 코카나무는 볼리비아, 페루, 칠레 등 고지대에서 자라는데, 그 잎사귀에서 나오는 알칼로이드가 코카인이다. 페루의 원주민들은 코카나무의 잎을 피로 회복이나 배고픔을 잊게 하는 용도로 사용하였다. 코카나무의 잎에서 순수한 코카인을 최초로 추출한 사람은 1860년 독일 괴팅겐대학교의 화학자인 알베르트 니만(Albert Niemann)인데, 당시에는 코카인의 마비효과를 이용하여 국소마취제로 이용하였다. 이후 정신분석의 창시자인 프로이트가 코카인이 중추신경계에 작용하는 생리적 효과에 대해 큰 관심을 가지게 되면서, 모르핀 중독에 대한 치료제로 사용하려는 시도를 하였다. 하지만 이러한 시도들은 프로이트 자신과 다른 많은 사람들이 코카인 중독에 빠져 버리는 결과를 낳았다. 오늘날 코카인은 부작용 때문에 의학용으로는 사용하지 않는다. 코카인은 중추신경 흥분제에 속하는 마약류로서, 코카인의 효과는 5~30분으로 매우 짧다. 하지만 빠른 시간 내에 각성 효과와 강력한 도취감을 일으킨다. 특히 행복감을 매우 강하게 주기 때문에 단기간에 코카인 의존이 일어나거나 중독이 된다. 냄새를 맡거나 피우거나 주사를 놓는 방식으로 코카

인을 사용하며, 강력한 효과 때문에 계속적으로 과다 사용을 하면 환각이나 편집, 우울과 같은 신체적 악화가 유발되거나 일상생활에서의 부적응, 신경계 교란이 발생하여 경련이 일어나고 사망에 이르기도 한다. 코카인의 독성 중에는 coke bugs라는 것이 있는데, 피부 속을 벌레들이 기어 다니는 듯한 환상과 느낌을 주어 피부에 상처나 궤양이 생길 때까지 마구 긁기도 한다. 코카인의 특이할 만한 점은 신체적으로 뚜렷한 내성이나 의존성을 나타내지는 않는다는 것이다. 또한 과량을 사용하다가 복용을 중지하여도 금단현상이 아주 심하지는 않다. 코카인의 부작용으로 중독자가 생기는 이유는 다음의 두 가지다. 첫째, 코카인 사용자들은 더욱 강력한 효과를 얻기 위해 헤로인, 바르비탈(barbital)계 약물, 진정제 등과 혼합된 약물로 사용하는 경우가 많다. 이때 코카인 자체의 내성이나 의존성보다는 함께 사용하는 약물에 대한 내성과 의존성 때문에 심각한 중독 문제가 발생한다. 둘째, 코카인은 신체적인 의존증이 생기지 않아도 정신적인 의존증이 생긴다. 코카인의 효과는 단기간에 매우 강력해서 도취감을 계속해서 유지하고자 하는 욕구 때문에 지속적으로 더 많은 양의 코카인을 사용하게 된다. 인체 내에서 중추신경계에 작용하는 코카인의 영향은 매우 복잡하며, 그 작용 메커니즘 또한 아직까지 제대로 이해되고 있지 않다.

관련어 | 마약, 약물중독, 향정신성 약물, 흥분제

코카인 정신병
[-精神病, cocaine psychosis]

코카인의 남용으로 생기는 정신병적 증상. **중독상담**

코카인 정신병은 코카인의 변형약물인 크랙을 사용하는 사람들에게서 많이 발견된다. 증상으로는 망상이나 환각이 심해져서 폭력적이 되고, 불안해하며, 변덕스러워지고, 지나친 의심을 하거나 과대망

상이 생기기도 한다. 특징적인 것으로는 피부에 코카인이 돋는 듯한 환각을 경험하거나 온몸에 벌레가 기어 다니는 환각을 경험하기도 한다.

관련어 코카인, 크랙

콜라주
[−, collage]

사진이나 그림에서 필요한 형상 또는 형상들의 요소를 오려 붙여 재구성하여 개인의 내면을 이해하는 데 도움을 주는 미술치료기법. **미술치료**

'collage'라는 용어는 '풀로 붙이다'라는 의미의 프랑스어 'coller'에서 유래한 것이며, 이것이 미술에 도입되어 용지에 인쇄물, 천, 나무 조각, 나뭇잎, 모래 등 여러 가지 물질을 붙여서 구성하는 회화기법 또는 그러한 기법을 사용하여 제작된 회화를 가리킨다. 콜라주는 원래 일상의 여러 가지 소재를 혼합하여 작품을 만드는 것인데, 입체파 화가 피카소(Picasso)가 시작한 이후, 다다이즘(dadaism)과 초현실주의(surrealism) 미술가 등 많은 현대 미술가가 즐겨 사용하였다. 현대 미술가들은 콜라주를 사용하여 여러 가지 소재를 혼합하고 그것이 만들어 내는 우연한 효과에 의하여 보는 사람의 타성적 미의식에 충격을 주고자 했던 것이다. 현대 미술가들이 즐겨 사용한 콜라주가 미술치료에 도입된 것은 1972년 벅(Burk)과 프로반처(Provancher)가 미국 작업치료지에 콜라주를 진단 도구로 게재한 것에서 비롯되었고, 그 후 일본의 스기우라 교코(杉浦京子, 1994)가 콜라주를 치료기법으로 개발하여 상담 및 심리치료에서 많이 사용하게 되었다. 콜라주는 작업이 간편하고 작품의 보존이 쉽다는 큰 장점이 있다. 내담자는 사진이나 그림조각을 이용하는 것만으로도 자신의 감정을 쉽게 나타낼 수 있어서 자신의 심상에 대한 발견이나 계발이 가능하다. 또한 부적절한 감정이나 욕구불만 등의 내적 욕구 또는 퇴

행의 표현에 효과가 있다는 것이 밝혀짐으로써 미술치료의 주요 기법으로 사용되고 있다. 준비물은 다양한 색채의 그림이 들어 있는 잡지책, 종이, 풀, 가위, 용지 등이다. 용지는 엽서와 모조지 등 다양한 크기의 종이를 사용하며, 정해진 실시방법은 없다. 대상은 모든 사람, 즉 병리적 증상이 있는 환자뿐만 아니라 자기 성장을 위한 내담자에게도 적용할 수 있으며, 대상자의 증상이나 발달수준에 따라 제작기법을 달리하는 것이 효과적이다. 콜라주는 제작기법과 종이크기, 실시방법에 따라 내담자의 의식성과 무의식성의 표현에 차이가 있다. 내담자의 무의식적 표현을 돕기 위해서는 4절 크기의 백지가 적당한 반면, 내담자의 의식화 작업을 위해서는 8절, 16절, 엽서 등 종이 크기가 작을수록 효과가 크다. 콜라주 작품의 해석기준은 계열적 분석, 상징의 해석, 통합성, 공간 표상, 주제, 자른 방법이나 붙이는 방법 및 색채 등이다. 내담자가 작품을 완성하면 작품에 대해 제목을 붙이도록 하고, 내용에 관하여 이야기를 나눈다. 실시할 때 유의사항은, 잡지 그림 콜라주와 마찬가지로 치료자가 작품에 대하여 해석하는 것은 삼가고, 내담자가 말하고자 하지 않을 경우에는 치료자가 느낀 점을 말한 뒤에 종료하는 것이다.

출처: 정현희(2007). 실제 적용 중심의 미술치료. 서울 학지사.

엽서 콜라주 [葉書−, post card collage] 엽서 크기의 백지에 여러 가지 그림이나 사진 등을 짜 맞추어 작품을 만드는 미술치료기법이다. 이는 용지의 크기가 작기 때문에 걸리는 시간이 짧아 한

회기에 여러 개의 작업이 가능하다. 엽서 콜라주는 의식적 표현에 효과적이라는 장점이 있다. 이와 관련된 것으로 응답 콜라주(answer collage)가 있는데, 응답 콜라주에는 두 가지 방법이 있다. 즉, 엽서 콜라주에 응답하는 방법으로 콜라주를 만드는 방법과 완성된 엽서 콜라주를 다른 용지에 붙여 상대방과 교환하고 그 위에 콜라주를 만드는 방법이 있다.

잡지 그림 콜라주 [雜誌 –, magazine picture collage] 콜라주의 한 유형으로, 내담자가 잡지에서 좋아하는 것을 자유롭게 오려 붙이는 활동이다. 준비물은 8절지나 4절지, 가위, 풀, 여러 종류의 잡지나 카탈로그이며, 특히 잡지나 카탈로그의 경우에는 내담자의 연령이나 성별에 따라 준비하거나 내담자가 원하는 잡지를 가져오도록 한다. 실시 시간은 정해져 있지 않지만 대개 30분에서 1시간 정도 소요된다. 실시방법은 치료자가 준비한 재료를 제시하고, 내담자가 자유롭게 자기 마음에 드는 사진이나 그림을 오려서 풀을 이용하여 원하는 곳에 붙이도록 한다. 사진이나 그림은 가위를 이용하여 오리거나 손으로 찢을 수 있다.

콜라주 박스 [–, collage box] 미술치료기법인 콜라주의 한 유형으로, 미리 준비된 잘린 사진이나 그림을 선택하여 붙이는 것이다. 준비물은 4절지 또는 8절지, 가위, 풀, 오려 놓은 그림이나 사진이 들어 있는 상자이며, 비교적 간단하게 실시하므로 15분 정도 소요된다. 실시방법은 다음과 같다. 먼저, 잡지나 카탈로그에서 자른 사진이나 그림이 들어 있는 상자와 그 외 재료들을 제시한다. 그런 다음 내담자가 자유롭게 자신의 마음에 드는 사진이나 그림을 선택하고 풀을 이용하여 원하는 곳에 붙이도록 하는 것이다.

콜버그의 도덕성 발달이론
[– 道德性發達理論, Kohlberg's moral development theory]

인습적 수준에 따라 순차적으로 도덕성이 발달한다는 것을 강조하는 논리적 틀. **발달심리**

콜버그(Kohlberg, 1958)는 1956년부터 10~16세 미국 중류층 남자 아동청소년 75명을 대상으로 하인츠와 약사의 도덕적 갈등상황을 들려준 다음 도덕성에 관한 반응을 조사하고 분석하여 1958년에 도덕성 발달이론을 발표하였다. 이 이론은 도덕성 발달을 세 가지 수준과 6단계로 설명하였다. 수준 1은 전 인습적 수준으로 행위에 대한 처벌이나 보상을 주는 권위자의 규칙에 따라 도덕적 판단을 하고, 이 수준은 다시 두 단계로 나누어진다. 1단계는 처벌과 복종 지향 단계이며 행동의 결과에 따라 가치가 결정되고 처벌이 클수록 더 나쁜 것이며 피할 수 있는 처벌이고 나쁘지 않다고 생각한다. 2단계는 도구적 상대주의 지향 단계이며 자신의 이익을 얻기 위하여 권위자의 규칙에 따르고 다른 사람의 입장을 받아들인다. 수준 2는 인습적 수준으로 결과와 상관없이 가족, 사회, 국가 등의 규준이나 규칙을 따르려고 하며 다른 사람의 관점을 받아들이고 이해한다. 수준 2는 3단계인 대인 간의 조화 또는 착한 소년–소녀 지향 단계와 4단계인 법과 질서 지향 단계로 나누어진다. 3단계는 행위의 의도성에 따라 도덕적 판단을 하며 타인을 기쁘게 하거나 인정받는 것이 옳은 것이라 생각하면서 착해지려 하며 사회적 규준을 수용한다. 4단계는 권위자를 존중하고 사회적 질서를 유지하는 것이 옳은 행동이므로 사회적 규범이나 질서를 지향한다. 수준 3은 후 인습적 수준으로 소속되어 있는 사회의 권위자와 무관하게 도덕적 가치와 원리를 규정하는 것을 말하며 5단계인 사회적 계약 및 합법적 지향과 6단계인 보편적 윤리적 원리 지향으로 나누어진다. 5단계는 도덕적 융통성이 발휘되는 단계이며 개인의 권리를 존중하고 사회적 약속은 대다수 사람의 보다 나은 이익을 위해 변화될 수 있다고 생각한다. 6단계는 인간의 존엄성, 정의, 사랑, 공정성에 근거를 둔 추상적이고 보편적인 행동지침을 지향하고 자신이 선택한 윤리적 원리와 일치하는 양심에 의해 옳은 행동이 결정된다. 이러한 도덕적 사고는 극히 개인적인 가치이므로 사회적 질서와 갈등을 일으킬 수 있으나 사회적 처벌보다는 양심의 가책과 처벌을 더 고통스럽게 생각한다. 이와 같이 도덕성의 인지발달이론가들은 인지능력의 발달에 따라 도덕발달수준이 순차적으로 발달해 간다고 믿는다. 그는 10세 이전의 아동은 대부분 전 인습적 수준에 머물며 고등학교 시기에 인습적 수준과 후 인습적 수준에 도달하고 6단계의 도덕적 사고는 발견하지 못하였다. 그는 인지발달에 따른 도덕성 발달단계를 제시했지만 다음과 같은 문제점이 있었다. 첫째, 도덕적 판단의 종단적 연구에서 후 인습적 수준이 발견되지 않았고, 이는 후 인습적 수준은 실제 도덕성 발달양상을 밝히는 데 부적합하다. 둘째, 도덕성 발달이 순차적으로 발달한다고 했지만 실제적으로는 도덕적 퇴행이 발생한다. 셋째, 자신의 도덕적 가치에 따라 실제 도덕적 행위로 실행되지 못한다는 도덕적 판단과 행위 간의 불일치를 분명하게 설명하지 못한다. 넷째, 그의 이론이 미국 중류층 백인 남성의 도덕적 사고를 반영함으로써 문화적 편향이 있다. 마지막으로 그가 추구하는 도덕적 정의는 개인적 권리와 공정성을 반영하고 다른 사람과의 관계성을 간과하여 도덕성의 본질과 보편성을 무시한 것이 문제점으로 거론되고 있다.

관련어 도덕성 발달, 피아제의 도덕성 발달이론, 투리엘의 영역 구분 모형

콤플렉스
[−, complex]

감정적으로 강조된 심리적 내용, 즉 개인무의식의 정서, 기억, 지각, 욕구의 핵심 패턴. **분석심리학**

브로이어(J. Breuer)가 콤플렉스 개념을 정신분석 병리학 용어로 처음 사용했고, 분석심리학자인 융(C. G. Jung)이 콤플렉스 용어를 가장 강조하였다. 그는 콤플렉스를 무의식에서의 중심점으로 설명하였는데, 처음에 그의 이론에 대해 '콤플렉스 심리학'이라고 불렀을 만큼 콤플렉스는 융의 이론에서 중요하다. 그는 무의식적 마음을 개인무의식과 집단무의식으로 구분하고, 개인무의식이 콤플렉스에 의해 지배당한다고 믿었다. 또 단어연상검사를 통해 콤플렉스에 대한 증거를 발견하였다. 단어연상검사에서는 연구자가 100개의 단어목록을 각 피검자에게 읽어 주고, 피검자가 최대한 빨리 단어를 듣고 떠오르는 반응에 대해 말하면, 피검자의 반응시간을 연구자가 측정한다. 이때 연구자는 말을 더듬거나 혀를 내미는 등 평범하지 않은 반응에 주목한다. 융은 피검자의 반응에서 피검자의 무의식적 감정과 믿음에 대한 힌트를 얻었다. 융의 이론에서 콤플렉스는 의식적이거나, 부분적으로 의식적이거나, 무의식적이다. 콤플렉스는 긍정적 또는 부정적일 수 있고, 긍정적인 결과를 가져오거나 부정적인 결과를 가져올 수 있다. 콤플렉스의 예는 다음과 같다. 만약 누군가가 어렸을 때 다리를 절단했다면, 핸디캡을 극복하고 성공적인 삶을 살아간다고 해도 이는 그 사람에게 큰 영향을 미친다. 그는 많은 사고, 정서, 기억, 감정, 열등감, 승리감, 괴로움을 가지고, 자신의 삶에서 한 측면을 중심으로 결정해야 할지도 모른다. 만약 이러한 사고들이 그를 불안하게 한다면, 융은 그가 다리에 대한 콤플렉스를 가지고 있는 것이라고 언급하였다. 콤플렉스에는 종류가 많지만, 콤플렉스의 핵심은 경험의 보편적인 패턴이나 원형이다. 그가 설명한 주요 콤플렉스는 아

ㅋ

니마와 아니무스 두 가지다. 또 다른 주요 콤플렉스는 어머니, 아버지, 영웅, 최근에는 형, 언니다. 융은 모든 사람이 정신에 영향을 미치는 정서적 경험을 가지기 때문에 모두 콤플렉스를 가진다고 믿었다. 비록 이들이 정상이라고 해도 부정적 콤플렉스는 인간에게 고통을 줄 수 있다. 융과 프로이트(S. Freud) 이론 간의 중요한 차이는 융이 콤플렉스에는 다양한 종류가 있다고 생각한 반면, 프로이트는 어린 소년이 정신 발달단계에서 직면하는 오이디푸스콤플렉스에만 초점을 맞춘 점이다. 현재 콤플렉스의 존재는 심층심리학 분야에서 널리 인정되고 있다. 심층심리학에서는 인간의 성격에 영향을 미친 가장 중요한 요소는 무의식 속에 깊이 있는 것이라고 가정한다.

관련어 | 개인무의식, 단어연상검사, 아니마, 아니무스, 집단무의식

쾌락원리
[快樂原理, pleasure principle]

즉각적인 만족과 쾌감을 추구하며 불쾌감이나 고통을 피하고자 하는 심리적 기능이 작동하는 원리. 정신분석학

성격의 구조모형에서 원초아가 작용하는 원리다. 쾌락원리에 지배되는 원초아는 즉각적인 욕구만족과 쾌감을 추구하며 불쾌감을 피하고자 한다. 내적 자극이나 외적 자극으로 인해 심리적 에너지가 증가하면 원초아가 통제하기 어려운 긴장과 불편감이 유발된다. 이때 원초아는 결과와는 상관없이 즉각적으로 긴장을 감소시키려고 하는데, 이러한 경향을 쾌락원리라고 한다. 어떤 대가를 치르더라도 욕구의 만족과 발산을 추구하고 고통스러운 긴장을 피하는 것을 원칙으로 한다. 프로이트(S. Freud)는 몇 가지 기본 원리가 모든 심리기능을 규정하고 있다고 가정하였다. 그 가운데 하나가 쾌·불쾌의 원리다. 처음에는 불쾌 원리라는 용어를 사용했지만,

그 후 쾌락·불쾌 원리로 수정하고, 최종적으로 쾌락원리라는 용어를 채택하였다. 기본적인 개념은 불쾌감을 피하고 쾌락을 추구하고자 하는 원초아의 경향성을 뜻한다. 원초아는 이성이나 논리와 무관하며 결과를 고려하지 않으므로 본능적인 소망과 충동에 대한 즉각적인 만족을 추구한다. 프로이트는 인간은 쾌락원리에 따라 기능하며 모든 욕망을 구속 없이 만족시키고자 한다고 주장하였다. 미숙한 유아나 어린 아동의 행동은 주로 쾌락원리에 따른다. 그 후 성장하는 과정에서 아동은 자신의 욕구와 현실 간의 대립을 경험하면서 자아가 발달하고 행동을 통제하는 현실원리에 따르게 된다.

관련어 | 원초아, 일차과정

쿠더 직업흥미검사
[－職業興味檢査,
Kuder Occupational Interest Survey: KOIS]

직업의 선호도를 알아보는 진로검사. 심리검사

쿠더의 직업적 선호검사라고도 불린다. 직업의 흥미에 대해 알아보기 위해 1940년에 쿠더(Kuder)가 제작한 것으로, 직업지도가 필요한 사람을 대상으로 하는 자기보고형 검사다. 활동 선호도를 묻는 검사인데, 피검자는 세 문항의 강제선택법을 사용하여 3개의 활동 중 가장 선호하는 활동과 가장 선호하지 않는 활동에 응답하는 방식이다. 10개의 직업군(대인 봉사, 설득하는 직업, 성직, 컴퓨터, 음악, 미술, 문학, 기계, 옥외직, 과학)에 대한 선호를 측정하며 시간의 제한은 없다. 쿠더 직업흥미검사의 유형은 A에서 D까지 네 가지가 존재하는데 A형은 일종의 인성검사이며, B형은 초기 직업흥미검사이고, C형은 B형을 대치하여 현재 사용되고 있는 것이다. 또 D형은 스트롱 흥미검사처럼 특정한 직업을 예언하도록 하는데 최근에 제작되었다. 검사에서는 구체적인 직업을 제시하지 않고 10개의 광범위한 흥

미영역, 즉 운동적 흥미(outdoor interest), 기계적 흥미(mechanical interest), 연산적 흥미(computational interest), 과학적 흥미(scientific interest), 설득적 흥미(persuasive interest), 미술적 흥미(artistic interest), 문예적 흥미(literary interest), 음악적 흥미(musical interest), 사회봉사적 흥미(social service interest), 사무적 흥미(clerical interest)에서 점수를 구한다.

쿤달리니 요가
[–, kundalini yoga]

> 탄트라의 대표적 수행법으로서 인간을 하나의 소우주라고 여기며 척수 하부에 자리 잡고 있는 쿤달리니라 부르는 정기를 활성화하여 정신적, 신체적 정화를 강조하는 심신훈련법.
> 명상치료

쿤달리니는 산스크리트어로 '감겨 있는'이라는 뜻을 가지고 있다. 샥띠(sakti) 여신 내부의 회음부(muladhara cakra)에 세 바퀴 반의 똬리를 틀고 있는 뱀의 형상을 하고 있어 이를 쿤달리니 샥띠라고 한다. 세 바퀴 반의 똬리는 인간의 깨어 있는 상태(jagrt), 꿈을 꾸는 상태(svapna), 숙면 상태(susupti)의 세 가지 정신상태(avastha)를 뜻한다. 이러한 인간의 상태를 초월한 의식 또는 순수 의식을 투리야(turiya)라 하고, 이는 우주의식의 의지이며 순수 의식의 속성과 샥띠로 구체화된 원시에너지와 같은 위대한 여신의 모든 속성을 지닌 최고의 의식상태를 말한다. 이러한 상태를 이끌어 내고 인체에서 창조되는 모든 에너지는 쿤달리니의 힘을 바탕으로 한다. 따라서 쿤달리니는 심장에서 목까지 작용하는 프라나 바유(prana vayu), 배꼽 아래에서 항문까지 작용하는 아빠나 바유(apana vayu)의 프라나, 즉 기와 결합하여 일깨워지고 상승한다.

관련어 | 명상, 요가, 탄트라 요가, 팔실수법

쿼드 프로 쿼
[–, quid pro quo]

> 동등한 교환 또는 보상. 인지행동 가족치료

프랑스어 'quid pro quo'는 '무엇을 위한 무엇'이라는 뜻으로서, 대상, 보상 또는 보복의 의미로 사용한다. 안정된 인간관계는 서로에 대한 기대와 행동에 대한 반응이 용납될 수 있을 때 성립한다. 계약관계는 이러한 상호 인지와 상호작용을 문서화한 것이며, 어느 한쪽의 희생이 요구될 때는 계약 관계가 깨진다. 이 같은 의미에서 부부도 일종의 계약관계라 할 수 있다. 하지만 애정을 근본으로 하는 부부관계는 서로에 대한 기대와 상호작용이 의식수준으로 표면화되기보다는 무의식수준에서 작용한다. 그러다가 어느 시점에 무의식수준에서 작용하던 서로에 대한 기대가 무너져 버리고 이것이 의식화, 표면화되면서 부부 사이에 문제가 된다. 쿼드 프로 쿼는 이 같은 부부 사이의 문제를 이해하고 새로운 부부체계의 재구축을 위해 무의식 속에 있는 서로에 대한 기대를 의식화시켜 치료하는 사고방식이다. 이는 행동주의 가족치료에서 사용하는 계약협상의 두 가지 형태 중 하나로, 상대방이 먼저 변화하면 자신도 변화에 동의하는 것으로 나타난다. 계약은 고도로 조직화하여 합의점은 일반적으로 문서로 작성한다. 각각의 배우자는 원하는 행동변화를 적은 뒤 치료사의 도움을 받아 합의점을 찾기 위해 협상한다. 치료모임이 끝날 무렵 문서화된 목록이 만들어지며 여기에 부부가 서명한다. 합의서는 쉽게 수정할 수 있고 합의한 것을 상대방에게 상기시켜 주는 단서로 작용하며, 변화에 대한 공동 책임을 상징한다.

ㅋ

퀴블러로스의 이론
[- 理論, Kübler–Ross's theory]

죽음에 이르는 과정을 개념화한 틀. `발달심리`

1995년 퀴블러로스는 시카고대학병원의 의사로서 200여 명의 말기암 환자들의 죽음을 지켜보면서 죽음에 이르는 동안 정서적 반응이 5단계를 거친다는 이론을 제시하였다. 죽어 가는 동안 나타나는 첫 번째 정서적 반응은 부정의 단계다. 환자들이 처음으로 불치병으로 진단을 받으면 잘못된 진단으로 여기거나 자신에게는 일어날 수 없는 일이라는 반응을 보이면서 질병을 인정하지 않고 받아들이지 않으려 한다. 한편 이러한 부정의 반응은 환자들이 받은 정신적 충격을 최소화하기 위한 대처전략이며 다른 대안을 찾기 위한 시간을 가질 수 있다는 측면에서 긍정적이고 건설적인 반응이라는 주장도 있다. 둘째는 분노의 단계다. 병이 더 이상 회복되지 않는다는 것을 깨닫게 되어 자신을 치료하지 못한다는 원망, 화, 분노, 격노 등의 감정이 가족, 의사, 간호사, 신 등에 투사되어 나타난다. 또한 건강하게 생활하는 사람들에 대한 부러움, 분노, 질투 등의 감정이 생긴다. 셋째는 타협의 단계다. 이 단계에 이르면 환자는 자신의 죽음을 인정하고 받아들이지만 자신이 해결하지 못한 일을 이룰 수 있도록 죽음이 연기되거나 늦추어지기를 바란다. 그래서 의사, 간호사, 신과 같이 절대적인 힘을 가지고 있다고 믿는 존재와 타협을 시도한다. 이러한 열망으로 몇 주 혹은 몇 달 동안 죽음을 연장하기 위하여 다른 사람에게 봉사하거나 신앙을 선택하여 계획적인 삶을 살려고 한다. 넷째는 우울의 단계다. 여러 노력에도 불구하고 몸이 점차 쇠약해져서 죽음이 확실해지고 피하지 못한다는 것을 깨닫게 되면 우울과 슬픔을 느낀다. 죽음에 임박했다는 것에 대한 슬픔뿐만 아니라 자신의 능력, 지금까지 살아온 생에 대한 만족감, 미래에 대한 삶의 상실을 인지하고 더욱더 슬퍼한다. 이 이론에서는 이러한 우울과 슬픔은 죽음을 맞이하는 환자에게는 삶을 정리하고 생각할 기회가 되기 때문에 필요한 과정으로 보고 환자를 위로하거나 격려하는 것은 바람직하지 않다고 하였다. 마지막 단계는 수용이다. 이 단계에 이르면 더 이상 죽음에 대하여 어떤 감정도 남아 있지 않으며 오히려 안도감을 느끼기도 한다. 때로는 신체적 통증과 불편함이 없어지기도 하며 운명을 받아들이고 혼자 있고 싶어 하며 평화로운 상태가 된다. 이와 같은 죽음의 과정을 모든 사람이 다 경험하는 것은 아니다. 첫 단계에 머무르는 경우도 있고 모든 단계가 하나의 과정으로 나타나는 경우도 있으며 어떤 환자들은 두세 가지 단계를 경험하기도 한다.

`관련어` | 죽음

큐 카드
[- , cue-card]

방송에서 프로그램 교체신호를 보내기 위해 사용하는 카드. `문학치료(글쓰기치료)`

큐(cue)는 연극이나 영화에서 배우에게 그가 행동할 차례임을 알리는 신호다. 큐 카드는 대개 텔롭(telop, 텔레비전에 투사하는 글자나 사진)이 사용된다. 큐 카드가 나오면 지방국은 본국의 프로그램으로부터 자국(로컬 방송국)의 스폿 CM 등으로 교체한다든지 한다. 저널치료에서 큐 카드를 사용하는 것은, 인생에서 일어난 사건과 상황이 어떤 무의식적 욕구에서 '큐' 사인을 받았는지 알아낼 수 있다.

크랙
[- , crack]

코카인에 탄산나트륨과 베이킹파우더를 첨가해서 부풀려 단단하게 만든 백색의 결정체. `중독상담`

크랙은 주로 담배처럼 흡연한다. 가열 시 부서지

는 소리가 나며 작은 단위로 잘라서 판매하기 때문에 크랙이라고 부른다. 크랙은 사용이 간편하고 효과도 강력한데, 가격이 저렴해서 중독자들이 쉽게 접근할 수 있는 약물이다. 증기를 흡입하면 소량의 코카인으로도 아주 빠르게 황홀감을 느낄 수 있다. 일반적으로 크랙을 흡입한 뒤 10초 이내에 중추신경계에 도달해 뇌의 특정 부위를 자극한다. 하지만 약물의 효과가 15분 정도밖에 지속되지 않고, 곧바로 우울함을 느끼게 되는 등 금단증상과 내성이 급속하게 나타나기 때문에 그만큼 중독의 위험성도 매우 높다. 크랙을 지속적으로 사용하면 경련, 발작, 호흡장애, 심장마비 등의 증상이 나타난다. 크랙은 빠른 효과와 저렴한 가격, 그리고 주사기를 이용하지 않고도 강렬한 효과를 얻을 수 있다는 매력 때문에 무서운 속도로 확산되었다.

관련어 | 금단증상, 내성, 중독, 코카인

크럼볼츠의 진로선택 사회학습이론
[-進路選擇社會學習理論, Krumboltz's social learning theory of career decision making]

사회학습이론을 적용하여 개인이 진로를 선택하는 과정에 미치는 요인을 밝히고자 하는 진로선택이론. **진로상담**

크럼볼츠, 미첼과 겔라트(Krumboltz, Mitchell, & Gelatt, 1975)는 사회학습이론으로 진로선택과정을 설명하려고 하였고, 진로선택에 영향을 미치는 요인으로 타고난 잠재력과 특수한 능력, 환경적 조건과 사건, 학습경험, 과제접근기술 등을 꼽았다. 타고난 잠재력과 특수한 능력은 각 개인의 타고난 기질적 특성을 말하며 환경적 조건과 사건은 사회정책, 보수, 노동법, 자연적 자원, 기술의 발달, 사회적 구조, 교육체계, 가정교육, 지역사회와 같은 사회적, 문화적, 정치적, 경제적, 관습적 요인들을 뜻한다. 또한 개인의 능력은 타고난 기질과 환경적 요인뿐

만 아니라 이 요인들의 상호작용으로 형성된다. 즉, 남들보다 빠르게 달리는 재능을 지닌 사람은 달리는 일에 흥미를 보일 수 있으며, 특히 눈이 많이 오는 지역에 산다면 다른 지역의 사람보다 스키에 대한 관심과 흥미를 많이 보이면서 스키선수가 될 가능성이 높다. 학습경험은 개인마다 다르며 독특성을 지닌다. 그들은 개인의 학습경험을 조작적 조건형성과 도구적 조건형성의 원리로 설명하였다. 즉, 자신이 다른 사람을 돕는 행동을 했을 때 칭찬이나 인정을 받는 것과 같이 긍정적인 경험을 했다면 사회복지나 봉사활동에 관련된 진로를 선택할 가능성이 높다. 이렇게 특정 행동에 대한 긍정적 결과를 얻게 되어 그와 관련된 행동이 증가하는 것을 조작적 조건형성이라 한다. 한편 자신이 관심을 갖고 있는 직업에 대한 부정적인 측면을 알게 되거나 부정적인 경험을 했다면 그와 관련된 직업을 피하려고 하는데, 이는 도구적 조건형성에 따른 것이다. 과제접근기술은 진로선택을 하는 과정에서 사용되는 문제해결기술과 같은 인지적 능력, 작업습관, 마음가짐, 정서적·인지적 반응 경향성 등 개인이 성장하면서 발달시킨 기술을 말한다. 과제접근기술에는 중요한 결정 상황 파악하기, 과제를 현실적으로 정의하기, 자기관찰 일반화와 세계관 일반화를 검증하고 정확하게 평가하기, 폭넓은 대안 마련하기, 대안에 필요한 정보수집하기, 비매력적인 대안을 점진적으로 제거하기 등이 있다. 이 같은 기술을 습득하기 위해서는 개인의 신념이 중요한 영향을 미치며, 여기에는 자신에 대한 신념인 자기관찰 일반화(self-observation generalization)와 직업세계에 대한 신념인 세계관 일반화(world-view generalization)가 있다. 자기관찰 일반화는 자기 스스로를 지속적으로 관찰하여 자신의 수행을 자기 또는 타인의 기준에 비추어 평가하는 것이다. 세계관 일반화는 학습경험을 통하여 자신이 속한 환경에 대한 일반적인 견해를 형성하여 미래 또는 다른 환경에서 일어날 수 있는 일들을 예상하는 것이다. 이런 신념(일반

화) 중에서 잘못된 신념을 파악하는 것은 진로의사결정에 어려움을 겪고 있는 내담자 상담전략 선택 시 도움이 된다. 미첼과 크럼볼츠(Mitchell & Krumboltz, 1990)는 초기의 진로선택 사회학습이론을 확장하여 진로상담 학습이론으로 발전시켰다. 이 이론에 따르면 내담자는 자신의 능력과 흥미에만 초점을 두어 진로선택을 하는 경향이 있다. 이 같은 태도는 제한적 경험을 불러와 사회적 변화에 따른 새로운 흥미를 탐색할 기회가 줄어든다. 따라서 상담자는 새로운 능력을 찾고 흥미를 확장하여 선택할 수 있는 기회를 갖도록 도와주어야 한다. 현대사회에서 작업환경과 직무구조는 급격히 변화되고 있지만 내담자들은 자신이 이미 가지고 있는 기술이나 지식만을 고집함으로써 적절하게 환경에 대처하지 못한다. 상담자는 작업과제나 기술을 향상시키기 위한 학습을 하는 데 도움을 주고 그에 따른 긴장과 스트레스를 해소할 수 있도록 해 주어야 한다. 내담자는 선택에 대한 공포를 가질 수 있기 때문에 문제만을 진단할 것이 아니라 직업에 대한 정보, 가족의 태도나 반응, 구직방법 등에 관한 정보를 탐색할 수 있도록 격려하고 지지하여 효율성을 높여 주어야 한다. 그리고 진로상담자는 내담자의 직업선택에 관한 상담뿐만 아니라 직업적 소진, 경력의 변화, 동료관계, 은퇴, 직업전환, 사회적 역할과 같은 직업과 관련된 모든 문제를 다루어야 한다. 이러한 목표와 역할들을 수행하기 위하여 상담자는 직무클럽이나 미디어 사용, 인지적 재구조화, 역할연기, 새로운 행동의 시도, 둔감화, 역설적 의도 등의 행동적 상담기법을 적용할 수 있다. 이와 더불어 미첼과 크럼볼츠(Mitchell & Krumboltz, 1996)는 삶에서 나타나게 되는 다양한 우연적인 사건에 주목하면서 한 사람의 진로발달과정에서 예기치 않은 사건이 일어날 수밖에 없고, 이러한 사건은 그 사람의 진로에 긍정적 또는 부정적으로 작용한다. 이들은 우연의 사건이 사람의 커리어에 큰 영향을 미친다고 결론짓고 스스로의 노력에 따라 긍정적으로 작용하는 경우를 '계획된 우연(Plannes Happenstance)'이라 정의하였다. 계획된 우연이란 우리가 만나게 되는 사람, 우연한 사건과 경험들이 긍정적인 효과를 미쳐 자신의 진로에 연결된다는 개념이다. 우연하게 일어나는 다양한 일들을 자신의 진로에 적극적으로 유리하게 만들어가는 능력은 저절로 가지게 되는 것이 아니며, 교육하고 가르칠 때 갖추어진다. 크럼볼츠는 평소 적극적, 긍정적으로 행동하면 '계획된 우연'이 일어날 가능성이 높다고 말하며, 이를 위해 5가지 마음가짐이 필요하다고 했다. ① 호기심(Curiosity): 궁금한 것이 사라지면 새로운 것을 배우는 기회를 잃게 된다. ② 인내심(Persistence): 단순한 우연이 아니라 필연으로 만드는 것은 애정을 가지고 계속 노력하는 것이다. ③ 융통성(Flexibility): 나를 행복하게 만드는 우연은 세상을 바라보는 태도와 상황을 변화시킨다. ④ 낙관성(Optimism): 모든 일에는 의미가 있으므로 만나는 기회를 긍정적으로 해석한다. ⑤ 위험감수(Risk taking): 안전한 것은 없다. 위험을 예측하며 불확실한 결과에도 도전한다. 그는 커리어는 용의주도한 계획과 준비가 필요한 것이라는 생각을 버리고, 오히려 우발적으로 언젠가 찾아올지도 모르는 절호의 기회를 놓치지 않도록 대비하고 준비하며 마음을 폭넓게 준비하는 것이 훌륭한 자세라고 강조한다.

관련어 고전적 조건형성, 사회학습이론, 역설적 의도, 역할연기, 인지적 재구조화, 조작적 조건형성, 체계적 둔감법

크레스피 효과
[－效果, Crespi effect]

강화의 크기 변화에 따른 수행상의 급격한 변화. **행동치료**

이 현상을 처음 발견한 크레스피(Crespi)의 이름을 따서 크레스피 효과라고 부른다. 기능적 학습이론가에 속하는 헐(Hull)은 초기연구에서 강화의 크기를 학습변인으로 다루었다. 즉, 강화의 양이 클수

록 욕구감소의 양이 커지며, 그에 따라 습관강도의 증가분도 커진다고 가정하였다. 그러나 실제 연구 결과는 이러한 가정을 충족시키지 않았고, 그의 주장은 설명되지 못하였다. 수행이 변화되기 위해서는 학습이 완성된 이후에 강화의 양을 변화시키는 것이 중요하다는 사실이 확인되었다. 예를 들어, 적은 강화를 받고 직선길을 달려가는 훈련을 받은 동물을 강화를 많이 주는 조건으로 바꾸면 달리는 속도가 갑자기 증가하였다. 또한, 많은 강화를 받고 훈련을 받은 동물을 적은 강화의 조건으로 바꾸었을 때는 달리는 속도가 감소하였다. 이와 같이 강화의 양을 변화시켰을 때 수행이 급격히 변한다는 것을 발견하였다. 이 연구결과를 토대로 유기체는 큰 유인가에서와 마찬가지로 적은 유인가에 대해서도 동일하게 빠른 학습이 일어나지만, 유인가의 크기가 변하면 수행은 달라진다는 결론을 얻었다. 강화의 크기가 변하면 수행은 달라진다.

크리티스의 진로진단기준
[- 進路診斷基準,
Crites's diagnosis criteria for career]

진로상담과정에서 내담자의 문제를 진단하거나 문제를 확인하기 위하여 크리티스(Crites, 1981)가 제시한 기준. 진로상담

개인의 진로를 진단하기 위한 준거를 변별적 진단(differential diagnosis), 역동적 진단(dynamic diagnosis), 결정적 진단(decisional diagnosis)으로 구분하였다. 변별적 진단은 내담자의 문제가 무엇인지 확인하고 설명하는 데 초점을 둔다. 역동적 진단은 내담자가 안고 있는 문제의 원인에 초점을 두어 비합리적 신념, 불안과 같은 부정적 정서, 정보의 부족 등을 파악하여 진단하는 것이다. 결정적 진단은 내담자의 의사결정 형태나 그 과정을 확인하여 문제를 진단하는 것이다.

관련어 행동주의 진로상담

클라리세이지
[- , Clary Sage]

항우울제, 진정, 강장, 신경강화, 항경련, 탈취, 통경(痛經), 저혈압에 효과가 있는 허브로서, 중앙 유럽, 러시아, 영국, 모로코, 미국에서 재배. 향기치료

클라리세이지는 이년생 혹은 다년생 허브로 높이가 30~120센티미터까지 자라며, 털이 무성하고 하트모양의 잎과 연파랑, 연자주, 흰색의 작은 꽃이 핀다. 클라리세이지 오일은 긴장상태를 이완시키면서도 피곤한 사람들의 활력을 높이는 효과가 있다. 그러므로 전반적인 강장효과와 더불어 진정효과를 나타낸다. 또한 클라리세이지는 '행복감을 주는 오일'로 잘 알려져 있으며 불안, 스트레스, 신경 긴장, 우울증 치료에 효과적이다. 클라리세이지 오일은 뇌하수체 생식선을 자극하여 에스트로겐 유사 작용을 하며, 이 특성 때문에 생리주기, 출산, 폐경기와 관련된 여성에게 효과적이다. 그리고 기관지 통로의 경련을 풀어 주고 천식 환자에게 나타나는불안과 감정적 긴장을 낮추어 주기 때문에 천식환자의 치료에 도움이 된다.

클라이언트
[- , client]

서버와 네트워크로 연결되어 서버에서 이메일, 저장된 파일, 서비스를 얻는 컴퓨터. 사이버상담

클라이언트는 컴퓨터 처리에서 다른 프로그램이 제공하는 서비스를 요구하는 프로세스 또는 다른 프로그램에 내장된 정렬 루틴을 요구하는 문서처리기를 말한다. 즉, 파일서버로부터 파일의 내용을 요

청하는 워크스테이션을 파일서버의 클라이언트라고 한다. 각각의 클라이언트 프로그램은 하나 또는 그 이상의 서버 프로그램이 자동 실행될 수 있도록 디자인하며, 또한 각각의 서버 프로그램은 특별한 종류의 클라이언트 프로그램이 필요하다.

클라이언트
[- , client]

개인상담

⇨ '내담자' 참조.

클라인펠터 증후군
[- 症候群, Klinefelter's syndrome]

지적장애를 유발하는 염색체 이상의 한 종류로, 성염색체 비분리로 인간에게 발생하는 유전질환. 특수아상담

다운증후군 다음으로 많이 나타나는 클라인펠터 증후군은 1942년에 클라인펠터(H. Klinefelter)가 처음 소개한 것으로, 남성이 여분의 X염색체를 더 받아서 XXY 배열을 이루는 것이다. 대부분 지적장애를 나타내며, 5~46%가 자폐 혹은 유사 자폐를 동반한다고 보고되고 있다. 신체적 특징으로는 얼굴이 길고 귀가 크며 고환이 큰 경향이 있다. 이 증후군을 가진 남자 아동의 경우에는 행동적 측면에서 내향적인 특성을 보이며, 사춘기가 되면 여학생처럼 가슴이 나오는 경우도 있다. 이에 반해 여성 성염색체 장애인 터너 증후군(Turner syndrome)은 X염색체가 하나 없는 데서 기인하는데, 역시 임상적 징후로 지적장애, 2차 성징 결여, 불임, 작은 신장 등을 보인다.

관련어 | 터너 증후군

클러스터 기법
[- 技法, clustering]

수많은 정보를 재빠르게 접할 수 있도록 도와주는 재미있고 쉽고 자연스러운 저널기법으로서, 클러스터링이라고도 함. 문학치료(글쓰기치료)

클러스터 기법은 '마인드맵 기법' 또는 '웹 기법'으로 불리기도 한다. 경영기법으로 많은 인기를 누려 왔고 브레인스토밍이나 프로젝트 경영에 사용되어 널리 알려지게 되었다. 클러스터(cluster)란 포도, 버찌, 등꽃 등의 송이, 다발에서 나온 말로 같은 종류의 물건 또는 사람의 떼, 무리, 집단(group)을 말한다. 컴퓨터 용어로도 쓰이고 흔히 산업 클러스터라는 말이 통용되고 있다. 저널쓰기에서 클러스터링(clustering, 클러스터 기법) 또는 웹빙(Webbing, 웹 기법)은 한 가지 동일한 일에 대한 마음속에 흩어진 생각과 정보들을 다발처럼 연결된 지도로 그리면서 그 해결책을 찾아가는 것을 뜻한다. 저널도구로 사용될 때 클러스터 기법은 좌뇌와 우뇌 각각의 특성을 살려서 양측 두뇌의 종합작용을 도와준다. 클러스터 기법은 우뇌를 통해 무작위적인 상태에서 생각의 흐름이 쉽게 이루어지도록 해 준다. 좌뇌를 통해서는 정보들이 쉽게 구성될 수 있는 하나의 구조를 제공한다. 클러스터 기법을 시작하기 위해서는 종이 한가운데에 열쇠가 되는 단어나 구절을 쓰고 원을 그린다. 그리고 자유연상을 시작한다. 연상되는 다른 생각들을 한 단어나 구절로 표현하여 둘레에 둥글게 원을 그린다. 이 각각의 원을 직선으로 연결한다. 그리고 새로운 연상이 떠오를 때마다 중심원의 단어로 돌아가서 새로운 다발을 연결시킨다. 이 같은 방법으로 종이 전체에 문제가 되는 키워드를 중심핵으로 잡고 그 생각에 연결되어 연상되는 생각들을 다발모양으로 계속 거미줄을 치듯 연결해 나가면 된다. 당면한 가능성을 모두 생각해 낼 때까지, 아니면 이런저런 두서없이 연상되는 생각들이 마음속에서 선명해지고 방향을 잡았다고 느

겨질 때까지 계속 다발을 확대해 가며 연결하는 것이다. 마음속에서 두서없는 연상이 선명해지고 방향을 잡아 가는 전환이 이루어지면 클러스터 기법에서 생긴 생각들을 적기 시작한다.

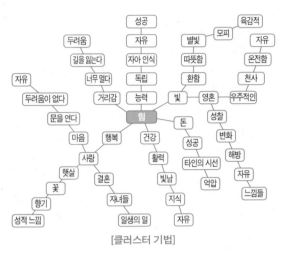

[클러스터 기법]

출처: 강은주, 이봉희 역(2006). 저널치료. 서울: 학지사. p. 121.

클러스터 기법은 시간을 효과적으로 쓸 수 있는 저널기법이다. 이는 그 자체가 자연스럽게 이루어질 때 가장 훌륭하게 만들어지므로 대부분 5분도 걸리지 않고, 연상작용이기 때문에 잠재의식이 표면화되도록 도와준다. 클러스터 기법은 사업 프로젝트나 학교에 제출하는 과제쓰기에 적용할 수 있는 아주 훌륭한 기법이다.

관련어 | 마인드맵 기법

클로니딘
[-, clonidine]

아편제의 사용을 줄이거나 중단했을 때 나타나는 금단현상을 완화시켜 중독증상을 치료하는 데 사용하는 약물. 중독상담

클로니딘은 인체 내에서 기분과 자율신경의 기능을 조절하는 대뇌변연계(limbic system)에 작용하여 금단증세를 완화시키기 때문에 아편중독을 치료

할 때 사용한다. 기립성 저혈압, 성 기능 저하, 무력감, 변비, 현기증, 오심, 식욕부진, 위장장애 등의 부작용이 나타날 수 있으며, 갑자기 투여를 중단하면 급격한 혈압상승이 일어날 수 있으므로 주의해야 한다.

관련어 | 아편, 아편길항제, 약물중독

클로브버드
[-, Clove Bud]

신경강화, 진통, 방부, 항경련, 구풍(驅風), 건위에 효과가 있는 나무로서, 현재 인도네시아령인 몰루카에 자생.
향기치료

클로브버드는 높이가 15미터인 상록수로 윤기 있는 녹색 잎이 나며 향기 나는 붉은색 꽃이 피고 자주색 열매가 맺힌다. 클로브버드 오일은 신체와 정신의 기를 강화하며 몸을 따뜻하게 해 주고 기운을 북돋아 활력을 찾는 데 도움을 주기 때문에 졸음을 피할 때 사용한다. 그리고 희석하지 않은 오일을 직접 바르면 마취효과가 있어서 치과치료에 사용하며, 구풍 및 항경련 작용이 있어 소화촉진, 식욕회복, 복부팽만 완화에도 사용한다.

클리닉 팀
[-, clinic team]

병원이나 외래진료소에서 치료대상이 된 문제해결에 임하는 각 전문 직종 간의 협동조직을 말하며, 협의의 정신위생 관계시설, 병원, 진료소에서 정신과 의사, 임상심리전문가, 정신의료사회복지사의 3인으로 구성된 정신 의료팀.
사회복지상담

1909년 미국 시카고에 설치된 청소년 연구시설

의 소장이었던 정신과 의사 힐리(W. Healy)가 심리학자 및 사회복지사에게 호소하여 3인 협동으로 청소년의 진료를 시작한 것이 최초다. 이것이 하나의 모형이 되어 그 후 병을 가진 사람, 특히 신경증적인 환자를 종래와 같이 정신의학적 측면에서만 파악하고 진료하고자 하는 것에서 벗어나 심리학적·사회복지적 측면에서의 원조를 포함한 종합적인 접근을 행하려고 하는 견해가 확산되었다. 이러한 접근의 필요성과 유의성이 인정되어 우리나라에서도 이 팀을 구성하였으나, 정신위생업무에서 실제 대처능력의 문제점으로 의미 있는 클리닉 팀이 유지되고 있지는 않다. 하지만 법률에 의거하여 우리나라 종합병원에서는 이 팀을 구성하여 운영하고 있다. 클리닉 팀에서는 특정 측면에서 문제를 해결하기보다 세 가지 측면에서 비추어 보면서 종합적으로 문제를 해결하고, 내담자를 지원하려고 한다. 클리닉 팀에서 각 전문가의 역할을 간략하게 설명하면 다음과 같다. 첫째, 정신과 의사(psychiatrist)는 정신의학적 진단, 일반적 신체검진, 정신의학적 치료를 담당하고, 더불어 이 업무가 의료관계기관에서 행해지는 경우가 많기 때문에 임상적 및 법적 최고 책임자의 역할을 행하는 경우가 많다. 둘째, 임상심리전문가(clinical psychologist)는 심리검사 및 면접에 의한 심리학적 평가, 심리치료, 심리학적 사례연구를 기획하거나 실천한다. 우리나라는 한국심리학회가 인정하는 임상심리전문가와 '정신보건법'에 의한 정신보건임상심리사의 두 가지 자격이 있다. 셋째, 의료사회복지사(medical social worker)는 접수면접(intake), 가정방문, 정신장애자의 사회생활상 문제 지원, 지역사회 기관과의 연계 및 조정, 지역자원의 지원 및 조직화를 도모한다. 우리나라에서는 국가자격인 사회복지사 1급 자격증을 소지하고 의료

사회복지 또는 정신보건 분야에서 일정한 경력을 쌓으면 시험을 통하여 의료사회복지사나 정신보건사회복지사 자격을 취득할 수 있다. 이 세 분야의 전문가는 필요에 따른 수리회의(intake conference), 사례회의(case conference) 등을 거치면서 상호 긴밀한 연락, 조정, 통합을 행하여 유기적으로 기능하도록 한다. 그러나 정신의료에서는 반정신의학이나 급진적 심리학(radical psychology) 측면의 비판이 대두되고 있다는 문제점이 있다. 즉, 정신의학이 단순하고 충분히 효과를 거둘 수 없는 조건에서 임상심리사나 의료사회복지사와 협력하는 것이 문제해결이나 내담자의 지원에 도움이 되는 한 방법이지만, 앞서 기술한 바와 같이 면밀한 협력관계가 행해지지 않으면 내담자의 문제해결을 지원할 수가 없다. 그런데 현실적으로는 의사와 임상심리사와의 무익한 대립이 자주 나타나며, 기능적인 협력관계는 의학과 심리학과의 사이에서가 아닌 의사와 임상심리사와의 개인적인 우호관계가 팀의 긴밀도를 결정하고 있다. 이 같은 실정을 고쳐 나가지 않는 한 단순한 기생적 집단에 불과하며 진실로 환자의 문제해결에 기여할 수 있다고 하기는 어렵다. 또 각 직종의 충실한 전문성이 없으면 대등한 협력관계 등이 불가능한데, 임상심리전문가는 임상에 관하여 아직 교육제도로 확립되어 있지 않으며, 실질적으로는 무력하다. 정서장애아의 경우 3인에 의한 팀이 많지만 성인의 경우 임상심리전문가나 정신의료사회복지사 한쪽이 탈퇴하여 두 직종의 팀만 있는 곳도 적지 않다. 현재의 정신의료진료비 체계나 직원 수 부족에서 불가피한 면도 있지만 보다 나은 서비스를 위해서는 이에 더해 재활(rehabilitation) 등의 전문분야도 협력하는 것이 바람직하다.

관련어 | 임상심리전문가, 정신의료사회복지사

타나토스
[–, Thanatos]

⇨ '죽음의 본능' 참조.

타당도
[妥當度, validity]

검사도구가 측정하려는 내용을 얼마나 충실하게 측정하고 있
는가의 정도. 심리측정

타당도란 검사가 측정하려고 하는 것을 제대로 측정하고 있는가와 검사에서 상담자가 필요한 정보를 얻을 수 있는가에 관한 문제다. 신뢰도와 함께 검사도구가 갖추어야 할 중요한 조건이다. 예를 들어, 수학 학력을 측정하기 위해서 만든 수학 학력검사는 수학 학력을 측정하기에 알맞게 만들어야지, 문법이나 어휘력을 측정하는 결과가 된다면 그 검사는 타당성이 결여되었다고 할 수 있다. 타당도의 개념에는 반드시 준거의 개념이 수반된다. 즉, 막연하게 타당도가 있다 혹은 없다가 아니라 무엇에 비추어 본 타당성인가의 문제가 반드시 제기된다. 따라서 타당도를 결정하기 위해서는 독립적인 외적 준거나 준거집단이 필요하다. 결국 타당도를 알기 위해 가장 중요한 것은 어떤 특성을 많이 가진 독자적인 집단이 있어야 한다는 것이다. 이러한 준거와 제작된 검사와의 상관계수를 산출하는 것이 곧 타당도 계수(validity coefficient)다. 검사의 유형과 목적 및 구성에 따라 타당도를 추정하는 방법에는 여러 가지가 있다. 교육 및 심리검사 강령(AERA, APA, & NCME, 1999)에서는 타당도를 내용 타당도(content validity), 준거 타당도(criterion validity), 구인 타당도(construct validity)로 분류하고 있다.

내용 타당도는 검사하고자 하는 내용이 검사방법이나 검사도구에 제대로 반영되었는지를 연역적, 논리적으로 검토하는 것이다. 즉, 검사를 위해 선정된 내용(표집)이 검사대상이 되는 전체 내용(전집)을 잘 대표할 수 있는가를 연역적이면서도 논리적으로 따지는 작업이다. 따라서 내용 타당도를 논리적 타당도라고 부르기도 한다. 그리고 내용 타당도는 학교교육현장에서 시행되는 시험이나 학력검사의 타당도를 파악하는 방법으로 가장 많이 사용되며, 주로 학업성취도평가에서 많이 사용되기 때문에 교과 타당도 혹은 교육과정 타당도라고도 한다. 종전에는 내용 타당도란 용어와 유사하게 안면 타당도(face validity)라는 용어를 사용하기도 하였다. 이는 검사 사용자나 피험자가 검사문항을 보고 그 문항이 무엇을 측정하고 있는 것 같다는 주관적인 관점을 중심으로 기술한 것이고, 검사자나 피험자의 수준이나 관점에서 검사내용을 외형적으로 보고 말하는 타당도라고 해서 외형에 의한 타당도라고 말하기도 한다. 검사의 구성내용이 무엇을 어느 정도 측정하고 있는지를 말한다는 점에서 내용 타당도와 거의 같은 의미를 갖고 있지만, 내용 타당도는 전문가의 입장에서 그 검사와 관련된 정의, 전제, 가설 등을 기초로 하여 검사 내용의 타당성을 이론적으로 설명하고 있다는 점에서 안면 타당도와 다르다. 준거 타당도는 얻은 검사점수를 가지고 미래의 행동을 예측하거나 다른 검사에서의 점수를 추정해 보려고 할 때 필요하다. 예를 들어, 한 고등학생이 대학 입학 후에 받을 학과점수를 예측한다든가 또는 선발 후에 어떤 직종에서 작업능률을 예측하는 것 등이 모두 이러한 문제에 속한다. 이와 같이 예측에 대한 정확성의 정도가 그 검사의 타당도의 증거가 되는 것이다. 여기서 주요 관심은 미래의 어떤 기준이나 현재의 어떤 기준을 예측하는 것에 있으므로, 즉 준거와 관련해서 한 검사의 타당성을 밝히는 과정이므로 이를 준거 타당도 혹은 준거 관련 타당도(criterion-related validity)라고 부르는 것이다.

준거 타당도에는 공인 타당도(concurrent validity)와 예측 타당도(prediction validity)가 있다. 공인 타당도는 검사점수와 기존에 타당성을 입증받고 있는 검사로부터 얻은 점수와의 관계에서 검증되는 타당도다. 즉, 새로운 검사를 제작했을 때 기존에 타당성을 보장받고 있는 검사와의 유사성 혹은 연관성에 의하여 타당성을 검증하는 방법이 공인 타당도다. 예를 들어, 연구자가 본인의 연구에 부합하는 도덕성 검사를 제작했을 때 그 검사의 공인 타당도를 검증하기 위하여 콜버그(L. Kohlberg)의 도덕성 검사와의 관계를 검증하고서는 새로 제작한 검사의 타당성을 판정할 수 있다. 예측 타당도는 제작된 검사에서 얻은 점수와 미래의 어떤 행위와의 관계로 추정되는 타당도다. 즉, 예측 타당도는 검사점수가 미래의 행위를 얼마나 잘 예측하느냐 하는 문제다. 예를 들어, 비행사 적성검사를 실시했을 때 그 적성검사에서 높은 점수를 받은 비행사가 안전 운행거리가 길다면 그 검사는 예측 타당도가 높다고 할 수 있다. 또한 유아의 어휘 발달검사를 제작했을 경우, 그 검사에서 높은 점수를 받은 유아가 초등학교에 입학하여 어휘능력이 우수하다면 유아 어휘 발달검사의 예측 타당도가 높다고 할 수 있다. 일반적으로 예측 타당도는 적성검사에서 중요시되는 경향이 있으며, 임상심리에서 사용되는 심리검사에도 자주 이용된다. 또 대학수학능력시험에서도 예측 타당도가 중요하다. 즉, 대학수학능력시험에서 높은 점수를 획득한 학생이 대학에서 성공적으로 학업을 수행할 때, 즉 학점이 높을 때 대학 수학능력 시험의 예측 타당도가 높다고 할 수 있다. 구인 타당도란 조작적으로 정의되지 않은 인간의 심리적 특성이나 성질을 심리적 구인(構因)으로 분석하여 조작적 정의를 내린 뒤 검사점수가 조작적 정의에서 규명한 심리적 구인들을 제대로 측정했는지 검증하는 방법이다. 구인 타당도는 측정하고자 하는 속성이 무엇으로 구성되어 있다고 설명하는 것이므로 구성 타당도라고도 한다. 예를 들어, 창의성을 측정할 때 창의성은 민감성, 이해성, 도전성, 개방성, 자발성, 그리고 자신감으로 구성되어 있다는 조작적 정의에 근거하여 검사를 제작·실시한 다음 그 검사도구가 이와 같은 구인을 측정하고 있다면 검사는 구인 타당도를 지니고 있다고 본다. 만약 검사결과가 조작적으로 규정한 어떤 심리적 특성의 구인들을 제대로 측정하고 있지 못하거나 다른 구인들을 측정한다면 이는 구인 타당도가 결여된 것이다. 캠벨(Campbell, 1960)은 새로 개발된 검사의 구인 타당도를 밝히기 위해서 타당화 검사가 측정하려고 하는 변인과 이론적으로 상관이 있는 다른 변인이나 검사와 상관이 높아야 하고, 이론적으로 상관이 없는 변인이나 검사는 통계적으로 무시해도 좋을 만큼 상관이 낮아야 한다고 보았다. 전자를 수렴 타당도(convergent validity)라 하고, 후자를 변별 타당도(discriminant validity)라 한다. 상관관계를 이용하여 구인 타당도에 대한 증거를 추출해 내는 방법에는 다특성-다방법 행렬(multitrait-multi-method matrix)에 따른 실험설계와 요인분석(factor analysis)이 있다.

관련어 | 신뢰도, 요인분석

타당도 척도
[妥當度尺度, validity scale]

검사반응에서 피험자의 방어, 허위, 부주의, 비일관성, 아무렇게나 혹은 사회적으로 바람직한쪽으로 응답하는 반응 경향성의 정도를 나타내 주는 척도. 심리측정

인성검사나 태도검사와 같은 전형적인 행동표현 검사(typical performance test)에서는 피험자의 응답에 고의나 부주의에 기인한 왜곡이 들어가기 쉽다. 그래서 검사결과의 해석에서는 응답의 타당성 혹은 신뢰성 점검이 필요한데, 피험자의 응답과 점수의 정확성을 기하기 위해 검사도구에 타당도 척도를 포함시킨다. 타당도 척도를 해석하는 임상가

와 상담자는 세 가지 영역에서 발생할 수 있는 피험자의 반응왜곡, 즉 자신이 어떤 장애나 문제를 갖고 있는 것처럼 나쁘게 허위반응을 하지 않았는지, 자신을 좋게 보이려고 하거나 증후나 문제를 숨기기 위해 방어하거나 사회적으로 바람직한 쪽으로 반응을 하지 않았는지, 부주의나 이해력 부족 혹은 혼란 때문에 무성의하게 되는대로 반응하지 않았는지를 살펴본다. 이처럼 정교하게 만들어진 검사도구에는 방어수준, 허위반응, 비일관된 반응, 무성의한 반응, 사회적 반응 경향성 등을 지시해 주는 타당도 척도가 포함되어 있다. 가장 포괄적인 측면에 걸쳐 타당도 척도를 갖고 있는 것이 미네소타 다면적 인성검사-2(MMPI-II, Butcher, Graham, Ben-Porath, Tellegen, & Dahlstrom, 2001)이다. 1930년대 말에 개발된 MMPI 원판은 3개의 타당도 척도를 가지고 있지만, 지금의 MMPI-II는 10개의 타당도 척도를 가지고 있다. 이 중 ?척도(cannot say, 무응답 척도), L척도(lie scale, 허위 척도), F척도(infrequency scale, 비전형 척도), K척도(correction scale, 교정척도)가 많이 사용된다. ?척도는 답하지 않은 문항이나 '그렇다' '아니다' 모두에 응답한 문항의 수를 나타낸다. 빠트리고 응답하거나 양쪽 모두에 응답한 문항의 잠재적 효과는 그러한 문항이 들어 있는 척도의 상승을 억제함으로써 전체 프로파일을 낮춘다는 것이다. 모든 문항에 응답하라는 지시에도 불구하고 피험자들은 불충분한 읽기 수준, 부주의, 혼란 혹은 정신병적 증상의 발현, 심한 강박증적 경향이나 반추적인 요소로 답을 정하지 못할 때, 의미 있는 답변에 요구되는 정보나 경험이 없을 때, 질문이 피험자에게 해당되지 않을 때 일부 문항을 빠트리거나 양쪽 모두에 응답한다(김재환 외, 2006). 이러한 상황을 바로잡는 가장 쉬운 방법은 피험자들에게 답안지를 돌려 주어 모든 문항에 응답하도록 요구하는 것이다. 일반적으로 30개 혹은 그 이상의 문항을 빠트리거나 양쪽 모두에 응답한 경우 프로파일은 무효로 간주한다. 정신병리가 없거나 정신병리가 부

각되지 않는 쪽으로 프로파일을 왜곡할 가능성이 있기 때문이다. L척도는 피험자가 자신을 기술할 때 비현실적일 정도로 이상적인 모습을 얼마나 보여 주려 하는지를 측정하기 위한 것이다. 점수가 높은 사람은 지나치게 완벽하고 이상적인 모습을 꾸며대는 경향이 있다. 대체로 교육수준과 사회경제적 수준이 낮은 사람들은 그것이 높은 사람들보다 점수가 더 낮은 경향이 있다. L득점이 높은 것은 자기 방어적 태도가 강한 것을 나타낸다. F척도는 대답이 얼마나 비전형적인지, 그리고 평균에서 얼마나 벗어나 있는지를 측정하는 것이다. 높은 점수는 정신병이나 실직, 이혼, 사별 등에 의한 혼란된 감정상태를 반영할 수 있다. 또한 실제보다 더 나쁘게 왜곡하여 보이려는 데 기인하기도 한다. 대체로 점수가 높은 이유는 혼란되었거나 망상적인 사고에 의한 증상이나 현실의 왜곡, 관계망상, 판단력의 미숙, 심한 위축 등과 관련되어 있다. K척도는 피험자가 자신을 지나치게 긍정적으로 기술하는 것을 측정하는 문항이다. 이런 부분에서는 L척도와 유사하지만, K척도가 좀 더 미묘하고 효과적이다. 순진하고 도덕적이며 세련되지 않은 사람은 L척도의 점수가 높은 반면, 지적이고 심리적으로 세련된 사람들은 K척도의 점수가 높다. 사회경제적, 교육적 수준이 낮은 사람들은 K척도 점수가 다소 낮기 때문에 해석을 할 때 주의를 기울여야 한다. 점수가 중간인 사람들은 자아강도가 높고, 정서적 방어가 효과적이며, 현실접촉이 좋고 대처 기술이 탁월하다. 반면에 점수가 높은 경우는 자신에 대해 지나치게 방어적이고 긍정적인 면만 내보이려는 경향이 있다.

타라소프 사건
[ー事件, Tarasoff v. Board of Regents of the University of California]

살해 희생자가 된 타라소프에게 사전경고를 하지 않은 상담자에게 법적 책임이 있음을 판결한 사건. **상담윤리**

미국 캘리포니아 법정에서 진행된 타라소프 사건은 상담자의 경고의무에 관한 윤리적 책임을 강조하는 계기가 되었다. 상담내용에 대한 비밀보장의 예외상황을 확인시켜 준 이 사건은 1969년 8월 캘리포니아 버클리대학 학생상담센터에서 상담을 받고 있던 포다르(Poddar)라는 학생이 어느 날 상담자였던 무어(Moore)에게 자신의 여자친구인 타라소프를 살해할 계획에 대해 말한 것에서 시작되었다. 상담자는 캠퍼스 경찰에게 이 사실을 통보하여 포다르를 위험인물로 지목해 병원에 입원시키고 감시해 달라고 요청했다. 캠퍼스 경찰은 포다르를 구금한 후 심문했지만 그에게서 별다른 위협적인 징후를 발견하지 못했다는 이유로 그를 석방했다. 상담자는 캠퍼스 경찰의 책임자에게 협조를 요청하는 공식적인 편지를 발송했다. 그 후 상담자의 수퍼바이저는 상담자에게 그 편지를 되돌려 받을 것, 편지와 상담사례기록을 파기할 것, 그리고 더 이상 이 상담사례에 관여하지 말 것 등을 요구했다. 이러한 과정 중에 의도된 희생자, 즉 타라소프와 그녀의 가족에게는 아무런 사전경고가 주어지지 않았고, 결국 약 2개월 후 포다르는 타라소프를 살해했다. 타라소프의 부모는 학생상담센터가 의도된 희생자에게 위협을 알리지 않았다는 이유로 캘리포니아대학 이사회를 상대로 소송을 제기했고, 일차적으로 지방법원에서 기각되었다. 그러나 타라소프의 부모는 항소했고, 마침내 1976년 캘리포니아 주 대법원은 타라소프 부모의 항소를 수용하여 상담자가 의도된 희생자에게 사전경고하지 않은 것은 무책임한 행동이었다는 판결을 내렸다. 즉, 내담자가 제3자에게 해를 끼치는 상황이 예견될 경우 상담자는 이 사실을 제3자에게 알릴 의무가 있다는 것이다. 대부분의 상담자는 내담자가 상담 중에 말한 내용에 대한 비밀유지가 반드시 지켜져야 한다는 사실에 동의하지만, 타라소프 사건처럼 예외의 경우가 있다는 사실도 인정한다. 상담장면에서 비밀유지가 지켜질 수 없는 상황은 내담자가 자기 자신이나 다른 사람을 위험에 빠트릴 때, 내담자가 근친상간이나 강간, 아동학대, 기타 다른 범죄의 희생자라고 판단될 때, 내담자가 입원할 필요가 있을 때, 법률상의 쟁점이 될 정보가 있을 때, 내담자가 자신의 기록을 자기 자신에게나 제3자에게 공개해 달라고 요구해 올 때 등이다. 일반적으로 내담자가 한 말을 보호해 주는 것은 상담관계에서 매우 중요하며 상담자가 지켜야 할 중요한 윤리강령 중의 하나다. 그러나 비밀보장의 한계에 대해서도 상담초기에 내담자에게 명료하게 알려 주는 것이 필요하다.

관련어 | 비밀보장, 상담자 윤리

타우단백질
[ー蛋白質, tau protein]

뉴런 내에서 물질의 운반을 담당하는 운동단백질. `뇌 과학`

알츠하이머 질환 발병의 핵심 요인으로, 건강한 경우에는 뉴런의 활동을 지지하지만 변형된 경우는 알츠하이머 질환과 관련된 뇌 병변에 기여하는 것으로 알려져 있다.

관련어 | 뇌, 뉴런

타율적 도덕성
[他律的 道德性, heteronomous morality]

정해진 규칙에 대해 아무 의심 없이 무조건 복종하는 특성을 보이는 피아제(Piaget)의 도덕성 발달의 첫 단계. `인지치료`

타율적 도덕성 단계의 아동은 부모나 그 밖의 권위 있는 성인을 전지전능한 사람으로 여기며, 그들이 정해 놓은 규칙이 과연 정당한 것인지 아무런 의심도 품지 않은 채 그대로 따른다. 이들은 행위의 결과가 얼마나 나쁜가 또는 결과적으로 다른 사람으로부터 비난을 받을 것인가의 여부로 도덕적 선악이 결정된다고 판단한다. 즉, 타율적 도덕성은 외재적 정의에 지배된다. 이 단계는 규칙의 절대성을 강하게 믿기 때문에 규칙을 어기면 반드시 벌이 따라온다고 믿는다. 예를 들어, 아무도 보는 사람이 없는 곳에서 몰래 과자를 훔쳐 먹은 아동이 다음 날 길을 가다가 넘어져서 다치면 과자를 훔쳐 먹어서 받은 벌로 생각한다. 반대로 자율적 도덕성은 사회적 규칙은 임의적인 약속이며 결과가 아닌 동기나 의도에 의해 도덕적 사고가 가능한 것이다. 아동이 인지적으로 보다 성숙하고 사회적 경험을 쌓아 감에 따라 점차 타인의 숨겨진 의도를 파악할 수 있게 되어 타율적이며 절대적인 도덕성으로부터 자율적이며 상대적인 도덕성으로 이행한다.

관련어 | 자율적 도덕성

타이드만과 오하라의 진로이론
[ー進路理論, Tiedeman & O'Hara's career theory]

개인의 인지발달과 그에 관련된 의사결정과정으로 진로발달을 설명하는 논리적 틀. `진로상담`

타이드만과 오하라(Tiedman & O'Hara, 1963)는 개인의 진로발달은 일반적인 인지발달의 과정 속에서 자아와 관련된 위기를 해결하고자 할 때 이루어진다고 주장하였다. 이 같은 견해는 에릭슨(Erikson)의 심리사회적 발달단계와 유사하며, 심리적 위기를 해결하는 과정을 거치면서 개인은 상황적 자기(self-in-situation), 세속적 자기(self-in-world), 일지향성(orientation of work)이 발달하고 자아정체감이 형성된다. 여기서 상황적 자기란 자기를 인식하고 자기경험을 평가하여 미래의 목표를 예상하고 상상하며 경험을 저장하여 미래에 참조하려는 자기를 말한다. 자아정체감이 발달하면 분화(differentiation)와 통합(integration)의 과정을 거쳐 직업적 의사결정 가능성이 발달하게 된다. 분화란 직업의 다양한 특성들을 규명하고 연구하여 자기 또는 세속적 자기를 평가하는 과정이며, 개인마다 독특한 과정을 거친다. 그리고 분화는 일의 세계와 관련되어 있는 신뢰와 불신감의 위기를 해결하는 것이다. 이때 개인의 독특성과 직업세계의 독특성이 일치하면 통합을 이룬다. 이러한 과정은 예상기(anticipation)와 실행기(implementation)로 구분된다. 예상기는 전 직업기(pre-occupation)라고도 하며 탐색(exploration), 구체화(crystallization), 선택(choice), 명료화(clarification)의 네 하위단계를 거친다. 탐색단계는 미래에 대한 상상이나 일시적인 목표를 실천하기 위해 여러 가지 경험을 하지만 직업선택에 대한 뚜렷한 계획이 없거나 또는 계획이나 목표가 오래가지 않는다. 구체화 단계는 실천 가능한 대안들의 장단점을 확인, 평가하여 일시적으로 선택을 하고, 이 선택은 가치평가와 순위를 정하여 재평가함으로써 목표가 더욱더 명확해지고 구체화된다. 선택단계는 확실성을 가지고 특정한 목표를 선택하게 되며, 이 같은 확신은 생애의 선택과정에 영향을 미친다. 명료화 단계는 자신이 선택한 것에 대하여 의심이 줄어들고 결정에 대한 확신이 강하다. 그리고 자신의 사고와 이미지를 완성시키고 미래에 대한 자신의 이미지를 완성하는 데 중점을 두어 예상기를 마무리한다. 이렇게 정보를 수집하고 대안을 평가하여 선택을 하는 과정을 거쳐 충분히 준비가 되면 실제로 선택을 수행하는 실행기로 옮겨진다. 실행기는 적응기(adaptation)라고도 하며 적응, 재형성, 통합의 세 하위단계로 구성된다. 적응단계는 자신이 선택한 것을 사회에 적응시키려 하며 이 과정에서 자신의 선택이 수용되면 자기확신이 이루어지고, 수용되지 않으면 자기방어가 발생한다. 직업에 대한 수용을 경험하면 수용집단과 자신의 일부가 동일시된다. 따라서 이 시기의 개인의 목표는 사회적 목표에 동화되거나 수정된다. 재형성 단계는 자신의 가치관을 발달시키며 확신을 가지고 집단의 목표를 자신의 목표와 부합시키려 한다. 통합단계는 자신과 사회에 대한 객관성이 형성되고 사회적 상호작용을 통하여 목표를 절충하면서 집단의 목표와 개인의 목표가 일치하는 과정이다. 이 이론은 의사결정과정에서 자기인식의 확대를 강조하고 사회에 적응하여 효과적인 직업적 변화와 성장에 관심을 두었다는 점에서 큰 장점을 가진다. 그러나 5명의 백인 남성의 직업과 관련된 경험을 근거로 한 것으로, 이를 뒷받침해 줄 경험적 연구가 부족하다는 한계를 지니고 있다.

관련어 진로결정

타이드만의 진로결정과정이론
[-의 進路決定過程理論, Tiedeman's career decision process theory]

⇨ '진로결정이론' 참조.

타인에 대한 당위
[他人 - 當爲, others must]

합리정서행동치료

⇨ '당위적 사고' 참조.

타인최면
[他人催眠, hetero-hypnosis]

타인에게 실시하는 최면. 최면치료

자기최면과 반대개념으로, 최면자가 피최면자에

게 실시하는 최면을 말한다. 따라서 최면치료사가 내담자를 대상으로 하는 모든 최면치료는 타인치료로, 내담자나 환자의 긍정적인 변화를 촉진하기 위한 최면치료나 최면상담뿐 아니라 무대최면을 비롯한 대부분의 최면이 타인최면에 해당한다. 넓은 의미에서는 치료의 차원이 아니라 하더라도 전반적으로 다른 사람에게 실시하는 최면을 말한다.

관련어 | 무대최면, 자기최면, 최면, 최면상담, 최면치료

타임
[- , Thyme]

자극, 기능 강화, 항류머티즘, 방부, 심장자극 등의 효과가 있는 허브로서, 유럽의 지중해가 원산지이며 온대지방에서 재배. **향기치료**

타임은 10~40센티미터까지 자라는 딱딱한 사철 아관목으로, 털이 나고 끝이 뾰족한 회녹색 잎을 가지며 흰색, 자주색 작은 꽃이 핀다. 타임은 신경우울과 정신피로에 유용한 신경 강화와 지적·정신적 자극제로 간주되며, 두통과 스트레스에 관련한 질환에 자주 사용된다. 타임 오일은 지치고 무기력하며 침울한 사람들의 회복에 특히 효과적이며 식욕을 자극한다. 또 몸과 마음의 회복과 강화를 도와주며 뇌를 자극하고 기억을 증진시키는 효과가 있다. 그리고 타임 오일은 소화자극제, 구풍제(驅風劑)로 식욕증진, 복부팽만완화, 장내가스 참 현상을 완화해 주며 백혈구 생산을 자극하기 때문에 신체면역계를 강화하고 통풍, 류머티즘 관절염의 통증, 그리고 운동 부상의 완화에 사용한다. 또한 호흡기의 기능강화, 거담제, 허약함, 폐의 충혈 및 감염과 관련된 모든 감기 증상에도 효과가 있다.

타임아웃
[- , time-out]

혐오통제의 한 종류로서, 부정적인 행동에 대한 보상을 제거함으로써 그것을 감소시키는 방법. **인지행동 가족치료** **행동치료**

바람직하지 않은 행동에 주어지는 다양한 보상을 제거함으로써 결과적으로 부적 행동을 감소시키는 기법이다. 주로 자녀의 부정적인 행동을 감소시키기 위해 사용하며, 바람직하지 않은 행동을 할 때 관심을 기울이거나 다른 종류의 보상이 주어지지 않도록 구석에 가서 앉아 있게 하거나 자신의 방으로 들어가게 하는 방법을 흔히 사용한다. 타임아웃은 대상이 되는 부적절한 행동의 발생에 따르는 강화물로의 접근을 제한하기 때문에 올바르게만 사용하면 매우 효과적이다. 이것은 반응대가와 구분해야 하는데, 반응대가는 이전에 획득한 강화물(예, 점수, 활동시간, 토큰)을 부적절한 행동발생에 따라 제거하는 것인 반면에, 타임아웃은 강화물을 제거하지 않고 일정 시간 점수를 획득하지 못하게 하는 것이다. 타임아웃은 배제 및 강제의 정도에 따라 세 가지 기본 유형으로 구분한다. 첫째, 비배제 타임아웃은 강화물은 제거되지만 행동의 주체자가 여전히 현장에 남아 있는 것이다. 둘째, 배제 타임아웃은 행동의 주체자가 다른 영역으로 옮겨져서 원하는 활동에 참여하지 못하도록 하는 것이다. 셋째, 격리 타임아웃은 행동의 주체자가 완전히 분리되어 타임아웃 방 등에 머무르도록 하는 것이다. 타임아웃의 올바른 사용 절차에 대해서는 일반적으로 다음의 여덟 가지가 제시되고 있다. 첫째, 타임아웃은 처벌 기법이므로 사용하는 사람들은 처벌에 따른 주의사항을 엄수해야 한다. 둘째, 대상 행동의 효과적인 감소를 합리적으로 기대할 수 있는 최소한의 혐오적인 타임아웃 형태를 사용한다. 셋째, 타임아웃 시간을 짧게 한다. 넷째, 타임아웃을 어떻게 끝낼 것인지 결정한다. 다섯째, 시행 전에 타임아웃 절차를 가르친다. 여섯째, 부적절한 대상행동이 나타나면

학생에게 "네가 그 행동을 했구나. 타임아웃으로 가거라."라고 간단하고 단호하게 말한다. 일곱째, 타임아웃이 종료되면 "타임아웃이 끝났다."라고 말한 다음 학생이나 자녀가 제자리로 돌아가도록 지도한다. 여덟째, 대상행동을 점검하는 자료수집기법 중 하나를 사용한다.

관련어 | 혐오통제

타임캡슐 기법
[－技法, time capsule]

인생의 여러 행동을 돌아보게 하고 그것들을 하나의 일관성 있는 이야기로 구성해 주는 만능도구. 문학치료(글쓰기치료)

초석 속에 들어 있는 타임캡슐에는 역사의 특별한 시점에서 그 사회 핵심 요소가 들어 있다. 마찬가지로 저널쓰기의 타임캡슐 기법은 살아온 인생의 한 시점에서 그 진수를 포착해 낸다. 타임캡슐 저널쓰기는 일(日), 주(週), 달(月), 3달 혹은 1년을 주기로 일정하게 쓸 수 있다. 일일 타임캡슐은 하루 일과 중 중요했던 사건, 기분, 성과 등에 대해 간결하고 적당히 요약된 짧은 글쓰기로, 삶의 내용, 즉 삶의 목차에 초점을 맞추도록 해 준다. 월별 타임캡슐은 삶의 일과와 사건들을 월별로 기록하는 것으로, 날짜별로 일기장이 아닌 빈 공책이 훨씬 적합하다. 연별 타임캡슐은 매년 개인 역사서를 만들어 놓는 것이다. 최상, 최악 리스트를 만들 수도 있다. 이외에 여행 저널 타임캡슐도 있다.

타행동 차별강화
[他行動差別强化, differential reinforcement of other behavior: DRO]

발생빈도가 0이 되었을 때 주는 차별강화로서, 특정 행동을 완전히 제거하고자 할 때 사용하는 강화. 행동치료

발생빈도가 0이 된다는 것은 결국 문제행동과 상반되는 어떤 다른 행동을 강화한다는 의미이기 때문에 DRO라고 부르며, 발생빈도가 0이 되었을 때 강화를 제공하기 때문에 DR0라고도 부른다. DRO 계획은 대상행동이 전혀 나타나지 않거나 전혀 나타나지 않을 때까지 계속되어야 한다는 점에서 간격 유지 저반응비율 차별강화(DRL)와는 다르며, 행동이 일어나지 않을 때 받는 강화가 최소한이 될 때까지 점점 시간을 늘려 가며 계속되어야 한다. DRO 계획은 수업분위기를 조성하는 행동수정으로 유용하지만 보조자 없이 교사 혼자서 실행하기가 쉽지 않다는 한계가 있다.

관련어 | 대안행동차별강화, 저반응비율 차별강화, 차별강화

타협점 찾기
[妥協點－, working out a compromise]

집단 유지와 조화를 위해 갈등을 타협하는 역할행동. 집단상담

집단구성원이 집단 안에서 갈등상태에 놓였을 때 자신의 지위를 양보하거나, 과오를 시인하거나, 집단의 조화를 유지하기 위하여 자신을 제어하거나, 집단의 의사에 따르기 위하여 어느 정도 양보하여 타협을 시도하는 역할행동을 말한다.

탄트라 요가
[－, tantra yoga]

인간의 본질과 우주의 진리를 깨닫고 인간과 우주가 하나되어 참자아를 얻기 위한 심신훈련법. 명상치료

탄트라 요가는 인간은 하나의 소우주이며 정신에너지의 중심인 차크라(cakra)가 여러 개 있고 초월적인 힘, 즉 우주에너지인 쿤달리니 샥띠(kundalini sakti)를 지닌다는 믿음에 근거를 둔 명상법이다. 이 요가는 쿤달리니, 즉 정기(精氣)를 활성화하는 수행을 함으로써 인간의 본질과 우주의 진리를 깨닫게

되면 인간과 우주는 하나가 된다. 이때 비로소 인간은 참자아(atman)를 얻는다. 탄트라는 산스크리트어의 '넓힌다'는 뜻을 지닌 'tatri' 또는 'tantri'에서 유래된 말이라 전해지며, 의식의 확장을 뜻하는 'tanoti'와 에너지의 각성, 해방을 뜻하는 'trayati'의 합성어로서 우주의식으로 에너지의 무한한 확장을 뜻하기도 한다. 탄트라는 기원전 3천 년경 인더스 문명의 하라파 문화에서 요가자세나 여신 숭배상에서 기원을 찾아볼 수 있지만 정확한 기원은 확실하지 않다. 이후 기원전 1500년경의 '베다' 문헌에 기술된 행법을 탄트라의 의례에 적용하여 탄트라는 오래전부터 발달되어 7세기경 불교경전을 탄트라라고 부르면서 널리 사용하게 되었다. 사상과 이론을 강조하는 경전을 수트라(sutra)라고 하며, 보다 실천적인 수행을 강조하는 것을 탄트라라고 한다. 탄트라는 크게 힌두 탄트라와 불교 탄트라로 나눌 수 있다. 힌두 탄트라는 여성과 남성의 원리인 샥띠(sakti)와 쉬바(siva)의 두 원리를 강조한다. 샥띠는 시간적 변화, 우주 창조의 에너지, 자기실현의 기쁨과 사랑을 지니고 있으며 인간의 근원에 깃들어 있는 정신적, 육체적 힘의 구심점이다. 힌두 탄트라의 목표는 내재하는 샥띠를 통해서 쉬바와 결합하는 것으로서 성적인 결합도 이루어진다. 불교 탄트라는 반야(般若, prajna)를 무시간적 절대성의 여성 원리로 보며 자비(慈悲, maitri-karuna)를 남성 원리로 본다. 현상계와 육신에 대하여 긍정적이고 성력인 샥띠는 성불의 중요한 매개로 작용한다. 힌두 탄트라는 다시 우도 탄트라(daksina marga)와 좌도 탄트라(vama marga)로 구분되는데, 우도 탄트라는 쉬바와 샥띠여신을 숭배하는 종교의례에 중점을 두고 성교적 수행을 배제한 채 심리적·생리적 에너지를 개발하는 수행을 강조한다. 한편 좌도 탄트라는 쉬바와 샥띠를 결합시키는 수행을 강조하며 남녀의 성관계를 통해 쿤달리니를 각성시키고자 한다. 이에 탄트라 요가는 힌두 탄트라 중 우도 탄트라를 중심으로 이루어진다. 탄트라는 인간의 신경생리학적 측면에서의 수행을 강조하는데, 탄트라에서 인간은 인간의 생명력이며 에너지인 쿤달리니 샥띠를 활성화하여 삼매에 이르고자 한다. 활성화된 쿤달리니가 교감, 부교감 신경계 및 자율신경계와 연결되어 있는 수많은 차크라를 각성시키면 참자아를 얻는다. 탄트라 요가의 수행방법에 따라 신체 정화행법인 샷카르마 요가(shat karma yoga), 체위법인 아사나 요가(asana yoga), 호흡법인 프라나야마 요가(pranayama yoga), 무드라 요가(mudra yoga), 반다 요가(bandha yoga) 등이 있다. 그리고 만트라(mantra), 얀트라(yantra), 무드라(mudra), 차크라(chakra) 등은 탄트라의 중요한 명상법이다.

관련어 | 쿤달리니 요가

탈감
[脫感, desensitization]
행동수정방법 중 체계적 둔감법의 앞 단계에 적용되는 점진적 이완훈련. 행동치료

긴장이완훈련이 끝나고 불안위계의 작성이 완료되면 탈감단계에 들어가게 된다. 탈감이란 긴장이 이완된 상태에 있는 내담자에게 이미 작성한 불안야기 자극 항목 중 가장 낮은 수준의 항목에서 출발하여 점차 높은 수준을 내담자에게 상상하게 함으로써 불안야기자극의 자극력을 상실하도록 하는 과정을 뜻한다. 실제 탈감에 들어가기 전에 내담자의 상상력을 평가해야 한다. 따라서 긴장이완의 마지막 훈련시간에 내담자에게 몇 가지 중립적인 상황을 상상해 보도록 하여 그의 상상력이 적절한지 알아본다. "계속해서 긴장을 풀고, 온몸에 흐르는 따뜻하고 푸근한 느낌을 마음껏 즐겨 보세요. 긴장을 풀고 있는 동안 다음과 같은 상태를 될 수 있도록 생생하게 그려 보세요. 따뜻한 봄날입니다. 당신은 시냇가에 앉아서 맑은 시냇물을 보면서 봄날을 즐기고 있습니다. 그런데 저 위에서 나무조각 하나가 물

에 잠겼다 떴다 하면서 흘러 내려오고 있습니다. 그 나무조각이 지나가는 것을 들여다봅니다. 계속해서…… 그 나무조각이 저 아래로 흘러가 보이지 않을 때까지 쳐다봅니다. 자, 됐습니다. 그만. 이제는 다음과 같은 상황을 생생하게 상상해 보세요. 당신은 즐거운 소풍을 가기 위해 친구를 만나러 가고 있습니다. 됐습니다. 그만. 이젠 좀 다른 상황을 상상해 볼게요. 이번에는 당신이 과거나 현재 혹은 미래 어느 때든, 어떤 경험이든, 어느 장소든 간에 상상해 보는 거예요. 이 상황은 당신에게는 가장 즐겁고 유쾌한 것이어야 해요. 무엇을 상상해도 좋아요. 그것이 무엇인지 묻지 않을 거예요. 됐나요? 그럼 자신의 즐겁고 유쾌한 경험을 1~2분 동안 상상해 봅니다." 내담자가 상상에서 깨어나면 곧 긴장이완, 중립적 상황 및 유쾌한 개인적인 경험의 상상에 대하여 얼마나 잘 할 수 있었는지 물어본다. 만일 세 가지 조건이 만족스럽게 된다고 판단되면 체계적 탈감을 시작한다. 실제로 탈감에 들어가기 전에 상담자와 내담자 간의 신호방법을 결정해 두는 것이 좋다. 대개의 경우, 조금이라도 불안해지면 손가락을 들게 한다. 내담자가 불안 신호를 보내지 않으면 5초, 10초, 20초로 상상 시간을 연장해 나간다. 상상 장면이 바뀌는 중간중간에 따뜻하다, 포근하다, 노근하다, 안심이 된다 등으로 약 20초 동안 긴장이완을 계속 유지하고 촉진해 나가도록 한다. 위계상의 각 장면은 세 번 정도 상상하도록 하면 충분하고, 그동안 불안신호가 없으면 다음 장면으로 옮겨 간다. 만일 불안신호를 받으면 즉시 그 장면의 상상을 중단하도록 하고, 약 1분간(필요에 따라서는 더 오래) 긴장이완을 시킨다. 긴장이완 재생이 끝나면 그 장면을 보다 짧게 제시하고 점차 오래 상상하도록 한다. 위계상의 한 장면을 완료하는 데 정해진 시간은 없지만 대개 세 번에서 네 번 정도이며, 각 치료시간은 특정한 장면이 성공적으로 끝나는 것을 계기로 막을 내려야 한다. 다음 치료시간에는 전 시간에 성공한 장면을 다시 연출하면서 시작한다. 탈감에 소

요되는 전체 시간도 개인에 따라 다른데, 평균적으로는 10~15회기 정도면 충분한다. 일주일에 한 번씩이라면 3개월 정도 걸린다.

관련어 | 긴장이완훈련, 불안위계, 체계적 둔감법

탈감각화
[脫感覺化, desensitization]

개체의 신체적 혹은 심리적 고통이나 불편함 때문에 자신의 욕구나 감정이 전경으로 떠오르는 것을 방해받는 것. **게슈탈트**

탈감각화는 접촉경계혼란을 일으키는 여러 가지 원인 중 하나로, 개체의 신체적·심리적 고통 때문에 자신의 욕구나 감정을 전경으로 떠올리는 것을 방해받는 것이다. 예를 들어, 극심한 스트레스로 배고픔을 느끼지 못하거나 오랫동안 잠을 자지 않는 것 등이다. 이러한 탈감각화로 인해 자신의 욕구를 무시하고, 이를 해소하려는 노력을 제대로 하지 않게 된다.

관련어 | 내사, 반전, 융합, 자기중심성, 접촉경계혼란, 투사, 편향

탈동일시
[脫同一視, disidentification]

정신통합(psychosynthesis)의 창시자인 아사지올리(Assagioli)가 제안한 개념으로서, 의식의 흐름과 그 의식의 흐름을 관찰하는 자기를 분명하게 구별하는 현상. **무용동작치료** **초월영성치료**

특정한 생각, 감정, 욕구와 같은 부분적이고 지엽적인 경험이나 관념을 존재 또는 사실 자체와 동일시하는 데서 탈피하는 것을 말한다. 이 개념은 인지치료의 탈중심화(decentering), 거리두기(distancing), 상위인지(metacognition), 명상치료의 알아차림(mindfulness) 등과 유사하다. 여기서 동일시한 내용이 무엇이든 그것이 개인 그 자체는 아니며, 동일

시하는 상태에서 겪는 생각이나 감정, 혹은 어떤 것에 사로잡혀 지배받는 상태는 고정불변한 것이 아니다. 아사지올리는 우리 인간은 평소에 자신이 동일시하는 모든 것에 의해 지배를 받아 의식의 여러 영역의 끊임없는 흐름에 정신을 빼앗겨 버려 자기를 분명하고 명확하게 인식하지 못한다고 하였다. 그래서 인간은 탈동일시 과정을 통하여 해로운 심상이나 콤플렉스를 해체하고 그로부터 자유로워진 에너지를 활용할 수 있게 된다고 주장하였다. 탈동일시는 객관화(objectification), 비판적 분석(critical analysis), 구별(discrimination) 등의 과정으로 이루어진다. 또한 자아초월(self-transcendence)을 강조하는 윌버(Wilber, 1977)는 탈동일시를 인간의식 발달의 주요한 기제로 보았으며 의식 발달은 그 상위의식구조를 객체로서 동일시하여 자기 자신으로 만들어 간 뒤에 현재의 구조로부터 탈동일시를 일으키는 과정을 차례로 반복하면서 진행된다고 하였다. 따라서 이 과정이 정상적으로 진행되지 못할 경우 해리, 고착과 같은 병리가 발생할 수 있다고 주장하였다. 한편, 상담에서 탈동일시는 치료의 한 요소로 보았는데, 특히 본(Vaughan, 1977)은 탈동일시를 하나의 치료과정으로 설명하고 있다. 즉, 심리치료는 동일시 단계(identification stage), 탈동일시 단계(disidentification stage), 자기초월 단계(self-transcendence stage)로 이루어진다. 이 중에서 탈동일시 단계에서 내담자는 의식과 의식의 내용을 구별하게 된다. 그리고 동양상담을 주창하는 월시(Walsh, 2000)는 심리치료의 기제를 마음의 안정(calming the mind), 탈동일시, 정신적 요소의 균형(rebalancing)으로 보았다. 이에 대한 예로서 '두렵다'는 감정을 느낄 때 개인은 무의식적으로 자신의 현실로 받아들이고 자신의 생각과 동일시하게 된다. 이 경우 내담자는 '두려움'이 단지 생각일 뿐이며 자신의 몸과 마음에는 영향을 주지 않는다는 것을 확인하고 탈동일시함으로써 그 두려움에서 벗어나 자유로워질 수 있다고 하였다. 무용동작치료에서는 개인이 강하게 동일시하는 특정 부분 때문에, 다른 부분에 대해 탈동일시가 무의식적으로 일어난다고 설명한다. 따라서 이러한 과정에 대한 자각(알아차림)과 이해가 일어날 때 지금까지 탈동일시했던 부분에 대한 의식적이고 사려 깊은 동일시가 일어나고, 자신의 다른 여러 부분을 수용할 수 있게 된다고 하였다. 카터-하르(Carter-Harr, 1975)는 이러한 동일시와 탈동일시가 일어나는 과정을 다음의 3단계로 설명하였다. 첫째 단계는 무의식적 동일시 과정이다. 이 과정은 자신의 목표나 욕구에 의한 것이라기보다 내적, 외적 조건의 압력과 요구에 따라 일어나는 단계로, 자신의 통제를 벗어난 것이다. 둘째 단계는 한 가지 성격요소의 동일시에서 다른 요소로 옮아 가는 경험과, 이 변화를 자각하고 선택하는 단계다. 셋째 단계는 개인의 모든 성격요소를 동일시하면서 독특한 정체감과 개인성의 경험을 하는 단계다. 이러한 과정을 통해 궁극적으로 향상된 정체감과 개인성은 우주적 보편성을 체험하고, 존재의 진정한 체험과 조화될 수 있다.

관련어 | 거리두기, 상위인지, 탈중심화

탈숙고
[脱熟考, dereflexion]

⇨ '의미치료' 참조.

탈습관화
[脱習慣化, dishabituation]

습관화된 행동의 빈도를 감소시키거나 제거하는 것. 행동치료

습관화는 특정 대상이 반복해서 제시되면 점차 그 대상에 대한 반응이 형성되거나 증가하는 것인데, 이에 반해 탈습관화란 습관화의 반대개념으

로 습관화된 대상과는 다른 대상이 제시되면 반응이 제거되거나 감소하는 변화가 나타나는 것을 뜻한다.

관련어 | 습관화

탈신비화 전략
[脫神祕化戰略, strategy of demystification]

상담에 대한 상담자의 우위적 권력을 감소시키고 보다 평등한 상담자와 내담자의 상담관계를 확립하며, 내담자의 상담에 대한 자기 책임감을 증대시키기 위해 사용하는 기법.
여성주의 상담

탈신비화 전략을 위해서 내담자와의 상담 첫 회기에는 주로 상담의 이론적 배경과 의도, 전략, 가치, 상담자의 내담자에 대한 일반적인 기대, 소비자로서의 내담자의 권리 등에 대해 설명해 준다. 또한 여성주의 역량강화상담자들은 내담자에게 상담에 관한 여러 가지 다양한 정보를 제공하고 교육을 한다. 상담과정을 통해서 이 같은 정보제공과 더불어 앞으로의 상담에 대한 방향성과 목표, 그리고 비용까지 내담자와 협상을 하며, 상담 후의 효과에 대한 평가도 내리도록 한다. 탈신비화 전략은 내담자에게 자신의 행동과 삶에 대한 통제력을 부여하며, 그 선택에 따른 책임감을 증대시키는 효과가 있다.

관련어 | 권력분석, 성역할분석, 여성주의 상담, 여성주의 역량강화상담

탈억제
[脫抑制, disinhibition]

사이버상담에서 온라인상의 이용자들이 자기보다 힘이 센 사람 또는 새로 사귄 사람들에 대해서도 빠르게 자신을 개방하고 노출하는 현상. 사이버상담 행동치료

탈억제는 학습이론, 행동주의 심리학, 신체진단

등에서 나온 용어다. 타인이 심리적 세계에 쉽게 도달하는 데서 오는 흥분과 자유감의 조합이 탈억제를 타당화하고 격려하며, 자기노출을 강화한다. 행동주의 심리학에서 탈억제는 두 가지 의미로 사용된다. 첫째는 파블로프(Pavlov)가 명명한 현상으로, 파블로프의 고전적 반응 조건화에서 조건자극이란 무조건 자극과 무관한 자극과의 연합을 통해 조건반응이 나타나는 것이다. 이때 시행과정에 없던 자극을 주면 조건반응이 정지되는데 이와 같은 현상을 외적 억제라고 하였다. 그런데 조건자극에 의한 조건반응이 사라지고 소거현상이 나타날 때 조건자극이 새로운 자극과 함께 제시되면 다시 조건반응이 나타나기 시작한다. 이를 억제에 대한 억제, 탈억제라고 하였다. 둘째는 길항제지(拮抗制止)의 의미로 사용되는데, 이는 울페(Wolpe)가 최초로 주장한 이론이다. 그는 불안, 공포, 긴장 등의 정서와 양립할 수 없는 반응을 불안 등이 생기는 상황장면에서 불러일으키는 것이 가능하며, 그로 인해 불안 등은 감소·소실된다고 주장하였다. 구체적으로는 불안 등과 양립할 수 없는 신체적 이완반응을 의도적으로 이끌어 내는 자기통제기법(self control technique) 등의 훈련법을 개발하였다.

탈자동화
[脫自動化, deautomatization]

무슨 일이 일어나고 있는지 자각하지 못한 채 그저 기계적으로 생각하거나 느끼거나 행동하는 것에서 벗어나는 것.
명상치료

마음챙김에 근거한 인지치료(mindfulness-based cognitive therapy: MBCT)의 핵심적인 치료기제 중하나로, 자동조종(automatic pilot)의 상태에서 벗어나는 것을 말한다. 탈자동화하기 위하여 참여자들에게 자동조종상태에 있는 마음의 패턴을 알아차리고 현재 순간에 느끼는 감정, 생각, 행동에 더욱더 의도적으로 주의를 기울이고 자각하도록 한다. 이

를 위한 활동으로는 프로그램 첫 회기에 시작하는 건포도 먹기 명상에서 우리가 얼마나 자동조종을 하고 있는지 확인해 보도록 한다. 건포도 먹기를 하는 동안 자동조종상태에 들어가는 것을 알아차리고 의도적으로 그 밖의 다른 것으로 주의를 돌리도록 가르침으로써 탈자동화를 이끌어 낸다. 일상생활에서 우리가 먹는 일은 너무나도 자동적으로 일어나는 행동이어서 우리가 하는 행동에서 어떤 일이 일어나고 있는지를 잘 알도록 해 준다. 따라서 탈자동화는 우리의 주의가 어디에 있는지 알아차리고 이를 위한 연습을 하고 주의의 초점을 반복적으로 의도하여 바꾸는 것을 연습함으로써 이루어진다.

관련어 | 마음챙김, 마음챙김에 근거한 인지치료

탈조건형성
[脫條件形成, deconditioning]

⇨ '조건형성' 참조.

탈중심화
[脫中心化, decentering]

자신의 주관적 관점에서 벗어나 객관적으로 사물을 바라볼 수 있는 능력. 명상치료

피아제(Piaget)가 제안한 개념으로서, 유아기에는 다른 사람의 관점이나 사물의 모습을 추론하지 못하고 자신의 관점에서만 바라보다가 연령이 증가할수록 다른 사람의 관점에서 이해하는 능력이 향상되는 것을 탈중심화라고 한다. 즉, 다른 사람의 입장에서 생각하고 느낄 수 있다는 것을 말하는데 이는 공감과 유사하다. 이런 점에서 상담이나 심리치료의 목표가 될 수 있다. 특히 명상치료에서는 사고, 감정, 신체적 감각을 좋은 것 또는 싫은 것 등으로 가치판단을 하기보다는 현재 순간에 있는 그대로의 경험을 관찰하고 알아차리며 수용하는 것을 탈중심화라고 정의하고 있다. 탈중심화는 자신의 경험을 한발 물러난 채로 관찰하여 현실과 자신이 지각한 현실 간의 차이를 알아차리고, 자신이 경험을 만들어 내는 주체자임을 인식함으로써 자신의 경험에 대한 이해를 바꾸어 나가도록 해 준다. 과거의 부정적 경험을 억누르거나 변화시키기보다는 단순히 알아차리는 것에 초점을 두어 자신의 사고, 정서, 신체적 감각이 객관적인 사실의 증거로 남아 있는 것이 아니라 우리의 마음속에서 지속적으로 변화하는 일시적인 사건으로 지각된다는 것을 깨닫도록 한다. 이로써 사고, 감정 그리고 신체적 감각은 외부사건과 관련 없이 오로지 독립적으로 자신의 마음에서 일어나는 현상으로 경험하게 된다. 이 과정을 통하여 개인은 과거에 조건화된 불안과 자신의 내적 경험을 분리할 수 있다. 그러므로 탈중심화는 내담자가 정서적 경험을 바꾸거나 수정하는 것이 아니라 그 경험에 완전히 참여하도록 하는 것이다. 이런 측면에서 탈중심화는 자신의 부정적인 생각과 감정을 경험하는 데 초점을 둠으로써 상위인지 자각(metacognitive awareness)이라 할 수 있다. 탈중심화도 마음챙김에 근거한 인지치료의 핵심적인 치료기제 중 하나다.

관련어 | 마음챙김, 마음챙김에 근거한 인지치료, 자아중심성

탐구
[探求, examination]

상호작용 문학치료과정 중 두 번째 단계. 문학치료(시치료)

문학치료의 과정에서 탐구단계는 문학작품을 접하고 느끼거나 기억하거나 연상한 개인적인 반응, 즉 인지의 의미가 무엇인지 치료자나 촉진자의 통찰력 있고 의도된 인도와 대화에 따라 탐구를 시행

하는 과정이다. 이 과정에서 치료자나 촉진자는 참여자가 스스로 내면의 목소리를 이끌어 내거나 자신의 문제를 찾아가도록 도와야 하므로 숙련된 훈련과 통찰력이 필요하다.

관련어 | 상호작용 문학치료

탐색
[探索, exploration]

드러나지 않은 사물이나 현상 등을 찾아내거나 밝히기 위해 살피어 찾는 것. 개인상담

상담의 초기단계를 지나 중기단계에 들어서면 내담자는 지금까지의 상담을 통해 자신을 힘들게 하는 심리적인 문제, 문제의 발생배경 등을 깨닫게 된다. 그래서 내담자는 이러한 영역 중에서 자신에게 중요하다고 생각되는 영역을 상담시간에 좀 더 깊이 다루고 싶어 한다. 그뿐 아니라 내담자는 통찰을 함으로써 자기탐색이 깊어지고, 상담시간에 자신이 다른 사람에게 드러내기 어려워하는 생각이나 감정을 좀 더 깊이 개방하게 된다. 이 과정에서 내담자는 자신이 처해 있는 외부환경이나 과거에 있었던 사건이 자신이 현재 경험하고 있는 문제와 어떻게 연결되는지를 깨닫게 되며, 현재의 문제와 관련되는 자신의 부적응적 사고, 감정, 행동패턴 등에 대해서도 알아차린다. 상담의 중기단계로 갈수록 상담자는 내담자에게 현재의 증상이 자신의 생활방식 및 성격과 관련될 수 있다는 것을 보여 준다. 성격문제는 현재 증상의 뿌리가 되는 기본적인 취약성을 의미하는 것이다. 내담자의 당면 문제가 해결된다고 해서 성격문제가 호전되는 것은 아니기 때문이다. 내담자가 자신의 현재 문제와 성격적 뿌리의 관련성을 인식하는 것은 매우 중요한데, 대개 당면 문제가 안정될 때가 성격문제를 다룰 시기가 시작되는 것으로 볼 수 있다.

탐욕
[貪慾, greed]

주체가 필요로 하는 정도나 대상이 제공할 수 있는 능력의 범위를 훨씬 초과하는 맹렬하고 만족할 줄 모르는 끊임없는 갈망. 대상관계이론

클라인(M. Klein)은 시기심과 질투, 탐욕의 개념을 서로 구분해야 한다고 주장하였다. 무의식수준에서 보면, 탐욕은 어머니의 젖가슴이 완전히 말라 없어질 때까지 젖을 빨고 게걸스럽게 먹어 치우는 것을 의미할 수 있다. 근본 동기는 대상이 가지고 있는 것을 자신의 소유로 만들어 욕심을 채우려는 것이지만, 결과적으로는 대상을 파괴하는 것이 된다. 즉, 탐욕은 직접적으로는 대상을 파괴하지 않지만 대상의 내용물을 먹어 치움으로써 대상이 파괴되는 결과를 초래한다.

관련어 | 시기심, 질투

태내기
[胎內期, intrauterine period]

여성의 난자와 남성의 정자가 만나 수정된 다음 세포분열을 거쳐 여러 신체기관이 형성되도록 어머니의 체내에서 자라는 기간. 발달심리

인간은 여성의 자궁에서 약 280일 또는 약 38주의 기간을 거쳐 하나의 생명체로 태어난다. 이렇게 어머니의 체내에 있는 기간을 태내기라고 하며, 이는 다시 배종기(germinal period), 배아기(embryonic period), 태아기(fetal period)의 세 단계로 구분된다. 배종기는 난체기, 발아기 또는 배시기 등으로 의역되기도 하는데, 이는 정자와 난자가 만나 수정한 후 수정란이 자궁벽에 착상하는 2주간의 기간을 말한다. 배아기는 수정란이 자궁벽에 착상한 다음 2~8주간을 말하며, 이 기간에 중요한 신체기관과 신경계가 형성되는 등 태아의 발달은 매우 빠른 속도로 진행된다. 착상 후 4주가 되면 심장박동이 시작되

고, 뇌와 신경조직의 분화, 입과 소화기관, 간 등의 신경계와 순환계가 형성되며 8주경에는 눈, 귀, 입의 분화, 팔, 다리, 손발, 성기가 형성되고 근육이나 연골조직이 발달한다. 배아기는 신체기관이 급속하게 형성되는 시기이므로 어머니의 질병, 영양 상태, 약물 등의 좋지 못한 외부환경은 자연유산, 각종 발달장애 등의 부정적 결과를 낳을 가능성이 가장 크다. 태아기는 수정 후 8주 이후부터 출생까지의 기간을 말한다. 배아기에 형성된 각 신체기관의 구조가 좀 더 정교해지고 활동이 원활해지며 중추신경계도 발달한다. 태아는 팔, 다리, 입, 머리 등을 움직이고 성별 구분이 가능하며 4개월 말에는 태동, 5개월에는 빨기, 삼키기, 딸꾹질의 반응이 나타나고 5개월 말에는 손발톱과 부드러운 솜털이 생긴다. 6개월에는 눈의 기능이 발달하고 호흡기와 순환계가 기능을 하지만 완전하지 못하여 7개월 이전에 조산을 하면 호흡기의 지원을 받아야 생존이 가능하다. 그리고 수정 후 28주가 되면 태아는 스스로 호흡할 수 있는 조건과 기능을 갖추어 자궁 밖에서도 생존이 가능하며, 이 시기를 생존 가능 연령(age of viability)이라고 한다. 태내 발달에 미치는 요인에는 어머니의 영양상태, 어머니의 질병(풍진, 톡소플라즈마병, 성적 전염질환), 어머니의 정서적 상태와 스트레스, 어머니의 연령, 약물(탈리도마이드, 아스피린, 이부프로펜, 항우울제, 구강 피임약, 다이에틸스틸베스트롤, 불법 약물), 알코올, 흡연, 그리고 환경적 위험물(방사능, 화학물질, 오염물질) 등이 있다. 이러한 요인들은 태내에 바람직하지 못한 영향을 주어 태아의 신체적·정신적 장애를 유발할 수 있다.

태모 콤플렉스
[太母 −, great mother complex]

집단무의식에서 나오는 원형적인 증세. 분석심리학

융(C. G. Jung)에 의하면, 태모 콤플렉스는 하나

의 원형적 증세다. 여기서 원형적이란 말은 아주 강렬하고 강력한 에너지를 수반하는 것이다. 태모 원형에 사로잡힌, 즉 태모 콤플렉스에 빠진 여자는 상대 남자를 완전히 아이로 만든다. 그리고 그 아이는 여자의 품에 포근히 안겨 잠들어 깨서도 안 되고 자라서도 안 된다. 태모 콤플렉스를 가진 여자는 엄청난 관심과 돌봄으로 아이가 깨지 않도록 정성을 다하여 보살핀다. 태모 콤플렉스 속에는 대단한 통제력이 스며 있다. 아이가 자기 품에서 깨어나려 하거나 성장하려 하거나 다른 대상을 찾으려고 하면 어떤 마음의 가책도 없이 그 아이를 버린다. 이때 충실히 사랑했다는 자의식이 그녀를 자위한다. 대부분 사랑에 목말라하는 남자가 이 같은 태모 원형에 사로잡힌 여자를 만나면 정신분석에서 말하는 퇴행적 욕구가 수용받을 수 있기 때문에 마치 최면에 걸린 듯 정신없이 빠져든다.

관련어 | 콤플렉스

태아 알코올 증후군
[胎兒 − 症候群, fetal alcohol spectrum disorder: FASD]

여성이 임신기간에 섭취한 알코올 때문에 태아에게 미치는 부정적인 영향. 중독상담

아직까지는 어느 정도의 알코올 양이 태아에게 영향을 미치는지 확인되지 않았지만, 만성 알코올중독자 엄마의 아이들에게서 얼굴이나 사지, 신장과 혈관 계통의 비정상적인 증상인 태아 알코올 증후군이 관찰되고 있다. 태아 알코올 증후군을 가진 아이들은 대부분 저체중이고, 인중이 짧고 입술이 얇다. 또한 외모상 기형뿐만 아니라 지적장애나 발달지연 등의 뇌 손상이 보고되기도 하였다.

관련어 | 알코올, 알코올중독

태아 얼굴 증후군
[胎兒－症候群, fetal face syndrome]

전형적인 태아 얼굴모양, 짧은 전완부와 손, 작은 키, 두 눈의 간격이 넓은 양안격리와 들창코를 가진 편평한 안모, 미발육 생식기, 척추이상을 특징으로 하는 상염색체 열성 또는 상염색체 우성으로 유전되는 질환. 아동청소년상담

로비노(Robinow, 1969) 등이 한 가족에서 어머니와 세 자녀의 4증례를 '새로운 왜소증 증후군'으로 처음 소개하여 '로비노 증후군'이라고도 부른다. 이는 태생 8주 때의 태아 모습을 닮아 태아 얼굴 증후군이라 부르는데, 보통 정상 임신, 정상 출생을 하고 정상 핵형과 정상 지능을 갖지만 두개 안면 이상, 구강 내 이상, 근골격계 이상, 사지 이상, 생식기 이상 등을 보인다. 연골 발육 부전증과는 달리 동반 증상으로 선천성 심기형, 고환이 잠복되어 있는 생식기 미발육, 서혜 탈장, 수신증, 사지의 중간 부위가 짧아지는 단지증, 경련, 발달지연, 지적장애가 있을 수 있다. 처음 보고될 당시에는 상염색체 우성유전으로 발표되었으나 이후 상염색체 열성유전의 예도 보고되었으며, 분자유전학의 발달에 따라 유전자 돌연변이에 의한 정상적 성장발달의 이상 때문에 발병되는 것으로 알려지고 있다. 출생 시 이러한 소견을 보이고, 다른 질병의 원인이 되지는 않는다고 보고되고 있다. 대체로 정상 행동을 보이며 건강한 편이지만 환자의 10% 정도는 폐 또는 심장의 합병증으로 조기 사망할 수 있다. 증상에 따른 치료를

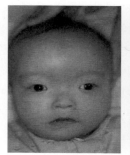

출처: 김기은 외(2003). 두개 이열증을 동반한 Robinow 증후군 (Fetal Face Syndrome) 1례. 대한소아신경학회지, 11(2), 385–390.

할 수 있기 때문에 미소음경에 대한 성형외과술이나 호르몬 요법으로 음경의 길이나 용적을 증가시키는 치료를 시도할 수 있으며, 골격 이상에 대해서는 근본적 치료방법이 없지만 정형외과적 방법을 시도해 볼 수 있다.

터너 증후군
[－症候群, Turner syndrome]

성염색체인 X염색체 부족으로 난소의 기능 장애가 발생하여 조기 폐경이 발생하고, 저신장증, 심장질환, 골격계 이상, 자가면역질환 등의 이상이 발생하는 유전질환. 특수아상담

1938년 터너(H. Turner)가 기재한 성염색체 이상으로 생긴 증후군으로, 염색체 수는 이상이 없지만 성염색체 수에서 1개가 결손되어 XO 형태를 나타낸다. 여자는 남자와 달리 온전한 X 성염색체가 2개 있어야 하는데(46, XX), 터너 증후군은 이 염색체의 1개 또는 일부분이 소실되거나, 염색체 모양의 이상이 자궁 내에서 발생하는 질환이다. 다운증후군과 달리 산모의 나이가 많아서 잘 생기는 것은 아니며, 계절적 요인, 출생 순서, 형제들의 성과는 무관하다. 저신장이 가장 특징적이고, 출생 시 약간 작으며 출생 후 3세까지는 비교적 정상적으로 성장하다가 이후 성장장애가 심해져 성인이 되어도 키가 140센티미터 정도에 머문다. 이외에도 가슴이 넓어 보이고, 목이 짧으며, 목 뒤 두발선이 낮게 내려와 있다. 또한 외반주(팔을 곧게 폈을 때 팔꿈치 아래가 바깥쪽으로 굽은 것)와 함께 네 번째 중수골(손바닥뼈)의 돌출이 적다. 또한 태아 시기에 림프관 폐쇄가 있어 익상경(목이 날개가 달린 듯이 두꺼워지는 모습) 등이 발생하고, 심장기형, 신장기형 등이 잘 발생하며, 갑상선 기능 이상, 비만, 당뇨병, 중이염, 난청, 골다공증 등이 출생 후 발생하기도 한다. 난소 기능 장애가 이른 시기에 발생하여 거의 대부분의 환자에게서 사춘기가 잘 오지 않고, 불임이 나타

나기도 한다. 터너 증후군은 혈액에서 염색체 검사를 실시하여 X염색체 이상을 확인하면 진단할 수 있다. 일부 환자는 피부세포를 배양해야만 염색체 이상을 확인할 수 있는 경우도 있다. 또한 초기에는 기형을 확인하기 위하여 초음파 검사 및 방사선 촬영을 시행하며, 호르몬 이상 유무를 확인하기 위한 호르몬 검사, 심리검사, 난청검사 등을 실시하고, 이 중 일부 검사는 성인이 되어도 주기적으로 계속해야 한다. 염색체 검사는 확진 검사로서, 혈액 채취 후 세포를 배양하여 현미경으로 염색체 구조 이상을 검사한다. 심장기형은 초음파, 자기공명영상(MRI) 등을 이용하여 확인하며, 신장기형은 복부 초음파 또는 전산화 단층촬영(CT) 등을 시행하여 확인한다. 성장장애가 발생하기 때문에 갑상선 검사, 뼈 연령 검사 등을 하고, 난소 부전을 확인하기 위하여 성호르몬 관련 검사를 시행하기도 한다. 이 질환은 신체의 다양한 부위에 구조적 또는 기능적 이상이 나타나고, 그 이상이 나타나는 시기도 다르기 때문에 검사가 한 번 정상이더라도 주기적으로 재검사를 해야 한다. 각 연령대를 기준으로 이상 유무를 확인하는 검사가 다르므로 지속적으로 병원에서 진료를 받는 것이 중요하다. 성장호르몬 결핍증은 없지만, 성장호르몬 치료를 받으면 성장장애가 호전되기 때문에 전 세계적으로 성장 호르몬 치료가 인정되고 있다. 치료는 가능하면 일찍 시작할수록 좋으며, 성장이 거의 멈출 때까지 사용하는 것이 바람직하다. 난소 부전으로 여성호르몬 치료가 필요한데, 90% 이상의 환자가 난소의 기능이 없어지므로 성인기에도 폐경이 오는 나이까지 여성호르몬의 투여가 필요하다. 전반적으로 예후는 양호한 편이고, 성장호르몬 치료를 받아도 성인 키는 평균보다 작다. 일부에서는 가벼운 학습장애 등이 발생하기도 하지만 일반적으로 지능장애는 없다. 수명은 일반인에 비하여 약간 짧을 수 있는데, 동반되는 질환, 비만, 고혈압, 당뇨병 등을 잘 조절하면 좋아질 수 있다. 불임은 거의 모든 환자에게 발생하지만 자궁이 정상적으로 존재하기 때문에 특별한 방법을 이용하면 임신이 되기도 한다. 성호르몬 부족으로 골다공증 등이 발생할 수 있으며, 성장장애, 비만, 골다공증 등의 대책으로 올바른 식습관과 운동습관을 갖는 것이 중요하다. 또한 평소 칼슘과 비타민 D를 충분히 섭취해야 한다.

터스키기 매독 생체 실험
[ㅡ梅毒生體實驗, Tuskegee syphilis experiment]

1932년부터 40년간 미국 공중보건국(USPHS)이 흑인 600명을 대상으로 시행한 비윤리적인 매독연구. 다문화상담

1932년부터 1972년까지 40년 동안 미국 공중보건국은 흑인을 대상으로 생체 실험을 시행하였는데, 그 지역의 이름을 따서 터스키기 매독 생체 실험이라고 부른다. 미국 공중보건국은 매독치료를 하지 않은 자연상태가 인간의 삶에 어떤 영향을 미치는지 연구하기 위해서 소수자인 흑인 600명을 대상으로 생체 실험을 실시하였다. 이 실험에서 대상자를 사회적 소수자인 흑인으로 선정하고, 실험 동의를 받는 과정에서 흑인 매독환자에게 '나쁜 피(bad blood)'라는 병을 치료해 준다고 속여 동의서를 얻어 냈다. 또한 실험이 진행되는 동안 이 사실을 흑인들에게 철저히 비밀에 부치고, 1943년에는 매독 치료에 획기적인 효과가 있는 페니실린이 개발되었음에도 불구하고 고의적으로 실험 대상 흑인을 전혀 치료하지 않았다. 이 실험으로 7명이 매독으로 사망하였고, 154명이 관련 합병증으로 사망하였다. 비윤리적인 매독실험의 과정과 결과는 1936년부터 1973년까지 정기적으로 의학저널에 보고되었지만 아무도 그 윤리성에 대한 의문을 제기하지 않았다. 이후 공중보건국에 근무하던 피터 벅스턴(Peter Buxtun)이 1972년 신문에 사실을 알리면서 사회적 이슈가 되었으며, 1973년에 실험이 중단되고 청문회까지 열렸지만 관련 의사들은 자신들의 잘못을 전혀 인

ㅌ

식하지 못하였다. 그러다가 1997년에 이르러서야 클린턴(Clinton) 대통령이 몇몇의 생존자와 다수의 사망자에게 애도를 표하며 사과를 하였다. 터스키기 매독 생체 실험은 인체를 대상으로 하는 연구에 관한 대중의 인식을 높이는 데 기여를 했지만, 소수자가 백인 집단의 연구나 의학적 처치를 극단적으로 불신하는 배경이 되었다.

터크만의 진로발달이론
[－進路發達理論, Tuckman's career development theory]

인간발달단계에 근거하여 자아인식, 진로의식, 진로의사결정의 세 가지 요소를 중심으로 진로발달을 설명하려는 논리적 틀. 진로상담

터크만(Tuckman, 1974)은 인간의 발달단계를 근거로 각 단계에서 수행해야 하는 진로교육의 방향을 제시하였다. 이 이론에서는 진로발달을 8단계로 구분하였는데, 우선 첫째는 일방적 의존성의 단계로서 유치원부터 초등학교 1학년까지를 말한다. 이 시기에는 가정, 유아원, 학교에서 듣게 되는 이야기와 주변 도구들을 탐색하는 것과 같이 주로 외적 통제에 의해 진로의식이 발달한다. 둘째는 자기주장의 단계로서 초등학교 1~2학년 시기를 말한다. 일에 대한 간단한 정보나 지식을 이해하기 시작하고 자율성이 점차 발달하면서 또래의 선택과 같고 간단한 형태의 선택을 한다. 셋째는 조건적 의존성의 단계로서 초등학교 2~3학년의 시기다. 자아를 인식하게 되고 보다 독립적이고 자율적인 성향을 띠며 자아인식은 동기, 욕구, 또래관계 형성에 초점을 맞추어 이루어진다. 넷째는 독립성의 단계로서 초등학교 3~4학년에 해당한다. 직업세계에 대해 이론적으로 탐색하고 직업세계와 기술에 대한 인식, 사회 내에서의 자신의 위치 등을 생각하며 진로결정에 관심을 보인다. 다섯째는 외부지원의 단계로서 초등학교 5~6학년에 해당한다. 이 시기의 아동은 주변인으로부터 인정과 승인을 얻고자 하는 욕구가 강해서 이와 관련되는 직업흥미, 목표, 작업조건, 직무내용 등을 고려하면서 관심을 갖는다. 여섯째는 자기결정의 단계로서 중학교 1~2학년에 해당된다. 이 시기의 청소년은 자신의 규칙과 규범을 설정하고 자아인식을 위한 노력을 하며 직업군을 탐색하여 직업관을 갖게 되고 현실적인 관점에서 진로를 결정하고자 한다. 일곱째는 상호관계의 단계로서 중학교 3학년에서 고등학교 1학년까지를 말한다. 이 시기는 또래집단의 문화와 교우관계를 중요시해 이와 관련된 진로를 선택하고자 하며 진로선택의 가치, 직업에 대한 기대와 보상, 작업환경, 의사결정의 효율성 등에 대하여 관심을 갖는다. 여덟째는 자율성의 단계로서 고등학교 2~3학년에 해당한다. 이 시기에는 직업탐색과 자기인식을 확고히 하며 진로선택을 위하여 자신의 능력, 교육조건, 선택 가능성 등에 초점을 두고 문제해결을 위한 대안들을 줄여 나간다. 이 이론은 여러 연구와 이론이 종합되어 있고, 유치원부터 고등학교까지의 진로발달을 설명하고 있다. 이처럼 유치원부터 고등학교의 교육과정에서 요구되는 진로교육의 기반을 제시해 주었다는 점에서 크게 공헌하였다.

관련어 진로발달

테두리기법
[－技法, fence technique]

내담자의 눈앞에서 사각형의 용지에 테두리를 그린 다음 건네주는 미술치료기법. 미술치료

테두리기법은 내담자에게 그림 그리기를 자극하고 그림 그리기에 대한 공포감을 줄여 주기 때문에 자아가 허약한 내담자에게 유용하게 적용할 수 있다. 때에 따라 원을 그려 주고 원 안에 그리거나 채색을 하게 함으로써 과잉행동, 주의산만 등을 통제할 수도 있다.

테바인
[- , thebaine]

아편의 구성성분 중 가장 소량 함유되어 있는 알칼로이드로, 앵속과에 속하는 양귀비의 다른 종류 'papaver bracteatum' 이라는 식물에서 추출한 물질. 중독상담

테바인의 화학구조는 모르핀과 유사하지만 효과는 다르다. 모르핀은 주로 진통과 진정 효과가 있고, 테바인은 인체 내에서 중추신경을 흥분시키는 작용을 하며 이로 인해 경련을 일으키기도 한다. 테바인 역시 장기간 남용하면 의존성과 금단증상이 생기는 중독성을 가지고 있다. 의료목적으로 테바인을 직접 사용하지는 않으며, 하이드로코돈, 옥시코돈, 옥시모르핀, 날록손 등의 의약품으로 전환하여 사용하고 있다. 오남용할 경우에는 오심, 구토, 호흡곤란으로 사망에 이르기도 한다.

관련어 금단증상, 아편, 약물중독

테스토스테론
[- , testosterone]

생식선에서 분비되는 성호르몬. 성상담

성호르몬에 해당하는 에스트로겐(estrogens), 프로게스테론(progesterone), 안드로겐(androgens)은 부신선에서 소량 분비되기도 하지만, 대부분 고환과 난소 같은 생식선에서 분비된다. 일반적으로 테스토스테론과 몇 가지 다른 호르몬을 포함한 일군의 호르몬인 안드로겐을 남성호르몬이라고 부른다. 이러한 호르몬 수준이 여성보다 남성에게 더 높기 때문이다. 테스토스테론은 시상하부 등 뇌의 신경세포가 남성화되도록 영향을 미친다. 발달 중인 남성의 고환은 테스토스테론을 생산하여 그 성장을 촉진하고, 점차 더 많은 테스토스테론을 생산하게 된다. 테스토스테론은 또한 남성의 생식기 구조물의 전구체인 원시 볼프관을 정낭과 수정관으로 발

달하게 만든다. 테스토스테론이 유발하는 이 모든 변화의 결과물은 음경과 음낭의 발달이다. 이론적으로는 유전적으로 여성인 태아가 충분한 양의 테스토스테론에 노출될 경우 남성으로 발달될 수 있지만, 실제 정상적인 조건에서는 불가능하다. 테스토스테론은 남성의 성적 욕구와 행동을 자극하며, 폭력이나 공격성과 관련된다고 알려져 있다. 다른 안드로겐과 그것에서 나온 합성화학물질은 테스토스테론과 함께 근육을 생성하는 경향이 있기 때문에 아나볼릭 스테로이드(anabolic steroids)라고 알려져 있다. 근육단백질의 합성을 증가시키고 특히 운동을 하는 사람에게 근육의 크기와 강도를 증진시키는 작용을 한다. 테스토스테론 농도가 낮아 성욕이 감퇴된 남성 성기능장애 환자에게 테스토스테론 약물치료를 처방하기도 한다. 또한 성정체성장애를 지닌 환자에게 성전환 수술 대용으로 호르몬치료가 시행되기도 한다. 남성 정체감을 지닌 여성 환자에게 테스토스테론을 투여하면 성적 욕구가 증가하고 음핵이 커지며 몇 개월 후에는 월경이 사라지고 목소리도 변한다. 또 체모가 증가하고 체형도 남성처럼 바뀐다.

관련어 에스트로겐

테이삭스병
[- 病, Tay-Sachs disease]

지적장애를 유발하는 신진대사, 내분비선의 이상증상. 특수아상담

지질대사의 장애에 의하여 중추신경 및 기타 장기에 지질이 축적되는 질환이 있다. 테이삭스병은 그중 하나로 신경계에만 축적이 되는 것이 특징이며 가족성 흑내장성 백치(amaurotic familial idiocy)라고도 하는데, 테이(Tay)와 삭스(Sachs)라는 두 명의 의사 이름을 붙인 것이다. 진행성 정신장애, 실명, 간질발작이 임상적으로 나타나고 대개 2세 미만

에 쇠약 또는 감염으로 사망한다. 특이적인 안저 소견이 보이고, 조직학적으로는 신경세포가 이상 지질의 축적에 따라 가지형으로 부풀어 오른다. 신진대사나 내분비선 이상 증상을 보이는 아동은 신체의 중요한 생화학 반응을 처리하는 효소에 결함을 가지고 있기 때문에 독성의 노폐물이 신체에 누적되고, 누적된 노폐물이 결과적으로 신체기관(특히 뇌 부분)의 이상을 유발하며, 심한 경우는 사망에 이르기도 한다. 테이삭스병은 혈청에 지방질의 양이 많아져 인지기능의 이상을 발생시킨다. 신진대사와 관련된 질병은 적시에 필요한 처치를 행하지 않으면 지적장애를 유발하는 원인이 된다.

관련어 갈락토스혈증, 갑상선 기능 부전증, 윌슨 증후군, 페닐케톤뇨증

테이프 분석
[- 分析, tape analysis]

면접과정을 녹음, 녹화한 것과 축어록 등을 검토하는 상담학습법 및 연구방법. 상담 수퍼비전

상담치료 숙련자의 상담사례과정을 녹음한 테이프를 듣는다든지, 자신의 상담사례 녹음테이프를 분석적으로 들음으로써 상담현장에서 미처 인식하지 못한 내담자의 미묘한 심리와 성격변화 과정에 대해 깨닫거나 상담자의 발언이 미치는 영향을 파악할 수 있다. 또한 상담 수퍼비전에서는 수련생의 상담사례 녹음테이프를 분석함으로써, 이에 대한 피드백을 주는 근거로 삼는다. 이 같은 테이프 분석은 보다 효과적으로 상담을 수행하는 데 긍정적인 영향을 미친다.

관련어 축어록

테크노스트레스
[- , technostress]

전자전기의 기술이 발달하고 많은 정보가 배출됨으로써 현대는 급격히 변화되고 있는데 이러한 기술의 발달이 개인에게 부정적 영향을 미쳐 심리적으로 어려움을 느끼는 상태. 기업 및 산업상담

테크노스트레스는 직장에 컴퓨터 단말기가 도입된 1980년대에 인식되기 시작한 것으로서, 미국의 임상심리학자 브로드(C. Brod)가 명명하였다. 그는 테크노스트레스를 개인이나 조직에서 새로운 기술을 사용함으로써 적응하는 데 어려운 상태에 놓이는 상황으로 정의하였다. 이 스트레스는 현대인의 질병으로서 컴퓨터 등 디지털 제품이나 사무자동화를 사용하는 데 새로운 기술을 조작할 능력이 부족하다는 것을 인식하면서 발병된다. 이러한 질환은 크게 테크노 불안증과 테크노 의존증으로 구별된다. 전자는 사무자동화된 직장환경에 적응할 수 없어서 생기는 현상으로, 모든 일에 자신감을 잃고 노이로제에 걸리거나 정신적 스트레스로 인한 구역질, 설사, 두통, 불면 등 자율신경 실조증, 때로는 과식증, 협심증 등 다양한 신체증상을 나타내는 경우가 많다. 이에 비해 후자는 컴퓨터에 대한 과잉적응으로 생겨나는 것으로 컴퓨터적 사고가 과잉으로 내면화되어 인간적인 마음의 부드러움과 유연성을 잃어버리고 정서와 감정이 결핍되어 사람들과의 대화나 대인관계를 괴롭게 느끼면서 피하려고 한다. 신체적 증상을 수반하는 경우가 적고 본인의 자각도 거의 없는 경우가 많기 때문에 부적응증보다 발견하기가 어렵고 치료도 어렵다.

테트라하이드로칸나비놀
[- , tetrahydrocannabinol: THC]

환각을 일으키는 마리화나의 주성분. 뇌 과학 이상심리

THC의 약리작용은 주로 심장혈관계와 중추신경

계에서 나타나며, THC에 대한 내성은 만성적으로 서서히 발전되어 정신적 의존성이 생긴다. THC의 심장혈관계에 미치는 영향은 심장박동 증가 및 말초혈관확장으로, 대마초 흡연자에게 흔히 나타나는 결막의 소혈관 부종, 눈의 충혈, 기타 인후의 자극과 기침 등의 증상이며, 중추신경계에 미치는 작용으로는 진토(구토를 진정시킴) 작용을 들 수 있다. 소량으로도 신경계에 강한 작용을 나타내는 향정신성 물질이며, 대량으로는 선명한 환각을 동반하고 뇌세포를 파괴하는 효과가 있다.

관련어 │ 뇌

텐-앤-텐 시스템
[-, 10-and-10 system]

좋은 관계를 위한 의사소통기술. 문학치료(글쓰기치료)

텐-앤-텐 시스템은 공인단체의 등록된 프로그램(TM)으로 몇 쌍의 부부가 모여 결혼생활에 관해 솔직하게 토의하여 관계를 개선하고자 하는 모임인 부부대화모임(The marriage Encounter)에서 좋은 관계를 위한 의사소통기술로 권장하는 방법이다. 매일 미리 정한 주제에 대해 10분간 연애편지를 쓰고, 배우자나 사랑하는 사람과 편지를 교환한 뒤 다시 10분간 서로 그 편지를 읽고 편지에 대해 이야기를 나누는 방식으로 진행한다.

텔레
[-, tele]

사이코드라마에서 사람들 간 감정의 양방적 흐름, 관계를 측정하는 사회 측정학적 개념. 사이코드라마

텔레의 발생학적 어원을 보면, '먼, 멀리까지 영향을 미친다'라는 의미를 지닌 그리스어에서 유래되었다. 이것은 사람들 사이의 관계를 말없이 감지하는

능력이며, 집단을 묶어 주는 보이지 않는 끈으로서 양방향적인 것이다. 다시 말해, 텔레는 사람들 간의 감정의 흐름을 말하며, 지금-여기서의 진술한 상호교환 또는 참만남으로 표현된다. 모레노(Moreno)는 이를 사람들 간 감정의 양방적 흐름 혹은 '치료적 사랑'이라고 정의하였고, '서로에 대한 감정으로 집단을 함께 묶어 주는 연결체'라고 하였다. 그러고는 사이코드라마에서 사람들 사이의 자연스러운 끌림, 배척, 무관심을 묘사하는 데 사용하였다. 텔레는 개인이 서로를 끌어당기거나 배척하는 과정으로서, 치료적 진척의 결정적인 요인이 된다. 참만남 개념의 핵심인 텔레는 마치 그들이 하나의 보편적 영혼으로 함께 묶여 있는 것처럼, 이러한 사이는 '개인이 서로에 대해 갖고 있는 어떤 민감성'으로 묘사될 수 있다. 다시 말해, 텔레는 전이의 사회적 개념이라고 볼 수 있다. 또한 역할 의존적인 역동성을 가지고 있기 때문에, 일반적인 모든 인간관계와 상호관계를 형성하는 기초가 된다. 이것은 거의 본능적이라고 할 만큼 자발적 현상이지만, 기질적 혹은 태생적 요인, 신체적 요인, 성격적 요인, 사회적 요인의 영향을 받으면서 지속된다.

관련어 │ 사이코드라마, 사회측정학, 자발성, 참만남

토대주의
[土臺主義, foundationalism]

인식의 정당화와 관련하여 제시된 이론의 하나. 철학상담

흔히 참된 지식은 '정당화된 참된 믿음(justified true belief)'이라고 하는데, 이때 한 믿음이 참이고 그것이 정당화되기 위해서는 전혀 의심의 여지가 없는 근본 믿음에 기초해야 한다는 주장이 있을 경우 이를 토대주의라고 부른다. 이 근본적 믿음은 다른 믿음들에 의해서 정당화되는 경우와 달리, 자체적으로 확실한 믿음, 가령 직접적 경험이나 직관에

기초한다. 이런 입장은 인식론에서 무한후퇴에 빠지는 것을 극복하기 위해 제시되었다. 즉, 어떤 믿음이 그것이 참임을 정당화하기 위해 다른 믿음에 의존하고, 또 이 믿음을 정당화하기 위해 또 다른 믿음에 의존하는 식으로 무한히 거슬러 올라가는 문제점을 극복하기 위한 것이다. 토대주의는 고전적 토대주의와 근대적 토대주의로 나누어지며, 전자의 경우 감각적 경험 및 이성적 사유에 대한 믿음만이 토대의 역할을 한다고 보며, 직접적 경험이나 수학적 진리 및 논리적 진리가 근본적 믿음에 해당한다고 생각한다. 후자의 경우도 이 같은 일반적 입장을 수용하지만, 다만 감각적 경험과 관련하여 감각되는 바깥의 사물이 존재한다는 사실에 더 집중하는 전자와 달리 감각 주체의 주관적인 심적 상태를 더 중시한다. 결국 후자는 어떤 것을 감각할 때 그것이 나에게 '나타나 보인다'는 것을 더 중시한다. 한편, 토대주의는 강경 토대주의와 온건 토대주의로 구별되기도 한다. 전자의 경우는, 근본적 믿음은 절대적으로 확실하여 오류 불가능하고, 따라서 교정의 가능성도 없다. 반면 후자의 경우는, 근본적 믿음이 오류가 발생하지 않는 한 근본적 믿음으로서의 자격을 갖지만, 오류가 발생하면 그 자격을 잃을 수도 있다고 본다. 실제로 토대주의에 비판적인 정합주의(coherentism)는 모든 믿음은 이미 '~로 보고' '~로 간주하는' 인식 주체의 의식상태를 전제로 하기 때문에 인식 주체의 의식상태와 독립적인 소여 그 자체를 거부한다. 그래서 정합주의는 토대주의가 주장하는 근본적 믿음은 불가능하다고 본다. 물론 토대주의자는 이런 정합주의자의 비판에 대해 근본적 믿음이 가능하다고 주장하면서, 나아가 정합주의와 보완관계에 있을 수 있다고 하였다. 오늘날 치점(Chisholm), 아우디(Audi), 플란팅가(Plantinga) 등은 여전히 토대주의를 주장하고 있다.

토런스의 창의적 사고 검사
[－創意的思考檢查, Torrance Tests of Creative Thinking: TTCT]

창의적 사고를 측정하는 검사. **심리검사**

창의적 사고를 측정하기 위해 1966년에 토런스(Torrance)가 개발한 검사로, 언어검사와 비언어검사로 구성되어 있으며 A형과 B형의 두 가지가 있다. 여섯 가지 언어검사에는 질문하기, 원인 추측하기, 결과 추측하기, 산출물 향상시키기, 특이한 용도, 가정하기가 포함되며, 세 가지 도형적 활동에는 그림 구성하기, 그림 완성하기, 선 그리기가 있다. 언어적 활동은 정신적 특성인 유창성, 융통성, 그리고 독창성의 세 가지 차원에서 채점한다. 비언어적 활동은 유창성, 독창성, 정교성, 제목의 추상성, 성급한 종결에 대한 저항 등 다섯 가지 정신적 특성에 대해 채점한다. 이 검사는 전 세계적으로 가장 널리 사용되고 있는 창의력 관련 검사다.

토큰경제
[－經濟, token economy]

조작적 조건형성 이론에 근거하여 기대하는 행동이 일어날 때 이를 강화하기 위하여 주어지는 조건강화의 대표적인 방법으로서, 여러 사람으로 구성된 집단의 구성원들이 각각 바람직한 행동을 함으로써 토큰을 얻고 이것을 모아 나중에 지원강화와 교환할 수 있도록 체제화한 프로그램. **행동치료**

토큰강화(token reinforcement), 토큰경제체제(token economy system), 토큰강화체제(token reinforcement system), 토큰강화 프로그램(token reinforcement program)이라고도 부른다. 토큰경제의 장점은, 첫째, 기대하는 바람직한 행동과 강화 제공 사이의 시간적 지체를 줄일 수 있기 때문에 기대행동의 강도를 계속 유지할 수 있고, 둘째, 기초 강화는 사용을 하는 데 시간과 장소의 제약을 받지만 토큰은 시간과 장소의 제약을 극복할 수 있어서 편리하게 기대행동을 강화할 수 있으며, 셋째, 연속적으로 일어나는 반응계열이 강화 제공 및 사용 때문에 중단되는 문제없이 연속적으로 강화하여 유지시킬 수 있다는 점이다. 토큰경제에 사용되는 조건강화자극으로서 토큰은 돈이라고 가정할 수 있는 어떤 것이라도 무방하다. 종이로 만든 쪽지나 스티커, 별표, 노트에 기록하는 점수, 벽에 차트를 만들고 점수를 주는 것 등 다양한 것을 토큰으로 사용할 수 있다. 다만, 토큰의 종류를 선정할 때는 대상자의 상황을 고려해야 한다. 어린아이나 지적장애 등 지적 수준이 낮은 경우에는 벽에 붙이는 방식을 택해 받은 토큰의 수를 항상 한눈에 볼 수 있도록 하는 것이 좋다. 토큰은 보기 좋고 가볍고 휴대하기 편리하며 다루기 쉬우면서도 위조가 불가능한 것이어야 한다. 그리고 행동수정을 하기에 충분한 수의 토큰을 항상 보유하고 있어야 한다. 토큰을 사용할 때는 토큰을 보관하고 즉각 제공할 수 있는 상자나 가방, 주머니 등의 보조물이 필요하다. 강화자극으로서 토큰은 몇 가지 장점을 가지고 있어서 행동수정에 널리 적용되고 있다. 첫째, 토큰의 수와 강화의 양 사이에 수적 관계를 성립시킬 수 있고, 둘째, 휴대가 용이하여 행동수정자와 대상자가 늘 휴대하고 보관할 수 있으며, 셋째, 대상자가 얼마든지 받고 소유할 수 있으므로 강화의 상한계가 없고, 넷째, 계속 준비할 수 있으며, 다섯째, 표준화하기 쉽고 여러 명의 대상자에게 함께 실시할 때 여러 가지 모양으로 만들어서 함께 적용할 수 있다는 점 등이다. 토큰경제가 효과를 나타내기 위해서는 우선, 토큰과 교환할 수 있는 지원강화의 효력이 대상자 모두에게 강할 수 있도록 다양한 지원강화자극을 준비해야 한다. 또한 지원강화를 항상 준비하고 토큰의 수에 따라 일관성 있게 교환되어야 효과를 볼 수 있기 때문에 토큰경제를 운영할 때 토큰은 현금체계를 운영하는 것과 마찬가지로 주의를 기울여야 한다. 토큰경제의 효과를 오랫동안 지속시키기 위해서는 토큰을 점진적으로 감소시켜 나가도록 간헐강화를 적용하면서 자발적 동기를 높이기 위하여 사회적 강화의 비중을 점차 높여 나가는 것이 매우 중요하다. 1960년대 중반부터 토큰경제가 심리치료나 재활교육에 효과적인 중재기법으로 등장한 이후, 아이온과 아즈린(Ayllon & Azrin)의 만성적 정신과 내담자를 위한 프로그램 개발에 큰 촉매 역할을 담당하였다. 1970년대에 들어와 토큰경제는 한층 폭넓게 응용되어 다양한 분야에 적용되었다. 울리, 블랙웰과 윈젯(Wooley, Blackwell, & Winget)은 정신과 환자인 경우에 과거의 만성적 환자들뿐만 아니라 급성환자나 지적장애 장애인에도 적용하였고, 헝(Hung)은 자폐적 증상을 가진 아동에게도 확대 적용하였다. 토큰경제는 1980년대를 지나면서 더욱 과학적인 방법으로 행동의학, 행동생태학, 지역사회심리학, 노인심리학에 이르기까지 적용범위가 크게 확대되었다. 필립스(Phillips) 등은 몇 개의 토큰을 받아서 상이나 특혜와 같은 후속 강화물로 교환할 수 있도록 하는 일련의 규칙에 따르는 토큰경제의 프로그램을 이용하여 예비 청소년들의 행동문제를 개선시키는 데 성공적인 결과를 보고하였다. 토큰경제의 절차는 목표행동의 결정 → 기초선의 결정 → 지원강화물의 선정 → 사용할 토큰의 선정 → 토큰의 수와 목표행동 간의 규칙수립 → 협조자 확보 → 프로그램 운영으로 되어 있다.

토털 커뮤니케이션
[-, total communication]

독화, 말하기, 듣기, 수화, 지문자를 모두 함께 사용하는 청각장애 아동의 중재 교육법. 특수아상담

1970년대 초까지는 거의 모든 청각장애학교에서 구화법에 의존하여 교육을 실시했지만, 이미 1960년대부터 이 같은 구화교육의 결과에 만족하지 못하는 사람들이 토털 커뮤니케이션을 개발하기 시작하였다. 구화법만을 사용했을 때 청각과 말을 통해 주고받을 수 있는 정보가 극히 제한된다는 것이 토털

커뮤니케이션을 주장하는 사람들의 생각이다. 미국에서 이루어진 조사에 따르면, 청각장애 프로그램의 3분의 2 이상이 토털 커뮤니케이션을 사용하는 것으로 보고되었다.

관련어 | 구화 교육, 이중 언어 · 이중문화적 접근, 인공와우

통일장
[統一場, unified field]

NLP를 위한 통합적인 틀로서, 신경적 수준, 인식적 입장, 시간이라는 세 가지 차원이 통합된 3차원의 매트릭스. **NLP**

통일장은 NLP의 여러 가지 다른 부분을 통합시키는 방법에 해당된다. 원래 통합장 이론은 물리학에서 나온 개념으로 자연계의 네 가지 힘인 중력, 전자기력, 약한 상호작용, 강한 상호작용을 통합하려는 시도의 대표적인 접근방식이다. 그러나 NLP에서의 통일장은 로버트 딜츠(Robert Dilts)가 신경적 수준, 인식적 입장, 시간이라는 세 가지 차원을 하나로 통합하여 이해하고자 하는 개념 틀이다. 통일장은 자신과 타인 안에 있는 서로 다른 요소 간의 조화와 관계성을 이해하는 데 도움이 된다. 핵심이 되는 열쇠는 바로 조화이며, 문제는 조화가 깨진 곳에서 생겨난다. 그리고 통일장을 통해서 어떤 요소는 너무 중요시하고, 또 어떤 요소는 무시하거나 너무 약하게 취급하는지 확인할 수 있다. 예를 들어, 어떤 사람은 이미 지나간 과거를 지나치게 강조하여 과거 때문에 삶이 영향을 받아 현재와 미래에 대해서는 제대로 관심을 두지 않거나 중요시하지 않는다. 또 어떤 사람은 일차적 입장만 주로 생각하면서 다른 사람들의 견해에 대해서는 고려하지 않는 경향이 있다. 마찬가지로 어떤 사람들은 행동과 환경에 대해서는 관심을 많이 쏟지만 정체성과 신념수준에는 관심을 충분히 보이지 않을 수 있다. 이처럼 통일장의 틀은 부조화의 확인을 가능하게 하는데, 그것이야말로 보다 건강한 균형을 이루는 길을 찾는 필수

적인 첫 단계다. 또한 상담자의 입장에서는 많은 기술 중에서 어떤 것을 사용해야 할지 파악하도록 해주는 진단도구로 아주 유용하다.

통제된 정교
[統制 – 精巧, controlled elaboration]

명료화를 통해 재구성을 가져오는 방식으로서, 구성개념들의 서열 체계의 재조직. **개인적 구성개념이론**

켈리(G. Kelly)의 구성적 대안주의 심리치료에서는 심리치료를 재구성의 과정으로 보는데, 통제된 정교는 대비적 재구성과 더불어 재구성의 한 유형이다. 통제된 정교는 명료화를 통해 재구성을 가져오는 방식으로서, 이것은 결국 구성개념들의 서열 체계의 재조직이지만 구성개념들 자체의 본질적인 수정은 가져오지 못한다. 내담자는 언어 및 기타 행동 동작에 따라 실험적으로 자신의 구성개념체계를 극복하도록 도움을 받는다. 본질적으로 자신의 체계의 상위–하위 양태들을 다루는데, 내담자는 자신의 구성개념들을 전체로서의 체계와 조화시킨다. 내담자는 구성개념들의 공공연한 대체를 시도하는 것이 아니라 자신의 체계가 내적 일관성을 갖도록 노력하는 것이다. 예를 들면, 자신을 '호의–적의' 차원으로 분류된 세계에서 호의적이라고 평가하는 사람들은, 어떤 부수적인 구성개념 및 행동이 '호의적'이고 어떤 것들이 적의적인지 발견하도록 도움을 받을 수 있다. 그러므로 자신의 체계는 한때는 스케치에 그쳤던 것이 이제 뚜렷이 묘사되고 상위 구성개념들은 탄탄해지며, 또한 반드시더 '나은' 사람은 아니라 해도 보다 통정(統正)된 사람이 된다.

관련어 | 구성적 대안주의, 대비적 재구성

통제소재
[統制所在, locus of control]

개인의 느낌, 성공이나 실패 또는 행동결과를 설명하는 데 가장 많이 사용하는 인과적 기제로서, 자신의 행동이나 감정을 지배하는 원인을 자신의 내부 또는 외부에 두는지 결정하는 경향. 성격심리

로터(Rotter, 1960)는 행동을 결정하는 데 보상에 대한 인지적 기대의 역할을 강조하는 사회학습이론을 제안하였다. 이 이론에서는 보상에 대한 인지적 기대가 사람마다 개인차를 나타내는데, 이를 바탕으로 인간의 성격을 설명하기 위하여 통제소재라는 개념을 제시하였다. 사람마다 자신의 행동과 자신의 내적 요인의 관련 정도에 차이를 보인다. 사람은 통제력이 내부에 있는지(internal locus of control), 아니면 외부에 있는지(external locus of control)의 관점에 따라 자신의 삶을 다르게 사는데, 이러한 태도가 바로 성격 경향을 반영한다. 내적 통제소재를 지닌 사람은 성공이나 실패가 자기 노력의 결과라고 믿으며, 외적 통제소재를 지닌 사람은 성공이나 실패가 운명이나 운 또는 다른 사람의 의지가 결정한다고 믿는다. 통제소재는 인간 삶의 여러 측면에서 서로 다른 통제소재를 갖기도 한다. 예를 들어, 어떤 사람은 사회적 관계에 대해서는 내적 통제소재를 지니면서 자신의 건강에 대해서는 외적 통제소재를 지닐 수 있다. 질병이나 건강에 관한 각자의 통제소재는 치료결과를 예측해 주는 한 부분이 된다. 상담장면에서 외적 통제형의 내담자에게는 지시적 상담이, 내적 통제형의 내담자에게는 비지시적 상담이 효과적이다. 합리적·정서적·행동적 치료(REBT)에서는 통제소재, 즉 문제의 원점을 정하는 방식을 바꾸어 문제를 해결해 보려고 한다.

관련어 | 귀인

통제이론
[統制理論, control theory]

자신의 내적 동기가 자신의 행동을 통제한다는 심리학적 이론. 현실치료

글래서(W. Glasser)에게 있어서 통제라는 개념은 인간의 내적 통제와 관련된 것으로 이해된다. 비록 인간의 모든 행동은 아니지만 대부분의 행동이 내적으로 동기화되고 선택된다는 측면에서 내적 통제가 중요하다고 강조한다. 인간은 행동과 정서를 이끄는 뇌의 중추적 제어체계에 따라 움직이는데, 이것이 기본욕구를 충족할 수 있게 한다. 모든 행동은 목적을 가지며 개인은 다른 사람을 통제할 수 없다. 모든 행동은 기본욕구를 충족하려는 목적에서 비롯된다. 즉, 개인은 자신의 욕구를 만족시키는 내적 세계인 지각 혹은 사진첩을 창조하며 이러한 지각에 따라 행동을 생성한다. 그러므로 행동은 자신의 욕구를 충족시키기 위해 세계와 세계의 부분으로서 자기 자신을 통제하려는 최선의 시도로 이해된다. 이러한 관점에서, 현실치료는 인간이 외적 자극에 따라 반응한다는 자극-반응의 행동주의 심리학과 대립된다. 글래서는 어떤 자극이 개인으로 하여금 행동하도록 하는 것이 아니라 그 개인의 내적 욕구나 바람(wants)이 행동을 생성한다고 주장한다. 또한 행동주의 심리학이 개인의 관찰되지 않은 내적 욕구를 무시하거나 소홀히 다루었다고 비판한다. 통제이론은 마치 정해진 온도에 따라 자동온도조절기가 작동하는 것처럼 개인의 기본욕구에 따라 뇌의 통제체계가 기능한다고 보는 것이다. 글래서가 가정한 다섯 가지 기본욕구를 충족하기 위해 개인은 뇌의 지시를 받아 행동한다. 인간은 누구나 욕구를 충족하기 원하며, 이러한 욕구충족의 바람은 각자의 독특한 사진첩으로 형성되어 개인의 행동을 통제한다. 글래서는 1996년 자신이 1970년대부터 사용해오던 통제이론을 선택이론(choice theory)으로 바꾸어서 부르기 시작하였다. 그 이유로는, 첫째, 자

신의 이론을 윌리엄 파워즈(William T. Powers)의 통제이론과 구분 지을 필요가 있었으며, 둘째, 통제란 용어가 자신의 삶을 스스로 통제한다는 본래의 의미가 아닌 외부로부터의 통제라는 다소 부정적인 오해를 불러일으켰기 때문이다.

관련어 | 기본욕구, 선택이론

통제집단
[統制集團, control group]

실험설계에서 처치를 받은 집단의 효과를 비교하기 위한 대상으로 설정하는 처치를 받지 않은 집단. **연구방법**

통제집단은 참가자에게서 어떤 변화가 일어나는 이유가 외부요소가 아닌 처치(treatment)나 독립변인 때문이라는 주장을 뒷받침하려는 실험설계에서 이용된다. 참가자를 임의로 2개의 동등한 집단, 즉 통제집단과 실험집단으로 나누고 처치를 하기 전에 있을 수 있는 차이가 고르게 분배되도록 하여 두 집단의 사후검사 점수에 반영한다. 실험집단은 처치를 받고, 통제집단은 처치를 받지 않다가 실험집단의 처치가 완료된 후에 처치를 받거나 아니면 플라시보(placebo, 위약) 처치를 받는다. 연구자가 통제할 수 없는 실험과정 중에 두 집단이 겪는 경험의 외부적 차이 또한 통제집단과 실험집단의 사후검사 점수에 반영한다. 두 집단이 연구기간에 동일한 경험을 할 것이라고 장담할 수 없는 이유는, 일부 참가자는 다른 형태의 처치를 추구할 수 있고 또한 일부 예견할 수 없는 형태의 역사(사전검사와 사후검사 사이에 발생하는 여러 가지 특수한 사건)가 한쪽 집단에는 영향을 미치고 다른 한쪽 집단에는 영향을 미치지 않을 수 있기 때문이다. 그러나 통제집단 설계는 성숙이나 역사 혹은 사전검사의 영향을 받더라도 두 집단이 똑같이 받을 것이므로 사후검사결과 나타난 두 집단 간의 차이는 오직 두 집단에 달리 주어진 독립변인 때문이라고 판단할 수 있다. 예를 들어,

심리적 안녕감에 대한 명상(meditation)의 효과를 조사하기 위해 연구자는 참가자들을 무작위로 실험집단과 통제집단에 배정한다. 비처치 통제집단(non-treatment control group) 설계에서 실험집단은 명상의 중재처치를 받고 통제집단은 전혀 처치를 받지 않는다. 그런 다음 양쪽 집단에 대한 자료를 수집하여 심리적 안녕감의 정도를 측정한다. 대기자 명단 통제집단(waiting-list control group) 설계에서는 실험집단은 중재처치를 받고, 통제집단은 어떤 처치도 받지 않는다. 그런 다음 두 집단에 대한 자료를 수집하여 심리적 안녕감의 정도를 측정한 뒤, 통제집단은 중재처치를 받는다. 대기자 명단 통제집단에서 심리적 안녕감을 측정하기 위해 추가적인 자료를 모을 수도 있다. 플라시보 통제집단(placebo control group) 설계에서는 실험집단은 중재처치를 받고 통제집단은 참가자의 심리적 안녕감에 어떤 변화를 일으키는 데 아무 효과가 없는 처치(플라시보)를 받는다. 이 플라시보는 참가자의 변화가 연구자로부터 받는 기대나 주의와 같은 비특정 요인에 기인한 것인지를 알아보기 위해 이용되며, 실험집단과 통제집단의 사후검사 점수에 반영한다. 실험집단과 통제집단을 비교하는 실험에서는 독립변인을 제외하고 종속변인에 영향을 줄 수 있는 기타 모든 조건이 같도록 최대한 노력해야 하는데, 이때 좋은 예가 바로 플라시보 사용이다. 실험집단에는 처치를 하고 통제집단에는 아무런 처치도 하지 않으면 아무것도 처치하지 않았다는 그 자체가 실험결과에 영향을 미칠 수 있기 때문에 통제집단에도 실험집단에 주는 처치와 겉보기에는 똑같지만 아무 효과가 없는 무해한 플라시보를 제공하여 두 집단 간에 차이가 느껴지지 않게 하는 방식이다.

관련어 | 실험연구

통찰
[洞察, insight]

이전에는 전의식이나 무의식 속에 담겨 있어서 보지 못한 정신적·정서적 갈등을 자각해서 알게 되는 것. 정신분석학

자신의 문제와 행동에 영향을 주는 요인에 대한 이해가 높아지고 자아인식이 향상되는 것을 뜻한다. 통찰은 상담접근법에 따라 다양한 의미로 사용되는데, 정신분석에서는 내담자가 과거경험과 현재 행동 간의 관련성을 인식하는 것을 의미한다. 상담자가 해석과 훈습을 통해 내담자의 무의식적인 갈등을 의식화시킬 때 통찰이 일어나며, 인지적인 이해로부터 충분한 감정적 자각에 이르기까지 통찰의 깊이는 다양하다. 통찰에 대해서는 정신분석의 목표에 따라 상반된 견해가 존재한다. 한 가지 관점은 정신분석의 목표를 내담자가 신경증을 유발하기 이전의 통찰수준을 회복하는 데 두는 것이다. 또 다른 관점은 분석을 통해 내담자의 통찰수준을 한층 더 깊은 단계로 발달시키는 데 두는 것이다. 통찰은 정화경험 도중에 혹은 정화경험 후에 종종 나타나며, 순간적으로 나타나기도 하지만 상담과정이 진행되는 동안 점진적으로 나타나는 경우가 더 일반적이다. 내담자가 자기 감정의 근원을 자각하고 문제에 대한 통찰을 얻게 되면 무의식적 갈등이 해소되고 그 결과 주변환경과의 상호작용이 개선되어 적응력이 향상된다. 통찰은 지적 통찰(intellectual insight)과 정서적 통찰(emotional insight)의 두 가지 유형으로 분류되기도 하고, 또한 발생적 통찰(genetic insight)과 역동적 통찰(dynamic insight) 등을 포함하기도 한다. 지적 통찰은 내담자가 단지 희미하게 알고 있던 생각을 지식수준에서 보다 더 명료하게 이해하는 것을 뜻한다. 치료목표를 달성하기 위해 내담자는 자신의 무의식 속에 억압되어 있는 갈등에 대해 통찰을 얻어야 한다. 정서적 통찰은 내담자가 개인적인 체험을 통해 자신의 내면세계를 보다 더 명확하게 이해하는 것이다. 무의식적 갈등을 자각하는 데 대한 저항이 약해졌을 때 가능하며, 회피하고 있었던 충동적 파생물을 자아가 인정하고 받아들일 수 있게 된다. 정서적 통찰이 이루어지면 통찰된 내용을 확실히 믿을 수 있게 되고, 그에 수반되어 감정 반응이 뒤따른다. 지적 통찰에 비해 정서적 통찰이 더 치료적인 것은 단순한 기억의 회상에 따른 암기식 지식이 아니라 신경회로의 광범위한 연산망을 재가동하여 얻은 것이기 때문이다. 발생적 통찰은 자신의 문제가 과거생활 중 어떤 사건에 의해 발생되었는지 그리고 어떤 대인관계에서 유래되었는지를 자각하는 것이다. 이는 갈등의 원인에 대한 통찰로서 종적인 통찰(longitudinal insight)이라고도 부른다. 내담자가 현재의 갈등문제에 대한 정서적 통찰을 얻고 심리적 에너지의 활동기제에 대해서도 이해했지만 그 원인적 기원에 대해서는 미처 파악하지 못할 수도 있다. 역동적 통찰은 자신의 갈등이 현재의 생활에 어떤 식으로 영향을 미치고 있는지를 자각하는 것이다. 이는 갈등의 결과에 대한 통찰로서 횡적인 통찰(cross-sectional insight)이라고도 한다. 내담자가 문제의 원인적 기원에 대한 발생적 통찰을 얻었지만 과거의 사건이 현재의 생활이나 성격에 미치는 영향에 대해서는 미처 역동적 통찰을 갖지 못할 수도 있다.

관련어 해석, 훈습

통찰명상
[洞察冥想, insight meditation, vipassana]

위빠사나, 관법(灌法), 사념처관(四念處觀) 등으로 불리며 호흡, 동작, 감각과 같은 신체, 슬픔과 기쁨과 같은 느낌, 탐욕과 분노와 같은 마음, 몸과 마음의 근본적 특성인 법을 알아차리며 주의를 기울이고 집중하는 정신적 훈련. 명상치료

통찰명상은 전통적으로 위빠사나 명상법을 말하며 마음챙김명상도 이에 속한다. 위빠사나의 명상수행법은 불교경전인 『대념처경(Maha Satipatthana

Sutta)』에 자세히 기록되어 있다. 이 책에 의하면 인간은 신체적 감각, 느낌, 부정적 감정 등을 알아차리고 주의를 기울여 집중하게 되면 욕망과 고뇌에서 벗어날 수 있다고 한다. 이 명상은 의식을 초월적인 상태로 변화시키기 위한 수행을 하는 것이 아니라 세상을 어떻게 바라보고 관계하는가에 대한 특정한 변화를 이끌어 내는 명상이다. 이는 신체적·심리적 이완을 돕고 집중력을 향상시키면서 개발하며, 자신과 세계에 대한 통찰을 발현하도록 한다. 그리고 개인 스스로를 보다 더 자유롭고 성숙해지도록 도움을 주어 심리적 안정감을 증진시키고 자신의 심리적 문제를 이해하고 통찰할 수 있도록 만들어 준다.

관련어 | 명상

통찰언어
[洞察言語, insight words]

인과언어와 함께 이야기 표지를 이루는 언어군으로, 글쓰기 참여자가 글쓰기에 참여한 이후 사용이 증가할수록 현저한 회복을 보였다는 표시가 됨. 문학치료

통찰은 20세기 독일 게슈탈트 심리학자인 쾰러(Wolfgang Köhler)가 동물행동연구를 통해 밝힌 개념이다. 그는 배고픈 침팬지를 우리 안에 가두고 침팬지에게 연결이 가능한 하나는 길고 하나는 짧은 막대기를 준 다음, 우리 밖에 바나나를 두고 침팬지의 행동을 관찰하였다. 침팬지는 우리 밖으로 손을 내밀거나 하나의 막대기를 이용해 바나나를 끌어당기려고 노력해 보았지만 연이어 실패하였다. 그러다가 우연히 2개의 막대기를 연결해 보더니, 즉시 길어진 막대기로 바나나를 끌어당겼다. 이와 같이 통찰은 도구를 발견하거나 사용·제작하는 과정에서 자주 볼 수 있고, 경험의 재구성 및 구조전환 등의 핵심으로 이루어진다. 통찰은 '아하!'라는 단어로도 특징지어진다. 정신분석에서는 통찰요법, 원인

요법이라고도 한다. 아주 사소한 것을 의식하고, 의식한 것을 다른 것과 관련시키고, 자신에 대한 의심을 하고, 그 의심을 심화시켜 확신으로 가는 단계를 거쳐 최종적인 통찰단계로 나아간다. 다시 말해, 무수히 작은 통찰이 더 큰 통찰을 낳는 것이다. 자신의 문제와 자신의 행동에 영향을 주는 요인에 대한 자기이해와 증가된 자아인식이 통찰의 주요 특징이다. 통찰은 종종 카타르시스의 경험 도중, 혹은 경험 후에 일어난다. 갑자기 혹은 점진적으로 일어난다. 통찰은 생각과 인식을 재구성한 결과로 발생하는 것이다. 이러한 통찰의 흔적이 글쓰기에서 '이해하다' '깨닫다' '알다' 등의 어휘로 나타나는데, 이것이 바로 통찰언어다. 이는 참여자가 고통스러운 사건이나 심리적 외상을 보다 폭넓게 이해하기 위해 한발 뒤로 물러서 있음을 드러내는 언어군으로, 눈빛이나 무언의 행위와 같은 비언어적 의사소통으로 한 가지 이상의 의미가 담긴 말을 전하는 것을 이르기도 한다.

관련어 | 아하!, 인과언어, 통찰, 통찰의 원리

통찰의 원리
[洞察 - 原理, insight theory]

독서치료 원리 중 마지막 단계의 이론. 문학치료(독서치료)

통찰은 문제해결이나 학습의 한 원리이며 어려운 문제를 해결하는 방법을 이해하는 것처럼 갑자기 밝혀지는 것으로서, 독일어로 'Aha-Erlebnis'라고도 한다. 이 말은 독일의 심리학자이자 이론언어학자인 카를 뷜러(Karl Bühler)가 만든 용어로, 'epiphany'라고도 한다. 이에 반하는 개념으로는 시행착오를 들 수 있다. 인지이론에서는 독일의 볼프강 쾰러(Wolfgang Köhler)가 주장하는 학습이론(learning theory)의 중심 개념이 통찰이다. 쾰러가 말하는 통찰의 원리는 전체 상황의 개념을 고려하는 것 혹은

학습자가 전체로서 상황을 운용하여 상황에 대한 앎이 일어난 다음 정신에서 해결책이 나오는 것이라고 할 수 있다. 쾰러는 길을 돌아가지 않으면 철망 너머로 보이는 먹이를 얻을 수 없는 상황에서 굶긴 개를 이용하여 실험을 했는데, 개는 먹이를 보고 잠시 멍하게 있다가 곧 행동을 바꾸어 길을 돌아가 먹이를 취하였다. 이 실험에서 개에게 일어난 인식 상황을 통찰이라고 할 수 있는데, 이는 도구의 발견, 사용, 제작과정에서도 흔히 볼 수 있다. 통찰은 몇 분 동안 주저한 뒤 갑자기 일어나며, 그 결과는 망각 저항이 커서 잘 잊히지 않는다. 통찰이 가능하려면 주변상황을 새로운 관점에서 종합적으로 고쳐 보는 것(지각적 재체제화, 知覺的 再體制化)이 필요하다. 심리학 및 정신의학에서 말하는 통찰은 자신의 정신적 질병을 인식하는 능력을 의미한다. 또는 심리치료 중 내담자가 지금까지 억압된 움직임에 의하여 의식할 수 없었던 갈등을 알게 되는 것도 통찰이라고 한다. 지적인 이해에서 그치는 것이 아니라 자아가 강화되는 데까지 이르는 것이 통찰이다. 이런 통찰의 형식은 치료가 필요하다는 것을 알게 되고, 질병에서 비롯되는 자신의 행동결과를 인식하는 등 여러 차원을 가지고 있다. 인식이나 앎의 수준이 매우 떨어지는 사람을 두고 '통찰불량(poor insight)' 혹은 '통찰결여(lack of insight)'라고 한다. 이외에 통찰을 원인과 결과를 연관시켜 규칙을 도출해 내는 의미로 보기도 한다. 정신은 통찰에서 구축되는 질서의 모델이다. 이때 정신의 사고는 두 가지 범주로 대별된다. 첫째, 나중에 활용할 수 있도록 통찰 획득목표를 가지고 과거경험을 분석하는 것과 둘째, 결과를 예측하기 위해서 정신모델 속에 존재하는 통찰을 사용해서 미래 각본을 연습해 보는 것이다. 게슈탈트 심리학자들은 학습의 기본적인 행동 형식으로 통찰을 강조한다. 문학을 매개로 하여 내담자의 심리 및 정서적 문제해결을 돕는 독서치료에서 통찰은 문제해결을 위한 마지막 단계로 볼 수 있다. 등장인물이 문제를 해결해 나가는 과정 및 방법을 관찰하여 얻은 결과물로 내담자가 스스로 깨달아 자신의 문제에 적용하여 자신의 동기 조성 및 욕구를 달성할 수 있는 카타르시스를 동반한 깨우침을 얻는 것을 독서치료에서의 통찰이라고 본다. 지각의 재조직화를 의미하는 통찰은 새로운 관계에 대한 깨달음이고, 축적된 경험을 통합하는 것이며, 자신의 재조직화를 뜻한다. 이 같은 통찰에 이르는 데는 세 가지 요소가 관여한다. 첫째는 지각으로, 지적·지각적 영역에서 나타난다. 문제를 풀기 위해서 여러 가지 요소를 살펴보고, 이 요소들 간에 놓인 숨겨진 관계를 지각하여 문제를 푼다. 이 때문에 통찰을 앞서 말한 '아하 경험(Aha-Erlebnis)'이라고도 하는 것이다. 이런 경험은 뜻하지 않은 상황에서 갑자기 일어난다. 상담장면에서는 내담자의 방어기제가 풀리고 내담자의 감정이 해방되는 순간에 흔히 볼 수 있다. 둘째는 자기수용이다. 내담자는 사회적으로 수용되지 않는 감정이나 이상적 자아와 일치하지 않는 자신의 감정이나 상태를 부정하려고 하거나 수용을 거부하기도 한다. 이때 내담자 자신의 축적된 경험을 통합하여 자기를 인식할 수 있으면 내담자는 하나의 게슈탈트로서 자신을 수용할 수 있게 되고, 이때 자신이 지니고 있는 감정 및 행동 등이 서로 인정되는 단계에 이르는 것이다. 셋째는 선택이다. 통찰은 현재 상태를 지각하고 수용하는 것에서 그치는 것이 아니라 더 나은 목표를 향한 적극적인 선택까지 포함한다. 이 셋째 요소로 통찰은 내담자를 위한 선택이 누가 대신해 줄 수 있는 것이 아니라는 한계를 인식하게 해 주고, 내담자는 그 한계를 수용하면서 미래를 위한 건설적인 선택을 하는 힘을 갖추게 되는 것이다. 독서치료는 동일시의 원리, 카타르시스의 원리를 거쳐서 궁극적으로 이 통찰의 단계에 이르도록 내담자의 자아를 강화하고 내담자의 자기이해 증진을 도와 자신의 축적된 경험을 통합하도록 하는 것이다.

ㅌ

통찰치료
[洞察治療, insight therapy]

내담자 혹은 환자가 자기 자신의 정신병리에 대하여 현실적이고 논리적이며 합리적인 인식과 사고를 증진할 수 있도록 함으로써 정서장애나 부적응 행동문제를 해결하려는 정신치료의 하나. **분석심리학**

통찰치료는 인간이 자신의 욕구와 추동(drive) 사이에 갈등이 일어날 때 자신을 동기화하는 것이 무엇인지 알지 못하기 때문에 개인의 행동, 감정, 사고가 심리장애를 겪는다는 점을 전제로 한다. 통찰 치료의 목적은 인간의 행동, 감정, 사고의 숨겨진 이유와 동기를 인식하고, 적절한 변화를 유도하며, 정신건강을 향상시키는 것이다. 통찰치료의 이론에서는 동기에 대해 좀 더 많이 인식할수록 행동, 감정, 사고를 조절할 수 있고 그 능력이 향상된다고 제안하였다. 인간은 통찰로 정신의 고착된 부분을 발견하여 새로운 적응성을 지니게 되며, 이완되고, 새로운 시작을 위한 여유를 창조할 수 있다. 새로운 인식은 사고와 지각에서의 새로운 통로가 된다. 이는 행동을 위한 새로운 가능성으로 대치되어 오래된 고통스러운 딜레마는 자연스럽게 사라진다. 통찰에 기반을 둔 치료에는 정신분석, 분석심리, 정신역동치료, 인간중심치료 등이 있다. 불안, 우울과 같은 부적응 감정이 영구적으로 변화하기 위해서는 통찰치료와 함께 인지행동치료, 마음챙김 훈련, 에너지 체계치료 등을 병행해야 한다.

통찰학습
[洞察學習, insight learning]

시행착오를 거쳐 우연히 얻는 성공이 아니라 문제를 완전히 파악한 결과 문제상황에 대한 요소 사이의 관계를 이해함으로써 일어나는 인지적 재구성. **행동치료**

통찰로써 획득한 해결을 바탕으로 하는 수행에는 거의 오차가 없고 원활하며, 통찰로 얻은 문제해결은 상당 기간 유지될 수 있다. 통찰학습은 학습자의 통찰과정을 통한 인지구조의 변화로 학습이 된다고 보는 것이다. 학습은 단순한 자극(S)-반응(R)과의 결합이나 맹목적으로 반복되는 시행착오적인 것이 아니다. 이는 어떤 사태에 직면했을 때 전체 구조의 관계를 인지하고 재구조화, 재체제화하여 문제해결을 하는 지적 과정, 즉 통찰이다. 학습자는 문제해결에 대한 모든 요소를 생각해 보고 문제가 해결될 때까지 여러 가지 방법을 생각하게 되는데, 이 과정에서 학습자는 문제해결에 대한 통찰력을 얻고, 그것을 통해 문제를 해결하면서 그 방법을 학습하게 되는 것이다. 즉, 문제사태를 전체적으로 이해하고, 그것을 분석하여 인지함으로써 자신의 목표달성을 위한 행동과 결부시켜 재구성 또는 재구조화하여, 결국 전체 속의 한 요소를 전체와 관련시켜 목표 달성을 위한 도구로 사용하여 문제를 해결하고자 한다. 쾰러(Köhler)는, 인간이 무조건적인 결합이나 행동상 시행착오를 통해서만 세상을 배우는 것은 아니라고 보았다. 인간의 의식과정과 추리능력 같은 인지능력을 인정했고, "아하! 그렇구나."라고 탄성을 지르면서 아는 것과 같이 '아하! 경험'을 통해 학습을 하며, 이 과정은 비약하듯이 한순간에 일어난다고 보았다. 쾰러는 복잡한 문제를 해결하는 침팬지의 능력을 알아보기 위한 일련의 실험을 시행하였다. 유인원 연구소장으로 있을 때 만난 술탄은 쾰러가 연구한 침팬지 중에서 가장 똑똑했으며 그의 연구에서 중요한 역할을 하였다. 침팬지는 반복과 시행착오를 통한 연합학습, 즉 점진적 학습이 아니라 어느 순간 급격하게 문제를 해결하는 통찰을 한 것이다. 통찰학습에 영향을 주는 변인은 다음과 같다. 첫째, 통찰은 문제상황의 배열이다. 적절한 과거경험은 필요하지만 그것이 해답을 보증하지는 못한다. 해답에 대한 필요요소들이 정리되어 그들의 관계가 지각될 수 있을 때에만 통찰이 쉽게 올 것이다. 둘째, 일단 통찰로 해답이 나오면 그것은 즉각적으로 반복될 수 있다. 갑작스러운 해결은 통찰의 법칙이다. 셋째, 통찰로 얻은 해답은 새로운 사태에 적용될 수 있다. 통찰실험에서 학습된 것은 조건형성된 연합의 특수한 세트가 아니라 수단과 목적 간의 인지적 관계이다.

관련어 | 인지학습

통합교육
[統合敎育, inclusive education]

> 장애 학생과 비장애 학생 혹은 일반 학생이 함께 생활하고 배움으로써 서로를 이해하고 편견 없이 상호 협조하면서 공동체의식을 함양하고자 하는 교육환경. **특수아상담**

통합교육의 개념에 대해 학자들마다 약간의 차이가 있지만, 대부분 일반 교육과정에 특수 학생을 포함하는 것은 공통적이다. 즉, 통합교육은 다양한 교육적 요구와 능력을 지닌 학생들이 함께 교육받는 것으로서, 장애 아동과 일반 아동이 사회적 활동이나 교수활동에서 의미 있는 상호작용을 하는 것이 특징이다. 통합교육과 관련된 다른 용어로는 정상화, 최소제한환경, 주류화, 통합(혹은 포함), 완전통합 등이 있다. 여기서 주류화 흐름은 1990년대에 이르러 특수교육 내에서 통합교육 혹은 완전통합으로 이어졌다. 이처럼 통합교육은 장애 학생을 최대한 일반 교육 교실에서 교육시키기 위해 모든 노력을 다하는 것이다. 일반 통합교육을 주장하는 사람들은 장애 학생을 분리하는 교육제도에서 벗어나 중도 장애 아동까지 포함하여 완전 통합을 이루어야 한다고 말한다. 그러나 한편으로는 통합교육을 하는 것이 타당하지만 완전 통합으로 장애 아동 개개인의 요구를 충족해 주기 위해서는 우선 필요한 서비스 체계를 갖추어야 한다고 주장하였다. 완전 통합에 대한 찬반 논란이 있기는 하지만, 기본 원리나 취지는 장애 아동을 일반 교육에서 일반 아동과 함께 교육하기 위해 학교교육을 재구조화해야 한다는 점에서는 일치하고, 협력과 소통을 통하여 장애 학생에게 적절한 교육을 제공해야 한다고 보고 있다. 즉, 장애 학생이 최대한 일반 학급에 배치되는 것을 지지하며, 각 학생의 개별화된 교육적 요구를 충족시키기 위해 필요한 수업이나 관련 서비스를 제공해야 할 것이다. 그러나 모든 장애 학생에게 동일한 배치와 수업을 강요하는 정책에는 여전히 논란이 있다고 볼 수 있다.

관련어 | 완전 통합, 완전 통합교육, 완전 포함 교육

통합모델
[統合 -, integrates model]

> 카터와 나래모어(Carter & Narramore, 1979)가 신학과 심리학의 관계에 대해서 설명한 네 가지 유형 중 하나로, 심리학과 신학의 진정한 통합을 이루고자 하는 입장. **목회상담**

카터와 나래모어는 신학과 심리학의 관계를 대립모델, 종속모델, 병행모델, 그리고 통합모델의 네 가지로 설명하였다. 그중 통합모델은 신학과 심리학의 대화를 통해서 진정한 의미의 통합을 이루고자 하는 입장이다. 이러한 입장에서 신학과 심리학을 통합할 수 있는 근거로 신학은 하나님께서 주신 진리의 말씀에 대한 것이며, 심리학에서 발견된 진리도 성경과 크게 상충되지만 않으면 하나님께서 깨닫게 해 준 학문의 결과라고 본다. 돈 브라우닝(Don Browning, 1966)을 대표로 하는 이 입장은 세상을 구원한 분은 하나님 한 분이기 때문에 인간이 인간을 치유한다는 것은 하나님이 인간을 치유하는 큰 틀 안에 포함되는 활동이라고 보았다. 따라서 신학과 심리학의 적극적인 교류가 가능하다고 하였다. 로렌스 크랩(Lawrence Crabb, 1975)과 같은 학자들은 신학과 심리학이 교류를 하는 데 기독교의 죄와 구원의 본질과 같은 문제를 무시하여 심리학을 신학의 자리에 대신 놓아 기독교에서 얻을 수 있는 인간에 대한 독특한 통찰을 잃어버려서는 안 되며, 동시에 과학적인 발견과 발전을 무시해서도 안 된다고 주장하였다. 따라서 신학과 과학의 도움을 동시에 받는다면 인간에 대한 더 깊은 통찰이 가능해질 것이라고 하였다.

관련어 | 대립모델, 병행모델, 종속모델

ㅌ

통합발달모델
[統合發達 -,
integrated developmental model: IDM]

슈톨텐버그, 맥네일과 델워스(Stoltenberg, McNeill, Delworth, 1998)가 개발한 수퍼비전 모델로서, 수퍼비전을 하나의 발달 과정으로 보는 입장. **상담 수퍼비전**

IDM에서는 상담수련생의 발달단계를 세 가지 수준으로 나누어 이에 따라 각 수준에서 할 수 있는 수퍼바이저의 역할을 설명하였다. 1수준의 상담수련생은 입문단계의 치료자로, 자신감과 기술이 부족한 특징을 보인다. 이들에게는 수퍼바이저가 구조화와 방향제시를 통해서 지도를 해야 한다. 이 과정에서는 수퍼바이저가 수련생에게 많은 양의 지식과 조언을 제공해 주는데, 수련생이 내담자와의 관계와 수퍼비전에 대해 보다 적극적으로 책임감을 가지고 임할 수 있도록 격려하는 것도 빠져서는 안 된다. 이 같은 책임감을 느끼게 하기 위해서 수련생이 상담자로서 자기 자신을 점검하고, 스스로 문제해결을 시도할 수 있도록 자율성을 격려하는 것도 수퍼바이저의 중요한 역할 중 하나다. 1수준의 초급 상담수련생은 수퍼비전의 과정을 거치면서 초급 상담자로서 느끼는 상담과 수퍼비전에 대한 혼란 및 불안을 최소한으로 줄일 수 있게 되고, 적절한 수준의 자율적 도전을 시도해 볼 용기를 얻는다. 2수준의 상담수련생은 어느 정도의 자신감을 가지고 있으며, 자신의 상담능력과 의사결정과정에 대한 믿음이 형성되기 시작하는 시기인 중급의 상담자를 가리킨다. 이때는 수퍼바이저가 수련생의 개인적 반응과 문제들이 치료자로서 그의 기능에 어떠한 영향을 미치는지 등에 집중할 수 있도록 해 주어야 한다. 3수준의 상담수련생은 보다 성숙한 상담자로서의 자질을 갖추게 되는 시기인데, 이때는 수련생 자신이 수퍼비전의 구조를 주도한다. 자신감이 급속하게 높아지고, 수퍼비전은 점점 더 비형식적이고 동료적인 성향을 보이며, 수퍼바이저는 자문가로서의 역할을 하게 된다. IDM에서의 이러한 수련

생의 3단계는 인간의 발달단계처럼 뚜렷하게 구분되어 세 수준을 거치는 것은 아니다. 한 사람의 수련생이 어느 상담의 영역에서는 1수준이지만, 다른 영역의 상담에서는 3수준을 나타낼 수도 있는 것이다. IDM은 수퍼바이저가 상담수련생의 발달단계를 잘 이해하고 있다면 이에 따른 기술과 접근을 활용하기에 유용하다는 장점을 가지고 있다. 그러나 이 모델이 주로 상담수련생으로서의 학생의 발달에 초점을 두고 있다는 것과 각각의 수련생의 수준에 적합한 수퍼바이저의 구체적인 수퍼비전 방식을 제시하지 못한다는 단점도 있다.

관련어 | 발달 수퍼비전

통합변형수련
[統合變形修練,
integral transformative practice: ITP]

인간의 통합적 성장을 위해 모든 인간의 차원인 몸, 본능, 가슴, 마음, 의식에 창조적으로 접근하는 훈련방법. **초월영성치료**

다양한 신체적, 심리 영적 수련이 포함된 활동이다. 통합변형수련에서 통합(integral)은 다이어트, 운동, 요가 등으로 몸을 수련하는 것이며, 독서와 논문에 대한 토론, 관련된 주제에 대한 책 요약 등으로 마음을 수련하고, 집단과정과 커뮤니티 활동 등으로 가슴을 수련하며, 명상이나 심상화, 요가 등으로 영성을 수련함으로써 이 모두를 통합적으로 다루는 것을 말한다. 변형(transformative)은 일반적으로는 불가능한 것으로 간주되는데, 몸과 존재에서의 긍정적인 변화를 추구하는 것이다. 그리고 수련(practice)은 장기적이고 주기적이며 체계적으로 이루어지는 활동으로서, 어떤 외적 보상보다는 그 자체로 가치를 지니는 것을 말한다. ITP는 그리스의 '모든 덕성의 상호 포함 관계(antakolouthia)' 원칙을 기반으로 하고 있는데, 그것은 신체, 정서, 마음 등의 어떤 수

준에서 특정 기술을 수련하는 것은 다른 수준에 긍정적인 영향을 미친다는 의미다. 이러한 크로스 트레이닝(cross-training) 시너지 효과는 ITP의 가장 중요한 원칙의 하나로, 인간의 모든 차원의 상호의존성으로 몸, 정서, 신체적인 수련은 전체 유기체에 영향을 미친다. ITP는 인간의 통합적 발달을 위한 다섯 가지 상호 의존적 미덕으로 정직성, 창조성, 용기, 균형, 탄력성을 들고 있다. 이러한 미덕을 계발하는 수련은 엄격하게 규정된 기법이나 유일하게 올바른 통합수련방법이 정해져 있는 것이 아니라, 각 수련자의 특성에 따라 융통성 있게 적용해야 한다. ITP의 궁극적 목적은 '통합적 변형' 또는 '통합적 각성'으로 그것은 우리가 가진 모든 다양한 능력과 속성, 잠재적인 신성을 모든 측면에서 꽃피우도록 도움을 주는 것이다. 이러한 변형을 위한 치료의 기본 원칙은 다음과 같다. 첫째, 지속적인 변형은 장기간의 수련이 필요하다. 둘째, 가장 효과적인 변형 수련은 몸, 마음, 가슴, 영혼을 포함하는 전인적 활동으로 구성되어야 한다. 셋째, 현재의 치료자가 유일하거나 올바른 수련법이 정해져 있는 것이 아니라 수련자의 특성에 따라서 치료자와 치료방법이 수정될 수 있다. 즉, 치료자는 수련자의 문제를 다루는 자신의 유능성을 항상 점검하고, 때로는 자신보다 수련자의 문제를 더 잘 다룰 수 있는 전문가를 찾아 수련하도록 수련자를 도와야 한다. 넷째, 수련자는 멘토, 공동체, 수련단체를 따를 수도 있지만 궁극적인 권위는 각 개인에게 있다. 이러한 원칙 외에 또 다른 ITP의 특징으로는 에어로빅, 동물성 저단백질 식단, 멘토링, 공동체 지원, 긍정적인 확신이 필요하다는 것이며, 더 중요한 점은 'ITP 카타'라는 수련을 주기적으로 실천하는 것이다.

ITP 카타 [-, integral transformative practice kata, ITP Kata] 균형적·집중적 동작을 먼저 시작하여 몸의 건강, 가슴의 열림, 창조성, 수련자마다 고유한 자질을 촉진하기 위한 심상화의 의도적 활용법인 변형적 상상을 한 다음, 정관적 기도와 자기 관조를 결합한 명상으로 마무리하는 수련법이다. 'Kata'는 일본어로 '형식'을 의미하며 무술에서 미리 정해진 일련의 동작을 행하는 것과 유사하다. ITP 카타는 하타요가, 격투기, 현대적 운동생리학과 같은 훈련방법에 기초하여 구성된 수련법으로서 보통 40~50분 동안 진행하는데, 각 과정은 끊이지 않은 채 이어지면서 다른 과정으로 넘어간다. 시간은 개인의 필요와 욕구에 따라 확장될 수 있다. ITP 카타의 실시과정은 다음과 같다. 첫째, 몸, 정신의 균형과 중심을 잡는다. 둘째, 심장박동을 빠르게 하고 혈류를 증가시키면서 유입되는 열기를 몸의 모든 부분으로 보내면서 전체적인 워밍업을 한다. 셋째, 관절을 유연하게 만들어 근육의 마디마디를 건드린다. 넷째, 중요한 근육에 유연성을 증가시키면서 전체적으로 스트레칭을 한다. 다섯째, 세 가지 필수적인 힘을 강화시키는 수련을 한다. 여섯째, 점진적 이완연습을 통하여 근육군을 긴장시켰다가 깊이 이완한다. 일곱째, 지속적으로 깊고, 리듬감 있는 호흡을 한다. 여덟째, 의지의 힘이 몸과 정신 속의 긍정적인 변화에 적용될 수 있도록 변형적 상상을 한다. 아홉째, 10분간의 명상으로 마무리한다.

통합심리도
[統合心理圖, integral psychograph]

우리 존재와 기능에 대한 다양한 측면을 의미하는 AQAL의 다섯 가지 요소 중 하나인 선(lines)의 발달수준을 막대그래프 또는 동심원 형태로 나타낸 도표. 초월영성치료

선의 발달수준을 그리는 가장 기본적인 형태는 막대그래프인데 인지, 자기, 욕구, 정서, 대인관계, 영성 등 각 발달의 선은 가로축에, 내담자의 각 측면이 현재 어느 정도 발달했는지 알려 주는 지표는 세로축에 표시한다. 선이 길수록 그 측면은 더 발달된 것이다. 다양한 발달수준 또는 파동이 실제로는 홀라키적이며 나선형의 흐름으로 더 정확하게 표현할

수 있기 때문에 심리도를 연속적인 동심원으로 나타낼 수도 있고 각각의 더 큰 동심원은 발달의 다음 수준 또는 단계를 보여 준다. 상담 및 심리치료에서 활용하는 방법은, 심리적인 소양을 어느 정도 갖춘 내담자에게는 치료자가 발달수준과 선의 개념을 설명해 준 다음 내담자에게 자신의 심리도를 그려 보도록 요청하고 치료자 역시 내담자의 심리도를 그릴 수 있다. 그 뒤 치료자와 내담자가 그린 각각의 심리도의 유사점과 차이점을 비교해 보는 것으로 내담자의 어떤 측면이 내담자가 도움을 필요로 하는 갈등 속에 나타나는지에 대한 토론을 촉진시킬 수 있다.

관련어 │ AQAL

통합심리치료
[統合心理治療, integral psychotherapy]

미국의 통합사상가인 윌버(Wilber)의 이론을 적용한 심리치료적 접근. 초월영성치료

상충되는 수많은 치료적 접근들 간의 공명적 조화를 이룰 수 있는 견고하고 일관되며 포괄적인 AQAL (All Quadrants All Levels) 메타 패러다임에 기초하고 있다. 통합적 맥락에서 고통은 개인사뿐 아니라 본질적으로는 인간이 연결된 우주적 일체감으로부터의 분리에 근거하므로, 통합심리치료는 고통을 받는 사람들은 모두 삶의 일체감에서 분리된 자아의 일시적인 정체성에 갇혀 있다는 관점에서 출발한다. 즉, 광의의 맥락에서 통합심리치료의 목적은 고통의 조건으로부터 자유를 향해 각성해 나가는 과정을 촉진하는 것으로, 그것은 몸, 정서, 마음과 배타적으로 동일시하는 정체성으로부터 자신의 고유한 존재의 완전성을 펼치고 포용하는 정체성으로 변화시켜 나가는 것이다. 또한 그것은 일반적 심리치료의 목표인 정상적 자아기능의 성취와 더불어, 자아 중심적 경계를 넘는 자각의 계발과 영적 각성

을 목표로 하며, 모든 영역수준에서의 성장과 변화를 강조한다. 통합심리치료의 과정은 일반적으로 통일되고 일관된 절차를 따른다기보다는, 정신분석, 인본주의, 인지치료 등 다양한 이론적·전문적 배경을 지닌 치료자들이 통합적 틀을 각자의 지향성에 확장시켜 고유한 상담과정과 기법을 적용한다. 그러나 구체적인 상담과정은 이처럼 치료자에 따라 다양하게 진행할 수 있다 해도, 모든 통합심리치료자들이 공통적으로 중시하는 작업은 AQAL이라는 개념적 틀을 활용하여 내담자의 문제를 가능한 한 다차원적·통합적 관점으로 이해하고 복잡하면서도 미묘한 정보를 실용적인 사례개념화로 조직화하여 각 내담자에게 최적화된 치료를 계획하는 작업이다. 즉, 통합적 평가와 그에 따른 개별화된 치료계획은 통합심리치료의 핵심이라고 할 수 있다. 또한 통합심리치료의 접근은 광범위하고 융통성 있는 상담기술을 시사해 주고 있다. 다시 말하면, 통합심리치료는 하나의 통일된 기법이나 방법론으로 특징을 보이는 것이 아니라 각 내담자의 고유한 문제에 가장 적합한 도구와 기법을 선정해야 한다. 치료자의 전문적 지향성에 따라 다양한 상담기법이 활용될 수 있지만 통합심리치료에서 공통적으로 활용하는 도구는 AQAL 모델에 기초한 개별 기술적·자전적·다차원적 평가도구인 '통합 접수 평가지(integral intake)', 기존의 200여 가지의 치료방법론과 실용적 기술을 4개의 상한과 3개의 수준을 조합한 12개의 차원으로 분류해 놓은 체계인 '통합적 치료개입분류표(integral taxonomy of therapeutic intervention)', 치료회기 내에서의 변화와 통찰을 일상 속으로 확장하고 공고히 하기 위한 수련모델인 '통합적 삶을 위한 수련(integral life practice)' 등을 들 수 있다.

통합심리학
[統合心理學, integral psychology]

동양과 서양 심리학의 다양한 성과를 광범위하게 종합하여 기존 심리학에서 배제해 왔던 초의식 영역이 포함된 전체 인간 의식에 대한 복잡한 도식과 발달모델을 제시하는 새로운 형태의 심리학. `초월영성치료`

동양의 전통적인 종교와 서양의 심리학을 통합할 뿐 아니라, 한 인간의 몸, 마음, 정신의 통합과 전일성의 추구, 기존 심리학 세력의 성과를 모두 포괄하고 통합하고자 하는 심리학이라고 정의할 수 있다. 최근 통합심리학은 1990년대 후반부터 유행처럼 번지고 있는 통합적 패러다임의 주역인 윌버(Wilber)가 주창한 심리학으로 알려져 있지만, 실제로 훨씬 이전부터 아우로빈도(Aurobindo)의 통합요가(integral yoga) 철학과 그 영향을 받은 학자들, 그리고 현대적 의미에서의 최초의 통합적 모델인 정신통합(psychosynthesis)을 창안한 아사지올리(Assagioli) 등이 꾸준하게 연구를 해 오고 있었다. 그중에서도 아우로빈도 사상에 기초한 심리학은 통합심리학이라는 용어를 동일하게 사용한다는 점에서 윌버의 심리학과 공통점이 있으며, 그 성격상 요가의 영향을 많이 받기 때문에 통합요가심리학이라는 또 다른 명칭으로 불리기도 한다. 통합심리학이라는 용어는 현재 특정 심리학 세력이나 분파를 지칭한다기보다는 좀 더 일반적이고 광의의 의미를 내포하는데, 즉 그것은 통합심리학이라는 명칭을 직접적으로 사용하는 심리학뿐 아니라, 여타의 통합적 접근방식을 포괄하는 심리학의 의미로 더 많이 통용되고 있다. 다시 말해서, 아직 통합심리학 분야는 고유한 실체성과 정의에 대한 기본적인 합의에 도달하지 못한 상태라고 할 수 있다. 따라서 현재의 통합심리학은 다음의 두 가지 관점에서 조망될 수 있다. 즉, 윌버나 아우로빈도의 심리학과 같이 통합심리학이라는 명칭을 직접적으로 사용하는 것을 협의의 심리학이라 이해한다면, 이 협의의 심리학이 제공하는 중요한 심리학적 함의를 수용하면서도 이

들 외에 다양한 통합적 접근방식을 포괄하여 일컫는 것은 광의의 심리학이라 정의할 수 있다.

통합적 가족치료
[統合的家族治療, integrative family therapy]

가족심리학과 체계치료의 이론과 기법을 통합하여 활용하고자 하는 심리치료의 접근방법. `기타 가족치료`

가족심리학은 개인과 가족에 관한 실증적 연구와 이론을 구축하고, 체계치료는 개인, 가족, 학교, 의료현장, 직장, 커뮤니티 등 체계에 대한 개입법을 개발해 왔다. 통합적 가족치료는 이 둘의 특징을 합쳐 보다 다각적이고 일관성 있는 유효한 접근방법을 창조하려고 한 것이다. 이 접근방법에서는 치료적 변화에서 가장 중요한 매개변수가 생태의 전체적인 진화에서 관계성이며, 이들 모두는 문제의 발생에 관련되어 있음과 동시에 문제해결의 자원이라고 생각한다. 가족에게 영향을 주는 생애주기, 젠더(gender), 문화적 배경의 차이와 치료에 미치는 치료자의 윤리관, 교육, 훈련, 스트레스 상황 등이 중시되며, 그것들을 포함한 연구와 연구법의 개발을 지향하였다. 통합의 배경에는 1950년대부터 1970년대에 일어났던 심리치료의 분화 움직임, 1980년대 그들을 정리·통합하려고 한 움직임, 그리고 1990년대의 심리적 원조와 신체적 의료의 통합 등 보다 큰 생태체계 간의 상호교류의 관점에서 본 통합적 이론, 기법의 개발이 있다.

통합적 삶을 위한 수련
[統合的 – 修練, integral life practice: ILP]

인간의 한 측면에만 집중하는 것이 아니라 우리 존재의 전(all) 스펙트럼을 실현하기 위한 전체적이고 균형 잡힌 접근을 추구하는 훈련모형. `초월영성치료`

'integral'은 종합적(comprehensive), 전체적(whole),

균형 잡힌(balanced)이라는 뜻이고, 'life'는 사랑, 의식, 몸, 관계, 일, 정서, 실존의 신비 등을 뜻하며, 'practice'는 우리의 삶을 개선하고 잠재력을 계발하기 위한 행위라는 의미로 사용된다. 이 수련은 크게 틀과 수련이라는 두 가지 요소로 구성되는데, 수련은 실제로 실천해야 하는 어떤 것이며, 틀은 하고 있는 행위에 의미를 부여하고 적절하게 자리를 잡아주는 것을 뜻한다. 이 수련은 현대인의 바쁜 일상을 고려하여 가능한 한 쉽고 유연한 방식으로 설계되었는데, 그 특징은 다음 여섯 가지로 요약해 볼 수 있다. 첫째, 다른 종목도 함께 훈련하기(cross-training)로, 몸·마음·정신·문화 등을 함께 수련하여 각 개인의 다양한 영역에도 동반 상승하는 효과를 얻는 것이다. 둘째, 모듈형식(modular)으로 구성되어 특정 분야, 혹은 특정 모듈의 수련을 조합하고 매치하는 것이 용이하다. ILP는 네 가지 핵심모듈(core module)과 다양한 보조모듈(additional module)로 구성되어 있다. 핵심 모듈은 몸(body), 마음(mind), 영(spirit), 그림자(shadow)이며, 보조모듈은 윤리, 성, 일, 정서, 관계 등을 포함한 삶의 다양한 영역이다. 셋째, 확장성(scalable)으로, 수련시간을 1분부터 몇 시간까지 개인의 상황, 요구에 따라 자율적으로 확장할 수 있다. 특히 현대인들이 바쁜 일상 속에서 쉽게 실천할 수 있는 황금별 수련의 짧은 형태인 1분 수련을 제안하고 있다. 하루에 약 10분만 투자하면 전체 ILP를 실천할 수 있도록 고안된 것이다. 물론 하루 몇 시간까지 확장하는 것도 가능하다. 자신의 ILP를 심화시키면서 어느 정도 수련을 해야 하는가에 대해서는 각자 직관적으로 판단하여 조정할 수 있다. 넷째, 맞춤식(customizable)으로, 개인의 생활방식에 맞게 프로그램을 디자인하고 필요에 따라 그것을 응용할 수 있다. 다섯째, 문화적·종교적 구애 없이 전통적 수련의 정수만 정제하여(distilled) 현대적 삶을 위한 집중적·효과적 수련형식을 제공한다. 특히 ILP는 문화와 시대를 초월한 몇 가지 효과적인 기법들을 결합한 수련방식인 황금별 수련(goldstar practices)을 추천하고 있다. 황금별 수련은 아주 핵심적이고 본질적인 수련으로, 이전에는 각각 분리된 기법이었던 것들을 ILP의 통합적 체계 속의 한 부분으로 훌륭하게 결합한 것으로서 매우 효과적인 방식이다. 여섯째, 통합적(integral) 특성으로, 이 수련은 인간에 내재적인 다양한 역량을 발견하는 AQAL 기술을 기초로 한다.

통합적 생애설계모형
[統合的 生涯設計模型, integrative life planning model: ILP]

진로발달, 생애 전환, 성역할 사회화, 사회적 변화를 통합시켜 정립한 진로상담모형. 진로상담

한센(Hansen, 1978)이 진로선택 대안들을 확대하기 위해 설계한 'Born Free 프로젝트'에서 시작되었다. 인간의 여러 가지 발달영역은 인간관계를 포함하는 모든 생활양식에 영향을 미치기 때문에 진로발달을 분리하거나 단편적으로 다룬다면 생애 전반적인 진로의사결정이 매우 제한적일 것이다. 이러한 점을 보완하기 위하여 이 이론은 한 개인의 사회적, 정서적, 신체적, 성적, 지능적, 직업적, 정신적 영역 등 전반적인 발달과제나 발달과정을 통합하여 진로계획을 세우고 의사결정을 하도록 강조한다. 즉, 개인에게 주어진 여러 가지 생활역할과 관련하여 직업을 탐색하거나 생활 내에서 직업을 찾도록 한다. 통합이라는 말은 여러 다른 분야를 결합하여 하나의 전체로 만드는 것을 의미한다. 이를 개인의 진로선택에 적용한다는 것은 법률과 사회적 장벽, 더 큰 사회적 임무, 진로상담의 어떤 역할 등에 국한시키는 것이 아니라 이 모두를 포함하여 개인의 지식, 기술, 태도 등을 하나의 개체 안에서 통합하는 것이다. 즉, 통합적 생애설계는 삶의 다차원적 요소, 생활역할, 문화, 성역할, 사회, 사고방식, 앎의

방식, 개인과 진로문제의 연결 등을 포함한다. 삶의 다차원적 요소는 개인의 신체, 마음, 정신 등이고, 생활역할은 사랑, 학습, 일, 여가, 시민정신 등이며, 문화는 개인주의와 공익주의, 성역할은 여성과 남성 각자의 자부심과 연관성, 사회는 전 세계적이거나 지역적 사회, 사고방식은 합리적 또는 직관적, 앎의 방식은 질적이거나 양적인 것 등을 말한다. 이 이론은 스스로 결정하고 선택하는 과정을 통하여 내담자가 보다 총체적인 삶을 누리고 사회에 긍정적인 변화를 가져올 수 있도록 해 준다. 진로상담에서 통합적 생활설계의 목표는 다음과 같다. 첫째, 외부세계와 가정 주변의 극적 변화는 '큰 그림'으로 보는 것이 필요한데, 고용주 등의 다른 사람과 일하는 방법에 관한 개인의 폭넓은 사고와 실습, 그리고 변화를 이해하도록 내담자를 도와준다. 둘째, 총체적 사고의 중요성을 이해하는 기술습득에 도움을 준다. 셋째, 개인의 삶과 생활 과제와 문화의 주요한 주제가 인간발달에 필요하다는 것을 인식하도록 해 준다. 넷째, 새로운 종류의 자기 지식과 사회적 지식이 변화하는 사회와 그 속의 개인에게 중요한 맥락이고 주제라는 것을 이해하도록 도와준다. 다섯째, 변화의 필요성과 지역사회의 변화에 대한 인식을 도와준다. 이는 통합적 생활과정에 반드시 필요한 것으로서, 변화는 여러 가지 수준에서 발생할 수 있으며 개인의 변화가 곧 사회적 변화로 이어지기 때문에 중요한 일이다. 이에 더하여 그는 통합적 생활설계의 중요한 과제를 여섯 가지로 제시하였다. 이는 진로상담에서 상담자가 유의해야 할 과제라고 할 수 있다. 첫째, 세계적 변화를 가져오는 일을 찾는다. 즉, 환경보존, 기술의 건설적인 사용, 직장과 가족의 변화 이해, 성역할의 변화 수용, 다양성의 이해와 공식화, 폭력감소, 빈곤과 기아의 감소, 인권옹호, 앎의 새로운 방식 발견, 정신과 목적의 탐색 등이 미래의 세계변화를 이끈다. 둘째, 의미 있는 전체로서의 삶을 만들어 나간다. 즉, 일이나 직업의 역할뿐만 아니라 사회적, 지적, 신체적, 정신

적, 정서적 역할을 중시하고 여성과 남성 모두 자신의 삶에서 자부심과 연관성을 통합하는 것이다. 셋째, 가족과 일을 연관시키고 역할과 관계를 협의한다. 예를 들어, 남성과 여성의 양육에 대한 공동 책임을 강조하는 것이다. 넷째, 다양성을 인정하고 포용한다. 즉, 문화, 인종, 성별, 신념, 성적 취향, 언어, 종교, 사회적·역사적 실재 등의 다양성을 가치 있게 받아들이는 것이다. 다섯째, 개인과 조직의 변화를 다룬다. 사회와 개인의 변화는 각 개인이나 가족의 삶과 조직의 변화를 가져오므로 중요한 것이다. 여섯째, 삶의 의미와 목적과 관련된 정신(spirituality)을 탐색한다. 내담자가 정신의 의미를 정의할 수 있고 삶의 목적과 의미를 찾을 수 있도록 도움을 주는 것이다. 진로상담에서 내담자는 주어진 시간과 일에서 내담자나 조직에서 가장 중요한 과제를 확인한다. 과제는 개인이나 문화에 따라서 중요도가 다를 수 있다. 이렇듯 통합적 생활설계는 보다 포괄적이고 총체적이며 통합적인 체계로 구성되어 있고, 보다 민주적이면서 공산주의적이고 범세계적 관점을 지니고 있다.

관련어 | 진로발달이론

통합적 수퍼비전 모델
[統合的 −, integrative supervision model]

심리치료의 통합모델처럼 하나 이상의 수퍼비전 이론과 기법을 통합하는 수퍼비전. **상담 수퍼비전**

통합적 수퍼비전은 수퍼비전의 수행에서 가장 빈번하게 사용되는 형태라고 볼 수 있다. 통합적 수퍼비전을 위한 통합의 방법은 매우 다양한데, 가장 일반적으로는 기법절충과 이론통합으로 나누어 볼 수 있다. 기법절충은 다양한 심리치료접근의 이론적 견해 차이에 집중하지 않고 다양한 기법을 사용하는 것이다. 이에 반해 이론통합은 단순히 기법을 가져다 쓰는 것을 넘어서서, 통합을 위한 새로운 개념

ㅌ

이나 이론을 만드는 것이다. 대개 통합적 심리치료 모델을 사용하는 임상가들은 통합적 수퍼비전 모델을 사용하는 경우가 많다. 통합적 수퍼비전의 장점은 수퍼바이저가 수련생, 내담자, 그리고 수퍼비전 환경에 맞게 탄력적으로 수퍼비전 방식을 적용할 수 있다는 것이다. 하지만 다양하고 광범위한 방법을 사용하기 위해서는 수퍼바이저가 여러 가지 수퍼비전 모델과 그 기법에 대해서 넓고 깊게 이해하고 있어야 한다는 단점이 있다.

관련어 | 구성주의 수퍼비전, 내러티브적 접근의 수퍼비전, 심리역동적 수퍼비전, 인간중심 수퍼비전, 인지행동 수퍼비전, 체계적 수퍼비전

통합적 운영체제
[統合的運營體制,
integral operating system: IOS]

가장 적절한 의식수준에서 우리, 세계, 내, 존재의 네 가지 차원인 사상한을 개념화하고 작업하게끔 일깨워 주는 자기교정적이며 자기조직적인 활동의 기반이자 통합의 지도.
초월영성치료

통합적 메타 패러다임인 AQAL이 어떤 활동을 조직화하거나 이해하도록 지도하는 틀로 활용되는 통합적 체제를 말한다. 이러한 체제의 중요한 양식은 AQAL의 다섯 가지 요소인 모든 상한, 모든 수준, 모든 선, 모든 유형, 모든 상태를 바탕으로 이루어져 있다. 또한 특정한 상황에서는 어떤 접근이 최선일 수도 있지만, 다른 상황에서는 그렇지 않을 수도 있다는 것을 자각하고, 동시에 각 인식론적 접근의 효능을 존중하는 통합방법론적 다원주의(integral methodological pluralism, IMP)를 취함으로써, 상담이론과 그 외 여러 분야의 불완전성과 맹점을 인식하면서도 각 분야의 타당성을 존중하고, 동시에 그와 관련된 방법론과 기법을 존중한다.

관련어 | AQAL

통합적 집 – 나무 – 사람
[統合的 – ,
synthetic house-tree-person: S-HTP]

한 장의 종이에 집, 나무, 사람을 그리게 하여 세 요소 간 상호관계를 파악하기 위해 쿠노, 도쿠다와 오기노(九野, 德田, 荻野, 1975)가 다면적 집 – 나무 – 사람(M – HTP)의 방법과 다이아몬드(Diamond, 1954)의 방법을 결합하여 개발한 그림검사.
미술치료

다이아몬드의 방법은 집, 나무, 사람을 그린 다음, 각 요소에 대하여 자유연상에 의한 이야기를 하도록 하여 그림 자체의 무의식적 이미지와 그에 부가된 의식적이고 언어적 세계와의 차이, 그리고 실존 세계와의 다름을 탐구하는 것을 말한다. 이렇게 개발된 S-HTP는 자기상 및 가정환경의 변화를 의식화하는 데 유효한 것으로 알려짐으로써 임상적 장면에서 빈번하게 사용되고 연구되었다. S-HTP의 장점은, 첫째, 한 장의 용지에 집, 사람, 나무를 모두 그리게 하여 내담자의 반응에 보다 많은 자유를 줄 수 있어서 심적 부담이나 그리기에 대한 저항감을 줄인다. 둘째, 해석과 관련해서 볼 때, S-HTP는 집, 나무, 사람 각각의 그림에서 얻을 수 있는 정보뿐만 아니라 집, 나무, 사람의 상호관계를 통하여 추가적인 정보를 얻을 수 있다. 다시 말해, S-HTP는 집, 나무, 사람이 자유롭게 조합된 것에서 내담자의 심적 상태를 파악할 수 있고, 집과 나무와 사람의 상호관계에서 내담자의 외부세계와의 관계, 의식과 무의식의 관계 등을 파악할 수 있다. 준비물은 A4 용지, 4B 연필, 지우개이고, 실시방법은 다음과 같다. 먼저 종이를 가로로 제시하면서 다음과 같이 지시한다. "집과 나무와 사람을 넣어 자유롭게 그림을 그려 주세요." 그림이 완성된 뒤에 자유롭게 질문을 하고 내담자의 상황에 따라 유연하게 질문을 하는 것이 좋다. 예를 들면, 그려진 사람이 누구인지, 몇 살인지, 무엇을 하고 있는지 등을 질문한다. S-HTP의 해석에서는 집-나무-사람의 통합성, 그림의 크기, 부가물, 원근감, 집-나무-사람의 관련성, 그림 형식, 절단, 수정 등을 기준으로 삼아 평가한다.

통합적 집-나무-사람-새
[統合的 - , synthetic house-tree-person bird: S-HTP-B]

통합적 집-나무-사람(S-HTP)을 변형하여, 새를 추가로 그리게 하는 그림검사. 미술치료

S-HTP-B는 S-HTP에 공간을 자유롭게 날아다니는 상징성이 풍부한 새를 추가적으로 그리게 함으로써 공간적 상징의 의미나 이야기 만들기(story telling)를 기대하며 개발되었다. 준비물은 A4 용지와 2B 내지 4B 연필이고, 실시시간은 20분 정도 소요된다. 실시방법은 다음과 같은 지시어로 시작한다. "집, 나무, 사람, 새를 넣어 이 용지에 자유롭게 그림을 그려 주세요." 그림을 그린 다음 치료자는, "그림을 끝낸 사람은 조용히 자신의 그림을 바라보세요. 그린 소감이 어떻습니까?" 등의 말로 내담자의 생각, 감정 등에 대한 정보를 수집한다. S-HTP-B의 해석은 HTP, S-HTP의 해석기준에 준하지만, 새가 추가됨으로써 새의 위치와 상징성에 대한 내용이 더해진다. 그리고 형식적으로는 새의 크기, 부리와 두부, 날개, 다리, 눈 등의 형태 표현과 새의 신체적 균형 및 화면 전체와의 조화에 주목한다.

관련어 | 그림 후 질문

통합치료
[統合治療, integrative therapy]

두 가지 이상의 심리치료접근법을 사용하여 내담자에게 도움을 주고자 하는 시도, 또는 심리치료와 상담기술 간의 통합. 통합치료

가장 많이 통합되는 이론은 인지치료와 행동치료, 인본주의와 인지적 접근, 정신분석과 인지적 접근 등이다. 통합치료전문가들은 이렇게 다양한 이론을 통합하여 상담에 적용할 때에는 통합 가능한 이론을 결합시키는 자신들만의 논리를 가지고 있으며, 내담자에게 도움이 될 것이라고 생각하는 개념,

기술, 기법 등을 여러 방향으로 적용하려는 실용적인 입장을 취하고 있다. 즉, 통합치료전문가들은 모든 상황의 모든 내담자에게 효과적으로 적용되는 하나의 이론은 없다고 주장하면서, 보다 효과적으로 여러 내담자의 다양한 요구를 만족시키기 위해서 어느 한 가지의 심리치료에 얽매이지 않으면서 여러 이론을 도입한다. 심리치료를 위한 통합의 방법은 매우 다양한데, 뷰틀러(Beutler, 2008)는 그중 공통적인 통합의 방법을 기법적 절충, 이론적 통합, 공통적 요인접근, 흡수통합접근으로 분류하였다. 기법적 절충은 내담자의 문제해결을 위해 특정 이론이나 개념과는 상관없이 다양한 상담치료기법을 사용하는 것이다. 이론적 통합은 다양한 상담심리이론과 개념을 통합하여 새로운 이론을 재창조하는 것이다. 공통적 요인 접근은 다양한 이론의 공통점을 찾아 절충점을 만들고, 이에 따라 통합치료를 시도하는 것이다. 흡수통합접근은 특정 상담심리이론을 기초로 하여 다른 치료접근법을 선택적, 부분적으로 사용하는 것이다. 대부분 통합치료는 내담자의 문제를 해결하는 데 여러 단계로 나누어 체계적으로 접근하며, 상담자와 내담자 간의 상호작용은 내담자중심으로 탄력적이고 융통성 있게 이끌어 나가는 특징을 보인다.

관련어 | 목표설정, 반영적 기술, 주의집중기술

퇴행
[退行, regression]

초기 통합상담에서 인간이 자신의 생애초기상태로 다시 돌아가는 것을 이르는 말. 초기 통합상담

단순히 생애초기의 상태를 기억하는 것이 아니라, 실제로 생애초기를 재경험하며 사는 것을 말한다. 초기경험은 우리의 두뇌에만 있는 것이 아니라, 세포와 근육에 등록되어 있다. 초기통합의 작업에서는 내담자가 더 많이 퇴행할수록 더 깊은 영성적

체험을 하게 된다. 이때 내담자가 접촉하는 행복한 자궁상태는 절정 경험과 유사하며 신비주의자가 신성(divine)이라고 부르는 우주적 일체감과도 같다고 한다. 데이비드 워스델(David Wasdell, 1994)은 모든 신비주의적 체험은 단지 이상적 자궁을 회상하는 것에 불과하다고 말하였다. 이것은 환원주의적 관점, 즉 복잡한 것을 단순한 것으로 환원시키려는 시도라고 할 수 있다. 초기 통합치료에서는 퇴행이 내담자의 내적 세계의 심연으로 들어가는 후퇴에 따른 것이 아니라면 효과는 거의 없다고 설명하고 있다.

관련어 | 초기 통합상담

퇴행
[退行, regression]

극도의 스트레스나 좌절을 경험할 때 이전 발달단계에서 욕구를 충족해 주었던 미성숙한 행동을 함으로써 현재의 불안에 대처하려는 것. 정신분석학

불안유발상황이나 극복하기 어려운 발달과제에 직면하는 경우 퇴행이 나타나기 쉽다. 안나 프로이트(A. Freud)에 따르면, 개인이 스트레스를 받으면 종종 성숙한 대처전략을 포기하고 대신 고착된 단계의 행동패턴을 사용한다. 원만한 욕구충족이 이루어지고 세상과의 관계방식이 매우 효과적이었던 초기 발달단계로 퇴행하는 것이다. 구강기에 고착된 성인은 스트레스를 받을 때 담배를 피우거나, 술을 마시거나, 손톱을 물어뜯거나 혹은 과식을 함으로써 퇴행적인 행동을 나타낸다. 취학 아동이 학교 첫날 낯선 환경에 대한 두려움으로 울어 버린다든지 혹은 동생이 태어나서 자신의 존재에 위협을 느낄 때 잠자리에 오줌을 싸는 유아기적 행동을 보이는 것처럼 생애발달에서 이전의 안전했던 시기로 되돌아가고자 하는 경우도 퇴행에 해당한다. 퇴행은 일시적이고 구체적인 상황에 국한되기도 하지만 보다 장기적이고 일반적인 상황에서도 나타날 수

있다. 일시적인 정상 범위에 속하는 것에서부터 신경증이나 정신병 수준에 이르는 병적인 것까지 다양하다. 정신분열증 환자들이 유아기와 아동기로 퇴행하는 증상을 보여 주는 것은 심각한 병리적 퇴행에 해당한다. 어느 정도의 퇴행은 이완상태나 수면상태, 그리고 성교에서 필수적이다. 고착이 강할수록 스트레스 상황에서 그 단계를 특징짓는 기능의 형태로 퇴행할 가능성이 높다.

관련어 | 방어기제

퇴행
[退行, regression]

곤란한 상태에서의 도피로 리비도의 발달단계에 따라 무의식적으로 초기의 단계로 되돌아가는 것. 분석심리학

퇴행은 내적 세계의 상태에 적응함으로써 만족스러운 개성화 요구에 필수요소로부터 생겨난다. 퇴행은 무의식적인 내향성으로서, 퇴행을 통해 현재 존재하는 우울함을 야기한 과거로 되돌아갈 수 있다. 융(C. G. Jung)은 에너지의 후퇴 움직임을 방해하는 것은 변화하는 환경에 적응하기 위한 우세한 의식적 태도의 무능함 때문이라고 믿었다. 그러나 활성화된 무의식적 요소는 새로운 퇴행의 원인을 포함한다. 예를 들어, 반대기능이나 열등기능은 남기를 기다리고, 잠재적으로 부적당한 의식적 태도를 동기화시키는 능력이 있다. 만약 적응기능으로서 사고기능이 실패했다면, 누군가가 감정에 의해서만 적응하는 상황을 다루었기 때문이다. 그러면 퇴행으로 활성화된 무의식적 재료는 남겨진 감정기능을 포함하고, 미발달된 형태로 남아 있거나 발달되지 않는다. 이와 유사하게 반대유형에서의 퇴행은 효율적으로 부적절한 감정기능을 보상하는 사고기능을 활성화한다. 에너지의 퇴행은 우리만의 심리학적 문제에 자신을 직면시킨다. 융은 퇴행의 일반적 증상 뒤에 상징적 의미가 있다고 믿었다. 유년

기 환상과 욕구가 적응 이전 형태인 리비도의 퇴행 움직임을 수반하기도 한다.

퇴화
[退化, degeneration]

개체발생이나 진화과정에서 어떤 기관이 오래 쓰이지 않음으로써 점차 작아지거나 기능을 잃어 쇠퇴해 가는 것.
인지행동

개체발생인 경우에는 위축이라고 한다. 질병이나 노쇠현상에 수반될 뿐만 아니라 정상적인 발생 때에도 일어난다. 개구리의 변태과정에서 꼬리가 퇴화하고, 사람의 흉선이 사춘기 이후에 작아지는 것은 위축의 대표적인 예다. 진화의 일환으로서의 퇴화는 퇴행적 진화라고도 한다. 기생충의 여러 기관이 작아지거나 소실된 것, 동혈동물(洞穴動物)의 눈이나 체표의 색소가 발달하지 않았거나 없어진 것 등이 퇴행적 진화의 대표적인 예다. 일반적으로 퇴행적 진화의 설명은 체제의 복잡화를 설명하는 것보다도 더 어려운 문제다. 예를 들면, 동혈동물은 눈이 필요 없지만 기능적인 눈을 가지는 것이 생존에 불리하다고 속단할 수 없다. 또 눈의 기능에 관해 자연선택이 작용하지 않았다고 해도 전체 개체에서 눈이 없어진다고 결론지을 수는 없기 때문이다. 진화과정에서 특정 기관이 한번 퇴화하면 후에 그 자손에게 그 기관이 필요한 환경이 온다고 해도 동일한 기관이 다시 생기지는 않는데, 이것을 돌로(L. Dollo)가 제창한 '진화 비가역 법칙'이라 한다. 나중에 또다시 동일한 역할을 갖는 기관이 생기더라도 그것은 기원이 다른, 단지 비슷한 기관이라고 보고 있다. 퇴화되었던 그 기관이 아주 우연히 다시 생기는 예외도 있지만, 진화론적인 관점에서 퇴화의 이유는 아직 명확하지 않다. 꼭 필요하지는 않지만 있어서 나쁠 것 없는 기관들의 퇴화는 설명하기 어렵다. 예를 들면, 인간의 털이 생존에 필요 없기 때문에 없어졌다고 말하기는 어렵다.

투레트 장애
[ㅡ障礙, Tourette's disorder]

눈 깜빡이기, 얼굴 찡그리기, 목청 가다듬기, 코 킁킁거리기, 팔 뻗기, 발로 차기, 점프하기 등의 신체 및 음성 틱장애를 보이는 유전에 따른 신경학적 장애. 특수아상담

투레트 장애 혹은 투레트증후군은 스스로 통제 불능인 행동 틱장애와 의미 없는 소리를 반복적으로 되풀이하는 가장 복잡한 형태의 틱장애로, 이러한 증상이 최소 1년 이상 계속되는 것이 보통이며 ADHD, 강박신경증 등의 행동장애와 함께 나타나는 경우가 많다. 1885년에 투레트라는 의사가 처음으로 명명한 이 장애는, 가족력은 존재하지만 투레트 장애를 일으키는 유전자는 발견되지 않았다. 두뇌의 특정 부위의 이상으로 발생하며 도파민이나 세로토닌과 같은 신경전달물질의 불균형과 관련이 있다. 투레트 장애는 가벼운 상태부터 심각한 상태까지 나타나는 증상이 다양한데, 남자아이가 여자아이보다 서너 배 정도 많이 보인다. 대부분 투레트 장애는 7~10세 전후에 발견된다. 가장 흔한 증상은 안면 근육의 틱장애로서 돌발적이고 반복적인 움직임이나 소리를 낸다. 약간의 표정이나 신체 일부를 움직이기도 하지만 경우에 따라서는 통제 불능의 움직임이나 괴성을 반복적으로 지르기도 한다. 팔을 흔들고, 눈을 깜빡이고, 뛰어오르고, 발로 차고, 반복해서 헛기침을 하거나 킁킁거리며, 어깨를 들썩인다. 이러한 동작은 하루에도 몇 번씩 반복하는 경향이 있으며, 때에 따라서 덜해지기도 혹은 심해지기도 한다. 또한 사춘기에 들면서 더욱 심해지는 경향이 있다. 욕을 하거나 폭력적인 형태로 발전하는 경우도 드물게 나타난다. 투레트 장애를 보이는 아동은 대개 주의집중문제나 충동성, 강박적인 행동, 의식적인 행동 등을 보이며 학습장애를 나타내기도 한다. 이들이 보이는 틱 행동은 긴장하거나 스트레스를 받는 상황에서 더 빈번하게 나타나며, 반대로 편안하거나 과제에 집중할 때는 감소하기 때문에 교사와 상담자들은 이러한 특성을 잘 이

해하고 인내심을 가지고 접근해야 한다.

관련어 | 정서 행동장애

투리엘의 영역 구분 모형
[-領域區分模型, Turiel's domain distinction model]

각 문화권의 특유한 도덕적 사고의 발달을 근거로 제시한 도덕성 발달이론의 하나. `발달심리`

투리엘(Turiel, 1983)은 콜버그(Kohlberg, 1958)의 인습 수준 내에서 자신의 도덕성 발달모형을 설명하였다. 이 모형은 도덕성을 도덕적, 사회인습적, 개인적 영역으로 구분했는데, 도덕적 영역은 어느 시대, 사회, 문화권을 막론하고 보편적으로 준수해야 하는 생명의 소중함, 정의, 공정성과 같이 인간의 본질적이고 근원적인 가치와 규범을 포함하고 있다. 사회인습적 영역은 각 문화권이나 사회적 체계에 속하는 집단구성원 간의 상호 합의로 규정된 행동규범을 말한다. 이 규범들은 사회구성원들에게 심리적 또는 행동적으로 강력한 제약을 가하기 때문에 도덕적 사고와 판단의 기준으로 작용하며 식사예절, 의복예절, 인사예절, 관혼상제, 성역할, 학교 규칙 등이 이에 속한다. 개인적 영역은 개인이 스스로 선택한 개인 특유의 행동이나 사고를 말하며 보편적이고 본질적인 도덕적 기본 원리나 인습적 규범의 영향을 받지 않는다. 이 영역은 개인의 자아를 확립하고 자율성을 유지하는 데 필요한 규범으로 친구에게 줄 생일선물을 고르거나 취미활동을 선택하는 데 기준이 되는 개인적 가치를 말한다. 이와 같이 투리엘의 모형은 콜버그 이론의 한계점이라고 본 문화적 편견을 극복하였으며 세대 간 갈등의 원인을 잘 설명해 준다. 즉, 사춘기 소녀가 귀가시간을 지키지 않은 경우 부모는 절대적인 도덕적 영역으로 판단하여 나무라고 자녀는 귀가를 개인적 권리로 여겨 개인적 영역으로 판단함으로써

다툼이 일어난다. 이러한 서로 간의 영역판단의 차이에서 세대 간 도덕적 갈등이 발생하는 것이다. 그러나 낙태의 경우를 살펴보면, 낙태는 생명을 제거하는 것이므로 생명의 가치는 도덕적 영역에 속하지만 낙태를 합법화하는 사회에서 낙태는 사회인습적 영역에 속하고 개인이 선택해야 할 문제라는 인식에서 개인적 영역에도 속한다. 이때 동일한 사건이 모든 영역을 공유함으로써 영역구분이 어려워지는 영역혼재현상이 발생한다. 또 하나의 문제점은 초기에는 사회인습적 영역에 속했던 사건이 행동의 결과로 도덕적 영역에 속하게 되는 이차적 현상을 갖는다는 것이다. 예를 들면, 줄서기는 사회인습적 영역으로 지켜야 하지만 그것을 지키지 않을 경우에는 타인의 권리를 침해하기 때문에 도덕적 영역의 문제를 야기한다. 이런 현상들은 영역구분모형의 근거와 타당성을 약화시키며 문화적 보편성과 특수성을 이 모형도 극복하지 못한다는 문제점을 낳았다.

관련어 | 도덕성 발달, 콜버그의 도덕성 발달이론, 피아제의 도덕성 발달이론

투사
[投射, projection]

자신의 생각이나 욕구, 감정 등을 다른 사람의 것으로 지각하는 것. `게슈탈트` `정신분석학`

투사는 접촉경계혼란을 일으키는 원인 중 하나로, 자신의 받아들일 수 없는 부정적인 생각, 느낌, 태도 등을 다른 사람에게 전가하는 것이다. 자신의 부정적인 욕구나 감정에 접촉하는 것을 두려워하여, 이를 다른 사람의 것으로 돌림으로써 그 책임을 다른 사람에게 전가하려는 것이다. 투사는 개체의 욕구나 감정이 행동으로 완전하게 연결되어 해소되는 것을 방해한다. 예를 들어, 자신이 다른 사람에 대해 애정이나 적개심을 갖고 있으면서, 오히려 다른 사람이 자신에게 그러한 감정을 갖고 있는 것으

로 지각한다거나, 사실은 자기가 자신을 부정적으로 보고 있으면서 다른 사람이 자신을 그렇게 본다고 생각하는 것 등이다. 그래서 내담자가 남편에 대해서 "나는 그가 참 야비하다고 생각해요."라고 말했다면, 아내에게 그 대신 나를 넣어서 "나는 내가 참 야비하다고 생각해요."라고 말하도록 하여 자신의 투사를 알아차리도록 만들 수 있다. 이러한 투사에는 창조적 투사와 병적 투사가 있다. 창조적 투사는 자신이 투사행위의 주체임을 자각하는 데 비해, 병적 투사는 이를 자각하지 못하고 자신의 투사가 마치 사실인 것처럼 확신하는 것이다. 따라서 창조적 투사는 사실을 왜곡·지각할 수 있는 가능성이 있지만, 또한 이를 쉽게 수정할 수 있는 가능성도 가지고 있다. 그리고 창조적 투사를 통해서 다른 사람의 상태를 알아차리거나 공감하는 데 도움을 받기 때문에, 만일 우리에게 투사능력이 없다면 다른 사람의 세계를 이해하고 공감하는 데 큰 어려움을 겪을 것이다. 이에 반해 병적 투사는 자신의 투사행위를 자신의 행위로 인식하지 못하기 때문에 자신의 지각이 사실과 다를 수 있다는 것을 인정하지 않으며, 투사를 수정할 가능성이 희박하다. 이러한 병적 투사가 창조적 투사로 바뀌는 순간 개체는 자신의 나르시시즘적 세계를 깨트리고 외부세계로 문을 열게 된다. 이러한 변화는 개체가 충분히 회복하고 진정한 접촉을 할 수 있는 출발점이 된다. 대개 게슈탈트 치료이론에서 투사라고 하면 병적 투사를 지칭하며, 전자를 말할 때는 창조적 투사라고 따로 명기한다. 투사는 자신의 유기체 욕구와 접촉하는 과정을 방해할 뿐 아니라 다른 사람과의 접촉도 방해한다. 그것은 다른 사람의 존재를 있는 그대로 보지 못하게 하고 자신의 생각, 욕구로 상대방을 지각하게 만들어 다른 사람을 진정으로 만나지 못하게 한다. 따라서 다른 사람과 진정한 접촉을 하려면 자기 내부에 있는 억압된 생각이나 충동과 접촉해 보아야 한다. 그러면 이 부분들과 차츰 화해를 하게 되고, 그 결과 다른 사람과의 관계에서도 올바른 접촉

을 할 수 있게 된다.

관련어 내사, 반전, 방어기제, 융합, 자기중심성, 접촉경계 혼란, 탈감각화, 편향

투사검사
[投射檢査, projective test]

비구조화된 검사 중 하나인 주관검사. 심리검사

구조화되거나 혹은 정형화되지 않은 애매한 자극을 제시함으로써 응답자의 무한히 다양한 반응을 유도, 분석하는 심리검사다. 이 검사에서는 비구조화된 검사과제를 사용하여 피검자의 심리를 알아내고자 한다. 이는 불분명하고 모호한 자극을 제시하면 피검자가 그 자극을 인지적으로 해석하는 과정에서 개인이 지닌 욕구와 심리적 구조를 반영한다는 가정을 전제로 하고 있다. 즉, 응답자가 자신의 특징적인 사고과정이나 욕구, 불안, 갈등 등을 검사자극에 투사할 것이라고 본다. 따라서 투사적 검사는 피검자에게 어떤 제한도 없는 상태에서 자유로운 반응을 통해 개인의 독특성을 이끌어 내는 데 목적이 있다. 피검자가 생각하고 느끼는 바에 따라 반응이 달라지는 투사적 검사처럼 자유반응을 요구하는 검사는 모두 비구조화된 검사에 해당하며 주관검사라고도 한다. 투사적 검사의 장점은 개인의 보다 다양하고 독특한 반응을 이끌어 낼 수 있다는 점, 검사에 대한 방어가 불가능하다는 점, 강한 자극으로 평소에 자신도 의식하지 못한 무의식적인 내용을 이끌어 낼 수 있다는 점 등이다. 단점으로는 검사의 신뢰도나 타당도가 매우 빈약하다는 점, 검사자나 상황변인이 검사반응에 강하게 영향을 미친다는 점 등이다. 투사적 인성검사는 검사자극의 유형에 따라 잉크반점검사, 그림검사, 언어검사로 나누어진다. 잉크반점검사는 피검자에게 좌우 대칭의 잉크반점모양 도형을 제시한 다음 그들이 여기에 투사하는 의미를 해석하는데, 가장 대표적인 것으

ㅌ

로는 로르샤흐 잉크반점검사(Rorschach Inkblot Test)가 있다. 그 후 로르샤흐 검사의 타당도에 대한 연구가 이루어지면서 직관적 해석방법에 의존하는 투사적 검사에 대한 비판점이 논의되었고, 홀츠만(Holtzman)은 로르샤흐 검사의 실시와 채점을 표준화하고 정상인 집단과의 비교를 가능하게 하는 잉크반점검사를 개발하였다. 그림을 검사자극으로 사용하는 주제통각검사(Thematic Apperception Test)는 다양한 활동에 관여된 사람들을 보여 주는 약간 모호한 일련의 그림으로 구성되어 있는데, 피검자는 그림에 나타난 인물과 행위를 기술하는 이야기를 구성해야 한다. 로젠츠베이그(Rosenzweig)가 개발한 그림좌절검사(Rosenzweig Picture-Frustration Study)는 상대방 때문에 좌절을 겪는 인물이 어떤 반응을 보일지 피검자에게 상상하도록 하는 만화로 구성되어 있다. 인물화 검사(Draw-a-Person Test)는 한 남자 혹은 여자를 그리도록 하여 이를 분석하는 것으로서, 과제가 문화적으로 보편적이기 때문에 비교 문화적 연구에 자주 이용된다. 언어자극으로 구성된 대표적인 검사로는 로터(Rotter)의 문장완성검사(Rotter Incomplete Sentences Blank)가 있다. 이 검사는 문장줄기만 제시되어 있는 미완성 문장을 피검자가 자신의 언어로 완성하는 방식이다. 문장의 길이와 문장구조 등에 아무 제약이 없기 때문에 피검자는 매우 다양한 자기표현을 할 수 있다.

투사적 동일시
[投射的同一視, projective identification]
자신의 내적 세계를 외적 대상에게 쏟아 놓고 그 대상을 재내면화하는 판타지 과정. 대상관계이론

클라인(M. Klein)이 제시한 방어기제의 하나다. 원하지 않는 자신의 일부분이나 원하지 않는 내부 대상을 분리시켜, 투사하고, 해를 입히고, 조정하고,

소유하고자 하는 심리적 기제다. 편집-분열자리의 유아는 자신의 파괴적인 충동을 다루기 위해 불쾌한 감정을 먼저 대상에게 투사하는데, 그 후 투사한 대상으로부터 공격받는 위험을 줄이고 통제하기 위해 자아는 나쁜 젖가슴을 내사한다. 투사와 내사의 순환과정은 한 가지 불안을 완화해 주기는 하지만 동시에 또 다른 불안을 불러일으킨다. 초기 자아는 나쁜 대상을 젖가슴에 투사하는 동시에 그 대상과 동일시함으로써 공격성을 통제하려고 노력한다. 즉, 대상이 지닌 공격성을 통제함으로써 자신의 공격성을 통제하고자 한다. 예를 들면, 유아가 배고픔의 고통을 경험하는 경우 그는 배고픈 느낌을 별도로 떼어 내 이것을 어떤 대상, 이를테면 젖을 주지 않고 좌절시키는 젖가슴에게로 투사함으로써 자기 자신을 보호한다. 그러나 고통을 외적 대상 탓으로 돌리는 것은 궁극적으로 도움이 되지 않기 때문에 유아는 분열되어 투사되었던 자기의 일부분과 대상의 결합체를 재내사하는 보다 더 발전된 과정을 진행시킨다. 좋은 대상 경험과 나쁜 대상 경험 간의 상대적인 균형에 따라 투사적 동일시의 효과는 달라진다. 만일 좋은 내적 대상이 어느 정도 힘을 가지고 있을 경우에는 투사적 동일시는 공격받을 것이라는 불안을 약화시킨다. 그러나 좋은 대상 경험이 약하게 형성되어 있다면, 유아는 대상의 파괴성을 통제할 수 없다고 느끼고 대상의 재내사를 시도한다. 그 결과 외부로부터 통제되는 느낌을 갖게 되는데, 이러한 위험스러운 내사는 자신이 타인의 마음과 신체를 통제할 수 있다고 믿는 편집적 망상의 원인이 된다. 한편, 투사적 역동일시(projective counter-identification)는 투사적 동일시가 역전이에 영향을 미치는 것이다. 내담자가 투사적 동일시를 할 때 만약 치료자가 보통 수준의 공감능력을 가지고 있으면 역전이가 일어날 수 있다. 내담자와 민감하게 조율되어 있는 치료자는 자신에게 투사된 내담자의 혼란스러운 감정을 더욱 강하게 느낀다. 이때 치료자가 자신의 반응을 의식적으로 자각할 수 있도록

스스로에게 허용한다면 내담자의 내면세계에 대한 중요한 정보를 더 깊게 탐색할 수 있다.

관련어 | 편집 – 분열자리

트라우마
[–, Trauma]

⇨ '외상' 참조.

트라우마 가족치료
[– 家族治療, trauma family therapy]

개인의 어린 시절이나 가족 안에서 경험한 트라우마의 치료를 위한 접근방법. 기타 가족치료

어린 시절 트라우마 경험은 우리가 생각하는 것 이상으로 더 많은 상처를 남긴다. 트라우마를 경험한 사람은 감정조절에 문제가 생기고, 쉽게 불안해하며, 안정감을 찾는 데 어려움을 느낀다. 이들은 스트레스 대처에 취약하고 무엇보다 건강한 자아존중감을 발전시키지 못한다. 트라우마 피해자들을 효과적으로 치료하기 위해서는 트라우마 치료에 대한 전문능력이 필요하다. 인간이 경험하는 트라우마의 대부분은 가족과 관련이 있다. 가족 안에서 다른 인간관계에서 볼 수 없는 더욱 강한 정서적 연대가 이루어지고 있기 때문이다. 따라서 트라우마 치료는 가족을 주요 치료적 전제에 포함시켜야 한다. 이러한 접근을 가능하게 만드는 것이 트라우마 가족치료다. 이는 헬링거(Hellinger)의 가족세우기에 영향을 받아 발전된 모델로서 어린 시절 또는 가족 안에 존재하는 트라우마를 치료할 수 있는 치료모델이다. 치료적 접근은 대리 가족세우기 작업을 통하여 트라우마로 만들어진 가족 각본을 탐색한 뒤 새로운 관점으로 가족체계를 보게 하며, 이로써 가족의 역동에서 벗어나게 한다. 트라우마 가족치료는 개인의 불행과 가족사의 아픔 속에서 경험한 트라우마를 지금-여기의 경험을 통하여 재조명할 수 있는 기회를 준다.

트라우마로 이야기 만들기
[– , trauma–into–a–story–exercise]

자신의 정신적 외상 경험을 명확하게 처음, 가운데, 끝을 갖춘 이야기로 만드는 것. 문학치료(글쓰기치료)

직접 경험한 외상을 하나의 스토리라인을 갖춘 이야기로 만들면서 그 경험에 대해서, 그리고 그 경험이 자신과 타인에게 어떤 영향을 미쳤는지에 대해서 기술하는 기법이다. 이는 페니베이커(James Pennebaker)의 글쓰기치료기법 중 이야기를 짓고 편집하기의 한 부분으로, 자신이 겪은 일을 일관성 있는 이야기로 만들어 낼 수 있을 때 외상치료효과를 볼 수 있다는 연구결과를 바탕으로 하였다. 다른 표현적 글쓰기 기법들이 대부분 교정이나 다시 쓰기 등을 허용하지 않는 반면, 이 방법은 배경, 등장인물, 사건에 관한 객관적이고 명확한 설명, 그로 인한 단기적·장기적 결과, 자신이 쓴 이야기의 의미 등에 관해서 여러 번 생각하고 쓴 것을 교정하면서 진행한다. 트라우마로 이야기 만들기 기법을 적용하여 일관성 있는 이야기를 구성해 봄으로써, 자신이 경험했던 외상이 어떤 의미를 지니는지 탐색할 수 있다. 이 기법은 단계별로 시행한다. 1단계에서는 여타의 표현적 글쓰기 기법과 마찬가지로 아무 의도나 검열 없이 일어난 사건에 대해서 있는 그대로 문법이나 철자법 등을 고려하지 않은 채 10분 정도 시간을 잡고 털어 내듯 글을 쓴다. 2단계로 넘어가면 1단계에서 쓴 글을 다시 일관되게 짜임새 있는 구성요소를 생각하며 새로 써 본다. 특히 사건 자체의 묘사와 그것이 미친 단기적·장기적 결과, 그 의미 등에 초점을 둔다. 글을 쓸 때는 기본적으로 페

니베이커가 제시한 글쓰기기술의 원칙과 과정을 따른다. 쓰다 보면 본질적인 면에서 벗어나 있거나 빠트린 부분, 혹은 왜곡되거나 잘못 기술한 부분을 발견할 수 있다. 이때 수정작업을 한다. 컴퓨터나 공책을 이용해서 깨끗하게 옮겨 쓰면서, 문법이나 철자법을 수정하고, 이야기 구조를 다시 잡아보기도 한다. 한참 작업을 한 뒤에는 휴식시간을 갖는다. 이후 다시 이야기를 탐색하면서 이야기에 더 많은 변화를 준다. 이야기를 쓸 때는 처음, 가운데, 끝을 분명히 하고, 이야기의 목적과 요점을 명확하게 드러낸다. 여러 번 수정작업을 거치고 이야기 구조를 일관성 있게 만드는 과정을 통해 자신의 외상경험에서 벗어나 그 경험을 하나의 객관적 사건으로 바라볼 수 있게 된다.

트랜스
[-, trance]

자신의 내부에 확고하고 일정한 주의를 집중함으로써 일어나는 변형된 의식상태. 최면치료

어떤 일에 집중할 때 경험하는 현상으로, 변형된 의식상태 또는 초월적 의식상태를 말한다. 예를 들어, 재미있는 소설책을 읽다 보면 시간 가는 줄 모른다거나 전화벨 소리를 듣지 못하는 것은 바로 트랜스상태에 빠졌기 때문이다. 마찬가지로 텔레비전이나 영화를 볼 때, 운전을 할 때, 무엇을 깊이 생각할 때 트랜스상태로 쉽게 몰입할 수 있다. 이를 가리켜 몽환상태라고도 하며, 최면치료를 위한 필수조건이기도 하다. 트랜스상태에서는 무의식과의 접근이 상대적으로 용이하여 NLP 치료와 최면치료에서 변화와 치료적 효과를 위해 활용하고 있다. 일반적으로 트랜스는 불수의적으로 발생하지만 수의적, 즉 의지에 따라 만들 수도 있기 때문에 최면에서는 트랜스상태 조성을 위한 연습이나 훈련이 필요하다. 트랜스 도중에는 의식상태에 변화가 오므로, 감각

의 왜곡현상이 발생하여 시간의 경과를 의식하지 못하거나 주변의 오감적 자극에 둔감해지는 경향이 있다. 그래서 책이나 전화통화에 몰입해 있으면 주변상황을 눈치 채지 못하는 경우가 생기는 것이다. 트랜스를 유발하는 원리는 탈집중, 집중과 몰입, 분리와 인식/활동의 분할, 리듬/반복적 행동의 원리를 들 수 있다. 개인마다 트랜스상태에서 나타나는 현상이 다른데, 일반적으로 호흡과 눈동자의 움직임, 뇌파 등에 변화가 있다. 트랜스상태의 호흡은 보통 길어지는 경향이 있고, 눈동자는 눈을 감은 상태지만 움직임이 빨라지는 급속안구운동(REM)을 보인다. 뇌파의 경우는, 평상시 베타파가 발생하지만 트랜스 상태가 되면 알파파가 발생하므로 뇌파의 변화로 최면의 깊이를 진단하기도 한다. 트랜스는 자연적 트랜스와 인위적 트랜스로 구분할 수 있다. 자연적 트랜스는 불수의적으로 발생하는, 즉 자신의 의지와 관계없이 발생하는 것으로 어떤 일에 몰입하거나 심신이 이완될 때 경험할 수 있다. 인위적 트랜스는 필요에 따라 트랜스를 만들어 내는 경우로, 최면치료에서 주로 조성하는데 이완훈련과 집중훈련을 통해 트랜스를 유도한다.

관련어 NLP, 급속 안구 운동, 몽환 상태, 최면

트랜스 유도성 탐색
[-誘導性探索,
trans derivational search: TDS]

말, 표현, 문장, 그림, 글, 소리 등이 추상적이어서 구체적이고 정확하게 이해하기 어려울 때 기존의 지식, 기억, 정보, 경험을 중심으로 자신의 내면을 탐색하도록 하는 최면치료기법. 최면치료

에릭슨 최면의 주요 개념 중 하나로, 새로운 정보나 자극의 진정한 의미를 찾으려 할 때, 내면의 각종 기억이나 정보를 검토하는 반응이나 현상을 말한다. 이는 순간적으로 발생하고 멍한 상태나 공백상태로 이어지므로 최면을 유도하거나 암시를 주는

데 용이한 조건을 만드는 것이다. 예를 들어, 어떤 사람이 갑자기 "당신이 어제 한 행동은 무례했고 상대방을 화나게 했어요!"라는 말을 들으면, 무슨 뜻인지 정확하게 이해하지 못하면서 혼란에 빠질 수 있다. 이때 자신의 어떤 행동에 관한 것인지 기억을 더듬으면서 자신의 내면을 탐색하게 된다. 이러한 과정에서 자연스럽게 트랜스를 경험하기도 한다. 이와 같이 형식적인 최면유도가 없는 상태에서 트랜스 유도성 탐색 차원의 대화나 질문만으로 최면적 효과를 얻을 수도 있다. 예를 들어, "첫사랑의 기억을 소개해 주실 수 있을까요?" "가장 어린 시절의 기억을 생각나는 대로 말해 주세요." "지난 여름에 그곳에서 일어난 일을 설명해 주세요." 등의 질문이나 대화를 활용할 수 있다.

관련어 에릭슨 최면, 트랜스

트릭스터
[– , trickster]

자신의 이익을 추구하거나 욕망을 충족하기 위해 행동하는 자. 문학치료

트릭스터는 약 18세기부터 사용되기 시작했는데, 처음에는 '속임수를 사용하는 자' '무뢰한' '협잡꾼' '악한' 등의 뜻을 지니고 있었다. 이 용어는 19세기에 다니엘 브린톤(Daniel Brinton)이 북미 원주민 크리족 설화에 등장하는 인물 중 한 명인 '위삭켓작(Wissa-ketjak)'이 '속이는 자'라는 뜻을 지닌 것을 트릭스터로 번역하면서 설화의 가장 오래된 인물 유형 중 하나로 자리 잡게 되었다. 20세기 중반에 트릭스터를 인물유형의 하나로 설정한 것은 오린 클래프(Orrin Klapp)가 꾀 많은 영웅을 부각한 데서 시작된 것으로서, 트릭스터는 약자의 대표로서 강자를 물리치는 영웅이라고 하였다. 이처럼 트릭스터가 신화적 영웅의 속성을 가지는 경우 대개 기이한 탄생도 포함된다. 하지만 트릭스터와 영웅을 구별해 주는 것

은 영웅이 소명의 달성을 위해 강한 힘과 변치 않는 용기를 지니고 있는 것과 달리 트릭스터는 약삭빠른 재치에만 의존한다는 점이다. 속임수나 꾀를 부리는 것과 함께 트릭스터가 등장하는 이야기에는 잔인함의 요소가 포함되어 있지만 트릭스터 이야기가 아동용 우화로 각색되는 경우 이 요소는 삭제한 채로 서술되었다. 트릭스터는 독립적인 개체로 등장하기도 하는데, 대표적인 것이 토끼다. 이들은 자신보다 몸집이 더 크고 위험한 상대와 맞서기 위해 속임수를 구사하거나 자신보다 약하고 느린 존재를 속여 이득을 보고자 한다. 이외에도 코요테나 까마귀, 호랑이, 메추라기, 거미, 여우들을 개별적인 트릭스터로 볼 수 있다. 우리나라에서 트릭스터에 관한 연구는 칸다와 조희웅 교수가 최초로 시작하였다. 그는 아브라함(Abraham)이 제시한 개념을 바탕으로 한국의 트릭스터를 제시했는데, 그 속성은 모두 여섯 가지다. 먼저 트릭스터는 근본적으로 애매하고 비정상적인 심리를 가지고 있다. 또한 대상을 기만하고 술책을 부리는 자이며 모습을 바꾸기도 한다. 트릭스터의 행위는 상황을 역전시키기도 하며, 그는 신의 사자이자 모방자이기도 하다. 그리고 신성하면서도 외설적인 브리콜라주(Bricolage)를 하는 자이기도 하다. 이를 기준으로 칸다는 호랑이와 도깨비를 대표적인 한국의 트릭스터로 제시하였다.

특별세부반응
[特別細部反應, specification]

교류분석(TA)의 상담기술 중 조작기법의 하나로서, 내담자가 한 말을 자기 스스로 확인하고 스스로 책임질 수 있도록 하기 위해 상담자가 사용하는 상담기법. 교류분석

특별세부반응이란 내담자가 한 반응을 특정 범주나 유목에 포함시켜 구체화하는 상담자의 기술이다. 즉, 내담자 자신이 어떠한 특별 행동을 유발하는 원인에 대하여 반응을 했을 때 상담자가 그 반응

에 대해 동의를 해 줌으로써 그러한 내담자의 반응을 좀 더 분명하고 명확하게 하는 데 사용한다. 특별히 내담자로 하여금 자신의 세 가지 자아상태, 즉 어버이, 어른, 어린이 자아의 기능작용을 이해할 수 있도록 돕는다. 예를 들면, 다양한 일상의 상황에서 내담자가 늘 의기소침해 있다는 사실에 대해 "당신은 자기 자신을 매사에 자신감 없는 사람이라고 생각하는군요."라는 반응을 상담자가 할 때, 이를 특별세부반응이라고 할 수 있다.

특성요인이론
[特性要因理論, trait-and-factor theory]
개인의 성격을 특성에 비추어 기술하고 설명하는 성격이론.
성격심리

특성요인이론에 속하는 성격연구자들은 특성 혹은 특질(trait)을 성격의 주요 단위로 간주한다. 특성이란 개인의 행동, 감정, 사고에 있어서 일관된 양식을 뜻한다. 즉, 여러 가지 다양한 장면에서 나타나는 개인의 지속적인 행동 특징 혹은 반응 경향성이다. 사람들은 한 개인의 성격을 시간의 변화나 상황의 다양성과는 상관없이 지속적이고 안정적인 특성을 토대로 묘사하고자 한다. 이와 같이 특성은 개인의 행위를 요약하고 설명하며 나아가 미래의 행동을 예측하는 데 유용한 틀이 된다. 또한 특성은 개인의 행동의 원인을 상황에서보다는 그 개인에게서 찾을 수 있게 한다. 특성요인이론은 개인을 각자 다양한 심리적 특성을 지닌 존재로 가정하고 있다. 모든 특성은 누구에게나 공통적으로 나타나며, 단지 양적 차이가 있다고 본다. 많은 사람들에게서 공통적으로 발견되는 특성들을 규명하여, 개인을 그러한 특성을 지닌 정도에 비추어 기술하고 이해하고자 한다. 요인분석은 이러한 특성의 발견과 여러 특성 간의 관계구조를 이해하는 데 필요한 통계방법이다. 올포트(G. Allport)는 대표적인 특성요인이론

가 중 한 사람이다. 올포트에 따르면, 특성은 심리적 조직의 궁극적 실체로서 행동에서의 일관성을 설명하는 심리적 구조다. 특성은 반응하는 소인이며, 유사하지 않은 자극과 반응을 통합하는 기능을 한다. 개인의 특성은 기본 특성, 중심 특성, 이차적 성향으로 구분될 수 있다. 기본 특성(cardinal traits)은 한 개인의 생활 전반에 광범위하게 퍼져 있어 거의 모든 행동에서 그것의 영향력이 나타난다. 중심 특성(central traits)은 기본 특성보다 행동에 미치는 영향이 적지만 행동에 폭넓은 일관성을 나타낸다. 이차적 성향(secondary disposition)은 개인에게 가장 적게 영향을 미치는 특성으로 덜 두드러지고 덜 일관되게 나타난다. 성격구조는 이러한 특성들의 양식이라고 할 수 있다. 올포트는 행동분석에서 환경 혹은 자극조건들보다 이러한 특성을 더 강조하였다. 특성을 개인 내에 실재하는 것으로 파악한 올포트와 달리, 커텔(R. Cattell)은 특성을 행동의 객관적 관찰에서 추론되는 가설적 혹은 상상적 구성개념으로 간주하였다. 그는 특성을 표면 특성과 근원 특성으로 구분하였다. 표면 특성(surface traits)은 몇 가지의 근원 특성 혹은 행동요소로 구성된 성격 특성으로서, 안정적이거나 지속적이지 못하다. 근원 특성(source traits)은 표면 특성에 비해 좀 더 안정적이며 영속적인 단일성격요인이다. 각각의 근원 특성은 단일요인으로서 행동을 유발한다. 커텔은 요인분석을 통해 인간 성격의 기본 요인으로 열 여섯 가지 근원 특성을 확인했는데, 이것은 16PF(Sixteen Personality Factor) 성격검사를 구성하는 요인이 되었다. 한편, 아이젱크(H. Eysenck)는 성격차원에 대한 탐색을 이상행동영역에까지 확장시켜 신경증적 특성을 연구하였다. 그는 성격의 기본 특성을 내향성-외향성 차원(extraversion: E), 신경증적 차원(neuroticism: N), 정신병적 차원(psychoticism: P)으로 구분했다. 여러 특성 요인 연구자들의 이론적 차이점에도 불구하고 이들은 다음과 같은 이론적 가정과 전제를 공유한다. 첫째, 특성은 행동 내의

일관성을 설명하는 일반적인 기저 성향이다. 둘째, 어떤 특성은 비교적 피상적이고 특수하다. 그 외에 보다 기본적이고 광범위하게 일반화된 특성은 많은 상황에 걸쳐 일관성을 산출한다. 셋째, 기저의 광범위한 특성을 확인하는 것이 주된 목표다. 표준조건 하에서 실시된 객관적인 도구나 검사로 하나 이상의 차원에서 개인차를 측정한다. 넷째, 검증되고 표집된 사람들의 행동은 기저 특성에 대한 신호로 여겨진다. 다섯째, 기본적 특성을 탐색하기 위해 균일한 조건에서 대집단 피험자를 수량적으로 표집하고 비교하는 데 심리측정전략을 활용한다.

관련어 | 특성요인진로상담, 특질

특성요인진로상담
[特性要因進路相談, trait–factor career counseling]

인간행동의 개인차에 대한 측정과 확인에 초점을 둔 개인차 심리학에 배경을 두고, 개인의 특성을 고려하여 진로문제를 해결하도록 도움을 주는 전문적 활동. **진로상담**

초기에는 파슨스(Parsons, 1909)의 노력으로 시작되어 윌리엄슨(Williamson, 1939, 1965)에 이르러 특성요인진로상담으로 발전하였다. 파슨스는 현명한 직업선택이란 자신에 대한 명확한 이해와 여러 직업에 대한 지식을 합리적으로 연결하는 것이라고 하였다. 따라서 그는 진로상담을 내담자의 특성과 직업적 요인에 관한 자료를 근거로 내담자의 현명한 선택을 돕는 조력활동이라고 정의하였다. 이 접근법의 기본 가정은, 개인은 각자 독특한 심리학적 특성을 가지고 있으며 직업은 개인의 특성을 요구하므로 개인의 특성과 직업에서 요구하는 조건 간의 일치성 정도에 따라 직업적응을 예측하는 것이다. 이 이론에서 진로상담의 목표는 여러 가지 검사를 통해 개인적 특성을 자세히 밝히고, 그것을 직업적 요인과 연결시키는 것이다. 따라서 내담자의 미래에 대한 방향설정과 적응을 위하여 변별진단

(differential diagnosis)이 필수적이며, 이로써 내담자의 장점과 경향성을 이해할 수 있다. 윌리엄슨은 변별진단을 전혀 선택하지 않음, 불확실한 선택, 현명하지 못한 선택, 흥미와 적성 간의 모순으로 분류하였다. 전혀 선택하지 않는 것은 학교교육과 직업훈련을 마쳤지만 자신이 무엇을 하고 싶고 어떤 일을 원하는지 모르는 경우를 말한다. 불확실한 선택은 직업을 선택했지만 선택에 대하여 확신을 갖지 못하는 것이다. 현명하지 못한 선택은 개인의 능력과 흥미 간의 불일치, 능력과 직업적 요구와의 불일치, 또는 불충분한 능력에 따른 직업선택을 뜻한다. 흥미와 적성 간의 모순은 개인의 적성이 직업적 요구수준보다 낮은 경우, 능력보다 낮은 직업에 관심을 갖는 경우, 같은 수준의 흥미와 능력을 지니고 있으나 직업분야가 다른 경우를 말한다. 그는 또한 진로상담과정, 상담기법, 검사결과 해석방법 등에 대하여 자세한 설명을 하였다. 윌리엄슨이 제시한 상담과정은 분석, 종합, 진단, 예측, 상담, 추후지도의 6단계다. 분석단계는 태도, 흥미, 가족 배경, 지적 수준, 학업성적 등 내담자의 특성 및 능력에 관한 검사자료나 사례연구자료를 수집한다. 종합단계는 수집된 자료를 근거로 내담자의 특성과 개별성을 탐색한다. 진단단계는 내담자의 특성과 문제를 확인하여 그 원인을 밝힌다. 예측단계는 조정 가능성과 문제에 대한 결과를 판단하고 대안을 찾는다. 상담단계는 바람직한 진로적응을 위하여 해야 할 일을 상담한다. 추후지도단계는 상담 후 내담자의 바람직한 행동계획수행을 위하여 지속적으로 조력한다. 이를 위한 상담기법에는 촉진적 관계형성, 자아이해의 신장, 행동계획의 설계, 계획의 수행, 의뢰의 다섯 가지를 제시하였다. 또한 검사해석단계에서는 직접 충고, 설득, 설명의 상담 기법을 이용할 수 있다고 하였다. 더불어 달리는 진로상담자가 지켜야 할 면담의 원칙을 제시하였다. 첫째, 내담자에게 지나치게 지시적이거나 고자세로 행동하지 않는다. 둘째, 어휘 사용은 간략히 하고 최소 범위의 정보를

제공한다. 셋째, 진로정보나 대안을 주기 전에 내담자가 그것을 원하는지 분명하게 확인한다. 그리고 진로선택이나 이를 방해하는 것과 관련되는 내담자의 태도와 내담자가 지니는 상담자에 대한 태도 등을 상담자가 지각하는지 확인한다. 그리고 브레이필드(Brayfield, 1950)는 직업정보의 기능을 다음과 같이 세 가지로 제시하였다. 첫째, 정보제공의 기능으로서 내담자에게 진로선택에 대한 지식과 확신을 갖도록 한다. 둘째, 재조정의 기능으로서 부적절한 선택을 재점검하여 객관적으로 자신의 선택을 통찰할 수 있도록 한다. 셋째, 동기화 기능으로서 내담자가 의사결정과정에 적극적으로 참여하여 직업선택에 대한 동기를 갖도록 한다. 특성요인진로상담의 장점은 진로상담에서 개인의 여러 가지 특성을 고려하도록 한 것과 표준화 심리검사결과와 직업세계를 비교하고 분석함으로써 보다 객관적이고 경험적인 과정으로 이루어졌다는 것이다. 반면에 지나치게 검사결과에만 의존하는 것은 단점으로 지적되고 있다. 또한 검사도구에서 드러난 결과의 예언타당도에 대한 문제, 직업선택을 일회적 행위로 간주함으로써 장기간에 걸친 인간의 직업적 발달을 도외시하고 있다는 문제, 개인의 여러 가지 특성중 어느 것을 우선적으로 고려하느냐에 따라 직업선택이 달라질 수 있다는 문제 등을 고려하지 못한 것이다.

관련어 진로결정

특수교육
[特殊敎育, special education]

특수교육 대상자의 교육적 요구를 충족시키기 위하여 특성에 적합한 교육과정 및 관련 서비스 제공으로 이루어지는 교육. 특수아상담

「장애인 등에 대한 특수교육법」을 근거로 한 정의로, 특수교육은 특수교육 대상자에게 적합한 교육과정과 관련 서비스를 어떻게 제공하느냐가 핵심이라고 할 수 있다. 즉, 특수교육은 교과교육 및 특별활동, 재량활동 시간에 따라 교육목표, 교육내용 및 교육방법을 제시하고 교육을 실시하며, 이를 적절하게 수행할 수 있도록 특수교육과 관련된 서비스를 제공하는 것으로, 특수아동의 개별적인 욕구를 충족시키기 위해서 특별하게 계획하고 체계적으로 실행하는 교수를 의미한다. 특수교육은 학자들의 관점에 따라 다양하게 정의되는데, 특수교사가 제공하는 교육을 특수교육이라고도 하고, 교육현장에서 장애 학생을 직접 가르치거나 또는 장애 학생을 가르치는 다른 교사에게 지원을 제공하는 것이라고도 한다. 김승국(1996)은 특수교육이 "정상에서 이탈된 아동에게 알맞게 학교교육과정을 조정하거나 재구성하는 것"이라고 하였다. 스미스(Smith)는 "특별한 욕구를 지닌 개별 아동에게 적합한 맞춤식 개별화 교육을 계획하고, 특별히 고안하며, 집중적으로 제공하고, 목표 지향적인 성격을 가진 교수"라고 정의하였다. 또한 미국 교육부에서는 "장애를 가진 아동의 독특한 요구에 맞게 특별히 설계된 교수를 말한다."라고 제시하고 있다.

관련어 개별화 교육, 특수교육

특수교육 서비스 전달 체제
[特殊敎育 – 傳達體制, Service delivery system in special education]

특수교육 아동의 필요에 따라 여러 가지 배치형태로 제공되는 서비스 체계. 특수아상담

일반적인 교육환경의 측면에서 볼 때 일반 학급에 배치하는 최소한의 제한적인 것에서부터 시설에 수용하는 가장 제한이 큰 것에 이르기까지 다양한 배치형태가 하나의 연계적인 서비스 체계를 이루고 있다. 즉, 특수아동을 위한 특수교육 서비스는 개별 아동의 요구에 따라 달라진다. 특수교육의 서비스

체계는 일반 학급, 즉 가장 제한을 덜 받는 환경에서부터 가장 제한을 많이 받는 가정이나 시설에 수용되어 교육을 받는 경우까지 포함된다. 특수아동은 최소제한환경, 즉 일반 학급에 배치하는 것이 가장 이상적이지만 아동의 필요와 여건에 따라 좌우되는 것이 현실이다. '피라미드' 모형을 보면, 가장 제한을 덜 받는 교육환경부터 가장 제한을 많이 받는 교육환경을 위계적으로 배열한 것을 알 수 있다. 이러한 장애 아동 배치는 고정적이거나 영구적인 것이 아니다. 장애 아동 교육은 통합교육을 원칙으로 하고 있기 때문에 이 같은 서비스 체계 안에서 통합교육을 위한 준비 정도나 개별 아동의 요구 충족 정도에 따라 이동이 가능하다는 것을 고려해야 한다. 특수교육 서비스 체계인 '피라미드' 모형에서 특수아동의 배치 및 교육적 서비스는 다양한데, 위로 올라갈수록 제한을 많이 받는 분리교육체제이며, 아래로 내려올수록 제한을 덜 받는 통합교육체제라고 할 수 있다. 현재 우리나라의 특수아동은 대부분 일반 학급, 시간제 특수 학급, 통합제 특수 학급에 배치되어 있으며, 소수가 전일제 특수 학급, 기숙제 특수 학급에 배치되어 있다. 또한 일부는 가정, 시설, 병원에 거주하면서 순회교사가 행하는 특수교육을 받고 있다. 한편, 「장애인 등에 대한 특수교육법」의 목적은 「교육 기본법」 제18조에 따라 국가 및 지방자치단체가 장애인 및 특별한 교육적 요구가 있는 사람에게 통합된 교육환경을 제공하고 생애주기에 따라 장애 유형, 장애 정도의 특성을 고려한 교육을 실시하여 그들이 자아실현과 사회통합을 하는 데 기여함을 목적으로 한다. 따라서 이 조항은 특수교육 전달체제의 관점에서 방향을 제시하고 있다고 볼 수 있다.

관련어 | 개별화 교육, 특수교육

특수기억검사
[特殊記憶檢査, Memory Assessment Scales: MAS]

기억능력의 측정을 위한 기억검사. `심리검사`

기억능력을 측정하기 위해 2006년에 이현수, 박병관, 김미리혜, 안창일, 정인과가 개발한 검사로, 대상은 전 연령층이다. 검사시간은 정상인의 경우 30~40분, 뇌 손상 환자의 경우 40~60분이 소요된다. K-MAS의 장점은 언어기억과 시각기억을 모두 평가할 수 있으며, 얼굴기억과 같은 실생활적 기억 평가도 가능하다. 또한 언어기억과 시각기억, 단기기억과 언어기억, 단기기억과 시각기억, 즉각기억과 지연기억 간 유의미한 차이를 가정할 수 있는 기준점을 제시하였다. 전체 기억과 지능지수 간 유의미한 차를 가정할 수 있는 기준점 및 연령과 교육수준별 규준도 제시하였다. K-MAS는 3단계 기억으로 주의, 집중, 단기기억·학습과 즉각기억·지연기억으로 이루어져 있으며, 3과제 기억은 언어기억·시각기억·얼굴기억, 정보처리분석은 회상·재인형식·군집화와 침입·간섭과제로 구성되어 있다.

특수아동
[特殊兒童, exceptional children]

정신적 발달, 감각적 능력, 신경운동적 또는 신체적 능력, 사회적 행동, 의사소통능력 면에서 보통 아동이나 정상 아동과는 현저하게 일탈되어 특별한 교육적 지원이 필요한 아동.
`특수아상담`

모든 아동은 공통점도 있지만 각자 나름대로 개인적인 차이를 가지고 있다. 여기에는 개인 간 차이뿐 아니라 개인 내 차이도 존재한다. 어느 나라를 막론하고 학업적인 면이나 행동적인 면 등 특정 부분에서 다른 사람보다 뛰어난 아동이 있다. 어떤 아동은 개인 내적으로 다른 아동보다 언어능력은 뛰어나지만 수학은 뒤떨어질 수 있다. 교육적인 측면에서 볼 때, 보편적으로 또래아동이 보이는 성취수준에서 많이 벗어난 아동은 일반적인 교육방법과는 조금 다른 교육방법이나 교육내용을 교육할 수도 있다. 이렇듯 일반적인 교육이 아닌 각 아동의 특성에 적합한 교육방법이 필요한 아동을 특수교육 요구 아동이라고 한다. 여기에는 특수아동이 일반 아동과는 다른 교육적 배려가 필요하다는 관점에서 장애 아동뿐만 아니라 영재 아동도 포함된다. 그러나 법적인 정의에서 보면, 「장애인 등에 대한 특수교육법」에서는 특수교육 대상자를 시각장애, 청각장애, 지적장애, 지체장애, 정서·행동장애, 자폐성장애, 의사소통장애, 학습장애, 건강장애, 발달지체의 10개 범주에 포함된 장애 아동으로 한정하고 있다. 따라서 우리나라에서 사용하는 특수아동이라는 용어에서 '특수'는 '장애'를 의미한다고 볼 수 있다. 즉, 국립특수교육원에서는 학교에서 제공하는 일반적인 교육과정·교수 및 조직의 수정을 요구하고, 효과적·효율적인 학습을 위해 부가적인 인적 또는 물적 자원을 요구하는 아동을 특수교육 요구 아동이라고 정의하였다. 다시 말해, 특수아동은 특정 영역에서 대부분의 다른 아동과는 다른 아동을 의미한다. 교육의 목적을 고려할 때 특수아동의 정의는 자신의 잠재력을 계발하기 위해 특수교육 및 그와 관련된 교육적 서비스가 필요한 아동을 의미한다. 이들은 대부분의 다른 아동과는 다르기 때문에 특수교육이 필요하다.

관련어 개별화 교육, 특수교육

특수아상담
[特殊兒相談, exceptional children counseling]

신체, 인지, 정서, 사회, 행동상의 특수한 문제를 지닌 내담자와 전문적인 훈련을 받은 상담자 간의 관계에서 상담자가 내담자의 문제를 이해하고 2차적 문제발생을 예방하기 위해 내담자와 함께 교육, 적응, 진로 및 의사결정, 문제해결, 치료교육, 자기 발전을 위한 노력을 기울이도록 전문적으로 도와주는 교육과정. **특수아상담**

특수아상담은 목적에 따라 치료상담과 발달상담으로 구분된다. 치료상담은 특수아가 직면한 문제상황에 적극 개입해서 이들이 직면하는 여러 가지 문제를 해결하도록 도와주는 상담인 반면, 발달상담은 이들의 교육적 성장을 도와줄 수 있는 학교환경을 형성하는 일로서 이들의 정서적, 인지적 욕구를 이해하고 부모와 연계하여 진행되는 활동이다. 발달상담은 기본적인 인간성장발달의 내면적 욕구를 채워 주고 적응능력을 향상시키며, 자신의 스트레스나 갈등에 직면해서 적절하게 해결해 나갈 수 있는 내적인 힘을 기르는 것이 주목적이다. 여기에는 사회성 훈련, 도덕성 발달, 자아개념 및 자존감 향상, 의사소통 및 자기주장훈련, 리더십 향상, 학습동기 및 진로탐색 등이 포함된다. 치료상담은 발달상담보다는 상담자의 시간과 에너지가 더 많이 들어가고 더 적극적이며 직접적으로 문제상황에 개입하게 된다. 따라서 발달상담보다 전문성이 더 많이 요구되며 이들의 문제해결, 증상해소, 고통감소 및 현실적응을 도와주는 것이 주목적이다. 특수아상담은 상담내용에 따라 교육상담, 치료상담, 지지상담 및 문제해결상담으로 구분하기도 한다. 교육상담은 문제해결능력을 향상시키기 위하여 특정한 기술, 자기표현훈련, 역할학습, 시범, 모델, 관찰 및 연습 등을 지도하고 가르치는 상담으로, 특히 학업에 문제가 있는 경우는 학업기술훈련을 통하여 학업문제의 해결을 도와준다. 치료상담은 특정한 증상을 앓거나 일정 기간 지속되어 온 만성적인 문제가 반복적으로 발생한 경우에 해당하는 상담이다. 지지상담은 표현하거나 수용하기 어려웠던 감정을 표현할 기회를 주고 감정을 표현함으로써 정서적 지지와 격려, 수용 등을 통하여 내담자가 자신의 감정을 정리하고 현실적으로 적응하도록 도와주는 것이 목적이다. 문제해결상담은 적응문제, 의사결정, 진로선택, 생활고충 등 학교, 가정 및 사회환경에서의 현실적인 문제를 해결하도록 도와주며, 여기에는 적절한 정보를 제공하는 것도 포함된다.

특수학교
[特殊學校, special school]

장애인의 교육을 위하여 일반 학교와 분리된 형태로 설립된 교육시설. 특수아상담

지적장애자, 지체 부자유자 또는 병약자(신체 허약자 포함)에 대해서 유치원, 초등학교, 중학교 또는 고등학교에 준하는 교육을 하고, 아울러 그 결함을 보충하기 위해서 필요한 지식기능을 받는 것을 목적으로 한다. 한국의 특수학교는 개화운동이 전개되던 19세기 말 선교사들이 전개한 교육사업의 일환으로 성립되었다. 일제 말기 개화사의 전개과정에서 1881년 일본에 파견된 신사유람단의 귀국보고서인 「일본문견사건(日本聞見事件)」에서 일본의 특수학교인 맹아원(盲啞院)은 교육시설이 아닌 의료시설로 소개되었다. 광복 후 한국에서 최초로 설립된 사립 특수학교는 1946년 4월 이영식이 대구에 설립한 대구맹아학원으로, 대구영화학교(농)와 대구광명학교(맹)의 전신이다. 이들 사립 특수학교의 대부분은 기독교 정신에 입각하여 설립된 것이 많으며, 출발단계에서는 보호시설의 성격으로 시작된 것이 많다. 우리나라 「교육법」 제81조에서는 모든 국민의 기본권을 규정하였고, 제6항에 특수학교의 설치를 명시하였다. 이러한 「교육법」에 기초하여 1946년 지적장애아를 위한 중앙각심학원이 설립되었다. 「교육법」의 제정으로 법적으로 특수학교 설립을 위한 기반이 마련되었지만, 제98조에 학령 아동이 불구, 병약, 교육 불안전 또는 기타 부득이한 사유로 불능인 경우에는 대통령이 정하는 바에 따라 그 의무를 면제 또는 유예할 수 있도록 유예조항을 삽입하여 특수교육의 발전을 저해하는 근본 원인이 되었다고 할 수 있다. 실제로 1977년 「특수교육 진흥법」이 반포되기 전까지는 실질적인 법적·제도적 정비의 미비로 많은 어려움을 겪어 왔다. 이러한 가운데 정부는 1968년 특수교육 5개년 계획을 수립하였다. 1967년에 최초로 국가수준의 교육과정인 맹학교 교육과정과 농학교 교육과정이 고시되었고, 1974년에는 지적장애 교육과정, 1983년에는 지체부자유 교육과정이 고시되었다. 이들 교육과정은 개정을 거듭하여 오늘의 교육과정에 이르고 있다. 그리고 1964년에 우리나라 최초로 연세대학 세브란스병원 부속 지체 부자유 학교가 설립되었으며, 1969년에는 서울 월계초등학교에 시 특수학급이, 1971년에는 대구 칠성초등학교에 지적장애 특수학급이 처음으로 설치되었다.

관련어 | 일반 학교

ㅌ

특수학급
[特殊學級, special classroom]

특수교육 대상자의 통합교육을 실시하기 위해 일반 학교에 설치한 학급. 특수아상담

통합교육을 위해 고등학교 이하의 각급 학교에 설치한 학급으로, 운영형태는 아동의 능력 등을 고려하여 전일제·시간제·특별 지도·순회교육 등으로 나누어진다. 현재 우리나라에서 가장 보편적으로 운영되는 유형은 시간제 통합교육의 특수학급 형태다. 일반 학교에 특수학급을 설치하여 계획한 목적을 달성하기 위해서는 충분한 사전준비가 필요하다. 즉, 추가로 소요되는 행정적, 재정적 지원에 대한 확보 정도와 방법을 확실히 해야 하고, 관련 교

직원은 물론 학생을 대상으로 장애 이해를 위한 사전훈련, 적절한 공간과 위치를 고려한 특수학급 교실 배치, 통합학급에 편제될 학생 선정, 판정에 대한 준비와 교육계획 수립 등이 선행되어야 한다. 초등학교와 중학교에는 특수교육 대상자가 1인 이상 6인 이하인 경우 1개 학급을 설치하고, 6인을 초과하는 경우에는 2개 학급 이상을 설치한다. 그리고 고등학교에는 특수교육 대상자가 1인 이상 7인 이하인 경우 1개 학급을 설치하고, 7인을 초과하는 경우 2개 학급 이상을 설치한다. 이는 「장애인 등에 대한 특수교육법」의 특수학급에 관한 내용이다. 한편, 특수학급을 전일제보다는 시간제로 전환하여 가능한 한 특수교육 대상자가 일반 학급에 통합되는 기회를 늘리도록 권장한 결과, 2000년도 144개이던 전일제 특수학급이 2003년도에 132개로 12개가 줄었고, 전일제 특수학급에 배치되어 있던 특수교육 대상자도 점차 일반 학급에 통합되는 기회가 주어졌다(교육인적자원부, 2003).

관련어 │ 일반 학급

특정학습장애
[特定學習障礙, specific learning disabilities]
정상적인 지능을 갖추고 있고 정서적인 문제가 없음에도 불구하고 지능 수준에 비하여 현저한 학습 부진을 보이는 장애.
특수아 상담

DSM-IV에 읽기 장애, 쓰기 장애 등으로 구분하던 것을 DSM-5에서는 특정 학습 장애로 통합하여 기술하고 있다. 특정 학습 장애를 지닌 아동들은 흔히 읽기, 쓰기, 산술적 또는 수리적 계산과 관련된 기술을 학습하는 데 어려움을 나타낸다. DSM-5에 따르면 특정 학습 장애는 학업적 기술을 배우고 사용하는 데에서의 어려움을 의미한다. 진단은 다음 중 한가지 이상의 증상을 6개월 이상 나타낼 경우 내려진다. ① 부정확하거나 느리고 부자연스러운 단어 읽기, ② 읽은 것의 의미를 이해하는 것의 어려움(예, 글을 정확하게 읽지만 내용의 순서, 관계, 추론적 의미 또는 더 깊은 의미를 이해하지 못함), ③ 맞춤법이 미숙함(예, 자음이나 모음을 생략하거나 잘못 사용함), ④ 글로 표현하는 것에 미숙함(문장 내에서 문법적 또는 맞춤법의 실수를 자주 범함), ⑤ 수 감각, 수에 관한 사실, 산술적 계산을 숙달하는 데의 어려움(예, 수와 양을 이해하는 데의 어려움, 산술계산 도중에 길을 잃어버림), ⑥ 수학적 추론에서의 어려움(예, 양적인 문제를 해결하기 위해서 수학적 개념, 사실 또는 절차를 응용하는 데에서의 심한 어려움). 특정 학습 장애를 가지고 있는 아동은 읽기, 쓰기, 산수 등의 기초적 학습 능력과 관련된 심리적 과정에 장애가 있기 때문에 정상적인 지능에도 불구하고 학습에 큰 어려움을 보이게 된다. 특정 학습 장애는 결함이 나타나는 특정한 학습 기능에 따라서 읽기 장애, 쓰기 장애, 산술 장애로 구분된다. DSM-5에서는 특정 학습 장애를 읽기 곤란형, 쓰기 곤란형, 산술 곤란형으로 구분하며 심각도에 따라 세 수준으로 평가한다. 특정 학습 장애를 지닌 아동은 학업성적 부진, 낮은 자존감, 사회기술의 부족, 사회적 위축 또는 공격적 행동을 나타내게 되며 도중에 학업을 중단하는 비율이 높다. 또한 특정 학습 장애를 지속적으로 지니고 있는 성인은 직업과 사회 적응에서 심각한 어려움을 겪을 수 있다. 품행장애, 적대적 방항장애, ADHD, 우울증을 지니고 있는 아동이나 청소년의 10~25%가 특정 학습 장애를 동반한다는 보고가 있다. 최근 중재에 대한 반응 정도로 판별하는 접근인 중재 반응 모형(response to intervention: RTI)에 따르면, 과학적으로 증명된 효과적인 쓰기 교수에 대한 아동의 반응 속도와 학업 성취 수준이라는 두 가지 측면을 고려하여 또래보다 심각하게 반응도가 낮은 아동은 잠재적인 쓰기 학습 장애로 고려할 수 있으며, 특수교육 대상자 확인을 위한 정밀 판별 절차를 받도록 한다.

특질
[特質, trait]

유전되거나 습득되는 것으로서, 일관적 · 지속적 · 안정적인 특성을 보이는 개인의 반응 경향성. `성격심리`

특성이라고도 한다. 성격을 이해하기 위한 이론은 크게 특질이론과 과정이론으로 구분되고, 특질이론은 다시 유형론과 특질론으로 나누어진다. 특질론은 각 개인의 특정한 행동과 사고를 결정하는 데 특질의 중요성을 강조하는데, 이를 대표하는 연구자는 올포트(G. Allport), 커텔(R. Cattell), 아이젱크(H. Eysenck) 등이 있다. 올포트는 특질을 "여러 가지 다양한 종류의 자극에 대하여 비슷한 방식으로 반응하는 경향 또는 사전 성향(predisposition)"으로 정의하였다. 그는 특질을 각 개인 내에 존재하며 행동을 결정하고 행동의 원인이 되는 것이라고 보았다. 특질은 개인이 적절한 자극을 찾도록 동기화하고 환경과 상호작용하여 행동을 만들도록 한다. 그래서 행동을 관찰하면 특질을 찾아낼 수 있어서 특질은 경험적 증명이 가능하다. 특질은 서로 다른 특성을 지니고 있지만 서로 밀접한 관련이 있거나 중복될 수 있고 상황에 따라 변화한다. 즉, 공격성과 적의는 다른 특질이지만 서로 밀접하게 관련되어 있고, 어떤 상황에서는 공격성이 나타날 수도 있지만 또 어떤 상황에서는 나타나지 않을 수도 있다. 이러한 특질은 개인특질(individual trait)과 공통특질(common trait)로, 개인특질은 다시 주특질(cardinal trait), 중심특질(central trait), 2차특질(secondary trait)의 세 가지 유형으로 나누어진다. 커텔은 행동관찰, 자료수집, 검사법과 같은 경험적이고 과학적인 방식으로 행동을 예측하고자 했는데, 이 같은 방법으로 얻은 개인의 성격적 측면을 특질이라고 지칭하였다. 특질은 성격의 기본적 구성요소이며, 규칙적이고 일관적이므로 특정 상황에서 개인이 어떤 행동을 할지 예측할 수 있도록 해 준다. 그는 요인분석을 사용하여 특질을 크게 세 가지 방식, 즉 공통특질(common trait)과 독특한 특질(unique trait), 능력특질(ability trait)과 기질특질(temperament trait) 및 역동적 특질(dynamic trait), 표면특질(surface trait)과 원천특질(source trait)로 분류하였다. 그중 역동적 특질은 에르그(erg), 감정(sentiment), 태도(attitude)로 구성되어 있으며, 원천특질은 열여섯 가지 성격차원을 확인하였다. 이러한 연구들은 정상 행동을 예측하기 위한 특질을 강조하는 데 비해 아이젱크는 이상행동 분야로 확대하여 신경증과 같은 특성들을 연구하였다. 그는 성격을 "개인이 환경에 독특한 방식으로 적응하기 위하여 의지와 같은 인격(character), 정서를 나타내는 기질(temperament), 지적 능력과 같은 지성(intellect), 신체적인 외형 및 내분비적 특성을 말하는 신체적(physique) 요소가 비교적 안정적이고 영속적으로 조직화된 것"으로 정의하였다. 그러고는 성격특질을 내향성과 외향성, 안정성과 신경증, 충동통제와 정신증의 세 가지 유형으로 구분하였다. 특질은 유전되며 호르몬과 신경전달물질의 수준에 따라 학습의 조건형성에서 차이가 발생하는 것으로 보았다. 그는 신경증과 정신증도 유전적 요인에 따라 결정되며 학습이론의 원리에 따라 치료가 가능하다고 강조하였다. 초기의 성격특질에 관한 연구에서 커텔은 성격요인을 열여섯 가지로 제시했지만 보다 이후의 성격특질 연구자들은 그 수를 줄이고 문화적 보편성을 지닌 특질군을 찾고자 하였다. 1949년 피스크(Fiske)의 5요인 모형 제시 이후에 투페와 크리스털(Tupes & Christal, 1961), 노먼(Norman, 1963), 보르가타(Borgatta, 1964), 스미스(Smith, 1967), 브리그스(Briggs, 1989) 등 많은 연구자들이 관심을 보이면서 연구를 진행하였다. 마침내 1981년 골드버그(Goldberg)는 여러 연구를 검토한 다음 신경증(neuroticism: N), 외향성(extroversion: E), 개방성(openness: O), 우호성(agreeableness: A), 성실성(conscientiousness: C)으로 성격의 5요인을 확인하고 'Big Five'로 칭하였다. 또한 코스타와 맥크래(Costa & McCrae, 1985;

1989; 1992)는 NEO-PI-R(NEO-Personality Inventory Revised)을 개발하여 성격의 5요인을 측정하였다.

관련어 | 16PF 성격검사, 5요인 모형, NEO 인성검사, 개인특질, 공통특질, 기질특질, 능력특질, 독특한 특질, 역동적 특질

틱장애
[-障礙, tic disorder]

어린아이의 스트레스성장애 중 하나로 근육이 빠른 속도로 리듬감 없이 반복해서 움직이거나 소리를 내는 것. **특수아상담**

틱장애에는 투레트 장애, 만성 운동 또는 음성 틱장애, 일과성 틱장애, 비분류 틱장애가 있다. 운동 및 음성 틱은 가벼울 수도 있고(몇 개의 근육 또는 단순 소리) 복잡할 수도 있다(대발작에서의 여러 근육이나 단어 또는 문장). 단순 운동 틱으로는 눈 깜박거리기, 코 찡그리기, 목을 경련하듯이 갑자기 움직이기, 어깨 움츠리기, 얼굴 찡그리기, 복부 긴장시키기 등이 있으며, 이러한 틱은 수백 분의 1초 동안 나타난다. 복합 운동 틱으로는 손짓, 뛰기, 만지기, 누르기, 발 구르기, 얼굴 찌푸리기, 반복적으로 사물 냄새 맡기, 웅크리기, 무릎 구부리기, 발걸음 되풀이하기, 걸을 때 빙글빙글 돌기, 비정상적인 자세 취하기 등이 있는데, 이러한 틱은 오랫동안 지속되고 수초 이상 나타난다. 갑작스럽고 저속하고 음란한 성행위 자세를 보이는 배변 행동증(copropraxia)과 다른 사람의 동작을 불수의적으로 모방하는 반향 행동증(echopraxia)도 복합 운동 틱이라 할 수 있다. 흔한 단순 음성 틱은 헛기침하기, 꿀꿀거리기, 콩콩거리기, 콧바람 불기, 새소리 내기 등 의미가 없는 소리다. 그리고 복합 음성 틱은 갑작스럽게 단일 단어나 구를 말하기, 말의 고저·강약·크기의 갑작스럽고 의미 없는 변화, 동어 반복증(자기 자신만의 소리나 단어 반복하기), 반향 언어증(마지막 들은 소리, 단어나 구절 반복하기)을 포함한다. 아이에게 특정한 틱 행동이 나타나면 부모와 교사는 가볍게 넘겨서는 안 된다. 왜냐하면 틱 행동 때문에 아이가 또래에게 놀림을 당하고 심할 경우에는 집단에서 소외될 수 있기 때문이다. 발병요인은 중추신경계 자극물 투여 혹은 뇌 충격 등으로 알려져 있지만 한 가지 정설은 없다. 흔히 근육경련을 막기 위해서 취하는 모든 지적이나 잔소리 또는 외부로 드러나는 것을 고치려고 하는 시도, 질책, 놀림은 틱 행동을 부채질하고 심화시킬 뿐이며, 몇 가지 지도방법을 제시하면 다음과 같다. 첫째, 자발적으로 행동하고 또 솔직하게 표현하게 해 준다. 아이의 정신적인 긴장을 풀어 주는 것이 무엇보다 중요하다. 예컨대, 그동안 눌려 있던 자발성과 자유로움을 다시 누릴 수 있게 해 준다. 즉, 아이 자신에게 주어진 자발성과 자유로움을 어떻게 발산하는지 가르쳐 주어야 한다. 이때 적절한 행동으로는 율동을 들 수 있다. 둘째, 근본적인 요인에 대해 물어본다. 아이가 어떤 근본적 요인 때문에 틱 행동을 나타내는지, 또한 그런 틱 행동이 어떤 상황에서 특히 심하게 나타나는지도 살펴본다. 셋째, 적시에 대처한다. 전문적인 조언 없이 아이를 도와주는 것이때로는 부모와 교사에게 힘든 경우가 있다. 틱 행동도 시간이 지나면서 일종의 반사로 고착되고, 또 기간이 길어질수록 다루기가 더 힘들어지기 때문에 적시에 상담전문가를 찾는 것이 좋다.

관련어 | 투레트 장애

팀 수퍼비전
[-, team supervision]

동료 수퍼비전과 매우 흡사한 형태로, 서로 다른 수련을 받은 전문가들이 집단으로 서로의 사례와 임상적 문제를 의논하기 위한 모임. **상담 수퍼비전**

팀 수퍼비전은 숙련된 상담자의 학습연구와 직무능력의 향상을 위해 만들어졌다. 이 집단에서 상담치료 전문가들은 자신의 사례 및 이와 관련된 다양

한 주제에 대해 서로의 의견을 교환한다.

관련어 | 개인 수퍼비전, 동료 수퍼비전, 집단 수퍼비전

팀 재구성
[－再構成, re-teaming]

해결중심접근의 치료방법을 이용하여 가족이나 회사 같은 특정 집단구성원 간의 친밀한 관계를 증진시키는 기법.

해결중심상담

팀 재구성을 하는 과정에서 치료자는 집단의 구성원들에게 각자의 목표를 세우고, 목표를 이루기 위해 그 목표 중 하나를 선택하도록 한다. 또한 내담자가 원하는 목표를 이루었을 때, 그 장점이 무엇인지 물어본 다음 그 장점들을 나열해 보도록 한다. 이러한 활동은 내담자의 목표를 향한 동기를 더욱 강화하는 효과가 있다. 계속해서 치료자는 구성원들이 한 단계씩 목표에 점차 접근할 수 있도록 격려하면서, 목표를 이루기 위해 다음 날이나 다음 한 주간, 그리고 다음 한 달간 해야 할 활동이 무엇인지를 물어본다. 개인활동 외에도 그룹 단위로 브레인스토밍 등을 사용하여 구성원들의 전문적인 기술을 증진시키기 위해 각자의 지식을 활용하여 할 수 있는 것이 무엇이 있는지 토론해 보기도 한다. 팀 재구성의 프로그램이 끝난 뒤에는 집단구성원들이 어떤 것이 좋아졌는지, 누가 칭찬을 받을 만한지 평가하기 위하여 추후 만남을 제안할 수도 있다. 해결중심적 접근법을 통해 팀 재구성 기법을 적극적으로 훈련하는 핀란드 헬싱키에 있는 단기치료연구소에서 제시하는 팀 재구성 과정의 구조화된 12단계는 다음과 같다. 1단계는 자신의 꿈에 대해 묘사하는 단계다. 이 단계에서 집단구성원들은 자신의 미래 모습이 어떠하기를 바라는지에 대해서 이야기한다. 2단계는 자신의 꿈을 실현하기 위해 이루어야 하는 목표를 설정하는 단계다. 이 단계에서는 제시한 여러 목표 중에 우선 한 가지를 선택하여 목표에 이름을 붙이고, 알맞은 의미를 부여한다. 3단계는 설정한 목표를 이루어 얻게 되는 긍정적인 효과에 대해서 생각해 보는 단계다. 여기서 말하는 긍정적인 효과란 자신에게 해당되는 것일 뿐만 아니라 다른 사람에게 미치는 영향도 생각해 보는 것이다. 4단계는 자신이 목표를 이루어 긍정적인 변화를 가져오는 데 누가 도움을 줄 수 있는지 조사하는 단계다. 5단계는 그 목표에 근접하는 비슷한 성과가 이미 조금이라도 일어난 것이 있는지 찾아보는 단계다. 6단계는 목표를 성취하면 벌어질 일에 대해서 상상해 보는 단계다. 7단계는 목표를 이루기 위한 도전을 하는 이유가 무엇인지 생각해 보는 단계다. 이 단계에서는 목표를 성취하려는 동기를 발견하도록 격려한다. 8단계는 자신이 설정한 목표를 이룰 수 있는 능력이나 자원을 찾는 단계다. 이러한 과정은 자신이 이미 가진 자원으로 변화를 만들 수 있다는 자신감을 키워 준다. 9단계는 실제적인 변화를 이루기 위해 첫걸음을 내딛는 단계다. 이 단계에서는 실제 목표를 이루기 위해 자신이 먼저 해야 할 일의 목록을 만들고, 그것을 꼭 실행하겠다는 선언을 한다. 10단계는 목표를 이루기 위해 실제적인 노력을 할 때 예상 가능한 실패나 부정적인 영향력에 대비하는 단계다. 이 단계에서는 목표를 실제로 실천할 때 발생 가능한 실패나 이에 따른 좌절 등에 관해 이야기해 보고, 이를 극복할 수 있는 방법이 무엇인지 탐색하는 과정이다. 11단계는 변화를 기대하며 인내하고 기다리는 단계다. 목표성취를 위한 실제적인 행동을 하는 도중에는 그 변화가 빨리 일어나지 않는 듯하고, 자신의 능력에 한계가 있는 것처럼 느껴질 때도 있을 것이다. 하지만 목표를 이루기 위해서 이러한 어려움들을 인내하면서, 작은 변화에도 주의를 기울이고 이를 기억하려는 연습을 한다. 12단계는 원하는 목표를 이룬 다음 변화에 대한 성공을 축하하고, 도움을 준 사람들에게 감사하는 단계다. 팀 재구성을 위한 소집단은 워크숍에 참석하는 구성원의 숫자에 따라 탄력적으로 운영할 수 있다. 또한

서로 다른 지위와 권한을 가진 조직을 대상으로 하는 팀 재구성 프로그램은 각 소그룹에 여러 계층 사람들이 섞이도록 구성하여 다양한 사람의 의견을 들을 수 있는 기회를 만드는 것도 좋은 방법이다.

관련어 | 드림팀 질문, 해결중심단기치료

파과병
[破瓜病, hebephrenia]

⇨ '정신분열병' 참조.

관련어 | 정신분열

파괴적 부여
[破壞的附與, destructive entitlement]

역기능 가정에서 형성되는 파괴적 가족관계. 가족치료 일반

부여는 어떤 사람이 다른 사람에게 일방적으로 제공하는 것으로서, 자산이 될 수도 있고 빚이 될 수도 있다. 이 중 파괴적 부여는 빚을 제공하는 것으로, 다음 세대의 아이들이 태어나기도 전에 이미 가족관계 안에서 만들어 놓은 빚과 같은 파괴적인 경향을 말한다. 역기능적인 가족체계 안에서는 각 구성원들이 균형적인 관계를 형성하여 가족을 유지하는 기능을 상실한다. 즉, 제대로 기능하는 가정의 부모는 자녀를 돌보고 사랑하며, 자녀는 부모의 사랑 안에서 안전하게 보호받는 관계가 형성된다. 하지만 역기능적인 가족체계에서는 부모가 자녀를 제대로 돌보지 않거나 학대하는 등 파괴적인 부여의 현상이 나타나게 된다. 이러한 역기능 가정의 부여는 가족체계를 유지하는 것이라기보다는 파괴하는 역할을 한다. 따라서 자녀들이 희생양이나 영웅아 등의 역할을 수행하여 가족을 유지하는 기능을 하게 된다.

파국적 사고
[破局的思考, catastrophic thinking]

단순한 말이나 행동에 기초하여 파국적인 결론을 이끌어 내는 인지적 사고 오류 중 하나. 부부상담

객관적으로 볼 때 원래의 말이나 행동이 파국적 결론을 담고 있지 않은데도 파국적 사고작용을 통해 매우 부정적인 결론을 내리는 것을 뜻한다. 예를 들어, 남편이 자신의 생일을 챙겨 주지 않을 때 아내는 이와 관련된 몇 가지 경험만으로 '남편이 더 이상 자신을 사랑하지 않는다.'는 과잉일반화된 결론을 내리는 것이다. 부부간의 관계에서 이러한 방식의 사고는 매우 위험할 수 있다. 왜냐하면 자신의 결론을 무비판적으로 받아들이면서 자신의 결론과 신념이 맞는다는 것을 전제로 배우자와 계속 대화하기 때문이다. 파국적 사고를 통한 대화는 배우자가 전혀 생각하지 않은 부분을 공격함으로써 감정적 격앙을 가져온다. 그뿐만 아니라 부부가 올바른 토론을 하지 못하게 만든다. 한쪽 배우자는 타당하지 않은 결론을 내리고 상대 배우자는 이로 인해 공격받거나 상처받은 느낌 혹은 분노의 감정을 느끼기 때문이다.

파국화
[破局化, catastrophizing]

엘리스(Ellis)가 합리정서행동치료에서 소개한 개념으로, 부정적 사건이 비합리적으로 과장되어 최악의 결과를 가져올 것이라고 생각하는 인지왜곡현상. 합리정서행동치료

'재난화' '재앙화' 또는 '부정적 과장'이라고도 하는데, 비합리적 생각에서 파생한 전형적인 인지적 왜곡현상 중 하나다. 어떤 경험을 하든지 자기 자신과 환경에 대해 항상 최악을 생각하고 그것은 언제든지 다시 일어날 수 있다고 본다. 대개 기분장애나 불안장애, 특히 공황장애나 공포증 환자에게서 자주 발견되며, 임상적 질병이 없는 일반인 중에서도 스트레스 상황일 때 종종 발견되는 사고유형이다. 환자들은 자신의 증상에 늘 골몰하며 위협적인 측면을 과대평가하고, 고통을 극복할 수 있는 자신의 능력을 과소평가한다. 예를 들면, "분명히 무언가 끔찍한 일이 벌어질 거야!" 또는 "공황발작이 와서 심장마비에 걸려 죽을 거야!"와 같은 사고들이다. 인지행동치료에서는 내담자가 파국적으로 해석하는 비논리적 사고의 근거를 명확하게 밝히기 위해 내담자와 함께 걱정과 두려움을 야기하는 것에 대한 지지하는 증거와 지지하지 않는 증거를 찾는다. 대부분의 경우 내담자는 자신의 근심이 과대평가에 따른 파국화의 결과라는 것을 알게 되고, 이로 인해 증상이 만성화되는 것을 막을 수 있다. 파국화에서 벗어나기는 내담자가, 첫째, 자극에 노출되었을 때 일어날 것으로 예상하는 파국적인 결과가 실제 일어날 가능성을 체계적으로 평가하고, 둘째, 그러한 결과가 일어날 확률을 줄이기 위한 계획을 세우며, 셋째, 그러한 결과가 일어났을 때 그에 대처하는 전략을 세우도록 해 준다(Wright et al., 2009).

파급효과
[波及效果, spillover effect]

어떤 경제활동이나 과정이 직접 참여하지 않는 사람들에게도 미치는 영향. 사이코드라마

사이코드라마에서 이 용어는, 주요 인물이 중요한 문제를 해결하는 데 도움을 주거나 지켜보는 사람들에게 미치는 영향을 의미한다. 말하자면, 여기서의 주요 인물을 돕거나 지켜보는 사람들은 보다 나은 방식으로 상호작용하는 것을 알아차린다는 것이다.

파랑새 증후군
[-症候群, Blue Bird syndrome]

현실에 만족하지 못하고 새로운 이상만을 추구하는 병적인 증상. 개인상담

파랑새 증후군은 벨기에의 작가 메테를링크(Maurice Maeterlinck)의 동화 「파랑새(L'Oiseau Bleu)」의 주인공처럼 현실에 만족하지 못한 채 몽상을 하면서 현재 할 일에 정열을 느끼지 못하는 것으로서, 빠르게 변화하는 현대사회에서 적응을 하지 못하는 직장인에게 나타나는 대표적인 현상이다. 이는 직장인이 겪는 노이로제의 일종으로 신경증을 말하며 욕구불만, 갈등, 스트레스 때문에 발생하는 심리적 긴장이 신체적 증상으로 나타난 것이다. 우울증의 증상으로도 나타나는데, 자살유혹에 빠지고 모든 일이 허무하게 느껴져 권태를 느끼며 무기력하다고 자책한다. 그래서 가정이나 직장을 버리고 훌쩍 떠나 버리고 싶은 충동이 일어나기도 한다. 이렇게 떠나는 사람들은 지금 있는 곳을 벗어나기만 하면 어딘가에 파랑새가 있을 것이라고 생각한다. 파랑새를 찾아 떠나는 사람들은 동화 속의 주인공이 결국 집에 돌아왔을 때 바로 집 안의 새장 속에 파랑새가 있었다는 사실, 즉 파랑새는 우리 곁에 있다는 사실을 잊지 말아야 한다. 파랑새 증후군의 대처방법으로는 다음 몇 가지를 들 수 있다. ① 취미생활을 즐겨라. ② 일거리를 집으로 가져가지 마라. ③ 중·장기적인 목표를 세워라. ④ 회사 내의 소모임 활동에 참여하라. ⑤ 남의 눈치를 보지 말고 자신의 능력과 소신에 따라 움직여라. ⑥ 충동적으로 결정하지 마라. ⑦ D-day를 정하라.

파인
[- , Pine]

진정 치료, 기능 강화, 항미생물, 항신경통, 방부성, 항바이러스, 살균, 탈취 등에 효과가 있는 나무로서, 북유럽과 러시아가 원산지이며 현재 북아메리카에서 광범위하게 재배. 향기치료

파인은 사철 푸른 나무로 40미터까지 자라고, 나무껍질은 적갈색으로 깊게 층이 패여 있으며 뻣뻣한 청녹색의 침 같은 잎이 난다. 파인 오일은 폐, 신장 및 신경계의 기능강화제로 피로와 신경탈진에 효과적이다. 병의 회복기 또는 허약함을 느낄 때, 심한 심리적 스트레스를 남기는 질병을 겪은 뒤에 기능을 강화하고 부신기능을 돕는 데 사용한다. 그리고 파인 오일은 순환을 촉진하는 효과가 있어서 류머티즘 관절염의 통증완화, 근육통에 도움이 되며 파인의 살균성은 방광염과 신우염 같은 증상에 유용하다. 또한 파인 오일의 거담성, 진정 치료성, 방부 특성은 다양한 유형의 폐 질환에 매우 효과적이며, 감기에서 비롯된 기침, 가래를 깨끗하게 하는 최고의 오일이다. 따라서 부비강 및 기관지 울혈, 기침, 천식, 기관지염에 사용할 수 있다.

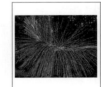

판독성
[判讀性, legibility]

글자형태를 식별하고 인식하는 과정. 문학치료(독서치료)

판독성은 '보고 지각하는 과정의 성공도'라고 할 수 있는 가독성(readability)과는 구별된다. 가독성과 판독성은 모두 독서의 쉽고 빠르기에 미치는 영향도인데, 판독성은 낱자의 형태를 식별하는 정도

를 말한다. 다시 말해서 판독성이란 서법, 인쇄체, 필적 등에서 글자나 기호 형태가 외양적으로 얼마나 이해하기 쉽고 알아보기 쉬운가 하는 것이다. 판독성을 결정짓는 요소는 기호의 획폭, 각도, 스타일, 엑스하이트(기본 폰트의 기본선에서 소문자 x의 높이), 기울기, 색깔, 불투명도, 그 외의 개별적인 기호의 내적 특성 등이다. 이에 비해 가독성은 전체 단어, 문장, 단락 등의 식별도에 해당한다. 가독성을 결정하는 요소는 행 길이, 1차 및 2차 리딩(leading, 행간 조절), 행 고르기, 인쇄체, 커닝(kerning, 자간 조절), 트래킹(tracking), 글자 크기 등이다. 판독성은 가독성에 선행하는 단계라고 할 수 있다. 기호의 의미전달은 여러 조건 안에서 기호를 식별하는 판독성에서 그 기호들을 모아 읽어 가는 가독성으로 이어지는 것이다. 가독성이라는 개념 속에는 판독성의 개념이 포함되지만, 판독성은 가독성의 선행 행위로 가독성과 일치하지는 않는다. 독서치료에서 가독성과 판독성은 모두 중요한 요소다. 특히 나이가 어리거나 노년기 내담자의 경우에는 판독성이 높아야 가독성을 높일 수 있다. 예를 들어, 아무리 쉬운 문장이라 하더라도 글자 크기가 10포인트 이하라면 이 같은 내담자들에게는 판독성이 크게 떨어진다. 판독성에서 스트레스가 오면 가독성은 기대할 수 없다.

판별분석
[判別分析, discriminant analysis]

종속변인이 2개 혹은 그 이상의 집단으로 구성되어 있을 때 여러 개의 독립변인으로 집단구성원을 판별 혹은 예측하기 위한 통계적 방법. **통계 분석**

판별분석은 집단판별에 영향을 주는 독립변인이 무엇이고, 그러한 독립변인 중 영향력이 가장 큰 변인이 무엇인지를 밝히고자 할 때 사용한다. 판별분석은 회귀분석과 개념이 동일하며, 종속변인이 범주변인이라는 점만 다르고 로지스틱 회귀분석과는 종속변인이 3개 이상으로 분류되었을 때 독립변인이 주는 영향력을 분석할 수 있다는 점에서 차이가 있다. 판별분석의 등식은 회귀등식과 동일하며 판별점수와 판별계수가 다를 뿐이다. 판별함수를 통하여 각 집단에 속한 개인의 판별점수를 산출하고, 개인의 점수를 평균한 것이 각 집단의 평균, 즉 센트로이드(centroid, 선형조합에 의한 집단의 가중치 평균)가 된다. 종속변인의 집단이 2개면 2개의 센트로이드가 구해진다. 판별함수분석은 각 집단의 센트로이드에 차이가 있는지 검증하는 것이며, 그 차이는 판별계수에 따라 결정된다. 판별계수는 집단 간 차이를 극대화시키고 집단 내 분산을 최소화시키는 원리에 의해 추정되며, 이렇게 추정된 판별계수는 개별독립변인의 상대적 중요도를 나타낸다. 즉, 판별계수가 높으면 해당 독립변인이 집단을 구분하는 데 영향을 많이 주는 변인이라고 해석할 수 있다. 만약 집단 내 분산보다 집단 간 분산이 상대적으로 크다면 판별함수가 집단을 잘 판별해 준다고 할 수 있다. 판별분석을 위해서는 종속변인이 질적 변인이거나 최소한 집단을 구분하는 범주변인이어야 하고, 독립변인이 양적 변인일 때 각 모집단의 분포가 정상분포를 이룬다는 가정을 충족해야 하며, 또한 각 모집단 간의 양적 독립변인의 분산이 같아야 하고(등분산성 가정), 집단구분에 영향을 주는 독립변인 사이에 관계가 없어야 한다. 일반적으로 판별분석은 다섯 집단 이하로 구분된 집단연구에 사용하며, 판별분석을 위한 연구대상 수에 절대적인 규칙은 없지만 독립변인 수의 20배에 해당하는 사례 수를 권장한다(Hair, Anderson, Tatham, & Black, 1995). 예를 들어, 독립변인 수가 5개라면 100명 이상의 연구대상이 필요하다. 최소한 한 집단의 사례 수가 독립변인의 수보다 많으면 판별분석이 가능하다고 보지만 대체로 20명 이상의 연구대상이 필요하다.

관련어 회귀분석

판타지 심상기법
[-心像技法, phantasy method]

내담자에게 유년기에 겪었던 사건을 재경험시키는 방법으로, 그 사건 및 사건의 의미를 환기시켜 치료적 효과를 내는 클라크(Clark)의 심상치료방법. `심상치료`

판타지 심상기법은 정신분석가였던 클라크가 소개한 정신분석적 심상치료기법으로, 역동적 심상치료법의 하나다. 만성 신경증, 경계선적 성격장애 치료를 집중적으로 연구한 클라크는 그러한 증상을 가진 환자들이 공감능력 및 감정교류에 문제가 있고, 나르시시즘, 가치감 박탈, 이상화, 정서적 고통 등에서 곤란을 겪고 있다는 데 주안점을 두고 연구를 하였다. 그는 환자들의 자발적 심상체험으로 증상개선 및 치료적 효과가 발생하는 것을 발견하고, 유년기 시절 경험을 재현시키는 심상기법을 소개하였다. 클라크의 판타지 심상기법은 클라크 사후 오랫동안 묻혀 있다가 1960년대에 이르러 레이어(Reyher)에 의해 재평가될 수 있었다. 클라크의 판타지 심상기법은 내담자가 느끼고 생각하는 자신의 유년기 모습을 떠올리도록 한 다음, 내담자가 체험한 심상의 내용 및 의미에 대한 심층적인 분석과 해석에 중점을 둔다. 이는 총 6단계를 거치는데, 우선 내담자를 카우치에 편안한 자세로 눕힌 뒤 심신을 이완시킨다. 두 번째로 눈을 감게 한 다음 유년기 경험 및 사건의 장면을 떠올리도록 한다. 세 번째로 그 시절 느꼈던 감정, 사고, 행위 등을 그려 보도록 한다. 네 번째로 재현심상을 체험하면서 내담자 내면에서 일어나는 중요한 내용물이 나타나서 자세히 묘사될 때까지 심상체험을 이어 간다. 다섯 번째로 심상으로 체험된 유년기 장면은 내담자가 겪은 실제 그때가 아니라는 점을 내담자가 깨닫도록 한다. 끝으로 내담자가 자신의 내적 문제점에 고착되어 있는 현재 자기 상태를 깨달을 수 있도록 이끌어 준다. 클라크의 판타지 심상기법은 심상척도에 의존하는 현대의 심상치료와는 차이가 있다. 그는 내담자 스스로 떠올리는 심상을 중요시하고, 그 심상의 내용 및 의미, 당시의 내담자 정신상태 등에 관한 정신분석적 해석에 중점을 두었다. 심상체험 분석작업이 끝나면 당 회기에 체험한 심상의 모든 내용을 기록하여 다음 회기에 제출해야 하는 과제물도 제시하였다.

팔마로사
[-, Palmarosa]

기능강화, 수화작용, 방부, 살균, 세포 생육촉진, 소화, 해열 등에 효과가 있는 식물로서, 인도가 원산지이며 마다가스카르, 인도, 브라질, 코모로 섬에서 광범위하게 재배. `향기치료`

팔마로사는 3미터까지 자라고, 길고 가느다란 줄기와 향기가 나는 연초록색의 잎이 나며 줄기 끝에 붉은색의 꽃이 핀다. 팔마로사 오일은 감정을 가라앉히지만 고무시키는 효과도 있으며, 스트레스성 심장의 두근거림, 불안, 불면을 완화하는 데 효과적이다. 팔마로사가 가장 많이 쓰이는 분야는 피부문제의 해소다. 팔마로사의 살균성과 보습효과는 건조하고 영양이 부족한 피부에 도움이 되며 피부염, 습진, 건선에 사용한다. 또한 팔마로사 오일의 항박테리아, 항바이러스, 항진균 효능은 부스럼, 대상포진, 진균증 등 다양한 종류의 피부감염에 사용할 수 있다.

팔식
[八識, eight mind]

유식사상에서 일컫는 것으로 인간 마음의 기본적인 여덟 가지 활동. `동양상담`

인간의 정신은 여덟 가지 근본 활동으로 이루어

지고 있는데, 먼저 눈[眼], 귀[耳], 코[鼻], 혀[舌], 몸[身], 기억[意]의 여섯 가지를 육식이라 하며 여기에 마나식(末邪識)을 더하면 칠식, 그리고 아뢰야식(阿賴耶識)을 더하면 팔식이다. 눈은 물질의 대상을 구별하는 마음, 귀는 소리의 대상을 구별하는 마음, 코는 냄새의 대상을 구별하는 마음, 혀는 맛의 대상을 구별하는 마음, 몸은 촉감과 같은 감각으로 대상을 구별하는 마음, 기억은 의식으로 유형·무형의 삼라만상을 구별하는 마음이며, 이 의식은 인간의 내면경계까지 인식한다. 그래서 물질계와 정신계를 포함한 모든 대상은 법경(法境)이라 말하고 있다. 마나식(manas-vijnana)은 자아를 인식하는 마음의 작용을 말한다. 인간의 마음속에는 아집과 분별의 식 때문에 번뇌가 일어나 마음이 혼탁해지고 참나를 망각하는 어리석음에 빠지며 나에 대한 편견과 잘못된 견해를 일으켜 그것을 나로 착각하고 아만(我慢)과 자기사랑의 참상에 빠져 버린다. 그리고 선과 악의 상대적인 작용을 끊임없이 야기해 그것 때문에 계속해서 윤회하는 것이다. 아뢰야식(alaya-vijnana)은 앞의 일곱 가지 의식에 대해 뿌리와 같은 역할을 한다는 의미에서 근본식이라고 하고 그것을 모두 포함해 내장하고 있다는 의미에서 장식(藏識)이라고도 한다. 앞에서 말한 모든 식의 행위와 육체적인 행위가 선행이든 악행이든 업력이 되어 이 아뢰야식에 보존된다. 이때 선악의 업력은 아뢰야식에 진입하여 위탁되고 그것을 아뢰야식이 받아들여 보관하게 된다. 그리하여 모든 업력을 보존하면서 선악 업력을 필요하면 다른 의식으로 발동시켜 나타나게 하는 기능을 보유하고 있다. 그래서 아뢰야식은 현재의 생명체로서 내외의 현실을 전개시키는 주체가 되며, 윤회의 주체가 된다. 그것이 단절되지 않는다는 의미에서 인과로 이어지며 전생과 금생, 그리고 내생까지 윤회하게 된다.

관련어 | 윤회, 팔정도

팔실수법
[八實修法, ashtanga]

요가수행에 기초가 되는 여덟 가지 수행방법. **명상치료**

라자 요가의 기초 수행 과정으로서 여덟 가지는 제계(制戒, yama), 내제(內制, niyama), 좌법(坐法, asana), 조식(調息, pranayama), 제감(制感, pratya-hara), 집지(執止, dharana), 정려(靜慮, dhyana), 삼매(三昧, samadhi)로 구성되어 있다. 1단계 제계는 도덕적이고 윤리적인 행동규약을 제시하여 요가를 수행하기 전 자아를 통제하는 단계다. 행동규약에는 살생하지 않고 진실하고 도둑질을 하지 않으며 간음하지 않고 소유하지 않는 등의 다섯 가지 계율이 있다. 2단계 내제는 내적인 삶의 규율에 관한 것인데, 마음을 맑고 깨끗하게 하는 청정(淸淨), 만족(滿足), 고행(苦行), 학문을 닦는 학수(學修), 최고의 신에게 귀의할 것 등의 다섯 가지 규율을 실행한다. 3단계 좌법은 신체를 편안하고 안정시켜 자신과 완벽한 조화 속에 머물도록 신체를 수련하는 단계다. 이는 다시 다섯 단계로 세분되는데, 첫째는 몸의 움직임의 제한적 이용, 둘째는 달리고 뛰고 뻗치는 등의 쾌활하고 동적인 행동, 셋째는 몸 전체를 긴장시키지 않고 발가락을 만지거나 뒤로 구부리는 등의 행동, 넷째는 육체적인 균형의 유지, 다섯째는 불편함이나 통증, 움직임이 없이 고요하고 편안한 자세를 취하는 것이다. 이러한 육체적인 조화를 이루어 수행자는 뼈, 근육, 신경, 혈액순환, 폐, 심장 등 신체기관의 모든 부분을 지각하고 관찰할 수 있으며(안나마야 코샤), 마음의 움직임, 성질, 특질, 강인함과 약함 등을 알기 시작하고(마노마야 코샤), 몸과 마음이 조화를 이루고 융합하면서 생명에너지(프라나마야 코샤)를 얻는다. 4단계 조식은 앞 단계에서 몸과 마음의 한계를 초월하여 심층적인 자각을 얻은 후에 그 자각을 강화시키는 단계다. 강화를 위하여 숨을 자각하고 숨을 연장하며 몸의 특정한 부분으로 숨을 가져가는 것, 즉 들숨, 날숨의 숨의 유지과정을 거쳐 신체적 수행에 근본이 되는 호흡 조절을 수련한다. 5단계 제감은 신체감각을 느끼고 감각으로부터 마음을 회수하는 단계다. 즉, 시 · 청 · 미 · 후 · 촉각 등의 감각기관이 작동은 하지만 인지하지 않는 것이다. 여기까지의 과정은 외부적 요가단계로서 바히랑가 요가(bahiranga yoga)라고 한다. 6단계 집지는 마음을 특정 대상에 집중시키는 단계다. 마음을 집중하는 대상으로는 만트라, 상징, 생각, 관념 등의 모든 형태가 적용된다. 집지는 외부의 감각적 자각이 전혀 없고 오직 공간의 자각만 남아 있는 단계다. 집지는 먼저 집중하기 위하여 외부목표에 초점을 맞추고(바히르 락샤), 마음을 공간의 경험에 모으기 위한 노력을 하며(마디아 락샤), 내부적인 목표를 열망하는(안타르 락샤) 과정으로 이루어진다. 집지는 관찰이 강조되는데, 이 관찰은 신체감각과 외부환경의 상호작용으로 일어나는 산만함을 줄이는 데 도움이 된다. 7단계 정려는 명상의 단계로서, 먼저 자신이 보고 있다는 것을 완전히 자각하고 집중하면서 관찰하는 것이고 자신이 그것을 보고 있다는 지식이나 자각, 그리고 이 절차를 수행하는 것에 대한 지식이나 자각이 하나로 융합되는 것이 이 단계의 목적이다. 8단계 삼매는 자아에 대한 의식이 없이 대상만 나타나는 상태를 뜻한다. 개인의 감각이 존재하지 않는 가장 심오한 수준의 의식에 도달한 것이다.

관련어 | 라자 요가

팔정도
[八正道, aryástanga-marga, atthangikamagga]

불교의 기본적 가르침이며 가장 보편적인 여덟 가지 원리.
동양상담

영어로는 noble eightfold path라고 하며, 불교에서 이 가르침을 수행의 기본 원리로 받아들이고 있

다. 가장 먼저 이루어져야 하는 원리는 정견(正見, sammā-diṭṭhi)으로, 편견에 치우치지 않고 사물이나 대상의 참모습을 아는 지혜다. 두 번째는 정사유(正思惟, sammā-saṅkappa)로, 어떤 것에 대한 의지와 욕망을 일으키는 생각에서 벗어나 바르게 생각하려는 것이다. 세 번째는 정어(正語, sammā-vācā)로, 다른 사람에게 거짓말을 하거나 중상모략, 욕설 등을 하지 않고 바르게 말하는 것이다. 네 번째는 정업(正業, sammā-kammanta)으로, 다른 사람을 헤치거나 다른 사람의 것을 욕심내거나 간음 등을 하지 않고 바르게 행동하는 것이다. 다섯 번째는 정명(正命, sammā-ajiva)으로, 도둑질과 같은 불법적인 일이 아니라 바른 방법으로 의식주를 해결해 나가는 것이다. 여섯 번째는 정정진(正精進, sammā-vāyama)으로, 끊임없이 바르게 노력하여 물러섬이 없이 마음을 닦는 것이다. 일곱 번째는 정념(正念, sammā-sati)으로, 자신의 몸, 마음, 생각 등을 알아차리고 바르게 집중하는 것이다. 마지막 여덟 번째는 정정(正定, sammā-samādhi)으로, 바르게 집중한다는 말로서 마음을 한곳에 집중하는 것인데 삼매라는 방법을 통해 이곳에 들어갈 수 있다.

패러다임 양식
[－樣式, paradigmatic mode]

브루너가 제안한 두 가지 주요 사고양식 중 하나. **문학치료**

패러다임 양식은 논리적이고 추상적으로 어떤 것을 설명하는 방식을 말한다. 패러다임 양식은 인지심리학 및 인지학습이론의 권위자인 미국 심리학자 제롬 브루너(Jerome Bruner)가 제안하였다. 브루너의 사상은 범주화에 기반을 두어, 사람은 세계를 유사성과 차이로 해석한다는 입장에 있다. 여기서 브루너는 두 가지 주요 사고양식을 제안했는데, 내러티브 양식과 패러다임 양식이다. 일련의 행동 지향적 사고에 마음이 관여하는 내러티브 양식과는 달

리 패러다임 양식은 체계적이고 범주적인 인식을 달성하기 위해서 마음을 초월한다. 또한 패러다임 양식에서 사고는 논리적 작용인에 연결된 명제로 구조화되어 있다. 패러다임 양식은 과학적 사고를 담고 있으며 일관성, 검증 가능성, 추상성, 중립성을 목표로 하면서 추리와 분석, 논리적 증명, 경험적 관찰 등을 토대로 한다. 또한 글로 된 자료와 그 외의 상징기호에 많이 의존한다. 내러티브 양식이 포스트모더니즘적으로 인간환경 및 경험에 대한 관심을 가지고 그 주관적 의미를 탐구하는 것을 목표로 하는 반면, 패러다임 양식은 타당한 이론, 면밀한 분석, 논거, 중립적 논쟁, 합리적 가설 등으로 유도된 실험적 결과를 이끌어 내는 것을 목표로 한다.

관련어 | 내러티브 양식

패배자 각본
[敗北者脚本, loser script]

교류분석

⇨ '각본분석' 참조.

패배정체감
[敗北正體感, failure identity]

자신이 실패자 혹은 패배자라고 느끼는 자기감. 현실치료

패배정체감을 가진 개인은 극도의 고독감을 경험한다. 심리치료나 상담은 흔히 패배정체감을 가지고 있는 내담자에게 적용된다. 자신이 사랑받지 못하며, 다른 사람들로부터 거부당하고, 불필요한 존재라고 생각한다. 일반적으로 패배정체감을 지닌 사람은 '나는 할 수 없다.'라는 절망적인 예언에 사로잡혀서 부정적인 자기견해를 되풀이한다. 현실세계를 직면하는 데 어려움을 경험하며 현실세계를 무시하거나 부정한다. 현실을 무시하는 사람은 현실을 부정하거나 바꾸는 것보다는 그것을 무시하는 것이 오히려 현실세계를 각성하고 선택하는 것이라고 믿는다. 비행자(非行者), 범죄자, 성격장애자 등에서 이러한 현상을 발견할 수 있는데, 이들은 근본적으로 사회의 규범과 규칙을 준수하지 않고 그 결과 현실을 무시하는 반사회적 인간이 된다.

관련어 | 성공정체감

패턴 개입
[-介入, pattern intervention]

내담자가 기존에 가지고 있던 행동과 사고의 견고한 패턴에 개입하여 변화를 유도하고자 하는 최면기법. 최면치료

에릭슨 최면에서 일종의 치료를 설명할 수 있는 개념으로, 문제가 되는 기존의 패턴에 개입하여 중단시키거나 변화를 유도하는 것이다. 이는 궁극적으로 치료적 의미를 갖는다. 일반적으로 사람들의 행동과 사고의 패턴은 견고하게 구조화되어 있는데, 이를 통해 변화를 유도한다.

관련어 | 악수기법, 에릭슨 최면, 혼란기법

패턴 방해
[-妨害, pattern interruption]

내담자를 혼란상태로 이끌기 위해 특정 사고나 행동의 패턴을 방해하여 트랜스를 유도하는 최면기법. 최면치료

에릭슨 최면에서, 내담자에게 기존의 사고나 행동패턴과 다른 형태의 자극을 제공하여 혼란을 주는 최면기법의 하나다. 예를 들면, 딸꾹질을 하는 사람에게 갑자기 큰 소리나 강한 자극을 주어 놀라게 함으로써 딸꾹질을 멈추게 하는 것을 들 수 있다. 혼란에 빠진 내담자는 무의식적 차원에서 상황과 관련하여 납득할 수 있는 답을 찾으려는 경향을 보

인다. 이렇듯 자연스럽게 무의식적 차원에 몰입하게 되어 트랜스 유도가 쉬워진다. 혼란기법의 하나이면서 패턴 방해의 대표적인 방법으로는 악수기법이 있다. 에릭슨(Erickson)은 극심한 통증을 호소하거나 최면에 관심은 있지만 공격적이고 저항적인 사람들을 신속하게 트랜스로 유도하는 데 특히 효과적이라는 사실을 혼란기법의 장기간 사용 결과 알게 되었다.

관련어 | 악수기법, 에릭슨 최면, 혼란기법

퍼스널 코칭
[– , personal coaching]

코칭을 받는 사람과 코치 간의 단일 관계로 고안되어 코칭을 받는 사람이 지니고 있는 관심, 목표, 목적 등에 기반을 두고 제공하는 코칭 서비스. 웃음치료

퍼스널 코칭은 개인 코칭이라고도 하며, 코칭을 받는 사람의 주요 목표, 관심, 문제, 요구 등에 맞추어 특정 목적을 성취하도록 하는 일대일 코칭방식이다. 코칭전문가는 코칭을 받는 대상이 요구하는 대로 사업이나 관계 등에 관한 목표를 세우고, 그에 대한 조사와 탐색을 하여 필요한 것을 요청하는 등의 사전작업을 할 수도 있고, 목표달성을 위한 구체적인 계획을 세울 수도 있다. 코칭을 받는 사람이 직접 행동을 취할 수 있도록 코치는 곁에서 지원 및 원조를 하는데, 이때 코치가 주도적이 되어서는 안 된다. 퍼스널 코칭은 상담, 치료, 자문 등과는 기술이나 접근법에서 차이가 있다. 즉, 표준과정이 있기는 하지만 개별 내담자의 상황에 맞추어 유연하게 대응하는 것이 일반적인 방법이다. 코칭을 받는 사람과 면대면으로 만나 작업을 하기 때문에 퍼스널 코칭은 집단 코칭과는 달리 개별 내담자에게 집중하여 그에게 맞게 회기과정을 조율한다. 우선 사정, 질문 등을 사용해서 코칭을 통해 내담자가 바라는 것을 명료화한 다음, 코칭을 받는 사람이 진정으로 원하는 것을 찾아내고 구체적인 목표를 세운다. 코칭에서 가장 중요한 원칙은 코칭을 받는 내담자가 자신의 행위와 원하는 결과성취에 대한 책임이 있다는 것이다. 코치는 촉진자, 지지자, 안내자 등 지원을 하는 역할을 할 뿐이다. 목표설정이 끝나면 코치는 내담자가 목표성취를 위한 전략 및 행동을 개발할 수 있도록 도와준다. 일단 목표가 분명해지면 코치는 내담자가 자신의 계획과 목표를 수행하는 데 필요한 행동을 취할 수 있도록 지지와 격려를 하면서 이끌어 간다. 퍼스널 코칭은 내담자가 직접 실천하고 위기를 극복할 수 있도록 하는 데 특히 효과를 발휘한다. 동기화, 책임감, 지지구조 등을 제공하여 내담자가 최선을 다해 실천할 수 있도록 해 주기 때문이다. 이 과정에서는 모니터링이나 회기 중 장애나 위기 등을 면밀하게 검토해야 한다. 코칭은 내담자가 새로운 기술을 개발하고, 새로운 관점으로 세상을 보고, 목표성취나 힘을 갖는 데 지성이나 통찰을 얻을 수 있도록 한다. 또한 코치가 거울과 같은 역할을 하면서 내담자가 자신의 행위에 대해서 새로운 시각으로 볼 수 있도록 하기 때문에, 기존의 행동양식이나 사고양식에서 역전된 사고를 도출하여 내면에서 고착된 장애를 극복할 수 있는 자각을 일깨워 준다. 퍼스널 코칭은 진로 코칭, 전문가 및 경영진 코칭, 건강 및 복지 코칭, 관계 코칭, 직업과 삶의 균형, 경영 코칭, 성공 코칭 등으로 활용되고 있다.

관련어 | 코칭

펀
[– , fun]

즐겁고 재미있는 것. 웃음치료

펀은 영어 외래어로서, 재미나 즐거움을 주는 것이라는 사전적 의미를 지니고 있다. 즐거움, 쾌(快) 등으로 해석될 수 있는 펀은 삶에 지대한 영향을 미

치는 범주로, 직업, 사회적 기능, 놀이나 오락에서뿐만 아니라 늘 일어나는 일상에서도 마주치게 되는 개념이다. 펀이라 하려면 즐거움과 재미를 수반해야 한다. 펀이 지니고 있는 즐거움과 재미는 감정, 태도, 기쁨, 내적 동기 등과 유사한 개념이다. 즐거움은 자신의 목적과 긍정적 지각상황과 관련된 행동을 수행하게 하는 최적의 심리상태를 일컫는 말이고, 재미는 과업수행에서 느끼는 긍정적 정서반응으로, 내적·외적 차원과 성취적·비성취적 차원을 모두 포함하고 있다. 즐거움은 일반적으로 직접적 자극으로 야기되지만, 재미는 특정 행동에 대한 직접적 결과로 나타나지 않는 경우도 있다. 펀에는 논리적 근거나 특정 활동으로 부여되는 상관성 같은 것은 거의 없다. 즐거움과 펀을 구분하기는 매우 힘들지만, 펀이 좀 더 자의적이고 유쾌함이나 능동적인 일과 상관성이 높은 편이다. 현대사회에서 펀은 일상생활, 기업경영, 제품마케팅, 조직효율성 등 다양한 분야에서 중요한 요소로 작용하면서 큰 주목을 받고 있다.

펀 경영
[－經營,
fun management, management-by-fun]

유머경영을 말하는 것으로서, 경영자가 재미를 통한 리더십을 발휘해서 직원의 자발적 참여, 헌신, 창의력 등을 유도하는 관리방식. 웃음치료

펀 경영은 직장을 신나는 일터로 만들어 직원의 사기를 높임으로써 작업능률을 향상시킨다는 이론이다. 펀 경영은 기업 종사자와 그 대상이 모두 즐거울 때 생산성이 향상된다는 전제에서 출발한다. 일을 즐기고 열정적으로 일에 매진할 때 조직분위기가 쇄신되고, 이로 인해서 경영효과가 극대화되므로 최근 기업들은 펀 경영에 관심을 보이고 있다. 펀은 경영학적으로는 권위에서 벗어나 신바람 나는 직장, 즐거운 직장 만들기, 분위기 창조 등의 의미를

갖는다. 펀 경영은 1990년대 초부터 미국 사우스웨스트 항공사에서 실시한 재미와 즐거움이 있는 일터를 시발점으로 해서 붐이 일어나 유럽과 아시아까지 확산되었고, 현재는 새로운 경영의 트렌드로 자리 잡았다. 한 개인으로서의 직원은 고정된 일상적 관념을 깨고 친근감, 사회성, 창의력 등의 발전을 꾀하며, 직장이라는 조직은 긴장해소, 노사분규 예방, 집중력 및 생산성의 향상이라는 효과를 낼 수 있다. 과도한 업무 스트레스와 경쟁적 분위기의 압박에 시달리는 직장인들은 긴장의 연속에 있다. 펀은 이러한 긴장을 해소시켜 주면서 작업의 효율성을 높이는 데 효과가 있을 뿐만 아니라, 생산성 향상과 창의력 개발 등의 효과도 기대할 수 있다. 펀 경영은 기업과 근로자는 물론 고객까지 즐거움과 재미를 느낄 때, 생산성 향상이라는 결과를 가져온다는 인식에서 출발하였다. 이때 펀은 일하지 않고 빈둥거리며 노는 것과는 완전히 다른 개념이다. 계획된 관리자의 리더십에 의해 창출되는 구조화된 활동인 것이다. 이를 기반으로 하는 것이 바로 펀 경영이다. 펀의 기본 요소로, 진수 테리(Jinsoo Terry)는 재미있게(funny), 독특하게(unique), 보살피기(nuturing) 등을 들고 있다. 또한 펀 경영의 핵심 요소로는 자부심(pride), 신뢰(trust), 즐거움(fun) 등을 꼽는다. 이 같은 펀 경영을 가장 먼저 도입한 국내 기업은 LG다. 펀 경영은 조직의 분위기 전환으로 생산성 증대를 꾀할 수 있다는 전제로, 관료적이고 딱딱하고 체제 중심의 조직에서 즐거움과 재미라는 펀의 개념을 도입하여 일과 삶이 조화와 균형을 이룰 수 있도록 직장을 즐거운 일터로 만드는 데에 의의를 두고 있다. 펀 경영은 리더에 대한 신뢰를 기반으로 일과 회사에 직원이 자부심을 가지고 직장 내 동료와 함께 일하는 즐거움과 재미를 느끼도록 하는 경영기법으로서, 궁극적인 목적은 직장 내 활기와 즐거움이 넘쳐 기업의 생산성이 증대하고 개인과 사회도 이를 통해서 행복에 근접하게 되는 것이다. 경영과 펀은 전혀 무관한 개념이라는 과거의 고정관

넘에서 벗어나 재미, 유머, 칭찬, 즐거움 등을 조직 문화에 정착시킨 펀 경영은, 개인의 안녕감 증대로 산업현장 내 긴장해소, 산업재해 방지, 생산성 향상 등의 효과를 창출해 내고 있다. 한 개체로서의 개인의 영역에 국한되어 있던 펀의 개념을 경영과 산업현장의 요소로 받아들여 각광을 받게 된 것이다. 펀은 가장 기본적으로 사람을 소중히 여기는 개념으로, 주체는 바로 인간이다. 따라서 펀 경영은 결국 사람에 대한 관리이며, 인재경영의 한 방식이 된다. 펀 경영이 세계적인 기업들의 새로운 경영기법으로 각광을 받고 있는 이유는, 첫째, 산업화·정보화·국제화 등에 따른 다양한 특성을 지닌 신세대의 등장, 둘째, 급변하는 경영환경 내 근무기간의 단축 및 직원의 애사심 약화, 셋째, 환경변화에 따른 다양한 업무변화, 넷째, 기업 경쟁력의 원천인 창의력의 중요성 증대 등이다. 미국 메릴랜드 주립대학교심리학과 교수인 프로바인(Provine)의 연구에 따르면, 직원이 많이 웃는 기업이 그렇지 않은 기업보다 평균 40%에서 300%까지 생산성이 증대되었다고 하였다. 치열한 경쟁사회 내 펀 경영은 인간을 중시하는 입장에서 생산력 증대를 도출하는 새로운 필수 경영기법으로 부상하고 있다.

관련어 | 펀

페닐케톤뇨증
[- 尿症, phenylketonuria]

효소가 없거나 불완전한 기능 때문에 결과적으로 혈액에 필수 아미노산 페닐알라닌(phenylalanine)치가 증가하는 대사장애 질환. 특수아상담

페닐케톤뇨증은 특정 효소가 없거나 부족해서 생기는데, 원인이 되는 효소는 페닐알라닌 하이드록실라제(phenylalanine hydroxylase)다. 이 효소는 필수아미노산인 페닐알라닌이 티로신으로 바뀌는 대사과정에서 중요한 역할을 하며, 아미노산은 단백질의 구성성분으로 성장과 발달에 큰 영향을 미

친다. 페닐케톤뇨증은 상염색체 열성으로 유전되며, 원인이 되는 유전자는 12번 염색체의 장완에 위치하고 있다. 그러나 모든 페닐케톤뇨증이 항상 같은 유전자의 변이로 생기는 것은 아니다. 지금까지 페닐케톤뇨증을 일으키는 300개 이상의 유전자 변이가 알려져 있으며, 각각의 유전자 변이에 따라 페닐알라닌의 혈중 농도가 다르기 때문에 환아에게 처방되는 치료식이는 각자가 아미노산을 분해하는 능력에 따라 다르다. 혈액 검사를 실시하여 페닐알라닌의 혈청 내 수치가 정상보다 10~60배 이상 높을 때 페닐케톤뇨증으로 확진한다. 페닐케톤뇨증을 가진 대부분의 아기는 출생 당시에는 정상적으로 보인다. 조기 진단과 식이 조절을 한 환자는 결코 증상이 보이지 않을 수 있다. 그러나 태어났을 때 진단되지 않아 이 질환을 치료하지 못한 신생아는 쇠약하고 우유를 먹지 못할 수 있다. 다른 증상으로는 구토, 과민성, 습진(붉은색을 띠며 가렵고 수포가 생기는 피부의 염증)과 비슷한 발진이 생긴다. 페닐케톤뇨증 환아는 페닐알라닌의 대사 부산물인 페닐아세트산(phenylacetic acid) 때문에 소변과 땀에서 퀴퀴한 냄새가 난다. 페닐알라닌은 대부분의 단백질 식품에 존재하므로 자연재료를 이용한 식이로 완전하게 페닐알라닌을 조절하기란 불가능하며, 시중에 저페닐알라닌 분유가 나와 있어 구입하여 먹을 수 있다. 육류와 우유, 유제품과 같이 단백질이 풍부한 음식은 피하고 과일, 채소, 몇몇 곡류 등 단백질 함유가 낮은 음식으로 양을 조절한 식단을 짜서 섭취하도록 한다.

페르소나
[- , persona]

개인이 가진 사회적 역할 및 배우가 연기하는 캐릭터. 분석심리학

페르소나는 '소리를 통해(to sound through)'라는 의미를 가진 라틴어 'per sonare'에서 비롯된

이탈리아어로, 초기에는 배우가 연기하는 역할을 나타내는 가면을 뜻하였다. 여기서 말하는 페르소나는 우리가 외부로 표현하는 개인의 이상적 측면이다. 개인의 실제는 아니지만, 다른 사람은 페르소나가 그 개인의 실제라고 생각한다. 상황이나 사람에 따라서 각각의 요구에 맞추어 특정 행동이나 태도를 취하는 페르소나는 사회정체감이자, 타인에게 보이는 이상적 심상이다. 페르소나는 자신이 나로서 있는 것이 아니고, 다른 사람에게 보이는 나를 더 중요시 여긴다. 이것은 진정한 자기와는 다르다. 이렇듯 페르소나는 개인의 편익 또는 사회에 적응하기 위해 나타나는 기능적 콤플렉스다. 사람들은 페르소나를 익히고, 여러 종류의 페르소나를 번갈아 사용하면서 사회생활을 영위해 나간다. 실제로 페르소나가 제대로 발달하지 못한 사람들은 사회생활을 하는 데 서툴고, 몹시 순수하거나 단순할 정도로 악의가 없다. 하지만 페르소나는 특정 사회집단에서만 통용되는 것으로서 그 집단 외부에서는 인정되지 않는 경우도 있다. 특정 페르소나와 관련해서는 외부세계에 적응하기 위해 페르소나를 발달시키고 페르소나를 이용하기도 한다. 예를 들어, 사회적 역할을 잘 수행하는 사람에게는 돈, 명예, 권력이 부가된다. 이렇듯 페르소나는 하나의 책략으로 사용되기도 한다. 심리학적 측면에서 살펴볼 때 페르소나는 외부세계에 대한 관계기능으로서 예측 가능하다. 사람은 집단적 기대에 따라 행동한다. 즉, 개인이 가진 페르소나인 사회적 의무에 따라 우리는 행동하고 생각하고 느낀다. 이 페르소나 때문에 정서적으로 멀게 느낄 수도 있다. 하지만 우리는 페르소나가 없는 삶을 상상할 수가 없다. 융(C. G. Jung)은 페르소나가 현대생활의 여러 가지 사건에 대처하기 위해서 유용하며, 필수적이라고도 말하였다. 페르소나는 없애야 할 것이 아니라 구별되어야 하는 것이다. 자신의 자아와 페르소나를 동일시하면 정신의 다른 측면들은 충분히 발달하지 못한다. 자아의 의식화는 페르소나를 확인시키고, 소홀했던 내적

세계(그림자, 아니마, 아니무스)는 보상으로 활성화된다. 자신의 페르소나를 인식하고, 동시에 자신의 내적 본성을 알아야 건강하게 기능할 수 있다.

관련어 | 그림자, 아니마, 아니무스

페미니스트 가족치료
[- 家族治療, feminist family therapy]

사회화된 성별 역할행동, 경제적 · 사회적 자원에 대한 남녀의 기회 격차, 가족관계나 자녀양육에서 여성의 역할의 고정된 사회화 등에 주목하고 그들이 미치는 가족치료에 대한 영향의 관점에서 보는 가족치료 접근방법. 기타 가족치료 여성주의 상담

1970년대 페미니즘 운동에서 젠더(gender)에 대한 문제는 1980년대 초기에는 자본주의 사회에서 전통적 남녀의 성 역할관에 입각한 가족치료의 비판을 서두르며 인종, 민족, 권력의 문제와 아울러 1980년대 후반부터 시작된 가족치료에서 사회적 구축주의 견해를 세우는 데 큰 영향을 미쳤다. 젠더는 가장 기초적인 생태체계의 하나다. 하지만 여성은 경제적, 정치적, 법적, 육체적으로 남성보다 열등한 위치에 있다고 보는 견해가 가족치료를 포함하여 정신보건의 분야에서는 극히 최근까지도 일반적인 것이었다. 그 배경에는 대부분의 심리학자가 남자이며, 많은 이론이 남성의 경험적 가치관에서 형성되었다는 것이다. 그 결과 건강한 남성이란 경쟁적 · 공격적 · 지배적 · 억압적 · 논리적 · 이성적이고, 건강한 여성이란 감수성이 있으며 돌보기를 좋아하고 정서적 · 타협적 · 협력적 · 의존적 · 수동적이라는 가치관이 형성된다. 따라서 남성적인 특징이나 성격을 지닌 여성은 여성성이 결여되고 열등한 것으로 간주되어 버린다. 가족치료영역에서는 가족치료의 개척자라 불리는 남성치료자의 이론 중에서 페미니스트의 시각과 모순되는 문제가 지적되었는데, 특히 가족 내 여성의 행동과 정서가 자녀의 정체성을 형성하는 데 영향을 미친다는 개념을 지지하는 이론에 대한 비판과 의문이 제기되고 있다.

예를 들어, 산업사회에 일반적으로 이해되는 자녀 양육구조는 다음과 같다. 여자는 어머니를 모델로 하여 성적 정체성을 확립하지만, 남자는 어머니와는 다른 별도의 성적 정체성을 확립하지 않으면 안 됨에도 불구하고 동일시할 아버지가 가까이 없는 경우가 많다. 결국 남자는 모델을 통해서가 아닌 자신이 어머니와 다른 상으로 정의하는 것을 통하여 정체성을 형성하고, 그 때문에 분리, 자율, 추상적 원칙이 가치관의 기초가 되며, 친밀함이나 정서성이 길러지지 않는다. 한편, 여자는 가족을 위해 자기희생적으로 일하는 어머니와 동일시하며, 관계나 다른 사람에 대한 배려를 우선하고, 자율이나 분리의 능력을 저하시켜 간다. 페미니스트 가족치료사들은 남성의 가치로 되어 온 자율성과 논리성을 여성이 추구하는 것을 중시하며, 동시에 여성만의 가치로 되어 온 친밀성과 정서성, 관계성이 누구에게나 필요한 인간관계의 자질이라는 점을 지적하고 있다. 특히 여성이 가족 내 여성의 역할을 넘어서서 자신의 삶의 방식의 선택지를 넓히려고 하는 데 지지적인 입장을 취하고 있다.

관련어 | 사회적 구축주의

페티그레인
[– , Petitgrain]

항우울, 항경련, 탈취, 소화, 진정, 건위에 효과가 있는 나무로서, 중국 남부와 인도 북동부 지역이 원산지이며 프랑스 남부, 이탈리아, 알제리, 튀니지, 모로코, 스페인, 서아프리카, 파라과이 등에서 재배. **향기치료**

페티그레인 오일은 비터오렌지 잎에서 얻는 것인데, 비터오렌지는 상록수로 길지만 날카롭지 않은 가시가 나며 매우 향기로운 꽃이 핀다. 페티그레인 오일은 신경계를 안정시키고 고무시켜 활력을 주는 작용을 하며, 신경탈진과 스트레스 증상에 효과적이다. 페티그레인은 심각한 우울증에 효과적이고 긴장을 풀어 주는 릴랙싱 효과가 있으며, 불면증 치료에 사용한다. 또한 화를 잘 내는 사람, 불안한 사람, 우울한 사람에게 나타나는 신경성 천식을 예방하는 데도 사용한다. 소화작용과 항경련 작용이 있기 때문에 소화불량 치료에 추천되며, 피부기능을 강화해 주는 토닉효과로 여드름, 피부 얼룩 치료에 도움이 된다.

페퍼민트
[– , Peppermint]

신경강화, 정신을 맑게 자극, 원기촉진, 자극, 진통, 마취, 소염, 방부성, 수렴, 구풍(驅風), 담즙분비촉진, 울혈제거 등에 효과가 있는 허브로서, 지중해 지방, 서아시아 지방이 원산지이며 전 세계의 온대지방에서 재배. **향기치료**

페퍼민트는 여러해살이 허브로 30~100센티미터까지 자라고, 끝이 뾰족한 창 모양의 잎과 흰색 꽃이 핀다. 페퍼민트 오일은 머리를 맑게 해 주며 집중력이 떨어지는 사람, 정신적으로 피로한 사람에게 유용하다. 또한 오일은 뇌의 혈액 과잉공급을 예방하며, 순환을 자극하여 신경을 강화하고 진정시키는 효과가 있다. 페퍼민트는 즉각적인 효과를 보아야 하는 정신적인 피로에 도움이 된다. 이와 함께 근육통, 요통, 멍, 타박상, 관절 통증, 벌레 물림 완화에도 도움이 되며, 메스꺼움과 구토에 효과적인 치료제로 차멀미 완화에 적합한 오일이다. 또한 페퍼민트 오일은 열과 두통을 동반한 감기와 인플루엔자에 유용하며 부비강 울혈, 감염 또는 염증에 사용한다.

펜 테크닉
[－, pen technique]
펜을 입에 물고 웃는 표정을 지어 웃음효과를 내도록 하는 웃음치료방법. **웃음치료**

펜 테크닉은 웃음운동을 처음 시작할 때, 어색하고 웃음이 잘 나오지 않는 경우에 사용하는 방법이다. 이는 펜처럼 생긴 것만 있으면 다른 장치나 연습 없이 쉽고 간단하게 할 수 있으면서도 효과가 뛰어나다. 이 방법은 웃음이 나지 않거나 웃을 수 없는 상황에 처했을 때, 혹은 도저히 웃을 마음이 생기지 않을 때에도 얼마든지 활용할 수 있다. 펜이나 펜처럼 길고 딱딱하게 생긴 물건을 입술이 아닌 이로 물고, 입이 살짝 벌어진 상태에서 억지로라도 웃는 표정을 짓는다. 이때 주의할 점은 너무 꽉 깨물지 않은 상태로 이로 문 것이 입술에 가능한 닿지 않도록 하는 것이다. 주변에 펜처럼 생긴 물건이 없으면 자신의 손가락을 이용해도 된다. 아무것이나 펜처럼 생긴 것을 할 수 있는 만큼 입 안으로 깊이 넣어 문 다음 숨을 깊이 들이마시고 나서 '하' 소리를 내면서 숨을 남김 없이 내쉰다. 그 상태로 얼굴은 웃는 표정을 짓고, 할 수 있으면 눈에도 웃음을 지어 본다. 이 과정을 계속 반복하면서 자신의 기분변화를 살펴본다. 인간의 신체와 정서의 유기적 관계에 따라, 우습지 않은 상황에서 웃는 표정을 일부러 짓는 것만으로도 웃음의 효과를 본다는 것을 전제한 것이 바로 펜 테크닉이다. 이는 우울증 치료에 활용되고 있으며, 웃음운동에서도 초기훈련에 꾸준히 하면 효과를 볼 수 있다. 펜을 문 채로 거울로 근육의 상태를 관찰하면, 웃을 때 사용되는 대협골근이 수축되어 코밑이 마치 웃음을 짓고 있는 것처럼 보인다. 거울을 통해서 이런 자신의 표정을 계속 보고

있으면 우울한 감정이 조금씩 누그러지면서 기쁨이나 즐거움 쪽으로 감정이 기울어지기 시작하고, 기분도 서서히 좋아진다. 펜을 물고 하는 훈련에 익숙해지면 펜을 물지 않고 자연스럽게 더 크게 웃는 표정을 지어 본다. 웃기 위한 노력이 뇌에서는 웃는 것으로 지각되어 웃음과 같은 정서적 효과를 낼 수 있다.

펜듈럼 기법
[－技法, pendulum technique]
내담자가 쥐고 있는 펜듈럼의 움직임을 통하여 진단하거나 치료하는 방법. **최면치료**

고대로부터 여러 문화권에서 다양한 목적으로 사용된 기법으로, 프랑스의 화학자이자 국립역사박물관 관장인 슈브럴(Chevreul)의 연구에서 시작되었다. 그는 관념운동반응 현상에 관심을 갖고 펜듈럼에 대해 체계적으로 연구하여 피험자의 무의식적 작용이 근육 움직임에 미세한 영향을 주어 펜듈럼이 움직인다고 보았다. 이에 따라 후세 사람들이 '슈브럴의 펜듈럼(Chevreul's pendulum)'이라고 부르게 되었다. 우리나라에서는 설기문과 이형득이 1994년에 본성실현상담의 한 방법으로 소개하였으며, 1998년에는 설기문이 최면치료의 연장선상에서 이루어질 수 있는 전생치료의 한 방법으로도 소개하였다. 내담자의 무의식을 반영하기 때문에 펜듈럼의 능력은 인간의 잠재의식적 능력으로 볼 수도 있다. 따라서 기본적으로 무의식과 펜듈럼을 신뢰하는 마음이 필요하다. 개인적으로 혹은 가족이나 마음 맞는 친구들과 적용해 볼 만한 적절한 활용단계는 다음과 같다. 첫 번째는 조율단계로, 내담자에게 엄지손가락과 집게손가락으로 펜듈럼에 단 실을 잡게 한 뒤 편안한 상태로 유도한 다음 펜듈럼이 고정되어 있는지 확인한다. 그런 다음 긍정적일 때와 부정적일 때 펜듈럼이 움직일 방향을 마음속으로 명령하게 하고 펜듈럼이 명령대로 움직이는 것을 확인한다. '예' 또

는 '아니요'로 대답할 수 있는 간단한 질문, 예를 들어 '당신은 결혼했습니까?'와 같은 질문을 하면서 펜듈럼의 움직임을 확인한다. 펜듈럼이 잘 움직이지 않거나 엉뚱한 방향으로 움직이는 경우, 무의식적 저항을 먼저 다루어 준다. 두 번째 기초단계는 신변에 관한 간단한 질문을 하면서 펜듈럼의 반응을 확인하는 것이다. 가족사항, 직업, 생년월일 등을 알아본다. 이때 부담이 없고 공개해도 괜찮은 내용을 중심으로 하며, 알아볼 사항을 사전에 양해를 구해 놓아야 한다. 세 번째는 심화단계. 기초단계에서 충분히 실습이 이루어졌을 때 진행할 수 있으며, 쉽게 공개할 수 없는 내용을 질문하기 시작한다. 경험적으로 펜듈럼의 문제해결력에 대한 확신이 서기 전에는 펜듈럼의 대답을 맹목적으로 따르기보다는 문제에 대한 판단이나 문제해결을 위한 자료의 하나로 삼아야 한다.

관련어 슈브릴의 펜듈럼

펜사이클리딘
[–, pencyclidine: PCP]

속어인 '천사의 가루(angel dust)'로 더 잘 알려져 있는 환각제의 한 종류. 중독상담

원래 펜사이클리딘은 1950년 파크 데이비스 제약회사에서 정맥주사용 마취제로 개발한 의료용으로서, 세르닐(sernyl)이라는 상품명으로 발매되었다. 세르닐은 혈액순환이나 호흡을 억제하지 않으면서도 뛰어난 진통효과를 나타냈는데, 그때까지의 마취제는 호흡과 순환기 계통의 부작용이 있었던 것에 비해 세르닐은 매우 이상적이고 안정적인 마취제로 인정되었다. 하지만 신체적인 부작용이 없었던 것에 비해, 심리·정서적인 반응은 매우 위험한 것이어서 마취에서 깨어난 환자들은 조증행동과 환각증세를 보였고, 비현실감, 비개성화, 피해망상, 우울, 불안 등이 나타났다. 이러한 이유로 마취제로

서의 사용은 중단되었는데, 조제가 매우 간단하고 가격이 저렴하다는 장점 때문에 환각제로 널리 확산되기 시작하였다. 이 약물은 효과가 매우 강력하고 위험한 것이었는데, 1970년 미국 병원의 응급실을 가장 많이 찾게 한 원인이 되기도 하였다. 펜사이클리딘 사용자들은 고통을 전혀 느끼지 못하며, 난폭한 행동을 한다고 알려져 있다. 또한 무서운 환각체험을 유발한다는 이유로 사용이 일시적으로 감소되었지만, 1970년대 중반 이후 흡연을 위한 잎 혼합물 위에 이 물질을 뿌리고, 구하기 힘든 약물인 것처럼 속이는 마케팅 전략으로 사용이 다시 크게 증가되었다. 펜사이클리딘은 거리에서 PCP, 천사의 가루, 크리스털, 코끼리(원숭이) 안정제, 돼지, 슈퍼 클래스, 엔젤 미스트, 피스 위드 등의 여러 상표명으로 판매된다. 또한 무서운 부작용 때문에 'killer drug(살인마약)'이라고도 부른다. 이 물질은 알갱이 모양의 결정을 가진 수용성 백색 분말로서 정제나 캡슐 형태로 밀매되고, 대마초나 박하잎 등에 섞어서 흡연하거나, 정제나 캡슐을 삼키거나, 코로 들이키거나, 주사로 주입하는 등 다양한 방법으로 사용한다. 펜사이클리딘은 실험실에서 손쉽게 합성할 수 있어서 불법조제가 성행하고 있다. 1~5밀리그램의 적은 양으로 술에 취한 것과 똑같은 정서적 불안정과 더불어 도취감과 공중에 떠 있는 듯한 느낌을 일으킨다. 5~10밀리그램 정도로는 신체 여러 곳의 기이한 마비효과와 과민함 및 지각손상을 초래하며, 때로는 공포반응을 낳기도 한다. 10밀리그램 이상을 복용할 때는 정신분열증과 구별이 불가능한 중독성 정신이상과 함께 편집증, 청각적 환각 및 흥분이나 마비를 일으킬 수 있다. 극도로 많은 양을 복용했을 경우에는 혼수상태, 경련발작, 근육마비, 그리고 매우 드물긴 하지만 호흡정지가 될 수 있다. 이 물질에 중독되면 평소에 온순하던 사람도 폭력적이고 이상한 행동을 보인다.

관련어 약물중독, 천사의 가루, 환각제

편견
[偏見, bias]

연구결과에 영향을 줄 수 있는 기대나 태도를 말하는데, 주로 사회적으로 학습되며 객관적이거나 충분한 근거 또는 증거 없이 어떤 사람이나 사물에 대해 미리 가지고 있는 견해. `연구방법`

편견은 인지적 교인(인간, 사물에 대한 고정관념)과 정서적 교인(특별한 이유 없이 좋아하거나 싫어함)을 포함한다. 과장, 지나친 일반화, 선입견, 사회적 고정관념 등은 편견의 예다. 연구와 평가에서는 편향이라고 부르는데, 연구결과에 영향을 줄 수 있는 기대나 태도를 말한다. 그 예로 실험자 편향(experimenter bias)을 들 수 있다. 실험자 편향은 의도적이든 비의도적이든 실험결과나 결과해석에 영향을 줄 수 있는 실험자의 기대나 태도를 가리킨다. 이러한 실험자 편향을 통제하기 위해 단일은폐(blind), 이중은폐(double-blind) 방법이 사용된다. 평가에서 편향은 개인이나 집단이 측정과제에 대해 그들의 진정한 지식, 기능, 사고, 감정을 드러내 보일 수 있는 기회가 주어지지 않을 때 발생한다. 평가에서 편향은 피험자가 자신의 지식이나 기능을 드러내 보이지 못하도록 검사가 설계되어 있을 때 발생하는 검사편향(test bias), 피험자가 검사내용에 관계없이 특정한 방향으로 답하려고 하는 반응편향(response bias), 검사자가 실시과정을 수정하는 행동을 하는 검사자 편향(examiner bias), 검사자가 피험자에게 유리하게 혹은 불리하게 불공정한 해석을 하는 해석적 편향(interpretive bias), 적합하지 않은 검사실시의 물리적 환경이나 장면에서 오는 상황적 편견(situational bias), 그리고 검사의 실시와 해석 및 활용에 영향을 미치는 전반적인 체제의 미흡에서 발생하는 생태적 편견(ecological bias)에서 연유한다. 한편, 사회심리학적인 관점에서 편견은 인종이나 종교, 성별과 같은 기준에 따라 개인이나 집단에 관한 정보를 편파적으로 처리하여 그 개인이나 집단에 대해 갖는 부정적 또는 적대적 신념과 태도를 말한다. 편견의 예에 해당되는 선입견(prejudice)은 개인이나 집단에 대해 객관적 정보 없이 편파적으로 보도록 하는 이미 가지고 있는 두드러진 견해나 관점을 드러내는 것을 말하고, 고정관념(stereotype)은 한 개인이 특정 집단에 소속되었다는 이유만으로 그 집단의 특성을 가지고 있다고 생각하는 것을 말한다. 어떤 사람이나 사물에 대한 편견은 우리가 그것에 대해 객관적이고 정확한 정보를 습득하지 못하도록 한다. 편견을 가진 사람은 자신의 관점에서만 보기 때문에 반대되는 증거를 받아들이기를 거부하고, 자신의 생각이 불충분하고 왜곡되었음에도 불구하고 늘 충분한 근거가 있다고 주장한다. 편견은 심리상담에서 인종차별이나 여성차별을 낳을 수도 있고, 차별적으로 서비스를 제공하도록 만들 수 있다. 심리진단에도 영향을 주어 지나친 진단을 하거나 잘못된 진단을 유발할 수 있다.

편도체
[扁桃體, amygdala]

대뇌의 변연계에 존재하는 아몬드 모양의 뇌 부위. `뇌 과학`

정서 뇌라고도 하는데, 감정을 조절하고 공포에 대한 학습 및 기억에 관여하는 생존 지향적인 뇌 영역으로 원시정서와 대항·도피를 관장한다. 쥐의 편도체를 파괴하면 공격성, 두려움이 사라져 고양이를 두려워하지 않는다.

`관련어` | 뇌, 변연계

편두통
[偏頭痛, migraine]

머리 한쪽 측면에 일어나는 욱신욱신한 동통(疼痛). `정신병리`

편두통 증상은 시간적으로 전구기, 조짐기, 두통

기, 회복기의 4단계로 구분할 수 있다. 첫째 단계인 전구기는 두통이 발생하기 수시간에서 수일 전에 증상이 나타나는 것으로, 편두통 환자의 60% 정도에서 관찰된다. 빛 공포증, 소리 공포증, 냄새 공포증 등이 나타나며, 목이 뻣뻣함, 찬 느낌, 목마름, 소변량의 증가, 설사, 식욕저하, 변비, 음식물에 대한 갈망 등이 있다. 대부분 비특이적 증상이므로 환자 스스로 알아차리기 힘든 경우가 많다. 둘째 단계인 조짐기에는 두통이 일어나기 전 또는 두통의 발생과 동시에 나타나는 국소 신경학적 증상을 말한다. 신경학적 증상으로 시각현상이 가장 흔하고 감각, 운동현상, 뇌간과 언어기능의 이상이 나타나기도 한다. 약 80%의 조짐은 두통 직전이나 두통 발생과 동시에 발생하며 두통 발생 없이 조짐만 나타나기도 한다. 조짐은 5분 이상 동안 점차적으로 나타나서 50~60분간 지속되며 두통은 조짐 동안 또는 조짐 후 60분 이내에 나타나는 경우다. 조짐이 발생한 후 흔히 60분 이내에 두통이 시작되고, 조짐이 끝날 무렵부터 두통이 발생하기까지 불안, 공포와 같은 기분의 변화, 언어 또는 사고의 장애, 주위 환경 또는 주위 사람들로부터의 고립감 등이 나타나기도 한다. 셋째 단계인 두통기는 강도가 심한 욱신거리는 박동성의 두통이 특징으로, 계단을 오르는 것과 같은 일상활동에 의해 악화된다. 하루 중 아침에 일어나는 경우가 가장 많고 순차적으로 발생하여 최고도의 강도에 이른 다음 점차 약화되는 양상을 보인다. 그러나 비박동성으로 멍하거나 조이는 듯하거나 띠를 두른 듯한 두통이 나타나기도 한다. 일부 환자에게는 편두통 진단기준의 하나를 만족하지 못하는 개연적 편두통이나 긴장형 두통이 나타나기도 한다. 시각이상도 흔한 동반증상으로 뿌옇게 보이거나 시력이 일시적으로 떨어진 것처럼 느껴지는 증상 외에도 일시적인 시력상실, 암점크기나 형태가 다르게 보이는 등의 다양한 시각증상이 나타난다. 넷째 단계인 회복기는 집중곤란, 피곤감, 짜증스러움, 생기 없음 등을 호소한다. 어떤 환자는 원

기 왕성함 또는 다행감 등을 느끼기도 한다. 근력약화, 근육통증, 식욕저하, 음식갈망이 나타날 수도 있다. 이러한 편두통의 증상들은 이미 2세기가 시작되기 전에 분명하게 알려졌다. 아레테우스(Aretaeus)는 편두통을 'heterocrania(한쪽의 국소적 격렬한 두통)'라고 명명하여 묘사하였다. 그 후 400년의 세월이 흐른 뒤 알렉산더 트랄리아누스(Alecander Trallianus)는 편두통의 특징에 대해 연구하였다. 편두통이라는 용어는 'hetreocrania' 'holocrania(전체 부위의 두통)' 'hemicrania(한쪽에서 나타나는 두통)'와 같은 용어들이 여러 세기에 경쟁적으로 쓰이다가 수없이 많은 음역과정을 거쳐 오늘날 사용하고 있는 용어가 되었다. 일반적으로 어지럼증을 동반한 두통, 구토를 동반한 두통, 시력저하를 동반한 두통 같은 말들이 오랫동안 사용되었다. 1941년에는 미국의 래슐리(Lashley)가 편두통을 직접 경험하면서 시각조짐 증상을 대뇌구조와 연관하여 대뇌피질에서의 속도를 분당 2~3밀리미터로 계산하였으며, 이러한 현상을 1944년 리오(Leao)는 확산성 피질억제라고 발표하였다. 비엔나의 슈비텐(Swieten)은 군집성 두통에 대해 처음 기술하였고, 이를 1952년 미국의 쿤클(Kunkle)이 군집성 두통으로 명명하였다. 제2차 세계 대전 후, 통증클리닉의 발전과 함께 미국과 런던, 코펜하겐, 플로렌스, 취리히 등 유럽 각처에 편두통클리닉이 개설되기 시작하였고, 두통전문가들의 국제적 모임이 구성되었다. 1961년에 비커스태프(Bickerstaff)가 기저 동맥 편두통을, 1976년에는 샤스타드(Sjaastad)가 만성 발작성 편측통을 각각 발표하였다. 1988년 세계두통학회에서는 두통 분류와 진단기준을 발표하였으며, 이후 편두통의 역학조사는 신뢰성을 가진 채 서로 비교 가능한 연구들이 나오게 되었다. 원인은 유전성 알레르기라고 보는 견해도 있지만 아직 불명이다. 동통은 뇌 내의 혈관이 이상하게 확장하여 신경을 억압해서 발생한다. 발작 시에는 머리 부분을 차게 하고, 어두운 방에서 자극을 피한 채 안정하는 것이 좋으며 통증이

악화되는 때는 병원에서 뇌파 등의 검사 및 치료를 받도록 한다. 편두통의 심리적 특성은 우울, 과민, 안절부절못함, 정신기능의 둔화, 과다활동, 피로, 졸림 등이 있다.

편들기 기법
[-技法, side taking]

치료자가 의도적으로 가족의 한쪽을 편들어 기능장애에 의한 가족체계의 균형을 깨트리는 방법. **가족치료 일반**

편들기 기법은 가족 내에 존재하는 연합이나 동맹을 없애기 위해 사용하는 기법이다. 치료자는 가족 내 연합이나 동맹을 신속하게 파악하여 특정한 문제에 대한 연합이나 동맹을 약화시키기 위해 그 문제에 대한 일정한 입장을 취한다. 가족 내 연합이나 동맹은 흔히 가족구성원 사이의 신뢰가 떨어진 경우에는 약화되거나 제거되기 때문에, 치료자는 이러한 상황을 만들기 위해 특정한 입장이나 가족 내 특정 인물을 편드는 것이다. 이때 치료자의 입장이 객관적으로 옳은지 그렇지 않은지는 중요하지 않고, 문제의 원인이 되는 연합을 해체할 수 있는지가 중요하다. 그런 만큼 치료자는 편들기 기법을 자신의 가치관에 따른 정당성만으로 사용해서는 안 되며, 필요한 경우에는 개인적으로 지지할 수 없는 도덕적, 윤리적인 입장에서도 사용해야 한다.

편의성 범위
[便宜性範圍, range of convenience]

켈리(G. Kelly)의 개인적 구성개념이론에서 구성개념이 유용하게 사용되는 사건의 범위. **개인적 구성개념이론**

구성개념(construct)은 반복적으로 나타나는 개인의 경험에서 재발하는 속성을 반영한다. 즉, 구성개념은 시간이 지나면서 경험이 반복됨에 따라 발전한다. 그러나 반복도 중요하지만 대부분의 구성

개념들이 개인의 모든 경험에 유용하지 않다는 점을 인식하는 것도 중요하다. '좋은 것 대 나쁜 것'처럼 몇 가지 구성개념은 널리 사용될 수 있지만, 대부분의 구성개념은 영역이 제한적이고 어떤 것은 특정 영역에만 적용된다. 예를 들어, '친절 대 불친절'이란 구성개념은 '좋은 것 대 나쁜 것' 구성개념보다 더 적은 사건에 적용되고, '지지적 대 비지지적' 구성개념은 훨씬 더 적은 사건에 적용되며, '기꺼이 노트 빌려주기 대 마지못해 노트 빌려주기' 구성개념은 극히 제한적인 사건에 적용된다. 하나의 구성개념이 유용하게 사용되는 일련의 사건들은 그것의 편의성 범위라고 부른다. 이처럼 편의성 범위는 어떤 구성개념은 넓고, 또 다른 구성개념은 좁다. 사람들이 하나의 구성개념을 편의성 범위 밖의 사건들에 적용하려고 할 때 대개 예측효율성의 손실이 있다. 예를 들면, '행복 대 슬픔'이라는 구성개념의 편의성 범위는 사람들, 몇몇 동물들, 노래, 여러 가지 사회적 사건들, 그리고 하늘과 꽃 등을 포함한다. 같은 구성개념을 돌이나 스파게티 같은 사건에 적용하기는 더 어려울 것이다. 그렇게 적용하려는 시도의 결과는 예측효율성의 손실인 것이다. 일반적으로 사람들이 구성개념을 편의성 범위 밖에 있는 사건에 적용하려고 하는 것은 그리 흔히 있는 일은 아니다. 그런데 하나의 구성개념의 편의성 범위가 영구적으로 고정되어 있지는 않다. 왜냐하면 때때로 사람은 그것을 편의성 범위 밖에 적용하고, 그것이 효과가 있기 때문이다. 하나의 구성개념의 삼투성(permeability, 혹은 투과성)은 편의성 범위가 새로운 사건을 포함하기 위해 확장될 수 있는 정도다. 삼투적인 구성개념은 새로운 유형의 사건이 매우 쉽게 그 편의성 범위 안으로 들어오는 것을 허용한다. 그러나 비삼투적인 구성개념은 완고하며 새로운 사건이 편의성 범위 안에 들어가기 어렵다. 하나의 구성개념 적용 가능성의 또 다른 측면은 편의성 초점(focus of convenience)인데, 이는 구성개념이 가장 잘 예측할 수 있는 사건들이다. 편의성 초

점과 범위는 관련성은 있지만 동일하지는 않다. 하나의 구성개념의 편의성 초점은 편의성 범위의 한 부분이다. 예를 들어, '사교적 대 비사교적'과 '공손 대 불공손'이라는 구성개념을 어떤 사람이 적용하려는 상황을 생각해 보자. 그 사람이 누군가가 파티에서 얼마나 많은 사람과 이야기할 것인가를 추측하려 한다면, 그는 아마도 공손함보다는 사교성에 대한 구성개념을 사용하는 편이 나을 것이다. 이 사건은 두 구성개념의 편의성 범위에 속하지만 사회적 사건에서 사람들에게 이야기하는 것은 사교성의 핵심이라고 볼 수 있다. 그것은 편의성 초점 안에 있는 것이다. 만약 누군가가 퉁명스러운 가게 점원에게 어떻게 대답할지를 예측하려 한다면, 사교성 구성개념이 효과적이다. 그러나 어쩌면 공손함으로 예측하는 편이 더 나을 수도 있다. 그것의 편의성 초점은 역할에 기초한 행동과 구체적인 사회적 관례를 포함하는 사건이다. 두 가지 예를 보면, 파티와 가게 점원과의 상호작용은 각 구성개념의 편의성 범위 안에 있다. 그러나 편의성 초점에서의 차이 때문에 각 유형의 사건별로 더 유용한 구성개념이 있다.

관련어 구성개념, 예측효율성

편집 – 분열자리
[偏執 – 分裂 – , paranoid-schizoid position]

유아가 어머니의 젖가슴과 접촉하면서 최초의 대상관계경험을 시작할 때 파괴적인 공격적 욕동이 관여되는 상태.

대상관계이론

클라인(M. Klein)의 성격발달에서 생후 3~4개월경에 나타나는 대상관계 발달양상이다. 유아의 심리구조는 좋은 대상과 나쁜 대상 간의 역동적인 상호작용으로 설명된다. 클라인은 1946년부터 아동의 성격발달을 편집-분열자리와 우울자리 개념으로 설명하였다. 유아가 공격성과 내적 대상을 처리

해 가는 방식을 자리(position)라는 개념으로 제시하였다. 유아에게 있어서 세상은 좋음과 나쁨으로 이분화되어 있다. 그러므로 프로이트의 심리성적 발달에서처럼 좋음에서 나쁨으로 혹은 나쁨에서 좋음으로 그냥 건너뛸 수 있는 것이 아니다. 유아는 좋은 곳 혹은 나쁜 곳에 자기 자신을 자리매김(locating oneself)해야 할 뿐이다. 즉, 좋은 대상 혹은 나쁜 대상에게 자신을 위치시킨 후 그 대상들과 관계를 맺으며 다양한 모습의 자기 자신을 새롭게 자리매김해 간다. 이렇듯이 클라인은 유아가 어떤 방식으로 내재화된 대상 및 외부대상과 관계를 맺는지를 설명하기 위해 자리개념을 사용하였다. 편집-분열자리는 죽음의 본능을 중심으로 전개된다. 파괴적 공격성과 그와 연관된 환상들을 처리하는 것이 유아의 일차적인 문제이다. 생후 초기의 유아는 외부세계와 내부세계, 자신과 대상, 실재와 환상 간에 명확한 경계를 인식하지 못하므로 죽음의 본능에 따라 붕괴와 열망의 위기감을 느끼며 망상적 박해공포(迫害恐怖)를 경험한다. 이때 자아를 유지시키기 위해 편집자리(paranoid position)를 만들어낸다. 즉, 유아는 자기 자신에게로 향하는 본능적 공격성의 일부를 자신의 외부로 투사해서 '나쁜 젖가슴'을 만들어 낸다. 만약 악한 것이 자신의 내부에 있다면 그것으로부터 도망갈 수가 없다. 그러나 악한 것이 외부에 있다면 그것으로부터 도망갈 수 있기 때문에 덜 위협적인 것으로 경험된다. 남아 있는 공격성도 새로 형성된 외부대상에 투사된다. 그러므로 최초의 나쁜 대상 관계는 죽음 본능의 파괴성으로부터 비롯된 것이다. 죽음 본능의 위협을 담아내기 위해 외부대상에게 투사하고 나쁜 대상을 만들어 낸 것이다. 한편, 파괴적 공격성을 외부대상에게 투사한 결과 외부세계는 악으로 가득차게 된다. 이러한 두려움에 대처하기 위해 유아는 즉시 일차 자기애에 담겨 있는 사랑의 충동을 외부세계로 투사해서 '좋은 젖가슴'도 만들어 낸다. 따라서 이제 세상은 두 종류의 대상이 존재하게 된다. 즉, 나쁜

젖가슴은 자신을 파괴시키려 하고, 좋은 젖가슴은 자신을 사랑하고 보호해 준다. 이와 같이 유아의 경험은 양극화되는데, 생애초기 유아의 정서적 평정은 이 양극의 세계를 얼마나 잘 분리시킬 수 있는가 하는 능력에 달려 있다. 좋은 젖가슴이 안전한 피난처가 되기 위해서는 나쁜 젖가슴으로부터 명확하게 분리되어야 한다. 좋은 젖가슴이 소멸되면 유아는 나쁜 젖가슴으로부터 보호받거나 피할 수 없기 때문이다. 이것이 곧 분열자리(schizoid position)다.

관련어 │ 우울자리

편측마비
[片側麻痺, hemiplegia]

몸의 한쪽 팔다리에 운동장애가 있는 마비. 특수아상담

다리보다 팔의 장애가 더욱 심한 편이고, 보통 팔꿈치, 손목 등이 구부러져 있다. 뇌의 급성 순환 장애, 출혈, 뇌 손상 등이 왼쪽 뇌 반구에 발생하면 그 증상은 오른쪽 편측마비를 일으키고, 오른쪽 뇌 반구에 발생하면 반대로 왼쪽 편측마비를 일으킨다. 즉, 편측마비는 편측(한쪽)의 상하지 또는 얼굴 부분의 근력저하가 나타난 상태를 뜻한다. 이때 근력저하는 좌측이나 우측 중 한쪽에서만 일어나야 한다. 예를 들어, 오른쪽 팔과 왼쪽 다리의 근력이 저하되었을 경우나 양측 하지의 근력이 저하되었을 경우에는 편측마비라고 부르지 않는다. 근력저하는 환자가 주관적으로 느끼고 호소하는 전신 피로감이나 전신 무력감과는 구분되어야 하며 의사의 진료를 통하여 객관적으로 평가하는 것이 필요하다. 안면부의 편측마비는 표정을 지을 때 안면 양측의 대칭 여부로 판단하고, 팔다리의 편측마비는 이상증상이 나타난 쪽의 팔다리의 무게를 도움 없이 지지할 수 있는지의 여부로 판단한다.

관련어 │ 뇌졸중

편파성
[偏頗性, partiality]

치료자가 가족구성원 중 어느 한 사람에 대해 특별한 배려와 관심을 표현하는 활동. 가족치료 일반

가족의 여러 영역 가운데 윤리의 맥락이 실현되지 않는 경우에 사용하는 방법이다. 예를 들어, 남편이 너무 가부장적이고 엄해서 자신의 마음을 제대로 표현하지 못한 채 살아가는 아내가 있는 경우 치료자는 아내에게 특별한 배려와 관심을 표현하면서 아내의 심정을 지금-여기서 표현하도록 독려한다. 치료자의 말에 용기를 얻은 아내가 자신의 마음을 표현하면 남편이 이를 반박하거나 방어하려고 할 수 있다. 이때 치료자는 남편의 반박이나 방어를 제지하면서 아내가 하는 말을 남편이 충분히 들어주도록 한다. 또 말을 들어 줄 뿐만 아니라 어떤 행동을 해야 한다면 치료자는 남편에게 그렇게 행동하도록 요구한다. 그런 다음 치료자는 또 다른 영역에서는 남편에게 특별한 관심과 배려를 하는 편파성을 보인다. 그렇게 하면 앞에서 했던 것처럼 그 영역에 관해 남편에게 충분히 말할 수 있도록 하고 아내가 듣게 한 뒤 행동이 필요하다면 그 행동까지 취하도록 도와준다.

편포도
[遍布度, skewness]

분포가 대칭을 벗어나 한쪽으로 치우친 정도를 가리키며, 왜도(歪度) 혹은 비대칭도(非對稱度)라고도 함. 통계분석

빈도(도수) 분포는 다양한 형태로 나타날 수 있다. 분포를 이해하기 위해서는 실제 수치자료뿐만 아니라 자료의 형태(모양)도 함께 기술하는 것이 중요하다. 자료의 형태는 자료가 어떻게 분포되어 있는지를 의미하는데, 분포의 형태에는 균등분포(uniform distribution), 대칭분포(symmetric distribution), 편

포(skewed distribution) 등이 있다. 균등분포에서는 점수가 고르게 분포되어 있고, 대칭분포에서는 점수가 좌우 대칭적인 종 모양의 곡선(bell-shaped curve)으로 분포되어 있어서 대칭 분포는 흔히 정상 분포(normal distribution)라고 부른다. 그리고 편포에서는 점수가 비대칭적으로 좌우 어느 한쪽으로 치우쳐 분포되어 있다. 편포의 경우, 가장 빈번하게 발생하는 수치들이 중앙에 모이지 않고 대신 분포의 낮거나 높은 끝 쪽에 모여 있다. 점수 수치들이 위쪽과 아래쪽 중 어느 쪽을 향해서 점차 감소하는가에 따라서 정적 편포 혹은 부적 편포가 된다. 그림에서 보는 바와 같이 정적 편포에서는 분포의 꼬리가 높은 점수 쪽으로 뻗어 있고, 분포의 낮은 점수 쪽에 점수가 몰려 있다([그림 2] 참조). 이와는 반대로 부적 편포에서는 분포의 꼬리가 점수의 낮은 쪽으로 뻗어 있고, 분포의 높은 점수 쪽에 점수가 몰려 있다([그림 1] 참조). 편포도를 기술하는 또 다른 방법은 집중경향치(평균, 중앙값, 최빈값)를 알아보는 것이다. 편포도는 평균과 중앙값을 알면 구할 수 있다. 평균은 극단적으로 높거나 낮은 점수들에 영향을 받기 때문에 극단적인 점수가 발견되는 분포의 지역을 향해서 끌려가게 된다. 반면에 중앙값은 극단적인 점수들의 크기에 영향을 받지 않고, 대신 점수들의 위치에 영향을 받는다. 따라서 극단적인 점수들은 평균에 비해 중앙값에 미치는 영향이 적다. 집중경향치를 알아보는 다른 방법은 최빈값인데, 이것은 극단적인 점수에 영향을 받지 않으며, 또한 분포의 끝에 의해서도 영향을 받지 않는다. 분포가 대칭적(종 모양)일 때 평균, 중앙값, 최빈값은 모두 같다. 그러나 분포가 한쪽으로 치우쳐 비대칭적일 때는 평균, 중앙값, 최빈값이 서로 다르다. 부적 편포의 경우 평균은 극단적인 점수들이 발견되는 분포의 부분으로 당겨진다. 반대로 중앙값은 점수들의 위치에 따라 영향을 받고 극단적인 점수들의 크기에는 영향을 받지 않는다. 따라서 극단적인 점수들은 평균보다는 중앙값에 영향을 덜 미친다. 최

빈값은 극단적인 점수들에 영향을 받지 않으며, 그리고 사실상 최빈값은 분포의 어느 양쪽 끝에 의해서도 영향을 받지 않는다. 편포에서 평균이 매우 낮은 점수들에 영향을 받으면 부적 편포가 발생한다. 부적 편포에서 평균은 언제나 중앙값보다 작고, 중앙값은 대체로 최빈값보다 작다([그림 1] 참조). 평균이 매우 높은 점수들에 영향을 받으면 정적 편포가 발생한다. 정적 편포에서 평균은 중앙값보다 크고, 대체로 최빈값보다 크다([그림 2] 참조). 따라서 편포도는 다음과 같은 원칙에 따라 결정될 수 있다.

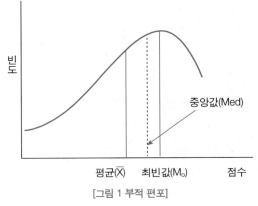

[그림 1 부적 편포]

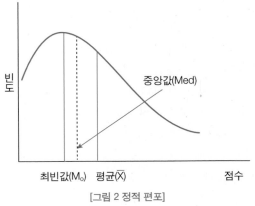

[그림 2 정적 편포]

출처: 정종진(2010). 교육평가: 이론과 실제. 경기: 양서원. p. 341.

부적 편포: 평균 < 중앙값 < 최빈값
정적 편포: 평균 > 중앙값 > 최빈값
정상분포: 평균 = 중앙값 = 최빈값

집중경향치와 편포도 간의 관계는 그림에서 살펴볼 수 있다. 두 그림에서 보는 바와 같이 평균과 중앙값을 알면 그 분포가 편포되어 있는지의 여부와 어느 방향으로 편포(정적 혹은 부적)되어 있는지를 알 수 있다. 요컨대, 어떤 분포가 대칭이 아니라면 그것은 비대칭이거나 치우쳐 있는 것이다. 분포는 점수들의 분포에 따라서 정적 편포거나 부적 편포다. 분포의 꼬리가 높은 점수 쪽의 끝을 가리킨다면 정적 편포이고, 그와 반대로 분포의 꼬리가 낮은 점수 쪽의 끝을 가리킨다면 부적 편포다(American Counseling Association, 2009).

관련어 정상분포, 집중경향치

편향
[偏向, deflection]

감당하기 힘든 내적 갈등이나 외부환경적 자극에 노출될 때, 자신을 보호하기 위해 자신이나 타인과의 직접적인 접촉을 피하는 것. **게슈탈트**

편향은 접촉경계혼란을 일으키는 여러 가지 원인 중의 하나로, 감당하기 힘든 내적 갈등이나 외부의 환경적 자극에 노출될 때, 환경과의 접촉을 피해 버리거나 자신의 감각을 둔화시킴으로써 환경과의 접촉을 약화시키는 것이다. 이때 개체는 환경과의 접촉에 사용되어야 할 에너지를 철회함으로써 접촉을 피한다. 편향행동의 예를 들면, 요점도 없는 이야기를 장황하게 길게 하거나 반대로 가만히 있으면서 상대방의 말에 반응하지 않는 경우, 혹은 특정 문제가 드러날 때 재빨리 주제를 바꾸는 경우다. 편향을 사용하는 사람은 환경과의 접촉을 흐릿하게 만들거나 뭉뚱그려 버려 알아차림을 방해한다. 편향이 심한 사람은 자신이나 타인, 환경 등에서 피드백을 받기 어렵기 때문에 자신의 행동을 통하여 얻을 수 있는 것이 없다. 말은 하지만 감정을 느끼지 못하거나 이해를 제대로 하지 못할 수도 있고, 당연히 기대할

만한 것을 실행에 옮기지 않아서 상호작용이 일어나지 않는다. 이처럼 심리적 갈등과 혼란을 피하기 위해 자신의 감정을 편향시킴으로써 부정적인 감정은 덜 느끼지만, 동시에 긍정적인 감정도 차단되어 버리기 때문에 편향을 통해 삶 자체를 잃어버리게 된다고 할 수 있다. 편향은 개체가 불안, 죄책, 갈등, 긴장 등 여러 가지 부정적인 심리상태를 피하기 위해 사용하는 적응기제의 하나라고 할 수 있는데, 그 중에서도 특히 불안의 방어가 중요한 목적이다. 치료자는 편향을 심하게 하는 내담자에게 질문이나 요구, 도발, 간청 등 여러 가지 수단을 동원하여 내담자의 방어를 지적하고 직면시켜 이를 극복해 나갈 수 있도록 해 주어야 한다.

관련어 내사, 반전, 융합, 자기중심성, 접촉경계혼란, 탈감각화, 투사

평가
[評價, evaluation]

수퍼바이저가 수퍼바이지의 상담수행능력을 평가하는 과정. **수퍼비전**

평가의 종류에는 형성평가(formative evaluation)와 종합평가(summative evaluation)가 있다. 먼저 형성평가에 대하여 살펴보면, 수퍼바이저는 평가자로서 수퍼바이지의 상담수행능력, 수퍼비전에서 나타난 문제에 대한 태도, 수퍼바이지의 사례개념화 능력, 상담목표 달성, 적절한 개입 여부, 수행된 상담의 효과성, 다음 회기에 집중해야 할 사안, 수퍼바이지 자신의 문제가 어떻게 상담내용과 관련되어 있는지 등을 수퍼바이지에게 수퍼비전 진행과정에서 제시한다. 이러한 평가를 제공할 때는 수퍼바이지의 실력이나 인격적인 면을 지적하는 느낌으로 피드백을 주어서는 안 되며 수퍼바이지의 전문적 발달에 관한 진정한 관심을 가지고 수용적으로 제시해야 한다. 종합평가는 수퍼비전 계약이 종결될

때 수퍼바이저가 문서화된 형태로 수퍼바이지에게 전달한다. 수퍼바이저는 수퍼비전이 실시되는 환경과 수퍼바이지의 상담이 진행되는 환경에 대하여 서술하고, 수퍼바이지의 제시된 수퍼비전 목표가 무엇이며 종결시점에 어떤 수준으로 달성되었는지를 서술한다.

관련어 | 사정, 수퍼비전 계약, 평가도구

평가이론
[評價理論, appraisal theory]

정서유발자극이 지각되면 먼저 그 상황에 대한 평가가 이루어져 정서적 경험이 결정된다는 이론. 정서중심치료

평가이론에서는 상황 자체가 아니라 상황에 대한 개인의 평가에 따라 정서적 경험이 결정된다고 보았다. 평가이론은 아놀드(Arnold)가 처음으로 개념화하였고, 이후 라자루스(Lazarus) 등이 발전시켰다. 평가이론의 두 가지 핵심 가정은, 정서는 인지의 결과로 나타나며 평가는 개인과 외부환경 간의 관계를 나타낸다는 것이다. 아놀드에 의하면 평가는 인지의 한 형태지만 자신의 관심사와 관련이 있으며, 직접적이고 지각적 속성을 갖는다는 면에서 신념이나 지식과 같은 다른 인지적 측면과는 구분된다. 즉, 인지가 교감신경계의 각성이 없는 비정서적인 것이라면 평가는 본질적으로 상황에 대한 정서적 지각이나 인식과 관련이 있다. 평가는 자신의 관심이나 목표, 안녕과 관련된 상황이나 대상에 대한 판단으로, 이는 상황의 특성이나 대상에 대한 기대, 과거의 기억 등을 근거로 행해진다. 평가이론가들은 인지적 활동이 정서에 필수적인 요인이며, 일차적으로 사건의 의미와 중요성을 자신의 안녕과 결부시켜 인지적으로 평가하지 못하면 정서적으로 반응할 수 없다고 한다. 라자루스는 스트레스와 대처방법에 대한 연구에서 하나의 사건에 대한 생각을 변화시킴으로써 개인의 정서반응을 변화시킬 수

있음을 증명하였다. 그는 자신의 책『스트레스와 평가 그리고 대처』에서 스트레스와 대처, 정서 간의 관계와 그 핵심 개념인 평가를 즉각적인 개인적 중요성을 지닌 일차적 평가와 개인의 대처능력과 같은 이차적 평가로 구분하여 설명하였다. 특정한 상황에서 사람들은 일차적으로 자신이 처한 상황이나 사건이 자신의 행복과 관련이 있는지, 그 득실은 무엇인지와 같은 평가를 하게 된다. 이러한 일차적 평가 결과 자율신경계가 활성화되어 자극에 적응할 수 있는 준비를 하게 되는데, 이것이 이차평가를 유발한다. 이차적으로 이러한 상황에서 어떻게 대처해 나갈 것인지 대처방안을 평가하게 되고, 이 평가가 정서를 유발한다. 그 결과 대처반응이 성공적이면 자율신경계의 활성화가 사라지지만 성공적이지 못한 경우에는 자율신경계의 활성화 수준이 지속적으로 높게 유지된다. 스미스(Smith)와 라자루스의 평가모형에서는 평가의 분자적(molecular) 측면과 몰(molar) 측면을 구별하여, 평가의 분자수준에서 평가의 특정 요소는 특정 정서와 연합된다고 보았다. 스미스와 엘즈워스(Ellsworth)는 책임감과 같이 사회적 성격을 띤 요소와 함께 즐거움, 신기함, 불확실성, 억제와 같은 요소의 관점에서 사건이 평가된다고 보았다.

ㅍ

평가적 인지
[評價的認知, evaluative cognition]

부정적 정서와 관련된 역기능적 인지. 합리정서행동치료

합리정서행동치료(REBT)에서 강조하는 인지과정을 살펴보면 어떤 인지과정은 그 본질이 추론적이며 또 어떤 인지과정은 대체로 평가적이다. 추론적 인지는 우리의 현실에 대한 지각과 이러한 지각에서 파생된 추론을 나타내고, 평가적 인지는 이 추론적 인지에 어떤 의미를 부여한 것이라고 볼 수 있다. 많은 경우 이러한 인지는 부정적 자동적 사고나

잘못된 가정, 총체적이거나 고정된 내부귀인, 그리고 자신을 낮게 지각하는 등의 옳지 않은 추론이다. 이렇듯 많은 추론적 인지구성은 정서적 장애 및 정신병리와 연관되어 있다. 그러나 REBT에서는 이러한 인지가 병리적 현상과 관련되어 있기는 하지만 이것이 가장 중심이라고 보기보다는, 여기에 의미를 부여한 평가적 인지가 보다 중요한 핵심적 위치를 차지한다고 보았다. 인지행동치료(CBT)에서도 사고는 감정과 행동에 영향을 미치며, 행동 양식은 사고 패턴과 감정에 영향을 미친다는 개념에 기초하고 있다. 벡(Beck, 1963, 1964)은 우울증과 불안증의 가장 큰 원인으로 인지적 정보처리 과정에서의 문제점을 지적하였다. 마이켄바움(Meichenbaum, 1977)은 인지이론과 전략을 치료 프로그램에 통합하면서 인지적 관점을 추가할 때 행동적 개입의 깊이를 더할 수 있다고 말하였다. 인간은 끊임없이 주변환경과 자신에게 일어나는 사건의 의미를 평가하는데, 이는 감정적 반응과도 관련이 있다. 예를 들면, 우연히 길거리에서 동료가 다가오는 것을 보고는 손을 흔들어서 인사를 했는데 그가 반응이 없다면 아마도 동료가 인사하기가 싫어서 그냥 못 본 척했다고 추론할 수 있다. 심지어 그 동료가 나에게 굉장히 화가 났거나 아니면 나를 싫어한다는 등의 개인적 의미를 부여할 수도 있다.

평등화
[平等化, leveling]

가족치료사인 사티어(Satir)가 사용한 용어로 조화로운 의사소통을 지칭하는 말. 경험적 가족치료

상호 의사소통과정에서 메시지를 전하는 사람은 자신의 감정을 진실하고 직접적인 방법으로 명료하게 전달하고, 메시지를 전해 받는 사람은 적절한 맥락 안에서 이것을 잘 이해하는 것이 조화로운 의사소통의 형태다. 이와 같이 화자(話者)와 청자(聽者)의 동등한 상호작용이 이루어지는 조화로운 의사소통과정을 평등화라고 한다.

평상심
[平常心, ordinary mind]

불교에서 일컫는 개념으로서 특별한 동요가 없이 평안한 심리상태. 동양상담

고요한 마음의 상태를 일컫는 말로서 불교에서는 평상심을 곧 도(道)라고 한다. 이 말은 남전(南泉) 선사와 조주(趙州) 스님과의 대화에서 비롯되었다. 조주 스님이 아직 깨닫지 못하고 있을 때, 남전 선사에게 물었다. "어떤 것이 도입니까?" "평상심이 도다." "그 도를 행하여 나아갈 길이 있습니까?" "행하여 나아가려고 하면 벌써 도와는 어긋난다." "행하여 나아가지 않고 어떻게 도를 알 수 있습니까?" "도는 아는 데도 있지 않고 모르는 데도 속하지 않는다. 유식함이란 허망한 것에 속하고 무식함이란 무기(無記)다. 만일 도를 알게 되면 마치 허공이 탁 트인 것과 같으니 이 경지에 다다르면 옳고 그름의 외적인 증거에 의해 인위적으로 규정할 수 없는 세계다." 따라서 선사들이 말하는 평상심과 일반 사람들이 말하는 평상심과는 다른 것이다. 깨달아서 마음의 성품을 본 사람은 어떤 경우에 처하더라도 그 일에 대한 판단에 걸림이 없기 때문에 시비에 막히지 않는다. 성품을 보지 못한 사람은 대나무라 하면 대나무에 집착하고 법신(法身)이라 하면 법신에 걸리고 반야라 하면 반야에 집착한다. 그러므로 모두 집착해서 시비를 일으킨다. 그러니까 다 같은 평상심이라 해도 하늘과 땅의 차이가 있다. 깨친 이에게는 일상의 모든 것이 법신일 수 있다. 그 마음은 허공과 같아서 사건에 부딪혀 반응하는 것이 물속의 달과 같다. 아무 흔적이나 막힘이 없다. 그러나 일반 사람들은 무명의 눈으로 일상을 본다.

평정척도
[評定尺度, rating scale]

응답자에게 미리 정해 놓은 척도에 반응하도록 만든 질문지 형식. 연구방법

아동의 사회·정서적 발달 특성이나 정의적 학습 결과를 평가할 때 평정척도가 많이 쓰인다. 평정척도는 관심을 갖고 있는 행동을 간접적으로 측정하는 것인데, 행동을 직접 관찰하는 것이 아니라 자기 자신 혹은 타인의 행동에 대해 지각한 바에 따라 평정한다. 모든 관찰기법이 편견에 사로잡힐 수 있고 신뢰할 수 없는 면이 있기는 하지만, 관찰로 획득한 정보는 행동이 발생할 것이라고 보고된 장면에서 행동의 직접적인 반영이기 때문에 가치가 있다. 따라서 평정척도로 획득한 정보는 부분적으로 가치가 있지만 직접 평가와 연결하여 사용할 때 중요한 가치를 지닌다. 직접 평가가 이루어질 수 없을 때 평정척도는 행동 특성을 비교적 용이하게 평가하는 우수한 자원이 된다. 평정척도는 광범위한 행동평정척도(broad-band behavior rating scale)와 제한된 행동평정척도(narrow-band behavior rating scale)로 구분된다. 광범위한 행동평정척도는 정의적, 가정적, 사회적, 학업적 영역에 걸친 외재적 및 내재적 행동과 같은 여러 행동영역을 평가한다. 우선 문제행동에 대한 보다 깊은 통찰을 목적으로 실시하는 경우가 많다. 보다 구체적인 행동은 제한된 행동평정척도로 평가한다. 제한된 평정척도는 광범위한 평정척도로 관심 혹은 문제의 행동 영역을 확인한 다음에 실시해야 한다. 제한된 평정척도의 목적은 관심을 갖고 있는 행동에 대한 구체적이고 자세한 정보를 제공하는 데 있다. 요컨대, 평정척도는 행동, 인성, 사회적 기능, 정서에 걸친 개인의 기능을 측정한다. 평정척도의 표시는 언어, 숫자, 그림 등 여러 형태가 있는데, 평정의 단계를 간단한 어구나 문장으로 나타내는 기술평정척도, 그림으로 나타내는 도식평정척도, 어느 한 집단을 기준으로 했을 때 그 집단에 속한 개인의 능력이나 행동 특성을 평정하여 순위를 결정하거나 상대적 위치를 표시하는 등위평정척도 등이 있다. 평정척도를 사용하면 신뢰도와 타당도에 대한 기존의 자료에 대해 수량적 정보를 제공하고, 채점준거를 가진 일련의 조직화된 질문을 제공하며, 비교를 위한 규준자료를 제공한다. 또한 다른 응답자들의 평정결과와 비교할 수 있는 등 여러 가지 장점이 있다. 평정척도는 비용과 시간 면에서 효율성이 있고, 사전 및 사후 평가를 위한 도구로 사용할 수도 있다. 그러나 평정척도는 평정하는 사람의 주관적인 판단을 요구하기 때문에 평정의 객관성이나 공정성의 문제가 야기될 수 있다. 즉, 평정자의 주관이나 편견 때문에 평정의 오류가 발생할 수 있고, 신뢰할 수 없는 자료를 제공할 가능성이 있다. 이처럼 행동평정척도로 수집한 자료는 자연적인 상황에서 시간 간격에 걸쳐 체계적으로 수집한 것이 아니라 행동과 정서에 대한 개인의 지각에 의한 것이기 때문에 객관성이 부족할 수 있다는 문제점이 있다.

평형화
[平衡化, equilibrium]

인지발달과정에서 동화와 조절이라는 인지기능에 따라 새롭게 형성된 인지구조로 새로운 환경을 이해할 수 있는 사고의 균형상태. 발달심리 인지치료

평형화는 발달심리학자 피아제(Piaget)의 인지발달이론의 주요 개념으로서, 인지구조의 변화와 발달에 가장 핵심적 역할을 하는 인간의 내재적 능력이다. 인간은 환경에 적응하기 위하여 생득적 요인인 성숙과 환경적 요인의 상호작용을 통하여 자신의 인지구조를 끊임없이 변화시킴으로써 인지가 발달한다. 이 과정에서 유기체는 동화(assimilation)와 조절(accommodation)이라는 인지기능의 작용으로 새롭게 인지구조가 형성되거나 발달하여 새로운 환경을 이해하게 된다. 즉, 동화란 자신이 이미 알고

있는 지식, 다시 말해 인지구조(cognitive structure)나 도식(schema)으로 외부환경을 이해하려고 하는 것이다. 조절은 자신이 이미 알고 있는 지식으로 외부환경을 이해하려고 했지만 적절하게 이해하지 못했을 때 외부환경을 이해하는 데 적합하도록 기존의 인지구조를 재구조화(restructuring)하는 과정이다. 아동이 지니고 있던 기존의 인지구조나 도식이 새로운 외부환경을 이해하는 데 적합하다면 평형상태에 놓이지만 그렇지 못하다면 인지적 갈등이 발생하고 평형상태가 깨져 버린다. 이러한 불평형상태는 평형상태를 유지하도록 인지를 재구조화하려는 아동의 동기를 유발하게 된다. 따라서 동화와 조절의 과정을 거치면서 기존의 인지구조보다 상위에 있는 인지구조나 도식을 생성하여 인지를 발달시키며 평형화의 과정은 모든 연령과 인지발달단계에서 동일하게 이루어지고 이러한 평형화의 특성을 피아제는 기능적 불변성이라 하였다.

관련어 도식, 인지구조, 인지 재구조화, 피아제의 인지발달 이론

동화 [同化, assimilation] 동화는 기존의 도식으로 환경에서의 경험을 이해하고 받아들이는 것으로, 새로운 경험을 기존 도식에 끼워 맞추는 것이라 할 수 있다. 예를 들면, 네 다리로 기어 다니는 것은 '개'라고 알고 있는 아동이 '소'를 보고서 '개'라고 하는 것인데, 기존의 '개'라는 도식에 새로운 경험인 '소'를 동화한 것이다. 평형화에서 동화와 반대되는 인지기제가 조절이다.

조절 [調節, accommodation] 조절은 어떤 대상이나 상황의 특수한 성질에 자신이 지니고 있는 지식을 맞추는 것이다. 즉, 환경으로부터 주어진 자료의 구조적 특징을 이해하여 그것에 적응해 나가는 것이다. 예를 들면, 모유에 익숙한 유아가 이유기를 거쳐 새로운 젖꼭지의 특성에 자신의 입 모양과 빨기 강도나 속도를 맞추어 우유를 섭취해 나가

는 것이다. 이렇듯 유기체는 친숙하지 않은 물체의 기능적 속성에 적응하려는 노력의 과정을 통하여 인지 갈등을 해소하며 인지구조를 확장해 나간다. 한편, 상담과정에서 상담자가 내담자의 특성에 근거하여 치료동맹을 형성하고 대화양식이나 행동을 맞추어 나가는 것을 조절이라고 할 수 있다. 즉, 상담과정의 조절은 치료자의 태도를 말한다.

폐쇄
[閉鎖, withdrawal]
교류분석

⇨ '시간구조화' 참조.

포괄적 수량화
[包括的數量化, universal quantifier]
전체 사례가 일정한 특성을 띠고 있거나 어떤 것도 해당되는 것이 없는 것처럼 표현하는 최면기법. 최면치료

메타 모형과 밀턴모형의 한 유형으로, 전부 또는 전무의 차원에서 어떤 사실을 표현하는 일반화에 해당하는 문형이다. 한두 개나 소수의 사례를 전체적인 것으로, 또는 반대로 전무한 것으로 평가하거나 표현한다. 모두, 모든 것, 어느 것이든, 아무것도, 항상, 늘, 아무도, 전혀 등의 단어를 사용한다. 예를 들어, "아무도 완전하지 않아요." "모든 것은 멋집니다."와 같은 표현이 있다.

관련어 메타 모형, 밀턴모형

포괄적 접근
[包括的接近, extensive approach]

권면적 상담을 적용하는 상담자가 내담자의 삶의 문제에 대하여 접근할 때 한 문제에만 집중하지 않고 모든 영역에 대하여 조사하고 연구하는 방법. **목회상담**

　포괄적인 접근을 사용할 때는 권면적 상담자가 내담자의 삶에 대해서 포괄적인 영역에 대해 관심을 가지고 질문을 한다. 예를 들어, 하나님과의 관계, 신앙생활, 가족관계, 직장 동료와의 관계, 생활습관 등 광범위한 영역에 걸친 질문을 하여 내담자에게서 많은 정보를 수집한다. 이때 상담자는 내담자의 대답과 반응을 정리하여 내담자 문제의 핵심을 파악하는 단서로 사용하는 것이다.

관련어 | 권면적 상담, 집중적 접근

포부
[抱負, aspiration]

마음속에 지닌 앞날에 대한 생각이나 계획, 희망 또는 목표. **성격심리**

　개인이 자신의 현재 상황을 인식하여 미래를 준비하면서 예상하고 희망하는 목표를 말하며, 현재보다 높은 상위의 것과 자기 향상에 대한 열망이다(Hurlock, 1978). 포부는 개인적 욕구(personal need)와 상황적 요인(situational factors)의 상호작용으로 형성된다(Lewin, 1944). 또한 긍정적 포부와 부정적 포부, 즉각적인 포부(immediate aspiration)와 원격적인 포부(remote aspiration)로 구분한다(Hurlock, 1978). 긍정적 포부는 성공을 위한 목표 지향적인 것이며 부정적 포부는 단지 실패만을 피하려는 바람을 나타낸다. 즉각적인 포부는 오늘이나 내일 또는 다음 주나 다음 달과 같이 가까운 미래에 성취 가능한 목표이고, 원격적인 포부는 '내가 어른이 되었을 때'와 같은 먼 장래에 수행할 목표를 말한다.

관련어 | 고트프레드슨의 진로 포부 발달이론

　포부 수준 [抱負水準, aspiration level]　학습자가 특정한 학습과제에 당면했을 때 어느 정도 성취할 수 있는지의 기대 정도 또는 목표 수준을 말한다. 이 개념은 1930년에 독일의 심리학자 호페(Hoppe)가 처음으로 제시하였는데, 포부 수준 외에도 보통 기대수준, 요구 수준 등으로 해석되고 있다. 자신이 처한 현재 상황을 인식하여 다가올 미래를 준비하면서 예상하고 희망을 갖게 되는 목표 수준을 말하는 포부 수준은, 의사결정 당사자가 선택한 상황에서 만족할 수 있는 최소 수준의 결과를 뜻한다. 포부 수준은 장래계획과 관련되어 있기 때문에 개인의 목표 설정과 개인의 성취를 향상시키고자 하는 욕망이나 동기를 형성하는 데 영향을 미친다. 그리고 레빈(Lewin, 1944)에 의하면, 현실 상황에 대한 태도에 따라 포부 수준이 달라지는데 현실적 태도를 지닌 사람은 과제수행의 결과와 포부 수준의 차이가 적지만 비현실적 태도를 지닌 사람은 격차가 크다. 현실적 태도를 지닌 사람은 과제에 따라 포부 수준이 바뀌며 비현실적 태도를 지닌 사람은 포부 수준이 현실 상황을 반영하지 못한다. 그리고 비현실적 태도를 지닌 사람은 성취결과에 대하여 과대평가하거나 과소평가하는데, 과소평가는 실패를 기피하기 위한 도구적 수단으로 생각할 수 있다. 또 경쟁을 두려워하는 사람들은 모험이나 창피함을 피하기 위해 포부 수준을 낮추려는 경향이 있다. 카알(Kahl, 1953)은 포부 수준을 설정하는 데 미치는 요인을 다음과 같이 제시하고 있다. 첫째, 각 개인이 소속되어 있는 집단이나 집단의 기준, 그리고 소속집단과 비교되는 다른 집단의 기준이나 동료들이다(Breckenridge & Vincent, 1966). 둘째, 개인의 정서적 불안정이다. 불안정한 정서를 가진 사람은 자신의 능력에 적합한 목표를 설정하기보다는 다소 환상적이고 실행 불가능한 포부 수준을 설정하는 경우가 많다(Hurlock, 1978). 셋째, 과제의 난이도와 과제 수행에 대한 자기 참여 수준이다. 즉, 과제가 지나치게 어렵거나 쉬우면 과제수행에 대한 성패감이 낮아 자기참여가 낮아지고 포부 수준에도 부정적 영향을 미친다(Hilgard, Atkinson, & Atkinson, 1979). 넷째, 자신의 지위와 지위에 대한 태도다. 다섯째, 지능과 성취동기다. 지적 능력과 성취동기가 높은 사람은 중간 정도의 난이도 과제를 선택하고, 자신의 능력보다 약간 높은 난이도 과제를 선택한다. 한편, 지능이 높지만 성취동기가 낮은 사람은 자기 능력보다 낮은 과제를 선택하는 경향이 있다. 이는 그만큼 과제수행에 대한 목표 수준, 즉 포부 수준이 낮다는 의미다. 여섯째, 과거의 성공경험이다. 성공경험이 많은 사람은 포부 수준이 높으며, 성공경험이 적은 사람은 현재 포부 수준을 그대로 고수하거나 약간 낮추려는 경향이 있다. 이외에 아동기의 교육, 부모의 야망, 중요한 주변인의 기대, 타인과의 경쟁, 문화적인 전통, 대중매체, 흥미와 가치 등이 포부 수준의 발달에 영향을 미친다. 이와 같은 포부 수준은 지나치게 높으면 달성을 할 수 없기 때문에 포부가 발생하지 않고, 반면 지나치게 낮으면 성취감이 용솟음쳐 나오지 않기 때문에 사기가 앙양되지 않는다.

포스트구조주의
[－構造主義, post-structuralism]

20세기 중반, 특히 68운동과 더불어 프랑스와 독일 등 유럽 학자들이 구조주의에 대한 비판과 극복을 위해 전개한 활동의 총칭. 철학상담

포스트구조주의는 인간의 문화가 기호나 상징의 계열로 이해될 수 있다는 구조주의에 대한 반성과 비판에서 출발하였다. 소쉬르(Ferdinand de Saussure), 레비스트로스(Claude Levi-Strauss) 등이 전개한 구조주의는 인간의 문화가 실재의 구조 또는 상상이나 관념의 구조가 아닌 제3의 구조, 즉 언어로 형성된 구조로 이해될 수 있다고 주장하였다. 그러나 포스트구조주의는 절대적이고 형이상학적인 진리를 추구하거나, 합리적이고 과학적인 이성을 강조하며 기표(記表, signfiant)와 기의(記義, signifié), 체계로서의 언어(langue)와 무의식적 구조로서의 실제적인 언어사용(parole), 통시성과 공시성, 계열체와 통합체를 이분법적으로 구분하는 구조주의를 비판하면서 구조를 해체하는 방향으로 나아간다. 그러나 구조주의가 포스트구조주의와 단절관계나 대립관계에 있느냐, 아니면 비판적 계승관계에 있느냐의 문제는 여전히 논란이 있다. 하지만 한 가지 분명한 것은 포스트구조주의에 이르러 더 이상 절대진리, 절대방법, 구조의 보편성과 초시간성은 허용되지 않는다는 사실이다. '생성의 무죄(Unschuld des Werdens)'를 강조하는 니체(Friedrich Nietzsche)의 전통을 계승한 포스트구조주의는 이성, 주체, 의식을 강조하는 모더니즘을 거부하고, 또한 이들 모더니즘을 비판하면서 모더니즘의 합리성을 계승하여 언어구조의 보편성을 강조한 구조주의에 대해서도 비판한다. 특히 포스트구조주의는 기표와 기의의 관계를 고정되거나 기의가 더 근원적인 것으로 보려는 입장에 반대하여, 기표와 기의 사이에는 다양한 결합이 가능하고, 심지어 기의도 기표들 자체에서 산출될 수 있다고 본다. 따라서 포스트구조주의는 기표와 기의의 이항대립을 거부하며, 기표의 미끄러짐과 의미의 불안전성을 강조한다. 포스트구조주의는 구조주의의 언어구조에 대한 부분은 수용해도, 이 구조가 유동적이며 시간 속에서 우연과 불연속의 면을 지니고 있음을 강조한다. 또한 구조주의보다 훨씬 더 강하게 저자의 죽음, 주체의 죽음, 인간의 죽음을 선포한다. 포스트구조주의는 총체성, 체계성, 전체성과 전쟁을 선포한다. 이 같은 포스트구조주의의 대표적인 인물로는 데리다(Jacques Derrida), 푸코(Mischel Foucault), 들뢰즈(Gilles Dleuze) 등을 들 수 있다. 물론 이들은 자신들이 포스트구조주의자로 불리는 것에 동의하지 않는다. 그럼에도 불

구하고 이들은 포스트구조주의의 특징을 보여 주고 있다. 데리다는 근대적 주체, 의식의 해체를 넘어 구조의 고정성에 대한 해체까지 주장하며, 저자를 거부하는 '텍스트'를 중시하였다. 그의 텍스트는 저자와 원본을 상정하는, 그래서 세계 바깥으로 향해 있는 책(le libre)보다는 이런 중심을 거부하는 텍스트(le texte)로서, 이 '텍스트 바깥에는 아무것도 없다'는 입장에서 음성언어인 파롤(parole)을 특권화하고 문자언어인 에크리튀르(ecriture)를 억압하는 서양의 지배구조를 거부한다. 그는 원본주의, 재현주의 모두를 해체하고자 하며, 에크리튀르가 차이를 발생시키는 운동으로서의 차연(差延, différence)을 강조하였다. 들뢰즈 역시 다른 맥락에서 '기관 없는 신체' '절단하는 기계' 등을 통해 주체와 의식에 갇힌 상황을 거부하며, 구조에 종속된 상황을 인정하지 않았다. 그는 구조적 질서를 깨 나가는 전쟁기계(machine de guerre)를 중시하였으며, '사건들(événements)'의 이접적으로 태동하는 '흐름(flux)'의 세계를 강조하였다. 푸코 역시 로고스(logos)와 히브리스(hybris)를 이원적으로 대립시켜 전자가 후자를 지배하려고 했던 기존의 휴머니즘의 폭력을 고발하고자 하였으며, '통사(l'histoire globale)'를 불신하고 '일반사(l'histoire générale)'를 추구하는 계보학적 관점을 중시하였다. 이처럼 포스트구조주의에 이르러서는 모더니즘을 비판적으로 계승한 구조주의 안에 잔존하고 있는 합리성의 요소가 범하는 억압 모두를 해체하고자 하는 양상을 보여 주고 있다. 바로 이런 면에서 포스트구조주의의 철학적 전개는 포스트모더니즘과 맞닿아 있다. 따라서 포스트모더니즘이 지나치게 강조하는 차이의 긍정이 차별로 이어질 수 있는 문제점, 상대주의의 부작용 등이 포스트구조주의에도 해당될 수 있다.

포스트모더니즘
[– , postmodernism]

1960년대 프랑스와 미국에서 기존의 지배구조에 대해 비판했던 문화운동으로, 이른바 학생운동, 여성운동, 흑인 인권운동과 연계되어 나타난 사조. 철학상담

포스트모더니즘이라는 용어는 1946년 영국의 역사가 토인비(Toynbee)가 『역사 연구(A Study of History)』 제3권에서 19세기 유럽의 합리주의가 붕괴하면서 전개된 시대를 언급하기 위해 사용한 단어지만, 이미 1930년대부터 유럽의 문명비판가들이 사용하고 있었다. 포스트모더니즘은 말뜻 그대로 '모더니즘'을 '포스트(post)'한다는 의미를 지니고 있다. 즉, 모더니즘을 한편에서는 이어 가면서 다른 한편에서는 해체하고 넘어간다는 뜻을 동시에 가지고 있다. 그렇다면 모더니즘의 어떤 면을 이어 가고, 어떤 면을 해체하고 넘어가려는 것인가? 이를 언급하기 위해서는 모더니즘에 대한 이해가 선행되어야 한다. 모더니즘은 20세기 예술사조로 사용되는 지역적 개념이기도 하면서, 동시에 중세 이후 르네상스와 계몽주의 문화 및 이들의 후속현상을 가리키는 보다 광범위한 개념이기도 하다. 전자의 모더니즘은 예술과 문화의 고급화, 엘리트화를 담고 있는 개념이라면, 후자의 모더니즘은 이성 중심, 주체 중심, 법칙 중심의 사상적 경향을 담고 있는 개념이다. 따라서 전자의 모더니즘에서는 특정 계층 중심의 예술과 문화가 지배하는 현상이 자리하고 있었고, 후자의 모더니즘에서는 도구화된 이성, 절대화된 주체, 개성을 말살하는 법칙이 초래하는 전체주의적 현상이 자리하고 있었다. 그 결과 이들을 개선하기 위해서 포스트모더니즘이 출현한 것이다. 이 사조는 전자와 관련해서는 문예의 대중화를 통해 엘리트주의가 갖고 있는 반인간성, 차별의 문제를 강하게 비판하고, 후자와 관련해서는 탈이성, 탈주체, 탈법칙을 제창하는 포스트구조주의(post-structuralism)와 더불어 전체주의의 폭력을 비판하였다. 한마디로 포스트모더니즘은 모더니즘 안에

자리하고 있었던 전체주의, 중심주의, 이성주의의 폭력을 고발하고, 이를 모두 해체하여 새로운 해방의 문화를 만들려는 목적이 있었다. 사실 모던과 포스트모던에 대한 핵심 논쟁은 하버마스(Habermas)와 리오타르(Lyotard)의 논쟁에서 본격화되었다. 하버마스는 1980년 아도르노상 수상 강연문인 '모던, 미완의 기획(Die Moderne-ein unvollendetes Projekt)'에서 모던을 완전히 폐기할 것이 아니라 잘못된 모던을 바로 잡아 비판적으로 계승할 것을 강조하였다. 그래서 그는 모던의 이상적 조건을 과학적인 명제적 진리성(wahrheit), 도덕적 · 법적 정당성(richtigkeit), 예술적 진실성(authentizität)의 균형에서 찾고자 하였다. 그러나 1982년에 이에 대해 비판적 입장을 내놓은 리오타르는 「질문에 대한 답변: 포스트모던이란 무엇인가?(Réponse à la question: qu'est-ce que le postmoderne?)」라는 글에서 하버마스와 달리 모던에 내재되어 있는 전체주의적 폭력을 고발하고 모더니즘의 해체를 선포하였다. 그러나 프랑크(Frank)의 주장처럼 이들은 모던과 포스트모던을 완전히 양자택일적인 것으로 보기보다는 모던 안에 포스트모던적 요소가 일정 부분 내재되어 있음을 주장하였다. 이른바 모던의 분화구에는 개체성, 자율성을 강조하는 잠재력이 담겨 있다는 것이다. 그러므로 포스트모더니즘은 모더니즘을 완전히 부정하고 해체하는 면도 존재하지만, 그 속에 담겨 있는 인간해방을 위한 긍정적인 요소는 계승한다는 면도 있다. 오늘날 포스트모더니즘은 저자 중심, 백인 중심, 이성 중심 등 중심주의가 낳은 폭력성에 대한 고발과 이를 극복하기 위한 이들 중심의 해체에 대해 강하게 주장을 표방하고 있다. 그래서 저자보다는 독자를, 이성보다는 감성을 더 중시하는 경향을 보여 주고 있다. 가령 리오타르의 경우, 모든 차이를 지워 버리고 하나로 통일하는 동일성의 위험을 벗어나고자 충돌, 불가 공약성, 분쟁, 표류 등의 개념을 강조하였으며, 데리다(Derrida)도 저자의 지배를 받지 않는 텍스트에 대한 강조와 동일성의 폭력을 거부

하는 해체(déconstruction), 차연(différance)에 대하여 부단히 강조하였다. 또한 들뢰즈(Deleuze)는 절단과 유목을, 푸코는 광기를 중시하였다. 이들은 근대 계몽주의가 낳은 이성주의 폭력을 해체하기 위해, 그것의 맞은편에 자리하고 있는 몸과 무의식에 대한 강조, 나아가 욕망에 대한 긍정을 주장하였다. 오늘날 포스트모더니즘은 이성, 의식, 주체, 중심이 형성하는 전체주의적 폭력에 대한 전면적 거부를 선포하면서 반이성, 무의식, 탈주체, 탈중심을 표방한다. 아울러 이를 위해 차이, 충돌, 차연, 표류, 유목 등의 개념을 강조하고 있다. 이처럼 오늘날 포스트모더니즘의 입장은 모더니즘 안에 자라난 거대 담론의 폭력을 넘어서 인간의 해방이라는 꿈을 기획하고 있다. 따라서 당연히 포스트모더니즘은 신을 죽인 근대 휴머니즘적 인간을 다시 한 번 죽여 새로운 인간, 이른바 포스트-휴먼을 희망하고 있다. 이 같은 포스트모더니즘은 당연히 주체와 타자를 가르고, 이성과 감성을 가르고, 의식과 무의식을 가르는 이원론에 대한 거부이자, 동시에 이들 사이의 차이를 존중하는 생태학주의나 페미니즘으로 이어지고 있기도 하다. 그러나 다른 한편에서는 포스트모더니즘이 차이를 지나치게 강조하여 오히려 차이가 차별로 이어지는 문제점을 안고 있기도 하다.

포용
[包容, inclusion]

수퍼바이저와 수퍼바이지의 관계 안에서 수용적인 분위기를 만드는 것. 수퍼비전

길버트와 에반스(Gilbert & Evans, 2005)의 개념으로, 수퍼바이지가 수퍼비전을 받으면서 차별받지 않고 자신의 실수나 부끄러움도 드러낼 수 있는 분위기를 조성하는 능력을 일컫는다. 수퍼바이저와 수퍼바이지가 'I-It'이 아닌 'I-Thou'의 관계가 되는 것으로, 수퍼바이저가 수퍼바이지를 수용하고 포용

하는 환경을 만드는 것이 수퍼비전에서 가장 먼저 해야 하는 작업 중 하나다.

관련어 | 수퍼비전 동맹, 수퍼비전 환경

포이에시스
[-, poiesis]

영어의 만들기(making)에 해당하는 그리스어로, 인간이 세상에 반응하는 기본 능력으로서의 자기와 세상 사이에 형태 만들기(shaping)와 예술 만들기(art-making)를 통해 새로운 것을 만들어 내는 창조활동을 뜻함. 무용동작치료

그리스어 포이에시스가 영어에서는 만들기 활동과 예술이란 의미를 가지고 있다. 포이에시스 능력은 인간 이미지의 기본 개념으로 표현예술치료의 인간상을 위한 기초로 연구되었다. 우선 플라톤의 포이에시스 개념은 하류계층의 생산적 작업을 하는 장인이나 예술가에게 필요한 기술적 지식이라고 비하하였다. 특히 전통적인 포이에시스 개념은 관념에 따라 물질의 형태를 만들어 내고, 그 형태의 완벽성에 의해 미적 경험으로 인도되는 형태 우월성이 강조되는 미학이다. 또한 아리스토텔레스 이후 칸트에 이르기까지 영향을 미쳤던 관념과 형태 지배의 전통적 미학을 극복하려는 시도가 니체의 포이에시스 개념으로 대체된다. 인간의 고통을 보는 관점과 관련하여 니체의 비극적 예술에 포함된 포이에시스는 논리적 사고에 따른 창조활동이 아니라 디오니소스적 포이에시스로서, 고전적 미학의 형태가 해체되는 혼돈, 파편화 및 허무의 경험을 통해 치유적 변형이 일어나는 치유의 공연으로 여긴다. 이 같은 디오니소스적 포이에시스의 경험은 형태의 경험을 중요시하지 않고, 물질의 의미 및 형태의 혼돈과정이 창조의 풍부성과 다양성을 주는 원천으로 간주한다. 디오니소스적 포이에시스의 특성인 혼돈과정은 제의식 과정의 임계성 및 치유의 변형적 과정과 같은 특성을 지닌다. 레빈(Levine, 2005)은 표현예술치료의 철학적 배경연구에서 전통적 개념과 다른 새로운 개념인 인간의 반응능력으로 포이에시스를 연구하였다.

관련어 | 임계성

포커싱
[-, focusing]

영화 이야기나 내담자 삶의 이야기 중 특정 포인트를 잡아 치료자가 치료의 맥을 짚어 주는 기술. 영화치료

포커싱은 영화치료에서 사용하는 기술로, 치료자가 영화나 내담자의 상황에 관한 치료의 맥을 짚어 주는 것이다. 치료용 영화가 적절하게 셀렉팅되고, 영화 내용과 내담자의 삶이 브리징되면, 내담자는 자신의 삶이나 영화에 대해 더 많은 의견을 갖는다. 그러나 가끔 내담자가 영화의 줄거리나 인물의 특성 자체를 이해하지 못하거나, 영화 자체가 지나치게 많은 정보와 강력한 정서를 야기하여 내담자가 이야기의 맥이나 중심을 잃는 경우가 있다. 포커싱은 이러한 경우에 영화의 내용을 요약해 주고, 주제가 무엇인지 물어보고, 인물에 대해 설명해 주고, 영화가 던지는 가장 핵심적인 질문을 하는 등 내담자가 다시 영화나 자신의 삶에서 가장 중요한 통찰을 할 수 있도록 이끄는 기술이다. 치료자가 포커싱에 성공하면 치료시간이 단축되고 치료과정이 더욱 효율적이면서, 내담자 역시 자신의 문제를 좀 더 객관적으로 보는 심리적 여유를 가질 수 있다.

관련어 | 브리징, 셀렉팅

폭넓은 성취검사
[- 成就檢査,
Wide Range Achievement Test-Ps: WRAT]

유아부터 성인에 이르는 넓은 범위의 연령을 대상으로 하는 성취검사. 심리검사

성취검사의 대상이 유아에서 시작하여 성인까지

ㅍ

인 경우인데, 쉽게 실시할 수 있기 때문에 자주 사용된다. WRAT는 정기적으로 개정되고 있는 검사로서 독해, 철자, 계산이 포함되어 있다.

폭식증
[暴食症, bulimia nervosa]

섭식장애의 유형으로, 단기간에 많은 양의 음식을 먹는 폭식 행동 후에 먹은 것을 모두 토해 내는 행동을 반복하는 상태.
`이상심리`

폭식증은 1979년 영국의 정신과 의사인 러셀(Gerald Russell)이 처음 명명했으며 음식섭취를 조절하지 못해 폭식을 하고 폭식한 후에는 체중 증가에 대한 두려움을 강하게 느껴 먹은 것을 모두 토해 내려 하는 것이 특징이다. 심리적으로 무기력하고 우울하며 자신이 이상하다고 느낀다면 치료가 필요한 상태라고 할 수 있다. 유형을 보면, 스트레스를 해소하기 위해 기분전환으로 과식하는 유형, 스트레스로 처음에는 식욕저하를 보이다가 거식증이나 과식증이 되는 식욕 저하 유형, 다이어트를 계속하여 식사를 하지 않는 무모 감량 유형, 차라리 많이 먹는 것이 토하기 쉽다고 생각하는 자발 구토 유형이 있다.

`관련어` 거식증, 신경성 폭식증

폭음
[- , 暴飲, binge drinking]

정상적인 사람들이 섭취하는 음주량보다 많은 양의 알코올을 단시간에 섭취하는 것. `중독상담`

알코올을 섭취하는 양이 정상적인 것보다 많은가의 문제는 문화권에 따라서, 또 시대에 따라서 다르게 해석되지만, 보통의 사람들이 평균적으로 마시는 양보다 많은 양을 단시간 내에 마시는 것을 폭음이라고 한다. 보통은 지난 2주 사이에 연달아 다섯 잔 이상의 술을 마시는 것을 폭음이라고 정의한다.

이러한 형태의 음주는 알코올의 남용과 중독으로 이어질 위험성이 매우 크며 폭력, 기물파괴, 음주운전, 강간 등의 사회적인 범죄로 이어질 위험성도 가지고 있다.

`관련어` 물질남용, 물질중독, 알코올중독

표면특질
[表面特質, surface trait]

외현적으로 하나로 묶이는 반응들의 묶음. `성격심리`

커텔(R. Cattell)은 특질을 분류기준에 따라 크게 세 가지 방식으로 분류하는데, 그중 세 번째 분류방식으로 특질의 안정성과 영속성에 따라 표면특질과 원천 특질로 구분하였다. 표면특질은 몇 가지의 원천 특질 또는 행동요소들로 구성되어 있지만 단일 원천에 의해 결정되지 않으므로 성격요인을 구성하지 못한다. 이렇듯 표면특질은 여러 요인으로 구성되어 있어서 안정적이거나 지속적이지 않아 성격을 이해하는 데 사용하기는 어렵다. 예를 들어, 미소를 잘 짓고 인사를 잘하며, 누군가를 도와주는 행동을 보면 그 사람은 친절성을 지니고 있다고 한다. 또한 다른 사람에게 욕을 하거나 신체적으로 해를 가하는 등의 행동을 보면 그 사람은 공격성을 지니고 있다고 한다. 두 예에서 친절성과 공격성이 표면특질이다. 이렇듯 표면특질은 행동들 간의 상관이 높은 것들과 함께 일어날 가능성이 높고, 관련성이 낮은 특질들은 함께 일어날 가능성이 낮다. 그리고 표면특질은 실제 자신의 행동패턴을 드러내기보다는 사회문화적 환경의 영향에 따라 다른 행동을 보이는 경우가 많기 때문에 일관성과 지속성이 낮다. 따라서 한 개인을 다른 사람과 구별하여 이해하는 데 표면특질은 덜 중요하며, 개인의 행동원인을 명확하게 설명해 주지 못한다.

`관련어` 원천 특질, 특질

표상체계
[表象體系, representational system]

시각, 청각, 신체 감각, 후각, 미각의 다섯 가지 감각양식 (sensory mode)을 사용하여 내면에서 정보나 경험, 기억을 표상하는 여러 통로. **NLP**

기본적으로 표상의 개념은 어떤 객체나 경험을 자신의 뇌 속, 즉 마음속에 대표하여 떠올리는 그림, 다시 말해 상이라고 할 수 있다. "장님 코끼리 만지기"라는 말에서 장님이 코끼리에 대해 이해하고 표상하여 설명하는 것이 제각기 다르듯이 동일한 대상물을 경험하거나 기억을 하더라도 그것을 표상하는 방식은 사람에 따라 다르다. 예를 들면, 어떤 사람은 그것을 모습이나 색깔, 크기를 중심으로 하는 시각적 표상체계를 사용할 수도 있고, 어떤 사람은 소리를 기준으로 하는 청각적 표상체계를 사용할 수도 있으며, 또 다른 사람은 느낌과 생리적 반응을 기준으로 하는 신체감각적 표상체계를 사용할 수도 있다. 밴들러(Bandler)와 그라인더(Grinder)는 인간의 언어와 신경계의 상호작용을 체계적으로 탐색하는 체계를 고안하여, 그 상호작용과 뇌의 프로그램화에 대하여 다음과 같이 설명하였다. 뇌와 신경계의 인식작용이 세상을 받아들이는 방법은 'VAKOG'라는 머리글자로 표현되는 문자에 잠정적으로 제시되어 있다. 인간은 오감적 차원, 즉 시각적(visual), 청각적(auditory), 신체감각적(kinesthetic), 후각적(olfactory), 미각적(gustatory) 차원에서 이 세상을 인식하고 표상한다. 시각적 차원은 사물이나 정보를 모양, 크기, 색깔, 밝기, 거리와 같은 것을 포함하는 시각적 요소에 기초하여 인식하는 것이고, 청각적 차원은 소리의 크기, 높이, 빠르기, 박자와 같은 청각적 요소에 따라 인식하는 것이며, 신체감각적 차원은 촉감, 몸의 움직임, 무게, 정서적 경험 등을 포함하는 요소와 관계된 것이고, 후각적 차원은 냄새를, 미각적 차원은 맛에 따라 인식하는 것이다. 그러므로 개인의 표상체계를 알면 그 사람을 이해하는 데 도움이 된다. 또한 개인의 표상체계, 즉 그가 세상을 어떻게 인식하는지를 알고 그에 맞추어 표현하면 공감을 하는 데 도움이 된다. 두 사람이 서로 같은 표상체계로 이야기를 한다면 서로 연결되기가 좋을 것이다. 따라서 시각적인 사람이 같은 시각적인 사람과 대화를 나누고, 청각적인 사람이 같은 청각적인 사람과 대화를 나눌 때 쉽게 친해질 수 있고 대화를 하는 것이 쉽다. 의사소통의 문제는 그러한 표상체계상의 차이로 생기는 경우가 많다. 이 표상체계는 NLP의 여러 기법을 적용하는 데 기본적으로 활용되는 개념이자 기법이다. 밀접한 개념으로서 선호표상체계(preferred representational system)는 어떤 사람이 내적으로 사고하고 자신의 경험을 조직화하기 위하여 시각, 청각, 신체감각 등의 표상체계 중에서 대체적으로 가장 많이 사용하는 표상체계를 말한다. 그래서 개인은 누구나 특정 감각유형에 기초한 선호표상체계를 갖는 것이다. 예를 들면, 어떤 사람이 주로 시각적인 차원의 자극에 민감하고 시각적 차원에서 반응하기를 잘한다면 그는 시각적 선호표상체계를 가지고 있다고 할 수 있다. 이와 같은 선호표상체계는 대표적으로 선호표상체계 검사 등으로 알아볼 수 있으며, 눈동자 접근단서나 전략, 메타 프로그램과 같은 형태로도 확인할 수 있다. 따라서 선호표상체계는 라포 형성, 눈동자 접근단서, 전략, 메타 프로그램 등에서 활용된다.

관련어 라포 형성, 접근단서

하위양식 [下位樣式, submodalities] 각각의 감각 양식, 즉 표상체계 내에서 좀 더 구체적이고 섬세하게 구분하는 것을 말한다. 세부감각이라고도 할 수 있으며, 사고나 감정, 즉 마음의 가장 작은 기본 단위다. 따라서 하위양식이 모여 각각의 감각양식이 이루어진다고 말할 수 있다. 예를 들면, 시각적 감각양식의 하위양식으로는 시각적 속성의 대표적인 크기, 모양, 색상, 명암, 위치, 거리와 같은 것이 있으며, 청각적 하위양식으로는 소리의 크기, 높낮이, 소리의 질과 같은 것이 있다.

표준점수
[標準點數, standard scores]

분포의 표준편차를 이용하여 개인의 점수가 평균에서 떨어져 있는 거리를 표시한 것으로, 평균으로부터 편차 점수를 그 점수분포의 표준편차로 나누어 얻은 점수. **심리측정**

학교에서 학력검사를 채점하는 데 가장 널리 사용하는 점수방식은 정답의 백분율(백분율 점수)에 근거하고 있다. 그래서 0점부터 100점까지의 점수가 있고, 0점은 그 학생이 응답한 답이 모두 틀렸다는 뜻이며, 100점은 그 학생이 응답한 답이 모두 맞았다는 뜻이다. 내담자가 얻은 점수의 의미를 검사자가 결정하기 위해서 내담자의 점수를 어떤 준거나 기준과 비교하기 때문에 백분율 점수는 준거참조점수로 해석될 수 있다. 다른 사람들(예컨대, 다른 학교의 부모와 교사)이 특정 검사의 결과점수를 보는 것에 익숙하지 않으면, 그들은 여전히 학생의 능력이나 수행을 판단하는 방법을 모를 수도 있다. 예를 들어, 계산을 하는 검사에서 50점을 획득한 10세 아이는 수학영재일 수도 있지만, 반면에 간단한 덧셈을 하는 검사에서 20세의 성인이 50점을 획득하면 그 사람은 인지적으로 손상된 것일 수 있다. 이런 문제에 대한 해결책이 표준점수를 산출하는 것이다. 표준점수는 어떤 점수분포에서 평균을 중심으로 하여 원점수를 표준편차 단위로 나타낸 전환점수로 z점수, T점수, 스테나인(stanine) 등이 있다. z점수(z score)란 평균으로부터 편차점수를 그 분포의 표준편차로 나누어 얻은 전환 점수의 하나다. 편차점수를 그 집단의 표준편차로 나누어 줌으로써 z점수는 평균이 0, 표준편차 1인 분포로 전환된다. 이렇게 함으로써 점수분포의 출발점과 단위를 갖게 하므로 다른 점수 간에 상대적인 의미에서 비교가 가능하다. 또한 출발점과 단위를 가져 여러 다른 점수의 통합도 합리적인 것이 된다. 그리고 정상분포의 면적과 z점수와는 일정한 관계를 갖고 있기 때문에 원점수의 분포가 정상분포를 이루는 경우에는 이를 z점수로 전환시킴으로써 분포상에서 상대적인 위치를 파악하는 데 사용할 수 있다. 예컨대, 원점수 분포의 평균이 33.2, 표준편차가 9.80이라고 할 때, 어떤 학생의 점수가 50점이라면, z점수는 1.7이 된다. 정상분포곡선 수표에서 찾아보면 z=1.7이면 면적이 .4554다. 다시 말하면, 전체 사례 수의 45.54%가 평균치(33.2)와 그 학생의 득점(50) 사이에 놓여 있다는 것을 알 수 있다. 전체적으로 보면 그 학생의 50점보다 낮은 점수는 전체 사례 수의 50+45.54=95.54%가 됨을 알 수 있다. z점수가 하나의 표준점수로 갖는 단점은 대개 −3과 +3 사이의 값을 가지게 되며, 소수점을 갖는 문제가 있다. T점수(T score)란 표준점수의 하나인 z점수를 평균 50, 표준편차 10인 분포로 전환시킨 표준점수다. 1922년에 맥콜(McCall)이 T점수를 정의하였을 때 손다이크(Thorndike)와 터먼(Terman)을 기념하는 의미에서 그 머리글자를 따서 T로 부르자고 제안하였다. 앞에서 언급한 바와 같이 z점수는 표준점수로서 소수점 이하의 숫자와 음수를 갖는다는 단점이 있는데, 이러한 z점수($\overline{X}=0$, $S=1$)의 단점을 없애기 위하여 z점수에 10을 곱하고 50을 더해 주면, 이것은 평균이 50, 표준편차 10인 분포로 전환된다. 즉, T= 10z+ 50이다. z점수에 일정한 상수를 곱해 주고 더해 줌으로써 같은 성격을 가진 다른 척도로 전환하는 것이다. 원래의 z점수가 정상분포에 가까워서 대개 $-3 \leq z \leq +3$ 사이의 값을 가지면, 여기서 얻어진 T점수는 대개 20~80 사이의 값을 갖게 되므로 전통적인 100점 단위와 유사해지는 데서 또한 T점수가 많이 사용된다. 이러한 T점수가 가지고 있는 장점은 정상화된 척도로서 동간적이며, 가감승제의 해석이 가능할 뿐만 아니라, 상대적인 비교가 가능하다는 점이다. 예를 들어, 어떤 집단에서 실시한 검사결과 어떤 학생이 국어에서 60점($\overline{X}=70$, $S=5$), 수학에서 50점($\overline{X}=60$, $S=10$)을 받았다고 했을 때, 보통 국어가 수학보다 10점을 더 얻었기 때문에 국어성적이 수학성적보다 낫다고 말하기 쉽다. 그러나 T점수로 환산해 보면 국어의 경우 T=30,

수학의 경우 T=40이 된다. 그러므로 국어보다 수학이 더 좋은 성적임을 알 수 있다. 미네소타 다면적 인성검사-2판(MMPI-II)은 T점수를 사용한다. 주어진 T점수가 임상적으로 관련이 있는지에 대한 해석은 실제적이고 경험적인 문제다. 예를 들어, 원래의 MMPI에서는 T점수가 70 이상이면 임상적으로 의미가 있지만, MMPI-II에서는 T점수가 65 이상일 때 임상적으로 의미가 있다. T점수 외에도 셀 수 없이 많은 다른 종류의 표준점수가 z점수로부터 구안될 수 있는데, z점수에 원하는 표준편차로 곱한 다음 원하는 평균을 더하면 된다. 예를 들어, 웩슬러 성인용 지능검사-3판(WAIS-III)은 평균이 100, 표준편차가 15인 편차 IQ점수라 불리는 표준점수를 사용하고 있다. IQ점수가 130이면 해당 연령 인구의 약 98%보다 IQ가 높은 것이 된다. 스테나인(stanine)은 standard와 nines라는 두 단어를 합해서 만든 용어로서 여러 가지 표준점수 중에서도 이해하기 쉽고 활용하기 쉬운 방법이다. 스테나인은 모든 원점수를 1~9까지의 한 자리 숫자 체계(single-digit system)로 전환시킨 것으로, 제2차 세계 대전 중에 미국 공군이 개발하여 평균을 5, 표준편차를 2로 표준화한 점수다(Hopkins, Stanley, & Hopkins, 1990). 최고의 스테나인 점수는 9이며 최하점은 1, 그리고 중간 부분은 5가 된다. 스테나인의 최대 장점은 점수의 최고점에서 최하점까지 배열될 수 있는 자료이면 어떤 것이나 적용할 수 있다는 데 있다. 원점수를 스테나인이란 표준점수로 고칠 때 한 부분의 스테나인 점수와 다른 부분의 스테나인 점수, 한 검사의 스테나인 점수와 다른 검사에서의 스테나인 점수는 공통적인 기반 위에서 해석되기 때문에 동일한 의미를 갖는다. 그리고 스테나인 6과 7의 차이는 4와 5의 차이나 2와 3의 차이와 같다. 즉, 표준점수는 척도가 다르더라도 그들의 상대적 위치를 비교해 볼 수 있다. 스테나인은 한 자리 숫자로 되어 있으므로 기록하고 해석하는 데 편리하지만 원점수가 다른 때에도 같은 스테나인 점수를 가질 수 있기

때문에 정밀도를 다소 상실해 버리는 결점을 가지고 있다. 그리고 정상분포 가정을 충족하지 않으면 스테나인 점수를 적용하는 것이 적합하지 않다(Anastasi & Urbina, 1997). 상대 비교 평가에서 점수가 주는 영향을 교육적으로 약화시키기 위해 사용되는 점수로서, 우리나라에서도 2002학년도부터 대학수학능력 시험에서 스테나인 점수를 제공하고 있다. 다만 스테나인 점수 1을 9로, 9를 1로 하는 것이 다를 뿐이다. 상담자는 표준점수가 특정 내담자에 대해서 의미하는 바가 무엇인지 사고하는 데 신중을 기해야 된다. 표준점수가 사용되는 경우 상담자는 특정 내담자와 비교가 적절한가를 보장하기 위해 규준집단(연령, 문화, 교육·수준 등)의 특성에 대해 많이 알고 있을 필요가 있다.

관련어 규준집단, 정상분포

표준화
[標準化, standardization]

평가도구의 규준(norms)을 설정하는 작업으로, 검사를 시행하기 위한 절차 혹은 조건이 일관성이나 동일성을 갖추도록 하는 것. **심리 측정**

표준화검사는 문항, 실시, 채점 및 해석이 일관성을 갖도록 고안된 검사다. 즉, 표준화검사는 실시와 채점 절차가 미리 정해져 있고 검사자료, 문항형식, 신뢰도와 타당도, 비밀유지에 대한 정보를 제공하고 있다. 규준화(normalizing)라고도 불리는 표준화는 특정 표본이나 모집단의 점수분포를 평균이 0, 표준편차가 1.0이 되도록 전환시킨 것(즉, z점수 분포)을 가리킨다. 교육, 심리검사에서 얻어진 점수를 표준화하기 위해서 단순무선표집(simple random sampling), 유층표집(stratified sampling), 동백분위 방법(equipercentile method), 문항반응이론(item response theory)을 포함하여 많은 절차를 사용할 수 있다. 표준화의 효과성은 관심을 두고 있는 모집단에 관한 어떤 지식을 얻기 위해서, 특히 통계적 추론을

하기 위해서 의도한 표본추출틀(sampling frame)에서 선정한 표본에 달려 있다. 표본추출틀은 모든 단일요소가 표본에서 확인되고 포함될 수 있도록 하는 속성을 가지고 있다. 단순무선표집에서는 표본추출틀의 각 요소가 동등하게 선정될 확률을 갖는다. 단순무선표집은 동일한 크기의 표본일 경우 유층표집에서보다 표집오차가 더 크게 나타나기 때문에 검사표준화에 사용되는 경우가 드물고, 유층표집이 보다 널리 사용되고 있다. 유층표집의 과정은 모집단이 별도의 범주로 구분될 수 있을 때 적절하다. 표본추출틀은 이러한 범주를 별도의 유층으로 구분하여 조직된다. 그런 다음 각 유층으로부터 별도의 표집이 이루어진다. 유층표집의 방법은 비례적일 수도 있고 비비례적일 수도 있다. 비례 유층표집은 유층으로 나누어진 각 집단 내에서의 표본크기를 모집단이 구성비율과 동일하게 표집하는 것이고, 비비례 유층표집은 하위집단의 크기에 비례하여 표집을 하는 것이 아니라 필요한 수만큼 각 집단에서 뽑는 것이다. 동백분위 동등화(equipercentile equating)는 고전적인 절차로 동등한 집단의 학생들이 두 형태의 검사를 치를 때 사용한다. 일반적으로 하나의 검사는 표준화된 것이고 비교를 위한 기준으로 사용한다. 동백분위 동등화 방법에서 두 형태의 검사점수의 누적적 분포가 구획되고 점수는 백분위에 기초하여 변환된다. 표준화를 위한 또 하나의 방법은 문항반응이론(IRT)이다. IRT는 피험자들의 잠재적 특성이나 능력으로 그들의 수행을 예측할 수 있다고 가정한다(Lord, 1980). 문항의 곤란도 지수와 변별도 지수 같은 각 문항의 특성이 일반적으로 계산된다. 검사문항, 지시사항, 검사조건, 채점의 표준화를 위한 절차는 검사점수를 비교하고 모든 검사자가 일관되고 공평하게 검사를 실시하는 데 필요하다.

관련어 | 규준, 표준화검사, 표집

표준화검사
[標準化檢査, standardized test]

표준화된 제작절차, 검사내용, 검사의 실시조건, 채점과정 및 해석을 함으로써 객관적으로 행동을 측정하는 검사방법.
`심리검사`

타당도와 신뢰도가 보장되어 상대적 비교가 가능한 규준이 있는 검사다. 검사가 일정하게 동일한 절차에 따라 이루어지는 것으로서 검사의 실시·채점·해석 등이 일정한 방식으로 진행된다. 즉, 개인의 능력, 지식 및 심리적 특성을 비슷한 연령의 다른 집단과 비교하여 수행수준을 결정할 목적으로 개발되고 표준적인 절차에 의거하여 실시된다. 표준화검사의 종류는 다양한 분류로 나누어지는데, 우선 실시방법에 따라 많은 피험자가 동시에 실시하는 '집단검사'와 한 번에 한 사람씩 실시하는 '개별검사'로 나눌 수 있다. 문항형식에 따라서는 검사문제에 언어를 주로 쓰는 '언어성 검사'와 언어를 쓰지 않고 숫자나 기하학적 도형을 사용하는 '비언어성검사'가 있다. 측정내용에 따라서는 '지능검사' '적성검사' '학력검사' '성격검사' 등으로 분류할 수 있다. 속도와 시간에 따라서는 검사에서 시간을 제한하는 '속도검사'와 시간에 관계없이 문제를 푸는 '역량검사'로 나눌 수 있다.

표집
[標集, sampling]

모집단을 대표하는 표본을 추출하는 과정이나 행위. `연구방법`

연구에는 대상이 있고, 연구의 대상 전체를 모두 연구에 포함시킨다면 표집의 문제는 생기지 않는다. 그러나 특수한 경우를 제외하고는 대부분 전체 중에서 일부만 뽑아서 연구하고, 그 결과를 토대로 전체의 특성을 추정한다. 이처럼 일부를 대상으로 연구할 때 표집의 문제가 대두된다. 만약 표집이 잘

못되면 그러한 표본에서 얻은 자료를 가지고 일반화하는 것은 무모한 짓이며, 큰 오류를 범할 우려가 있기 때문에 표본을 통한 연구에서는 표본을 어떻게 얼마나 뽑느냐 하는 문제가 매우 중요하다. 표본조사를 할 경우 모집단(population), 표본(sample), 모수치(parameter)와 통계치(statistic), 표본오차(sample error), 표본크기(sample size), 표집방법(sampling method) 등의 여러 가지 용어가 등장한다. 모집단이란 전집이라고도 하는데, 연구자가 관심을 갖고 있는 대상 전체, 즉 연구자가 자신의 연구결과를 일반화하려고 규정한 사건이나 사물 혹은 대상의 전체를 뜻한다. 모집단을 규정할 때는 우선 모집단을 구성하는 요소의 개념을 명확하게 정의하여 모집단의 의미와 범위를 분명하게 드러내야 한다. 모집단을 정의할 때 고려할 점은 표적 모집단(target population)과 접근 가능한 모집단(accessible population)을 구별하는 것이다. 표적 모집단은 연구의 결과를 일반화하고자 하는 모든 대상으로 구성된 이상적인 집단을 말하며, 접근 가능한 모집단은 연구자가 실제적으로 파악하고 접근해서 표본을 추출해 낼 수 있는 모집단이다. 표본이란 모집단의 일부를 뜻한다. 모집단에 대한 특성을 알고 싶을 때 모집단 전체에 대한 전수조사를 할 수 있지만 시간, 노력, 비용 등이 많이 들기 때문에 현실적으로 모집단을 모두 조사하는 것은 어렵다. 따라서 모집단으로부터 일정한 크기의 표본을 뽑아서 이들을 통하여 모집단의 특성을 추정한다. 모집단이 가지고 있는 어떤 특성을 하나의 수치로 요약·기술해 주는 수치를 모수치 또는 전집치라고 하고, 표본의 특성을 요약·기술해 주는 여러 가지 수치를 통계치라고 한다. 통계적 추리를 한다는 것은 표본에서 얻은 통계치를 바탕으로 그에 상응하는 모수치를 추정하는 것이다. 표본오차는 추출된 특정 표본으로부터 얻은 통계치를 기초로 모집단의 모수치를 추정할 때 발생하는 오차, 즉 모수치와 통계치 간의 차이를 말한다. 일반적으로 표본오차는 표본의 크기가 증가함에 따라 감소한다. 따라서 표본의 크기가 클수록 표본에서 얻은 통계치는 모집단의 모수치를 대표할 가능성이 커진다. 그러나 표본이 크면 클수록 자연히 연구에 소요되는 경비와 노력이 그만큼 많이 들기 때문에 무턱대고 표본을 크게 할 수는 없다. 적절한 표본크기를 결정해야 하는 것이다. 실험연구의 경우 실험집단과 통제집단에 각각 사례 수가 최소한 20 이상, 상관연구일 경우는 적어도 사례 수가 30 이상, 백분율을 산출하는 조사연구에서는 분석하고자 하는 집단을 크게 묶을 경우 각 집단의 사례 수가 최소한 100 이상 그리고 분석단위를 좀 더 작게 여럿으로 나눌 경우에는 각 하위집단별로 사례 수가 최소한 50 이상이 되도록 하는 것이 바람직하다(이종승, 2009). 그러나 이 같은 수치는 대략적인 기준에 불과하며, 연구에서 실제로 표본크기를 결정할 때는 연구에 소요되는 경비·시간·노력 등 현실적인 요인과 연구변인의 신뢰도, 자료분석 방안, 모집단의 변산 정도, 수용오차의 범위 등 통계적 요인을 종합적으로 고려해야 한다. 표본에서 얻은 결과를 가지고 모집단에 일반화하기 위해서는 표본이 모집단을 잘 대표할 수 있어야 한다. 표집 방법은 크게 확률적 표집(probability sampling)과 비확률적 표집(nonprobability sampling)의 두 가지로 구분된다. 확률적 표집방법은 모집단을 구성하고 있는 각 요소가 표본으로 추출된 확률이 알려져 있는 표집방법으로 단순무선표집(simple random sampling), 유층표집(stratified sampling), 군집표집(cluster sampling), 체계적 표집(systematic sampling) 등이 있다. 단순무선표집은 제비를 뽑을 때처럼 특별한 선정 기준을 마련해 놓지 않고 무작위로 추출하는 방법으로, 확률적 표집방법 중에서 가장 널리 사용되고 있으며 다른 확률적 표집방법의 기초가 되기도 한다. 유층표집은 모집단이 가지고 있는 중요한 특성을 기준으로 소집단, 즉 유층을 만들어 모집단을 분류하고, 이렇게 분류한 각 집단 내에서 무선적 또는 체계적으로 표본을 추출하는 방법이다. 다시 말하면, 모집단이 가지고 있는 특성을 유층화의 기준(성별, 학년별, 거주지역, 교육수준, 종교 등)으로 사용함으로써 모집단을 동질적인 몇 개의 하위집단으로 구분한 다음 표집하는 방법이다. 군집표집은 표본을 추출할 때 모집단을 구성하고 있는 개별적 요소를 단위로 하여 뽑는 것이 아니라 개별 요소가 한데 묶인 집단(군집)을 단위로 하여 표집하는 방법이다. 체계적 표집은 모집단의 구성이 특별한 순서 없이 배열되어 있다는 것을 전제로 해서 일정한 간격을 두고 구성단위를 표집하는 방법이다. 예를 들어, 출석부에 기재된 학생 중에서 매 다섯 번째 학생을 뽑거나, 전화번호부에 등록된 이름 중에서 매 쉰 번째 이름을 표집하는 방식이 체계적 표집에 속한다. 한편, 비확률적 표집은 모집단의 요소가 뽑힐 확률을 고려하지 않고 연구자의 주관적 판단에 따라 임의로 표집하는 방법으로 목적표집(purposeful sampling), 할당표집(quota sampling), 눈덩이 표집(snowball sampling), 편의표집(convenience sampling) 등이 있다. 목적표집은 연구자의 주관적 판단으로 모집단을 잘 대표할 것이라고 믿는 사례를 의도적으로 표집하는 방법인데, 주관적 판단표집(judgement sampling)이라고도 부른다. 할당표집은 모집단의 여러 특성을 대표할 수 있도록 몇 개의 하위집단을 구성하여 각 집단에 알맞은 표본의 수를 할당한 뒤 그 범위 안에서 임의로 표집하는 방법이다. 표집해야 할 전체 수를 각 층에 배정할 때 모집단의 크기에 비례하여 할당하는 방법과 비례와는 무관하게 할당하는 방법이 있다. 예를 들어, 초·중·고 학생을 대상으로 학교폭력실태를 조사할 경우 초등학생 40%, 중학생 30%, 고등학생 30%가 되도록 인원수를 배정하는 방식이 할당표집에 속한다. 눈덩이 표집은 눈 내리는 겨울날 마치 눈사람을 만들기 위하여 한 줌의 눈덩이를 굴리고 굴려서 커다란 눈덩이를 만드는 것처럼 표집하는 방법이다. 즉, 연구자가 일차적으로 자신의 연구대상으로 적합하다고 판단되는 소수의 사람을 뽑아

서 정보를 수집하고, 이차적으로 이들 응답자로부터 동일한 조건과 특성을 지닌 사람들을 추천받아 조사하고, 또다시 이들 응답자로부터 적합하다고 판단되는 사람들을 소개받아 조사하는 방식으로 필요한 인원수만큼 표본을 확보하는 방법이 눈덩이 표집법이다. 편의표집은 표본을 추출할 때 연구자의 편의를 가장 우선적으로 고려하는 표집방법으로 특별한 표집계획 없이 연구자가 임의로 가장 손쉽게 구할 수 있는 대상 중에서 표집하는 것이다. 우연적 표집(accidental sampling) 혹은 기회표집(opportunity sampling)이라고도 부른다. 예를 들어, 일선 교사가 자신이 가르치는 학급의 학생을 대상으로 삼는다거나 대학 교수가 자신의 강의를 수강하고 있는 대학생을 대상으로 삼아 조사연구를 하는 것이 편의표집에 속한다.

표현성 언어장애
[表現性言語障礙, expressive language disorders]

구어 혹은 문어의 방법으로 외부로 표출하는 의사소통이 원활하지 못한 상태. 특수아상담

출생 전, 출생 시, 출생 후에 발생할 수 있고, 발생 원인은 대뇌 손상, 감염, 유전적 문제, 조산 등 다양하다. 어휘가 제한되고, 문법능력이 떨어지며, 종종 언어적 기억력이 제한되기도 한다. 읽기와 쓰기에서도 어려움을 나타낼 수 있다. 언어발달 지체, 음성장애, 실어증, 조음 음운 장애, 말더듬이 나타날 수 있고, 청각장애, 뇌성마비, 지체 부자유, 지적장애, 정서장애, 자폐성장애 모두 표현언어장애를 가질 수 있다. 표현성 언어장애 아동은 또래에 비해 어휘의 수가 제한적이고, 음이나 단어의 순서를 혼동하며, 시제나 복수형을 부적절하게 사용한다. 이들은 수용언어에서 문제를 가질 수도 있고 그렇지 않을 수도 있다. 가령, 6을 보여 주면서 물었을 때 잔돈 6개는 셀 수 있지만, 숫자 '6'이라고 말을 못

할 수도 있다. 이 경우 아동은 표현언어에는 어려움이 있지만 수용언어에는 문제가 없다고 볼 수 있다.

관련어 | 표현장애

표현언어
[表現言語, expressive language]

구어 혹은 문어의 방법으로 의사소통하는 것. 특수아상담

광의의 표현언어는 말하기, 쓰기, 몸짓, 수화, 지화, 의사소통판의 사용 등 모든 방법으로 자신의 의사를 표현하는 것이다. 언어발달 면에서 보면, 아동은 구나 문장을 말하기 전에 여러 가지 의사소통 발달단계를 거친다. 표현언어가 발달하는 데 가장 먼저 나타나는 의사표현형식은 울음이다. 아동은 울음을 통하여 자신의 행동이 타인이나 환경에 영향을 미칠 수 있다는 것을 인식하기 시작한다. 아동의 울음은 요구나 상태에 따라서 다양해지다가 웃음, 미소, 소리 등 다른 표현 방법도 사용하게 된다. 점차 아동은 여러 가지 소리를 내어 실험을 해 보는 초기 옹알이(cooing) 시기를 거치고, 좀 더 변별된 모음과 자음을 이용하여 반복되는 음절을 실험해 보는 음절성 발성(babbling) 시기로 발전한다. 처음에는 양 입술 사이나 치조에서 발음되는 폐쇄음과 비음이 대부분을 차지한다. 다음에는 여러 가지 소리나 몸짓을 의사소통 수단으로 사용하다가 차츰 낱말과 유사한 소리를 내면서 소리나 몸짓이 낱말로 대치되고, 50~70개 정도의 낱말을 서로 연결하여 두세 단어 정도의 구나 문장으로 표현한다. 이후 언어발달 연령에 따라 표현언어가 점차 발달한다.

관련어 | 언어발달

표현예술치료
[表現藝術治療, expressive arts therapy]

인간의 성장발달과 치유를 촉진하기 위해 다양한 예술적 방법을 통합적으로 사용하는 심리치료. 무용동작치료

표현예술치료는 표현치료, 다학문적 예술치료(interdisciplinary arts therapy), 창조적 예술치료, 상호 복합양식 예술치료(intermodal arts therapy)라고도 불리며, 혹은 단순히 통합치료(integrative therapy)나 통합연구(integral studies)라고도 한다. 표현예술치료에서는 예술매체의 통합적 사용을 강조하는 동시에, 매체별 예술치료의 전문성을 인정하는 입장에서 음악 중심 표현예술치료, 미술 중심 표현예술치료, 동작 중심 표현예술치료, 연극 중심 표현예술치료 등으로 하위영역을 구분하고 있다. 이러한 다학문적 표현예술치료는 기원이 고대에서 출발하였지만, 음악치료, 미술치료, 무용치료의 영역에서 각 전문적 예술가들이 전문적 영역으로서의 임상적 실천을 해 온 역사적 전통이 유지되어 왔다. 표현예술치료는 예술매체들 간의 전문성 고수 등의 원인 때문에 통합치료의 특성을 띤 전문영역으로서는 시작단계에 있지만, 치료의 실천영역에서는 통합치료의 특성을 띠고 급속하게 확산되고 있다. 인간발달 및 상담학 분야에서 표현예술치료를 공식화한 애팔래치아(Appalachian) 표현예술치료 학파(2003)의 정의는 다음과 같다. 표현예술치료는 상호 복합양식의 표현치료, 창의적 예술치료, 그리고 다학문적 예술치료라고 불리는 것으로서, 인간의 성장발달 및 치유를 촉진하기 위해 이미지, 스토리텔링, 무용, 음악, 미술, 시문학, 동작, 꿈작업 등을 통합적인 방법으로 사용하는 실천기법이다. 표현예술치료는 인간의 개인경험과 집단경험을 예술적 형태로 표현하기 위해 인간 존재로서의 내적 능력을 회복하는 것과 관련된다. 또한 창의적 표현 및 창의적 공동체의 자연치유능력을 경험하는 일이다. 이와 같은 표현예술치료의 개념은 치료과정에서 한 가지 예술매

표

체에 국한하지 않고 여러 예술매체를 통합적으로 사용하여, 철저하게 비분석적이고 인본주의·실존주의 철학에 기초를 두고 있을 뿐만 아니라, 신체심리학 및 심신학(somatics)에서 추구하는 우주 및 자연영성을 개인의 신체 내부에서 경험하는 것이 치유과정에 포함되어 있는 점이 특징이다. 요컨대 표현예술치료는 인간 존재의 본성적이고 자연적인 예술능력을 회복시켜서 창조적으로 기능하도록 하는 것이다. 표현예술치료의 원리와 기본 가정을 요약하면 다음과 같다. 첫째, 상담자와 내담자 간의 민주적, 협동적 관계를 중시한다. 둘째, 홀리스틱 건강 및 성장발달을 목적으로 하고, 증상 위주의 치료가 아닌 인간 존재의 전체성의 회복을 중시한다. 셋째, 예술과 창조의 결과물보다는 예술과정 및 창조적 과정의 치료적 변형을 중시한다. 넷째, 합리적 분석보다는 자기 신체 지식, 직관, 지혜, 주관적 경험과 정서의 표현을 중시한다. 다섯째, 표현예술을 통해 심층 무의식 자료에 접근할 수 있다. 여섯째, 상호 복합양식의 중복 사용 및 다학문적 접근이다. 일곱째, 예술, 치유, 삶을 분리하려는 생각을 거부하는 공동체와 치유의식을 강조한다. 여덟째, 광범위하고 심층적인 의미의 영적 수행과 실천을 중시한다.

관련어 | 예술심리학

푸드 아트 테라피
[–, food art therapy: FAT]

음식이나 음식을 만드는 재료를 활용하여 즉흥적으로 작품을 만들거나 그와 관련된 활동을 하여 참여자의 정서 및 정신세계를 표현하고자 하는 치료적 예술활동. **기타**

푸드 아트 테라피는 미술치료의 한 분야로, 음식을 단순히 먹는다는 개념을 넘어서서 만지고 섞고 으깨는 등의 활동을 통한 놀이 및 창작 도구로 변환시켜 치료적 효과를 내는 것을 말한다. 이는 2005년 목포대학교 이정연 교수가 개발한 방법으로, 식품을 매개로 하는 작품을 만드는 과정에서 참여자의

내면세계를 표현하고 긍정적 사고를 함양하여, 나아가 생태학적 관점으로 생활 전반의 상생과 조화를 꾀하고자 하였다. 이정연 교수는 이 치료법이 자연주의라는 점을 강점으로 내세우면서, 놀이, 교육, 문화, 예술, 상담, 치유 등의 접합점을 찾은 통합적 접근법이라고 하였다. 현재는 한국푸드아트테라피학회가 만들어져 전문가 자격제도를 시행하여 자격증을 발급하고 있다. 푸드 아트 테라피는 어린이부터 노인에 이르기까지 연령에 제한 없이 수행할 수 있으며, 음식재료뿐만 아니라 초코파이, 사탕, 과자 등 쉽게 구할 수 있는 간식으로도 작업할 수 있다. 푸드 아트 테라피는 동양적 사유를 철학적 배경으로 삼아 식품을 매개로 하는 창의적 놀이 및 예술 활동을 함으로써 내면세계를 표현하고, 긍정적인 사고를 신장시켜 자아 찾기 및 자아 초월에까지 이를 수 있도록 하는 심리치료이다. 음식은 다른 비언어적 매체에 비해 친숙하며, 음식으로 작품을 만드는 과정이 손쉽게 즉석에서 이루어질 수 있고, 방법이 매우 다양하다는 장점이 있다. 늘 먹는 음식을 매개로 하기 때문에 참여자는 자신을 표현하고자 하는 동기가 쉽게 유발되고, 편안하고 안정된 느낌으로 특별한 거부감이나 저항 없이 상담과정에 참여할 수 있다. 간단한 음식이나 음식재료를 활용하여 즉흥적인 창작과정을 거치면서 참여자는 기분전환에서부터 카타르시스를 경험하기도 하고, 한 발 더 나아가 무의식의 차원에까지 다다를 수 있는 등 여러 유형의 치료적 효과를 볼 수 있다.

풀 그림
[–, paste drawing]

풀과 물감을 손에 묻혀 그리는 미술치료기법. **미술치료**

풀에 원하는 색의 물감을 짜서 섞은 뒤에 그 물감을 손으로 찍어 비닐이나 종이에 그림을 그리는 기법을 말한다. 풀은 매우 부드럽기 때문에 내담자의

긴장감을 감소시키는 데 효과적인 매체가 된다. 준비물은 밀가루로 만든 풀죽, 물감, 비닐, 4절지 또는 2절지, 입구가 넓은 그릇 내지 잘 깨지지 않는 접시 등이고, 실시방법은 다음과 같다. 치료자는 풀 그림을 간단하게 설명한 뒤, 내담자에게 자신이 원하는 색의 물감을 직접 선택하여 물감을 짜서 섞고 그림으로 표현하도록 한다. 그림이 완성된 다음, 치료자는 내담자에게 완성된 후의 느낌이 어떠한지, 자신이 표현한 것을 보고 무엇이 떠오르는지, 무엇이 생각나는지를 말하게 하면서 대화를 나눈다.

출처: 정현희(2007). 실제 적용 중심의 미술치료. 서울: 학지사.

풀어놓기
[- , unpacking]

내담자의 구조화된 삶의 이야기를 다양한 시각에서 주의 깊게 탐색하는 과정으로 해체와 같은 뜻으로 쓰임. 이야기치료

이야기치료사는 내담자의 이야기를 기존에 가지고 있던 비슷한 문제들에 대한 견해나 내담자 자신이 내리고 있는 문제에 대한 정의와 평가에 영향을 받지 않고, 문제적 이야기가 내담자의 삶 속에서 다양한 사회문화적 요소들과 어떤 관계 속에서 어떻게 영향을 주고받는가 하는 것을 파악하는 데 노력을 기울여야 한다. 이러한 노력은 내담자의 구조화된 해석과 의미 부여의 방식을 풀어놓는 작업으로 가능하다. 치료자의 풀어놓기 작업을 통해 내담자

의 문제적 이야기(problematic story)를 보다 다양한 시각에서 볼 수 있고, 그러한 이야기를 이루는 요소들이 어떻게 구조화(construction)되었는지 인식할 수 있게 해 준다. 그리고 이러한 인식으로 새로운 이야기의 구조화, 즉 재구조화(reconstruction)의 가능성을 깨달아 문제적 이야기에 새로운 변화의 가능성을 발견하는 계기가 된다.

관련어 | 이야기치료, 해체적 경청

품행장애
[品行障礙, conduct disorder]

다른 사람의 기본 권리나 연령에 맞는 주요한 사회적 규범이나 규칙을 위반하는 반복적이고 지속적인 행동 패턴을 보이는 증상. 이상 심리 특수아 상담

대부분의 아동들은 가끔씩 규칙을 어기고 잘못된 행동을 한다. 그러나 지속적으로 극단적인 증오나 적대감을 보인다면 적대적 반항장애(oppositional defiant disorder)나 품행장애 진단에 부합하게 된다. 적대적 반항장애를 가진 아동은 종종 논쟁적이고 화를 내고 불안정하고 어떤 경우에는 적개심을 나타내기도 한다. 예를 들면, 반복적으로 어른과 논쟁하고, 어른이 지키라고 하는 규율을 무시하고, 다른 사람을 고의적으로 화나게 하며, 화를 많이 내고 증오심을 보인다. 적대적 반항장애보다 더 심각한 문제를 보이고 반복적으로 다른 사람의 기본 권리를 침해하는 품행장애 아동은 신체적 폭력이나 위협, 재산파괴, 사기나 도둑질, 심각한 법 위반과 같은 폭력적이고 무책임한 행동을 반복적으로 보인다. 신체적 폭력으로는 동물을 학대하는 것, 다른 사람에게 돌이나 방망이 등의 무기로 신체적 상해를 입히는 것, 위협하고 협박하는 깡패 행동, 빈번한 육체적 싸움, 강간이나 성폭행과 같이 다른 사람에게 성적 행위를 강요하는 것 등이다. 재산파괴는 다른 사람의 재산을 고의적으로 손상을 입히는 것인

ㅍ

데, 다른 사람의 집이나 재산에 불을 지르거나 학교의 기물을 부수고, 자동차에 흠집을 내는 행동 등이다. 사기나 도둑질은 자신의 이득을 위하여 거짓말을 자주 하거나 약속을 지키지 않고 다른 사람의 물건을 훔치는 것 등이 포함된다. 특히 이 장애를 지닌 아동이나 청소년은 학교나 가정의 규칙을 지키지 않으려 한다. 예를 들면, 귀가시간을 지키지 않거나 가출을 하고, 혹은 학교에서 무단결석이 빈번하다. DSM-5에 따르면, 이 장애는 발병되는 연령에 따라 두 가지 유형으로 구분하고 있다. 즉, 10세 이전에 진단기준 중 1개 항목이 진단되는 경우에는 소아기 발병형이라 하고 10세 이전에 어떠한 진단기준도 드러내지 않은 경우에는 청소년기 발병형이라 한다. 이 같은 행동이 18세 이후 성인기에도 계속 나타나는 경우에는 반사회적 성격장애의 범주로 분류한다. 또한 문제행동의 심각한 정도에 따라 가벼운 정도, 중간 정도, 심각한 정도로 분류한다. 가벼운 정도는 거짓말을 하거나 무단결석, 밤늦은 귀가와 같이 다른 사람에게 해를 입히는 정도가 적은 것을 말한다. 중간 정도는 기물 파손, 피해자와 대면하지 않은 상황에서 도둑질하는 것과 같이 다른 사람에게 약간의 피해를 입히는 것을 말한다. 심각한 정도는 성적 강요, 잔혹한 신체 손상, 무기 사용, 강도와 같이 다른 사람에게 심각한 상해를 입히는 것을 말한다. 이러한 행동들은 대인관계 형성, 학업수행, 직업활동 등의 기능에 손상을 가져온다. 다른 사람의 감정을 알아차리지 못하고 공감능력이 부족하여 대인관계가 원만하지 않으며 적대적이고 냉담하면서 공격적으로 행동한다. 좌절에 대한 인내력이 부족하여 학업이나 직업 생활에 실패하는 탓에 알코올이나 약물에 대한 위험성이 높다. 또한 이 장애를 지닌 청소년은 평균이하의 지능을 가지고 있어 학업수행과 언어이해, 언어표현, 언어사용 등에 어려움을 겪고 학습장애나 의사소통장애를 동반할 수도 있으며 주의력결핍 및 과잉행동장애를 보이는 경우가 흔하다.

DSM-5에 따르면, 과거 12개월 동안 아래 중 최소 3개 이상에 해당되면(최소한 1개는 6개월 내에 나타남) 품행장애로 진단된다.

- 타인을 자주 괴롭히거나 위협함
- 신체적 자주 싸움을 일으킴
- 위험한 무기를 사용함
- 다른 사람에게 신체적으로 잔혹하게 함
- 피해자와 대면한 상태에서 도둑질을 함
- 다른 사람에게 성적 행위를 강요함
- 불을 지름
- 의도적으로 다른 사람의 재산을 파괴함
- 다른 사람의 집, 건물, 차를 파괴함
- 다른 사람에게 자주 거짓말을 함
- 피해자와 대면한 상황에서 귀중품을 훔침
- 13세 이전부터 야간 통행금지에도 불구하고 자주 집에 들어오지 않음
- 최소 두 번 이상 가출함
- 13세 이전에 잦은 무단결석이 시작되었음

품행장애의 많은 사례들은, 특히 파괴적 행동을 특징으로 하는 사례들은 유전적이고 생물학적 요인들과 관련 있다. 또한 수많은 사례들이 약물남용, 가난, 외상 사건과 또래 폭력이나 지역사회 폭력과 관련된다. 그러나 대부분의 품행장애는 부모-자녀 관계, 부적절한 양육, 가족갈등, 부부갈등 및 가족 간 증오와 관련된다. 품행장애 아동들은 부모로부터 거부당하거나 부모가 떠나가거나 강압적이고 학대하거나 부모로부터 적절하고 지속적인 지도감독을 받지 못한 경우가 많아, 이러한 요소들이 품행문제를 야기한다. 유사하게 부모가 반사회적일 때 이 장애에 더 취약해지고, 과도한 분노를 보이거나 약물과 관련되거나 기분장애나 조현병을 가지고 있을 때도 그러하다. 치료를 위해서는 예방적 치료가 가장 효과적이며, 이를 위해서 성공경험을 가질 수 있도록 도움을 주는 것이 좋다. 그리고 사회적 기술훈련, 분노조절훈련, 문제해결 기술훈련, 'think-aloud' 등의 인지행동적 기법들이 도움이 된다. 이외에 부모와 자녀의 상호작용 기술, 부모의 양육태

도, 효율적인 부모역할훈련 등의 부모교육이나 훈련을 실시하는 것이 좋은데, 이는 청소년기보다는 아동기에 특히 효과적이다.

관련어 | 반사회적 성격장애

품행장애 아동
[品行障礙兒童, children with conduct disorders]

타인의 권리나 입장을 침해하거나, 나이에 적합한 기대되는 기준이나 규범을 깨는 행동을 반복적 혹은 지속적으로 보이는 아동. 특수아상담

품행장애를 보이는 아동은 다른 사람과의 공감대가 전혀 없고, 다른 사람들의 감정, 소망, 안전에 관심이 전혀 없다. 이 장애가 있는 아이들은 특히 애매모호한 상황에서 다른 사람의 의도를 실제보다 적대적이고 위협적인 것으로 오해하며, 이에 따라 공격적으로 반응하고, 그런 다음 자신이 정당하고 합리적이라고 느낀다. 품행장애는 흔히 어린 나이에 성행위, 음주, 흡연, 불법 약물 사용, 무모하고 위험을 초래하는 행동을 동반한다. 품행장애의 원인으로는 부모의 거부와 무관심, 고약한 아동의 성질, 가혹하고 일관성 없는 양육방식, 신체적 학대나 성적 학대, 지도의 결여, 어린 시절 수용시설에서의 생활, 보호자의 잦은 교체, 비행친구와의 접촉, 가족의 정신병리 등을 들 수 있다. 품행장애 아동의 지도 및 치료 방안은 다음과 같다. 첫째, 품행장애 아동은 타인의 감정을 이해하고, 생각하고, 반성하고, 미래에 대해 계획을 세우는 등 내적으로 숙고하는 능력이 부족할 뿐만 아니라 즉각 행동으로 옮기려는 경향이 많기 때문에 인지-행동적 접근방식으로 충동을 조절하고, 분노와 공격성을 절제해 대화기술이나 문제해결능력을 증진시켜야 한다. 둘째, 개인 정신치료를 통하여 자신의 존재가치를 깨닫고 자기 존중감을 회복할 수 있도록 해 주어야 한다. 자신을

진정으로 존중할 줄 알아야 다른 사람도 존중하기 때문이다. 셋째, 가정환경이 무질서하고, 문제가 많고, 역기능적 요소가 많은 경우에는 반드시 가족치료를 해야 한다. 아이와 대화하고 훈육하는 방법에서부터 문제가 되는 부모의 정서상태를 함께 다루어 주어야 한다. 넷째, 우울, 불안, 지나친 공격성, 주의력결핍 증상이 뚜렷한 경우에는 이에 필요한 약을 복용하면서 앞에 제시한 치료를 병행해야 효과가 있다. 다섯째, 학습장애에서 기인하여 적응장애, 품행장애로 발전된 경우에는 치료와 학습교육을 병행해야 한다. 여섯째, 약속시간을 잘 지키지 않고, 행동통제가 잘 안 되고, 비행또래와 쉽게 결별하지 못하고, 가정환경이 도움이 안 된다고 판단될 때는 입원을 해서 치료를 받아야 한다.

풍경구성기법
[風景構成技法, landscape montage technique: LMT]

용지에 강, 산, 밭, 길, 집, 나무, 사람, 꽃, 동물, 돌이라는 열 가지 요소 및 부가적 요소로 풍경을 구성하여 개인의 특성을 파악하려는 미술치료기법. 미술치료

일본의 나카이 히사오(中井久夫, 1969)가 개발한 미술치료기법으로, 원래는 모래놀이치료의 적용 가능성을 위한 예비검사로 창안되었지만 심리치료에서의 치료적 가치와 진단적 가치가 임상적으로 검증되면서 진단 및 치료기법으로 활용되고 있다. 풍경구성기법의 치료적 의미는 구성요소의 순차적 제시와 풍경의 구성이라는 상호작용에서 찾아볼 수 있다. 풍경구성기법의 진단적 의미는 풍경구성기법을 내담자의 인격 특성을 파악하는 사정수단으로 사용하는 데 있으며, 풍경구성기법의 독자적인 진단적 가치는 정신분열병의 증상을 판별하는 데 특히 유용하다. 이는 풍경구성기법의 시행 여부에 따라 환자를 진단할 수 있다. 나카이(1992)에 따르면,

풍경구성기법의 주요 특징은 구성요소의 순차적 제시에 있다. 즉, 치료자가 강, 산, 밭, 길, 집, 나무, 사람, 꽃, 동물, 돌 그리고 부가적인 것까지 각각의 요소를 순차적으로 불러 주고 내담자는 그것을 듣고 풍경화를 구성해 나가는 방식으로 이루어지는 활동이므로 치료자와 내담자가 상호관계를 통해서 이루어진다. 그러한 관계성 속에서 그리는 사람의 심리적 특징을 파악하고, 그것을 치료에 활용할 수 있는 것이다. 임상장면에서 풍경구성기법의 사용은 요소의 순차적 제시와 풍경의 구성이라는 주고받기 그 자체가 치료적이다. 풍경구성기법의 적용 대상은 풍경의 개념을 가질 수 있는 6세 이상부터 가능하다. 준비물은 A4 용지, 검은색 사인펜, 24색 정도의 크레용 혹은 크레파스이고, 실시시간은 15~25분 정도 소요된다. 정신분열병 환자의 경우는 대체로 빨리 끝나는 경향이 있는 반면, 알코올중독자의 경우는 매우 긴 시간이 소요되고, 내담자에 따라 1시간 이상 걸리는 경우도 있다. 실시방법은 다음과 같다. 먼저, 치료자가 내담자의 눈앞에서 테두리를 그려서 그 용지와 검은색 사인펜을 건네면서 "지금부터 내가 말하는 것을 한 가지씩 그려서 전체가 하나의 풍경이 되도록 해 주세요."라고 지시한다. 그런 다음 열 가지 요소를 순차적으로 제시하여 풍경을 그리도록 한다. 그림을 모두 그리고 부족하다고 생각되거나 더 그리고 싶은 것이 있으면 그리게 한 뒤, 채색하여 완성하도록 한다. 그림 그리기를 마치면 그림과 관련된 질문을 한다. 풍경구성기법의 해석에는 참여 관찰의 입장과 요소의 상징적 해석 및 구성과정의 해석이라는 세 가지 관점이 있다. 참여관찰의 입장은 풍경구성기법을 읽는 가장 기본적인 입장으로서, 풍경구성기법에서 무엇을 보아야 하는가에 주목한다. 상징적 해석은 융(Jung)의 심리학에 근거하여 풍경구성기법의 개개요소의 상징적 의미를 읽는 것이다. 그러나 여기서 주의해야 할 점은 각 요소를 일의적인 상징적 의미에서 단정할 것이 아니라, 의미를 염두에 두면서 치료자의 느낌과 내담자의 반응을 함께 고려해야 한다는 사실이다. 구성과정의 해석은 풍경구성기법에서 각 요소의 결합관계, 즉 풍경구성기법에서 요소의 순차적 제시에 따라 풍경이 구성되는 과정에 주목하여 내담자의 심성과 지향을 읽는 것이다. 그러나 풍경구성기법의 해석에서 무엇보다 중요한 것은 각각의 작품을 침착하게 바라보는 것에서 시작된다. 이것은 참여 관찰을 하면서 치료자의 느낌, 내담자의 반응, 현실 정보 등을 염두에 두어야 한다는 뜻이다.

출처: 정현희(2007). 실제 적용 중심의 미술치료. 서울: 학지사.

풍부한 서술
[豊富 – 敍述, rich description]

빈약한 서술(thin description)과는 반대되는 개념으로, 삶에서 경험한 사건을 이야기할 때 관련되는 다양한 인간관계와 사회문화적 영향력에 대해 충분히 이해하고 강조하면서 여러 가지 해석의 가능성에 대해 깊이 고려하는 서술 형태.

이야기치료

풍부한 서술은 주로 그 사건들과 직접적으로 관련 있는 사람이나 부여된 의미를 함께 공유한 사람, 혹은 집단에서 서술할 때 주로 나타나며, 개인의 삶 속의 여러 가지 경험된 사건에 영향을 미친 다양한 사회문화적 요소에 대한 정확한 인식과 자세한 서술을 동반한다. 이야기치료과정에서 풍부한 서술기법을 사용함으로써 개인의 삶에서 빈약한 서술을 통해 구조화된 이야기를 해체시켜 다른 시각의 해석과 다양한 의미부여의 가능성을 창출한다.

관련어 | 빈약한 서술, 이야기, 이야기치료

프랑킨센스
[- , Frankincense]

항우울, 건위, 면역력 증강, 항감염, 진통, 항박테리아, 진정, 가스배출, 상처치유 등에 효과가 있는 나무로서, 중동과 북아프리카가 원산지이며 소말리아, 에티오피아, 아라비아 남부, 중국 등에서 재배. 향기치료

프랑킨센스는 3~7미터까지 자라는 작은 나무로 폭이 좁은 잎이 나며 흰색이나 옅은 분홍색의 꽃이 핀다. 프랑킨센스 오일은 긴장된 신경을 이완시키는 동시에 활력을 주는 효과가 있어서 신경성 긴장과 신경성 탈진을 치료하는 데 탁월하다. 스트레스가 누적되어 폭발적 화, 안절부절못함, 불면 등을 경험할 때마다 긴장된 신경을 이완시키고 기분을 고양시켜 효과적인 항우울 오일로 꼽힌다. 프랑킨센스 오일은 항카타르와 거담효과가 있으므로 기관지염과 천식 증상, 특히 신경성 긴장과 결합된 증상에 유용하며, 진통작용은 류머티즘 통증, 생리통, 상복부 통증에 효과적이다. 또한 면역력을 높이는 효능이 있어서 신경성 우울감에 따른 면역력 저하에도 사용한다.

프레더윌리 증후군
[- 症候群, Prader-Willi syndrome]

15번 염색체 일부가 소실되어 나타나는 유전적 증후군. 특수아상담

프레더윌리 증후군(PWS)이란 저신장, 성기 발육부전, 비만, 그리고 학습장애를 특징으로 하는 질환이다. 이 질환은 단신, 지적장애, 성선기능 저하로 인한 불임증 등이 문제가 되고 있지만 그중에서도

비만으로 인한 심장병, 당뇨병, 고혈압, 뇌혈관 질환 등의 이차적인 합병증이 심각한 문제다. PWS 환자는 출생아 10,000~25,000명 중 한 명 정도의 발생빈도를 보이고 있는데, 새로운 진단법의 보편화로 실제 환자 수는 더욱 많이 보고될 것으로 보이며, 남녀 및 인종 간 발생빈도의 차이는 없다. 확실한 원인은 알려져 있지 않지만 나타나는 증상을 고려해 볼 때 대뇌 구조 중 '시상하부(hypothalamus)'의 기능적인 장애로 설명되고 있다. 시상하부는 식욕, 수면, 성 기능, 정서 등에 관련하며 대뇌에서 가장 중요한 구조 중 하나다. 또한 염색체 이상이 PWS 환아에서 나타나고, 분자유전학 검사도 환자진단에 도움이 된다. PWS 환아의 염색체 검사를 했을 때 75% 정도에서는 15번 염색체 장완의 부분 결실(partial deletion)을 보이며, 일부 환아에서는 15번 염색체를 부모로부터 골고루 받지 못하고 어머니에게 모두 받은 경우도 있으며(maternal disomy), 또 일부 환아에서는 15번 염색체에 다른 종류의 돌연변이(mutation)를 보이는 경우도 있다. PWS 환아의 부모로부터 임신 시 태동이 적었다거나 출산 시 난산이었다는 이야기를 듣는 경우도 있다. 신생아 시기에는 근력 저하, 이로 인한 수유곤란, 성장부진 등을 보이지만 12개월 전에 대부분 근력저하는 회복된다. 이후에 자라면서 음식에 대한 욕심이 많아지고 과식을 하여 비만이 나타나는데, 신장은 체중에 비해 상당히 작아 저신장을 보인다. 이러한 비만은 시상하부의 병변으로 인한 과식증, 적은 신체행동과 대사율 때문으로 생각된다. PWS 환자들이 의학적으로 문제가 되는 것 중 가장 심각한 점은 비만인데, 그 이유는 합병증을 초래할 수 있기 때문이다. 신체적 증상을 보면 대부분 비만이며, 특히 대퇴부, 둔부, 복부 등이 비만인 경우가 많고 연령이나 체중에 비해 키가 작다. 얼굴의 특징은 좁은 이마, 아몬드 모양의 눈, 아래로 처진 입술, 얇은 윗입술, 작은 턱 등이며, 손과 발도 작은 편이다. 또한 남아인 경우 음경이나 고환이 작고 잠복고환이 있으며, 여아인 경우 소음순과 음핵이

작은 것이 특징이다. PWS 환자의 대부분은 지능저하를 보이며 그 정도는 IQ 20에서 90 정도로 다양하다. 약 40%는 정상에 가까운 지능을 보이기도 하지만 대부분은 IQ에 상관없이 다방면적으로 학습장애를 나타내고 학습성취도도 떨어진다. 또한 남녀 모두에서 사춘기가 늦게 오거나 오지 않을 수도 있으며 불임인 경우도 있다. PWS 환아는 대부분(70~100%) 욕구불만과 관련된 행동장애를 보이는데, 2세경부터 나타나기 시작한다. 음식을 찾기 위해 뒤지거나, 남모르게 많은 양의 음식을 먹거나, 계속 먹으려 하는 변이적인 행동(deviant behavior)을 보인다. 그리고 말이나 행동을 할 때 거짓말을 하거나, 훔치거나, 할퀴거나, 찌르거나 하는 공격성을 보일 수 있다. 또한 성을 잘 내고 정당한 이유 없이 감정을 분출하는 행동을 할 수 있으며, 수면장애도 있을 수 있다. PWS는 산발적으로 발병하는 것으로 알려져 있지만 드물게 한 가구에 2명 이상 있는 경우도 보고된 적이 있다. PWS 환아를 낳았을 때 다음 임신 시 PWS 환아가 나올 확률은 1,000분의 1 이하다. PWS 예방을 위해 할 수 있는 일은 아무것도 없으며, 양막 천자를 통한 염색체 검사에서 아주 심한 경우는 발견할 수도 있다고 하지만 효과는 불확실한 것으로 알려져 있다. PWS 환자의 치료는 특별한 방법은 없으며 성선기능저하증과 저신장, 비만에 대한 증상적인 치료가 있다. 식사량을 조절함으로써 비만을 치료할 수도 있지만, 최근에는 성장호르몬을 사용하기도 한다. 성장호르몬 사용 후 체내 지방이 감소하여 체중이 줄고 키가 크는 효과가 있다는 것이 알려져 이 질환의 새로운 치료제로 사용되고 있다. 그러나 성장호르몬 사용 전에는 호르몬 검사를 하고 소아 내분비 전문의와 상담 후 결정하는 것이 바람직하다. 성선기능저하증에는 성선자극호르몬이나 남성호르몬 등을 사용할 수 있다. 신생아 시기에 원인이 규명되지 않은 근력저하로 수유장애 등이 있거나 성장과정 중 갑자기 비만해지면서 저신장을 보이는 경우, 지적장애나 외부성기발달에

장애가 있는 경우에는 PWS를 의심하여 검사를 해 볼 수 있다.

프레임
[−, frame]

NLP에서 사용하는 개념으로, 관점의 틀이나 문형, 화법.
NLP

어떤 상황이나 일의 의미는 속해 있는 맥락에 따라 다르게 해석될 수 있는데, 즉 프레임이란 어떤 사건에 대해 다른 의미를 부여하기 위해 그것을 다른 맥락에 갖다 놓는 것을 말한다. 프레임은 하나의 맥락이 되어, 그 맥락과 관련하여 생각과 행동의 초점을 어디에 두고 어느 곳을 지향해야 할지 한정시키는 기능을 한다. 예를 들어, 성과 프레임, 증거 프레임, 생태 프레임, 역추적 프레임, 가정하기 프레임 등이 있다. 성과 프레임은 어떤 일을 성과라는 관점 또는 차원에서 평가하는 것이다. 이를 위해 우선 자신의 성과를 제대로 알고 그것이 잘 구성된 것인지 확인해야 한다. 또한 자신과 관련된 모든 사람에게 성과를 이끌어 낼 필요가 있고, 자신과 다른 사람의 성과가 어떻게 서로 조화를 이룰지 볼 수 있어야 한다. 또한 그들 사이에 어떠한 차이라도 있다면 그것을 조정해야 한다. 결국 사람들은 성과를 기억함으로써 과연 그 성과를 달성하는 방향으로 잘 나아가고 있는지 알아볼 수 있다. 증거 프레임은 명백하고 구체화된 세부항목에 집중하면서 구체적으로 자신의 성과를 달성했을 때 그 달성 사실을 어떻게 알 수 있을지, 그때 무엇을 보고 무슨 소리를 들으며 무엇을 느낄 것인지를 분명히 확인하는 것이다. 증거 프레임은 성과 프레임의 일부가 되고, 때로는 준거에 적용되기도 한다. 생태 프레임은 개인의 변화가 전체적인 조화 속에서 이루어졌는지, 어느 하나의 행동이 전체적인 시스템의 균형을 이루는지를 확인한다는 점에서 자신과 다른 사람들의 총체성과 관련

이 있다. 역추적 프레임은 다른 사람의 핵심 단어나 억양을 사용함으로써 지금까지 그로부터 자신이 얻은 정보를 역추적하여 요약할 수 있다. 역추적 프레임은 라포 형성에 도움이 되고, 대화에서 방향을 잃었을 때 길을 잡아 주는 역할도 하기 때문에 매우 중요하다. 특히 집단에서 대화나 토론이 나아갈 방향을 뚜렷하게 해 준다. 가정하기 프레임은 가능성을 찾기 위해 마치 어떤 일이 일어났거나 생긴 것처럼 가정함으로써 문제를 창의적으로 해결하는 방법이다. 이때 '만일 ~이 생긴다면'이나 '~와 같이 상상해 보자.' 등의 말로 시작할 수 있다. 이 프레임은 '미래 가보기(future pace)'와 같이 미래에 원하는 결과나 성과가 확실히 일어날 수 있도록 하기 위해 자신의 마음속으로 그러한 성과가 달성되는 장면을 그려 보고 가 보는 것이다. 일종의 상상의 미래 경험하기라고 할 수 있다. 기존에 지닌 자신의 프레임을 새롭게 바꾼다면 그 의미 역시 바뀐다. 그리고 의미가 바뀔 때 자신의 반응과 행동도 바뀐다. 사건에 대한 프레임을 다시 짜는 능력, 즉 프레임 바꾸기를 잘하는 능력을 이용하여 더 큰 자유를 얻고 선택의 폭을 넓힐 수 있다. 예를 들어, 폭풍우가 주는 의미는 개인마다 어떤 프레임을 갖고 있느냐에 따라 달라진다. 만일 어떤 사람이 비옷을 입지 않은 상태로 밖에 나와 있다면 그것은 나쁜 일이다. 만일 농부라면 그동안 가뭄이 계속된 상태에서 그 폭풍우는 그에게 좋은 일이다. 또한 자신이 소속된 야구팀이 경기에서 거의 지고 있을 때 폭풍우 때문에 경기가 취소된다면 그것은 좋은 일이다. 결국 사건을 어떤 프레임으로 보느냐에 따라 자신에게 좋은 일이 될 수도 있고 나쁜 일이 될 수도 있다. 여기서 프레임 바꾸기를 할 수 있도록 해 주는 도구로서 메타포(은유)가 있다. 메타포는 사실상 '그 문제는 ~을 뜻할 수 있다.'라고 말하는 것이다. 동화는 프레임 바꾸기의 좋은 예다. 동화에서는 처음에 불운으로 보이던 사건이 행운으로 바뀌는 쪽으로 결말이 나게 마련이다. 유용한 발명 역시 프레임 바꾸기로 이루어진

다. 어떤 발명가는 발명을 하기 전에 잠을 자다가 낡은 매트리스 안에 있는 녹슨 스프링의 날카로운 끝부분에 찔려 잠을 깼는데 이 스프링이 삶은 달걀을 넣는 멋진 컵이 될 수 있을 것이라고 프레임 바꾸기를 하였다. 결국 그 아이디어의 힘으로 성공적인 회사를 운영하게 되었다. 농담도 프레임 바꾸기에 해당된다. 거의 모든 농담은 특정한 틀에다 사건을 설정하는 것으로 시작해서 갑자기 틀을 바꾸어 놓는다. 농담은 어떤 대상이나 상황을 갑자기 다른 맥락에 갖다 붙이거나 혹은 그것에 또 다른 의미를 부여하는 것이다. 프레임 바꾸기는 장밋빛 안경을 통하여 세상을 봄으로써 모든 것이 실제로 좋게 보이도록 하는 것은 아니다. 사람마다 해결해야 할 문제가 남아 있다면 그 문제를 바라보는 방법이 많을수록 더 쉽게 풀린다는 것을 말해 준다. NLP에서 활용하는 프레임 바꾸기의 6단계를 살펴보면, 첫째 단계에서는 먼저 바꾸고 싶은 반응이나 행동을 확인한다. 대개 '나는 ~하기를 원해. 하지만 뭔가가 못하게 해.' 또는 '나는 이것을 하고 싶지 않아. 하지만 결국에는 똑같은 일을 하게 되는 것 같아.'라는 형식을 취한다. 둘째 단계에서는 그 행동에 책임 있는 분아(分我)와 대화를 시작한다. '만약에 당신이 나와 대화를 원한다면 제발 나에게 신호를 달라.'처럼 자신에게 오는 신호일 것 같은 내적 단어들, 이미지 혹은 느낌에 주목한다. 셋째 단계에서는 행동에서 긍정적 의도를 파악하여 문제상황과 분리한다. 자신의 내면으로 들어가서 자신과 대화를 하는 분아에게 감사한다. 그리고 '긍정적으로 당신이 나에게 무엇을 해 주기를 원하는가?' 또는 '이러한 행동으로 나에게 무엇을 말하기를 원하는가?'라고 요청한다. 넷째 단계에서는 긍정적 의도를 만족시켜 줄 세 가지 대안을 찾는다. 다섯째 단계에서는 과거의 행동보다는 새로운 선택사항을 다음 몇 주에 걸쳐서 사용하는 데 동의할 것인지를 분아에게 물어본다. 여섯째 단계에서는 환경점검을 한다. 자신이 새로운 선택 사항에 반대하는 의견이 있는지 다른 분아들

에게 알아본다. 내면으로 들어가서 '어느 분야라도 이러한 새로운 선택에 대하여 반대가 없는가?'라고 묻는 것이다. 이와 같이 6단계 프레임 바꾸기는 치료와 자기계발을 위한 기법이다. 그것은 직접적으로 다음과 같은 여러 가지 심리적 주제와 관계가 있다. 그중 하나는 부수적 소득의 문제다. 어떤 행동이 아무리 이상하고 파괴적인 것처럼 보여도 어떤 수준에서는 목적을 이루는 데 도움이 되고, 그 목적은 무의식적인 경향이 많다.

관련어 | 가정하기 문형

프로그램 평가
[– 評價, program evaluation]

전문상담자 혹은 상담기관에서 직접 만들었거나 아니면 기존에 실행되었던 프로그램의 효과나 질, 영향 등을 종합적으로 판단하는 평가. 심리측정

전문상담자는 자신이 직접 관리하고 있는 프로그램이나 다른 사람들이 만든 프로그램을 평가하도록 요구받을 때가 종종 있다. 프로그램에 대한 적절한 평가를 위해서는 개발과 실행의 여러 단계에서 프로그램의 성공 여부를 짐작하기 위한 구체적인 모수치와 준거가 필요하다. 이러한 모수치와 준거 없이는 프로그램이 성공적인지 아닌지에 대한 동의를 이끌어 내기 어렵다. 예를 들어, 또래 중재의 지지자들은 특정 또래 중재 프로그램이 학교풍토의 개선을 가져오면 그 프로그램이 성공적이라고 본다는 결정을 내릴 수 있다. 이러한 경우, 학교풍토는 지각(perception)에 기초하기 때문에 평가하기가 어렵다. 지각은 복합적인 측면을 가지고 있기 때문에 프로그램 평가자는 이 경우에 누구의 지각이 중요한지를 결정해야 한다. 또한 프로그램 평가자는 이러한 지각을 어떻게 측정할 것인지도 결정해야 한다. 다시 말하면, 프로그램 평가는 복잡한 과정이다. 벤코프스키와 헤프너(Benkofski & Heppner, 1999)

는 프로그램 평가를 "프로그램의 결정자, 수혜자, 투자자, 관리자가 프로그램이 효과가 있는지, 어느 정도 효과가 있는지, 어떤 조건에서 효과적인지, 재정적 혹은 사회적 비용은 얼마나 드는지, 의도한 혹은 의도하지 않은 결과가 무엇인지 알아보기 위한 과정"이라고 정의하였다. 한편, 허먼, 모리스와 피츠깁슨(Herman, Morris, & Fitz-Gibson)은 프로그램 평가의 네 가지 기본 단계는 평가를 위한 범위설정, 평가방법의 결정, 자료 수집 및 분석, 결과 보고라고 하였다. 프로그램 평가자는 제일 먼저 평가과정의 전반적인 목적을 결정해야 한다. 많은 프로그램이 외부에서 재정적 지원을 받고 있기 때문에 실제적인 성공을 측정하는 것은 계속적인 지원이 중요하다. 이러한 과정을 시작하기 위해서 평가자는 프로그램의 역사와 현행 목표를 이해하고, 평가과정을 위한 전략적 계획을 수립하며, 평가와 관련하여 제공된 서비스의 범위와 비용을 둘러싼 합의를 도출해야 한다. 프로그램 평가에서는 계획을 세우고 실행하는 것이 가장 중요하다. 종합적인 평가를 위해서는 과정과 성과에 대한 조사가 모두 필요하다. 과정평가는 프로그램이 어떻게 실행되고 어떤 요인이 프로그램 운용에 영향을 미치는가에 초점을 두며, 관련 이해 당사자에게 구조화된 면접 상황에서 개방형 질문을 사용한다. 성과평가에서는 프로그램의 전반적 효과성을 조사하고, 프로그램 목표에 견주어 평가를 한다. 종합적인 프로그램 평가에 필요한 자료는 프로그램 참가자, 진행요원, 그리고 프로그램 관련 이해 당사자들에게서 나오는 것이 가장 좋다. 그래서 평가자는 종종 이해 당사자의 요구와 프로그램과의 관련성에 대한 질문을 만들기도 한다. 예를 들어, 프로그램 참가자들에게 실시한 평가도구는 프로그램에 대한 만족도와 도움이 되었던 점에 관한 내용 질문을 포함하기도 한다. 프로그램 진행요원은 자원 할당, 직원의 사기, 참가자가 경험한 만족도에 관한 평가 자료를 제공할 수 있다. 면접자료를 수집한 것 외에도 평가자는 프로그램 운용에

대한 직접적인 관찰과 녹화된 비디오를 시청함으로써 많은 것을 배울 수 있다. 프로그램 평가자는 자료수집과정에서 일어나는 이러한 모든 관심사를 고려해야 한다. 더욱이 수집된 자료를 종합하고 외생적이고 무관한 정보를 제외시키는 계획을 가지고 있어야 한다. 자료분석을 위한 종합적인 계획은 자료수집과정을 안내하는 데 도움이 된다. 프로그램 평가자는 정확한 결과를 보고할 윤리적 책임이 있으며, 평가 결과를 제공하는 데 가치 중립적이어야 한다. 워선, 샌더스와 피츠패트릭(Worthen, Sanders, & Fitzpatrick, 1997)은 프로그램 평가보고서 개발을 위한 안내서를 만들었는데, 보고서에는 조직적인 요약, 평가 목적과 목표에 대한 개관, 평가의 구체적인 중점 사항, 절차, 결과, 결론 및 제언, 보고에 대한 반응, 부록을 포함시켜야 한다고 제시하였다. 프로그램 평가는 효과성을 측정하고 지속적인 재정적 지원의 타당성을 검토하기 위해 필요한 경우가 많다. 좀 더 구체적으로 말하면, 프로그램 평가자는 프로그램이 참가자의 요구를 잘 충족시키도록 하고 지속적인 재정 지원을 받기 위해서 프로그램의 유용성과 효율성을 알아보는 프로그램 평가를 실시한다. 이때 프로그램 평가자는 평가의 결과로 가장 이득을 보는 사람이 누구이며, 그러한 이득을 어떻게 분명하게 드러낼 것인지 생각해야 한다(APA, 2009).

관련어 과정 평가, 성과 평가

프롬의 기본적 욕구
[-基本的欲求, Fromm's basic needs]

프롬이 제시한 개념으로서, 인간이 지니고 있는 가장 근원적인 행동의 원동력. **성격심리**

프롬은 인간의 기본적 욕구로 관계성(relatedness), 초월(transcendence), 소속감(rootedness), 정체감(identity), 지향 틀(frame of orientation), 흥분과 자극(excitement and stimulation) 등을 제시하였다.

이러한 기본적 욕구는 대립되는 두 가지 추동이 일으키는 것이다. 즉, 안전을 얻고 고독을 피하고자 하는 추동과 자유를 추구하고 자기창조하려는 추동이다. 관계성은 다른 사람과 관계를 형성하고 유지하며 생산적으로 사랑하려는 욕구를 말한다. 인간은 이성과 상상력을 지님으로써 자신과 자연을 분리하고 자신의 무기력과 삶과 죽음의 자의성을 지각할 수 있다. 타인에 대한 배려, 책임감, 존경, 지식이 따르는 생산적인 사랑을 하여 관계성의 욕구를 충족하는 것이 가장 바람직하고 이상적이다. 이러한 관계를 형성한 사람은 다른 사람의 성장과 행복에 관심을 갖고, 타인의 욕구에 반응하며, 타인을 있는 그대로 받아들이고 존경할 줄 안다. 이 같은 관계성 욕구가 충족되지 않으면 자기애적(自己愛的) 성격을 형성한다. 자기애적인 사람은 현실에 대하여 객관적으로 지각하거나 경험하지 못하며, 오로지 자신의 생각, 감정, 욕구에 따라 주관적으로 바라본다. 초월은 인간이 가지고 있는 이성과 상상력으로 보다 창조적이고 생산적인 삶을 추구하고자 하는 욕구다. 그러나 이 창조적인 욕구가 만족이 되지 않으면 파괴적인 경향을 나타낸다. 초월적 욕구는 타고난 경향이며 파괴성보다는 창조성이 더 우세하기 때문에 세상은 밝다고 할 수 있다. 소속감은 가족, 집단, 지역사회와 관계를 형성하고자 하는 욕구다. 또 자연과 분리됨으로써 새로운 관계, 즉 다른 사람과의 관계를 형성하여 소속감을 충족하고자 한다. 가장 만족스러운 소속감은 부모, 형제자매, 친인척 등의 혈연관계를 통하여 이루어진다. 유아기에 어머니와 형성된 관계는 사회생활을 하는 동안 다른 대상으로 옮겨지면서 발달한다. 그러나 유아기에 형성된 관계가 나이가 들어도 바뀌지 않고 그대로 유지하려는 것은 바람직하지 못하며 만족스럽지 못한 관계가 된다. 프롬은 이러한 형태의 소속감이 집단적으로 나타나는 것이 바로 민족주의라고 하였다. 정체감은 자신의 독특한 능력과 특성을 자각하려는 욕구를 말한다. 이러한 욕구를 만족시키기 위해 자신의 재능과 능력을 개발하거나 특정 집단을 동일시한다. 그러나 집단이나 타인의 특성을 따르는 동조(conformity)는 빌려 온 자기로서 진정한 자기가 아니기 때문에 정체감이 형성될 수 없다. 지향틀은 자신의 지각을 조직화하고 주변환경을 이해하면서 헌신할 목표나 대상을 찾기 위해 비교적 안정적이고 일관된 견해나 참조틀을 형성하고 발달시키고자 하는 욕구다. 지향틀은 합리적 참조와 비합리적 참조로 작동하는데, 전자는 현실을 객관적으로 지각하도록 해 주고 후자는 현실을 주관적으로 지각하도록 해 준다. 흥분과 자극은 일상생활에 적응하기 위해서 최고 수준의 활동과 민감성으로 뇌가 최적의 수행을 하도록 자극인 환경을 얻고 싶어 하는 욕구다.

관련어 │ 프롬

프리맥 원리
[- 原理, Premack principle]

낮은 비율로 발생하는 행동을 증가시키기 위해 높은 비율의 행동을 낮은 비율의 행동과 유관시키는 강화의 한 형태.
행동치료

프리맥이 소개한 강화원리로서, 고확률의 행동이 저확률의 행동을 강화한다는 원리다. 프리맥이 이 원리를 소개하기 전까지는 일반적으로 강화인은 자극(stimulus)으로 간주되었다. 일차강화인은 대부분 유기체의 생존과 관련되어 있고, 이차강화인은 항상 일차강화인과 유관되어 있는 자극이라고 생각하였다. 그러나 프리맥은 모든 반응행동을 잠재적 강화인으로 보았다. 특정 상황에서 어떤 행동은 다른 어떤 행동보다 발생할 가능성이 더 높다. 만약 쥐에게 기회가 주어진다면 보통 레버 누르기 행동보다는 먹기 행동을 할 가능성이 더 높다. 따라서 특정 순간에는 서로 다른 종류의 행동이 서로 다른 가치를 갖는다. 행동의 강화적 속성을 결정하는 것은 바로 그 행동이 가지고 있는 상대적 가치다. 즉,

한 행동이 다른 행동을 강화하는지 알기 위해서는 그 행동들의 상대적 가치를 파악하면 된다. 특정 행동을 형성하기 위해 어떤 것을 강화인으로 활용할 수 있는지 발견하기 위해, 먼저 유기체가 원하는 활동을 자유롭게 하도록 기회를 주고 어떤 활동을 얼마만큼의 빈도로 하고 있는지 관찰한다. 그런 다음 유기체가 보여 준 여러 가지 활동을 위계적으로 배열하는데, 가장 빈번하게 행하는 활동을 먼저 나열하고 다음으로 빈번하게 하는 활동을 나열하는 등 행동목록을 작성한다. 작성된 목록을 보면, 그 유기체에게 표적행동을 강화하기 위해 어떤 활동을 활용할 수 있고 또 어떤 활동을 활용할 수 없는지 정확하게 파악할 수 있다. 프리맥 원리가 지니는 함의는 강화인의 역할을 할 수 있는 행동은 매우 개인적이며 가변적이라는 사실이다. 자유선택장면에서 행위자의 선호를 주목하고 그에 따라 강화인 적용을 결정함으로써 행동변화를 도모할 수 있다. 예를 들어, 청소년상담장면에서 상담자가 내담자의 적절한 행동, 즉 숙제하는 행동을 강화하기 위해 어떤 강화인을 제공할 것인지 고려하는 장면이 있다. 상담자는 내담자가 비디오 게임에 자주 몰두하는 행동을 관찰한 다음, 내담자의 숙제하기 행동에 대한 강화인으로 비디오 게임을 선정한다. 이때 상담자는 프리맥 원리에 따라, 저확률 행동(숙제하기)에 대한 강화인으로 고확률 행동(비디오 게임하기)을 사용한 것이다. 만약 부모가 아동에게 친구들과 놀기 전에 공부를 마칠 것을 요구할 경우, 공부를 마친 후 뒤따르는 놀 수 있는 기회는 공부하는 행동을 강화시킨다. 즉, 아동은 놀기 위해 공부를 빨리 끝낸다.

프리온
[- , prion]

단백질성 감염입자. **뇌 과학**

정상 단백질과 조합하여 비정상적인 구조를 가진

단백질로 변환시키는 것으로 알려져 있다. 이렇게 변환된 구조는 감염조직에 축적되어 조직손상과 세포의 사멸을 일으킨다. 광우병을 비롯한 수많은 퇴행성 뇌 질환의 원인이 되는 물질이다.

관련어 │ 뇌

플라시보 효과
[-效果, placebo effect]

⇨ '위약효과' 참조.

플래시백
[-, flashback]

사람의 마음에 예기치 못하게 역사적인 장면 혹은 과거경험이 갑작스럽게 떠오르는 현상. 이상심리

이 같은 경험은 방해가 될 수도 있고 위안이 될 수도 있다. 단, 이 증상이 자주 발생할 때 그것은 종종 고뇌의 근원이고, 다른 장애의 증상일 수 있다. 또는 LSD를 복용한 뒤 약의 효과가 없어졌음에도 불구하고 환각제를 복용했을 때 나타나는 것과 꼭 같은 징후가 일시적으로 나타나는데, 이러한 현상도 플래시백이라 할 수 있다. 이는 약의 효과로 나타나는 신경계통의 변화에 따르는 것은 아니지만 쉽게 통제되지 않는다는 것 또한 밝혀졌다. 환각제를 복용한 사람 중 10~35% 정도 나타나고, 뚜렷한 신경학적 변화가 수반되지 않으면서도 본인에게 불쾌감을 주는 것이 특징이다. 플래시백 현상은 심리적 요인의 영향을 받는 것으로 지나치게 긴장을 풀거나 감각적 장애가 있을 때는 플래시백 현상이 있을 때와 같은 환각증상을 경험할 수 있다.

피그말리온 효과
[-效果, pygmalion effect]

⇨ '자성 예언' 참조.

피드백
[-, feedback]

집단상담에서 타인의 행동에 대한 자신의 반응을 상호 솔직하게 이야기해 주는 과정. 집단상담

일반적으로 집단구성원들은 피드백의 활용을 주저하는 경향이 있는데, 자신이 주는 피드백을 다른 사람이 어떻게 보거나 받아들일지 잘 모르기 때문이다. 집단구성원들은 자신의 피드백이 수용되는지 여부도 불확실할 뿐만 아니라, 제대로 받아들여지지 않으면 어떻게 될 것인지 막연한 두려움을 느끼게 된다. 실제로 자신의 피드백 때문에 상대방이 마음을 다친다거나 화를 내면 곤란해지기 때문이다. 게다가 경우에 따라서 부정적인 피드백은 상대방의 마음을 상하게 할 가능성도 있다. 그러므로 집단상담자는 바람직한 방향으로 피드백을 주고받는 기술을 습득해야 한다. 집단상담자가 이 기술을 잘 활용한다면 집단구성원의 특정 행동의 변화에 도움을 줄 수 있고, 어떻게 피드백을 주고받는지 모델역할도 할 수 있다. 피드백을 주고받을 때 유의할 점으로는, 첫째, 사실적인 진술을 하되 가치판단을 하거나 변화를 강요하지 말 것, 둘째, 구체적으로 관찰 가능한 행동에 대하여 그 행동이 일어난 직후에 해 줄 것, 셋째, 피드백을 주는 이와 받는 이가 모두 피드백을 생산적으로 활용할 마음의 준비가 되어 있는지 충분히 고려한 다음 사용할 것, 넷째, 변화 가능한 행동에 대해서 피드백을 주고 가능하면 대안까지 마련해 줄 것, 다섯째, 한 사람에게서보다는 집단의 여러 사람에게서 온 피드백이 더욱 의미가 있

ㅍ

다는 것, 여섯째, 피드백을 받을 때는 겸허해야 한다는 것이다.

피드백 고리
[–, feedback loop]

가족체계의 변화에 대응하여 항상성을 유지하기 위해 변화를 시도하지만 다시 이전의 상태로 되돌아오는 것.
전략적 가족치료

가족치료의 자율통제기능을 설명하는 데 가장 기본이 되는 원리다. 가족체계를 자극하는 요인에 대해 가족구성원들은 반응을 하는데, 이전의 상태로 되돌리려고 하는 부적 피드백과 새로운 변화를 시도하는 정적 피드백의 반응을 하게 된다. 이러한 반응들은 서로 연결되고 반복됨으로써 가족구성원들은 서로의 행동을 통제하거나 확장한다. 특히 역기능적인 가족은 자극에 대해 새로운 반응을 하는 정적 피드백을 시도하기도 하지만, 오히려 문제가 악화되는 것을 보고 기존의 부적 피드백으로 돌아간다. 이러한 피드백의 형태는 결과적으로 문제를 더욱 악화시키는 부정적인 반복적 순환이 일어나는 결과를 가져온다. 즉, 가족의 문제에 대항하기 위해 정적인 피드백보다는 부적인 피드백을 더 많이 하게 되는데, 문제를 악화시킨다는 것을 알면서도 이전에 반응한 방식을 유지하려는 경향이 있는 것이다. 이러한 경향은 결국 문제를 더욱 악화시키는 결과를 낳는다.

관련어 | 순환질문, 순환적 인과관계

피드위드인
[–, feedwithin]

내면 가족체계에서 피드백으로 불리는 체계의 환경과 주고받는 정보와 구별하기 위해 체계 내에서의 구성원 간 정보의 흐름을 지칭하는 것. 내면가족체계치료

가족체계 안에서 각 구성원은 다양한 동기에 따라 서로 정보를 나누면서 공감하고 소통을 한다. 이렇게 한 체계 안에서 하위구성요소들 사이에 흐르는 정보의 소통을 내면가족체계치료에서는 피드백(feedback)과 구분하여 피드위드인이라고 부른다.

피암시성
[被暗示性, suggestibility]

내부 또는 외부로부터 투입되는 자극을 암시로 받아들이는 경향성. 최면치료

최면치료의 기본 개념으로, 일반적으로 최면이란 일상적 상황보다 암시가 보다 더 강력하게 작용할 수 있는 마음의 상태를 의미한다. 이 같은 맥락에서 힐가드(Hilgard)는 '최면은 고도의 피암시 상태'라고 하였다. 의식은 분석적이고 비판적인 특성이 있는데, 일반적인 각성상태에서는 의식의 작용이 왕성해서 외부자극에 비판적으로 반응하여 자신의 기준에 부합하지 않을 때는 거부하기도 한다. 그러나 최면상태에서는 무비판적인 무의식이 활성화되어 자극이나 암시에 민감하게 반응하고, 암시를 있는 그대로 받아들이게 된다. 또한 암시 내용을 실현하고자 하는 경향도 있다. 따라서 최면상태에서는 피암시성이 높아지고, 피암시성이 높을수록 최면에 쉽게 들어갈 수 있다.

관련어 | 암시, 최면

피투성
[被投性, thrownness]

이 세상에 내면져진 피투적 존재로서의 인간 실존의 특성. 실존주의 상담

일반적으로 인간으로서 자유, 자신에 대한 자각, 스스로의 주체성 확보 등은 좋게 받아들이지만, 불안, 공포, 두려움, 죽음 등은 의식적으로든 무의식적

으로든 피하고 싶어 한다. 하이데거(M. Heidegger)가 말하는 피투성이란 자의(自意)와는 상관없이 세상(존재와 시간)에 던져진 존재(being thrown)로서, 인간은 불안을 통해서 이러한 상황을 자각하게 된다. 특히 죽음에 대한 의문을 가지기 시작하면서, '나는 왜 여기에 존재하는가'라는 불안으로부터 이 세상에 던져졌고, 여기에서 도망칠 수도 피할 수도 없다는 것(被投性)을 자각할 수밖에 없다. 인간이 일단 피투성을 자각하면서 자신이 언젠가는 죽게 되며, 이러한 세계로부터 자의(自意)가 아닌 강제(强制)로 떠날 수밖에 없음을 깨닫는다. 자신의 죽음을 민감하게 의식하는 것을 하이데거는 죽음에 대한 '선구적 각오성'이라고 불렀다. 죽음은 피할 수 없는 것이라는 결말에 직면할 운명임을 자각하는 이러한 자각으로부터 자신의 삶을 다시 한 번 포착해서 재구성하려는 시도가 시작되는데, 이러한 시도를 '기투(企投)'라고 한다. 즉, 인간은 불안을 통해서 피투성에 직면하게 되고 이에 절망하지만, 한편으로는 죽음의 자각을 통해서 새로운 삶의 방식을 모색하고 자신을 송두리째 새로운 가능성으로 던져넣어 최초로 존재와 자유의 진정한 의미를 획득하게 된다는 것이다. 일상적으로 우리가 가장 피하고 싶은 것, 부딪치기 싫은 것, 나의 무의식이 회피하고자 하는 것을 스스로 방어하고자 하는 것들과 당당하게 대면(맞부딪침)시키는 것이 진정한 나의 자유의 의미와 주체성을 획득하게 하고, 기투를 통해서 진정한 삶의 진리를 획득한다는 것이다. 요컨대, 실존주의적 관점에서 보면 인간 실존의 특성은 이 세상에 내던져진 피투적 존재다. 그러나 인간이 다른 동물과 차이가 있다는 것은 우리 삶의 특징이 우연성과 피투성이라는 것을 자각하면서 과거와 현재와 미래의 연속선상에서의 인간 자신의 영향력을 의식하는 데 있다. 이 때문에 인간은 선택과 결단이 가능하다. 즉, 인간은 비록 유전, 환경, 문화의 제약을 받기는 하지만, 이러한 외적 영향에 따라 전적으로 결정된 존재는 아니다. 다시 말해, 이 세상에 내던져진 존재이기는 하지만 그러한 상황을 수용하거나 거부하는 것은 각 개인의 선택 여하에 달려 있다. 그러므로 인간은 각자 자신의 본성을 자신이 창조하며 결정할 수 있는 자유로운 존재이며, 또한 자신의 본질에 대하여 책임이 있다.

피학대 아동 증후군
[彼虐待兒童症候群, battered child syndrome]

어린 시절에 괴롭힘이나 고통을 당한 부모가 자신의 행동이 학대라는 것을 눈치 채지 못하고 자신의 자녀에게 괴롭힘이나 폭력을 반복하는 현상. **이상심리**

소아과 의사인 켐페(Kempe, 1961)가 자신이 치료한 아동의 상처가 단순한 우연적 사고가 아닌 고의로 발생했다는 것을 깨닫고 이를 명확하게 하기 위해 피학대 아동 증후군이라는 용어를 사용하였다. 성적 폭행, 심리적 학대, 보호태만, 방치를 포함하여 보다 넓은 의미로 아동학대(child abuse)라고도 한다. 학대하는 부모를 보면, 이들도 어린 시절에 부모에게 학대를 받은 경우가 흔해서 학대가 대대로 반복된다는 지적도 많다. 학대에는 신체적 손상, 언어적 학대, 태도나 행동과 같은 비언어적 학대, 정서적 학대, 심리적 학대, 방치나 유기, 성적 폭행 등이 있다. 이는 정신적 외상이나 외상 후 스트레스 장애(post traumatic stress disorders)를 유발할 수 있고, 자녀의 마음 성장을 손상시킬 수 있다. 밀러(Miller)는 '너를 위해, 너를 생각해서'와 같이 양육이라는 미명하에 공공연히 학대가 이루어지고 있다고 지적하였다. 학대받은 아동은 자신의 존재를 부정하고 자신을 혐오하게 된다. 밀러는 유아기에 '나르시시즘 욕구'가 충분히 채워지고 사랑받는다는 실감을 얻은 자녀가 잘 성장하며, 자신을 사랑해 주거나 이해해 주는 사람을 만나는 것이 중요하다고 강조하였다.

관련어 아동학대, 피학대 여성 증후군, 학대

피학대 여성 증후군
[被虐待女性症候群, abused woman syndrome]

외상 후 스트레스 장애의 한 유형으로, 정신적·신체적으로 가혹한 일을 당한 여성에게 나타나는 행동이나 심리적 증상.
이상심리

여성에게 가해지는 학대는 가정폭력(family violence), 부부폭력(conjugal violence), 신체적 학대(physical abuse), 성학대(sexual abuse), 강간(rape), 치료자로부터의 성적 침해(therapist sexual exploitation of client), 성희롱(sexual harassment) 등이 있다. 이러한 학대로 인하여 여러 가지 신체적 질환이나 증상, 강렬한 공포, 고립감, 말이 없음, 무력감이나 절망감, 환각, 건망증, 정체성장애와 같은 심각한 증상이 나타나기도 한다. 피학대 여성 증후군은 이 같은 증상을 정당화하고 피고인의 면책이나 감형에 대한 항변을 위해 1980년대 초 미국 법정에서 활용되어 온 개념이다. 또한 남성에게 학대를 받은 여성은 학대에 대한 외상으로 저지른 행위 때문에 또 다른 법정에서 피고인이 되는 경우가 있는데, 피고가 된 피학대 여성의 정신감정을 제시하기 위하여 법정에서 일종의 전문가 증언의 형태로도 사용된다. 학대를 당한 여성은 가해 남성과의 관계를 스스로 단절하는 데 큰 어려움을 겪는다. 그 이유는 가해 남성과의 관계가 긴장 형성, 심각한 폭력 행사, 애정 섞인 뉘우침의 3단계를 거쳐 형성되고, 이 과정에서 여성은 우울증, 자존감 결여, 학습된 무기력 등의 심리적 변화를 겪게 되어 피해자와 가해자의 관계를 스스로 벗어나려는 것에 대한 무력감을 느끼기 때문이다. 이러한 증후군은 학대를 당한 여성들이 살아남기 위해 사용하는 대처방식이라 할 수 있다. 이렇듯 여성들이 학대에 대항할 만한 힘을 가지고 있기에 긴급위기중재나 마음의 상처에 대한 회복을 위해 개입하는 경우 상담자들은 외상적 전이나 역전이 문제를 충분히 다루어야 한다. 그리고 상담자들은 이러한 문제를 효율적으로 다루고 학대

여성이 다시 가해자가 되지 않도록 지역 네트워크를 형성하거나 학대 예방 대책을 세워야 한다.

피학성 변태성욕
[被虐性變態性慾, sexual masochism]

성적 상대자에게 굴욕, 매질, 묶이는 고통과 괴로움을 당함으로써 성적 흥분, 성적 만족을 느끼는 성도착증.
성상담

피학성 변태성욕은 마조히즘의 하위개념으로 성에 관련된 마조히즘으로 정의할 수 있으며, 성적 상대자가 자신에게 고통이나 괴로움을 가하도록 하여 그 고통을 느끼면서 성적 흥분이나 만족 상태로 나아가는 성욕 이상 상태를 말한다. 이는 일종의 성도착증으로, 대응개념인 가학성 변태성욕과 함께 나타나는 경우도 많다. 피학성 변태성욕자의 행위는 가슴 압박, 올가미나 플라스틱 주머니, 마스크 등을 사용하여 산소 부족 상태까지 나아가는 극단적 상태에서 성적 쾌감을 느끼려고 하는 경우도 있으며, 이를 저산소 기호증(hypoxyphilia)이라고 한다. DSM-IV에 따르면, 첫째, 피학성 변태성욕은 최소 6개월간 지속적으로 욕을 들으며 두들겨 맞고 협박을 당하고, 그 외 현실적인 의사적 고통을 받는 행위 등을 반복적으로 당하면서 강렬한 성적 흥분 공상, 성적 충동 또는 성적 행동의 생기 등이 있고, 둘째, 이러한 공상 및 충동, 행동 등으로 현저한 고통이나 사회, 직업 등의 영역에서 기능적 장애를 불러일으키고 있는 경우 진단한다. 피학성 변태성욕자는 강간을 당하는 공상을 하기도 하고, 무력한 유아처럼 취급받고 싶어서 기저귀를 차고 싶다는 유아증적 욕구를 갖는 경우도 있다. 성에 대한 피학적 상상은 어린 시절부터 존재하는 경향이 있지만 실제적으로는 대개 성인 초기에 시작되며, 남성보다 여성에게 더 많이 나타난다. 피학성 변태성욕을 가진 사람들의 대부분은 지나치게 위험한 성행위를 하지는 않지만, 때로는 피학 행위의 정도가 점차 심화되어 심

각한 신체적 상해나 죽음까지 초래하는 경우도 있다. 경과는 만성적이며 반복적인 경향이 있고, 이는 이성관계, 동성관계 모두에서 찾아볼 수 있다.

피해자학
[被害者學, victimology]

피해자의 특징 및 피해자를 양산하기 쉬운 환경을 분석하는 학문. `교정상담`

피해자학은 범죄의 피해를 받았거나 받을 위험이 있는 사람에 대하여 생물학적·사회학적 특징을 과학적으로 연구하고, 이를 기초로 범죄발생 시 피해자의 역할과 형사 사법에서의 피해자의 보호 등을 연구하는 학문분야다. 따라서 가해자와 피해자, 피해자와 공식적·비공식적 사회통제, 즉 형사 사법과 사회조직, 그리고 제도 사이의 상호작용을 중점적으로 연구하는 것이다. 학문으로서의 피해자학은 두 가지 상이한 관점이 있다. 하나는 피해자학을 범죄행위와 사고 및 자연재해 등에 따른 피해자를 동일시하여 독자적인 학문으로 이해하려는 입장(Mendelsohn, 1956)이고, 다른 하나는 피해자학을 범죄발생과 범죄통제의 과정 사이에서 가해자와 피해자의 상호작용으로 범죄학의 한 영역으로 이해하려는 입장이다. 양자는 서로 다른 대상을 다루는 것은 아니지만, 출발점은 서로 다르다. 따라서 상이한 연구결과가 도출될 수 있다. 피해자학의 연구 목표는 각 범죄에서 피해자와 관련된 여러 조건을 수집하여 분석하고, 보편성이나 특수성을 파악하여 일정한 법칙을 밝히고 체계화하는 것이다. 이렇게 함으로써 범죄, 범죄행동, 그리고 범죄현상까지 해명할 수 있다. 피해자학의 연구대상은 범죄장면에서 범죄행동의 대상이 된 개인으로서의 피해자다. 범죄자와 피해자의 관계는 범죄장면에서만 볼 수 있는 특수한 관계다. 피해자학은 헨티히(Hentig)가 피해자를 과학적으로 연구할 필요성을 강조하면서 피해자를 가해자와 동등

하게 연구해야 한다고 제창한 것에서 시작하였다. 여기서 출발하여 피해자가 되기 쉬운 특성이나 피해 또는 사고를 반복하여 당하는 개인적인 경향을 종래의 범죄자 특성을 연구하는 것과 똑같은 방법으로 연구하는 단계에 이르렀다. 그 후 멘델존(Mendelsohn)은 'victimology(victima＋logos)'라는 합성어를 제창하였다. 그런데 범죄의 피해자는 범죄의 피해에 맞닥뜨리는 것만으로도 상당한 심적 외상을 받는데, 그것이 매스컴에 회자되거나 재판 중 호기의 눈으로 바라보게 되면 그 외상은 더욱 상처가 확대된다. 또 피해자가 죽은 경우에는 심적 외상이 친족에까지 미친다. 이상과 같은 관점에서 현재의 피해자학은 피해자 지원체계에 역점을 두고 있다. 예를 들면, 강간의 피해자는 피해자이면서도 '피해자에게도 잘못이 있는 것은 당연하다.'는 편견에 사로잡히는데, 이 같은 피해자를 지원하는 조직이 성폭행위기센터(rape crisis center)이며 최근에는 범죄피해자상담실도 설립되었다.

필기 불능증
[筆記不能症, dysgraphia]

학습장애의 하나로 쓰기, 어휘, 철자 및 작문을 조직화하는 데 곤란을 겪는 증상. `특수아상담`

쓰기장애가 있는 개인에게 나타나는 증상이다. 학습장애는 읽기, 쓰기, 그리고 산술에서 어려움을 경험할 때 내려지는 진단인데, 필기 불능증을 포함하여 학습장애가 있는 아동은 읽고 쓰며 계산하는 능력이 요구되는 학교활동을 적절하게 수행하지 못한다. 쓰기는 글자 쓰기와 철자 쓰기에서 시작하여 작문하기 그리고 다른 사람과 의사소통하는 과정을 포함한다. 읽기와 마찬가지로 쓰기도 적절한 시각 및 운동협응력, 어휘력 및 철자와 문법, 작문능력 등의 기술이 필요하다. 쓰기가 이와 같은 다양한 기술과 관련되기 때문에 동일한 쓰기장애로 진단되었다

하더라도 아동마다 개별적이고 이질적인 특성을 나타낼 수 있다. 정상 아동과 쓰기장애 아동 간에는 기본적인 행동적 차이가 있다. 잘 쓰는 아동은 그들이 성취해야 하는 것을 명확하게 이해하고 있으며, 필요한 지식을 어떻게 획득하는지 인식하고 있다. 또한 논리적인 글쓰기를 통해 자신의 생각을 분명하게 표현할 수 있다. 그러나 필기 불능증을 지닌 아동은 과제의 다양한 측면을 통합하고 전체적인 계획을 수립하는 데 곤란을 겪는다. 자신의 글을 읽게 될 사람들의 관점을 전혀 고려하지 않은 채 자기 방식대로만 글을 쓰며, 대부분 필기, 철자, 문법, 구두법 등에 심각한 문제를 가지고 있다. 따라서 필기 불능증 아동이 작성한 글은 짧고 불완전한 경우가 많으며, 중요한 정보가 누락되었거나 사고의 논리적 전개가 표현되어 있지 못하다.

관련어 학습장애

필로폰
[-, philopon]

우리나라에서 널리 남용되고 있는 암페타민류 약물. **중독상담**

⇨ '메스암페타민' 참조.

필름 매트릭스
[-, film matrix]

영화치료에서 영화 속 인물을 동일시와 투사 정도에 따라 사분면의 각 영역에 평가, 배치하는 것. **영화치료**

특정 영화를 본 직후나 기억 속 영화를 다시 생각하면서 4개 분면의 각 영역에 영화 속 가장 인상적이었던 인물을 선택해서 적는 것이다. 긍정적이든 부정적이든 자신에게 가장 인상적인 인물을 선택한다. 하나의 영화를 보고 특정 인물에 대한 필름 매트릭스를 작성할 수도 있고, 더 많은 영화를 보고 여러 인물에 대한 필름 매트릭스를 완성할 수도 있다. 필름 매트릭스의 사분면에 대해 알아보면, 사분면 I 에는 특별히 좋아하면서도 이해할 수 있는 인물을 적는다. 마치 자신이 행동하고 느끼고 세계를 바라보는 것 같은 인물을 적는 것이다. 그 인물이 자신과 다른 행동을 보일 수도 있지만, 그럴 경우 자신이 좋아했던 자신과 비슷한 측면에만 관심을 둔다. 사분면 II에는 이해할 수 있지만 전반적으로 마음에 들지 않는 인물을 적는다. 그 인물은 자신이 인정할 수 없는 방식의 성격이나 행동패턴을 가지고 있다. 사분면 III에는 이해가 되지 않지만 혹은 자신과는 맞지 않지만 선천적인 특질이나 타인과 관계를 맺는 방식 때문에 좋아하거나 존경하는 인물을 적는다. 사분면 IV에는 자신이 거의 이해할 수 없고 부정적인 감정을 느낀 인물을 적는다.

핍진성
[逼眞性, verisimilitude]

문학작품에서 텍스트에 대해 신뢰할 만하고 개연성이 있는, 즉 그럴듯하고 있음직한 이야기로 독자에게 납득시키는 정도. **문학치료(독서치료)**

핍진성이란 용어는 라틴어 'verum(진실, truth)'과 'similis(유사한, similar)'에서 나온 말로, 박진감(迫眞感), 현실감, 유사 진실성, 진실다움 등으로 번역할 수 있으며, 경우에 따라 개연성(蓋然性)이라는 용어와 혼용되기도 한다. 구조주의 비평가들에게 문학에서의 핍진성과 자연화는 동일한 맥락을 지니는 개념인데, 자연화는 서사물의 생산이나 수용이 이루어지는 관습적 토대와 밀접한 관련을 맺고 있는 것으로 자체가 의식되지 않은 채 서사물의 생산자나 수용자의 의식 속에 가능한 것, 혹은 있을 법한 것으로 가능해지는 것을 일컫는다. 어떤 서사적 허구가 그 생산자에 의해 자연스러운 것으로 만들어지더라도 그 자연스러움, 혹은 그럴듯함의 바탕이 되는 것은 엄격한 문화적인 현상이다. 넓게 보았을 때 '그럴듯함에 호소하는 오랜 전통'이라고 보기도 한다. 그렇게 볼 때 핍진성은 현실과 작품의 관계를 말하는 것이 되지만 단순히 현실과의 관계라기보다는 대다수의 사람들 혹은 대중이라는 존재가 현실이라고 믿는 것, 다시 말해 여론과의 관계라고 볼 수 있다. 현실이란 독자에게 이해된 현실이고, 일반적으로 인정된 현실이기 때문이다. 누군가의 작품에서 핍진성이 느껴진다고 하는 것은 독자의 동의가 전제된 것이다. 이 용어의 근간은 플라톤과 아리스토텔레스의 극 이론 중 모사나 본질의 재현이라는 모방(mimesis)에서 나온다. 플라톤과 아리스토텔레스에 따르면 관객에게 의미를 줄 수 있거나 관객을 설득할 수 있는 부분으로, 이는 현실감(reality)을 근거로 해야 한다. 이런 관념은 중세, 특히 이탈리아의 영웅시에서 모방이 핍진성으로 발전되도록 하였다. 아리스토텔레스는 『시학』에서 "가능하다고 믿어지지 않는 것보다는 불가능하지만 있음직한 것을 택하는 편이 낫다."라는 문구로 허구적 진실의 가치에 대해 언급하면서 핍진성에 대한 효용성을 나타내고 있다. 어떤 작품이든 허구라는 것을 알면서도 작품 곳곳에 삽입된 독자의 이해 도모를 위한 요소들 때문에 그 작품에 대한 진실성을 느껴 실감할 수 있도록 만드는 것이 핍진성이다. 핍진성이라는 개념은 제시된 행위가 수용될 것이라거나 청중이 자기 경험이나 지식으로 확신을 갖게 된다는 것이다. 아리스토텔레스는 시학에서 문학은 자연을 반영하고 있을 법한 것이 단순히 그럴듯하다는 것보다는 그것을 넘어서는 것을 비출 수 있어야 한다고 하였다. 중세에는 이론적으로 소설에서 이에 대한 관심이 더욱 높아졌고, 영웅시에서 통일성에 대한 관심이 더 높아졌다. 작품 속에서 허구화된 언어들이 핍진성을 통해서 현실 속에서도 믿음이 가는 방식으로 나타나기 시작하였다. 그 결과 소설작품에서 등장인물에 대한 시적 언어가 등장인물의 연령, 성별, 인종 등과 맞아떨어지게 되었다. 원래 핍진성에 대한 고전적 개념은 허구적인 예술작품에 대한 독자의 관여적인 역할에 초점을 두는 것이었다. 소설이 바라는 바는 핍진성의 개념이 더욱 대중적으로 변하고, 독자에게 무언가를 가르쳐 주고 공감할 수 있는 경험을 제공하는 것이 되었다. 새뮤얼 콜리지(Samuel Coleridge)가 말한 '자발적 의심의 중지(willing suspension of disbelief)'가 진작되었고, 이로써 허구적 텍스트는 타당성을 요구받기에 이르렀다. 핍진성으로 독자는 소설 속에서 인간 삶의 현실적인 면을 반영하는 진실을 엿볼 수 있게 된 것이다.

핑거 페인팅
[– , finger painting]

물감 등의 재료를 손가락에 묻혀 용지에 자유롭게 그림을 그리는 미술치료기법. 미술치료

쇼(Shaw)가 창안하였으며, 개발 당시에는 교육적 기법으로 사용했지만 시간이 지나면서 진단이나 치료기법으로 발전하였다. 물감 등의 재료를 붓이나 그림도구를 이용하는 것이 아니라 손가락이나 손바닥으로 도화지에 칠하듯이 자유롭게 묘사하는 것으로서, 진단보다는 주로 치료적 활동으로 이용되고 있다. 이 활동은 내담자에게 긴장을 이완시키고 불안감이나 저항을 감소시키며, 억압된 감정을 정화시키고 무의식을 표출할 수 있다. 그래서 이 기법은 스트레스를 해소하거나 분노 등의 부정적 감정이나 공격적 행동을 표출하는 데 적용할 수 있다. 그리고 유아에게 이러한 활동이 도움이 되는데, 유아는 더

출처: http://blog.naver.com

럽히려는 욕구가 강하기 때문이다. 이러한 욕구는 부모에게 보살핌을 받고 싶다는 소망을 나타낸다.

이 활동에는 도화지와 물감을 주로 사용하지만 밀가루풀이나 밀가루풀과 물감을 섞은 것, 또는 면도 크림, 생크림, 삶은 국수, 푸딩, 젤리 등 부드러운 여러 매체를 사용할 수 있다. 그리고 도화지뿐만 아니라 크고 작은 쟁반, 비닐, 테이블 등을 활용해도 되며, 작업을 하는 동안 매체에 대한 촉감을 느끼고 손으로 만지고 주무르는 활동 자체를 즐기도록 하여 감각기능을 향상시킬 수 있다.

관련어 | 풀 그림

하나님의 형상
[－形象, image of God]

하나님이 태초에 인간을 창조했을 당시의 모습. 목회상담

성경에 의하면 인간은 하나님의 형상 또는 모양 (Imago Dei / Ebenbild Gottes)대로 창조되었다(창세기 1: 26-27). '형상'은 히브리어 '첼렘(צלם)'에서 번역된 말로 '모습'이라는 뜻과 가깝고, '모양'은 히브리어 '데무트(דמות)'에서 번역된 말로 닮은 것을 말한다. 교회사적으로 보면 하나님의 형상에 대한 의견이 매우 분분한데, 연구하는 학자들에 따라 인간은 하나님의 모습을 닮은 형상이라고도 하고, 하나님의 성품을 닮은 존재라고도 한다. 목회상담에서는 인간이 하나님의 성품을 닮은 존재로 이해하면서, 상담을 통해 죄 때문에 잃어버린 하나님을 닮은 인간 본래의 모습을 회복하도록 하는 데 목적을 둔다. 또한 하나님의 형상을 완벽하게 유지하고 있

는 표본을 예수 그리스도로 삼아, 내담자가 도달해야 할 목표를 구체적으로 명시한다.

하부집단
[下部集團, sub-group]

집단상담에서 보통 표면에 잘 나타나지 않는 비형식적 조직으로서, 집단구성원의 상대적인 명성이나 영향력, 권력, 능력 혹은 설득력 등에 따라 친밀감이나 동조의식을 갖는 몇 사람이 회기 사이에 따로 대화를 나누거나 집단회기 외에 외부에서 모임을 갖기도 하는 집단. 집단상담

하위집단이라고도 부르는 하부집단은 어떤 집단에서든 생성되게 마련이다. 이와 같은 하부집단이 집단활동에 암암리에 큰 영향력을 행사하고 또한 이들로 말미암아 일어나는 집단감정이 집단의 문제해결이나 바람직한 대인관계의 발달에 도움이 되지 않는 경우가 종종 있기 때문에 상담자는 물론 모든

집단구성원에 이르기까지 이들 하부집단의 생성과 여러 가지 작용에 대하여 항상 유의해야 한다. 이 같은 문제를 다루기 위해 일부 집단지도자는 집단이 시작되는 시기인 오리엔테이션에서 하부집단이 만들어져 따로 모임을 갖게 될 경우 집단에 보고할 것을 규칙으로 제시하기도 하였다.

부차적 동맹 집단 [副次的同盟集團, secondary affiliation groups] 하부집단의 또 다른 표현으로서, 집단구성원들이 가장 적게 동일시하는 집단이라고 할 수 있다. 일차적 동맹 집단이 원래 주집단인 데 반해 부차적 동맹 집단은 하부집단으로 집단의 참가자이지만 집단과정에는 거의 참여하지 않고, 집단회기 사이에 자기들끼리의 대화와 친교에 주로 몰두한다.

하위인격
[下位人格, sub-personality]
종종 한 개인의 내적 대화에서의 다른 '목소리' 또는 구성요소로 경험되며, 특정 종류의 상황에 대처하기 위해 작동하는 특별한 사고, 행위, 감정, 생리학적 양식.
(정신종합치료) (초월영성치료)

개인의 기능에서 통합되지 않은 다양한 심리적 특성들로, 매우 의미심장하고 때로는 놀랍고 걷잡을 수 없다. 보통 사람들은 명료한 자각 없이 하나에서 다른 하나로 바뀌면서 하위인격이 각각 다르게 행동하고 매우 다른 특성을 보인다. 한 사람의 하위인격은 자신의 잠재의식을 구성하는데, 근접 자기가 그것을 알아차리고 적절한 표현을 허용하는 것이 가장 이상적이다. 더 큰 유기적 전체로 통합하기 위해서는 어떤 특성 하나도 억압받지 않은 채 이같은 하위인격들을 명료하게 자각해야 한다. 일반적으로 개인이 자신의 의식과 자각으로부터 분리되어 멀어지거나 차단된 수준의 하위인격일 경우에는 정신병리적 상태라 할 수 있다. 건강한 기능을 위해

서는 자신이 단순하게 하위인격의 희생양이 되거나 자각 없이, 또는 의지에 반해 그것에 의해 '압도되기'보다는 기능적인 하위인격과 의식적으로 탈동일시하여 그것을 통제하거나 지배할 수 있어야 한다. 즉, 언제, 어떻게 하위인격이 관여되는지에 대해 몇 가지 선택기준을 세워 놓는 것이다. 자기 안에서 하위인격과 탈동일시할 수 있기 위해서는, 처음에는 그 하위인격을 자각해야만 하며 정체성의 한 부분으로서 탈동일시하고 초월할 수 있는 한 부분으로서 그것을 인식해야 하며, 그때 자신 혹은 타인에게 피해가 되지 않을 정도의 환경에서 의도적인 표현을 허용할 수 있다. 다양한 심리치료체계에서 파악해 왔던 공통적인 하위인격의 형태는 다음과 같다. 정신분석학의 원초아·자아·초자아이며, 교류분석의 아이·어버이·어른 자아이고, 게슈탈트의 상전과 하인, 그리고 보다 포괄적인 형태로는 가짜 자기와 진정한 자기, 성취자와 익살꾼 등이 있다. 하위인격은 특정한 원형적 형태의 주변을 자주 맴돌며, 종종 어머니, 아버지, 선생님 또는 영웅과 같은 사회적 역할을 포함하기도 한다.

관련어 | 탈동일시

하위체계동맹
[下位體系同盟, allying with subsystem]
상담자가 문제가족에서 복수의 구성원으로 구성된 하위체계와 동맹을 맺고 이 하위체계의 변화를 통해 가족 전체의 구조를 변화시키는 일. (개인상담) (구조주의 가족치료)

구조주의 가족치료이론의 주요 상담기법에 속한다. 이 기법을 실시하는 방법은, 먼저 상담자는 가족의 하위체계 중 어느 체계를 강화시킬 것인지 판단한다. 예를 들어, 반항하는 아이를 다루는 데 부부가 잘 연합하지 못한다면 부부를 하위체계로 하여 강화하는 것이 바람직하다. 이 경우 상담자는 부부 하위체계와 동맹을 맺는 것이다. 그리고 강화하

고자 하는 하위체계의 구성원과 함께 앉아 이들이 말하는 것을 경청하고 친밀하게 대화를 나누면서 그 하위체계의 경계를 명확히 한다. 그러나 동맹이 필요함에도 불구하고 동맹하지 않는 하위체계에 대해서는 그들이 효과적으로 기능하지 못한다는 점을 지적하면서 깨닫게 해 준다. 예를 들어, 남편을 나무라는 아내에게 노력에 비해 성과가 별로 없는 이유가 무엇인지 물어보는 것이다. 이 방법은 각 하위체계에서 역기능적 상호작용을 계속적으로 반복하는 가족에게 유연한 인지의 변화를 가져올 수 있다. 하위체계동맹은 적절한 시기에 어느 하위체계와 어떻게 동맹할 것인지를 빠르게 평가할 수 있는 능력이 필요하기 때문에 가족상담전문가는 상당한 실제 훈련을 받아야 습득이 가능한 상담기법이다.

관련어 | 구조주의 가족치료

하이쿠
[俳句, haiku]

5, 7, 5의 3구 17자로 된 일본 특유의 단시(短詩).
`문학치료(시치료)`

하이쿠는 우리나라 말로 배구(俳句)라고 하며, 특정한 달이나 계절의 자연에 대한 시인의 인상을 묘사하는 서정시다. 일본 시 문학의 일종으로, 각 행은 5, 7, 5음으로 모두 17음절로 이루어진다. 일반적인 하이쿠는 계절을 나타내는 단어인 키고(季語)와 구의 매듭을 짓는 말인 키레지(切れ字)를 가진다. 하이쿠를 짓는 사람은 하이진(俳人)이라고 부른다. 하이쿠는 근세에 발전한 문예인 하이카이렌가, 줄여서 하이카이에서 태어난 근대문예다. 무로마치 시대에 유행한 렌가(連歌)의 유희성과 서민성을 높인 문예가 하이카이였는데, 17세기에 마쓰오 바쇼(松尾芭蕉)가 등장하여 그 예술성을 높였다. 그중에서도 단독으로 감상할 수 있을 정도로 자립성이 높은 홋쿠(發句), 이를테면 지봇쿠(地發句)를 수없이 읊은 것이 후세 하이쿠의 원류가 되었다. 더욱이 근대 문예로서 개인의 창작성을 중시해서 하이쿠를 성립시킨 것은 메이지시대의 마사오카 시키(正岡子規)였다. 시키는 에도 말기의 하이카이를 진부한 하이카이(月並俳句, 쓰키나미 하이카이)라고 비판하였고, 근대화한 문예로 만들기 위한 문학운동을 전개하였다. 이후 홋쿠가 하이쿠로서 성립했고, 하이쿠의 자립 후 시점에서 마쓰오와 같은 이가 읊은 홋쿠를 거슬러 올라가서 하이쿠로 보는 의견도 있다. 영어 등 일본어가 아닌 언어에 의한 3행시도 하이쿠로 불리는데, 일본어 이외의 하이쿠에서는 5, 7, 5음절의 제약이 없으며, 계절을 나타내는 키고도 없는 경우가 많다. 현재는 일본인이 아닌 사람이 일본어로 하이쿠를 짓는 경우도 있다. 이러한 하이진에는 마브송 세이간, 아서 버나드 등이 있다. 일본 시가의 전통을 이어서 성립한 하이쿠는 5, 7, 5의 음수에 따르는 언어운율과 키고의 짧은 시지만 마음속에 풍경(심상)을 크게 펼칠 수 있는 특징을 가지고 있다. 첫 행은 자연적 이미지를 담고, 두 번째 행은 그 이미지를 이어서 움직임을 더한 뒤, 세 번째 행은 전체적인 진실을 끌어온다. 이 세 번째 행에서 감정을 고양시키는 것이 특징이다. 하이쿠로 협력적 글쓰기를 하면 집단에 안전감과 탐색의 시간을 부여할 수 있다. 현재에 머물러서, 원한다면 천국을 직접 느낄 수 있도록 해 주는 하이쿠는 불안한 미래를 예견하거나 과거에 머물러 버리는 것을 막아 주기도 한다. 마쓰오 외에 고바야시 잇사(小林一茶), 요사 부손(与謝蕪村) 등이 유명한 하이쿠 시인이다.

하이퍼텍스트
[−, hyper text]

www의 사용법을 쉽게 한 연결자. `사이버상담`

하이퍼텍스트는 다른 문서를 연결하고 있는 문서의 일부분을 말하며, 개별 단말기에서는 하이퍼텍스트에 밑줄이 그어지거나 다른 색깔로 표현되어 있다. 하이퍼텍스트를 이용하면 현재 읽고 있는 문서에서 다른 문서로 이동하기 위해 불편하게 문서의 이름을 입력하거나 기억하고 있을 필요가 없다. 단지 화면에 나타나는 다른 문서의 이름을 클릭만 하면 된다. 윈도 프로그램을 사용하면서 늘 만나게 되는 도움말 역시 하이퍼텍스트 기능을 응용한 것이다. 예를 들면, 어떤 제목에 들어 있는 '쇠(iron)'라는 단어와 연관된 링크를 조사하여 철기시대의 연대표를 찾거나 철기시대 유럽에서의 야금술의 발달, 이동 경로를 보여 주는 지도를 찾을 수도 있다. 하이퍼텍스트 용어는 1965년 테드 넬슨(Ted Nelson)이 책, 필름, 연설 등의 선형 포맷과는 대조적으로 비선형 구조로 컴퓨터를 통해 정보를 제공하는 것을 표현하기 위해 만들었다. 최근에 도입된 하이퍼미디어라는 용어는 하이퍼텍스트와 거의 동일한 뜻이지만, 하이퍼텍스트의 비문자적 구성요소, 즉 애니메이션, 녹음된 음성 및 영상 등을 강조하는 용어다.

하타요가
[– , hatha yoga]

음과 양의 조화를 통해 정신과 육체를 통제하여 삼매에 이른다는 심신훈련법. 명상치료

　　명상수행을 위한 전통적 관점에서 육체는 인간을 구성하는 요소 중 가장 낮은 차원으로서 제어해야 될 대상으로 인식되어 왔다. 요가수행에서 심리적 수행을 하기 전에 가장 먼저 제어하고 통제하여 연마할 대상이 바로 육체인 것이다. 그러나 인간의 몸은 마음과 분리할 수 없는 것이므로 하타요가는 육체의 수련을 통하여 인간은 신이 될 수 있다는 신념을 바탕으로 삼고 있다. 인간의 육체는 인간의 참자아(atman)를 담고 있는 그릇으로서 육체는 무한한 가치를 지니고 있다. 따라서 육체를 잘 연마하고 이용해야만 참자아가 본래의 모습으로 드러날 수 있

다. 하타요가의 인체관은, 현세의 몸 그대로 살아서 향락을 누리는 동시에 해탈할 수 있다고 보고 있다. 그러므로 살아 있는 육체를 소중히 생각하고 욕망을 무조건 죄악으로 본다거나 억압하지 않는다. 11세기경 요가 바시쉬타(Yoga Vasistha Ⅳ)에 따르면, 무지한 사람에게 육체는 끝없는 고통의 근원이다. 그러나 지혜로운 사람에게는 무한한 기쁨의 근원이다. 그래서 육체는 지혜로운 자에게 번영과 우정뿐만 아니라 청각, 시각, 미각, 촉각, 후각을 경험하도록 해 주기 때문에 그에게 이로움을 가져다준다. 육체는 프라나(prana), 나디(nadi), 차크라(cakra)로 구성되어 있다. 프라나는 생명 에너지와 기(氣), 나디는 에너지 통로, 도관, 맥관, 기도, 차크라는 에너지 중심점을 말한다. 즉, 프라나는 호흡의 형태로 나디를 통하여 순환하고 차크라 속에 잠복하여 그 역할과 기능을 발휘한다. 하타요가는 강렬한 신체단련으로 육체를 완전하게 하여 인체(人體)를 신체(神體)로 바꾸고자 한다. 따라서 프라나는 단순한 숨이 아니라 생명력을 지탱하고 모든 기관에 활력을 불어넣는 우주에너지다. 프라나의 흐름에 따라 마음도 따라 움직인다. 마음의 동요를 일으키지 않으려면 호흡을 조절하여 프라나의 움직임을 통제해야 한다. 프라나의 통제는 곧 의식을 통제하는 것이고, 의식을 통제하는 것이 프라나를 다스리는 것이다. 프라나가 멈추면 의식의 작용도 멈춘다. 프라나는 음식뿐만 아니라 액체, 호흡을 통해서도 받아들일 수 있는 생명에너지이며, 청각과 촉각을 통해 흡수할 수도 있다. 프라나는 정신에서의 정열과 표현을 책임짐으로써 프라나가 없으면 우울증과 정신적인 정체를 겪는다. 마음은 적당한 생명에너지가 없으면 올바로 작용할 수 없다. 마음은 감각기관, 운동기관을 통해 작용하면서 프라나를 처리한다. 또 마음은 숨처럼 불안정하기 때문에 쉽게 동요되고 산란해질 수 있다. 이 같은 마음의 동요는 심리적인 문제뿐만 아니라 신체적 문제를 일으킨다. 외적 마음은 감각기관과 프라나를 통해 제어되므로 감각을 통제하는

요가수행을 하면 프라나가 깨어나기 시작한다. 생명에너지의 소통체계를 요가에서는 차크라라고 하는데, 차크라가 원활하게 기능을 발휘하지 못하면 질병이 발생할 수 있다. 요가수련에서는 호흡이 인체의 에너지를 이끌어 줌으로써 가장 기본적 수련이 되며, 육체의 정교한 조직과 근육은 호흡수행을 통해 불수의근적 조절과 감각기관을 제어하여 질병에서 자유롭게 하고, 초자연력을 획득하도록 해 준다. 궁극적으로 완전한 육체를 수단으로 해탈하고자 한다. 하타요가는 육체적인 수련인 아사나(asana)와 호흡수련인 프라나야마(pranayama)를 바탕으로 하여 반다(bandha)를 더한 무드라(mudra)라는 수행법으로 구성되어 있다.

관련어 | 요가

학교 – 일 이행 지원법
[學校 – 移行支援法, school-to-work opportunities act: STWOA]

졸업 후 직업 시장으로 들어가는 중등학교 학생들에게 폭넓은 진로와 고용력, 기술정보를 제공하는 포괄적 프로그램을 위하여 지역사회의 기금을 제공한다는 미국 연방의회 법. 진로상담

이 법은 1994년 미국 연방의회에서 통과된 법이다. 법의 제정 목적은 미국의 인력 생산성과 경쟁성을 높이고 학생들이 만족스럽고 성과 있는 직업생활을 할 수 있도록 하기 위한 것이다. 이 법에서는 일반 교과목의 강화와 학생들의 진로교육 강화라는 두 측면이 강조되었다. 진로교육의 경우에는 진로교육의 단계를 앞당겨 중학교 이전 단계에서 진로의 탐색과 상담을 하고, 고등학교 단계에서는 학생들의 진로와 관련된 전공을 선정하도록 하였다. 그리고 정규적으로 학생들의 발달상황이나 진척상황을 모니터링할 수 있는 방안을 강조하고, 특히 산업체와의 연계를 통한 진로지도의 강화를 강조하였다.

학교공포증
[學校恐怖症, school phobia]

정신신경증적 거부, 환경이상(環境異常)에 의한 학습부진, 지적 · 신체적 장애 등의 원인으로 등교에 대한 극심한 불안증상. 특수아상담 학교상담

등교거부의 발생배경에는 현대 가정의 문제, 학교교육의 특성 등이 반영되어 있다. 학교공포증이 있으면 학교에 가야 하는 시간이 임박해 올 때 불안이나 공황 같은 생리적인 증상들이 나타나며, 결과적으로 학교에 가지 못한다. 학교에서 또래에게 왕따를 당하였거나 선생님과의 관계가 원만하지 않는 등 학교상황의 어떤 측면에 대해 비합리적으로 느끼는 무서움에 기인할 수 있고, 혹은 보호자로부터의 분리에 대한 공포에서 기인할 수도 있다. 그중 전자의 경우를 진정한 의미의 학교공포증으로, 후자의 경우를 분리불안장애의 한 형태로 본다. 많은 아동들이 집에서 떨어지는 것에 대해 많은 불안을 갖는다. 이들은 불안에 대한 반응으로 종종 학교 가기를 거부하고, 혼자 있기를 주저하면서 분리되었을 때 신체적 증상을 호소한다. 학교공포증과 학교거부증이라는 용어는 흔히 분리불안장애의 학교회피를 나타내는 데 사용된다. 그러나 독립적인 진단으로는 존재하지 않는다. 학교거부는 특정 공포증, 사회공포증, 범불안장애로 각각 진단될 수 있다.

관련어 | 공포증

학교미술치료
[學校美術治療, school art therapy]

학교장면에서 미술활동을 통하여 개인의 발달과업수행을 돕고 잠재력 계발을 촉진하며 정서적 어려움을 해소하고 문제행동을 개선시키고자 도움을 주는 활동. 미술치료

학교미술치료는 교사들이 학교에서 교육의 질을 긍정적으로 높일 수 있도록 도와줄 수 있으며, 학생들에게는 미술치료활동이 학업이나 학교생활에서 경험한 실패의 보상적 경험으로서 긍정적으로 인격

을 형성하는 데 도움이 될 수 있다. 학교미술치료는 모든 학생을 대상으로 하지만, 특히 개인적인 위기 상황 때문에 학교생활에 문제가 있거나 문제행동을 보일 때, 또는 일반 교육과 특수교육을 병행해야 할 때 등 중재적인 도움이 필요한 경우에 시행한다. 일반적으로 학교미술치료는 개별 학생이 자신의 생각, 감정, 혼돈, 소원 혹은 기억 등을 시각적으로 표현하게 하는 것으로 시작된다. 학교미술치료에서는 미술활동을 기본으로 하지만 필요한 경우에는 언어를 사용하기도 한다. 그렇게 함으로써 개인적으로 문제가 되었던 기능을 회복시키고, 가정과 학교에 적응할 수 있도록 자신에 대한 긍정적 믿음을 회복시킨다. 다시 말해, 학교미술치료는 학생이 미술활동을 통하여 자기 자신을 탐색하고 자기 자신에게 가장 합당한 판단을 내릴 수 있도록 도와주는 것이다. 이처럼 학교미술치료사가 교육현장에서 미술치료적 중재활동을 할 때는 특별히 주의해야 할 몇 가지 사항이 있다. 어떤 경우는 학교의 다른 교과목처럼 또 다른 과제가 될 수 있고, 학교심리상담사의 역할인 심리적인 유도가 될 수 있으며, 예술창작활동에서 표현을 자극하도록 돕는다는 것이 지나쳐서 미술수업처럼 될 수도 있기 때문이다. 무엇보다 표현하고자 하는 것을 형태와 내용을 통하여 충분히 나타낼 수 있도록 미술치료사는 심사숙고하고 주의하여 미술치료활동이 될 수 있는 작업을 고안해 내야 한다. 이러한 입장에서 클라인(Klein)은 학교미술치료의 열 가지 함정을 제시하였다. 클라인은 프랑스 파리와 스페인 바르셀로나 소재의 국립표현창작예술과변형 학교장으로, 인본주의적–현상학적 시각에서 학교미술치료에 대한 견해를 제시하였다. 학교미술치료에서 학교미술치료사의 입장, 즉 미술치료사도 아니고 미술교사도 아니며 예술지도자도 아닐 수 있는 그들의 정체성의 혼란을 피하기 위하여 다음과 같은 열 가지 지침을 제시했던 것이다. 첫째, 학교미술치료는 학생의 지극히 개인적인 경험을 표현하게 해서는 안 된다. 둘째, 학교미술치료사는 학생과 가족의 문제점들을 평가하지 않는다. 셋째, 학교미술치료는 미술교육활동처럼 학습모델을 제공하는 하나의 교과목이 아니다. 넷째, 학교미술치료는 학생이 모델화된 영웅과 닮아 가도록 도움을 주는 것이 아니다. 다섯째, 학교미술치료는 미술성적을 높이기 위하여 반복된 연습을 하는 것이 아니다. 여섯째, 학교미술치료 회기는 칭찬을 받기 위한 시간이 아니다. 일곱째, 모든 학생이 매 순간 즉흥적 창조성을 발휘할 수 있다는 맹목적인 믿음을 갖지 말아야 한다. 여덟째, 학교미술치료는 학생들에게 지나친 요구를 하지 말아야 한다. 아홉째, 학생들의 공포스럽고 괴이한 발상들에 대한 염려와 추측에서 벗어나야 한다. 열째, 학생은 학교미술치료사의 능력을 대신 실현하는 대상이 아니다. 요컨대 학교미술치료는 학생들이 창작의 주체가 되도록 하는 것이며, 학교미술치료의 목표는 학생들이 주체가 되어 창의적인 활동의 중심으로 자아를 향상시키는 과정을 도와주는 것이다.

학교상담
[學校相談, school counseling]

상담의 하위영역으로 학교장면에서 이루어지는 상담.

학교상담

학교상담은 일반적으로 초·중·고등학교에서 이루어지는 상담을 말하며, 전문교사가 실시하기도 하고 일반 교사들이 실시하기도 한다. 종래 학교상담은 생활지도형태로 문제가 있는 학생을 선도하는 차원에서 이루어졌다. 학교상담의 주된 목표는 학생 개인의 성장과 발달을 촉진하고 자아실현을 도와주는 데 있다. 이에 따라 하위목표는 학생 개인의 자기이해, 잠재능력의 개발, 사고와 행동의 변화, 문제해결능력의 향상, 의사결정능력의 개발, 인간관계 능력의 향상, 적응능력의 향상 등이다(연문희, 강진령, 2002). 그러나 최근 학교상담에서는 생활지도뿐만 아니라 심리치료, 의사결정, 행동수정, 문제해결, 정보제공 등 전문적인 기법에 입각하여 새로운 기능을 수행하고 있다. 다시 말해, 학교상담은 학생들이 학교의 안팎에서 당면하는 여러 가지 문제를 예방하고 해결하며 적응·성장할 수 있도록 종합적이고 체계적으로 도움을 주는 활동이다. 학교상담의 특징으로는, 첫째, 모든 교사가 담당하는 것이다. 둘째, 대상은 모든 학생이다. 셋째, 예방과 조기발견을 중요시한다. 넷째, 발달적 상담이 중심이 되어야 한다. 다섯째, 학생생활의 모든 영역에 걸친 서비스다. 여섯째, 교사에 의한 적극적인 서비스, 원조 및 협력이다(장혁표, 1992). 한편, 기스버스와 헨더슨(Gysbers & Henderson)은 학교상담을 다음 네 가지 영역으로 구분하였다. 첫째, 생활지도 교육과정(guidance curriculum)으로서 아동의 개인적 이해, 사회적·학업적 능력 등을 발달시키고 문제해결능력을 향상시키는 프로그램의 개발과 생활지도를 포함한다. 이는 문제를 예방하고 대처하는 능력을 향상시키는 데 초점을 둔 활동이다. 둘째, 반응적 봉사(responsive service)로서 이는 어떤 문제를 지닌 아동에게 지원되는 활동을 말한다. 주로 심리적 상담활동으로 이루어지는데 개인상담, 집단상담, 또래상담, 그 외 여러 가지 중재 프로그램을 실시하는 것이다. 셋째, 아동 개인에 대한 조력(individual planning)으로서 아동의 진로계획을 발달시키고 그와 관련된 프로그램을 개발, 실행하는 것이다. 예를 들면, 진로인식, 진로탐색, 진로발달 프로그램 등이 여기에 속한다. 넷째, 체제지원(system support)으로서 이는 학교상담에서 이루어지는 전체적인 프로그램의 개발과 실시 등 운영에 필요한 전반적인 경영활동을 말한다. 즉, 학교와 지역사회 체계의 연계방안, 부모교육 프로그램, 학교상담의 효과연구 등이 포함된다. 학생들이 주로 호소하는 문제는 학습문제, 학교생활의 적응, 진로, 비행행동, 대인관계, 성 문제 및 이성관계, 성격 및 정신건강 등이며, 이 문제들은 앞서 설명한 각 영역에 따라 상담이 시행된다. 학교상담에서는 이러한 문제들이 더

심각해지기 전에 미리 문제를 발견하여 대처하는 예방적 기능에 초점을 두어야 한다. 이 같은 학교상담의 역사는 1907년 미국의 디트로이트 고등학교에서 교육과정의 일환으로 채택한 생활지도(guidance)에서 시작되었다고 할 수 있다. 이 교육과정의 목표는 학생들이 자신의 성격을 보다 정확하게 이해하고 바람직한 역할모델을 탐색하며 사회적으로 책임 있는 일원이 되도록 하는 것이었다. 또한 1908년 보스턴에서 시작한 파슨스(Parsons)의 직업지도교육도 넓은 의미에서 학교상담의 시작으로 볼 수 있으며, 초창기 학교상담은 진로지도에서 비롯되었지만 급변하는 사회 속에서 정신위생운동이 대두하면서 학생들의 정신건강에 관심을 갖게 되고 진로에서 심리검사, 정신건강 발달 및 성장의 촉진에 초점을 두게 되었다. 이후 1946년에 제정된 「직업 교육법(Vocational Education)」을 기반으로 하여 체계적인 상담과 생활지도 서비스가 이루어지면서 학교상담은 양적으로 성장하였다. 1970년대에 생활지도 개혁운동(guidance reform movement)으로 불리는 이 움직임은 이전의 학교상담이 개인적이고 위기 지향적이며 반항적인 접근이었다면 보다 종합적이고 예방적이며 발달적인 접근을 강조하게 되었다. 이 운동은 학교상담자들이 상담뿐만 아니라 자문(consulting), 조정(coordinating)의 역할까지 확대하도록 하였다. 이후 1981년 미국상담학회의 상담 및 교육관련프로그램인준위원회(CACREP), 국가상담자자격위원회(NBCC) 등의 제도를 실시함으로써 학교상담은 표준화, 제도화의 과정을 거쳐 질적 변화를 이루게 되었다. 우리나라의 경우는 1950년대 미국 교육사절단의 활동에서 시작되었다. 1953년 대한교육연합회의 중앙교육연구소가 중심이 되어 상담과 생활지도 이론에 대한 연구를 시작하였으며, 1957년 서울시교육위원회 『교육정책요강』에 "중학교, 고등학교에 카운슬러 제도를 둔다."라는 규정이 생기면서 학교상담이 중요한 과제로 논의되었다. 이후 1961년까지 서울시내 교도교사를 양성하여 1964년에 교도교

사 자격제도가 시행되었다. 이때 교도교사는 1주에 6시간 이내의 수업시수를 가지고 상담조언, 개인기록관리, 정보제공의 업무를 담당하였다. 그러나 이러한 구상이 비현실적인 측면이 많아 전문상담사로서의 역할을 해내지 못하였다. 이에 1990년 교도교사 제도와 별개로 시·도 교육청 단위의 조례로 상담제도가 신설되었다. 15개 시·도 교육청의 교육연구원에 교육상담부와 진로상담부가 조직되어 상담연구, 프로그램 개발, 학생상담 자원봉사자 교육 등을 실시하고 각 학교에 배치하였다. 이에 지금까지 사용하였던 교도교사 명칭은 진로상담 교사로 바뀌었으나 역할은 바뀌지 않았고, 그들의 역할은 전문적인 상담활동과는 거리가 멀었다. 좀 더 실질적인 학교상담활동은 전문상담교사 양성과정과 국가고시를 거쳐 2005년 9월 최초로 수업시수 없이 학교상담 업무만을 전담하는 전문상담순회교사를 선발하여 지역교육청에 배치한 후에 이루어졌다. 그리고 2007년 초에는 교육청 및 공립학교에, 9월에는 사립학교에도 전문상담순회교사뿐만 아니라 전문상담교사를 배치하기 시작하여 보다 전문적인 학교상담이 활성화되었다. 2009년 교육과학부 교육 통계에 따르면 총 482명의 전문상담교사가 활동하고 있다. 또한 학교상담지원체제의 일환으로 위 클래스(Wee class), 위 센터(Wee center)를 운영하여 학교안전망 구축사업(Wee project)을 실시하고 있다.

관련어 학교상담사, 학생상담

학교상담 프로그램 국가 모형
[學校相談－國家模型, National Model for School Counseling Program]

학생들을 대상으로 한 예방적이고 종합적이며 발달적인 미국의 학교상담 모형. 학교상담

미국 학교상담자협회가 1997년에 학업 발달, 진로발달, 개인·사회성 발달의 3개 영역과 9개의 하위 기준으로 구성된 학교상담 프로그램 국가 기준(National Standards for School Counseling Program, NSSCP)을 제시한 것을 필두로 2003년에 여러 모형을 통합한 학교상담 국가 모형을 발표하였다. 이 모형은 모든 학생이 이 프로그램의 수혜를 받아야 한다는 가정에서 설계되었다. 그리고 상담의 결과 자료를 분석하여 상담효과를 검증하고, 그 결과를 바탕으로 상담서비스를 지속적으로 향상시키도록 학교상담 교사의 책무성을 강조하고 있다. 학교상담 국가 모형은 기초(foundation), 수행체제(delivery system), 관리체제(management system), 책임(accountability)의 네 가지 영역으로 구성되어 있다. 각 영역의 하위요소는 다음과 같다. 먼저 기초 영역에서는 모든 학생이 반드시 이해하고 수행할 수 있는 목표에 근거하여 모든 학생이 학교상담 프로그램으로 이점을 얻을 방법을 결정한다. 이 영역은 신념과 철학(beliefs & philosophy) 그리고 임무(mission)를 진술하는데, 신념과 철학의 진술은 프로그램을 개발, 실행, 평가하고 프로그램을 관리하고 실행하는 데 참여하는 사람들의 기본 원리를 진술하는 것이다. 임무의 진술은 일반적으로 프로그램의 목적과 목표를 기술하는 것이며, 학교상담 프로그램의 임무 진술은 학교와 담당부서의 임무를 제시해 두는 것이다. 수행체제영역에서는 기초 단계에서 명시한 핵심 신념, 철학, 임무에 따라 프로그램을 수행하는 데 필요한 활동, 상호 교류, 방법들을 기술한다. 이 단계는 교육과정지도(guidance curriculum), 학생 개인의 목표설계(individual student planning), 반응적 서비스(responsive services), 체제 지원(systems support)으로 구성되어 있다. 교육과정지도는 학생의 발달수준에 적합한 지식과 기술을 제공하고 원하는 능력을 획득할 수 있도록 학생의 교과목을 설계한다. 그리고 학교의 총체적인 교육과정을 철저하게 주지해야 하며 K-12반과 집단활동을 통하여 체계적으로 제시해야 한다. 학생 개인의 목표설계는 학생별 개인목표와 미래계획을 세

울 수 있도록 학생을 도와주는 진행적이고 체계적인 활동을 말한다. 반응적 서비스는 학생의 생활사, 처한 환경이나 조건에 관하여 즉각적으로 요구할 때 응하는 상담, 조언, 안내, 또래중재, 정보 제공과 같은 전통적인 학교상담자의 의무를 말한다. 체제지원은 조직된 활동처럼 전체 상담 프로그램을 계획하고 유지하며 개발하는 것과 관련된 행정과 관리를 말한다. 관리체제영역은 수행체제와 서로 교류하여 조직과정이 혼합되어 있다. 이 영역은 프로그램을 확정 짓기 위한 도구를 조직하고 구체화하며, 명확하게 계획하고 학교의 요구를 반영하는 것이다. 이 영역에는 관리협약(management agreements), 자문위원회(advisory council), 자료 활용(use of data), 활동계획(action plans), 시간 사용(use of time), 달력사용(use of calendars)이 있다. 관리협약은 학생의 요구를 반영하여 수행체제를 효과적으로 시행하는 것을 말한다. 이는 각 학년 초에 이루어지며 학교상담 프로그램의 조직방법, 행정가들이 수행해야 할 것과 협상해야 될 것, 그리고 승인을 받아야 할 것을 진술해 두는 것이다. 자문위원회는 상담 프로그램을 검토하고 건의사항을 제시하는 집단으로서 학생, 부모, 교사, 학교상담자, 행정가, 지역사회 인사로 구성된다. 자료사용은 학교상담 프로그램에 참여한 모든 학생이 도움을 받도록 하는 데 필요하다. 학교상담자는 프로그램 활동 내용이 학생의 요구, 수행 결과 또는 관련 자료를 분석하여 개발되었다는 것을 보여 주어야 한다. 활동계획은 학생이 바라는 유능성과 결과를 획득하는 방법에 관하여 전체적인 윤곽을 세우는 것이다. 여기에는 유능성 진술, 활동에 관한 기술, 유능성을 진술하는 데 사용된 자료, 활동이 완전히 이루어지는 일정, 수행 책임자, 성공을 평가하는 수단, 예기된 결과들이 포함된다. 시간사용은 수행체제의 4단계를 수행하는 데 업무시간의 80%를 사용할 것을 ASCA(American School Counselor Association) 국가 모형에서 권고하고 있다. 달력사용은 수행체제의 각 영역에 필요한 시간의 양을 결정하는 데 도움이 된다. 책임영역에서는 학교상담자와 행정가들이 측정기간 내에 학교상담 프로그램의 효과성을 설명하도록 점진적인 도전을 강조한다. 이를 위한 활동으로는 결과보고(results reports), 학교상담자 수행 표준(school counselor performance standards), 프로그램 심사(program audit) 등이 있다. 결과보고는 프로그램을 수행하는 전 과정을 포함하고 프로그램 참여자와 실시자 이외의 사람과 자료를 공유하며, 프로그램의 향상을 위하여 프로그램의 단기적, 장기적 결과를 수집하고 분석하는 것이다. 학교상담자 수행 표준은 학교상담 프로그램을 실시하는 상담자에게 기대되는 기본적인 실습수준을 말한다. 수행표준은 상담자 평가의 근거와 상담자 자기평가의 수단으로 제공되어야 한다. 프로그램 심사는 정보를 수집하는 것이 일차적 목표이고, 이는 프로그램 내에서 장래활동을 안내하고 학생들의 장래 결과를 향상시키기 위한 것이다. 이 국가 모형의 각 영역은 초등학교, 중학교, 고등학교, 고교 졸업 후 과정으로 나누어 제시하고 있다.

학교상담사
[學校相談士, school counselor]

학교에서 상담업무를 담당하는 교사. 학교상담

기본적으로는 학교의 한 구성원으로 근무한다. 학교상담은 넓은 의미에서는 아동·학생의 교육에서 생기는 문제에 관하여 심리학과 상담의 이론 및 방법에 기초하여 본인과 가족, 교사에 대한 상담활동을 가리킨다. 학교상담사가 다루는 구체적인 문제로는 등교거부, 왕따, 성 비행, 학교폭력, 학업부진, 원조교제, 불안 등 다양하다. 이러한 문제들을 다루기 위하여 학교상담사는 인간적 자질과 전문적 자질을 갖추어야 한다. 인간적 자질이란 내담자와의 진정한 인간관계 형성, 인간에 대한 존중, 신뢰, 이

ㅎ

해, 그리고 객관적인 태도, 긍정적인 자아의식 등이며, 전문적 자질이란 인간발달에 대한 지식, 생활지도 및 상담에 대한 지식과 기법에 대한 전문적인 교육과 훈련, 상담자 윤리의 준수 등이다. 이 같은 전문적 자질의 함양을 위해서 우리나라의 경우 전문상담교사 자격과정을 통하여 전문적인 학교상담사를 배출하고 있다. 이들은 학교현장에서 전문상담순회교사, 전문상담교사라는 직함으로 활동하고 있다.

관련어 | 전문상담교사, 전문상담순회교사, 학교상담

학교심리학
[學校心理學, school psychology]

학교라는 장에서 아동·학생의 지적·인격적 성장을 돕기 위해 개인이나 집단을 대상으로 심리학적 측면에서 기초적인 연구를 하는 심리학의 한 분야. **학교상담**

학교심리학은 학교교육에서 학생들이 학습, 심리·사회, 진로, 건강과 관련하여 직면하는 문제들을 해결하는 데 도움을 주고, 학생의 성장을 촉진하도록 하는 교육심리적 서비스를 연구한다. 교육심리적 서비스는 일반 교사나 상담교사가 보호자와 연계하여 행하는 것으로서, 학생의 자원을 발견하여 촉진하면서 문제해결과 성장을 돕는 활동이다. 학교심리학은 학교교육과 관계되는 문제에 초점을 두고 교사가 상담을 하는 것으로서 학생에 대한 간접적 지원이 중요한 활동이 된다. 이는 모든 일반 학생뿐만 아니라 특별한 도움이 필요한 학생을 대상으로 학생의 자조자원에 초점을 맞추어 진행된다. 학교심리학은 학생의 발달과정과 학교생활 적응의 어려움에는 환경적 요인이 크게 영향을 미치기 때문에 환경에 대한 개입을 중점적으로 다루고 있다. 이와 유사한 학문으로는 상담심리학을 들 수 있다.

관련어 | 상담심리학

학교심리학자
[學校心理學者, school psychologist]

학교현장에서 학구적·행동적·정서적 문제를 가지고 있는 학생들과 작업하도록 특별히 교육받은 심리학자. **학교상담**

학교심리학자는 학교라는 장에서 아동·학생의 지적·인격적 성장을 돕기 위해 개인이나 집단을 대상으로 직접·간접적으로 심리학적 측면에서 지도와 조언을 하는 사람이다. 미국의 경우 대부분의 학교심리학자의 업무는 특수교육과 같은 프로그램에 적합한 학생들을 포괄적으로 평가하는 것이기 때문에 주 및 연방 시행령과 결합되어 있다. 학교심리학자의 세 가지 기본 의무는 평가, 자문, 중재다. 한편, 우리나라의 한국심리학회 산하 학교심리학회에서는 학교심리학자의 역할을 평가, 개입, 예방, 자문, 연구 등으로 제시하였다. 첫째, 평가역할로서 학생의 학업기술, 학습적성, 학습환경, 지능, 정서, 사회성 및 행동 발달, 정신건강 상태와 각종 교육적·심리적 서비스의 필요성을 평가한다. 둘째, 개입역할로서 학교적응이나 학업수행에 어려움을 보이는 학생의 인지, 정서 및 행동문제, 대인관계 문제나 가족문제를 해결하도록 심리상담이나 각종 심리교육적 프로그램을 제공한다. 그리고 위기관리 프로그램을 통하여 학교와 학생이 위기에 대처하는 데 도움을 준다. 셋째, 예방역할로서 각종 심리적·교육적 위기에 놓여 있는 학생 및 일반 학생의 적응과 건강한 발달을 촉진하고, 하나의 시스템으로서 학교가 보다 안전하고 효과적인 학습 환경을 갖추도록 예방 프로그램을 개발하고 실행하며, 이를 위해서 학생, 학부모, 교사, 학교 관리자와 긴밀하게 협력한다. 넷째, 자문역할로서 학생의 문제를 효과적으로 해결하기 위해 교사, 학교 관리자 및 학부모를 참여시킨 가운데 긴밀하게 협조하며 그들에게 전문적 자문을 제공한다. 다섯째, 연구역할로서 각종 교육적·심리적 서비스 프로그램의 효과를 평가하고, 그 결과를 바탕으로 학교심리학 실무를 개발

하는 데 필요한 연구를 수행한다. 미국이나 유럽에서는 지역이나 학교의 상황에 따라 한 지역에 한 명 내지 한 학교에 한 명의 학교심리학자를 배치해 두고 있다. 그 외에도 학교 소속, 지구교육센터 내지 교육청 또는 교육위원회 소속, 순회심리학자 등 여러 가지 형태를 취하고 있다. 우리나라에서는 아직 시행하지 않는 제도다.

관련어 ┃ 학교상담자

학교안전망구축사업
[學校安全網構築事業, Wee project]

학교생활의 적응을 지원하기 위한 학교 안전통합시스템.
학교상담

학교상담에서 정서불안, 폭력, 학교 부적응, 경제적 빈곤 등을 겪고 있는 위기학생을 주된 대상으로 하고 일반 학생을 보조 대상으로 하여 운영된다. 이는 학교, 교육청, 지역사회가 연계한 다중의 안전망(2단계 안전망)을 구축하여 운영되는 사업이다. 1차 안전망으로 단위학교 내 위 클래스(Wee class)의 운영, 2차 안전망으로 교육청에 위 센터(Wee center)를 운영한다. Wee는 'We(우리)+education (교육)' 'We(우리)+emotional(감성)'의 이니셜이다.

관련어 ┃ 학교상담, 위 센터

학교폭력
[學校暴力, school violence]

학교에서 일어나는 폭도와 같은 행동. 위기상담

1972년 하이네만(Heinemann)이 처음 보고한 것으로서, 주로 교실 또는 교실 외 교내 장소에서 발생하는 공격적 행동을 말한다. 학교폭력은 신체적 공격(direct physical aggression), 언어적 공격(direct verbal aggression), 정서적 공격(indirect aggression,

relational aggression)의 세 가지 유형으로 구분한다. 신체적 공격은 신체적·물리적 폭력을 가하거나, 흉기 등으로 위협하거나, 금품 또는 다른 물건들을 갈취하는 것이다. 언어적 공격은 별명을 부르거나, 협박을 하거나, 모욕적인 말을 하거나, 전화 또는 직접적으로 위협적인 말을 하는 것이다. 정서적 공격은 나쁜 소문을 퍼트리거나, 많은 사람 앞에서 망신을 주거나, 지속적으로 귀찮게 하면서 괴롭히거나, 따돌리는 것이다. 학년이 올라갈수록 직접적인 공격보다는 정서적 공격을 더 많이 하는 경향이 있으며, 최근에는 인터넷의 사용이 급증함에 따라 사이버상에서 정서적 공격을 가하는 것이 큰 문제가 되고 있다. 그리고 학교폭력이 학생들 간에 발생하는 것뿐만 아니라 교사가 학생에게 폭력을 가하거나, 학생 또는 학부모가 교직원에게 폭력을 가하는 일도 발생하고 있으며, 오늘의 가해자가 내일의 피해자가 될 수도 있어 학교폭력의 심각성이 더해지고 있다.

관련어 ┃ 공격성, 괴롭힘, 학교폭력 위기개입, 학교폭력 전화상담모형

학교폭력 위기개입모형
[學校暴力危機介入模型,
school violence crisis intervention model]

학교 내에서 발생하는 폭력사건을 중재하고 해결이 어려운 사건에 개입하여 중재조정을 지원하기 위하여 학교폭력 SOS 지원단이 제시한 모형. 위기상담

이 모형이 위기개입을 실시하는 절차는 크게 1차적 위기상담, 2차적 중재개입, 사후관리로 진행된다. 1차적 위기상담은 사건 의뢰자의 감정을 누그러트리고 상황을 좀 더 객관적으로 지각하여 앞으로의 문제해결에 도움이 되도록 심리적·정서적 지지를 하는 것이 목적이다. 그리고 사건을 정확하게 파악하고 사건해결을 위한 정보를 제공하여 피해 및 가해 학생과 주변인의 학교폭력사건을 원활하게 해

결하고, 이후의 현실적응을 돕고자 하는 것이다. 이는 상담접수, 사건에 관한 구체적 정보수립, 교육 3주체의 현재 상태 및 욕구 파악, 내담자의 심리적·정서적 지지와 공감, 사건해결을 위한 대안 탐색, 상담종결 및 전문기관 연계 등의 과정으로 이루어진다. 2차적 중재개입은 피해 및 가해 측의 노력과 학교 측의 개입 노력에도 불구하고 해결하지 못하여 제3의 전문중재자의 개입으로 원만한 합의를 도출하고, 학교를 비롯한 주변 관계자들에게 필요한 서비스를 제공하며, 피해자 및 가해자의 학교적응 및 학교의 정상적인 운영을 지원하여 궁극적인 사건해결을 도모하는 데 목적이 있다. 이는 신청서 접수, 사례회의, 팀 구성, 현장방문상담, 사례분석 및 계획수립, 합의중재, 서비스 지원 및 연계, 평가 등의 과정으로 이루어진다. 중재개입은 7개의 기본 원칙에 따라 이루어지는데, 우선 첫째는 팀 구성의 원칙으로서 2인 1조의 중재팀을 구성한다. 둘째는 객관성 유지의 원칙으로서 중재자의 중립적인 가치기준과 객관적인 태도를 유지하는 것이다. 셋째는 도덕성 유지 원칙으로서 상담의 기본 원칙을 준수하는 것이다. 넷째는 신속성의 원칙으로서 중재개입의 시기 및 방법을 신속하게 처리하는 것이다. 다섯째는 교육 3주체 개별면담의 원칙이고, 여섯째는 피해자 우선 보호의 원칙으로서 문제해결의 초점은 피해학생의 치료와 학교적응을 돕는 것이다. 일곱째는 학교의 적극적 개입유도 원칙으로서 1차적 해결은 학교 차원에서 이루어져야 한다는 것이다. 여기서 주의할 점은 합의결정을 위해서는 반드시 합의서를 작성해서 문서화해야 한다는 것이다. 1차적 위기상담과 2차적 중재개입 후에도 전화상담이나 심리상담등을 통하여 내담자를 지속적으로 사후관리하여 학교폭력 사건에 대해 통합적으로 위기개입한다.

관련어 | 학교폭력, 학교폭력 SOS 지원단, 학교폭력 전화상담모형

학교폭력 저수준 위기
[學校暴力低水準危機, low level crisis of school violence]

피해자가 일회적 단순 폭행, 3개월 미만의 언어적 폭력, 경미한 수준의 폭력, 괴롭힘, 따돌림 등을 당했지만 피해자의 내재적 힘이나 가정과 학교, 친구 등의 사회적 지원으로 그 어려움을 극복한 상태의 학교폭력 위기수준의 하나. **위기상담**

이 수준의 피해자는 불안, 두려움, 복수하겠다는 마음을 지니게 되고, 학교에 가기가 싫어진다. 이 수준의 가해자는 우발적으로 또는 경미하게 일회적으로 가해를 한 것에 대해 행위에 대한 책임을 지지는 않지만 자신의 잘못은 인정하고, 또한 사과할 의지는 없는 상태에서 공격성과 내재된 스트레스는 많다. 이들은 가정의 관심과 지원이 있는 상황이고, 또래집단 및 가족과 친밀한 관계를 유지하고 있다.

관련어 | 괴롭힘, 학교폭력

학교폭력 전화상담모형
[學校暴力電話相談模型, school violence call counseling model]

청소년 폭력예방재단에서 학교폭력 등의 중재를 위하여 제안한 전화상담과정. **위기상담**

이 모형은 시작단계, 정보수집단계, 해결방안을 위한 실마리 찾기 단계, 해결방안 모색단계, 종결단계의 총 5단계를 거친다. 시작단계에서는 내담자와 라포를 형성하고 위기상황에 대한 안전을 확보한다. 정보수집단계에서는 내담자의 인적 사항 및 피해상황에 대한 정보를 수집한다. 해결방안을 위한 실마리 찾기 단계에서는 내담자의 바람 및 대처사항을 파악하고, 해결방안 모색단계에서는 해결방안을 공유하여 선택한다. 종결단계에서는 상담을 종결하고 추수상담을 위한 안내를 한다.

관련어 | 학교폭력, 학교폭력 SOS 지원단, 학교폭력 위기개입모형

학교폭력 중수준 위기
[學校暴力中水準危機, middle level crisis of school violence]

피해자는 일회적 단순 폭행을 당했지만 재발 가능성이 있고, 3개월 미만이지만 집단폭행의 경험, 치료비를 요하는 피해상황 발생, 그리고 3개월 이상 6개월 미만의 폭력경험을 한 상태의 학교폭력 위기수준의 하나. `위기상담`

심리적으로 심한 불안, 두려움, 수치심, 수면장애 등의 경미한 심리적 장애를 보이고 무기력, 복수심, 등교거부, 2회 이상의 전학 등의 증상을 보인다. 이 수준의 피해자는 정서적 지원을 해 주는 친구가 없으며 또래관계와의 갈등으로 유사 피해경험이 잦다. 그리고 학교나 가정의 지원이 부족하여 주로 혼자서 문제를 지니고 있다. 한편 가해자는 3개월 미만의 집단적 가해, 6개월 이상의 폭력가해로 유사 폭력경험이 있다. 폭력피해로 인한 폭력을 학습하고 피해당한 보복으로 다시 가해를 하며 인지적 왜곡, 공격성, 분노조절의 어려움, 잘못에 대한 반성은 하지 않는다. 이들은 가정 내의 정서적 지지자가 없고 가정 내 폭력경험이 있으며 교우관계가 친밀하지만 수직적 관계에 놓여 있으면서 가해집단을 조직한다. 학교폭력의 고수준 위기에 있는 피해자는 사망이나 자살 가능성이 있거나, 또는 심각한 신체적 손상으로 입원치료가 필요하기도 하며 장래의 신체적 장애 가능성이 있고, 6개월 이상의 지속적인 폭력경험이 있다. 심리적으로는 외상 후 스트레스 장애, 정신분열증, 우울증 등의 정신병리적 초기 증상을 보이며, 불안으로 인한 대인공포, 복수를 위한 흉기 소지, 장기간 등교거부 또는 자퇴를 하고 바깥 출입을 하지 않으려고 한다. 가족 내의 지지가 부족하며 또래친구가 없고, 학교에서는 교사의 관심과 지원이 열악하다. 게다가 스스로도 주변과 의사소통을 하지 않으려고 한다. 이에 가해자는 비슷한 폭력적 행동을 반복적으로 저지르고 가출, 무단결석 등의 비행경험이 많으며 1년 이상 폭력행위에 가담한 상태다. 심리적으로 사회에 대한 분노, 자신의 모든 행동에 대한 책임을 회피하고 행동장애 또는 품행장애 등을 나타낸다. 그리고 또래친구들이 없으며 폭력서클에 가담하기도 한다.

`관련어` | 괴롭힘, 학교폭력

학교폭력 SOS 지원단
[學校暴力 – 支援團, school violence SOS supporting group]

학교폭력 피해 · 가해 학생 측에 상담서비스를 제공하고 학교폭력사건 발생 시 위기지원 및 각급 학교 학교폭력대책자치위원회에서 해결이 어려운 사건에 개입하여 분쟁조정을 지원함으로써 학교폭력의 원만한 해결과 학생들의 건강한 생활 및 학교폭력 예방을 도모하기 위하여 교육부가 주관하며 사단법인 청소년 폭력예방재단이 운영하는 서비스 사업. `위기상담`

학교폭력위기상담센터와 학교폭력위기지원센터로 구분하여 운영되고 있다. 학교폭력위기상담센터는 학교폭력 피해 및 가해 학생과 부모를 대상으로 전문위기상담서비스를 제공한다. 좀 더 구체적인 활동업무는 학교폭력 전문위기상담, 학교폭력 대처방법 제공, 변호사 법률상담과 전문의 의료상담, 심리 · 정서 전화상담과 면접상담, 피해 학생 · 가해 학생 집단상담 프로그램 등이 있다. 학교폭력위기지원센터는 학교 차원에서 해결하기 어려운 다양한 문제를 해결하고 위기상황 시 긴급 출동하는 등 방문 위주의 문제해결서비스를 제공한다. 즉, 학교폭력 중재 및 분쟁 조정, 학교폭력대책자치위원회 자문, 변호사 화해 조정, 중재판결, 전문기관 연계 서비스, 학교폭력 실태조사, 경호지원서비스 등이 있다.

`관련어` | 학교폭력, 학교폭력 위기개입모형, 학교폭력 전화상담모형

ㅎ

학대
[虐待, maltreatment]

상대방을 혹사하거나 소홀히 대하는 행동 또는 위협하는 행동. 아동청소년상담

학대는 대상과 특별한 관계에 있는 자 등이 대상에 불필요한 고통을 주거나 가혹하게 대우하는 형태를 말한다. 종종 욕설(abuse)이나 방치(neglect)라는 일반적인 용어로 사용되기도 한다. 대개의 경우 학대의 대상은 노약자나 어린이 등 심신이 연약한 사람이다. 학대의 형태로는 의도적으로 물리적인 힘으로 신체에 상해나 통증을 가하는 신체적 학대가 있고, 공갈·모욕·위압 등 언어 또는 비언어적 수단으로 정서적·심리적 고통을 의도적으로 유발하는 정서적·심리적 학대가 있다. 그리고 의도적 또는 결과적으로 양육이나 치료 제공자가 양육 및 치료 의무를 하지 않는 방임이 있으며, 허가 없이 대상의 금전, 재산, 기타 소지품을 빼앗는 금전적, 물리적 착취가 있다. 또한 본인과의 합의 없이 성적 접촉을 강요하는 성적 학대가 있다.

관련어 | 아동학대

학대/남용
[虐待/濫用, abuse]

어떤 사람 혹은 집단을 신체적, 정서적, 행동적으로 몹시 괴롭히거나 가혹하게 대우하는 것 또는 약물이나 사물을 기준 이상으로 사용하는 것. 이상심리

두 가지 용어로 번역될 수 있는데, 첫째, 학대는 신체적 학대, 정서적 학대, 언어적 학대, 성적 학대, 방임 등으로 구분할 수 있다. 신체적 학대는 폭행, 구타, 체벌, 감금 등으로 신체에 해를 입히며 물리적으로 가혹하게 대하는 것을 말한다. 정서적 학대는 애정이나 관심을 주지 않아 불안, 우울 등의 부정적 감정을 촉발시키는 것을 말한다. 언어적 학대는 비

난하거나 욕을 하거나 무시하는 말을 하여 심리적 고통을 가하는 것을 말한다. 성적 학대는 성적 행위나 성적 폭력을 가하는 것을 말한다. 또한 아동이나 노인은 건강한 생활을 영위하기 위해 보호자의 적절한 보살핌이 필요한데도 불구하고 기본적인 의식주를 제공하지 않거나 신체적 질병에 대한 적절한 의료조치를 취하지 않고 방치하는 것이 방임인데, 이 역시 학대라 할 수 있다. 둘째, 남용은 약물이나 사물을 정해진 양이나 기준을 무시하고 함부로 사용하거나 과다복용하는 것을 말한다. 예를 들어, 통증완화를 위해 의사가 하루에 두 알의 약을 처방했는데 이를 무시하고 시도 때도 없이 여러 알을 복용하는 경우다. 약물을 남용하면 내성이 생겨 약물효과가 떨어질 수 있고, 이 때문에 약물중독에 이를 수도 있다. 남용은 오용과 구분되는데, 오용은 약물의 원래 용도와 상관없이 다른 용도로 사용하는 것이다.

관련어 | 가정폭력, 노인학대, 물질남용, 아동학대, 피학대 여성 증후군

학생상담
[學生相談, student counseling]

대학생의 생활에서 일어나는 다양한 문제에 대한 상담활동. 학교상담

부적응 학생에 대한 상담뿐만 아니라 학업과 진로, 경제문제, 과외활동 등의 문제에도 응하는 것이기 때문에 학생지도의 영역과 중복되는 부분이 많다. 또한 그 대상은 전체 학생이다. 역사적으로 볼 때, 대학과 대학원은 교육과 연구를 목적으로 하는 고등교육기관이다. 그곳은 학생들에게는 학업의 장(field)일뿐만 아니라, 대인관계의 장이고 생활의 장이며, 장래 진로를 결정하는 장이기도 하다. 학생은 오랜 학교생활 동안 학업, 대인관계, 학생생활, 진로 등의 영역에서 여러 가지 고민과 과제에 직면한다.

학생상담의 목적은 이러한 학교생활상 겪을 수 있는 다양한 문제에 대하여 심리적인 도움을 주는 것이다. 학생상담은 학교생활 전반에 대한 폭넓은 일반성과 발달 및 마음의 건강에 대한 전문성이 요청되는 상담활동이다. 학생상담의 구체적인 내용은 학업, 취직, 성격이나 정서, 성(性), 대인관계, 가정, 기숙사, 경제, 종교, 생활방식 등 매우 다양하며, 이 내용을 크게 구별하면 위기상담(crisis counseling), 촉진상담(facilitation counseling), 예방상담(prevention counseling), 발달상담(developmental counseling)으로 나눌 수 있다. 상담은 주로 개인 면접으로 이루어지지만 그 외에도 전화상담, 집단상담, 합숙, 강연회 및 부적응 학생을 위한 예방 활동으로 진행한다. 상담의 이론으로는 내담자중심상담, 행동상담, 인지상담, 교류분석적 상담, 게슈탈트 상담, 절충적 상담 등이 있으며, 그 밖에 정보제공이나 적성진단 등 생활지도(guidance)적인 것도 있다.

관련어 | 생활지도, 위기상담, 학교상담

학생유형검사
[學生類型檢查, Student Styles Inventory: SSI]
중·고등학생의 성격유형을 파악하기 위한 심리검사.
`심리검사`

성격유형을 검사하기 위해서 안창규와 오클랜드 박사가 공동으로 개발한 검사로, 검사문항 수는 70문항이며, 대상은 중학생과 고등학생이다. SSI는 현재 널리 사용되고 있는 마이어스-브리그스 성격유형검사(MBTI)와 마찬가지로 융(Jung)의 이론적 개념에 바탕을 두고 학생들의 개별성에 대한 명확한 통찰을 제공하는 학생유형검사다. MBTI가 주로 성인을 대상으로 만들어진 반면, SSI는 초등학교 3학년부터 고등학교 3학년에 이르는 학령기 아동과 청소년에게 유용한 검사로서, 학생 개개인에게 가장 적

합한 학습방법, 대인관계 방식, 과제수행 방식 등을 찾아내는 데 초점을 두고 있다. SSI의 모든 문항은 일상적인 생활에 관련된 내용으로 구성되어 있고, 또한 학생들이 자신과 쉽게 관련지어 답변할 수 있어서 신뢰도와 타당도가 높다. 검사는 융의 이론에 근거하여 외향형-내향형(extrovert-introvert), 실제형-상상형(practical-imaginative), 사고형-감정형(thinking-feeling), 조직형-유연형(organized-flexible)으로 구분하였다.

학습
[學習, learning]
과거경험의 결과로서 비교적 영속적인 행동의 변화가 일어난 상태. `학습상담`

학습은 다양한 수준, 즉 외현적 또는 내현적, 의식적 또는 무의식적 수준에서 일어날 수 있고 학습의 주체는 인간 및 동물이 모두 포함된다. 학습이 어떻게 일어나는지 설명하는 데 여러 가지 이론이 있지만 가장 대표적인 것은 행동주의 이론이다. 행동주의 이론에서는 학습이 경험의 결과로 일어나고, 행동의 변화에 선행하는 것으로서 행동을 매개하는 과정이며, 행동 잠재력의 변화라고 하였다. 행동 잠재력의 변화란 행동의 변화가 즉각적이고 직접적인 행동으로 나타나지 않아도 다른 행동으로 나타날 수 있음을 나타낸다. 예를 들면, 농구선수가 교육이나 훈련을 통하여 경기에 임했을 때 자신에게 주어진 역할과 활동이 무엇인지 배우고 익혔다고 해도 실제 경기를 치르기 전까지는 그 선수의 행동의 변화가 있는지 직접적으로 관찰할 수가 없다. 이 경우에 행동의 변화를 관찰하지 못하기 때문에 학습이 일어나지 않았다고 볼 수는 없으며 행동변화를 위한 잠재력이 있다고 할 수 있을 것이다. 그러나 유기체가 나타내는 어떤 자극에 대한 반사적인 반응은 학습이라고 하지 않는다. 이는 유전적 요

ㅎ

인으로 이루어지는 행동의 변화이므로 학습이 아니라 본능이라고 한다. 그리고 자연적 성숙에 의한 행동변화나 피로, 질병, 약물사용 등에 따른 행동 변화는 학습에 포함되지 않는다. 학습은 여러 가지 다양한 외부환경에 적응하여 살아남기 위한 많은 방식을 제공해 주기 때문에 유기체의 생존에 필수 불가결한 일이다. 이러한 학습을 설명하는 대표적인 원리로 파블로프(Pavlov)의 고전적 조건형성과 스키너(Skinner)의 조작적 조건형성을 들 수 있다. 즉, 인간의 생존에 도움이 되는 것과 도움이 되지 않는 것을 구별하여 유익한 것은 습득하고 유익하지 않은 것은 회피하는 학습과정은 이와 같은 두 원리를 통해 이루어질 수 있다. 한편, 인지적 접근을 시도하는 이론은 새로운 정보나 기술을 습득하고 기억하는 관찰할 수 없는 정신적 사고과정을 대상으로 연구하는데, 이 이론에서는 학습을 문제를 구성하는 요소 사이의 내적 관계를 발견하는 과정으로 정의한다. 인지주의의 대표적인 게슈탈트 심리학자는 학습을 인지현상(cognitive phenomena)으로 본다. 즉, 유기체가 어떤 문제를 인식하는 경우에 그것을 해결하기 위해 유기체는 모든 가능한 해결책을 생각해 내고 그것을 실행에 옮기는 과정을 통하여 문제해결에 관한 통찰(insight)을 얻는다. 유기체가 통찰의 과정을 통하여 인지구조의 변화가 일어나고 외부환경에 대한 지각양식의 변화가 초래되는 것이다. 이러한 과정으로 학습이 일어나므로 형태주의자는 학습을 비연속적인 것으로 본다. 이렇듯 유기체의 학습은 행동주의적 입장의 자극과 반응, 그리고 강화의 관계뿐만 아니라 유기체의 인지적 내적 과정에 의해 이루어지는 활동이라 할 수 있다.

관련어 고전적 조건형성, 스키너, 에빙하우스 곡선, 인지구조, 인지주의, 조작적 조건형성, 통찰, 파블로프, 학습곡선, 행동주의, 게슈탈트

발견학습 [發見學習, discovery learning] 교사가 지식의 최종적인 완결형태만 가지고 학습을 제시하는 것이 아니라 학습자가 '주체적인 작은 연구자'가 되어 정보를 재구성하거나 기초 지식을 통합하여 지식의 생성과정을 체험하고, 그 지식을 익혀나가는 학습활동을 말한다. 발견학습의 배경은 소크라테스(Socrates)의 대화법, 루소(Rouseau)의 아동중심 교육, 듀이(Dewey)의 반성적 사고 중심 교육사상, 브루너(Brunner)의 발견학습에서 살펴볼 수 있다. 특히 브루너는 학습자가 처음에는 교사에게 의존하지만, 교사의 사고역할은 점차 감소하고 학습자 스스로 사고를 진행해 나가면서 지식의 구조를 이해하고, 스스로 내적 문화를 발견하고 창조해가는 과정을 통해 내적 동기를 유발시킬 수 있다고 강조하였다. 학습자는 발견학습을 통해 문화를 실감하고, 지식을 터득하는 기쁨과 배움을 계승해 나가는 기쁨을 얻는다. 발견학습의 목표는 학습자의 탐구적인 사고방법을 형성시키는 데 있으며, 4단계 과정으로 진행된다. 첫째, 학습자가 문제의식을 갖고 객관적이고 구체적인 사실을 관찰하는 단계다. 둘째, 직관적 사고를 통해 결과에 대한 예측이나 가설을 착상하는 단계. 셋째, 가설의 검증으로, 논리적·분석적 사고로 원리를 발견하고 개념으로 착상시키는 단계. 넷째, 가설검증단계에서 성립된 개념을 현실에 적용하는 단계다. 이 같은 과정을 통해 학습자는 발견한 결과를 습득할 뿐만 아니라 동시에 탐구방법 또한 획득하게 된다.

분산학습 [分散學習, distributed learning] 일정한 시간을 나누어 중간에 휴식을 취하면서 학습하는 방식으로, 스턴버그(Sternberg, 2003)는 학습주제를 분산시키고 부호화 맥락을 다양하게 하는 것이 정보저장을 장기화하는 데 도움이 된다고 하였다. 예를 들어, 상담학 시험을 치기 위해 6시간 정도 학습시간이 필요하다면 2시간씩 3일 동안 학습하는 것이다. 분산학습에서 중요한 것은 각 학습시간에 맞추어 학습할 분량을 나누는 것이 아니라 각 학습시간에 전체 분량을 학습한다는 것이다. 즉,

2시간씩 3일 동안 학습한다면, 시험범위를 3등분하여 2시간씩 학습하는 것이 아니라 시험범위 전체를 2시간 학습하고, 다음 날 다시 2시간 학습하고, 그 다음 날에도 동일한 시험범위를 2시간 학습하는 것이다. 일반적으로 집중학습보다 분산학습이 효과적인 것으로 나타나고, 특히 학습기간이 길수록 분산학습이 더 효과적이다.

집중학습 [集中學習, massed learning] 주어진 분량을 일정한 시간에 연속적으로 공부하여 마무리하는 학습방법으로, 중간에 휴식을 취하지 않고 계속해서 학습하는 것을 말한다. 에빙하우스 곡선의 원리에 따르면 학습 이후에 망각이 가장 크게 일어나므로 집중학습을 한 이후에는 정보습득수준이 낮고 학습의 오류빈도도 증가하기 때문에 학습은 반복하거나 분산해서 하는 것이 더 효과적이라 할 수 있다.

학습 딜레마
[學習 –, learning dilemma]

모든 학습은 실패에 의존하며 실패와 시행착오는 새로운 해결책을 찾는 시도를 유발한다는 의미. 행동치료

학습 딜레마는 반응을 했음에도 보상이 이루어지지 않는 상황에서 발생한다. 모든 반응이 보상을 얻는다면 사실 학습은 필요 없게 된다. 학습은 특정 반응이 보상을 얻지 못할 때 이루어지는데, 이는 우리에게 스스로 어떤 다른 것을 시도하도록 동기부여하면서 새로운 것을 학습할 기회를 제공한다. 달러드와 밀러(Dollard & Miller)는 세상은 완전히 이해될 수 없는 것이기 때문에 언제나 학습이 필요하다고 주장하였다. 또한 피아제(J. Piaget)는 성숙은 단지 지적 발달을 위한 틀만 제공하며, 정신적 발달을 위해서는 이러한 틀 위에 생리적 경험과 사회적 경험이 추가되어야 한다고 보았다. 그는 신경체계

의 성숙은 어떤 단계에서의 가능성과 불가능성의 전체를 결정해 주는 그 이상의 역할을 할 수 없다고 하였다. 이러한 가능성이 현실화되기 위해서는 특정한 사회적 환경이 필수적이다. 적절한 사회적 환경의 실현은 문화적 조건과 교육적 조건의 함수로 가속화될 수도 있고 혹은 지체될 수도 있다. 적어도 부분적으로 유기체의 인지구조에 동화될 수 없는 것은 생물학적 자극으로 작용할 수 없다. 즉, 인지구조는 물리적 환경을 만들어 낸다. 인지구조가 보다 복잡하고 정교해질수록 물리적 환경은 좀 더 잘 표현된다. 어떤 것이 조절될 수 없을 정도로 유기체의 인지구조와 너무 동떨어진 것이라면 학습은 발생하지 않는다. 최적의 학습이 일어나기 위해서는 현재의 인지구조에 동화될 수 있는 정보를 제시해야 하고, 동시에 그 정보는 인지구조상의 변화가 필요할 정도로 충분히 달라야 한다. 만약 어떤 정보가 동화될 수 없는 것이라면 그것은 이해될 수가 없다. 그러나 완벽하게 이해된다면 학습이 필요 없다. 피아제 이론에서 동화와 이해는 거의 동일한 의미로 사용된다. 이전 지식이 경험을 동화하지 못하면 조절, 즉 새로운 학습이 일어난다. 인지적 성장을 자극하기 위해서는 경험이 어느 정도 도전적인 것이어야 한다. 동화만 일어난다면 인지발달은 이루어지지 않는다.

관련어 | 동화, 조절

학습곡선
[學習曲線, learning curve]

시간에 따른 학습의 변화를 도식화한 것. 학습상담

인간이 처음 어떤 작업을 수행할 때는 작업에 익숙하지 않아서 많은 시간이 필요하지만 작업을 반복할수록 숙달이 되어 작업시간이 줄어드는데, 이 같은 현상을 학습효과(learning effect)라고 하며 이 효과를 수학적 모델로 표현한 것이 학습곡선 또는

연습곡선이다. 이는 라이트(Wright, 1936)가 개념화하였으며, 생산성을 향상시키기 위한 학습의 표준시간을 설정하기 위해 제시되었다. 학습의 진전상황의 가장 전형적인 패턴의 하나는, 최초 학습횟수를 거듭해도 곧바로 그 성과가 나타나지 않다가 그 후 눈으로 알아볼 수 있을 만큼 효과가 나타나는 시기를 거쳐, 다음으로 몇 차례 학습횟수를 거듭해도 슬럼프에 빠지는 것이다. 이처럼 학습시간의 수나 시행횟수의 경과에 따른 학습효과, 즉 습득도, 정답률, 작업효율 등의 진전과정을 그래프로 나타내는 학습곡선의 형태는 크게 네 가지로 나누어 볼 수 있다. 첫째, 부가속적 학습곡선(negative accelerated learning curve)으로서, 연습초기에는 비교적 학습효과가 급속도로 증진되지만 말기로 갈수록 증진율이 떨어지는 경우다. 이 곡선은 선행학습과 비슷한 자료로 연습한 경우, 학습내용에 대한 지식 및 학습방법에 대한 기술을 미리 알고 있는 경우, 또는 새로운 학습에 대한 특별한 동기나 흥미가 있는 경우에 나타난다. 둘째, 정가속적 학습곡선(positive accelerated learning curve)으로서, 연습 초기에는 학습효과의 증진율이 적고 계속 연습하면서 증진율이 점차 올라가는 경우다. 이 곡선은 필요한 지식이나 기술을 전혀 알고 있지 못한 상태에서 출발한 경우, 완전히 새로운 지식이나 기술을 배우는 경우, 비교적 어려운 문제를 학습하는 경우에 나타나며 학습을 계속하면 문제의 요령을 알게 되어 후기에는 학습능률이 급진적으로 상승한다. 그러나 무한정 적극적으로 촉진되지는 않는다. 셋째, 학습 초기에는 정가속 효과를 보이다가 후기에는 부가속 효과를 보여 전체 모양이 S자형을 이루며, 반대로 역 S자가 되는 경우도 있다. 이 곡선은 학습 자료가 비교적 어려운 경우, 학습자가 이전에 매우 적은 연습을 한 경우에 나타나는 것으로서 학습곡선의 대표적인 유형이다. 넷째, 고원형(plateau)으로서, 지속적인 학습에도 불구하고 학습능률이 더 이상 오르지 않고 한동안 제자리에 있는 경우다. 학습 내용

이나 방법에 따라 여러 번 나타나기도 한다. 고원형은 학습과제에 대한 실망, 흥미상실, 학습문제의 곤란도 증가, 나쁜 습관의 고집 또는 현상, 주위의 이동, 과제의 일부분에 신경을 집중하는 경우, 적합한 학습방법을 선택하는 데 실패한 경우 발생한다. 이와 같이 학습곡선은 학습자의 능력이나 적성과 과제의 성질, 과제의 난이도 등의 관계를 분석하여 그에 적절한 학습을 지도하는 데 도움이 된다.

학습과진
[學習過進, overachievement]

학습부진과 반대되는 개념으로 자신의 지적 능력에 비하여 훨씬 높은 학업성취를 보이는 것. 학습상담

지적 능력이 또래에 비하여 평균 이하에 속하면서도 학업성적이 평균 이상을 획득하는 것을 말한다. 학습과진아는 또래보다 신체적으로 빠르게 성숙하며, 지적 능력이 낮은 것에 비해 창의성이 높다. 학습에 대한 동기, 의욕, 태도, 공부에 대한 목적의식이 아주 강하여 자신의 지적 능력보다 높은 학업성적을 나타낸다. 이에 따라 부모는 아동에게 많은 요구를 하고 기대수준을 높게 가지고, 아동은 성적이 기대만큼 나오지 않고 낮은 경우 심한 욕구불만과 부적응적 행동을 보이기도 한다. 그러나 대부분의 학습과진 아동은 에너지가 넘치고 생산적인 일을 즐기며, 자아신뢰감이 높고 강한 책임감을 지닌 채 신중하게 행동하며, 사려 깊고 지배적이며, 사회적 수용력도 높다. 이런 측면에서 보면 학습은 기술과 방법 또는 지적 능력의 영향을 받기보다는 학습태도, 학습습관에 더 영향을 받는다. 이 분야에 관한 연구는 소수에 불과하며, 성취수준과 관련된 동기를 연구하는 데 좋은 주제가 될 수 있다.

관련어 학습장애

학습기술진단검사
[學習技術診斷檢查,
Learning Skills Test: LST]

학습기술을 측정하기 위한 검사. 심리검사

초·중·고등학생의 학습기술 측정을 위해 2001년에 변영계와 김석우가 개발한 검사로, 대상은 초등학생부터 고등학생까지다. 이 검사는 자기관리 기술, 수업참여 기술, 과제해결 기술, 시험치기 기술, 정보처리 기술로 구성되어 있다. 각 문항을 읽고 행동의 빈도에 따라 체크 표시하며, 5단계 평정척도로 행동의 빈도에 따라 거의(1점), 가끔(2점), 보통(3점), 자주(4점), 항상(5점)으로 채점된다. 이 검사는 특별한 교육이 필요한 학습자를 발견하는 데 사용할 수 있다. 일정 시간이 경과된 후 수행의 변화와 어떤 처치의 효과를 측정하는 연구에 적용하며, 교육, 치료, 연구 등을 위해 학습기술을 측정할 때 이용할 수 있다.

학습놀이
[學習 –, learning play]

학습자의 자율성 및 내적 동기를 유발시키는 치료활동.
학습상담

독일의 베메(H. Behme, 1985)가 제안한 프로그램으로서, 독일어로 'Lernspiel'이라고 하기도 한다. 이 프로그램은 학습에 대한 흥미와 능력을 촉진하는 것에 목적이 있다. 즉, 인지, 수리, 언어, 과학, 미술 등 학습영역과 관련된 장난감을 매개로 활용하여 학습을 촉진한다. 습득한 지식을 반복적으로 연습할 수 있으며 숫자, 부호, 사진, 문장, 상징, 단어들 간의 관계를 이해하도록 도와준다. 다시 말해, 활동에 필요한 규칙을 인지하고 스스로 학습 장난감을 자유롭게 탐색하고 선택하여 놀이활동을 스스로 계획하여 실행한다. 이 프로그램에서 교육자는

조언자, 협력자, 조력자의 역할을 한다. 아동의 현재 학습능력과 지적 능력 수준을 있는 그대로 수용하여 아동이 하는 모든 활동이 의미가 있는 것으로 받아들인다. 또한 교육자는 아동이 스스로 선택한 활동을 할 수 있도록 격려, 지지 등의 긍정적 강화를 해 준다. 이때 학습자의 선택과 활동이 서툴다고 해서 교육자의 의도대로 계획을 설정하거나 수정해서는 안 된다. 이러한 활동을 통하여 학습자는 자신의 흥미와 욕구를 학습 장난감을 통하여 구체화함으로써 인지적, 심리적, 사회적 성숙을 도모할 수 있다.

관련어 학습장애

학습능력검사
[學習能力檢查, Learning Competency Test]

학생의 지적 능력 및 학습수행 능력을 평가하는 검사.
심리검사

학습능력과 관련된 학습동기, 기억력, 집중력, 실행력을 평가하기 위해 박병관(2000)이 개발하였다. 초등학교 2학년부터 고등학생을 대상으로 학업 재능 및 양식을 파악하여 개인의 장·단점을 분석하고 적절한 교육적 대안을 제안하는 데 도움을 준다. 검사는 크게 학습 능력을 측정하는 척도와 학습 활동을 측정하는 하위척도로 구성되어 있다. 총 문항수는 초등학생 및 중학생용은 145문항(학습능력: 105, 학습활동: 40), 고등학생용은 155문항(학습능력: 115, 학습활동: 40)이다. 하위척도의 정의 및 내용은 다음과 같다. 학습능력은 어휘력(vocabulary), 추리력(reasoning ability), 수리력(arithmetic ability), 지각력(spatial perception)으로 구성되는데, 어휘력은 언어이해, 독해, 언어표현력을 결정하는 기초 학습능력으로 비슷한 말, 문장완성문항으로 이루어진다. 추리력은 사고력, 분석력을 결정짓는 능력으로 학습이해에서 중요한 요인이며, 추리 I, II 문항으로

이루어진다. 수리력은 계산력, 집중력을 결정짓는 능력으로 학습의 기억력에 중요한 영향을 미치고, 지각력은 공간능력, 관찰력 등을 결정짓는 요인으로 과학이나 예·체능과 같은 특수 영역과 관련되어 있다. 한편, 학습활동 척도는 기억력(memory), 집중력(concentration), 실행력(executive function), 학습동기(learning motivation)와 같은 학습수행능력과 관련된 하위척도로 구성된다. 기억력은 학습한 내용을 기억하는 능력, 집중력은 과제를 수행할 때 주위에 방해받지 않고 지속적으로 집중할 수 있는 능력, 실행력은 목표를 달성하기 위해 계획을 세우고 실천하는 능력, 학습동기는 학습에 대한 열의와 동기를 반영하는 특성을 말한다. 각 하위척도별 신뢰도 크론바흐 알파는 학습능력 관련 척도는 모두 .70~.89(어휘력=.89, 추리력=.80, 수리력=.70, 지각력=.84)로 비교적 높게 나타났으며, 학습활동 척도는 .45~.71(기억력=.45, 집중력=.62, 실행력=.53, 학습동기=.71)로 나타났다. 학습능력검사는 표준화를 거친 다음 한국심리자문연구소(www.psypia.co.kr)와 어세스타(www.assesta.com) 홈페이지에서 제공하고 있다.

관련어 학습능력, 학습코칭

학습동기
[學習動機, academic motivation]

학업과제를 이해하는 것을 기뻐하며 학업수행에 대한 보람과 유능감을 느끼고, 도전적인 학업과제를 스스로 선택하고 자발적으로 기꺼이 직면하고자 하는 정서적 상태. **학습상담**

학습동기를 구체적으로 정의한 연구자는 없으며 대부분 학습동기를 성취동기(achievement motivation) 또는 자기결정성(self-determination)과 관련지어 정의하고 있다. 매클렐런드(McClelland, 1979)와 앳킨슨(Atkinson, 1980)은 성취욕구이론에 근거하여 성취동기가 높은 사람, 즉 학습동기가 높은 사

람은 도전적이고 어려운 과제를 수행하는 데 만족감을 느끼며 수업과 과제에 더 잘 집중하고 어려운 과제나 수업에 적극적으로 참여하며 수행의 결과로 자신을 평가하지 않고 실패에 대하여 자신을 긍정적으로 평가한다. 한편 밸러란드와 비소네트(Vallerand & Bissonnette, 1992)는 자기결정성으로 학습동기를 설명하고자 하였다. 자기결정성이란 공부를 선택한 이유가 자기 스스로의 선택과 결정에 따라 이루어지는 정도를 말한다. 스스로의 선택과 결정은 곧 자율성이라 할 수 있으며, 이는 가장 낮은 수준인 무동기 상태에서 가장 높은 수준인 자율성의 8단계로 제시하고 있다. 첫째, 무동기 단계(amotivation)는 학습동기가 전혀 내면화되어 있지 않고 학습된 무기력의 상태를 나타낸다. 이 단계의 개인은 자신의 학습행동의 성과에 대한 확신이 없고, 성과를 내기 위한 행동을 하려는 의지가 없이 무기력하며, 목표 지향적인 행동을 전혀 하지 않는다. 둘째, 외적 강압 단계(extrinsic-external regulation)는 외부로부터 직접적인 보상을 받거나 구체적인 행동을 지시하는 등의 통제가 있어야만 학습행동으로 옮긴다. 교사나 부모 등 중요한 주변인으로부터의 처벌을 피하고 오로지 보상을 받기 위해서 학습행동을 한다. 셋째, 내적 강압 단계(extrinsic-introjected regulation)는 자신의 행동을 통제하는 대상이 이전 단계의 주요 타인에서 자기 자신으로 옮겨진 것이다. 즉, 외적 가치나 보상체계를 그대로 내면화한 단계로서 자신의 죄책감, 긴장, 불안을 회피하기 위하여 공부를 한다. 넷째, 유익 추구 단계(extrinsic-identified regulation)는 특정 목표를 이루기 위해 학습에 유익한 행동을 스스로 선택하여 수행하는 것이다. 영어과목의 점수를 향상시키기 위하여 학원이나 과외공부를 선택하는 행동을 예로 들 수 있다. 다섯째, 의미부여 단계(extrinsic-integrated regulation)는 자기 자신이 스스로 가치 있다고 판단한 행동을 선택하는 단계다. 이러한 선택과 결정은 자신의 자아개념, 인생관, 인생목적에 부합되기 때문

에 자신의 선택에 대한 갈등이 없다. 따라서 자신이 선택한 학습이나 공부에 대한 내적 갈등이나 긴장을 경험하지 않는다. 여섯째, 지식탐구추구 단계(intrinsic-to know)는 알고 이해하고 의미를 추구하려는 욕구에 의해서 공부하는 단계다. 이 단계에서는 새로운 내용을 탐구하고 배우고 익히며 이해하는 동안에 경험하는 즐거움과 만족을 추구한다. 일곱째, 지적 성취 추구 단계(intrinsic-to accomplish to things)는 과제를 완벽하게 수행하는 데 중점을 두며, 과제를 완성함으로써 유능감과 성취감을 느끼고, 창조하는 경험을 통한 즐거움과 만족을 얻기 위해 공부에 몰두한다. 주어진 과제는 자신의 한계를 스스로 극복하기 위하여 요구받은 그 이상의 수준으로 수행하려고 노력한다. 여덟째, 지적 자극 추구 단계(intrinsic-to experience stimulation)에서의 개인은 무아지경, 흥분감, 절정경험 등의 감정을 느끼기 위해 공부한다. 또한 자극적인 토론에서 경험할 수 있는 재미를 얻기 위해 수업에 참석하거나, 열정적이고 흥분되는 학습내용을 통해 강력한 지적 즐거움을 얻고자 독서를 한다. 한편, 자기결정성의 정도에 따른 학습동기를 살펴보면 크게 내재적 동기(intrinsic motivation), 외재적 동기(extrinsic motivation), 무동기(amotivation)로 구분할 수 있다. 내재적 학습동기는 지식 탐구, 지적 성취, 지적 자극 추구와 같이 자신의 내적 즐거움, 만족, 재미 등을 얻기 위하여 학습행동을 하는 것이다. 외재적 학습동기는 외적 강압, 내적 강압, 유익 추구, 의미 부여와 같이 외부환경, 주변인, 외적 목표나 가치를 얻고자 학습행동을 하는 것이다. 무동기는 학습된 무기력을 느끼기 때문에 학습행동을 전혀 하지 않으며, 학습동기의 가장 낮은 수준이다.

관련어 동기, 무동기, 성취동기

학습동기 및 학습전략검사
[學習動機-學習戰略檢查, Learning-Motivation and Strategy Test: L-MOST]
학생의 장점과 단점을 파악하기 위한 학습검사. 심리검사

학업동기와 학습수행 향상을 위해 요구되는 다양한 학습전략에서 학생 개인의 장점과 단점을 파악하기 위해 김효창이 개발한 검사로, 대상은 초등학교 3학년부터 고등학생까지다. 학업에 따른 문제를 해결하기 위해서는 우선 학업문제를 유발하는 세 가지 요인인 학업동기, 학습전략, 학업 스트레스에 대한 정확한 진단이 필요하다. L-MOST는 이들 세 가지 요인을 동시에 측정할 수 있는 통합된 검사도구로서 학교장면에서 학생 개개인에 대한 유용한 정보를 제공해 줄 수 있다. 초등학생용 150문항, 중고등학생용 170문항으로 구성되어 있는 이 검사는 40~45분이 소요되며, 컴퓨터를 통해 자동채점과 자동 해석이 이루어진다. 하위요인으로는 학습동기, 학습효능감, 학습전략, 수업참여 기술, 노트정리 기술, 읽기기술, 쓰기기술, 시험치기 기술, 자원관리 기술, 과제해결 기술, 정보처리 기술, 시험불안, 주의집중의 어려움이 있다.

학습동기검사
[學習動機檢查, Academic Motivation Test: AMT]
효과적인 학습성취를 위해 동기를 알아보는 학습검사. 심리검사

학습자의 동기화 정도를 평가함으로써 효과적인 학업성취 증진 및 학교생활에 대한 전반적인 적응을 돕는 데 기초 자료로 활용하기 위해 2002년에 김아영이 개발한 검사로, 대상은 초등학생부터 대학생까지다. 다양한 동기변인 중에서 학습자가 자신의 수행능력에 대해 보이는 기대나 신념인 '학업적 자기효능감(academic self-efficacy)'과 자신의 실패

경험에 대하여 건설적으로 반응하는가, 비건설적으로 반응하는가를 나타내는 '학업적 실패내성(academic failure tolerance)'을 측정하고 평가한다. 검사는 총 44문항으로 구성되어 있다. 학생들의 동기적 특성을 구체적으로 이해하고 동기적 측면에 대한 세분화된 정보를 제공한다. 이 검사는 문항 수가 적어 빠른 시간 안에 피검자의 학습동기 측면에 대한 간편한 평가가 가능하다. 또 학생들이 학업을 수행하기 전에 자신의 능력이나 수행에 대한 신념을 알아봄으로써 앞으로의 수행을 예측하는 데 용이하다. 이에 더해 치열한 도전과 경쟁, 평가상황에서 끊임없이 실패를 경험하며 살아가는 우리나라 학생들에게 꼭 필요한 속성인 학업적 실패내성에 대한 평가를 통해 학업 수행의 계속적인 발전과 관련된 실패에 대한 건설적인 반응 여부 평가가 가능하다. 학생 개인의 자신에 대한 이해, 교사와 학부모의 학생에 대한 이해, 교육 및 심리 연구자들의 학습자 특성에 대한 이해자료로도 활용된다. 하위 검사는 학업적 자기효능감, 자신감, 자기조절효능감, 과제수준 선호, 학업적 실패내성 감정, 학업적 실패내성 행동, 과제난이도 선호로 구성되어 있다.

학습된 무기력
[學習 – 無氣力, learned helplessness]

통제가 불가능한 상황을 반복적으로 경험하여 똑같거나 유사한 상황에서 적절한 어떤 반응도 시도하지 않으려고 하는 심리적 상태. **학교상담**

셀리그먼(Seligman) 등이 동물을 대상으로 회피학습을 통하여 공포의 조건형성을 연구하던 중 발견한 개념이다. 연구를 통하여 통제할 수 없는 경험이 반복되면 무기력이 학습된다는 것을 검증하였다. 그들에 의하면 학습된 무기력은 자발적으로 반응하려는 동기를 저하시키고 반응이 실제로 효과가 있다는 학습을 방해하며, 주로 우울증이나 불안과 같은 정서적 동요를 일으키는 동기적, 인지적, 정서적 결함을 유발한다. 이처럼 학습된 무기력은 통제가 가능한 환경에서도 주변상황에 영향을 주려는 어떠한 시도도 하지 못하게 만든다. 그리고 개인의 반응하려는 욕구와 동기를 떨어뜨리고 성공을 지각하고 반응의 작용에 대한 학습을 왜곡시키며, 불안이나 우울로 인한 부정적 정서를 초래한다. 학습된 무기력 상태를 촉진하는 요인은 통제 불가능한 상황의 지속, 통제할 수 없다는 기대 또는 지각된 통제 불가능, 실패의 역사, 학습된 무기력으로 인한 손상과 실패의 강화 등이다.

관련어 | 무동기

학습모형
[學習模型, learning model]

NLP에서 학습이 이루어지는 네 단계. **NLP**

학습단계(learning state)라고도 하며, 구체적으로 살펴보면, 첫째, 인식하지 못하는 무능단계(unconscious incompetence), 둘째, 인식하는 무능단계(conscious incompetence), 셋째, 인식하는 유능단계(conscious competence), 넷째, 인식하지 않는 유능단계(unconscious competence)를 말한다. 여기서 첫 번째 단계는 자신이 무능하다는 사실을 모르는 단계, 두 번째 단계는 자신이 무능하다는 사실을 깨닫는 단계다. 따라서 두 번째 단계의 경우는 자신의 무능과 부족을 인식하고 학습을 하기 위해 노력을 하는 단계이므로 학습이라는 차원에서 첫 번째보다 더 진전된 단계라고 할 수 있다. 첫 번째 단계에서는 자신의 무능을 인식하지 못하므로 아무런 학습노력을 하지 않기 때문이다. 세 번째 단계는 두 번째의 학습노력의 결과로 이제 유능단계로 진입하지만 아직은 학습이 성숙하지 못해서 자신의 능력이나 기술을 의식하면서 기술을 발휘하는 서툰 형태의 초보단계라고 할 수 있다. 진정한 학습은 자신의 능력이나 기술 자체를 의식하지 않는 무심의 상태,

즉 무의식적 상태에서 그러한 능력을 발휘할 수 있는 마지막 네 번째 단계에서 완성된다고 할 수 있다.

봄으로써 실패에 대한 외부귀인양식을 변화시키고 성취동기를 형성하도록 해 준다.

관련어 | 동기, 무동기

학습무동기
[學習無動機, academic amotivation]

학습하려는 의도가 결핍된 상태로서 학습과 관련된 행동을 전혀 하지 않으려는 정서적 상태. 학습상담

밸러란드와 비소네트(Vallerand & Bissonnette, 1992)는 자기결정성으로 학습동기를 설명하면서, 가장 낮은 단계인 무동기 상태에서 가장 높은 수준인 자율성의 8단계로 제시하고 있다. 무동기란 학습에 대한 활동에 가치를 두지 않고 공부에 대한 의미를 지니고 있지 않으며, 학습활동에 대한 유능감을 느끼지 않고 오히려 의심을 갖는다. 그래서 학습을 통하여 만족스러운 결과를 낳을 것이라는 기대조차 하지 않는다. 학습에 대한 의도가 없으므로 외부환경의 통제나 제재 또는 보상으로 동기화되지 않는다. 학습무동기는 학습을 하거나 하지 않았을 때 주어지는 외부의 강화나 벌, 그리고 다른 사람들의 평가에 둔감하다. 그들은 학습에 실패하면 그 원인을 외부요인으로 귀인시키고, 그 결과를 변화시킬 수 없다고 믿는다. 한편, 매슬로(Maslow)의 욕구위계론에 따르면 소속과 애정의 욕구, 자존감의 욕구 등의 하위욕구가 충족되지 않아 지적 욕구를 충족시키고자 하는 욕구가 발생하지 않으므로 학습무동기 상태에 빠진다. 학습무동기를 지닌 학생을 대상으로 하는 상담목적은 학습동기 및 학업성취도를 향상시키는 데 있다. 이를 수행하기 위하여 상담에서는 단기목표와 중기목표로 구분하여 설정하는 것이 바람직하다. 단기목표는 학습과 관련이 없는 일상생활에서 자신의 노력으로 작은 변화를 일으킬 수 있는 것을 실행하여 성공경험을 갖도록 하는 것이다. 중기목표는 학습과 관련된 성공경험을 갖도록 하는 것이다. 학습에 관한 실제적인 성공경험을 해

학습부담
[學習負擔, learning burden]

학교나 교사 등에 대한 불안이나 불만 때문에 공부에 집중하지 못하고 심지어 학교생활에 적응하지 못하여 신체적, 심리적으로 고통을 겪는 상태. 학습상담

학습상담에 임하는 대부분의 내담자가 호소하는 문제인 학습부담은 등교부담, 수업부담, 학업소진, 학업 무의미 등으로 세분화할 수 있다. 등교부담은 학교생활에 적응하지 못하여 등교를 거부하거나 학교에 갈 생각을 하면 우울해지고 학교에 갈 시간이 되면 두통, 복통, 구토 등의 신체적 증상이 나타난다. 수업부담은 교사나 수업방식에 대한 불만족으로 수업을 듣는 것이 힘든 것을 말한다. 이 문제를 호소하는 학생은 교사가 자신을 이해하지 못하거나 자신에게 일부러 좋지 못한 성적을 주며, 교사가 유능하지 못하여 수업을 제대로 하지 못한다고 보면서 수업을 들을 필요가 없다고 생각한다. 학업소진은 또래보다 뒤처지는 능력을 지니고 있어 같은 수준의 학업수행을 유지하려고 과도한 학습을 하여 정신적 스트레스와 신체적 피로감을 느끼는 것이다. 이 같은 학생은 공부하느라 지치고 잠 잘 시간이 부족하며, 편하게 푹 쉬지도 못하고 공부할 양이 너무 많다고 호소한다. 학업 무의미는 '공부를 왜 해야 하는 가?'라는 의문을 가진 채 공부에 대한 반감을 드러낸다. 공부 때문에 화가 나고 미래에 대한 계획이 무의미하며, 과중한 과제물과 끝없는 시험공부 등을 지겹고 짜증나는 일로 여긴다.

관련어 | 학습상담

ㅎ

학습부진
[學習不振, underachievement]

학업성취 수준이 자신이 가지고 있는 잠재적인 지적 능력 수준에 미치지 못하여 서로 불일치하는 것. **학습상담**

학습부진을 조작적으로 정의하는 방법에는 능력-성취 불일치 모형(ability-achievement discrepancy)의 학년수준의 편차(deviation from grade or age level), 기대공식(expectancy formulas), 회귀공식(regression methods), 표준점수 차이(difference between standard scores) 등이 있다. 먼저, 능력-성취 불일치 모형인 학년수준의 편차는 지능이나 적성과 같은 잠재적 능력과 실제 학년의 학업성취 간의 불일치 수준에 따라 진단되는 것을 말한다. 즉, 지능검사에서 높은 수준의 점수를 받았으나 실제 학업성적에서 낮은 수준의 점수를 받거나 표준화 성취검사에서 높은 점수를 받았으나 학교에서 낮은 성적을 받은 경우에 학습부진으로 진단한다. 기대공식은 표준화 학업성취검사 점수에서의 학년 수준과 학생 자신의 기대되는 학년수준 간의 불일치를 나타내는 것을 말한다. 회귀공식은 두 측정 값 사이의 관계가 완전 상관이 아닐 때 나타나는 중간 값으로의 회귀현상과 측정의 표준오차를 고려하여 학습부진을 진단하는 것을 말한다. 이러한 불일치의 기준은 초등학교 저학년은 0.5~1년 이상, 초등학교 고학년은 1.0~1.5년 이상, 중학교는 1.0~1.5년 이상, 고등학교는 2.0~2.5년 이상의 편차로 정하고 있다. 학습부진의 진단기준은 학자에 따라 다양한 의견이 있는데, 우리나라의 한국학습장애학회 (2005)는 개인의 표준화 학력검사 또는 표준화 발달검사의 결과가 동일 학년 집단이나 연령 집단에 비해 -2 표준편차 이하에 속한 경우, 또는 -2~-1 표준편차 사이에 속하면서 전문가로부터 학습상의 문제가 심각하다고 판정되는 경우에 학습부진이라 진단한다. 학습부진은 지속기간에 따라 분류할 수도 있는데, 부모의 이혼이나 질병, 전학, 교사와의 갈등 등으로 일시적 또는 상황적 학습부진과 오랫동안 학습부진을 보이는 만성적 학습부진이 있다. 범위에 따라서는 특정 교과 및 기능 결핍, 학습부진, 기초학습 기능부진, 전반적 학습부진으로 구분할 수 있다. 특정 교과 및 기능 결핍은 신체발달영역에서 높은 잠재력을 지녔음에도 불구하고 개인적 흥미, 동기의 부족으로 수학, 미술과 같은 과목에서 적절한 수행 수준을 보이지 않는 것이다. 기초학습 기능부진은 읽기, 철자 쓰기 등 언어 관련 과목과 같이 전체 교육과정에서 기초가 되는 과목이 부진한 것이다. 전반적 학습부진은 잠재적 능력보다 더 낮은 학업수행 수준이 전 과목에서 나타나는 경우다. 자신과 타인에 대한 학습부진의 영향에 따라서는 경미한 학습부진, 심각한 학습부진으로 구분한다. 경미한 학습부진은 정서적 · 사회적 적응이 정상 수준을 보이고 부정적인 영향이 없는 경우다. 심각한 학습부진은 성공경험의 부족으로 자기존중감이 낮으며 자기비판적 태도를 지니고 건강한 개인적 성장을 방해하면서 부적응적인 행동형태를 보인다. 귀인양식에 따라서는 내적 귀인 학습부진과 외적 귀인 학습부진으로 구분한다. 내적 귀인 학습부진은 주로 개인 내적 문제에서 비롯된다. 즉, 건강의 문제, 성격적인 부적응, 중추신경계 결손, 뇌 손상 등이 원인이다. 외적 귀인 학습부진은 잦은 이사, 가족구조의 변화, 교사와의 관계, 친구관계, 사회적 변화 등으로 학습부진을 나타내는 경우다. 초등학생의 학습부진은 주로 부모, 교사, 또래 등으로부터 영향을 받으며, 그와 같은 구체적 요인을 스트랭(Strang, 1960)은 다음과 같이 제시하였다. 즉, 부모의 지나친 압력, 부모의 무관심 또는 방관, 낮은 경제적 수준, 폭넓고 도전적인 교육과정의 부재, 삶에 대한 기본 태도를 개발할 수 있는 기회의 부족, 사고와 공부방법에 대한 지도가 제대로 이루어지지 않아 학습부진을 유발하는 것이다. 즉, 성취하려는 노력이 부족하거나 교육과정과 수업이 자신의 수준에 적합하지 않을 경우에 학습부진을 보인다. 초등학교 시절에 공부에 대한 노력을 하지 않았던 학생들은 고등학교 공부에 대한 적응이 어렵다. 청소년기에는 권위에 대한 반항적 태도를 보이기 때문에 학업을 외면하게 된다. 그리고 자신들의 흥미와 학교교육과정에서 요구하는 흥미 간에 갈등을 일으켜 학습부진이 나타난다. 흔히 학습부진은 학습지진, 학업저성취, 학업지체 등을 포괄하는 의미로 쓰이기도 한다. 학습부진아의 정서적 특성은 불안, 낮은 자아존중감, 자기비판적, 맹목적 반항, 부모에 대한 적대감, 고립감, 책임회피, 비현실적 목표, 실패감, 반항적·부적응적 행동 및 태도 등이다.

학습지진 [學習遲進, slow learn] 지능수준이 경계선급 경도장애에 있어 학습능력이 평균에 미치지 못하는 경우다. DSM-5의 정의에 따르면, 학습지진은 지능지수 71~79의 경도지능장애(MID)에 해당된다. 학습 지진아는 지적 기능과 적응 기능의 결핍이 학습 문제뿐만 아니라 사회 적응, 또래 관계 형성, 기타 생활 영역에서도 나타난다. 어느 정도의 적응적 기능이 가능한 기술과 의사소통을 보이지만, 구체적 조작기 사고에 머물러 있어 이전에 학습한 정보를 일반화하기 어려워 판단과 계획이 빈약하다. 이들은 학습 영역 중 특히 문해, 산술, 조직, 기억 기능에 어려움이 있어 일반적인 학습 상황에서 성취를 이루기 어려우므로 적절한 외부 도움이 필요하다. 이들에게는 과목에 따라 특수학급에서 수업하도록 하기, 간단한 과제를 부여하기, 반복 학습하기, 학습 내용을 자주 요약해 주기, 자주 적절한 칭찬해 주기, 밀착 지도·감독, 시·청각 보조재 사용하기, 창의적 수업 활동 경험하게 하기 등이 도움이 된다.

관련어 능력–성취 불일치, 학습장애

학습불안
[學習不安, learning anxiety]

전반적인 교과학습활동과 관련되어 위협적이고 긴장되며 초조함을 느끼는 상태. 학습상담

자신의 공부방법에 대한 회의, 자신의 시험결과가 다른 사람에게 알려질 것에 대한 불안, 시험에 대한 과도한 긴장과 초조 등 학습생활 전반에 대한 부정적인 감정을 말한다. 학습불안은 크게 방법불안, 결과불안, 시험불안으로 나눌 수 있다. 방법불안은 자신이 공부한 것이 시험문제로 나오지 않거나 공부를 많이 했음에도 불구하고 결과가 만족스럽지 않아 공부에 대한 회의와 불안감을 느끼는 상태다. 이 경우에 학생은 자신의 공부방법이 마음에 들지 않거나 공부의 양이 너무 많아 힘들거나 공부를 한 것이 시험문제에 나오지 않아 화가 난다고 한다. 결과불안은 학업평가나 시험결과에 대해 지나치게 걱정하면서 자신의 성적이나 결과물을 부끄럽게 여겨 다른 사람에게 적극적으로 감추려고 하는 상태다. 이런 학생은 시험결과를 숨기고 다른 사람이 자신의 검사결과를 알까 봐 걱정하고 초조해하며 불안해한다. 시험불안은 시험에 대한 걱정과 긴장 때문에 시험 치기 전과 시험시간에 초조하고 긴장되어 신체적 고통이 나타나거나 시험을 제대로 못 보는 상태다. 이런 학생은 시험을 치는 순간과 문제를 푸는 순간에도 성적을 잘 못 받을까 봐 불안해하고, 애가 타면서 시험기간만 되면 두통이나 소화불량의 신체적 고통을 호소한다. 또한 시험기간에는 정서적으로 불안정해지면서 공부장소를 자주 바꾸고, 공부를 많이 해도 시험시간만 되면 불안하고 초조하고 긴장된다.

관련어 불안, 시험불안, 학습상담

ㅎ

학습삼인군
[學習三人群, learning triad]

3명이 하나의 팀을 이루고, 그 속에서 학습과 다양한 활동을 하면서 원가족 삼인군의 경험을 재구성하는 치료적 경험. `경험적 가족치료`

가족치료사인 사티어(Satir)는 개인성장과정의 초기에 경험한 원가족 삼인군의 관계가 역기능적이었다면 그 개인의 자아정체성 형성과 원가족 경험이후에 맺는 대인관계에 부정적인 영향을 미칠 수 있다고 하였다. 따라서 이를 치료하기 위해 역기능적인 원가족 삼인군에서의 부정적인 경험을 이해하고 수용하는 다양한 활동과 학습의 과정을 거치면서 초기의 경험을 재구조화해야 한다고 하였다. 이때 활용하는 것이 학습삼인군으로, 이 활동에서는 세 명이 하나의 팀이 되어 원가족 삼인군 치료과정에 활용된다.

`관련어` 원가족 삼인군, 원가족 삼인군 치료

학습상담
[學習相談, academic counseling and educational therapy]

학습과 관련된 과제를 이해하고 수행하여 사회적 적응을 도와주는 활동. `학습상담`

학습상담을 효율적으로 진행하기 위해서는 개인의 발달과업과 인지적·정서적·신체적 특성을 고려한 상담전략을 활용해야 한다. 초등학생을 대상으로 한 학습상담의 목표는, 우선 학교과제에서의 성공경험과 성취감, 규칙적인 학습습관의 형성, 효율적인 학습방법의 습득, 놀이와 학습의 조화다. 이를 위하여 상담자의 직접적 개입뿐만 아니라 부모교육과 상담을 실시하여 함께 협력함으로써 효율적인 상담을 진행할 수 있다. 한편 학교학습을 통하여 학습과 관련된 장애 또는 문제, 즉 학습장애, 지적장애, 주의력결핍 과잉행동장애(ADHD)를 지닌 아동

을 조기에 발견하여 정확한 진단과 효과적인 개입전략을 세워 건강한 성장을 도와야 한다. 또한 문제 발견뿐만 아니라 예방적 교육과 상담도 필요하다. 중·고등학교 시절은 청소년기에 해당하는데, 이 시기에는 신체적으로 2차적 성징의 발달에 따른 변화와 정체성 혼란이라는 정서적 변화를 겪는다. 또한 인지적으로 형식적 조작능력의 발달로 자신의 생각과 감정을 조망할 수 있고 타인의 평가에 민감해지며 개인적 우화, 상상 속 청중의 현상을 나타낸다. 그리고 부모로부터 독립하고자 하는 욕구가 강하지만 미래조망능력이 다소 부족하고 감각추구적 경향이 강하다. 이 같은 특성은 학습에도 영향을 크게 미친다. 이 시기의 학습상담 목적은 초등학교 시기의 공부와 달리 공부의 목적에 대하여 스스로 의미를 부여하는 것을 생각해 보고, 자신의 진로에 대한 생각이나 가치와 연결시킬 수 있도록 도와주는 것이다. 이 시기의 청소년은 타인의 평가에 민감하게 반응하므로 낮은 학업수행은 자신의 전반적인 학습능력을 부정적으로 평가하여 학습된무기력에 빠질 가능성이 높다. 이 경우에는 학습전략이나 기술 등 변화가 가능한 영역을 교육 또는 훈련하여 학습에 대한 긍정적인 태도를 갖도록 해 준다. 또한 부모와의 긍정적인 관계를 형성하도록 도움을 주어 부모가 학생의 학습수행을 적절하게 지지해 줄 수 있도록 한다.

`관련어` 아동기, 청소년기

학습양식
[學習樣式, learning style]

제시된 정보를 처리하는 방법과 주어진 과제해결을 위해 사용하는 다양한 전략. `행동치료`

인지양식이라고도 한다. 인지적 측면과 정의적 측면을 모두 포함하며, 정보처리 수준에 따라 여러 가지로 분류될 수 있다. 첫째, 대상에 따라 전체적

인 윤곽에 주의집중하는 것과 미세한 특징에 주의집중하는 것으로 분류된다. 둘째, 대상을 분류할 때 소수의 상위개념으로 분류하는 것과 다수의 하위개념으로 분류하는 것으로 구분된다. 셋째, 사물을 분류할 때 관찰 가능한 특징에 따라 분류하는 것과 기능, 시간, 공간상의 유사점과 추상적 속성에 따라 분류하는 것으로 구분된다. 넷째, 문제를 해결할 때 빠르고 충동적으로 반응하는 것과 느리고 신중하게 반응하는 것으로 분류된다. 다섯째, 직감적이고 귀납적인 사고와 논리적이고 연역적인 사고로 분류된다. 여섯째, 자신의 기존 인지구조를 적용하여 사물을 인식하는 것과 주요 자극 정보의 구체적인 특성에 맞추어 기존의 인지구조를 변화시키는 것으로 분류된다. 일곱째, 정보가 제공되는 배경이나 상황의 영향을 받는 것과 영향을 받지 않는 것으로 분류된다. 이와 같이 유기체가 정보처리와 과제해결을 위해 적용하는 학습양식은 그 수준에 따라 매우 다양하다.

학습장애
[學習障礙, learning disabilities]

개인 내적 요인으로 발달적 학습이나 학업적 학습에 심각한 어려움을 겪는 것. 특수아상담

우리나라의 경우 학습장애의 정의나 관련 용어를 사용하는 데 다소 혼란을 보이고 있지만, 학습장애에 관한 연구는 활발해지고 있다. 「장애인 등에 대한 특수교육법」008)에 따른 정의는, 개인의 내적 요인으로 듣기, 말하기, 주의집중, 지각(知覺), 기억, 문제해결 등의 학습기능이나 읽기, 쓰기, 수학 등 학업성취영역에서 현저하게 어려움이 있는 사람을 말한다. 또한 한국특수교육학회(2008)에 따르면 학습장애란 개인 내적 원인으로 평생 발달적 학습(듣기, 말하기, 주의집중, 지각, 기억, 문제해결 등)이나 학업적 학습(읽기, 쓰기, 수학 등) 영역 중 하나 이상

에서 심각한 어려움을 겪는 것을 말한다. 이 장애는 다른 장애조건(감각장애, 지적장애, 정서장애 등)이나 환경실조(문화적 요인, 경제적 요인, 교수적 요인 등)와 함께 나타날 수 있지만, 이러한 조건이 직접적인 학습장애의 원인은 아니다. 한편, 학습장애 발현시점에 따라 발달적 학습장애와 학업적 학습장애의 두 가지 유형으로 분류할 수 있다. 발달적 학습장애(developmental learning disabilities)는 학령전기 아동 중 학습과 관련된 학습 기능에 현저한 어려움을 보이는 아동으로 구어장애, 주의력결핍장애, 지각장애, 기억장애, 사고장애 등으로 나타날 수 있다. 학업적 학습장애(academic learning disabilities)는 학령기 이후 학업과 관련된 영역에서 현저한 어려움을 보이는 경우로 읽기장애, 쓰기장애, 수학장애 등으로 나누어진다. 이 같은 학습장애 정의에서 고려할 점은 다음과 같다. 첫째, 기존의 '개념적 수준'에서의 정의를 바탕으로 보다 구체화된 지침이 필요하다. 둘째, 학습장애는 단일한 유목이 아니라 다양한 문제를 지닌 개인들을 지칭한다. 셋째, 학습장애라는 용어의 출발점은 학생들의 학습곤란을 논의하고자 소집된 현장모임이다. 즉, 실제로 학습의 문제를 지니는 일군의 학생들을 돕겠다는 취지에서 추출되었다는 것이다.

학습장애 평정척도
[學習障礙評定尺度, Learning Disability Checklist: LDCL]

학습장애 여부를 판단하는 검사. 심리검사

학습장애 여부를 판단하기 위해 조용태와 이근매가 개발한 검사로, 4~18세를 대상으로 한다. 검사의 문항 수는 54문항이며, 교사가 평정하도록 되어 있다.

학습전략
[學習戰略, learning strategy]

학습을 촉진하기 위하여 학습하는 동안 학습자가 취하는 모든
방법적 사고와 행동. 학습상담

학습방법, 학습기술, 학습기법, 공부전략 등으로
도 불리는 학습전략은 학습자가 새로운 정보를 선
택하고 획득하여 통합하는 방식에 영향을 미친다.
또한 의식적, 무의식적으로 행해지는 목표 지향적
이고 구체적인 행동이며 학습자가 학습과제나 새로
운 정보를 보다 효과적으로 처리하는 데 필요한 자
기통제기술이다. 학습전략은 여러 가지 하위기술로
구성되어 있다. 먼저, 디바인(Devine, 1987)은 수업
청취 기술, 읽기기술, 교과별 학습기술, 노트 기술,
과제해결기술, 보고서 작성, 시험치기 기술을 제시
하고 있다. 웨인슈타인, 치머만과 파머(Weinstein,
Zimmerman, & Palmer, 1988)는 학습 태도와 동기,
시간관리, 시험치기, 정보처리, 불안에 대한 대처,
학습보조자료 활용 등을 제시하고 있다. 갈, 갈, 야
콥스와 불럭(Gall, Gall, Jacobsen, & Bullock, 1990)
은 자기관리 기술, 수업참여 기술, 읽기기술, 쓰기기
술, 시험관리 기술 등을 제시하고 있는데, 자기관리
기술은 학습자료와 공간의 조직, 시간관리, 스트레
스 관리, 학습에 필요한 도움 구하기 등으로 구성된
다. 수업참여 기술에는 수업참여 및 청강하기, 강의
내용 노트하기 등이 포함되며, 읽기기술은 개관, 요
점정리와 이해, 이해점검과 질문, SQ3R 등이 포함
된다. 쓰기기술은 주제 정하기, 주제 분류하기, 개
요 작성하기, 초벌원고 교정하기 등이 포함되고, 끝
으로 시험관리 기술은 질문내용 검토, 시험시간 사
용, 문제유형별 시험치기 요령, 시험불안에 대한 심
리적 대처 등이 포함된다. 한편 러시(Rush, 2000)는
노트하기, 참고문헌 활용하기, 조직하기, 시간관리,
읽기, 학습습관 등으로 구성된 학습전략을 제시하
였다.

관련어 | 시간관리, 읽기기술

학습전략검사
[學習戰略檢査, Multi-dimensional
Learning Strategy Test: MLST]

학습과정에서 습관적 · 행동적 · 전략적 효율성을 측정하는 검
사. 심리검사

학습과정에서 습관적, 행동적, 전략적 효율성을
측정하기 위해 2011년에 박동혁이 개발한 검사로,
대상은 중학생과 고등학생이다. 학습전략을 총 7개
의 영역으로 세분화하여 접근하고, 전체적인 학습
전략에서의 장점과 단점을 제시한다. 또한 학업성
취도에 영향을 미치는 중요한 요인인 심리적 특성
과 동기수준에 대한 정보를 함께 제공하기 때문에
보다 포괄적인 관점과 차원에서 학업성취상의 문제
를 이해할 수 있다. 그리고 적응과 심리적 건강상
문제 가능성에 대한 선별(screening) 자료도 제시될
수 있다. 하위요인으로 성격적 차원은 효능감, 자신
감, 실천력이고, 정서적 차원은 우울, 짜증, 불안이
다. 동기적 차원은 학습동기, 경쟁동기, 회피동기이
며, 행동적 차원은 시간관리, 공부환경, 수업태도,
노트필기, 집중전략, 책읽기, 기억전략, 시험준비
다. 영역별 측정내용은 먼저, 성격적 특성에서 효능
감은 원하는 결과를 얻기 위해 필요한 노력과 행동
을 자신의 힘으로 해낼 수 있으리라는 믿음과 신념
의 정도를 측정한다. 자신감은 현재 자신의 노력을
통해 앞으로 분명히 더 좋은 결과가 있을 것이라는
확신과 기대의 정도를 측정한다. 실천력은 계획한
일이나 해야 할 일을 스스로의 힘과 노력으로 끝까
지 해내려는 의지, 책임감, 계획성을 측정한다. 정
서적 특성은 우울, 짜증, 불안의 정서적인 어려움이
나 고통의 정도를 측정한다. 동기적 특성에서 학습
동기는 내재적 동기의 크기, 배움 그 자체를 중요하
게 여기고 공부하는 내용에 대한 흥미와 호기심, 만
족감을 느끼는 정도, 좀 어렵더라도 새로운 것을 배
우고 익히는 것에 대한 적극적인 태도를 측정한다.
경쟁동기는 자신의 능력이나 성취를 다른 사람들에

게 과시하고자 하는 욕구, 남들보다 앞서려는 경쟁심, 인정받고자 하는 욕구를 측정한다. 회피동기는 자신의 열등한 모습이나 부족함을 보이지 않으려는 욕구, 과제 및 수행 기피 등을 측정한다. 행동적 특성에서 시간관리는 시간을 얼마나 효율적이고 계획성 있게 사용하고 있는지를 측정한다. 공부환경은 자신이 주로 공부하는 장소가 얼마나 집중에 도움이 되는지, 혹은 집중에 방해되는 자극을 스스로 차단하는 능력을 측정한다. 수업태도는 수업에 대한 적극성, 수업 중 집중능력, 수업을 통해 중요한 내용을 파악할 수 있는지를 측정한다. 노트필기는 노트필기를 성실히 하는지와 노트필기 요령, 노트활용 정도를 측정한다. 집중전략은 집중력의 정도, 집중을 유지할 수 있는 능력의 여부, 집중이 잘 되지 않을 때의 대처방법을 측정한다. 책읽기는 책을 읽을 때 읽은 내용에 대한 이해력, 기억의 정도, 핵심 내용 파악 능력, 교과서나 참고서의 활용 능력을 측정한다. 기억전략은 정확한 기억과 기억한 내용을 오랜 시간 유지하는 데 필요한 기억 방법과 요령의 정도를 측정한다. 시험준비는 계획적인 시험준비의 여부와 시험에서의 실수를 줄이기 위해 필요한 전략의 사용 여부를 측정한다.

학습전략훈련모형
[學習戰略訓練模型, strategic instruction model]

캔자스대학교 학습연구센터에서 개발한 것으로서, 일반 청소년이나 학습장애, 학습부진 아동의 효율적인 학습을 위한 학습훈련 프로그램. **학습상담**

학생 개인에게는 학습전략을, 교사 및 상담자에게는 효과적인 학습전략 훈련지침을 제공해 주는 모형이다. 이 훈련모형의 목적은 학업과 관련된 과제를 익히고 수행하는 방법을 훈련함으로써 주어진 과제를 성공적으로 수행하여 훈련전략을 일상생활에서도 일반화하여 적용하도록 만드는 것이다. 여기에는 전략적 교육과정(strategic curriculum), 전략적 훈련절차(strategic instruction), 전략적 환경(strategic environment)의 세 가지 하위요인이 있다. 전략적 교육과정이란 어떤 전략을 가르칠 것인가, 전략적 훈련절차란 어떻게 전략을 가르칠 것인가, 전략적 환경이란 학습을 촉진하고 강화하기 위해서 어떻게 환경을 배치할 것인가를 다루고 있다. 첫 번째로 전략적 교육과정은 학습전략, 사회기술전략, 동기화 전략, 실행전략의 4개 요인으로 구성된다. 먼저, 학습전략은 학업 수행을 위해 직접적으로 관련된 전략이며 여기에는 습득, 저장, 표현 및 수행의 기술이 있다. 습득은 정보를 습득하는 전략으로서 읽기, 읽은 내용의 재진술, 질문, 시각적 심상, 자료해석, SQ3R 등의 기술이 포함된다. 저장은 습득한 정보를 효율적으로 기억하도록 하는 전략으로서 반복, 심상, 범주화, 음률법, 축약법, 두문어, 쐐기어, 장소법, 연상, 정교화, 노트필기 기술 등이 있다. 표현 및 수행은 문장 작성, 교정, 내용을 조직화하는 전략으로서 오류 점검, 문장 작성, 주제가 있는 글쓰기, 시험치기 기술 등이 있다. 사회기술 전략은 학교, 가정, 지역사회에 잘 적응하기 위해 필요한 전략이며 여기에는 의사소통, 문제해결, 자기통제 등의 기술이 있다. 동기화 전략은 학습을 하거나 문제를 해결하고 의사결정을 내려 행동하게 하는 내적 원동력을 유발하는 전략이며 이를 위한 훈련으로 ARCS 모형(Keller, 2010)이 있다. 실행전략은 전략을 창출하고 선택하여 실행한 다음 전략의 효과를 검토하고 수정하여 효과성을 높이는 것이다. 두 번째로 전략적 훈련절차는 교사나 상담자가 학생을 훈련과정에 적극적으로 참여시키고 보다 흥미롭게 훈련을 진행할 때 도움이 되는 절차다. 이는 습득, 일반화, 전략적 교수활동, 내용강화의 단계로 진행된다. 첫째, 습득단계는 진단검사 실시 및 전략을 활용할 수 있는 조건형성, 전략 설명하기, 전략 시범 보이기, 언어화, 훈련자에 의한 연습과 피드백 제공, 심화연습과 피드백 제공, 형성평가와 추수지도 등의 절차로 되어 있다. 둘째, 일반화 단계는 학생들이 전략을 적용할 수 있는 상황을 이해시키기 위한 오리엔테이션, 학생들의 전략사용을 고취하고 결과를 점검하는 활성화, 전략을 실행한 뒤 상황의 요구에 맞추어 수정, 선택한 전략을 지속적으로 활용할 수 있도록 하는 유지의 과정을 거친다. 셋째, 전략적 교수활동 단계는 선행 조직자와 정리 활용, 원리에 대한 토론, 예상되는 것 토론하기, 이해한 것 재검토하기, 독립적이고 자기주도적 학습의 조장, 밀도 있는 훈련과정, 훈련진행상황 점검, 피드백 제공, 완전 학습 등이 있다. 넷째, 내용강화 단계는 학생들에게 가르칠 내용, 가르치는 방법 등을 결정하는 데 도움이 되는 과정이다. 효과적인 학습에 도움을 주기 위하여 교사와 상담자는 학생들의 적극적인 참여, 내용의 구체적 제시, 조직된 정보의 제시, 정보와 정보 간의 분명한 관계 제시, 중요한 정보와 중요하지 않은 정보의 구별 등을 고려해야 한다. 세 번째로 전략적 환경은 학습을 촉진하는 환경을 조성하는 것으로서 협력관계 구성기법, 관리기법, 평가기법, 발달기법 등이 포함되어 있다. 협력관계 구성 기법은 학습을 촉진하기 위하여 학생, 학부모, 교사, 상담자, 주변인 등의 협력관계를 구성하는 것이다. 관리기법은 학습촉진을 위하여 학생의 시간관리, 학습자료관리, 전문가의 조력 등

을 체계적으로 관리하는 것이다. 평가기법은 교사와 학생에 대한 체계적인 피드백을 위한 것이다. 발달기법은 학생의 발달과업 수행과 다양한 요구를 충족하기 위해 여러 가지 전략을 구안하고 발달시켜 나가는 것이다.

관련어 │ 학습전략

학업성취도
[學業成就度, academic achievement]

학습상담

학업의 결과로서, 그리고 지식과 기능을 습득하는 과정으로서 교과목 성적만이 아니라 학습자가 가진 특성, 학습과제의 종류와 성질, 교사가 행하는 수업방법 간에 일어나는 상호작용의 소산/학업성취도는 학업성취라고도 부른다. 학업성취도를 개별 학생과 그를 둘러싼 여러 변인에 따라 복합적으로 결정된다. 정범모와 이성진은 학업성취도는 학습자 요인, 수업 요인, 환경 요인에 따라 결정되는 것으로 보았으며 Walberg는 학업성취도에 영향을 주는 요인을 학생적성, 학습지도, 사회심리학적 환경으로 분류하였다.

학업적 학습장애
[學業的學習障礙, academic learning disability]

취학 아동에게 주로 나타나는 문제로 읽기, 독해, 쓰기 및 수학에 어려움을 겪는 것. 특수아상담

학업적 학습장애는 아동이 학습 잠재력을 가지고 있지만 학교에서 정상적인 학습경험만으로는 읽기, 읽고 이해하기, 쓰기 및 수학 등의 영역에서 학년수준에 비해 성취 수준이 크게 떨어지는 경우를 말한다. 발달적 학습장애에 대한 조기중재가 이루어지

지 않으면 학업적 학습장애로 이어진다. 학습장애
아는 전 과목 혹은 몇 개의 특정 과목에 걸쳐 학습곤
란을 겪는다.

관련어 | 발달적 학습장애, 학습장애

한 단계 아래 입장
[- 段階 - 立場, one-down position]

치료자가 내담자의 모든 것을 인정하고 받아들이려고 하는 협
력적 자세. 해결중심상담

해결중심상담에서는 내담자가 자신의 삶에서 전
문가라는 것을 인정하여, 치료자는 이러한 내담자
를 격려하고 칭찬해 주면서 치료적 환경을 창조해
나가는 기능을 감당해야 한다고 설명한다. 따라서
치료자는 내담자가 사용하는 언어를 사용하고, 격
려와 진실한 칭찬을 해 주며, 내담자가 긍정적인 변
화를 해 나가는 과정에 따라 그 생각과 느낌을 공감
하려는 노력을 한다. 치료자가 상담 횟수나 시기를
정할 때도 내담자의 의견을 듣고 함께 상의하는 것
은, 이러한 치료자의 한 단계 낮은 입장을 강조하는
해결중심상담의 특징이라고 할 수 있다. 또한 해결
중심상담은 보통 내담자가 제시하는 문제를 다룬
다. 해결중심상담에서의 치료자가 한 단계 낮은 입
장에서 내담자를 돕는 역할을 정리해 보면 다음과
같다. 첫째, 내담자가 가지고 있는 강점과 능력을
규명하고 최대한 활용할 수 있도록 한다. 둘째, 내
담자가 문제의 예외사항, 즉 내담자가 문제의 충격
을 줄이거나 없앨 수 있는 어떤 것(생각, 느낌)을 이
미 하고 있는 때를 인식하거나 만들어 나갈 수 있도
록 한다. 셋째, 내담자가 문제해결을 고려하고 있다
는 것이 드러나 있는 분명하고 특정한 표현에 초점
을 두고 집중하도록 한다.

한 도시 한 책
[- 都市 - 冊, One City One Book]

한 도시에 살고 있는 모든 사람들이 동일한 책을 읽고 그에 대
해 토론하는 공동체 독서 프로그램에 대한 총칭.
문학치료(독서치료)

1998년 미국 시애틀 공공도서관 워싱턴 북센터
에서 'If All of Seattle Read the Same Book'이라는
표제 아래 낸시 펄(Nancy Pearl)이 처음 시작한 이
후, 미국 전역과 캐나다, 영국, 호주 등 세계적으로
확산되고 있는 풀뿌리 독서운동이다. 이 운동은 한
지역사회에서 선정한 하나의 책을 주민 전체가 함
께 읽고 토론함으로써 공통의 문화적 체험을 목표
로 시작되었다. 독서와 토론 문화를 북돋기 위해 시
작한 것이다. 각 도시마다 각기 프로그램에 고유의
목적이 있지만 대개는 공동체 의식 함양과 교양 신
장에 목적을 두고 있다. 낸시 펄은 이 운동이 도서
관 프로그램이지 시민훈련이나 인종차별을 문학으
로 치료하겠다는 의도는 아니라는 말을 하면서, 운
동에 대한 과도한 기대를 경계하였다. 이 운동은 모
든 사람이 같은 책을 읽은 뒤 책에 대한 토론도 하
고, 선정된 책이나 관련 주제에 대한 전문가의 강의
도 듣고, 작가를 방문하기도 하며, 관련 예술작품
을 전시하기도 하고, 학교 교과과정에 포함하기도
하는 등 많은 행사를 겸하고 있다. 미국도서관협회
(American Library Association)는 세부적인 단계별
지침을 두어 도서선정에 대한 비평단계를 포함하는
지역 프로그램 구성법을 명기하고 있다. 일부에서
는 이 운동에 대한 부정적인 시각도 있다. 문학평론
가 해럴드 블룸(Harold Bloom)은 이 운동을 두고
차라리 한꺼번에 몰려 나가 맥너겟을 먹거나 한꺼
번에 끔찍한 짓을 하는 것이 더 낫겠다는 표현까지
하면서 공동체가 한꺼번에 같은 책을 읽는 단순한
생각을 이해할 수 없다고 하였다. 또 일각에서는 이
같은 운동이 사회적 가치관을 진작시키는 것에 대
한 경고도 하였다. 필립 로페이트(Phillip Lopate)는

ㅎ

집단사고의 증대를 염려하면서, 『Invasion of the Body Snatchers』와 같은 공상과학소설 내용 같다는 말도 하였다. 이와 유사한 운동으로는 'The Big Read'가 있다. 이는 미국국립예술기금(National Endowment for the Arts)에서 주최하는 미국 내 또 하나의 공동체 독서 프로그램이다. 이 프로그램은 미국문화 중심의 독서부활운동을 기치로 하고 있다. 한 도시 한 책 운동과 유사한 방법을 많이 쓰면서도 중앙 통제적이라는 차이가 있다.

한국가족관계학회
[韓國家族關係學會,
Korea Association of Family Relations]

www.kafr.or.kr 학회

한국가족관계학회는 가족에 관한 학술연구와 가족생활의 질 향상을 위한 상담 및 교육활동을 촉진하고, 회원 간의 친목을 도모할 목적으로 1989년 한국가족연구회로 시작되었다. 그리고 1995년 한국가족관계학회가 설립된 후 지금까지 이어져 오고 있다. 주요 활동으로는 연구발표회 및 학술회의 개최, 학회지 및 학술자료의 발간, 학술정보의 교환, 국내외 관련 기관과의 교류 등이 있다. 회원은 정회원, 명예회원, 단체회원, 준회원으로 구분하며, 학회에서 취득 가능한 자격증은 '가족상담 수퍼바이저'와 '가족상담사(1~2급)'가 있다.

한국가족치료학회
[韓國家族治療學會,
Korean Association of Family Therapy]

www.familytherapy.or.kr 학회

오늘날의 우리나라 가족은 여러 모습, 여러 형태로 변해 가고 있다. 전통사회의 규범이 급격히 무너지면서 다양한 가치관의 공존이라는 긍정적인 면도 있지만 다른 한편으로는 다양한 가치관의 혼재 속에 많은 가족과 가족원들은 적절한 규범과 가치를 찾지 못해 갈등과 방황을 거듭하고 있다. 한국가족치료학회는 가족의 다양한 문제해결을 도움으로써 가족이 제 기능을 다하고, 개별 가족원의 성장과 변화를 도울 뿐 아니라 건강하고 지속 가능한 사회발전에 기여하는 중요한 역할을 담당하기 위해 설립된 학회다. 이 학회는 가족치료학의 발전을 위하여 가족치료 연구 및 학술활동, 회원의 전문성 제고를 위한 교육훈련, 회원 상호 간의 친목도모 및 타 학회와의 교류, 세계의 가족치료 발전에 기여함을 목적으로 1988년 설립되었다. 그리고 2001년에는 학회 영문도메인 등록 및 학회 홈페이지를 개설하였고, 국제학술대회(한국, 일본, 홍콩, 싱가포르)를 개최했으며, 2010년에는 학회지가 한국연구재단 등재지로 선정된 이후 지금까지 이어져 오고 있다. 주요 활동으로는 1993년부터 『한국가족치료학회지』 발간, 가족치료 연구 및 학술지 발간, 학술 및 교육 훈련활동, 가족치료사 자격 검정, 가족치료 관련 국제학술 활동 및 교류, 가족치료 임상 및 연구윤리 활동 등이 있다. 회원은 정회원, 준회원, 특별회원, 기관회원으로 구분하며, 학회에서 취득 가능한 자격증은 '가족치료 수퍼바이저'와 '가족치료사(1~2급)'가 있다.

한국건강심리학회
[韓國健康心理學會,
Korean Health Psychological Association]

www.healthpsy.or.kr 학회

한국건강심리학회는 상대적으로 짧은 역사를 가졌음에도 불구하고 시대적 요구 때문에 세계적으로 급성장하고 있는 분야로서, 심리적 차원과 신체적 차원을 모두 포함하고 있다는 측면에서 다른 심리학 영역(임상, 상담)과 구별된다. 이는 사람의 건강을 위협하는 신체적 질병(암, 심혈관계 질환, 당뇨 등)이 생활습관이나 행동, 스트레스 대처방식, 태도 등에 큰 영향을 받는다는 사실, 즉 심리적인 문제와 신체적인 문제가 분리될 수 없다는 사실을 기초로, 건강과 질병의 원인에 관한 통합적인 이해로부터 건강을 증진시키고, 질병을 예방하는 과정에 이르기까지 다양한 건강 관련 영역에 심리학적 지식이 활용될 수 있도록 하기 위해 설립된 학회다. 신체 및 건강의 생물·심리·사회적 측면에 관심이 있는 심리학자들과 관련 분야 연구자들, 그리고 건강관리(health care) 전문가들 간의 상호 협력적 관계를 촉진할 목적으로 1994년 한국심리학회 분과학회로 설립된 후 지금까지 이어져 오고 있다. 주요 활동으로는 1996년부터 학회지 『한국심리학회지: 건강』(학술진흥재단 등재지) 연 4회 발간, 건강심리학 연구의 권장과 촉진, 연구정보의 수집, 교환 및 배포, 전문직의 개발, 전문직 활동의 지원 및 회원의 권익 보호, 각종 학술대회 개최, 학술잡지 발간 등이 있다. 회원은 정회원, 준회원, 기관회원, 특별회원으로 구분하며, 학회에서 취득 가능한 자격증은 '건강심리전문가'가 있다.

한국고용직업분류
[韓國雇用職業分類, Korean employment classification of occupations: KECO]

노동시장 효율성의 제고를 목적으로 우리나라의 직업을 직능 수준과 직능유형에 따라 나누어 놓은 것. 진로상담

현재 우리나라의 대표적인 직업분류는 통계청에서 발간하는 한국표준직업분류(Korean Standard Classification of Occupations: KSCO)와 한국고용정보원에서 발간하는 한국고용직업분류(Korean Employment Classification of Occupations: KECO)가 있다. 경제활동을 위해 개인이 하고 있는 일을 그 수행되는 일의 형태에 따라 체계적으로 유형화한

것이 직업분류이며, 국내 직업구조 및 실태에 맞도록 표준화한 것이 한국표준직업분류다. 한국표준직업분류가 직업 관련 통계를 목적으로 국내·외 통계자료의 일관성과 비교성을 확보하기 위한 목적이라면, 한국고용직업분류는 노동시장의 상황과 수요에 적합하도록 각종 직무를 분류한 것으로 직업정보의 제공을 통한 노동시장 효율성의 제고를 기본 목적으로 한 것이다. 우리나라에서는 IMF 이후 직업정보의 확보와 제공에 따른 중요성이 높아짐에 따라 우리나라 노동시장의 상황과 수요, 현실적 직업구조를 반영하여 직무를 체계적으로 분류할 필요성이 제기되었다. 2000년 노동연구원과 통계청에서는 이를 해소하기 위해 고용직업분류를 제작하였으나, 2001년 중앙고용정보원(현, 한국고용정보원)에서 실시한 산업·직업별 고용구조조사에서는 상기 분류를 직업조사에 맞도록 일부 재조정하여 활용한 결과, 분류체계가 통일되지 않아 직업분류 코딩에 상당한 어려움이 발생하였다. 이러한 문제는 분류구조 자체에 기인하는 문제로, 일부 직업단위의 조정만으로는 이러한 문제를 극복하기 어렵다고 판단하여 우리나라의 실정에 맞는 직능유형 중심의 새로운 분류에 대한 필요성이 부각되었다. 이후 산업직업별 고용구조조사에서 중앙고용정보원이 자체 개발한 한국고용직업분류를 조사의 기준으로 선정하여 2002년 9월 직무유형 중심의 한국고용직업분류를 개발하였고, 몇 차례의 보완과정을 거쳐 2007년 9월 한국표준직업분류와 고용직업분류의 직업세분류 단위를 일치시키기 위해 개정하였다. 2009년 다시 직업세분류 단위의 일치작업이 있었는데, 이는 2007년 12월 한국표준직업분류의 개정으로 양분류 간 연계성을 강화시켜 국가통계의 활용성 제고에 따른 것이었다. 한국고용직업분류의 분류기준은 직능유형(Skill Type)과 직능수준(Skill Level)의 2개 차원이다. 직능유형은 그 일을 수행하기 위해 필요한 지식, 기술, 능력(Knowledge, Skill, Ability: KSA)을 말하며, 직능수준은 KSA의 수준을 말한다. 직능유

ㅎ

형은 작업자가 수행하는 일이 갖는 여러 측면의 성격을 말하는 것으로, 여기에는 직무수행 결과 생산되는 최종생산물, 일을 수행하는 방법과 그 과정, 일을 수행하는데 필요한 지식, 주요 활용 도구 및 장비 등이 포함되며, 과학, 교육, 서비스, 판매, 제조 등을 일컬으며, 직능수준은 전문가, 일반직(사무, 기능, 조작, 농업숙련), 단순직으로 구분할 수 있다. 한국고용직업분류의 분류원칙은 직능유형 우선, 중분류 중심, 포괄성, 배타성, 연계성 유지, 최소고용과 노동시장 등과 같은 요인들을 고려하였다. 분류체계는 대분류, 중분류, 소분류, 세분류, 세세분류의 다섯 체계로 구분되어 있다. 그러나 세세분류는 사용자의 사용목적에 따라 사용하지 않기도 한다. 각 분류단위는 대분류 7개, 중분류 24개, 소분류 119개, 세분류 392개로 직업을 분류하였다(한국표준직업분류는 대분류 10종, 중분류 52종, 소분류 149종, 세분류 426종으로 구성). 대분류의 코드는 로마자로 표기하고 있으나, 한국고용직업분류는 중분류 중심의 체계로 실제 직업분류코드에서는 대분류의 구분을 하지 않고 있다. 직업코드는 사용자의 활용목적에 따라 달리 사용할 수 있는데, 4자리 직업코드의 경우 부여된 직업코드의 앞자리 두 자가 중분류를 의미하고, 세 번째 자리는 소분류, 네 번째 자리는 세분류를 사용함으로써 활용빈도를 높이고자 하였다. 예컨대, 직업상담사 및 취업알선원의 직업코드는 '0713'으로 앞 두 자리 코드 07은 중분류 '사회복지 및 종교 관련직'을 의미하고, 세 번째 1은 소분류, 네 번째 3은 세분류를 의미한다. 이러한 한국고용직업분류는 직업분류 자체로 사용되기도 하고, 직업과 관련된 취업알선, 훈련, 자격, 학과 등 여러 분야와 연계성을 가지기 쉽도록 분류하며 언제나 그 중심에는 고용직업분류가 있어야 한다는 원칙으로 모든 정보가 온라인을 통해 제공되는 현실에서 연계성이 갖는 중요성은 매우 크다고 할 수 있다. 그 결과 고용직업분류는 현재 노동부의 취업알선직업분류체계나 훈련, 자격, 각종 행정 데이터, 조사 데이터의 중심축으로 활용되고 있다.

한국표준직업분류 [韓國標準職業分類, Korean Standard Classification of Occupations: KSCO] 행정자료 및 인구총조사 등 고용 관련 통계조사를 통하여 얻어진 직업정보를 분류하고 집계하기 위한 것으로, 직업 관련 통계를 작성하는 모든 기관이 통일적으로 사용하도록 하여 통계자료의 일관성과 비교성을 확보하기 위한 것이다. 또한 각종 직업정보에 관한 국내통계를 국제적으로 비교·이용할 수 있도록 하기 위하여 국제노동기구(ILO)의 국제표준직업분류(International Standard Classification of Occupations: ISCO)를 근거로 설정되고 있다. 현재 우리나라에서 사용되고 있는 한국표준직업분류는 6차 개정(2007)으로 ISCO-08을 근거로 하여 분류하고 있다. 직업분류체계는 대분류, 중분류, 소분류, 세분류, 세세분류의 5개의 구성체계로 되어 있으며, 분류코드 5자에서 첫 번째 숫자부터 순차적으로 대-중-소-세-세세분류를 의미한다.

한국표준산업분류 [韓國標準職業分類, Korea Standard of Industry Classification: KSIC] 산업 관련 통계자료의 정확성, 비교성을 확보하기 위하여 작성된 것으로, 통계법에서는 산업통계자료의 정확성, 비교성을 위하여 모든 통계작성기관이 이를 의무적으로 사용하도록 규정하고 있다. 한국표준산업분류는 통계목적 이외에도 일반 행정 및 산업정책 관련 법령에서 적용대상 산업영역을 한정하는 기준으로 적용하고 있다. 한국표준산업분류는 국제표준산업분류(International Standard of Industry Classification: ISIC)의 4차 개정안이 권고됨에 따라 이를 우리나라의 산업특성에 반영하고 국제 비교성을 제고하기 위해 한국표준산업분류(제9차 개정작업)가 이루어져 2008년 2월 1일부터 적용하고 있다. 이러한 산업분류는 대분류, 중분류, 소분류, 세분류, 세세분류의 5개 분류체계로 구성되며, 대분류는 알파벳 대문자로 표기하여 구분한다. 산업분류코드는 5자리 아라비아 숫자로 표기되는데, 앞자리 두 자리가 중분류, 세 번째 자리가 소분류, 네 번째 자리가 세분류, 다섯 번째 자리가 세세분류를 의미하는 것으로 대분류를 나타내는 알파벳은 산업분류코드에 사용되지 않는다.

한국교육상담학회
[韓國教育相談學會, Korean Association of Professional Counseling]

www.kapcounseling.or.kr 학회

치열한 경쟁과 변화 속에서 개별화된 학습과 성장에 대한 필요가 증가하고 있다. 또한 넘치는 온갖 정보 속에서 적합하게 찾아 엮고 실행하는 능력에 대한 요구도 증가하고 있다. 이에 개별학습능력과 성장능력을 보호 및 개발하는 상담전문가들이 한국교육상담학회를 구성하여 연구교류와 학회활동을 활발하게 진행해 나가고 있다. 학회는 정신분석치료, 학습치료, 미술치료, 놀이치료, 부부치료, 부모교육 상담, 위기상담, 집단치료, 심리치료로 나누어져 활동하고 있다. 회원은 일반회원, 정회원, 특별회원, 기관회원으로 구분하며, 학회에서 취득 가능한 자격증은 각 분과별로 '전문가(1~2급)'와 '상담사'가 있다.

한국교정상담학회
[韓國矯正相談學會, Korea Correctional Counseling Association]

www.wkcca.net 학회

한국교정상담학회는 사회 내 범죄를 대상으로 하여, 교정 전문상담사는 범죄를 포함하고 있는 사회구조에 관심을 갖고, 표면적으로 드러난 범죄를 대상으로 문제의 원인을 밝히며, 범죄발생률을 감소시키는 방안을 마련하기 위해 이론적 지식뿐만 아니라 실제 적용능력을 배우기 위해 설립된 한국상담학회 산하의 분과학회다. 한국교정상담학회는 상담전문가로서 인간에 대한 기본적인 믿음과 관심을 가지고 내담자의 사회 적응을 돕기 위해 교정상담에 관한 교육과 연구를 통하여 교정상담의 활성화 및 전문화를 목적으로 2009년 설립된 후 지금까지 이어져 오고 있다. 주요 활동으로는 학술연구 발표회 및 강연회 개최, 학회지, 학술간행물 및 기타 도서의 간행, 조사연구, 자료수집 및 연구의 장려, 국내외 학회와의 교류 및 협조, 교정상담 분야 발전 및 활용을 위한 최신 지식정보의 제공 등이 있다. 회원은 정회원과 준회원으로 구분하며, 학회에서 취득 가능한 자격증은 '수련감독 전문상담사'와 '1급 전문상담사'가 있다.

한국교정중독심리학회
[韓國矯正中毒心理學會, Korea Society of Correction and Addiction Psychology]

www.cats.or.kr 학회

한국교정중독심리학회는 단순한 이론과 명목상의 모임보다 실제적인 접근과 연구, 그리고 토론을 할 수 있도록 노력하는 단체로서, 임상을 중심으로 현장에서 중독자들과 함께하는 사람들이 주축이 되어 만들어진 학회다. 주요 활동으로는 중독에서 회복된 사람들, 그리고 중독자 배우자, 자녀들을 위해 적극적으로 도움을 주는 일, 중독치유에 실제적인 방법과 접근 연구, 중독심리(재활) 상담 및 교정상담자 양성과 자격관리 등이 있다. 회원은 학생회원, 일반회원, 정회원, 단체회원으로 구분하며, 학회에서 취득 가능한 자격증은 '중독재활상담사(1~2급)' '중독재활 상담전문가' '중독심리상담사' '중독심리 상담전문가' '교정심리상담사' '교정심리 상담전문가'가 있다.

한국기독교상담심리치료학회
[韓國基督教相談心理治療學會, Korean Association of Christian Counseling & Psychotherapy]

www.kaccp.org 학회

한국기독교상담심리치료학회는 회원들의 기독교 신앙의 근거 위에서 모든 인간의 존엄성과 가치를 존중하고 다양한 조력활동으로 내담자의 잠재성과 독창성을 신장하여 저마다 자기를 실현하는 건전한 삶을 살아가는 데 도움을 주기 위해 만들어진 학회다. 학회에서 인증받은 모든 상담치료사는 전문적인 상담활동을 통하여 내담자의 개인적인 성장과 사회공익에 기여하는 데 최선을 다하고, 상담치료사로서 자신의 행동에 책임을 진다. 한국기독교상담심리치료학회는 기독교 정신에 입각하여 상담과 심리치료를 연구, 교육, 보급함으로써 한국교회와 신학교육, 그리고 사회발전에 기여하고, 국내외 학술단체 간의 교류협력을 통하여 학술문화 발전에 기여할 목적으로 1999년에 설립되었다. 2006년에 『기독교상담 학회지』가 한국학술진흥재단 등재 후보지로 결정되었고, 2008년에 10주년 기념 국제학술대회 개최 후 지금까지 이어져 오고 있다. 주요 활동으로는 2000년부터 『기독교상담 학회지』 발간, 기독교(목회) 상담과 심리치료에 관한 이론과 실제 연구, 기독교(목회) 상담과 심리치료에 관한 출판 및 자료수집과 홍보활동, 기독교(목회) 상담과 심리치료를 위한 교육 및 훈련, 자격증의 규정과 심사, 부여 및 지도감독, 회원 상호 간의 학술교류·협력을 지원하는 일, 학술 연구와 기타 학술문화 발전을 위하여 타 기관의 의견을 수렴하고 실현하는 일, 학술진흥을 위한 정책의 수립집행에 관하여 정부와 학술연구지원기관에 자문하고 건의하는 일, 학회의 현황을 파악하고 상호 연락체계를 구축하는 일 등이 있다. 회원은 감독회원, 전문회원, 정회원, 준회원, 특별회원, 기관회원으로 구분하며, 학회에서 취득 가능한 자격증은 '기독교(목회) 상담·심리치료 감독자(수퍼바이저)' '기독교(목회) 상담·심리치료 전문가' '목회상담·심리치료사(1~2급)' '기독교상담·심리치료사(1~2급)'가 있다.

한국기독교심리상담학회
[韓國基督教心理相談學會, Korean Association of Christian Psychology Counseling]

www.kccan.or.kr 학회

한국기독교심리상담학회는 기독교 정신에 따른 기독교 집단상담과 부부 심리치료 등에 대한 연구 및 교육 보급, 회원들의 상담 자질 및 기술 향상, 국내외 학술단체 간 교류협력을 통한 사회발전의 기여를 목적으로 만들어진 학회다. 기관은 수도권, 중부권, 강원권, 남부권으로 나뉘어 있으며, 부부상담, 비블리오 드라마, 집단상담, 노인상담, 부모상담, 놀이치료의 6개 분과로 이루어져 있다. 주요 활동으로는 기독교 집단상담과 부부 심리치료 등의 연구 및 프로그램 개발과 보급, 학술연구 발표 및 학회지 발간, 회원의 자질 향상을 위한 교육 및 연수회 개최, 기독교상담전문가 양성, 회원의 자격규정에 대한 심사 및 지도감독, 타 학회와 교류사업 등이 있다. 회원은 일반회원, 정회원, 특별회원, 기관회원으로 구분하며, 학회에서 취득 가능한 자격증은 '기독교 심리상담사 1~2급' '기독교 심리상담사 전문가' '기독교 심리상담사 수퍼바이저'가 있다. 한국 기독교 심리상담사는 세례(침례)를 받은 기독교인으로, 학회가 인정하는 소정의 학점을 이수하고 자격심사를 통과해야 취득이 가능하다.

한국놀이치료학회
[韓國-治療學會,
The Korean Association for Play Therapy]

www.playtherapykorea.or.kr 학회

놀이치료는 성장에 장애가 되는 요소를 놀이를 이용하여 극복하고 건강한 최적의 발달을 이루도록 하는 심리치료의 한 영역이다. 놀이치료사는 사회·정서적 적응문제로 성장발달과 학습에 어려움을 겪는 아동과 청소년들을 놀이를 통하여 진단하고 치료하는 전문가다. 이에 한국놀이치료학회는 놀이치료에 관한 학술연구, 회원의 자질 향상 및 친목 도모를 목적으로 1997년 설립되었다. 그리고 2011년도 국제추계학술대회를 개최하는 등 지금까지 이어져 오고 있다. 주요 활동으로는 1997년부터 학술지 『놀이치료 연구』 연 1회 발간, 놀이치료의 학술적 연구, 놀이치료의 임상적 연구, 학회지 및 간행물 발간, 학술대회 및 놀이치료 연수회 개최, 놀이치료 전문가 양성 및 자격관리 등이 있다. 회원은 정회원, 준회원, 특별회원으로 구분하며, 학회에서 취득 가능한 자격증은 '놀이치료교육전문가' '놀이치료전문가' '놀이치료사' '놀이치료수련자'가 있다.

한국다문화상담학회
[韓國多文化相談學會, Korea Association of Multi-Cultural Counseling]

www.kamcc.or.kr 학회

법무부 통계에 따르면, 2007년 외국인 장기 체류자와 이주민 수가 100만 명을 넘어 전체 인구의 2.2%를 차지하였다. 따라서 21세기 한국사회는 자연스럽게 다문화적 사회로 진입하였으며, 글로벌 시대와 다양한 문화적 가치관을 지닌 하위문화권이 형성되어 다문화적 특색이 확연히 나타나고 있다. 오늘날 우리 사회에서 상담자는 문화에 대해 적절하게 이해하고 있어야 하며, 상담에서 문화적 요인은 중요시되는 부분이다. 다문화상담은 한 사회 내에서 하위문화집단에 대한 상담적 접근의 전문성을 확장시키는 데 기여할 뿐만 아니라, 나아가 전통문화적인 특성에 적합한 토착화 상담이론과 방법을 개발하는 데도 도움을 줄 수 있다. 이에 한국다문화상담학회는 다문화적 사회에서 발생하는 여러 가지 문제를 연구하고 이를 예방하며, 문화적 소수집단의 심리적, 관계적, 사회적 어려움을 치료하고 회복시켜 건강한 적응과 성숙을 돕는 다문화상담전문가를 양성하고자 설립된 학회다. 한국다문화상담학회는 다문화상담에 관한 학술연구, 다문화상담을 통한 전문조력봉사활동, 이를 수행할 수 있는 다문화상담전문가의 양성 및 회원의 자질 향상과 회원 상호 간의 친목과 협력 증진을 목적으로 2010년 설립 후 지금까지 이어져 오고 있다. 주요 활동으로는 학술연구 및 발표, 다문화상담을 통한 전문조력봉사활동, 다문화상담전문가 자격제도 시행, 교육 및 연수, 학술지 발간, 국내외 학회와의 유대 강화, 회원의 권익보호 및 친목, 다문화상담에서 문화인식에 대한 제고 사업 등이 있다. 회원은 정회원, 준회원, 특별회원, 기관회원으로 구분하며, 학회에서 취득 가능한 자격증은 '수련감독 다문화상담사'와 '다문화상담사(1~3급)'가 있다.

한국대학상담학회
[韓國大學相談學會,
Korean Association of College Counseling]

www.counselors.or.kr 학회

한국대학상담학회는 대학상담의 대중화 및 전문화를 목적으로 대학생들의 학교생활 적응 및 심리사회적 문제해결, 학생상담 실무진에게 필요한 지식, 기법 및 프로그램의 개발과 보급을 통한 건전한 대학 문화 정착과 더불어 대학상담의 국제화를 위해 설립된 한국상담학회 산하의 분과학회다. 주요 활동으로는 1987년에 창립 10주년 기념사업으로 『상담의 이론과 실제』를 발간한 이후 1999년 11월까지 포함하여 10권 2호 발간, 학술대회 개최 및 워크숍, 대학상담 실무자의 요구에 부응하는 학술활동을 하고 있다. 또한 대학상담전문가 자격증 제도 시행, 국내 학생상담센터를 위한 네트워킹 허브 역할, 전국대학상담학과협의회와 연계체제 구축 및 학술활동 등이 있다.

한국독서치료학회
[韓國讀書治療學會,
Korean Association of Bibliotherapy]

www.bibliotherapy.or.kr 문학치료 학회

한국독서치료학회는 다양한 문화 작품과 더불어 영화, 애니메이션, 드라마, 음악, 미술 등의 표현예술적 치료도구를 이용하여 정신적 갈등이나 정서적 문제를 해결해 나가는 치료적 과정에 대한 심리학과 문학 등 관련 분야의 연구를 위해 만들어진 학회다. 한국독서치료학회는 독서치료의 이론과 실제에 관한 제반 연구를 하여 우리나라 독서치료의 학문적 발전과 보급 및 회원 상호 간 권익의 실천에 공헌함을 목적으로 1999년 한국어린이문학교육학회 산하 독서치료 분과모임으로 시작되었다. 그리고 2000년 독서치료 관련 자료와 논문초록을 번역하여 독서치료 자료모음집을 발간하였고, 2001년에는 『독서치료』 발간, 2003년에는 한국독서치료학회 창립 총회·학술대회 개최 후 지금까지 이어져 오고 있다. 주요 활동으로는 2004년부터 학회지 『독서치료 연구』 발간, 회원의 연구 활성화를 위한 정기모임 및 학술발표 회의 개최, 학회지 및 독서치료에 관련한 출판물 편집과 간행, 세미나 및 워크숍 개최, 국내외 독서치료 및 인접학문 단체와의 제휴 등이 있다. 회원은 정회원과 준회원으로 구분하며, 학회

에서 취득 가능한 자격증은 '독서치료전문가'와 '독서치료사'가 있다.

한국마약퇴치운동본부
[韓國麻藥退治運動本部,
Korean Association Against Drug Abuse]

www.drugfree.or.kr 기관

한국마약퇴치운동본부는 개인과 가정, 사회와 인류 전체에 대한 황폐화 현상에서 마약에 관한 악마적 속성을 주시하고, 그 폐해를 없애는 유일한 대안은 세계를 잇는 연대의 손길이라는 점을 인식, 그 고리의 역할을 하기 위하여 탄생한 민간단체다. 한국마약퇴치운동본부는 마약 없는 밝은 사회, 21세기 생명존중환경을 만들 목적으로 1992년 설립되었고, 1998년 IFNGO(국제약물남용예방 민간단체연합)에 정회원으로 가입한 뒤 2002년 송천쉼터를 개원한 후 지금까지 이어져 오고 있다. 주요 활동으로는 1994년부터 소식지 『아름다운 젊음』 발간, 2000년 월간지로 전환 후 2002년 다시 계간지로 발간, 소년을 중심으로 하는 대국민 홍보(마약퇴치캠페인, 세계 마약퇴치의 날 기념식, 마약류 퇴치 심포지엄 및 워크숍 실시, 마약퇴치 홍보대사 임명식), 자료개발, 상담, 교육 및 예방 활동과 자원봉사 프로그램(햇살 교실, 마퇴 교실-청소년 약물 예방 프로그램), 재활 사업(송천재활센터 운영, 마그미 캠프 등 각종 프로그램 운영, NA 모임 운영), 국제 협력 등이 있다.

한국모래놀이치료학회
[韓國 - 治療學會,
Korean Association of Sand Play Therapy]

http://ka.sandplay2004.or.kr 학회

모래놀이치료는 중심을 잃어 가는 현대인에게 자

신의 마음 깊숙이 중심으로 갈 수 있도록 함으로써 마음이 불안하여 가엾고 의지할 곳이 없는 심리적인 어려움을 겪고 있는 아이들과 청소년들이 자신감을 회복하여 독립하는 데 도움을 주기 위한 것이다. 한국모래놀이치료학회는 모래놀이치료 관련 분야의 상호 연계적 연구활동을 통하여 학문의 발전과 교육현장 개선에 기여함을 목적으로 1992년 한국모래놀이치료연구회로 시작하였다. 그리고 1993년 국제모래놀이치료세미나, 2004년 학회창립, 2008년 한일 학술교류 모래놀이치료세미나, 2009년 한일교류 국제심포지엄 개최 후 지금까지 이어져 오고 있다. 주요 활동으로는 2005년부터 『모래놀이치료 연구집』발간, 모래놀이치료연구회 개최, 연차 학술대회 개최, 학회지 및 기타 출판물 간행, 상담·심리치료 분야 종사자 및 부모의 교육·훈련, 국내외 모래놀이치료 관련 학술단체와의 교류, 교육·복지 및 상담·심리치료 서비스 정보 제공, 모래놀이치료 전문가의 양성 및 훈련 등이 있다. 학회 관련 자격증은 '모래놀이치료 지도감독전문가' '모래놀이치료 전문가' '모래놀이치료사'가 있다.

한국교회 최초의 목회상담학회가 한국목회상담학회다. 이는 목회상담 및 기독교상담을 연구, 교육, 보급, 발전시킴으로써 한국의 교회와 신학교육, 그리고 건강한 한국사회 발전에 기여하며 회원들의 유대감과 전문성을 높일 목적으로 1951년 '목회 문의학'이라는 명칭으로 설립되었다. 그리고 1971년에 한국교회 최초 목회임상교육을 시행하였고, 1982년에 각 신학대학 목회상담 교수들과 목회상담자를 중심으로 협회를 창립 후 지금까지 이어져 오고 있다. 주요 활동으로는 목회상담, 기독교상담사 및 목회상담·기독교상담 기관의 자격 심사와 지도 감독, 목회상담·기독교상담에 관한 이론과 실제에 관한 학술연구 세미나 및 심포지엄 개최, 목회상담·기독교상담에 관한 출판, 목회상담·기독교상담에 대한 홍보, 목회상담·기독교상담을 위한 교육 세미나 및 임상사례 세미나 개최, 국내외 상담 기관과 정보 및 지도력 교환 등이 있다. 회원은 일반회원, 정회원, 기관회원으로 구분하며, 학회에서 취득 가능한 자격증은 '목회상담 수련감독' '기독교상담 수련감독' '목회상담사 전문가' '기독교상담사 전문가' '목회상담사(1~2급)' '기독교상담사(1~2급)'가 있다.

한국목회상담협회
[韓國牧會相談協會,
Korean Association of Pastoral Counselors]

www.kapc.or.kr 학회

사람마다 나름대로의 흠을 가지고 삶을 살아가고 있다. 그들은 그 흠을 없이 하고 흠 없는 사람이 되고자 노력을 한다. 어떤 사람들은 상담도 흠을 없애 주는 일 가운데 하나라고 믿고, 그 흠으로 괴로울 때마다 상담자를 찾아와 흠을 없앨 수 있는지 물어본다. 그러나 상담은 흠을 감싸는 일이다. 흠이 있음에도 불구하고 아름다움을 간직할 수 있게 돕는 것이다. 그 속에서 하나님의 형상을 발견하고 그것을 예수 그리스도 안에서 빛나도록 하기 위해 설립된

한국문화 및 사회문제심리학회
[韓國文化 - 社會問題心理學會,
Korean Psychological Association of
and Culture Social Issues]

www.kpacsi.or.kr 학회

한국문화 및 사회문제심리학회는 심리학자들의 사회문제에 대한 분석과 연구업적 등을 집결, 사회문제와의 연결을 촉진하여 한국사회에 심리학자의 기반을 조성, 심리학자들의 사회문제와 관련하여 전문가로서 사회에 진출할 수 있는 기반을 마련하는 곳이다. 전공과 관계없이 심리학자의 사회문제

ㅎ

에 관한 관심을 규합하고 수용하며, 전공별로 구성된 기존의 학회기구로는 담당하지 못하는 사회문제에 대한 연구나 견해를 발표할 수 있는 창구로서 복잡하고 다양한 우리 사회의 문제를 심리학적으로 분석하고 해결하기 위한 목적으로 1991년 한국심리학회 산하 분과학회로 설립되어 지금까지 이어져 오고 있다. 주요 활동으로는 1994년부터 학회지 『한국심리학회지: 사회문제』 발간, 사회 문제 연구의 협조, 권장 및 촉진, 전문직 개발, 전문직 활동의 지원 및 전문직에 종사하는 회원의 권익보호를 비롯한 정기 학술발표회 및 학술대회 개최, 학술논문의 발간, 회원의 공동연구 추진, 국내외 연구정보의 수집 및 배포 등이 있다. 회원은 정회원, 준회원, 특별회원으로 구분한다.

한국미술놀이치료학회
[韓國美術 － 治療學會, Korean Art and Play Therapy Association]

www.kapta.kr 학회

심리치료란 한 인간을 통합적으로 이해할 수 있는 식견을 갖추어야 내담자에게 가장 이상적인 치료방향을 설정할 수 있다. 그러나 현재 국내의 각 학회 활동은 한 단편을 견지하고, 간혹 상호 영역에 대해서는 배타적인 자세를 취하고 있다. 이러한 방향에도 장단점은 있겠지만, 치료에는 내담자의 다양한 증상을 여러 각도에서 체계적으로 이해하고 뿌리를 찾을 수 있는 능력 있는 전문가가 필요하다. 한국미술 및 놀이치료학회는 한 단편만을 견지하거나 배타적인 자세를 피하고, 내담자의 다양한 증상을 여러 각도에서 체계적으로 이해하는 것에 중점을 두고 설립된 학회다. 한국미술 및 놀이치료학회는 내담자의 입장에서 적절한 매체를 선택할 수 있는 치료사의 역량을 높이기 위하여 두 가지 치료기법을 함께 연마할 수 있는 기회를 제공

한다. 이를 바탕으로 인간의 불안, 갈등, 문제행동의 표출에 영향을 미치는 기초심리이론을 체계적으로 학습하여 내담자를 통합적으로 이해하고 치료할 수 있는 식견을 제공할 목적으로 설립되었다. 주요 활동으로는 전문가 양성 및 자격 관리, 사례연구, 예술(미술, 음악, 놀이 등)의 창작과정을 활용한 심리분석, 다양한 미술 및 놀이 매체와 교구 등을 활용한 효과적 심리재활방법의 학습, 미술 및 놀이치료 연수회 개최, 프로그램 개발 등이 있다. 학회에서 취득 가능한 자격증은 'Art & Play 치료사(1~3급)' 'Art & Play 치료 전문가(수퍼바이저 겸직)'가 있다.

한국미술치료학회
[韓國美術治療學會, Korean Art Therapy Association]

www.korean-arttherapy.or.kr 학회

오늘날 급변하는 사회환경 속에서 미래에 대한 불안이나 관계의 어려움으로 자살률이 매년 높아지고, 뜻하지 않은 크고 작은 사건으로 외상 후 스트레스 장애, 우울 등 정신건강의 어려움을 겪고 있는 성인들이 증가하고 있는 것이 현실이다. 이에 따라 이들뿐만 아니라 학교생활 부적응 아동, 비행청소년, 다문화 가족 등 사회 곳곳에서 미술치료사의 역할이 필요해지고 있다. 한국미술치료학회는 정신적, 신체적으로 고통을 받고 있는 이들이 자기표현을 통하여 자신의 마음을 자연스럽게 드러내도록 도와줌으로써 치료받는 이가 행복감을 느끼며 자체 치유능력을 발휘할 수 있도록 하기 위해 만들어진 학회다. 한국미술치료학회는 사회일반의 이익에 기여하기 위해 「민법」 제32조 및 「공익 법인의 설립·운영에 관한 법률」 규정에 따라 미술치료학의 연구 및 학술활동을 통하여 한국의 미술치료학 발전에 기여함을 목적으로 1992년 설립되었다. 그리고 같은 해

미국 시애틀 인간발달연구소와의 교류협의를 맺고, 1994년 한·미·일 미술치료 국제세미나 및 워크숍 개최, 2007년 『미술치료 연구』 학술지가 한국연구재단 등재 학술지로 선정된 이후 지금까지 이어져 오고 있다. 주요 활동으로는 1994년부터 학회지 『미술치료 연구』 발간, 학술연구 발표, 미술치료 관련 연구지원, 학술지 발행, 국제 간 학술 교류, 회원 재교육 및 연수 등이 있다. 회원은 정회원, 준회원, 특별회원, 단체회원으로 구분하며, 학회에서 취득 가능한 자격증은 '수련감독 미술치료전문가' '미술치료전문가' '미술치료사'가 있다.

한국발달심리학회
[韓國發達心理學會, Korean Developmental Psychology Association]
www.baldal.or.kr 학회

초기발달에 관한 연구는 출생부터 아동기까지 혹은 출생부터 청년기까지의 변화, 발달에만 관심을 가지고 연구하였다. 하지만 20세기에는 평균 수명이 늘어나 성인기 인구가 증가하고, 성인기 중에도 유의한 변화가 일어난다는 인식이 확산되면서 현재는 성인기의 발달까지 연구하고 있다. 또한 정상 발달뿐 아니라 표준적 발달에서 이탈된 비정상적인 발달에도 관심을 갖고, 발달정신병리분야도 연구하고 있다. 이에 한국발달심리학회는 전 생애에 걸쳐 발달에 관한 연구의 활성화와 발전, 보급, 그리고 응용을 목적으로 1975년 한국심리학회 산하 발달심리학회로 설립된 후 지금까지 이어져 오고 있다. 주요 활동으로는 학회지 『한국심리학회지: 발달』 연 4회 발간, 자격제도 운영, 연 5회 사례발표회 개최 및 워크숍 운영, 발달심리학 교재 및 기자재 개발, 회원의 공동과제 개발 및 추진, 국내외 연구정보의 수집 및 교환 등이 있다. 회원은 정회원, 준회원, 특별회원으로 구분하며, 학회에서 취득 가능한 자격증은 '발달심리전문가'와 '발달심리사'가 있다.

한국발달장애자립지원학회
[韓國發達障碍自立支援學會, Korean Association of Developmental Disorders Independence Application]
www.awakeningtherapies.org 학회

한국발달장애자립지원학회는 발달상의 어려움을 겪고 있는 아동·청소년이 적극적 발달기간 중에는 그의 잠재성을 최대한 발휘할 수 있도록 교육적 서비스를 제공받고, 그가 성인이 되었을 때는 자신의 존귀성을 충분히 향유하며 삶을 당당하게 이끌 수 있는 실제적 자립준비시스템을 제공받을 수 있도록 이 분야 학자, 현장임상가, 부모, 관련 전문가, 지역사회 이웃 모두가 실천수행의 마음으로 힘을 모으자는 취지로 설립된 학회다. 사람에게 행복을 선물하기 위해 소명의식을 갖고 노력하는 휴먼서비스로서, 궁극적으로는 나와 너 모두가 진정한 자기 그 존재 본성에 닿아 보자는 학문적 수행이며 실천적 수행이라고 말할 수 있다. 이에 한국발달장애자립지원학회는 발달장애를 지닌 아동 및 청소년을 위해 발달 전 영역에 걸친 치료교육 서비스 및 구체적 자립생활 지원을 위한 연구에 뜻을 가진 사람들의 임상 및 학문적 실천 상호협력촉진을 목적으로 설립된 후 지금까지 이어져 오고 있다. 주요 활동으로는 지역사회 기반 생활자립 지원서비스, 온라인 사례발표회, 국제학술대회, 학회지 및 현장 지원 출판, 발달장애 아동·청소년 지원적 서비스 교육, 전문가 양성, 국내외 관련 기관과의 학문적, 임상적 정보 협력 등이 있다. 회원은 정회원과 준회원으로 구분한다.

ㅎ

한국복지상담학회
[韓國福祉相談學會, Korean Association of Welfare Counseling]

www.welfarecounseling.org 학회

오늘의 사회는 복지영역과 상담영역에서 서로 상담과 복지를 필요로 하는 상황에 있다. 아동과 노인은 물론 청소년과 장애인 등 삶의 모든 영역에서부터 교육현장에 이르기까지 복지적 식견과 상담 능력을 갖춘 복지상담사가 필요하기 때문이다. 대학에서 복지상담을 전공하는 학과가 늘어나는 까닭도 복지상담의 필요성을 분명히 인식한 결과다. 이러한 시대적 추세에 부응하여 복지와 상담의 융합을 추진해 온 한국복지상담학회는 앞으로 복지 상담학의 정체성을 위해 더 많은 연구를 하면서, 복지상담 서비스 분야를 확대하고 개척해 나가기 위해 설립되었다. 인간의 삶의 질 향상을 위한 사회복지실천 현장에서 매 순간 직면하게 되는 복지상담의 학문적 연구와 상담전문가 양성을 목적으로 2004년 설립된 후 지금까지 이어져 오고 있다. 주요 활동으로는 『복지상담학 연구』 발간, 복지상담이론의 연구, 복지상담 기법 및 프로그램의 개발과 보급, 복지상담사의 양성, 회원의 자질 향상을 위한 연수회, 전문서적·연구보고서·참고자료 간행, 지역사회복지 및 정신건강 증진을 위한 교육, 각급 학교 및 기관을 위한 전문적 조력 등이 있다. 회원은 정회원, 준회원, 학생회원, 명예회원으로 구분하며, 학회에서 취득 가능한 자격증은 '수련감독 복지상담사'와 '복지상담사(1~2급)'가 있다.

한국부모놀이치료학회
[韓國父母 – 治療學會, Korea Association of Parent Counseling and Play Therapy]

www.kppt.or.kr 학회

다양한 유형의 부적응 행동이 영유아기를 비롯한 아동기와 청소년기에 이르기까지 부모–자녀관계에서 크게 영향을 받는다는 사실이 밝혀지면서 부모교육 또는 부모상담에 관한 필요성이 널리 확산되었다. 임상장면에서의 부모교육과 상담에 관하여 전문적인 접근에 대한 인식이 날로 증가하고 있는 반면, 보다 적극적인 의미에서의 부모상담 인력을 교육하고 훈련시킬 수 있는 프로그램의 개발과 보급은 미흡한 수준에 머물러 있다. 한국부모놀이치료학회는 부모–자녀관계의 개선을 통하여 아동과 가족의 심리적 건강을 되찾아 주는 부모놀이치료 분야를 집중적으로 연구, 개발하고 전문인력을 체계적으로 교육하고 훈련하는 수련과정을 제공함으로써 지역의 우수한 전문인력이 학문적 성과를 익히고 교류하는 장으로서의 역할을 다하고자 설립된 학회다. 한국부모놀이치료학회는 놀이치료 및 부모상담 관련 분야의 연구활동을 통하여 학문의 발전과 교육현장 개선에 기여함을 목적으로 2009년 한국아동가족상담센터(주) 내에 설립된 후 지금까지 이어져 오고 있다. 주요 활동으로는 놀이치료와 부모상담의 학술적 연구, 놀이치료와 부모상담의 임상적 연구, 학술 대회 개최 및 학회지 발간, 놀이치료사와 부모상담사 양성 및 자격관리, 교육·상담 및 심리치료 서비스의 제공 등이 있다. 회원은 개인회원과 단체회원으로 구분하며, 학회에서 취득 가능한 자격증은 '놀이치료 교육전문가' '놀이치료전문가' '놀이치료사(1~2급)'가 있다.

한국부부 · 가족상담학회
[韓國夫婦家族相談學會,
Korean Association of Marriaged Couple
and Family Counseling]

www.kamfc.or.kr 학회

한국부부 · 가족상담학회는 가족상담현장의 외연 확대와 회원 확충, 가족상담의 전문성을 기르기 위해 설립된 학회다. 부부 · 가족상담에 관한 학술적 연구활동, 타 학회와의 교류, 회원의 권익 옹호와 자질 향상, 친목 도모 및 지역사회 봉사를 목적으로 2002년 한국결혼가족상담학회로 설립되었다. 그리고 2003년 한국상담학회 분과학회로 통합, 2010년 한국부부 · 가족상담학회로 명칭을 변경한 후 지금까지 이어져 오고 있다. 주요 활동으로는 부부상담과 가족상담의 전문성 확대, 최근에 개발된 부부상담 및 가족치료이론 소개와 집중 워크숍, 부부상담 및 가족상담 분야의 전문가 네트워크 구축 및 관리, 부부상담 및 가족상담 분야의 전문상담사 발굴 및 확보, 부부 및 가족상담사례발표와 상담사례 적용 접근, 부부상담 및 가족상담 클리닉/센터 현장 전문가를 지원할 수 있는 체제 마련을 비롯한 사례발표회 개최, 학술대회 및 워크숍 개최, 관련 기관과 업무 협약 및 사업 시행, 가족상담 단체 전국연합회 결성, 수련감독자 집단연수회 개최 등이 있다. 학회에서 취득 가능한 자격증은 '가족상담 수련감독급 전문상담사'와 '가족전문상담사(1~2급)'가 있다.

한국불교상담학회
[韓國佛敎相談學會,
Korean Buddist Counseling Association]

www.kbca08.or.kr 학회

한국불교상담학회는 부처님의 법문을 통하여 중생의 고민을 해결해 주는 곳으로서, 부처님의 가르침이 불교상담학이라는 현대 학문으로 거듭나 오늘날 우리와 우리 이웃의 문제해결에 적용되고 활용되기를 바라면서 만들어진 학회다. 한국불교상담학회는 불교사상에 입각하여 상담 및 심리치료를 연구 · 교육 · 보급함으로써 학문의 발전과 사회 발전에 기여할 것을 목적으로 2008년 설립된 후 지금까지 이어져 오고 있다. 주요 활동으로는 불교상담의 학술적 연구, 불교심리치료의 임상적 연구, 연구발표회 및 학회지 발간, 학술대회 및 연수회 개최, 불교상담사 양성 및 자격관리, 불교교육 상담 및 프로그램 개발과 보급 등이 있다. 회원은 정회원, 준회원, 특별회원, 단체회원으로 구분하며, 학회에서 취득 가능한 자격증은 '불교상담 수련전문가'와 '불교상담전문가(1~2급)'가 있다.

한국사회 및 성격심리학회
[韓國社會 − 性格心理學會,
Korean Social and Personality
Psychological Association]

www.ksppa.or.kr 학회

사회심리학은 개인과 개인, 개인과 사회가 서로 주고받는 영향과 과정에 대한 과학적 연구를 통하여 사회문화가 사람들에게 주는 영향 및 개인의 활동이 사회문화에 주는 영향 등의 주제를 다루는 학문으로서 기초심리학의 한 분야다. 그리고 성격심리학은 성격(personality)을 연구하는 학문으로서, 사람에 초점을 맞추어서 사회행동을 설명하는 분야라고 할 수 있다. 이에 한국사회 및 성격심리학회는 사회심리학, 성격심리학, 문화심리학 및 범죄심리학에 관심을 가지고 있는 학자 및 전문분야 종사자들로 구성되어 연구와 소통을 통한 발전과 보급을 목적으로 1975년 한국심리학회 산하 사회심리학회로 설립되었다. 그리고 1998년 현재의 이름으로 명칭을 변경한 후 지금까지 이어져 오고 있다. 주요

ㅎ

활동으로는 1985년부터 학회지 『한국심리학회: 사회 및 성격』 발간, 자격제도 운영, 사회심리학 연구의 협조, 권장 및 촉진, 연 2회 이상의 정기논문발표대회 및 심포지엄 개최, 회원의 공동연구 추진, 국내외 연구정보의 수집 및 배포 등이 있다. 회원은 정회원, 준회원, 특별회원으로 구분하며, 학회에서 취득 가능한 자격증은 '범죄심리사 자격증(전문가, 1급 및 2급)'이 있다.

한국산업 및 조직심리학회
[韓國産業 – 組織心理學會,
Korean Society for Industrial and
Organizational Psychology]

www.ksiop.or.kr 학회

한국 산업 및 조직심리학은 심리학의 원리와 연구방법을 생산성 향상과 작업조건의 질 향상에 초점을 맞추어 이를 노동현장에 적용하기 위한 방법을 연구하는 학문이다. 이에 한국산업 및 조직심리학회는 산업 및 조직심리학의 발전, 보급 및 그 적용, 회원의 권익 신장과 친목 도모를 목적으로 1964년 한국심리학회 산하 한국산업 및 조직심리학회로 설립되었다. 그리고 1987년 한국산업 및 조직심리학회로서 하나의 학회로 세워져 지금까지 이어져오고 있다. 주요 활동으로는 1988년부터 학술지 『한국심리학회지: 산업 및 조직』(한국연구재단 등재지) 연 3회 발간, 자격제도 운영, 정기연구발표회 개최, 국내 연구정보의 수집 및 제공, 회원의 공동연구 협조 등이 있다. 회원은 정회원, 준회원, 기관회원, 특별회원으로 구분하며, 학회에서 취득 가능한 자격증은 '산업 및 조직 심리사'와 '산업 및 조직 심리전문가'가 있다.

한국산업상담학회
[韓國産業相談學會,
Association of Korea Industrial Counseling]

www.k-ica.com 학회

현대사회에서는 생활하며 겪게 되는 각종 스트레스 때문에 적절한 마음의 치료가 절실하게 필요해졌다. 이렇게 상처를 받거나 병리적인 현상을 보이는 근로자에게 인간답게 생활하고 조직 내에서 잘 적응할 수 있도록 따뜻한 도움을 주고 스스로 문제해결을 할 수 있도록 조언해 주면서 원조하는 것이 산업상담이며, 이를 전문적으로 수행하는 사람을 산업상담사(카운슬러)라고 한다. 한국산업상담학회는 이 같은 조언과 원조를 통해서 긍정적인 태도와 행동으로 다시 출발할 수 있도록 도움을 주기 위해 설립된 학회다. 한국산업상담학회는 우리나라 산업 장면에서의 인간관계 증진을 위해 산업상담을 근간으로 하여 연구·교육활동을 하고 있는 사람들이 그 전문성을 제고하여 사회적인 위상을 높이고 산업 장면에서 다양한 인간관계의 질을 높여 모든 지역사회인의 정신건강 및 성장 발달의 증진을 목적으로 2006년 설립되었다. 그리고 2007년 학술진흥재단 전문학회로 등록 후 지금까지 이어져 오고 있다. 주요 활동으로는 뉴스레터, 학회지, 사례집 기타 관련 서적 출판과 연차대회 주관, 산업복지를 위한 학술연구기관 간의 교류, 산업복지를 위한 지원사업, 산업상담 전문인력 양성훈련을 위한 지원, 회원의 자질 향상을 위한 연수회 개최, 회원의 권익보호를 위한 활동, 분과위원회의 활성화를 위한 지원사업, 산업복지 및 산업상담 관련 학술자료와 지식정보의 교환을 위한 국제교류 등이 있다. 회원은 정회원, 준회원, 일반회원, 기관회원, 명예회원으로 구분하며, 학회에서 취득 가능한 자격증은 '산업상담사(1~2급)'가 있다.

한국상담심리치료학회
[韓國相談心理治療學會, The Institute of Korean Counseling & Psycho-Therapy]

www.kcpt.or.kr 학회

삶의 질을 생각할 여유가 생기고부터 인간의 행동과 정신과정을 과학적으로 탐구해 보고자 하는 심리학과 상담, 심리치료에 대한 관심이 높아지고 있다. 또한 모든 사람들이 먼저 자신을 이해하고 타인과 원만한 대인관계를 바탕으로 건강한 사회인으로 살아가기를 원한다. 한국상담심리치료학회는 상담, 심리, 치료라는 키워드를 가지고 이 3개의 단어를 구성할 수 있는 상담심리, 심리학, 심리치료 분야를 연구하기 위해 설립된 학회다. 한국상담심리치료학회는 체계적이고 전문적인 교육서비스를 제공할 목적으로 2006년에 설립된 후 지금까지 이어져 오고 있다. 학회에서 취득 가능한 자격증은 '심리상담전문가'와 '심리상담사(1~3급)'가 있다.

한국상담심리학회
[韓國相談心理學會, Korean Counseling Psychological Association]

www.krcpa.or.kr 학회

한국상담심리학회는 상담심리학 및 심리치료에 관한 제반 학술 연구, 국민의 심리적 건강 증진을 위한 활동, 이를 수행할 수 있는 상담심리사의 양성 및 회원의 자질 향상과 회원 상호 간의 친목 도모를 목적으로 1974년 한국심리학회 산하 임상 및 상담심리분과회로 설립되었다. 그리고 1987년 임상심리학회에서 분리되어 한국심리학회 산하 상담심리 및 심리치료학회로 설립되었다. 몇 번의 명칭변경 이후, 2003년에 한국상담심리학회가 되어 지금까지 이어져 오고 있다. 주요 활동으로는 1989년부터 매년 『한국심리학회지: 상담과 심리치료』 발간, 자

격 제도 운영, 연 8회에 걸친 사례발표 및 토의, 학술발표 개최, 연 1~2회의 하계 또는 동계 수련회 실시(매 회당 1~5일간), 그 외에도 상담 교육 및 수련 담당, 상담 프로그램 개발 지원, 각 현장 상담활동 지원, 상담 관련 활동 자문 등이 있다. 회원은 정회원, 준회원, 종신회원, 기관회원으로 구분하며, 학회에서 취득 가능한 자격증은 '상담심리사 1급(상담심리전문가)'과 '상담심리사 2급(상담심리사)'이 있다.

한국상담학회
[韓國相談學會, Korean Counseling Association]

www.counselors.or.kr 학회

한국상담학회는 한국에서의 상담활동이 국민의 정신건강 및 성장 발달에 기여하기를 열망하고 있는 학자와 전문가들이 함께 설립한 학회다. 상담을 연구하는 학자와 상담 실무에 종사하는 상담전문가들의 모임으로서, 한국상담의 발전, 학문적인 정체성의 확립, 회원의 권익보호, 회원 간의 정보교류를 목적으로 2000년에 설립되었다. 1976년에 설립된 대학상담학회와 1978년에 '금요 모임'으로 시작되어 계속 명칭을 변경하면서 발전한 '한국집단상담학회', 1995년에 설립한 '한국진로상담학회' 등이 통합된 것이다. 한국상담학회는 13개 분과학회(대학, 집단, 진로, 학교, 아동청소년, 초월영성, 부부·가족, NLP, 군, 교정, 심리치료, 기업, 중독)와 8개 지역학회(대구·경북, 대전·충남, 제주, 부산·경남·울산, 전북, 광주·전남, 서울·경기·인천, 강원)가 있다. 주요 활동으로는 2000년부터 학술지 『상담학연구』 연 4회 발간, 상담학 연구 및 학술지 발간, 상담 프로그램의 개발 및 보급, 연차 대회 및 연수회 개최 등이 있다. 회원은 정회원, 준회원, 일반회원, 기관회원으로 구분하며, 학회에서 취득 가능한 자격

ㅎ

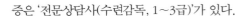

중은 '전문상담사(수련감독, 1~3급)'가 있다.

한국색채심리치료협회
[韓國色彩心理治療協會,
Korea Color Psychical Therapy Society]

www.color07.com 기관

색채심리치료는 미국, 독일, 일본 등의 선진국에서 빠르게 부각되고 있는 심리치료의 하나로서, 선진국에서는 대중적으로 널리 알려져 있는 이 색채심리치료를 활성화하고 전문가를 양성하여 국가 사회 및 국민의 정서와 질서 확립을 돕고자 만들어진 학회다. 새로운 일자리 창출과 전반적인 색채심리교육의 활성화를 돕고, 우수한 자질의 심리치료사를 국가가 운영하는 시설 및 초·중·고와 국가 공익 청소년인 의무경찰의 심리회복을 위한 자원봉사로 파견하여 마음을 회복시키고, 한부모가족, 위기 가정의 아동, 요보호 아동, 가정폭력, 성폭력 예방 차원에서 국가 사회 및 국민의 정서와 질서 확립을 목적으로 2005년 한국색체심리분석연구소가 설립되었다. 그리고 2007년 (사단법인)융색채심리협회로 서울시에서 인가를 받고, 2008년 (사단법인)한국색채심리치료협회로 명칭을 변경한 뒤 2010년 한국예술심리치료 평생교육원 시설허가 후 지금까지 이어져 오고 있다. 주요 활동으로는 보육시설에 거주하는 요보호 아동을 대상으로 한 무료 색채심리치료, 특수 장애 아동과 부모를 위한 무료 색채심리치료, 전·의경 집단생활 적응 향상을 위한 무료 색채심리치료, 다문화 가정을 위한 가족상담, 기타 자원봉사 활동 등이 있다. 학회에서 취득 가능한 자격증은 '색채&미술 심리상담전문가'와 '색채&미술 심리상담사(1~2급)'가 있다.

한국성경적상담학회
[韓國聖經的相談學會,
Korean Association of Biblical Counseling]

www.bsangdam.org 학회

한국성경적상담학회는 성경이 상담의 중심이어야 하고, 하나님만이 완전한 치유를 할 수 있다는 상담의 원리와 방법을 확산시키기 위해 설립된 학회다. 상담이란 상담자와 피상담자의 대면 관계에서 당면한 문제를 해결하고 성령의 역사하심으로 비성경적인 사고, 감정, 행동, 성품을 성경적인 것으로 변화시키기 위하여 재교육하는 것이라고 규정하고 있다. 상담의 목표는 사람을 변화시켜서 하나님의 영광을 위해 살도록 돕는 것에 두고 있다. 한국성경적상담학회는 성경적 원리에 의한 개혁주의 상담학의 학문적 발전과 보급, 회원 상호 간의 학술교류와 협력증진을 목적으로 1995년 설립되었다. 2000년에 한국학술진흥재단에 학회로 등록된 후 지금까지 이어져 오고 있다. 주요 활동으로는 2001년부터 학회지 『성경과 상담』 발간, 논문집 및 연구물 간행, 연구 발표회, 국제 및 국내 학술 대회, 자료소개 및 교환 등이 있다. 회원은 준회원과 정회원으로 구분하며, 학회에서 취득 가능한 자격증은 '기독교상담사(1~3급)' '목회상담사(1~2급)' '기독교상담전문가' '목회상담전문가' '기독교상담감독'이 있다.

한국스포츠심리학회
[韓國-心理學會,
Korean Society of Sport Psychology]

www.kssp.or.kr 학회

한국스포츠심리학회는 스포츠심리학, 운동발달, 운동과 건강심리학 등 스포츠심리학 분야의 발전을 위해 설립된 학회다. 스포츠심리학을 활성화할 목적으로 1989년 설립되어 지금까지 이어져 오고 있다. 주요 활동으로는 1990년 학회지 『한국스포츠심리학회지』 발간, 학술대회 개최, 연수, 세미나 등이 있다. 학회에서 취득 가능한 자격증은 '스포츠 심리상담전문가'와 '스포츠 심리상담사(1~3급)'가 있다.

한국심리치료학회
[韓國心理治療學會, Korean Association of Psychotherapy]

www.kap03.kr 학회

한국심리치료학회는 임상에 기반을 둔 심리치료분야의 새로운 접근과 심리치료전문분야의 확장 및 심리치료분야의 전문가를 교육하고 수련하며 배출하여 사회에 기여하고자 설립된 학회다. 한국심리치료학회는 심리치료에 대한 제반 영역을 연구하고 그 자료들을 심리치료에 적용함으로써 심리적으로 어려움을 겪고 있는 사람들에게 도움을 주기 위한 연구 및 활동을 도모할 목적으로 2003년 설립된 후 지금까지 이어져 오고 있다. 주요 활동으로는 『한국심리치료학회지』 연 2회 발간, 심리치료 연구, 학술대회 개최 및 연구발표, 학회지 및 기타 서적 발간, 심리치료 관련 워크숍, 회원 연수 및 제반 교육 훈련, 국내외 학회와의 협력 및 회원 상호 간의 친목, 각 심리치료전문가 배출 등이 있다. 회원은 정회원, 준회원, 특별회원으로 구분하며, 학회에서 취득 가능한 자격증은 '심리치료사'가 있다.

한국심리학회
[韓國心理學會, Korean Psychological Association]

www.koreanpsychology.or.kr 학회

한국심리학회는 회원들에게 학술정보 교류와 친목의 장을 제공함으로써 심리학의 발전을 도모하고, 심리학적 전문지식과 응용기술을 사회에 보급하는 역할을 통하여 공익에 기여하고자 설립된 학회다. 이에 심리학의 발전 및 회원 상호 간의 친목 도모를 목적으로 1946년 조선심리학회로 설립되었다. 그리고 1961년 5·16 군사정변으로 인해 해산된 후 1963년에 재발족하였고, 1996년 사단법인 한국심리학회로 설립하여 지금까지 이어져 오고 있다. 이 학회의 산하학회는 총 12개로, 임상심리학회, 상담심리학회, 산업 및 조직심리학회, 사회 및 성격심리학회, 발달심리학회, 인지 및 생물심리학회, 사회문제심리학회, 건강심리학회, 여성심리학회, 소비자광고심리학회, 학교심리학회, 법정심리학회가 있다. 주요 활동으로는 1968년부터 학회지 『심리학회지: 일반』(한국연구재단 등재지) 연 4회 발간, 회원의 전문적인 자질 향상 및 전문가로서의 윤리 확립, 심리학 연구의 권장과 촉진, 연구정보의 수집, 교환 및 배포 활동, 심리학 학술회 개최, 각국의 관계 학회와 학술자료 및 지식을 교환, 심리전문직의 개발과 이에 대한 정보수집 및 배포, 전문직 활동의 지원 등이 있다. 회원은 학회의 취지에 찬동하는 사람 혹은 기관으로 하고 정회원, 준회원, 특별회원, 기타 회원으로 구분한다.

한국아동미술치료협회
[韓國兒童美術治療協會, Korean Child Art Therapy Association]

www.kata.ne.kr 기관

인간의 정신적 가치상실로 지식과 기술만을 요구하는 현대사회의 교육환경 속에서 자아상실의 혼란과 사회환경 변화를 겪음으로써 새로운 가치관을 채 정립하기도 전에 청소년의 비행이 나타나고, 가정이 해체되어 문제행동 및 정서장애, 학교 부적응 등의 많은 어려움을 겪고 있는 아동 및 청소년이 점점 늘어나고 있다. 또한 미래에 대한 불안과 우울한

ㅎ

마음의 병을 안고 살아가야 하는 것은 현대인들의 안타까운 현실이다. 한국아동미술치료협회는 이러한 문제해결책의 일환으로 미술치료 및 심리상담 교육의 중요성을 절감하면서 전반적인 상황과 요구에 부응하기 위해 문제를 효율적으로 치유하고자 설립되었다. 한국아동미술치료협회는 도덕성과 전문성을 갖춘 미술치료사를 양성하여 회원으로서의 권익보호와 전문적인 미술치료의 학문적 이론 정립으로 그 혜택을 사회에 환원하는 독자적인 봉사활동과 한국적 정서에 맞는 미술치료를 통하여 국민의 건강한 자아형성 및 정서함양에 기여하고, 삶의 질을 향상시킬 목적으로 2005년 설립되었다. 그리고 같은 해 유아교육기관 선정 아동미술치료세미나 개최, (사)한국청소년문화협회와 업무 협약, 2006년에는 한국백혈병소아암협회 지원업무 협약, 유아교육장학회 설립, 2007년에는 한국·호주 공동 가족캠프 주최, 국제예능교육개발협회 업무 협약, 2008년에는 EBS 교육방송 기획 참여 프로그램 개발 등 그후 지금까지 이어져 오고 있다. 주요 활동으로는 국가지원사업 공모 프로그램 지원, 기관선정 제공, 기관 연계 미술치료사 위탁경영, 미술치료 자원봉사 프로그램 실시, 미술치료 임상자료 연구개발 및 발간, 미술치료사 양성 프로그램 운영, 미술치료 자매기관 선정 교류지원 및 홍보, 임상 관련 단체 및 기관 연대 활동 교류 등이다. 학회에서 취득 가능한 자격증은 '수련감독 미술치료전문가' '미술치료전문가' '아동 미술치료전문가' '미술치료사(1~3급)'가 있다.

한국아동심리재활학회
[韓國兒童心理再活學會,
Korean Association for the Psychological
Rehabilitation of Children]

www.playtherapy.or.kr 학회

오늘날 사회의 발전은 개인의 능력에 따라 적응과 부적응이 뚜렷하게 구별되고 있다. 보통 이하의 능력을 가지고 태어난 아동은 아동기 초기에 이미 또래와 다른 행동을 하게 되어 부모나 주변 사람들의 관심을 모으고, 보통 이상의 능력을 가지고 있어도 양육상 문제나 기타 영향으로 부적응을 보이는 아동이 늘어나고 있다. 현실적으로 장애의 발견 연령이 낮아지고 조기교육으로 장애를 극복하려는 요구는 많아졌지만 이 아동들을 정확하게 심리·진단하고 이를 기초로 하여 그다음 치료서비스로 진행시키는 것은 미미한 수준이다. 똑같은 행동을 하는 같은 연령의 A, B 아동에게 각각 정상행동과 이상행동으로 판정을 내릴 수 있고, 그 결과에 따라 치료서비스는 다르게 제공되어야 한다. 아동의 행동을 평가하는 일반적인 기준은 아동의 연령이지만 아동의 인지수준, 심리상태 등을 고려해야 하기 때문에 심리진단은 아동을 이해하는 중요한 기초자료다. 그러나 지금까지 대부분의 아동 문제행동은 겉으로 드러난 행동만을 보고 여러 가지 교육이나 심리치료를 시행하였고, 경우에 따라서는 아동의 문제를 더 심각하게 만들기도 하였다. 한국아동심리재활학회는 이러한 문제를 인식하고 아동의 심리 진단과 놀이치료에 관심을 갖고 함께 공부하던 아동 놀이치료 연구회 소속의 아동 관련 전문가들, 즉 임상심리학자, 발달심리학자, 특수교육자, 유아교육자, 정신과 의사, 소아과 의사들이 함께 모여 보다 적극적으로 문제를 가지고 있는 아동들의 심리진단과 심리치료에 관한 연구를 하고 이를 현장에 보급하여 아동의 심리적 재활에 실제적인 도움을 주기 위해 만들어진 학회다. 한국아동심리재활학회는 아동심리 진단·치료 관련 분야의 상호 연계적 연구활동을 통하여 학문의 발전과 교육현장 개선에 기여함을 목적으로 1997년 설립되었고, 2000년 국제학술대회 개최 후 지금까지 이어져 오고 있다. 주요 활동으로는 1997년부터 학회지 『놀이치료 연구』 발행, 소아과·재활의학과·정신과 등에서 의뢰된 아동의 심리진단 프로그램 지원, 심리진단 결과에 따라 심리치료가 필요한 아동들의 놀이치료 프로그램 개발, 놀이치료의 이론적 배경연구 및 보급, 아동 심리진단 및 치료자의 감독활동, 아동 심리진단·치료 연구발표회 개최, 연차학술대회 개최, 학회지 및 기타 출판물 간행, 아동심리 진단·치료 분야 교사, 종사자 및 부모의 교육·훈련, 국내외 아동심리 진단·치료 관련 학술단체와의 교류, 아동심리 재활 전문가의 양성 및 훈련 등이 있다. 회원은 정회원과 준회원으로 구분하며, 학회에서 취득 가능한 자격증은 '놀이치료사' '놀이치료전문가' '놀이치료 수퍼바이저' '놀이치료 지도감독전문가'가 있다.

한국아동인성평정척도
[韓國兒童人性評定尺度, Korean Personality Rating Scale for Children: KPRC]
아동의 정신과적 문제를 선별 진단하기 위한 검사. 심리검사

임상장면에서 아동의 정신과적 문제를 조기선별하여 도움을 주고자 개발한 한국아동인성검사(Korean Personality Inventory for Children: KPI-C)를(김승태, 김지혜, 송동호, 이효경, 주영희, 홍창희, 황순택, 1997) 수정·보완하여 김지혜, 조선미, 홍창희, 황순택(2006)이 개발하였다. 만 3~17세의 아동 및 청소년을 대상으로 하며, 부모보고형(KPRC)뿐 아니라 아동보고형(Korean Personality Rating Scale for Children-child Report Foam: KPRC-CRF)과 교사보고형(KPRC-TRF)도 추가 개발 및 표준화되었다. KPRC는 미국의 아동 인성검사(Personality Inventory for Children: PIC), 아동 문제행동평가척도(Child Behavior Checklist: CBCL), 사회성숙도검사, DSM-IV(American Psychiatric Association, 1994), 국제질병분류 10판(ICD-10) 등 각종 검사지의 문항을 참고하여 제작하였다. 검사-재검사 척도(T-R), 허구 척도(L), 빈도 척도(F)의 타당성 척도와 자아탄력성 척도(ERS) 및 10개의 임상척도로 구성되어 있으며,

총 177개 문항이 있다. 임상 세부 척도 및 측정내용을 살펴보면 다음과 같다. 언어발달 척도는 언어적 능력이나 발달지체, 기능상 손상을 측정하며 12개 문항으로 구성되어 있다. 운동발달 척도는 정신운동 기능과 같은 동작성 능력에서 발달의 지체, 기능상 손상을 측정하며 13개 문항으로 구성되어 있다. 불안 척도는 자연현상, 동물, 대인관계 등 전반적 두려움, 불안, 긴장을 측정하며 15개 문항으로 구성되어 있다. 우울척도는 아동기 우울을 측정하며 15개 문항으로 구성되어 있다. 신체화 척도는 심리적 문제를 신체증상으로 나타내는 경향을 측정하며 15개 문항으로 구성되어 있다. 비행 척도는 품행장애가 있는 아동을 선별하기 위해 반항과 불복종, 공격성과 적대감, 거짓말, 도벽 등의 문제를 측정하며 15개 문항으로 구성되어 있다. 과잉행동 척도는 ADHD 특성을 보이는 아동을 가려내기 위한 것으로 주의 산만, 과잉행동, 충동성 및 이에 따른 학습 또는 대인관계에서의 어려움을 측정하며 19개 문항으로 구성되어 있다. 가족관계 척도는 가정불화, 가정 내 긴장, 부모자녀관계, 부부관계의 위기, 자녀에 대한 무관심 등을 파악하여 가정 내 역기능적인 역동이 아동의 부적응에 미치는 영향을 측정하며 18개 문항으로 구성되어 있다. 사회관계 척도는 아동이 또래관계나 어른과의 관계에서 느끼는 어려움을 평가하는 것으로 또래관계에서의 소외, 리더십 및 자신감 부재, 수줍음, 제한된 인내력과 포용력을 측정하며 14개 문항으로 구성되어 있다. 정신증 척도는 정신병적인 증상이 있는 아동을 선별하기 위한 것으로 상동적인 행동, 부적절하고 특이한 언행, 망상과 환각, 비현실감 등을 측정하며 19개 문항으로 구성되어 있다. 그리고 자아탄력성 척도는 여러 가지 문제 상황에서 아동의 대처능력이나 적응 잠재력을 평가하는 것으로 원만하고 친밀한 대인관계, 인내심, 집중력, 포용력 등을 측정한다. 척도별 크론바흐 알파 값은 허구 .72, 빈도 .86, 자아탄력성 .79, 언어발달 .78, 운동발달 .70, 불안 .81, 우울 .79, 신체화 .73,

비행 .80, 과잉행동 .89, 가족관계 .65, 사회관계 .73, 정신증 .82로 나타났다. 각 문항은 0점(전혀 그렇지 않다), 1점(별로 그렇지 않다), 2점(다소 그렇다), 3점(매우 그렇다)의 4점 리커트 척도로 평정한다. KPRC는 표준화를 거친 뒤 가이던스프로에서 출판되고 있다.

관련어 | 아동 인성검사

한국아동청소년상담학회
[韓國兒童靑少年相談學會, Korean Child and Adolescent Counseling Association]

www.cacounselors.or.kr 학회

주변에서 다양한 모습으로 흔히 나타나고 있는 학교폭력 문제나 가출, 약물사용, 비행 등의 아동·청소년 정신건강 문제는 형태나 정도가 날로 심각해지고 있어 이들에 대한 관심은 점차 증가하고 있다. 이에 따라 아동·청소년 문제에 대한 사회적 인식 제고와 가정·학교 및 각종 상담기관에서는 이들의 올바른 지도와 교육에 많은 노력을 기울여 왔다. 그러나 지금까지 아동·청소년의 문제해결 방안은 이들의 심리적 장애와 특성에 대한 본질적 이해나 실제적 문제의 예방과 상담보다는 문제의 심각성만 요란하게 제시하거나 선도·교육 등에만 매달려 왔다. 이에 한국아동청소년상담학회는 아동·청소년 관련 다양한 정신건강 문제에 대한 이해를 확장시키고 사회적 인식을 제고하며, 또한 아동·

청소년의 실제적 문제를 해결하기 위한 효율적인 상담개입방법이나 최근 상담의 연구동향에 관한 교육과 수련을 실시할 목적으로 설립된 한국상담학회 산하 분과학회다. 주요 활동으로는 학술대회(학술논문발표, 상담기법 워크숍), 사례발표회 매월 1회, 현장실무자 초청 간담회, 아동·청소년상담학회 학술지 발간, 아동·청소년 정책연구 등이 있다. 학회에서 취득 가능한 자격증은 '수련감독 전문상담사'와 '1급 전문상담사'가 있다.

한국아동토큰검사
[韓國兒童 – 檢査, Korean-Token Test For Children: K-TTFC-2]
아동의 듣기 이해력 장애(수용 언어장애) 유무를 판별하고 장애 정도를 측정하는 검사. 심리검사

아동이 듣기 이해력 장애(수용 언어장애)가 있는지 판별하고 장애 정도를 측정하기 위해 1978년에 로니 맥기(Ronnie McGhee), 데이비드 에를러(David Ehrler), 프랭크 디지모니(Frank DiSimoni)가 개발한 검사로, 우리나라에서는 2010년에 신문자, 김영태, 정부자, 김재옥이 한국판으로 표준화하였다. 대상은 만 3세부터 12세 11개월 연령수준의 언어능력을 지닌 아동이다. 아동의 듣기 이해력 장애 유무를 판별하는 선별검사로서 장애를 신속하고 정확하게 파악하기 위해 고안되었다. TTFC-2를 기초로 한국어의 특성을 고려하여 제작하였으며, 아동이 구어 지시문을 듣고 토큰을 조작하는 것으로 진행된다. 언어적 복잡성과 관련된 특정 수준의 듣기 이해능력 습득 여부를 확인하는 데 신뢰할 만한 근거를 마련해 줄 뿐만 아니라 구체적인 중재를 시행하기 위한 치료 시작점 정보도 제공해 준다. 수용적인 방식으로 언어이해력을 측정하는 검사도구인 K-TTFC-2는 크기, 모양, 색상의 세 가지 측면에서 서로 다른 20개의 토큰을 사용한다. 학업(특히 읽기)에 어려움

을 보이는 아동에게 실시하여 듣기이해력 및 주의 집중과 관련된 기타 문제 등을 검사하는 데 사용할 수 있다. 하위영역으로는 듣기 이해력 장애(수용 언어장애), 발달장애 가능성(아동기 실어증, 자폐, 지적장애 등), 시각처리능력의 극단적인 저하, 주의산만, 충동성, 신체적 장애 등이 있다.

한국어 표준그림 조음음운검사
[韓國語標準-調音音韻檢查, Korean Standard Picture Articulation and Phonology Test: KS-PAPT]
우리말 자음과 모음 산출에 문제가 있는 조음음운장애 아동을 선별하고, 선별된 아동을 정밀 진단하는 검사. 심리검사

조음음운장애를 진단하기 위해 2002년에 석동일, 박상희, 신혜정, 박희정이 개발한 검사로, 3세 이상을 대상으로 한다. 우리말 자음과 모음 산출에 문제가 있는 조음음운장애 아동을 선별하고, 선별된 아동을 정밀 진단하는 선별 및 진단 겸용 검사다. 대상자의 우리말 자음과 모음 산출의 문제 여부를 평가하고, 문제를 보이는 아동 및 성인에 대해 정밀 진단을 하기 위해 개발된 이 검사는 조음음운장애가 의심되는 대상자를 선별하여 음절의 수와 음운의 위치를 고려한 정밀진단을 함으로써 대상자의 조음음운문제를 체계적으로 분석할 수 있도록 제작하였다. 또한 대상자의 조음음운 오류에 대해서는 자음정확도와 음운 변동으로 분석할 수 있도록 하였다. 그리고 단어수준에서 음절수를 고려하여 1음절, 2음절, 다음절로 구성함으로써 음절의 난이도를 고려한 정밀진단을 할 수 있도록 제작되었다. 이 검사에서는 음소의 위치를 기존의 3위치(어두, 어중, 어말)가 아닌 4위치(어두 초성, 어중 초성, 어중 종성, 어말 종성)로 제작하여 어중을 2위치로 나누어 분석함으로써 단어수준에서 정밀분석이 가능하도록 하였으며, 자음 정확도 분석뿐만 아니라 음운 변동 분

석까지 할 수 있도록 하여 대상자의 조음음운에 대한 다각도 분석이 가능하다.

한국여성심리학회
[韓國女性心理學會, The Korean Society for Woman Psychology]
www.kswp.or.kr 학회

한국 여성심리학은 남성 중심적인 심리학의 접근을 극복하고 여성의 눈을 통하여 심리학과 여성의 문제를 인식, 분석하고 연구하기 위해 만들어진 학문이다. 이에 한국여성심리학회는 성차 및 여성심리와 관련된 연구를 지원하고, 여성과 관련된 문제를 해결하기 위해 기초가 되는 연구방향을 제시하며, 여성심리학의 발전과 보급을 위해 1995년에 설립되었다. 1996년에 한국심리학회 산하의 분과학회로 공식인준을 받은 후 지금까지 이어져 오고 있다. 주요 활동으로는 1996년부터 학회지『한국심리학회지: 여성심리』발간, 여성심리학 연구의 협조, 권장 및 촉진, 전문직의 개발, 전문직 활동의 지원 및 전문직에 종사하는 회원의 권익보호, 여성교육 및 여성상담을 비롯한 학술회의(연 2회 이상의 정기논문발표대회 및 심포지엄) 개최, 연구물 간행, 국내외 연구정보의 수집 및 배포 등이 있다. 회원은 정회원, 준회원, 특별회원, 기관회원으로 구분한다.

한국영유아 · 아동정신건강학회
[韓國嬰幼兒兒童情神健康學會, Korea Association for Infant Mental Health]
www.imentalhealth.org 학회

한국영유아 · 아동정신건강학회는 2002년부터 운영되어 온 한국영유아정신건강연구회(대한소아청

ㅎ

소년학회 산하 연구회)의 정기적인 학술모임에 대한 회원들의 욕구와 세계적으로 영유아 정신건강의 임상과 연구의 중요성이 대두되는 경향에 따라 국내에 설립된 영유아 및 아동정신의학, 심리학, 아동학, 사회복지학 관련 학문 전문가들의 협력적인 학술조직이다. 한국영유아·아동정신건강학회는 영유아와 아동의 정신건강에 관한 학술연구와 전문가 양성을 위한 체계적인 훈련을 통하여 아동의 정신건강 발전에 기여함을 목적으로 2003년 영유아기 정신병리 진단 및 편람 분류를 시작하였다. 그리고 2004년 MSSB 트레이닝, 2007년 '임상유아의 Narrative 접근' 학술심포지엄, 2008년 학술대회, 놀이치료 기초과정 연수, 부모지원 프로그램–발달장애 자녀양육 story 이후 지금까지 이어져 오고 있다. 주요 활동으로는 2010년부터 학회지 발간(연 2회), 놀이치료, 부모교육 및 상담, 영유아·아동 발달심리평가의 임상적·학술적 연구, 학회지 및 간행물 발간, 학술대회 및 놀이치료, 부모교육 및 상담, 영유아·아동 발달심리평가 연수회 개최, 놀이치료전문가, 부모교육 및 상담전문가, 영유아·아동 발달심리평가 전문가 양성 및 자격관리, 국내외 영유아·아동 정신건강 관련 학술단체와의 교류, 영유아·아동 정신건강 관련 정보 제공 등이 있다. 회원은 정회원, 준회원, 특별회원, 기관회원으로 구분하며, 학회에서 취득 가능한 자격증은 '자격 지도 감독자' '놀이치료 임상수련감독자/교육수련 감독자' '놀이치료전문가' '놀이치료사(1~2급)'가 있다.

한국음악적성검사
[韓國音樂適性檢査,
Korean Music Aptitude Test: KMAT]

음악적인 재능이 있는 학생을 위한 진로검사. 심리검사

음악적 재능이 있는 학생의 발굴 및 차별화된 음악교육과 관련된 추후 지도에 도움을 주기 위해

2004년에 현경실이 개발한 검사로, 대상은 9세부터 중학생까지다. 이 검사는 음악 학습경험이 없는 학생의 잠재적 능력도 평가가 가능하며, 우리나라 학생들의 음악 적성평가에 적합하도록 서양음악과 함께 동양음악도 평가에 포함하였다. KMAT는 외국검사를 번안한 것이 아닌 우리나라 문화권에 사는 한국 학생만을 위해 만들어진 것으로서, 한국 학생의 음악성을 평가하는 데 가장 적합한 검사다. 학생의 음악성의 차이는 물론 각 개인의 음악성이 어느 요인에서 우수하고 또 어느 요인에서 열등한지 판단이 가능하기 때문에 개인차를 고려하여 각기 알맞은 교육을 효과적으로 시킬 수 있다. 높은 음악성을 지닌 학생을 가려내어 전문가로서의 음악활동 참여도 촉진한다. 음악적인 재능이 우수한 학생을 선별하여 개인 적성에 알맞은 진로를 선택하는 데 도움을 주는 것으로서, 음악 성취검사가 아닌 음악적 재능이 있는지 알아보는 적성검사이므로 음악 학습경험이 전혀 없는 학생에게도 실시가 가능한 것이다. 비교적 빠른 시간 안에 음악성을 측정하여 객관적인 결과를 제공하고, 학생들의 집중력을 고려하며, 학교 수업시간 중에 충분히 실시할 수 있어서 사용하는 데 편리하다. 하위검사는 리듬문항과 가락문항으로 구성되어 있다.

한국음악치료학회
[韓國音樂治療學會,
Korean Music Therapy Association]

1996년 한국 음악치료 연구 및 임상발전을 위해 창립된 사단법인 학회. 학회

한국음악치료학회는 1996년 11월 9일 창립되어 1999년 11월 15일 교육부 산하 사단법인으로 인증된 국내 유일 음악치료 학회로서 한국 음악치료를 선도적 입장에서 끌어가고 있는 단체다. 이 학회는 음악치료 연구를 위한 연구정보수집, 교환, 배포 활

동, 전국 규모 학술대회 개최, 전문학술지 발행, 회원 상호 간 학술자료·지식·정보 교환을 위한 회보발간, 각국 관련 학회와의 학술교류 등 활발한 활동을 통해서 음악치료 보급에 힘쓰고 있다. 한국음악치료학회는 한국 Bonny GIM 연구회, 노인음악치료연구회, 기업연수팀, CMT(children music therapy), 치유음악연구모임, 가톨릭 음악치료연구회와 같은 분과 및 소모임을 두고 분야별 연구 및 활동에 전문화를 기하고 있다. 2013년 현재 한국음악치료학회지는 17권까지 발행되었으며, 학회 기준에 준하는 자격증도 발행하여 전문가 양성에 힘쓰고 있다. 한국음악치료학회에서 수여하는 음악치료사 자격은 학회자격 기준에 준하는 자들에 한하여 1급, 2급, 준2급으로 나누어 연 2회의 시험을 거쳐 주어진다. 한국음악치료학회는 일반인을 위한 홈페이지를 개설해 두었으며, 정회원과 일반회원으로 자격을 나누고 있다.

한국이야기치료학회
[韓國-治療學會, Korean Society of Narrative Therapy]

www.narrative.or.kr 학회

한국사회는 급격하게 변하고 있는 까닭에 개인과 가족은 더 이상 전통적인 틀 안에서 안주할 수 없고 변화에 적응해야 한다. 다양한 의미를 창출해야만 더불어 살 수 있는 사회로 들어갈 수 있다. 각 계층과 문화에 맞는 적절한 이야기를 구성하는 것이 다양한 의미를 창출할 수 있는 길이다. 한국이야기치료학회는 이 같은 시대의 요구에 따라 다원화된 사회에 필요한 담화구조를 연구하는 학회다. 개념이 아니라 삶의 현장에서 시작하고자 하며, 나의 이야기, 너의 이야기, 그리고 우리의 이야기에서 나아간다. 교육과 복지, 상담 분야에서 실천하는 다양한 사람들이 함께 어우러져 현실문제를 논의하고 상담

과 치료의 길을 가고자 설립된 학회인 것이다. 한국이야기치료학회는 내러티브 패러다임에 기초하여 이야기치료에 관한 연구, 교육, 훈련을 통하여 정신건강 서비스의 증진과 발전에 기여함을 목적으로 2011년 설립된 후 지금까지 이어져 오고 있다. 주요 활동으로는 상담치료에 관한 학술연구 활동, 상담치료에 관한 사례연구 활동, 학술대회 및 상담치료 교육연수, 상담치료전문가 양성 및 자격관리, 상담치료 정책의 자문 및 정책 건의, 상담치료 관련 기관과의 협력 및 연계 지원 등이 있다. 회원은 준회원, 학생회원, 정회원, 평생회원, 명예회원으로 구분하며, 학회에서 취득 가능한 자격증은 '이야기치료사(1~2급)'가 있다.

한국인간발달학회
[韓國人間發達學會, The Korean Association of Human Development]

www.kahd.or.kr 학회

한국인간발달학회는 인간발달의 전 분야를 아우르는 다학문적인 접근과 인간과 삶에 실질적으로 기여하기 위한 현장접근의 통합된 노력을 위해 설립된 학회다. 한국인간발달학회는 인간발달과 관련된 여러 학문분야 간의 학제적 연구와 회원 상호 간의 정보교류를 통하여 인간발달학의 발전에 기여함을 목적으로 1987년 인간발달교수연구회로 시작되었다. 그리고 1994년에 한국인간발달학회를 설립하였고, 2007년 한국연구재단의 등재 학술지 선정(인간발달 연구) 후 지금까지 이어져 오고 있다. 주요 활동으로는 『인간발달 연구』 연 4회 발간, 연구에 관한 정보의 수집과 교환, 학제적 연구과제의 개발과 수행, 연구발표회 및 학술대회 개최, 인간발달학 교재의 개발, 심리검사 및 치료 도구의 개발, 회원의 교육 및 연수활동, 학부모 지원 전문가 자격제도 시행 등이 있다. 회원은 정회원, 준회원,

단체회원, 특별회원으로 구분하며, 학회에서 취득 가능한 자격증은 '학부모 지원 전문가(1~3급)'가 있다.

한국인지 및 생물심리학회
[韓國認知-生物心理學會, Korean Society for Cognitive and Biological Psychology]

https://cogpsych.jams.or.kr 학회

인지 및 생물 심리학은 인간의 행동과 정신 과정을 실험적 방법으로 연구하는 심리기초학문이다. 초기에는 감각, 지각, 학습, 조건형성 등의 분야를 주로 연구했지만, 현재는 인지, 생리, 언어 등의 연구도 포함하며, 발달이나 사회심리학의 영역에서도 적용되고 있다. 이에 한국인지 및 생물심리학회는 인지, 지각, 학습, 기억, 언어 및 생물생리적, 신경심리적 연구 및 그 응용분야의 학술활동 및 관련 사업을 발전시킬 목적으로 1977년 한국심리학회 산하 실험심리분과회로 설립되었다. 이후 몇 번의 학회 통폐합을 거쳐 2009년부터 현재의 이름으로 변경되어 지금까지 이어져 오고 있다. 주요 활동으로는 1989년부터 학회지 『한국심리학회지: 실험 및 인지』(2003년 '실험'으로 명칭 변경, 2009년 '인지 및 생물'로 변경) 발간, 자격제도 운영, 연구발표회 및 연수회 개최, 뉴스레터 및 기타 간행물 발간, 연구 기자재 개발과 보급, 공동연구과제 개발 및 추진, 국내외 학술정보의 수집 및 교환 등이 있다. 회원은 정회원, 준회원, 특별회원, 기관회원으로 구분하며, 학회에서 취득 가능한 자격증은 '인지학습심리사'와 '인지학습심리전문가'가 있다.

한국인지학습치료학회
[韓國認知學習治療學會, Korea Association of Cognition-Learning Therapy]

www.kaclt.or.kr 학회

우리나라에서 인지학습치료는 특수학교, 연구소, 병원, 복지관 등 여러 기관에서 실시되고 있지만 인지학습치료에 필요한 전문적 지식과 훈련을 체계적으로 시행하는 채널은 매우 부족한 상황이다. 이에 한국인지학습치료학회는 체계적으로 인지학습치료의 학문과 임상을 결합시킨 전문영역으로서, 인지·학습적으로 어려움을 겪고 있는 사람을 돕기 위해 만들어진 학회다. 한국인지학습치료학회는 인지학습치료 및 진단 관련 분야의 연구활동을 통하여 학문의 발전과 임상교육현장 개선에 기여함을 목적으로 2005년에 설립되었다. 그리고 2010년 장애아동 재활치료제공기관 선정(사회서비스 바우처) 후 지금까지 이어져 오고 있다. 주요 활동으로는 2007년부터 학회지 『인지학습치료연구』 발간, 인지학습치료의 학술적 연구, 인지학습치료의 임상적 연구, 연구발표회 및 학회지 발간, 학술대회 개최 및 인지학습치료 연수회 개최, 인지학습치료사 양성 및 자격관리 등이 있다. 회원은 정회원, 준회원, 특별회원, 기관회원으로 구분하며, 학회에서 취득 가능한 자격증은 '인지학습치료 수련감독전문가' '인지학습치료전문가' '인지학습치료사(1~2급)' '인지학습지도사'가 있다.

한국인지행동치료학회
[韓國認知行動治療學會, Korean Association of Cognitive Behavioral Therapy]

www.kacbt.org 학회

오늘날 인지행동치료는 보다 효과적이고 더욱 강

력한 재발방지 효과를 갖기 위해 변증법적 행동치료, 마음챙김에 근거한 인지치료, 수용-실행 치료 등의 이름으로 제3세대의 진전된 치료법들이 등장하고 있다. 또한 인지행동치료의 적용 대상과 방법도 다양해져 클리닉에서뿐만 아니라 학교나 직장에서 스트레스 관리, 위기관리 프로그램 등을 중심으로 널리 확산되고 있으며, 매스미디어와 인터넷에 넘쳐나는 심리치료적 콘텐츠의 대부분은 인지행동적인 접근에 기인한다. 이에 한국인지행동치료학회는 인지치료적인 심리치료의 체계적인 틀을 갖추고, 관련 분야의 학문적 발전 및 회원 상호 간의 권익실천에 공헌함을 목적으로 2001년 설립된 후 지금까지 이어져 오고 있다. 주요 활동으로는 인지행동치료와 관련된 임상적 적용 및 연구에 대한 지원과 학술활동, 인지행동치료의 사회문화적 특성에 관한 연구와 국제교류, 회원들 간의 활발한 교류 및 전문가적 지위를 향상시키기 위한 회원의 연수교육, 인지행동전문가 및 인지행동치료 자격제도 운영 등이 있다. 회원은 정회원, 평생회원, 준회원으로 구분하며, 학회에서 취득 가능한 자격증은 '인지행동치료전문가'와 '인지행동치료사'가 있다.

한국임상심리학회
[韓國臨床心理學會,
Korean Clinical Psychology Association]

www.kcp.or.kr 학회

임상심리학은 심리학의 전문분야로서, 심리학의 각 분야에서 개발된 이론들을 개인이나 집단의 상황에 적절하게 적용하고, 또한 이의 효과에 대한 평가와 연구를 수행하는 학문이다. 우울, 불안, 적응문제, 중독, 정신분열, 섭식장애, 주의력결핍, 자폐, 학습장애, 성격장애, 두통 등의 심리생리적 문제 등 정신건강과 관련된 다양한 영역의 문제를 다루고 있다. 이에 한국임상심리학회는 이러한 심리적인 문제를 이해, 평가하고, 치료(예방 포함)하는 것을 목적으로 1964년 한국심리학회 임상심리분과회로 설립되었다. 그리고 1974년 임상 및 상담심리분과회로 개명했다가 1987년 임상심리학회로 재창립한 뒤 지금까지 이어져 오고 있다. 과거에는 학회의 임상심리학자가 주로 대학(교수, 학생상담, 자문)과 병원(정신과에서 심리평가 및 심리치료)을 중심으로 활동해 왔지만, 2000년대 이후부터는 사설 심리치료센터를 개업하며 내담자에게 직접 서비스를 하거나 국가가 지원하는 정신보건센터를 설립하여 봉사활동을 하고 있다. 최근에는 정부 및 지역사회로부터 임상심리학자의 전문적인 역량을 인정받아 국가 기관(국가인권위원회, 청소년위원회, 군의문사진상조사위원회, 가정법원, 경찰청, 보호 관찰소, 교도소, 각급 상담센터, 각급 학교 등)의 공직자 혹은 대기업의 전문인력으로 활동하고 있다. 주요 활동으로는 『한국심리학회지: 임상』(한국연구재단 등재지) 연 4회 발간, 자격제도 운영, 학술대회 및 각종 심포지엄과 워크숍 개최, 회원교육, 사례발표 등이 있다. 회원은 전문회원, 정회원, 준회원, 종신회원, 특별회원으로 구분하며, 학회에서 취득 가능한 자격증은 '정신보건법'에 근거하여 보건복지부가 공인하는 '정신보건 임상심리사(1~2급)', 한국산업인력공단 '임상심리사(1~2급)', 학회 발급 자격증인 '임상심리전문가'가 있다.

한국적 집단상담
[韓國的集團相談, Korean group counseling]

한국 고유의 철학과 사상에 근거하여 한국 문화와 정서에 맞게 개발된 고유한 집단상담. 집단상담

한국적 집단상담의 예로는 동사섭과 온 마음 집단상담으로 대표되는 불교적 집단상담, 한 상담 프로그램, 한국형 정신역동집단 등이 있다. 동사섭은

ㅎ

2189

1980년부터 선불교의 승려인 용타 스님이 지리산 백장암에서 '동사섭'이란 이름으로 소집단훈련을 실시하면서 시작되었다. 상담전공자뿐만 아니라 일반인에게도 새로운 집단경험을 제공하여 많은 관심을 불러일으켰고, 높은 참여율을 기록하였다. 원래 불교적인 입장에서 출발했기 때문에 흔히 '동사섭 법회'라고도 불리는데, 불교 교리적인 표현은 거의 없기 때문에 종교와 무관하게 많은 사람들이 참여하고 있는 것으로 알려졌다. 5박 6일 동안 이루어지는 집중적인 훈련과정으로 일종의 마라톤 집단의 형태를 띠고 있다. 온 마음 집단상담은 불교의 연기론과 상담을 접목한 것으로서, 윤호균이 제안한 온 마음 상담이론을 기초로 개인의 현실은 자신이 창조한 것, 즉 공상으로서 이 사실을 자각하고 거기에서 자유로워지도록 돕는 것을 중시하였다. 온 마음 집단상담의 중심 요소는 이 같은 이론에 따라 이해와 존중의 경험, 공상의 자각, 탈동일시다. 한 상담 프로그램은 우리 고유의 사상을 담은 「천부경」과 「참전계경」 등에 담긴 내용을 기반으로 하여 유동수가 개발한 것으로서, 태양처럼 밝게 빛나는 하늘의 성품을 가진 자신의 본성을 회복해 가는 것이 중심이다. 이로써 주체성과 관계성을 함께 증진하는 데 초점을 두고 있다. 구조화 혹은 반구조화된 집단을 한 상담 프로그램으로, 비구조화 집단을 한국형 감수성 훈련이라는 이름으로 진행하고 있다. 한국형 감수성 훈련은 자신의 내면세계에 대해 정확하게 인식하고 조화되도록 하며, 집단과 조직 속에서 타인과의 인간관계를 협동적·생산적인 것으로 발전시켜 현대인의 병든 마음을 치유한다.

관련어 | 감수성 훈련

한국정서·행동장애아교육학회
[韓國情緒行動障碍兒敎育學會, Korea Society for the Emotional & Behavioral Disorders]

www.ksebd.org 학회

한국정서·행동장애아교육학회는 정서, 행동, 자폐성장애 및 학습장애아의 교육과 연구에 뜻을 가진 사람들의 상호협력으로 이들 장애 아동에 대한 교육과 연구에 기여함을 목적으로 1985년 설립되었다. 이 학회의 학술지인 『정서·행동장애 연구』는 한국학술진흥재단에서 실시한 2000년도 하반기 학술지 평가에서 등재 후보가 된 이후 2003년 등재지로 결정되었고, 2001년에 교육인적자원부 학술지 평가에서 A등급을 부여받았다. 2002년부터는 정기적으로 연 4회 발행되고 있다. 2003년에 국제행동분석학회(Association for Behavior Analysis International)의 승인결정으로 국제행동분석학회 한국 지부(Korean-ABA 지부)가 되었다. 또한 2007년부터는 '장애인 등에 대한 특수교육법'에 만 3세부터 고등학교 과정까지 의무교육, 장애의 조기발견체계 구축, 장애 영아에 대한 무상 조기교육, 대학에서의 장애학생지원센터 설치와 편의 제공, 국가 및 지방자치단체에서의 장애인 평생교육시설 설치 등이 포함되면서 장애인에 대한 생애주기별 교육지원체계가 확립되었다. 주요 활동으로는 1985년부터 『정서·행동장애 연구(Journal of Emotional & Behavioral Disorders)』 발간, 정서·행동장애 및 자폐장애와 학습장애 관련 아동들을 위한 교육 및 학술연구발표회, 학회지 및 기타 학술지 발간, 회원의 연구활동 및 국내외의 연구현황과 동향 소개, 국내외의 본 학회 관련 교육단체 및 학술단체와의 교류, 장애아 부모, 관련 교사 교육과 행동치료전문인 배출 등이 있다. 회원은 정회원, 웹회원, 준회원, 가회원으로 구분하며, 학회에서 취득 가능한 자격증은 '행동치료사(1~3급)'가 있다.

한국중독심리학회
[韓國中毒心理學會, Korean Addiction Psychological Association]

www.addictpsy.or.kr 학회

현재 한국사회는 중독의 시대라고 불릴 정도로 다양한 중독현상이 만연하고 있다. 한국의 인터넷, 휴대전화, 알코올 소비와 중독 정도는 세계 정상 수준이다. 이런 사회적 현상에 대처하기 위한 대책 중의 하나로, 정부에서는 도박중독의 예방과 치료를 위한 「사행산업 통합 감독위원회법」(2007년)과 동법 시행령(2007년)을 제정하여 시행에 들어갔다. 정부의 이 같은 활동에 적극 참여하여 심리학자의 사회적 기여를 높이기 위해서 '중독심리전문가위원회'를 구성하게 되었다. 이에 한국심리학회 중독심리전문가위원회는 향후 한국사회에서 예상되는 다양한 중독 관련 심리적 서비스에 대한 수요를 충족시키고 심리적 서비스의 질을 높이기 위한 자격제도를 마련하여 중독심리전문가의 사회참여와 대외협력 활성화 등에 기여할 목적으로 2007년 한국심리학회 산하 중독심리위원회로 설립, 2011년 한국심리학회의 제13분과로 한국중독심리학회로 출범된 이후 지금까지 이어져 오고 있다. 주요 활동으로는 연구 및 연구자료를 바탕으로 정책의 구성이나 시행에 적극 참여하고, 해당 문제의 평가·예방·치료, 심리학적 지식과 기술 및 태도의 소통과 함께 윤리규정을 통하여 심리학자가 이러한 역할을 수행하는 과정에서 확립되어야 할 원칙과 기준을 규정하고 있다. 회원은 일반회원과 전문회원으로 구분하며, 기관에서 발급 가능한 자격증은 '중독심리전문가'와 '중독심리사'가 있다.

한국직업사전
[韓國職業辭典, Korean dictionary of occupations: KDO]

우리나라의 산업과 직업을 분류하고 그와 관련된 정보를 제시한 책. 진로상담

한국고용정보원이 현장직무조사를 실시하여 제작한 직업정보에 관한 저서로서, 매년 4~6개 정도의 산업을 조사대상으로 선정하여 매년 발간한다. 이는 직업정보에 대한 데이터베이스로서 직업의 특성과 변화를 알아볼 수 있다. 변동되거나 소멸되는 직업들을 체계적으로 조사하고 분석하여 직업명을 표준화하고, 객관적이고 표준화된 직업정보를 제공하는 것이 이 책의 주된 목적이다. 따라서 한국직업사전은 학생, 일반인 등에게는 직업 및 진로선택을 위한 기초자료로 사용되고, 직업분류체계의 개발과 기타 직업 연구, 그리고 정부의 노동정책 수립을 위한 참고자료로 활용된다. 직업분류는 한국표준직업분류를 기준으로 표기하였다. 수록되어 있는 내용은 크게 다섯 가지 체계적 형식, 즉 직업코드, 본 직업 명칭, 직무개요, 수행직무, 부가 직업정보 등이다. 직업코드는 네 자리 수로 구성되어 있으며, 첫 번째 숫자는 대분류, 두 번째 숫자는 중분류, 세 번째 숫자는 소분류, 네 번째 숫자는 세분류를 나타낸다. 예를 들어, '8231'에서 숫자 8은 장치, 기계 조작 및 조립 종사자, 82는 기계조작원 및 조립종사자, 823은 고무 및 플라스틱 제품용 기계조작종사자, 8231은 고무제품용 기계조작종사자이며, 동일한 세세분류 직업코드를 지니는 2개 이상의 직업은 가나다순으로 배열하였다. 본 직업 명칭은 사업주가 통상적으로 사용하는 호칭으로 제시하고 있다. 직무개요는 직무담당자의 활동, 활동 대상 및 목적, 사용하는 기계, 설비 및 작업 보조물, 사용된 자재, 생산품 및 용역, 직무와 관련된 일반적이거나 전문적인 지식 등을 제시하고 있다. 수행직무는 직무를 수행하는 데 필요한 구체적인 작업과제의 내용을 일의

ㅎ

순서에 따라 기술해 두었다. 그리고 순서를 정하기 어려운 것은 중요도와 작업 빈도수가 높은 순으로 기술하고 있다. 부가 직업정보는 산업분류, 정규 교육, 숙련기간, 직무기능, 작업강도, 육체활동, 작업장소, 작업환경, 유사명칭, 관련 직업, 자격/면허, 조사연도, 직업전망, JOP MAP 등의 열두 가지 세부 정보이며, 직업이나 일을 수행하는 데 필요한 정보를 준다. 산업분류는 한국표준산업분류를 기준으로 표기하였다. 직무기능은 해당 직무를 수행하는 작업자와 자료, 사람, 사물과의 관계를 나타내는 데 스물네 가지 근로자의 기능과 작업, 그리고 근로자의 기능관계를 나타내는 것이다. 작업강도는 직무 수행에 필요한 육체적 힘의 강도를 5단계로 제시하였다.

관련어 | 미국직업사전, 직업정보

한국직업전망
[韓國職業展望, Korea occupational outlook: KOO]

우리나라의 대표적인 직업의 종류, 작업환경, 교육 및 훈련, 자격, 승진, 직업전망 등에 대한 정보를 제공하는 직업별 통계서.
진로상담

우리나라의 노동부 중앙고용정보관리소가 1999년에 『1999 한국 직업전망서』를 처음으로 발간한 뒤 짝수 년에 출간되며, 2010년에는 6판 『2011 한국직업전망』을 출간하였다. 그리고 홀수 년에는 특정 분야의 직업에 대한 전망을 출간하고 있다. 예를 들어, 2001년 『정보기술 직업전망』, 2003년 『이공계 학과 직업전망』, 2005년 『문화예술 직업전망』, 2007년 『관광분야 직업전망』, 2009년 『신성장 동력, 미래의 직업세계를 가다』 등이다. 한국직업전망의 직업 선정은 한국고용직업분류(KECO)에 근거하며, 직업은 경영 및 기획 관련직, 금융 및 보험 관련직, 교육 및 연구 관련직, 법률 및 공공서비스 관련직, 의료 및 보건 관련직, 사회복지 관련직, 문화예술 관련직,

디자인 및 방송 관련직, 운송 및 여행 관련직, 영업 및 판매 관련직, 개인서비스 관련직, 건설 관련직, 기계 및 재료 관련직, 화학/섬유 및 환경 관련직, 전기/전자 및 정보통신 관련직, 식품가공 및 농림어업 관련직의 총 16개 분야로 구분하여 제시되었다. 구성체계는 하는 일, 근무환경, 되는 길, 적성 및 흥미, 직업전망, 관련 정보처 등으로 되어 있다. 이 중에서 되는 길은 교육 및 훈련, 관련 학과, 관련 자격 및 면허, 입직경로 및 진출분야, 승진 및 경력개발 등에 관한 정보가 수록되어 있다.

관련어 | 직업전망서, 한국고용직업분류

한국진로교육학회
[韓國進路教育學會, The Korea Society for the Study of Career Education]

http://careeredu.net 학회

오늘날 노동시장 및 직업 세계의 급격한 변화는 평생에 걸친 진로역량 함양의 중요성을 일깨우고 있으며, 이러한 흐름에 따라 진로교육에 대한 이해와 필요성이 그 어느 때보다 절실하게 요청되고 있다. 이에 한국진로교육학회는 진로교육 및 직업교육분야의 연구와 관련 활동을 통하여 한국교육의 당면 문제를 해결하고 발전을 기하며, 나아가 전인교육 발전과 국가에 필요한 인력균형 개발에 기여함을 목적으로 1993년 설립되었다. 그리고 1994년 진로직업교과서를 제작하였고, 2004년 홈페이지 개설, 2005년 열린우리당 정책 세미나에서 진로교육의 발전방안에 대하여 발표(국회)한 후 지금까지 이어져 오고 있다. 주요 활동으로는 1993년부터 학회지 『진로교육 연구』 발간, 정기 연차 및 수시 학술 연구회의 개최, 학회지 및 기타 연구자료의 진행, 국내외 진로교육 및 인접 학문 단체와의 제휴, 회원의 연구활동을 조성하기 위한 사업 등이 있다. 회원은 종신회원, 정회원, 학생회원으로 구분한다.

한국진로상담학회
[韓國進路相談學會, Korean Career Counseling Association]

www.wkcca.co.kr 학회

21세기의 직업세계는 이전 사회와는 다르게 전개되고 있다. 기술발전에 따른 경제사회환경의 변화와 더불어 정보통신산업과 첨단과학기술의 급속한 발전으로 다양한 직업이 생성되거나 소멸되고 있으며, 그 변화속도가 매우 빠르다. 또한 평생직장의 개념이 무너지면서 기업과 개인은 각기 보다 나은 인적 자원과 직업을 찾기 위해 노력하고 있다. 이에 따라 직업선택의 측면에서 볼 때 현재뿐만 아니라 미래의 전망이 더욱 중요한 것은 필연적이라고 할 수 있다. 따라서 21세기를 살아가는 우리는 일회적인 진로선택에서 그치는 것이 아니라 평생에 걸쳐 자신의 능력을 계발하고, 새로운 진로를 개척해 나가야만 하는 시점에 서 있다. 이러한 시대적 흐름에 따라 학업 및 직업에 대한 진로를 보다 정확하게 진단하여 내담자의 인생에 바람직한 방향을 제시해 주기 위해 설립된 학회다. 상담학 및 진로상담학 연구와 관련 활동을 통하여 진로상담학을 발전시키고, 한국상담학 및 진로상담학과 관련 학문 발전에 기여함을 목적으로 1995년 한국상담학회 산하 분과학회로 설립된 후 지금까지 이어져 오고 있다. 주요 활동은 1996년부터 학회지『한국진로상담학회지』(2000년 이후 상담학 연구로 발간) 발간, 학술연구 발표회 및 강연회 개최, 학회지, 학술간행물 및 기타 도서의 간행, 조사연구, 자료수집 및 연구의 장려, 국내외 학회와 교류 및 협조, 진로상담 분야 발전 및 활용을 위한 최신 지식정보의 제공 등이 있다. 회원은 정회원과 준회원으로 구분하며, 학회에서 취득 가능한 자격증은 '수련감독 전문상담사'와 '1급 전문상담사'가 있다.

한국집단상담학회
[韓國集團相談學會, Korean Groupcounseling Association]

www.groupcoun.or.kr 학회

한국집단상담학회는 집단원과의 만남을 통하여 집단원이 자신의 스승임을 알고, 이들 스승을 통하여 자신이나 집단원에 대해 더 잘 이해하고 수용하고 개방하고 주장할 수 있는 방법을 배워, 자신의 잠재력을 더 잘 실현할 수 있도록 7명을 전후한 집단원의 집단역동에 따른 상담을 하기 위해 설립된 학회다. 회원의 권익옹호와 집단상담이론 및 기법의 연구, 개발, 보급과 이를 통한 지역사회 봉사를 목적으로 1978년 금요모임으로 시작하였다. 그리고 1982년 한국상담연구회를 결성하고, 1986년 발달상담학회를 발족하여, 1988년 한국발달상담학회로 명칭을 변경했다가 같은 해 한국집단상담학회로 다시 명칭을 변경하여 지금까지 이어져 오고 있다. 주요 활동으로는 1988년부터 학술지『발달상담 연구지』발간, 집단상담의 질 관리, 집단상담 프로그램의 개발 및 보급, 집단상담의 이론을 구축하기 위한 집단상담 연구의 활성화, 사회적 문제에 대처할 수 있는 집단상담의 영역 구축, 한국집단상담학회 지역별 분회의 활성화를 비롯한 전문상담사의 양성, 지역사회 정신건강 증진을 위한 교육, 각급 학교 및 기관을 위한 전문적 조력 등이 있다. 회원은 정회원, 준회원, 학생회원, 일반회원, 명예회원으로 구분하며, 학회에서 취득 가능한 자격증은 '수련감독 전문상담사'와 '전문상담사(1~3급)'가 있다.

ㅎ

한국청소년상담복지개발원
[韓國靑少年相談福祉開發院, Korea Youth Counseling & Welfare Institute]

www.kyci.or.kr 기관

오늘날 청소년의 환경을 살펴보면, 소득 양극화에 따른 학습격차가 심화되었고 가정해체현상의 증가로 청소년에 대한 돌봄기능이 현저히 약화되었으며, 위기청소년의 문제 역시 더욱 복잡하고 심각해지고 있는 실정이다. 이와 같은 이유에서 한국청소년상담복지개발원은 보다 능동적인 태도변화와 더불어 실질적인 대책마련이 필요해졌다. 이처럼 '전문 상담·복지 서비스 구현으로 청소년의 건강한 성장을 돕는다.'는 취지 아래 청소년들이 오늘의 문제를 슬기롭게 극복하고 보다 행복한 세상을 만들 수 있도록 설립된 기관이 한국청소년상담복지개발원이다. 이 기관은 청소년의 올바른 인격 형성과 조화로운 성장을 위한 상담·복지 연구 및 프로그램 개발, 상담·복지 전문인력 양성, 위기청소년 통합지원, 취약 청소년 자립지원사업 등을 수행함으로써 국가발전에 이바지할 수 있는 건실하고 바람직한 청소년의 육성에 기여함을 목적으로 1990년 체육부 청소년종합상담실로 개원하였다. 그리고 1999년 특별법인 한국청소년상담원으로 변경하였고, 2003년에는 청소년상담사 국가자격시험 시행, 2005년에는 국가청소년위원회로 소관부처 이관, 2008년에는 보건복지가족부로 소관부처 이관, 다시 2010년에는 여성가족부로 소관부처 이관, 2012년에는 한국청소년상담복지개발원으로 명칭 변경 후 지금까지 이어져 오고 있다. 주요 활동으로는 청소년상담·복지 관련 정책의 연구 개발, 청소년상담기법의 연구 및 상담자료의 제작·보급, 국가자격제도 청소년상담사 자격 검정 및 연수, 청소년상담 지원센터 직무교육 및 전문연수, 부모교육, 또래상담, 품성계발 등 청소년의 건전한 가치관 정립 프로그램 운영, 위기청소년 지역사회 통합지원체계 운영 지원 및 지역

청소년상담지원센터 지도 지원, 사이버상담 등 청소년상담 사업의 운영, 취약 계층 청소년 자립 지원사업, 인터넷 중독 기숙형 치료 학교 운영 등 인터넷 중독 예방사업, 빈곤 가정 아동에 대한 복지지원사업 등이 있다. 기관에서 취득 가능한 자격증은 '청소년상담사(1~3급)'가 있다.

한국청소년자기행동평가척도
[韓國靑少年自己行動評價尺度, Korean Youth Self Report: K-YSR]

청소년이 스스로 자신의 적응 및 정서, 행동에 대하여 평가하는 도구. 심리검사

청소년의 적응수준을 평가하기 위하여 아헨바흐(Achenbach, 1991)가 개발한 것으로 우리나라에서는 하은혜 등(1998)이 표준화하였다. 이 검사는 4~17세 아동 및 청소년을 대상으로 자기 스스로 정서 및 행동의 적응수준을 평가하도록 한다. 이는 아헨바흐가 개발한 부모평가 아동·청소년 행동평가척도(CBCL)와 공통되는 내용이 많다. K-YSR은 크게 사회능력 척도와 문제행동 증후군 척도로 구성되어 있다. 사회능력 척도는 친구나 또래와 어울리는 정도, 부모와의 관계 등을 평가하는 사회성 척도, 교과목수행 정도, 학업수행상 문제 여부를 평가하는 학업수행 척도와 총 사회적 능력 점수 등 3개의 하위 척도로 구성된다. 그리고 문제행동 증후군 척도는 위축, 신체증상, 우울/불안, 사회적 미성숙, 사고의 문제, 주의집중, 비행, 공격성, 내재화 문제, 외현화 문제의 10개와 총 문제행동 척도 등 11개의 척도로 구성된다. 문제행동 증후군 척도는 총 119개 문항으로 이루어지며, '가만히 앉아 있기가 힘들다.' '외롭다고 느낀다.'와 같이 진술된 문항에 대해 '전혀 없다(0점)' '가끔 보인다(1점)' '매우 심하다(2점)' 등의 3점 리커트 척도로 평가한다. 실제 채점에 포함되는 문항 수는 101개로 점수의 범위는 0~202점까지다.

도구의 전체 신뢰도 크론바흐 알파는 .76으로 나타났다. K-YSR은 여러 차례 표준화를 거친 뒤 2010년에 개정되어 ASEBA(www.aseba.or.kr)에서 출판되고 있다.

관련어 | 객관적 인성검사, 청소년 인성검사

한국초월영성상담학회
[韓國超越靈性相談學會, Korean Association of Transcendent Spirituality Counseling]

www.sadana.or.kr 학회

인생에서 일어나고 있는 모든 사건은 개인을 초월하여 서로 연결되어 있다고 본다. 즉, 마음과 영성의 연결, 사상이나 성차, 인종의 차이를 초월한 사람과 사람과의 연결, 집단과 사회와의 연결, 과거세대와 미래세대와의 연결, 온갖 살아 있는 생명체와의 연결, 대자연과의 연결, 대우주와의 연결, 인간을 초월한 우주의 자기진화와의 연결이다. 우리가 온갖 욕망과 집착으로 고통을 받고 있는 현실적인 삶을 초월하기 위해서는 '자신의 마음 상태'를 초월해야 한다. 마음상태를 초월해야 한다는 것은 실제의 삶과 공간을 두어 그 삶과 동일시하지 않아야 한다는 것이다. 즉, 실제 삶의 밖에서 자신의 삶을 바라보고 삶의 의미를 자각하여 의연하게 대처할 수 있는 마음의 상태에 이르러야 한다. 이러한 마음의 상태를 초월영성이라 할 수 있다. 이에 한국초월영성상담학회는 인간이 겪는 갈등과 혼란을 다루기 위해서 현실적인 삶보다는 이를 초월하여 보다 근본적인 세계와의 만남이 인간의 문제를 해결할 수 있다고 보고, 이를 위한 접근을 시도하고 있다. 즉, 보이지 않는 세계와의 만남, 의식적으로는 알 수 없지만 내 자신의 삶이 무엇인가와 연결되어 있음을 자각하는 일, 외부의 감각을 차단함으로써 욕망에 대한 집착에서 벗어날 수 있는 이러한 초월적인 접근

을 바탕으로 상담에서도 인간의 무의식에 뿌리 깊게 쌓인 상처를 다루기 위해서는 의식적인 기법들로는 한계가 있다고 보고 무의식을 다룰 수 있는 초월적인 영성기법의 도입을 목적으로 한국초월영성상담학회가 2002년 한국상담학회 분과학회로 설립된 후 지금까지 이어져 오고 있다. 주요 활동으로는 2007년부터 『초월영성상담학회 학술발표자료집』 발간, 전문가 연수과정 개최, 통합 월례 사례발표회, 학술세미나, 자료수집 및 연구의 장려, 국내외 학회와 교류 및 협조 등이 있다. 학회에서 취득 가능한 자격증은 '수련감독 전문상담사'와 초월영성학회 '1급 전문상담사'가 있다.

한국춤테라피학회
[韓國—學會, Korean Chum Therapy Institute]

www.dancetherapy.or.kr 학회

일반인에게는 약간 멀게 느껴지는 무용이란 말 대신 한국적인 정서가 담긴 춤이라는 단어와 자신의 감정을 표현하고 몸과 마음을 통합한다는 뜻인 테라피가 만나서 춤 테라피라는 프로그램이 되었다. 자신의 내면에 집중하면 무의식에 쌓여 있던 강한 정서와 기억이 떠오르고 그 정서와 기억을 표현하는 특정한 동작이 나타나는데, 리듬과 춤으로 무의식에 억눌리고 쌓여 있던 감정을 풀어내면 자신의 삶을 지배하던 무의식적인 행동과 사고가 변화된다. 불안하고 답답한 가슴을 마음껏 춤으로 풀어내고, 본질적인 참나(셀프)를 만나 영혼의 춤을 추며, 자신이 원하고 바라는 행복한 삶을 만드는 것, 그것이 춤 테라피다. 한국춤테라피학회는 춤의 치유적인 요소와 통합심리학과 현대 분석심리학, 표현예술치료이론을 바탕으로 일반인이 춤을 통하여 진정하고 무한한 자기인 참나를 만나는 영혼의 회복과, 특정한 마음의 상처나 문제를 가지고 있는 아동, 청소년, 부부의 심리적인 갈등해결에 초점을 둔

ㅎ

학회다. 프로그램의 교육 및 춤 동작 치료 네트워크를 공유하며, 춤 테라피의 이론 및 사례의 대중화를 목적으로 1999년 청소년 새 샘터 약물중독 재활 프로그램을 시작으로 설립되었다. 그리고 2000년 Spiritual dance group인 'Harmony' 창단, 2002년 한국무용·동작심리치료학회 Community Dance 워크숍, 2005년 치유상담연구원 전문과정, 춤 테라피 영성 수련, 2007년 한국상담학회 연차 대회 학술 발표-춤 명상 등의 개최 후 지금까지 이어져 오고 있다. 주요 활동으로는 프로그램 보급, 사례와 학술 정보의 교류, 교육 및 연수, 춤 테라피 전문가 양성 등이 있다. 학회에서 취득 가능한 자격증은 '수련감독 춤 동작 치료사' '춤 동작 치료전문가' '춤 동작 치료사(1~2급)'가 있다.

한국판 대인관계문제검사
[韓國版對人關係問題檢査, Korean Inventory of Interpersonal Problems: K-IIP]

대인관계문제를 측정하기 위한 검사. 심리검사

대인관계 원형이론에 근거하여 대인관계 문제를 종합적으로 평가하고 성격장애군을 선별하기 위해 호로비츠, 올던, 위긴스와 핑쿠스(Horowitz, Alden, Wiggins, & Pincus, 1988)가 개발한 대인관계 문제 척도를 김정욱, 권석만, 정남운(2000)이 우리나라 실정에 맞게 번안 및 수정하였다. 그리고 이를 김영환, 진유경, 조용래, 권정혜, 홍상황, 박은영이 표준화하였다. 대학생 및 성인을 대상으로 하여 인사선발, 산업현장, 학생지도에 활용하고 있다. 본 검사지가 기반을 두고 있는 대인관계 원형모델은 리어리(Leary, 1957)가 제시한 것이다. 그는 우호-냉담의 '친애' 차원과 지배-순종의 '통제' 차원이라는 두 축을 기준으로 대인관계 행동을 순서 있게 배열하였다. 즉, 지배, 냉담-지배, 냉담, 냉담-순종, 순종,

우호-순종, 우호, 우호-지배 유형에 모든 대인관계 행동이 위치한다. 이를 기반으로 한 검사지는 대인관계 원형이론에 따른 여덟 가지 원형척도의 80개 문항과 성격장애 척도 47개 문항으로 구성되어 있다. 총 127개 문항이며, 심리치료를 받으러 오는 내담자가 가장 흔히 보고하는 대인관계 문제에 맞추어 질문이 이루어져 있다. 원형척도의 28개 문항은 성격장애 척도의 문항과 동일하다. 내적 합치도 크론바흐 알파값은 .98이었으며, 검사-재검사 신뢰도는 .87로 나타났다. 하위영역별 척도의 내용과 문항 수는 다음과 같다. 원형척도는 통제·지배, 자기중심성, 냉담, 사회적 억제, 비주장성, 과순응성, 자기희생, 과관여 척도로 구성되며 각 척도별 10개 문항이 있다. 통제·지배 척도는 타인을 지나치게 통제하거나 조종하려는 경향성을, 자기중심성 척도는 타인에게 쉽게 화를 내고 타인에 대한 불신과 의심을 갖는 등의 적대적 지배성을, 냉담 척도는 타인과 정서적 경험을 공유하는 어려움을 평가한다. 또 사회적 억제 척도는 타인 앞에서 불안해하고 매사 소심한 경향성을, 비주장성 척도는 타인과의 관계에서 자신의 욕구나 의사 표현의 어려움을 측정한다. 그리고 과순응성 척도는 대인관계에서 독립성 유지가 어려운 정도를, 자기희생 척도는 타인의 욕구에만 지나치게 민감하고 자신은 돌보지 않는 성향을, 과관여 척도는 타인에게 강한 결속력을 강요하면서 자신에게 관심을 가져 주기 바라는 경향을 평가한다. 한편, 성격장애 척도는 대인적 과민성, 대인적 비수용성, 공격성, 사회적 인정 욕구, 사회성 부족 척도로 구성되어 있다. 대인적 과민성 척도는 대인관계에서 경계가 부족하고 타인의 비판에 대해 민감한 성향을 평가하며, 8개 문항으로 되어 있다. 대인적 비수용성 척도는 타인의 입장을 수용하고 공감하는 태도를 평가하며, 11개 문항으로 되어 있다. 공격성 척도는 현재 타인에 대한 분노나 복수심, 적대감 등을 측정하며, 9개 문항으로 되어 있다. 사회적 인정 욕구 척도는 타인에 대한 지나친 관심과 인

정의 욕구를 측정하며, 7개 문항으로 되어 있다. 그리고 사회성 부족 척도는 타인과의 어울림에 대한 불편, 자기표현 능력의 부족 등을 평가하며, 12개 문항으로 되어 있다. 피험자는 각 문항에 대하여 자기가 얼마나 고통스러운지에 따라 5점 리커트 척도 (0~4점)로 평정한다. 점수가 높을수록 대인관계 문제로 고통을 많이 받고 있다는 의미다. K-IIP는 표준화를 거친 뒤 학지사 심리검사연구소에서 출판되고 있다.

관련어 | 대인관계

한국판 라이터 비언어성 지능검사
[韓國版 – 非言語性知能檢查, Korean–Leiter International Performance scale–Revised: K–Leiter–R]

일반적인 지능검사가 불가능한 아동의 지능, 주의력 및 기억력 평가를 하는 비언어적인 지능검사. **심리검사**

지적 능력을 검사하기 위해 1997년에 로이드(Gale Roid)와 밀러(Lucy Miller)가 개발한 검사로, 우리나라에서는 2010년에 신민섭과 조수철이 표준화하였다. 대상은 2~7세이고, 의사소통장애, 청각장애, 뇌 손상, ADHD, 학습장애 등을 포함하는 아동의 지적 능력 및 기억력과 주의력을 측정할 수 있는 비언어적 지능검사다. 즉, 일반적인 지능검사가 불가능한 아동의 지능, 주의력 및 기억력을 평가하는 것이다. K–Leiter–R은 두 가지 영역으로 구성되어 있는데, 일반적인 지능을 평가하는 10개의 소검사로 구성된 시각 및 추론(visualization and reasoning,

VR) 영역과 주의력, 기억능력, 신경심리평가 및 학습장애(LD)와 ADHD 아동의 인지적 처리과정에 대해 평가하는 10개의 소검사로 구성된 주의 및 기억(attention and memory: AM) 영역이다. 검사자는 필요에 따라 VR과 AM을 둘 다 평가할 수 있고, 둘 중 하나만 선택하여 평가할 수도 있다. 아동만을 평가하게 되어 있는 일반적 지능검사와는 달리 이 검사에서는 검사자, 부모, 아동 및 교사가 아동의 행동 관찰에 대해 평가하도록 하는 평가척도가 포함되어 있다. 특히 의사소통장애, 인지발달이 부진한 아동, 청각장애, 운동기능이 부진한 아동, 뇌 손상 아동, ADHD 아동 및 학습장애 아동을 평가하는 데 도움이 된다. K–Leiter–R의 검사는 검사자의 직접적인 지시로 이루어지는 문항, 반응그림카드로 구성된 문항, 다지 선다형 문항, 그리고 지필형 문항으로 구성되어 있는데, 도구가 모두 빛깔이 있어서 아동이 검사에 좀 더 흥미를 가질 수 있다. 전반적으로 IQ 요인과 높은 상관이 있는 소검사는 지적 능력에 대한 단일 측정치를 구하기 위한 것이다. 성장점수 문항은 난이도의 예측점수 및 개인 내적 성장과 발전의 측정치를 제공하며, 복합점수는 기억 또는 시각 · 공간 능력 같은 복합적인 능력을 측정한다. 소검사 환산점수는 아동의 인지적 강점과 약점의 탐색을 위해 특정 능력과 과정에 대한 프로파일 및 AM 검사틀을 제공하며, 특별 진단점수와 점수 차이, 그리고 평가척도들은 보다 정교화된 진단적 해석을 제공한다.

ㅎ

한국판 부모양육 스트레스 검사
[韓國版父母養育-檢查,
Korean Parenting Stress Index: K-PSI]

부모가 경험하는 양육 관련 스트레스를 판별하기 위한 검사.
심리검사

부모가 자녀양육과 관련해 경험하는 스트레스의 상대적 크기를 측정할 수 있도록 고안된 검사로, 아비딘(Abidin, 1995)이 개발한 것을 정경미, 이경숙, 박진아(2008)가 우리나라 실정에 맞게 번안 및 표준화하였다. 이 검사는 생후 1개월에서 12세까지의 자녀를 둔 부모가 경험하는 스트레스 수준을 측정할 수 있다. 아동의 특징과 부모에게 스트레스를 가져오는 요인을 밝히기 위해 부모영역과 자녀영역의 두 가지 요인으로 구성되어 있다. 부모영역은 우울, 애착, 역할 제한, 유능감, 고립, 배우자, 건강 검사로 되어 있다. 우울은 부모가 자녀양육의 책임을 이행하는 데서 느끼는 심리적, 신체적 어려움 정도를 측정하며, 애착은 부모와 아동 간 정서적 친밀감을 측정한다. 역할제한은 부모 역할이 자신의 자유와 정체성을 얼마나 제한하고 있다고 느끼는지를 측정한다. 유능감은 부모가 아동을 다루는 능력 및 통제력을 측정하며, 고립은 사회적으로 얼마나 고립되어 있다고 느끼는지를 측정한다. 배우자는 양육을 하는 데 배우자로부터 정서적·행동적 지지를 얼마나 받고 있는지를 측정하고, 건강은 양육 스트레스 외에 독립적인 스트레스 정도를 측정한다. 한편, 아동영역에서는 아동의 적응, 수용, 요구, 주의산만 및 과잉행동, 보상 정도를 검사한다. 적응은 아동이 물리적, 사회적 환경의 변화에 얼마나 적응할 수 있는지를 측정하며, 수용은 아동의 신체, 정서, 정신적 특성이 부모의 기대와 얼마나 일치하느냐를 측정한다. 요구는 아동의 요구사항 수준을 측정하며, 주의산만 및 과잉행동은 아동이 ADHD 관련 증상을 보이는지를 측정한다. 그리고 보상은 부모가 아동에게 기쁨을 경험하지 못하는 정도를 측정한다. 검사

의 신뢰도, 내적 합치도 계수는 .56~.95로 나타났으며, 검사-재검사 신뢰도 계수는 .50~.90으로 나타났다. 공인타당도는 .48~.72였다. 총 120개 문항으로 구성되어 있으며, 이 중 19개 문항은 일상생활 스트레스를 측정한다. '전혀 그렇지 않다(1점)'부터 '매우 그렇다(5점)'까지 5점 리커트 척도로 평정하도록 되어 있다. 점수범위는 101~505점으로, 점수가 높을수록 부모의 양육 스트레스가 높다는 의미다.

관련어 │ 부모-자녀관계, 양육 스트레스

한국판 시지각발달검사
[韓國版視知覺發達檢查,
Korean Developmental Test of Visual
Perception: K-DTVP-2]

아동의 시지각 및 시각·운동 통합능력 수준을 진단하기 위한 검사. 심리검사

아동의 시지각기능 발달수준을 평가하기 위하여 해밀, 피어슨과 보레스(Hammill, Pearson, & Voress)가 개발하고 수정·보완한 시지각발달검사(DTVP-2)를 문수백, 여광응, 조용태(2003)가 번안 및 표준화한 검사다. 만 4~8세 아동의 시지각능력을 측정하기 위해 개발하였는데, 일반적 시지각지수 외에 운동반응이 없는 순수 시지각과 시각운동 협응능력에 대한 점수를 분리하여 제시하기 때문에 시지각과 운동협응 능력에 문제가 있는 아동을 효과적으로 변별할 수 있다. 총 8개의 하위검사로 구성되어 있으며 모두 일반 시지각 척도(GVP)로 나타낸다. 그

중 4개의 하위영역은 운동개입이 뚜렷한 시지각인 시각-운동 통합 척도(Visual-Motor Integration: VMI)로, 나머지 4개의 하위영역은 운동개입이 최소화된 시지각인 운동감소 시지각 척도(Motor-Reduced Visual Perception: MRP)로 분류된다. 문항 내적 합치도 계수는 .83~.95의 범위에 분포되어 있고, 재검사 신뢰도는 .83~.95, 종합척도의 신뢰도 계수는 .94~.95로 나타났다. 타당도는 내용 타당도 .44~.78, 준거 관련 타당도 .65로 나타났다. 하위영역별 척도의 내용과 문항 수는 다음과 같다. 눈-손 협응 척도는 윤곽선을 벗어나지 않고 선을 정확하게 그리는 능력을 검사하는 것으로 총 4개 문항으로 구성되어 있다. 원점수 184점까지 채점이 가능하다. 공간위치 척도는 모델과 같은 도형의 위치를 찾는 능력을 평가하는 것으로 25개 문항으로 구성되어 있다. 기본적으로 신체위치와의 관련성을 토대로 구성되며 25점까지 채점이 가능하다. 따라 그리기 척도는 제시된 도형을 보고 그리는 능력을 검사하는 것으로 20개 문항으로 구성되며 40점까지 채점이 가능하다. 도형-배경 척도는 복잡한 배경 속에 감추어진 특정 그림을 찾아내는 능력, 즉 집중과 억제의 시각조절능력을 평가하는 것으로 18개 문항으로 구성되며 18점까지 채점이 가능하다. 공간관계 척도는 모델과 같은 점을 연결하여 동일한 도형을 만드는 능력을 검사하는 것으로 10개 문항으로 구성되며 43점까지 채점이 가능하다. 시각완성 척도는 불완전하게 그려진 도형을 심상에서 유추하여 완성하는 능력을 검사하는 것으로 18개 문항으로 구성되며 20점까지 채점이 가능하다. 시각-운동 속도 척도는 제시된 도형 안에 선을 채우는 소동작과 빠른 속도의 진행 도중의 집중력을 검사하는 것으로 8개 문항으로 구성되며 64점까지 채점이 가능하다. 형태 항상성 척도는 동일한 형태임에도 크기, 위치, 명암이 변화되어 다르게 보이는 것 중 모델과 같은 형태를 찾는 능력을 검사하는 것으로 20개 문항으로 구성되며 20점까지 채점이 가능하다. K-DTVP-2는 표준화를 거친 뒤 학지사 심리검사연구소에서 출판되고 있다.

관련어 │ 아동 발달검사

한국판 아동·청소년 행동평가척도
[韓國版兒童青少年行動評價尺度, Korean Child Behavior Checklist: K-CBCL]

부모가 아동 및 청소년의 사회적 적응 및 문제행동을 평가하는 검사. 심리검사

아동·청소년기의 사회적 적응 및 정서, 행동문제를 평가하기 위하여 아헨바흐와 에델브룩(Achenbach & Edelbrock, 1983)이 개발하였고, 오경자, 하은혜(1997)가 우리나라 실정에 맞게 표준화하였다. 이 검사는 만 4~18세의 아동·청소년을 대상으로 부모가 자녀의 행동을 평가한다. DSM-Ⅳ의 분류기준에 부합하는 문항을 선별하여 사용하고 있기 때문에 아동·청소년의 여러 가지 정서, 행동문제의 빈도를 조사하는 기초역학조사도구는 물론, 그들의 심리장애 진단에 유용한 임상적 도구로도 널리 활용되고 있다. K-CBCL은 크게 사회능력 척도와 문제행동 증후군 척도로 구성되어 있다. 사회능력 척도는 또래, 부모와의 관계를 평가하는 사회성 척도, 교과목 수행 정도와 학업수행상 문제를 평가하는 학업수행 척도, 그리고 총 사회능력점수 등 모두 3개의 척도로 이루어진다. 문제행동 증후군 척도는 119개의 문제행동 항목으로 이루어져 있으며 3점

척도로 평가한다. 위축, 신체증상, 우울/불안, 사회적 미성숙, 사고의 문제, 주의집중 문제, 비행, 공격성 등 8개의 소척도와 더불어 내재화 문제 척도, 외현화 문제 척도, 총 문제행동 척도, 4~11세에만 적용되는 특수 척도인 성문제 척도 등 총 12개의 척도로 구성되어 있다. 척도별 신뢰도 크론바흐 알파값은 특수 척도인 성문제 척도를 제외하고 .62~.86으로 양호하게 나타났다. 각각은 위축 .76, 신체증상 .76, 우울/불안 .80, 사회적 미성숙 .64, 사고의 문제 .62, 주의집중 문제 .76, 비행 .67, 공격성 .86, 성문제 .57이었다. 또한 타인평가 척도임을 고려해 평정자(부모) 간 신뢰도를 살펴본 결과, 평균 상관계수 r=.69로 비교적 양호하게 나타났다. 각각은 위축 .67, 신체증상 .71, 우울/불안 .63, 사회적 미성숙 .67, 사고의 문제 .63, 주의집중 문제 .74, 비행 .69, 공격성 .62, 성문제 .74, 내재화 문제 .76, 외현화 문제 .64, 총 문제행동 .75였다. 각 문제행동 증후군 척도는 해당 문제행동 항목의 합으로 계산되며 모든 문항은 3점(0~2) 리커트 척도로, 채점이 가능한 점수는 0~234점이다(2번, 4번 문항은 채점에서 제외). CBCL은 이후 아헨바흐 연구팀이 영유아기부터 노인기까지 확대·개편하여 발달단계별 심리검사군(유아용: CBCL 1.5~5, C-TRE, 아동·청소년용: CBCL 6~18, YSR, TRF, 성인용: ASR, ABCL)을 갖추었으며, 한국판으로도 개발, 표준화되어 시판되고 있다.

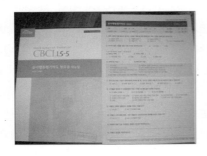

관련어 | 문제행동, 행동 평정척도

한국판 아동사회기술척도
[韓國版兒童社會技術尺度, Korean Children's Self-report Social Skills Scale: CS4-K]

아동의 사회적 기술을 진단하는 자기보고형 검사. 심리검사

아동의 사회기술을 측정하고 사회적 기술이 부족한 아동을 조기에 선별하기 위하여 다니엘슨과 펠프스(Danielson & Phelps, 2003)가 개발한 것을 김용석과 홍지영(2007)이 우리나라 실정에 맞게 번안 및 표준화하였다. 이는 초등학생을 대상으로 실시하는 자기보고형 검사다. 아동의 사회성 기술은 학자마다 다양하게 정의하고 있지만 일반적으로 타인과의 긍정적인 상호작용을 수행하는 데 필요한 언어적, 비언어적 행동 능력을 말한다. 다니엘슨과 펠프스는 사회기술을 측정하는 기존의 척도들에 공통적으로 포함된 요인 세 가지, 즉 사회규범, 호감, 사회적 미숙을 추출하여 측정하였다. CS4는 총 21개 문항으로 구성되어 있으며 '전혀 그렇지 않다' '별로 그렇지 않다' '때때로 그렇다' '대부분 그렇다' '항상 그렇다'의 5점 리커트 척도로 되어 있다. 21~105점까지 채점이 가능하며, 점수가 높을수록 사회적 기술이 높다는 의미다. 각 척도별 예시문항은 다음과 같다. 규칙준수와 공손함을 측정하는 사회 규범은 '나는 무엇이든 혼자만 하지 않고 다른 사람들과 교대로 한다.', 아동 스스로 인지한 인기도인 호감은 '다른 아이들이 나를 좋아하고 함께 잘 논다.', 대인관계 기술의 부족을 측정하는 사회적 미숙은 '나는 다른 누군가가 말을 할 때 나도 이야기를 하거나 방해를 한다.'와 같은 문항으로 측정한다. 이 검사의 전체 신뢰도 크론바흐 알파는 .79이며, 요인별 신뢰도는 사회규범 .74, 호감 .79, 사회적 미숙 .44로 나타났다. CS4-K는 표준화를 거친 뒤 마인드프레스에서 출판되고 있다.

관련어 | 사회 기술, 아동 발달

한국판 아동충동성 검사
[韓國版兒童衝動性檢査, Korean Matching Familiar Figures Test: K-MFFT]

아동의 충동성을 객관적으로 측정하는 검사. `심리검사`

아동의 인지적 충동성을 측정하기 위하여 케이건(Kagan)이 개발한 아동용 같은 그림 찾기 검사(Matching Familiar Figures Test)를 오혜영(2002)이 우리나라 실정에 맞게 표준화하였다. 만 7~12세를 대상으로 약 15분 안에 실시할 수 있는 비교적 간결한 검사다. 케이건은 '반응의 정확성'과 '반응속도'의 측면에서 충동성을 '불확실하고 애매한 자극상황에서 여러 가지 선택대안 중 특정한 정보를 선택해야 할 때 부정확하고 빨리 반응하는 경향'이라고 정의하였다. 즉, 불확실하고 애매한 자극상황에서 여러 가지 선택대안 중 특정한 정보를 선택할 때 심사숙고해서 느리지만 정확하게 선택하는 사람은 사려적인 반면, 부정확하게 빨리 반응하는 사람은 충동적이라고 본 것이다. 그래서 MFFT는 아동의 사려성-충동성의 인지양식을 측정하는 도구로 아동과 친숙한 사물을 선으로 그려 놓은 그림으로 구성하였다. 2개의 연습문제와 12개의 본 검사문항으로 되어 있으며, 검사절차는 검사지 윗부분에 그려진 표준자극과 동일한 그림을 6개의 그림에서 찾아내는 것이다.

시간제한은 따로 없지만 정답을 맞힐 때까지 총 여섯 번의 기회를 준다. 채점은 정답이 나올 때까지 반응한 오답 수와 문제제시 후 첫 반응이 나올 때까지의 초발반응시간을 초단위로 측정한다. 초발반응시간은 12개 문항 모두에서 측정한 반응시간을 합쳐 해석하고, '반응 잠재성' 또는 '반응 속도'라고 부른다. 그리고 오답 수는 한 문항당 0~6 사이로 기록하며 12개 문항에 대한 총 오답 수도 계산한다. 총 초발반응시간과 총 오답 수의 각 중앙치를 기준으로 초발반응시간이 중앙치보다 길고 총 오답 수가 표집의 중앙치보다 적은 아동은 사려적(느리고/정확한)이라고 하며, 반대로 총 초발반응시간이 표집의 중앙치보다 짧고 오답 수가 많은 아동은 충동적(빠르고/부정확한)이라고 해석한다. MFFT의 총 초발반응시간과 총 오답 수에 대한 신뢰도 크론바흐 알파는 초발반응시간 .93, 오답 수 .57로 나타났다. K-MFFT는 표준화를 거친 뒤 가이던스프로에서 출판되고 있다.

관련어 | 아동충동성

한국판 아이젠크 성격검사
[韓國版-性格檢査, Korean Version Eysenck Personality Questionnaire: K-EPQ]

아이젠크(Eysenck)의 성격요인이론에 근거하여 인간의 성격 차원 요인을 측정하는 검사. `심리검사`

정신병적 경향성, 외-내향성, 신경증적 경향성 등의 유형에 따라 인간의 성격 차원적 요인을 측정하고자 아이젠크 부부(1975)가 공동 제작한 검사를 아이젠크와 이현수(1985)가 한국판 아이젠크 성격 검사로 번안 및 수정하였고, 이현수(1997)가 다시 표준화한 검사다. 이는 연구와 이론에서 중심이 되는 세 성격 차원인 외향성-내향성, 신경증 성향-(정서)안정성, 정신병 성향-초자아(통제)를 측정하는 데 가장 널리 사용되는 검사다. 9~15세의 아동·

ㅎ

청소년 대상 검사와 16세 이상의 성인을 대상으로 하는 검사 두 종류가 있다. 아이젱크는 삼원색의 조합으로 모든 색깔을 설명할 수 있는 것처럼 성격도 세 가지 핵심 차원, 즉 정신병적 경향성(psychoticism), 외향성(extraversion), 신경증적 경향성(neuroticism)으로 모든 개인차를 설명할 수 있다고 생각하였다. 이 세 요인이 여러 연령층, 많은 문화권(35개국)에서 거듭 발견되자 아이젱크는 이를 기본 차원이라 하였고, 세 요인은 서로 직교적, 즉 독립적이라고 가정된다(요인분석 과정에서 서로 독립적인 요인을 뽑아낸 것인데 실제에서는 표본에 따라 요인들이 유의미한 상관을 보이는 일이 많다). 그는 흥분강도, 제지강도, 가동성과 같은 생리학적 개념과 심리학적 상관연구 및 요인분석 기법 등을 가미하여 과학적이고 체계적으로 성격을 측정할 수 있도록 하였다. 성인용 기준으로 검사의 척도 내용 및 구성을 살펴보면 다음과 같다. 총 81개 문항으로 구성되어 있으며 정신병적 경향성(P), 외-내향성(E), 신경증적 경향성(N), 허위성(L)의 네 가지 척도 및 한국판 성인용에만 추가된 중독성(A), 범죄성(C)을 합하여 6개 하위척도가 있다. 정신병적 경향성은 정신병력과 관련된 문항으로 비정상적으로 표출되는 공격성, 비동조성, 불일치성, 충동성 등을 측정한다. 외-내향성은 정서반응의 속도차원을 의미하는 것으로 타인과 어울리는 사교성, 관계에서의 주도성 및 적극성 등을 평가한다. 신경증적 경향성은 정서반응의 강도차원으로 스트레스에 대한 반응, 기분변화의 정도, 우울성향, 신체화 등을 측정한다. 허위성은 자신에 대한 과장된 평가 경향이나 솔직성 등을 평가한다. 중독성은 음식이나 약물 등의 비정상적인 섭취 경향 또는 이와 관련된 심리적 문제를 측정한다. 범죄성은 비행자와 상습적 범행자를 감별해 내기 위한 것으로 개인의 반사회성 등을 측정한다. 전체 문항은 '예(1점)' 혹은 '아니요(0점)'로 반응하며, 일부 문항은 역채점된다. 점수해석은 각 차원에서 극단적인 경우를 제외하고는 정상적 성격 특징의

한 측면으로 이해하도록 한다. 하위척도별 신뢰도 크론바흐 알파는 정신병적 경향성 .67, 외-내향성 .81, 신경증적 경향성 .84, 허위성 .81, 중독성 .76, 범죄성 .81로 나타났다. K-EPQ는 표준화를 거친 뒤 학지사 심리검사연구소에서 출판되고 있다.

관련어 │ 객관적 성격검사, 성격 요인 이론, 아이젱크

한국판 웩슬러 성인지능검사
[韓國版 – 成人知能檢查, Korean-Wechsler Adult Intelligence Scale: K-WAIS]

성인의 지적 능력을 검사하는 법적 지능검사. 심리검사

성인의 지적 능력을 검사하기 위해 1939년에 웩슬러(David Wechsler)가 제작한 검사로, 만 17세 이상 만 64세 이하의 성인을 대상으로 한다. 우리나라에서는 1963년에 전용신, 서용연, 이창우가 표준화하였다. 1981년에 개정된 WAIS-R은 연태호, 박영숙, 오경자, 김정규, 이영호가 1992년에 한국에서 표준화하였고, WAIS-III가 1997년에 개정되어 나왔다. 또한 (주)한국심리주식회사가 WAIS-IV의 저작권자인 미국 피어슨사로부터 판권을 인수받은 뒤 K-WAIS-IV를 황순택, 김지혜, 박광배, 최진영, 홍상황이 개발하여 2011년 12월부터 출간하고 있다. K-WAIS의 번안 및 표준화 과정을 살펴보면, 전체 검사의 목적과 기본 절차, 각 검사별 목표와 채점원칙 등은 WAIS-R을 따랐고 실제 문항은 가능한 한 우리나라 사람들에게 친숙하고 일상생활에서 쉽게

접할 수 있는 문항을 선택하고자 하였다. K-WAIS는 WAIS-R과 마찬가지로 언어성 척도와 동작성 척도로 구성되었다. 언어성 척도는 언어반응이 요구되는 상식, 이해, 산수, 공통성, 숫자, 어휘 등 6개 소검사로 구성되어 있다. 동작성 척도는 바꾸어 쓰기, 빠진 곳 찾기, 토막 짜기, 차례 맞추기, 모양 맞추기 등 5개 소검사로 구성되어 있다. 언어성 검사 중 상식은 29문항으로, 일상적인 사건, 대상, 장소, 그리고 사람에 대한 기본 지식을 묻는 일련의 구어로 제시되는 질문에 대답해야 한다. 숫자 외우기는 14문항으로, 구두로 제시되는 일련의 숫자를 바로 따라 외우기와 거꾸로 따라 외우기에서 그대로 반복해야 한다. 어휘문제는 35문항으로, 구두로 제시되는 일련의 단어의 뜻을 이해하고 대답해야 한다. 산수문제는 16문항으로, 일련의 산수문제를 마음속으로 풀고 말로 대답해야 한다. 이해문제는 16문항으로, 구두로 제시되는 일련의 질문에 답해야 한다. 피검자는 사회적 규칙과 개념 또는 일상적인 문제에 대한 해결책을 이해하거나 명료화하는 것이다. 공통성 문제는 14문항으로, 쌍으로 된 2개의 단어가 제시되면 단어의 쌍이 나타내는 일반적인 대상 또는 개념의 공통성을 설명해야 한다. 동작성 검사 중 빠진 곳 찾기는 20문항으로, 일반적인 대상이나 장면으로 이루어진 각각의 그림에 중요한 부분이 빠져 있는데 그 부분을 말해야 한다. 차례 맞추기는 10문항으로, 뒤섞인 상태로 제시되는 일련의 그림을 논리적 이야기 순서에 따라 재배열해야 한다. 토막 짜기는 9문항으로, 인쇄된 일련의 이차원적인 기하학적 도형을 보고 두 가지 색깔로 된 입방체를 사용하여 이를 묘사해야 한다. 모양 맞추기는 4문항으로 일반적인 대상의 일련의 퍼즐이 표준화된 배치로 제시되며 그 퍼즐이 의미 있는 형태가 되도록 조각을 맞추어야 한다. 바꾸어 쓰기는 93문항으로, 일련의 숫자로 구성되어 있는데 각각의 숫자는 그 숫자와 대응되는 그림문자와 같은 상징과 짝지어져 있다. 이 단서를 사용하여 피검자는 숫자와 대응되

는 상징을 써넣어야 한다. K-WAIS-IV를 K-WAIS(WAIS-R의 한국판)와 비교해 보면 많은 변화가 있다. 우선, 이전 판에서 제공되던 세 가지 지능지수 중 전체 지능지수만 제공되고 언어성 및 동작성 지능지수는 제공되지 않는다. WAIS-III에서 처음으로 채택되었던 언어이해, 지각추론, 작업기억, 처리속도의 4요인 구조는 WAIS-IV에서도 유지되어 그대로 적용되었다. 또한 이전 판에 있던 소검사 중 차례 맞추기와 모양 맞추기 소검사가 없어지고 행렬 추론, 동형 찾기, 퍼즐, 순서화, 무게 비교, 지우기와 같은 새로운 형식의 소검사가 추가되었다. 이러한 변화를 통해 유동적 지능, 작업기억, 그리고 처리속도를 안정적으로 측정할 수 있도록 하였다. 그리고 지능지수를 연령 범주별 환산점수에서 유도하도록 하였다(전체 연령 기준의 환산점수도 제공된다). 산출되는 지능지수의 범위를 IQ 40~160으로 확장하여 능력이 매우 뛰어나거나 매우 제한된 사람들의 지능지수 산출을 가능하게 하였다. 그 밖에 시범문항과 연습문항을 도입하고, 시각적 자극의 크기를 확대하였으며, 언어적 지시를 단순화하고, 시간 보너스의 비중을 줄이고, 검사의 수행과정에서 운동요구를 감소시켜 전반적으로 실시가 간편해지고 실시시간이 단축되었다. 특히 나이 든 집단의 과제수행을 용이하게 하였다.

한국판 웩슬러 유아용지능검사
[韓國版-幼兒用知能檢査,
Korean-Wechsler Preschool and Primary
Scale of Intelligence: K-WPPSI]

유아의 지적 능력을 검사하는 법적 지능검사. 심리검사

유아의 지적 능력을 검사하기 위해 1967년에 웩슬러(David Wechsler)가 제작한 검사로, 1989년에 개정판으로 나온 WPPSI-R을 우리나라에서 1996년에 박혜원, 곽금주, 박광배가 표준화하였다. 대상은

취학 전 아동과 초등학교 저학년으로 만 3세부터 7세 3개월 된 유아, 또는 대상 연령이 지났지만 장애가 있거나 장애의 위험이 있어 생활연령보다 지적 수준이 낮은 장애 아동이다. K-WPPSI는 모양 맞추기, 도형, 토막 짜기, 미로 찾기, 빠진 곳 찾기, 동물 짝짓기 등 6개 동작성 검사와 상식, 이해, 산수, 어휘, 공통성, 문장 등 6개의 언어성 검사로 구성되어 있다. 12개의 검사 모두를 사용할 수도 있지만 지능지수 산출을 위해서는 문장과 동물 짝짓기의 두 보충검사를 제외한 10개의 소검사만 사용한다. 빠진 두 검사는 지능지수를 해석하기 위한 보충 자료로 이용할 수 있다. 동작성 검사 중 모양 맞추기는 일상적인 물건이 그려진 퍼즐로 구성되어 있으며 각 퍼즐은 표준화된 방식으로 제시된다. 아동은 그 퍼즐을 모아서 의미 있는 하나의 전체 모양으로 만들고 제한된 시간 안에 맞추어야 한다. 이 소검사는 시간제한이 있으며, 세 문항 연속 실패하면 중지한다. 모든 아동에게 1번 문항부터 실시한다. 시·지각적 변별능력과 구성능력을 평가하는 검사로서 불안감이 높고 의존력이 높은 경우에는 수행이 어렵다. 도형검사는 두 가지 유형의 과제로 이루어져 있다. 특별히 K-WPPSI에만 있는 첫 번째 유형은 재인문항이다. 쌍으로 이루어진 도형들로서 각 쌍은 표적부분과 반응부분으로 구성되어 있다. 아동은 두 부분을 보고 표적모양이 반응부분에 있는지 여부를 지적하는 것이다. 아동은 제시된 그림을 보면서 보기로 제시된 4개의 도형 중 제시 그림과 똑같은 도형을 지적해야 한다. 두 번째 유형에서는 아동이 그림을 보고 따라 하는 것이다. 모든 아동에게 1번 문항부터 실시하고, 1부에서 세 문항 연속 실패하면 2부(8번, 그리기 문항)로 넘어가고, 2부에서 두 문항 연속 실패하면 중지한다. 기호 쓰기와 대치 가능, 정신-운동 속도, 지각적 정확성 및 구성 능력을 평가하는 것으로 빠르게 변별하는 능력을 알아본다. 토막 짜기에서는 제한된 시간 안에 두 가지 색깔의 토막들로 구성된 모양을 재구성해야 한다. 6세

미만 아동은 1번 도형부터 시작하고 6세 이상은 6번 도형부터 시작한다. 각 도형마다 두 번까지 시행할 수 있다. 모든 도형은 개별적으로 시간을 기록하고, 세 문항 연속 실패하면 중지한다. 시각-운동 협응 능력과 시-지각적 구성능력, 공간지각능력을 평가하며, 운동능력과 색채지능능력 및 뇌 기능 장애를 평가하는 데 유용하다. 미로 찾기는 제한된 시간 안에 점점 더 어려워지는 미로의 통로를 찾는 지필검사다. 매우 어린 아동에게 적합한 단순한 미로 문제를 처음 부분에 제시하고, 연령에 따라 시작하는 문항이 다르며, 두 문항 연속 실패하면 중지한다(1~4번 문항은 두 번의 시행 실패를 1회로 간주한다). 시각-운동 협응능력과 정확성, 계획능력 및 지각적 구성 능력을 평가한다. 빠진 곳 찾기는 일상적인 물건 그림에서 빠진 부분을 찾아내야 한다. 연령에 따라 시작문항이 다르며, 다섯 문항 연속 실패하면 중지한다. 사물의 중요한 부분과 지엽적인 부분을 구분하는 능력과 집중력, 사고력, 지각적 예민성, 시각적 구성능력 및 기억력을 평가한다. 동물 짝짓기는 보충검사로서 동물 그림 밑에 있는 구멍에 맞는 생의 원통 막대를 끼우는 것이다. 정확성과 속도를 모두 고려하여 채점하며, 모든 아동에게 실시한다. 과제를 완성하는 데 걸리는 시간, 틀리게 꽂은 수, 꽂지 않은 막대의 수, 실수한 것과 빠트린 것을 합한 전체의 수, 맞게 놓은 막대의 전체 수 등을 기록한다. 제한시간은 5분이다. 언어성 검사 중 상식검사는 일상의 사건이나 물건에 대한 지식을 알아보기 위한 것이다. 언어능력이 떨어지는 유아를 위해 여러 개의 그림 중에서 하나를 지적하여 응답하면 되는 그림 문항이 있고, 나머지 문항은 WPPSI의 상식검사에 해당하는 것으로서 간단한 구두로 응답해야 한다. 모든 아동에게 1번 문항부터 실시하고, 다섯 문항 연속 실패하면 중지한다. 문화적 경험의 기회, 지적 호기심, 관심의 폭, 학습장애, 초기 경험의 풍부성, 학업성취 등이 반영되며 지식이 높고 지적 성취 욕구가 클수록 높게 나온다. 이해검사에서는 행동의

원인과 사건의 결과에 대한 자신의 생각을 구두로 표현해야 한다. 모든 아동에게 1번 문항부터 실시하고, 네 문항 연속 실패하면 중지한다. 판단력과 현실검증력, 사회적 지능, 원인-결과 간의 관계에 대한 상식적인 이해 측정, 문화적 경험과 도덕개념의 발달수준이 영향을 끼친다. 산수검사는 기본적인 수 개념에 대한 이해를 알아보기 위하여 그림문항으로 시작해서, 단순한 셈하기 과제, 마지막에는 보다 어려운 구두문제로 진행한다. 6세 미만의 아동은 1번부터, 그 이상의 아동은 8번부터 시행한다. 만약 6세 이상의 아동이 8, 9번 문항에서 실패하면 10, 11번을 실시하고, 그다음에 1~7번까지의 문항을 실시한다. 만약 8, 9번에서 성공하면 이전 문항은 만점을 준다. 1~11번 문항은 시간제한이 없지만 12~23번 문항은 시간제한이 있고, 다섯 문항 연속 실패하면 중지한다. 사고력과 수리능력, 주의집중력, 정신적 기민성, 학습능력을 측정한다. 어휘검사는 그림의 이름을 맞추는 쉬운 그림 문항이 있고, 나머지 구두 문항에서는 구두로 제시한 단어의 뜻을 구두로 답한다. 모든 아동에게 1번 문항부터 실시하고, 4번 문항 이후 다섯 문항 연속 실패하면 중지한다. 학습능력, 개념의 풍부성, 기억력, 개념형성 능력 등으로 개인의 지적 능력을 측정하는 데 가장 안정적이다. 선천적인 능력과 인생 초기 경험의 풍부함을 반영하고, 나이가 들어도 낮아지지 않는다. 공통성 검사는 세 부분으로 구성되어 있다. 첫 부분에서는 몇 개의 그림 중에서 제시된 그림들과 같은 특징을 가진 것을 손가락으로 지적해야 한다. 두 번째 부분에서는 구두로 제시한 주문장에서 가리키는 개념과 유사한 단어를 사용하여 문장을 완성해야 한다. 마지막 부분에서는 제시하는 두 단어의 공통점을 구두로 설명해야 한다. 모든 아동에게 1번 문항부터 실시하고, 1부(1~6번 문항)에서 세 문항 연속 실패하면 중지하고 2부로 간다. 7번 문항 이후 다섯 문항 연속 실패하면 중지한다. 추상화 능력, 논리적 사고능력과 관계, 언어적 개념형성능력을 측정한

다. 문장검사는 숫자검사의 형식을 이용하여 만들었는데, 숫자 대신 문장을 사용한 것이다. 검사자가 문장을 큰 소리로 읽어 주면 아동은 이를 그대로 따라 해야 한다. 연령에 따라 시작문항이 다르고, 세 문항 연속 실패하면 중지한다. 바로 따라 외우기와 거꾸로 따라 외우기로 나누어지며, 거꾸로 따라 외우기는 숫자를 조작하고 재구성하는 작업기억능력이 요구된다. 주의력, 불안, 주의산만성, 단기기억력을 평가할 수 있다.

한국판 학습장애평가척도
[韓國版學習障碍評價尺度, Korean version of Learning Disability Evaluation Scale: K-LDES]

자기주의력의 프로파일 유형을 파악하도록 하는 검사.
심리검사

학령기 아동의 학습장애 여부 및 문제의 심각성, 학습장애 유형을 객관적으로 평가하기 위해 1988년에 스티븐 맥카니(Stephen B. McCarney) 박사가 개발한 것을 우리나라에서 1998년에 신민섭, 조수철, 홍강의가 한국판으로 표준화하였다. 대상은 6~11세이며, 교사 혹은 부모의 평정으로 이루어진다. 표준화된 연령별 규준이 확립된 평가도구로서 학습장애에 대한 정의에 입각하여 학습문제를 7개 영역으로 범주화하여 교사나 부모가 평가하도록 하는 학습장애 선별검사다. K-LDES는 아동의 학습문제를 진단하고, 학습장애의 유형과 심각성에 대한 평가 및 개별 학습장애 치료 프로그램 개발에 도움이 되는 정보를 제공한다. 이는 미국에서 가장 보편적으로 받아들이는 '미 「공법」 94조 142항'의 학습장애에 대한 정의를 토대로 개발된 88문항의 '학습장애 척도'를 우리나라 언어와 교육실정에 맞게 번안·수정하여 개발한 것이다. 7개의 하위척도 평가치를 합산하여 학습지수(learning quotient: LQ)가

ㅎ

2205

산출되는데, 이는 아동의 총체적인 학습문제에 대한 측정치를 제공하며, 웩슬러 지능검사에서 산출되는 FSIQ, VIQ, PIQ와 평균, 표준편차의 단위가 동일하므로(평균＝100, 표준편차＝15) IQ 수준에 비해 LQ가 얼마나 부진한지 쉽게 비교할 수 있다. 교실 내에서 학생을 지도하며 직접 관찰한 내용에 근거하여 교사가 평가하거나 부모가 아동의 학습이나 숙제를 지도하면서 관찰한 내용에 근거하여 평가하며, 실시시간이 20분 이내로 짧기 때문에 임상장면에서 매우 간편하게 실시할 수 있다. 이 검사는 실생활에서 아동을 매일 접하는 교사나 부모가 평가하는 척도이므로 아동의 학습문제를 조기에 발견하여 조속한 치료적 도움을 받도록 하는 데 유용하게 사용될 수 있다. 학습장애 진단에 필요한 정보뿐만 아니라, 학습장애 아동의 개별 교육 프로그램을 개발하는 데 활용되는 다양한 정보를 제공해 준다는 점에서 교육적 중요성을 지닌 평가도구라 할 수 있다. 평가방법은 7개의 하위척도에서 아동이 보이는 문제를 부모나 교사가 3점 척도로 평가하는데, 각 하위척도 점수는 연령규준에 입각한 평균 10, 표준편차 3인 표준점수로 전환되며, 각각의 7개 하위척도 표준점수를 합산하여 LQ로 변환한다. 각 하위척도 평가치가 7점 미만이면 그 영역에 학습문제가 있는 것으로 간주한다. 하위척도는 주의력(주의집중의 어려움을 평가한다), 생각하기(시·공간적 능력, 계기적 정보처리능력을 평가한다), 말하기(말할 때 음을 빠트리거나 단어를 완전히 틀리게 발음하거나 대화를 잘 이어 가지 못하거나 어휘력이 한정되어 있는 것 등을 평가한다), 읽기(단어나 행, 문장을 빼먹고 읽는 것과 같은 읽기의 정확성과 독해력을 평가한다), 쓰기(글자나 숫자를 거꾸로 쓰는 반전 오류, 띄어쓰기에서의 어려움 등을 평가한다), 철자(철자법, 받아쓰기의 어려움 등을 평가한다), 수학적 계산(수학적 연산과 수학적 추론에서의 어려움을 평가한다)으로 이루어져 있다.

한국표준직업분류
[韓國標準職業分類, Korean standard classification of occupation: KSCO]

우리나라의 직업을 직능수준과 직능유형에 따라 구분해 놓은 것. 진로상담

⇨ '한국고용직업분류' 참조.

한국표현예술심리치료협회
[韓國表現藝術心理治療協會, Korean Expressive Arts Psychotherapy Association]

www.keapa.or.kr 기관

표현예술심리치료는 미술, 음악, 연극, 무용, 시 등의 예술매체를 두 가지 이상 사용하는 심리치료를 의미하는데, 고유한 인간정신의 미묘하고 복합적인 문제들에 대한 접근과 치료를 언어보다 예술매체를 중심으로 하고 있다. 이러한 예술매체가 갖는 치료성을 현대 심층 심리치료라는 학문과 통합하여 현대인의 정신적인 문제를 효율적으로 치유하려는 학도 및 전문인으로 구성된 협회가 한국표현예술심리치료협회다. 이 협회는 예술심리치료의 체계적인 교육과 전문화, 그리고 회원 상호 간의 학문교류와 권익옹호를 도모하며, 그 활동을 지원할 목적으로 1987년 뉴욕 맨해튼에 비영리재단 한미예술센터로 설립되었고, 1992년 뉴욕에서 예술심리치료 학도들을 위한 한미예술심리치료모임을 발족하였다. 1995년에는 서울에서 한국예술심리치료연구소가 개설되었고, 1998년 세계표현예술치료협회(IEATA) 한국지부 승인, 1999년 한국표현예술심리치료 발기모임 후 지금까지 이어져 오고 있다. 주요 활동으로는 미술, 음악, 동작 등 예술매체를 이용한 심리치료 지원, 전문 예술 심리치료사 양성 및 보급, 심리치료에 관한 전문서적 출판 및 보급, 심리치료에 관한 국제학술교류 등이 있다. 회원은 정회원, 일반회원, 특

별회원으로 구분하며, 학회에서 취득 가능한 자격증은 '전문예술심리치료사'와 '예술심리치료사(1~2급)'가 있다.

한국학교상담학회
[韓國學校相談學會,
Korean School Counseling Association]

http://ksca.pe.kr 학회

학교상담은 학생들의 건전한 성장과 발달을 촉진하거나 여러 가지 문제를 예방하기 위해서 교사와 학생이 직접적으로 대면하여 개방적이고 타당한 의사소통으로 학생을 도와주는 활동을 말한다. 단순히 교사와 학생 사이에 이루어지는 대화나 훈육과는 구별되며 전문적 커뮤니케이션, 특히 원조적 커뮤니케이션에 관해서는 물론이고 폭넓은 상담문제에 관한 훈련을 받은 전문적인 상담사가 행할 필요가 있다. 이에 한국학교상담학회는 학교상담에 관한 교육과 연구를 통하여 학교상담의 활성화 및 전문화를 목적으로 2001년 한국상담학회 산하의 분과학회로 설립된 후 지금까지 이어져 오고 있다. 주요 활동으로는 학교상담이론 연구와 학교상담기법 및 프로그램의 개발과 보급, 학술연구 및 학교현장 연구논문발표, 학교상담 관련 전문서적 및 연구보고서 간행, 소식지 및 연구지 발간 등의 이론적 연구활동과 더불어, 학교 급별 상담의 저변 확대를 위한 교육, 회원의 자질 향상을 위한 연수회 개최, 학교상담 전문가 양성 및 지역별 상담사례연구 등이 있다. 회원은 정회원과 준회원으로 구분하며, 학회에서 취득 가능한 자격증은 '학교상담 수련감독급 전문상담사'와 '학교상담 1급 전문상담사'가 있다.

한국학교심리학회
[韓國學校心理學會,
Korean School Psychology Association]

www.schoolpsych.or.kr 학회

학령기에 해당하는 대부분의 아동과 청소년은 여러 가지 원인으로 학습문제를 경험하고 있다. 최근에는 우울이나 불안과 같은 정서문제와 비행, 게임중독, 학교폭력, 학교 중도 탈락과 같은 행동문제를 겪고 있는 아동과 청소년의 숫자도 증가하고 있다. 이와 같이 일반 학교에 재학하고 있는 아동과 청소년이 겪고 있는 학업, 진로, 정서, 행동문제를 조기에 발견하고 개입하여 건강한 삶을 영위하도록 도움을 주기 위해 설립된 학회다. 초·중·고등학교에 재학하고 있는 아동과 청소년의 건강한 발달과 조화로운 적응을 증대시키기 위한 다양한 심리학 서비스의 제공과 연구에 관심을 갖고 있는 회원들의 학술적 교류와 교육장면에 심리학적 서비스를 제공하는 역할을 함으로써 사회적 안녕에 기여할 목적으로 2002년 한국심리학회 산하 분과학회로 설립되어 지금까지 이어져 오고 있다. 주요 활동으로는 2004년부터 학회지『한국심리학회지: 학교』발간, 학교심리학 연구의 협조, 권장 및 촉진, 전문직의 개발, 학술연구 및 발표 등이 있다. 회원은 정회원, 학교전문가 회원, 준회원으로 구분하며, 학회에서 취득 가능한 자격증은 '학교심리전문가'와 '학교심리사'가 있다.

한국행동분석학회
[韓國行動分析學會,
Korea Association for Behavior Analysis]

www.kaba.or.kr 학회

1970년대 초 행동수정이란 참신한 이미지로 상류한 행동분석은 먼저 학교 선생님에게 신선한 충

ㅎ

격으로 다가왔다. 학생을 훈육하는 데 '교편'이란 미명의 회초리 외에 뚜렷한 묘책이 없었던 권위적 사회에서 응용행동분석의 과학적 지도방법은 분명 충격 그 이상이었다. 객관적 관찰과 측정, 철저한 과학적 검증을 요하는 지도방법은 훌륭하지만 또 하나의 고달픈 짐(extra burden)이 되어 외면당하고 말았다. 중요한 것은 현장 실용성이다. 학교 교사나 부모, 현장치료사들에게 객관적 관찰, 정확한 측정, 엄격한 실험통제를 요구할 수 없다. 그것은 연구자의 몫이고 전문가의 역할인 것이다. 이에 한국행동분석학회는 가정, 각급 학교와 교육기관, 병원과 심리치료 기관, 사회조직과 생산시설, 지역사회와 복지시설 등 인간이 생활하는 곳이면 어느 곳에서나 일어나는 제반 문제를 학습이론적 관점에서 연구·분석함으로써 그 원인을 밝히고 해결대안을 구안하며 교육활동을 통하여 행동수정의 이론과 기법을 현장에 체계적으로 보급하여 인간행동의 효율성과 복지를 추구하기 위해 설립된 학회다. 이 학회는 행동분석에 관한 이론연구와 응용연구 및 회원 상호 간의 친목도모를 목적으로 1996년 설립된 후 지금까지 이어져 오고 있다. 주요 활동으로는 2007년부터 학회지『행동분석 연구』발간, 행동분석 관련 분야 간의 정보교환, 연구발표 및 학회지 발간, 행동분석에 관한 각종 저작물 간행, 교육 및 훈련, 국내외 관련 기관과의 교류, 전문가 자격 규정 및 인정 등이 있다. 회원은 정회원, 준회원, 학생회원, 단체(기관)회원, 특별회원으로 구분하며, 학회에서 취득 가능한 자격증은 '행동분석전문가'와 '행동분석치료사(1~2급)'가 있다.

한국형 개인지능검사
[韓國型個人知能檢查, Korea Institute for Special Education-Korea Intelligence Test for Children: KISE-KIT]

우리나라 실정에 맞추어 개발한 개인용 지능검사. 심리검사

지적 능력을 측정하기 위해 2003년에 한국국립

특수교육원에서 개발한 지능검사로, 5~17세를 대상으로 한다. 국내외에서 많이 사용되고 있는 여러 개인지능검사를 분석하고 지능의 측정요인과 측정방법을 추출하여 지능검사의 모형을 개발한 다음, 우리나라의 전통과 일상생활 소재를 이용하여 문항을 선정하고 개발한 한국형 지능검사도구다. 이 검사는 전국의 유·초·중·고등학교에 재학 중인 5~17세의 학생 2,036명을 표집하여 표준화하였다. 표준화검사의 분석내용은 규준 작성 및 해석에 필요한 기초통계와 신뢰도 검증, 타당도 검증으로 크게 구분된다. 규준 작성 및 해석을 위한 통계자료는 각 연령별 환산점수와 동작성, 언어성 및 전체 지능지수의 산출, 하위검사 간의 점수 차이 및 평균에서의 이탈도 분석, 그리고 동작성, 언어성 지능지수 간의 차이 분석을 통해 분석하였다. 신뢰도 검증을 위해서 반분신뢰도와 측정의 표준오차, 재검사 신뢰도 계수를 산출하였으며, 타당도 검증에서는 KISE-KIT와 KEDI-WISC 간의 공인타당도 및 KISE-KIT의 하위검사 상호 상관계수를 산출하였다.

한국형 청소년약물중독선별검사표
[韓國型靑少年藥物中毒選別檢査表, Korean Adolescent Drug Addiction Screening Test: KOADAST]

우리나라 청소년의 약물사용 정도를 측정하기 위한 검사도구. 심리검사

우리나라에서 약물남용에 대한 문제가 확산되기 시작하면서 1989년 마약류 관련법의 개정으로 마약류의 약물중독에 대한 치료문제가 공식화되기 시작하였다. 이를 계기로 김경빈(1996)이 일반 청소년의 약물사용 정도를 측정하여 약물사용자를 조기에 감별해 내기 위한 척도로 개발한 검사지다. KOADAST-1은 6개 분야로 된 총 70개의 질문을 통해 청소년의 약물사용 사실을 유추해 내도록 한 선별검사표다. 반면, KOADAST-2는 모두 12개의 문항으로 이루

어져 있어서 중독전문가뿐만 아니라 청소년 관련 전문가도 사용하기 쉽게 고안하였다.

관련어 | 미시간 알코올리즘 선별 검사

한국형 치매평가검사
[韓國型癡呆評價檢査, Korea-Dementia Rating Scale: KDRS]
우리나라 노인의 치매를 진단하고 진행 정도를 평가하기 위한 검사. 심리검사

노인의 치매를 진단하기 위해 매티스(Mattis, 1988)의 Dementia Rating Scale(DRS)을 최진영, 이소애(1997)가 우리나라 실정에 맞게 번안 및 수정한 검사다. 만 55~84세 사이의 노인을 대상으로 한다. 검사는 주의(attention), 관리기능(initiation and perseveration), 구성(construction), 개념화(conceptualization), 기억(memory)의 총 5개 소검사로 구성되어 있다. 기억 소검사를 제외하고는 위계적으로 과제가 제시되어 가장 어려운 과제를 먼저 실시하도록 되어 있다. 주의검사는 정보를 받아들이고, 이를 처리하는 데 주의를 집중시킬 수 있는 능력을 평가한다. 숫자 외우기, 지시, 모방, 간섭된 셈, 언어적인 재인-제시, 시 지각 과제 등 총 8개의 과제로 구성되어 있다. 관리기능 검사는 의도하는 행동을 효과적으로 실행하는 능력을 평가한다. 언어 유창성 과제, 자음·모음 보속성 과제, 양손 교대 동작 실행, 도형 그리기 등 총 11개의 과제로 구성되어 있다. 구성검사는 시공간적 구성능력을 평가하는 것으로 걷기, 뛰기, 오르기, 점프하기, 타기, 균형 잡기, 협응능력 발달을 측정하며, 총 6개의 과제로 구성되어 있다. 개념화 검사는 고등인지기능인 추론 능력과 개념의 유추능력을 평가하는 것으로, 뇌와 손의 협응능력을 포함하여 물건을 들어 올리는 것, 낙서하는 것 등 눈과 손의 협응발달을 측정한다. 도형 및 단어의 동질성과 이질성, 점화 유도 추론, 상

이성, 유사성, 두 가지 언어적 회상 과제 등 총 6개의 과제로 구성되어 있다. 기억검사는 기억력을 검사하는데 기본 검사 점수에 상관없이 모두 실시한다. 간단한 몸짓, 발성, 언어행동부터 복잡한 언어 표현인 표현적 의사소통발달을 측정한다. 시간과 공간 지남력을 측정하는 과제, 두 가지의 회상과제, 두 가지의 재인과제 등 총 5개의 과제로 구성되어 있다. 소검사는 각각 37, 37, 6, 39, 25점을 만점으로 하며, 이들 점수를 모두 합한 총점은 144점이다. 기존에 치매진단을 위해 가장 많이 사용한 한국판 MMSEK(권용철, 박종한, 1989) 점수와 K-DRS 점수의 상관은 .82였으며, 정상 집단과 치매환자 집단의 K-DRS 총점 간 양류 상관계수를 구한 결과 .66으로 나타나 구성 타당도 및 기준 타당도가 검증되었다. 2주 간격으로 실시한 검사-재검사 신뢰도는 .96이었고, 3명의 채점자 간 신뢰도도 .99로 나타났다. K-DRS는 표준화를 거친 뒤 학지사 심리검사연구소에서 출판되고 있다.

관련어 | 노인, 치매

한국NLP상담학회
[韓國-相談學會, The Korean Counseling Association for Neuro-Linguistic Programming]
www.nlpkorea.or.kr 학회

NLP(Neuro-Linguistic Programming, 신경언어 프로그래밍)는 1970년대 중반에 미국의 심리학자이

자 정보통신전문가인 밴들러(R. Bandler)와 캘리포니아대학의 언어학 교수인 그라인더(J. Grinder)가 창시한 것으로, 각 방면에서 탁월한 성과를 보인 사람들의 성공사례를 모방하면서 시작되어 미국의 게슈탈트 치료의 창시자인 펄스(F. Perls), 가족치료로 유명한 사티어(V. Satiar), 세계적으로 유명한 정신과 의사이자 최면치료자인 에릭슨(M. Erickson) 등을 모델로 연구하였다. NLP는 인간 성취와 우수성 개발을 위하여 다학제 간의 전문가(정보통신, 신경과학, 수학, 언어학, 커뮤니케이션, 정신분석, 가족치료, 게슈탈트, 심리학)들이 학문의 담을 헐고 공동으로 참여한 심리공학적 성취기술로서, 인간경험을 구조적 측면에서 총체적(감각기능, 뇌의 정보처리 방식, 주관적 경험, 생리심리적 연동성, 언어의 역할과 의미 등), 통합적으로 다루기 위해 만들어진 것이다. 이러한 NLP의 학술적 연구와 교육을 통하여 전문성을 확립하고 그 과학적 변화의 기술을 한국 사회와 학문의 발전에 기여할 수 있는 성찰 모델로 자리매김할 목적으로 1995년 NLP 교육기관인 NLP 심리전략연구원을 설립하였고, 1996년 NLP 기초교육을 받은 교수, 대학원생, 임상전문가를 중심으로 연구회가 조직되어 2000년에 한국NLP협회로 창립되었으며, 2003년 한국상담학회의 NLP 분과학회로 가입 후 현재의 한국NLP상담학회로 독립하여 지금까지 이어져 오고 있다. 주요 활동으로는 NLP 상담이론의 연구, NLP 상담기법 및 프로그램의 개발과 보급, 학술연구 발표, 상담의 학제 간 학술교류, NLP 상담전문가 양성 및 자격관리에 관한 사업, 국민의 정신건강과 사회문제해결을 위한 상담사업, 회원의 자질 향상을 위한 교육 및 연수 관련 사업, 회원의 권익보호, 국제학술교류 및 세미나 등이 있다. 회원은 개인회원(정회원, 준회원, 일반회원), 기관회원, 종신회원으로 구분하며, 학회에서 취득 가능한 자격증은 '수련감독 전문상담사(NLP 상담)'와 '전문상담사(NLP 상담) 1급'이 있다.

한독심리운동학회
[韓獨心理運動學會, Korean-German Association of Psychomotorik]

www.motologie.co.kr

심리운동(Motologie, Psychomotorik)이란 말은 심리적 원동력에 의한 인간 움직임 활동의 총체를 의미하며, 유럽 특히 독일어권에서는 인간의 신체성을 주요 매개로 인간의 심리적 측면에 긍정적 영행을 미치는 교육 및 치료 개념으로 사용되고 있다. 한독심리운동학회는 심리운동에서 신체의 운동성 발달 및 그 치료 재활뿐만 아니라 물리적-사회적 주변 세계와의 신체 경험을 통하여 자신의 감성적·인지적·심리적 변화를 꾀할 수 있도록 다양한 프로그램을 개발하고 연구하는 목적으로 설립되었다. 한독심리운동학회는 심리운동에 관한 학술 연구를 통하여 한국의 심리운동 발전에 기여함을 목적으로 2014년 설립된 학회로 심리운동 관련 조사연구, 국내·국제 간 학술교류, 심리운동 관련 지원사업, 심리운동사 자격 관련 교육, 훈련, 관리 등 다양한 활동을 하고 있다. 회원은 정회원, 준회원, 특별회원, 단체 회원으로 구분하며, 학회에서 취득 가능한 자격증은 '심리운동전문가'와 '심리운동사'가 있다.

한부모가족
[-父母家族, single parent family]

아버지나 어머니 어느 한쪽에게서 자녀가 양육되는 가족의 형태. 가족치료 일반

편부모가족이라고 부르기도 하는 한부모가족은 주로 이혼, 별거, 사별 등의 이유로 한쪽 부모가 부재하여 생긴 가족의 형태다. 혹은 미혼모가 자녀를 출산하여 기르는 가족의 형태도 한부모가족이라고

한다. 처음에는 이러한 형태의 가족을 편부모가족이라고 했지만 어휘가 주는 부정적인 의미 때문에 한부모가족으로 부르고 있다.

할로웨이 모델
[-, Holloway model]

수퍼바이저의 역할에 초점을 맞춘 수퍼바이저 역할모델의 하나로 할로웨이(1995)가 제시한 수퍼비전의 과제와 기능.

상담 수퍼비전

할로웨이 모델에서는 수퍼비전의 기능과 과제를 각각 다섯 가지로 나누어서 제시하였다. 우선 기능은 관찰과 평가, 교수와 조언, 시범, 자문, 격려와 나눔으로 분류하였다. 첫째, 관찰과 평가란 수퍼바이저가 수련생의 상담수행을 감독, 관찰하고 이를 바탕으로 종합적인 평가를 제공하는 기능을 말한다. 이 기능을 수행하기 위해서는 수퍼바이저와 상담수련생의 권력의 위계적 관계가 강조되며, 이러한 관계를 통해 수퍼바이저는 수퍼비전의 과정을 이끌어 간다. 둘째, 교수와 조언은 수퍼바이저가 상담수련생에게 전문가로서의 지식과 기술에 근거해서 정보, 의견, 제안 등을 제공하는 기능을 말한다. 수퍼바이저가 이러한 기능을 수행할 때 수련생과 수퍼바이저와의 상호관계는 마치 교사와 학생의 상호작용처럼 가르치고, 충고하며, 이를 받아들이는 형태가 된다. 이때는 주로 수퍼바이저가 주도를 한다. 셋째, 시범은 수퍼바이저가 수퍼비전 과정에서 상담수련생에게 직접적으로 전문가의 행동과 실천을 보여 주는 기능을 말한다. 수퍼바이저가 시범기능을 수행하는 것은 수련생과의 관계가 일반적이라기보다는 어느 정도 호감을 가지고 있는 협력적 관계일 때 일어난다. 넷째, 자문은 수퍼바이저가 상담수련생에게 임상적, 전문가적 상황에 대해서 정보와 의견을 제공하는 기능을 말한다. 자문기능을 수행하고 있는 수퍼바이저와 자문을 받는 수련생의 관계는 상하관계의 수직적 권력이 아닌, 상호 호감의 평등적 권력이 작용한다고 볼 수 있다. 다섯째, 격려와 나눔은 수퍼바이저가 상담수련생에게 공감적 주의집중, 격려, 그리고 건설적인 직면을 제공하는 기능을 말한다. 이러한 수퍼바이저의 기능수행하에서의 수퍼바이저와 수련생과의 관계는 매우 가까우며 상호 평등한 의사소통이 이루어질 수 있다. 한편, 수퍼비전의 과정에서 상담수련생에게 수퍼바이저가 부여할 수 있는 과제에 관한 할로웨이의 구분은 상담기술, 사례개념화, 전문가 역할, 정서적 알아차림, 자기평가의 다섯 가지다. 할로웨이 모델에서 이야기하는 이 같은 과제(task)는 상담자가 자신의 역할을 수행하는 데 필요한 전문적인 지식을 의미한다. 첫 번째 과제는 상담기술로서 공감, 의사소통양식, 체계적 둔감화 등 수퍼바이저가 중요하다고 생각하는 기본적인 상담기술이나 지식을 말한다. 두 번째 과제는 사례개념화로서 수퍼바이저와 수련생이 내담자의 심리사회적 이력과 현재 나타나는 문제를 이해하는 데 참여하는 것을 말한다. 즉, 수련생이 내담자의 행동을 이해하고 그것을 이론적 지식으로 연결시킬 수 있도록 수퍼바이저가 도와주는 활동이다. 세 번째 과제는 전문가 역할로서 수련생이 상담전문가로서의 역할을 수행할 수 있도록 훈련시키기 위해 내담자의 외적 자원을 적절하게 활용하기, 상담윤리강령 준수하기, 전문가들과 관계 맺기 등에 관해 학습을 하는 것을 말한다. 네 번째 과제는 정서적 알아차림으로서 수련생이 내담자 그리고 수퍼바이저와 작업을 하면서 경험하게 되는 감정, 생각, 행동에 대한 알아차림을 말한다. 다섯 번째 과제는 상담자의 자기평가로서 수련생의 상담자로서의 역량과 효과성에 관한 평가를 하는 것을 말한다.

관련어 구별적 모델, 수퍼바이저 역할모델

합동
[合同, congruence]

가족치료사인 사티어(Satir)의 주요 개념 중 하나로, 건강한 개인이 세계와 정직한 관계를 형성하는 상태. `경험적 가족치료`

사티어는 합동이 건강한 개인이 자기, 타인, 그리고 상황과 정직한 상호작용을 하는 건강한 방법이라고 하였다. 합동은 개인이 누군가와 조화를 이루며 살아가는 데 기초가 되는 힘이다. 따라서 개인에게 이러한 합동의 힘을 되찾도록 하는 것이 사티어 가족치료의 주요 목표 중 하나다. 합동의 상태에 있는 개인은 자신에 대해, 그리고 자신의 생각과 느낌에 대해 언어적, 비언어적으로 진실하게 표현할 수 있고, 다른 사람의 생각이나 감정을 비판하거나 판단하지 않는다. 또한 치료사는 합동의 상태에 있는 사람이라면 내담자의 내적, 외적인 상태를 더욱 잘 보고 들을 수 있으며, 보다 올바른 치료적 판단을 내릴 수 있게 된다.

합동가족상담
[合同家族相談, conjoint family counseling]

전체 가족구성원을 가족상담장면에 모두 참여시켜 동시에 면담을 실시하는 방식. `가족상담` `기타 가족치료`

사티어(Satir)를 비롯하여 초기 가족상담에서 주로 사용한 면담기법으로, 한 명의 상담자가 부부를 함께 면담하는 것을 뜻하였다. 일차적으로는 핵가족의 모든 구성원이 상담에 참여한다. 그러나 경우에 따라서는 확대가족 내의 중요한 친인척이나 비록 혈연관계가 아니더라도 내담자 가족과 긴밀한 관계를 형성하고 있는 중요한 인물이 포함될 수 있다. 내담자 문제는 가족구성원과의 역동적인 관계 안에서 이해되고 해결된다. 따라서 문제해결과정에서 가족구성원 전원을 참가시켜 의사소통을 촉진하고, 상호 이해를 높이고, 협력을 강화한다. 합동가

족상담은 가족구성원 간의 상호작용 패턴이나 기능, 역할균형 상태, 의사소통과 가족 내 권위의 소재 등을 빨리 파악하고 이해할 수 있다는 장점이 있다. 한편, 가족체계의 변화를 촉진하기 위해서 반드시 모든 가족구성원이 면담에 참여할 필요는 없다고 하는 관점이 있다. 예를 들어, 전략적 가족치료(MRI)에서는 가족 중 보다 건강한 가족구성원을 선택하여 변화시키고 이를 통해 가족체계 전체에 변화가 생기도록 한다. 한 가족의 변화는 가족 전체의 변화를 이끌어 낸다고 보았기 때문이다.

`관련어` 경험주의적 가족치료

합리적 신념
[合理的信念, rational belief]

'당위'라는 특별한 삶의 조건이나 절대적인 요구를 포함하지 않고 논리적으로 모순이 없으며 현실과 일치하는 적절한 정서와 적응적인 행동을 초래하는 신념. `합리정서행동치료`

합리적 신념에 반대되는 개념은 비합리적 신념이며, 비합리적 신념은 부적절한 정서와 부적응적인 행동을 초래한다. 예를 들면, '대부분의 사람은 자신의 직업에서 성공하는 것을 참으로 좋아한다. 그래서 나는 내 일에서 성공하고 싶다.'는 문장이 있다. 사람들은 대개 두 번째 문장이 첫 번째 문장으로부터 논리적으로 따라 나온다는 것을 동의할 것이다. 그러나 이와 대조적인 문장이 있다. "대부분의 사람은 자신의 직업에서 성공하는 것을 참으로 좋아한다. 그러므로 나는 반드시 성공해야 한다." 이 문장은 논리적으로 불합리한 추론이다. 성공이 바람직하기는 하지만 반드시 그래야만 하는 것은 아니기 때문이다(박경애, 1997).

`관련어` 비합리적 신념

합리적 회복
[合理的回復, rational recovery]

알코올 과다섭취를 줄이거나 중단을 할 목적으로 모인 자조모임의 하나. 중독상담

합리적 회복 모임은 사람들이 자신의 생각과 생활패턴을 스스로 조절할 수 있는 능력이 있다는 믿음을 기초로 한다. 이러한 믿음은 음주를 중단하고자 하는 사람들의 욕구뿐만 아니라 음주를 지속하고자 하는 욕구도 결국은 개인의 조절능력을 자극하는 효과가 있다는 생각으로 이어진다. 따라서 합리적 회복 프로그램에서는 음주를 계속하려는 충동, 그리고 단주를 하려는 충동 모두를 중요시 하며, 이러한 충동들이 결국은 인간이 합리적으로 음주습관을 조절하는 방향으로 이끌 수 있다고 믿는다. 주로 음주에 대한 혼잣말을 반복하도록 하여 긍정적인 자기변화를 꾀한다. 최근에는 집단모임을 따로 시행하지 않고 인터넷을 통한 자유로운 의사소통을 하고 있다.

관련어 ┃ 스마트 회복, 알코올중독, 알코올중독자 모임, 자조모임

합리정서행동치료
[合理情緒行動治療,
rational emotive behavior therapy: REBT]

미국의 임상심리학자인 앨버트 엘리스(Albert Ellis)가 1955년에 개발하였으며, 인간은 객관적 사실 때문에 혼란스러워하는 것이 아니라 그 사실에 대한 자신의 관점 때문에 혼란스러워한다는 것을 강조하고 이를 수정하는 데 도움을 주는 상담이론. 합리정서행동치료

인간은 합리적이면서도 동시에 비합리적인 신념을 만들어 내는 존재다. 즉, 인간은 자기보존, 행복, 사고와 언어, 사랑, 다른 사람들과의 대화, 성장과 자기실현 등이 올바른 경향을 가지고 있음과 동시에 자기파괴, 사고회피, 게으름, 실수의 끝없는 반복, 미신, 인내심 부족, 완벽주의와 자기비난, 성장

잠재력의 실현회피 등의 경향도 가지고 있다는 것이다. 인간은 누구나 생각하고 행동하고 정서적 느낌을 체험하는 능력을 가지고 있다. 이 중에서 인간의 사고는 정서와 행동에 결정적인 영향을 미친다. 인간의 불안이나 우울, 열등감, 시기, 질투 등의 정서적 반응은 주로 개인의 신념체계에 따라 발생한다. 즉, 인간은 객관적 사실 때문에 혼란스러워하는 것이 아니라 그 사실에 대한 자신의 관점 때문에 혼란스러워한다. 엘리스는 장애를 만드는 생각과 대결하는 데 이성을 사용하는 것을 강조하기 위해서 REBT를 초기에는 '합리적 치료(RT)'라고 하였다. 그러나 이 명칭은 마치 엘리스가 정서적 탐색을 사소하게 여기거나 전혀 중요하지 않게 여기는 듯한 잘못된 인상을 주었다. 이러한 견해에 맞서서 그는 1961년에 '합리정서치료(RET)'로 명칭을 바꾸었고, 1993년에 합리정서행동치료(REBT)로 다시 바꾸었다. 인간의 사고는 정서와 행동에 결정적인 영향을 미친다. 특정 사건을 자신이 가지고 있는 비합리적인 사고방법으로 해석하기 때문에 정서적 문제를 경험하게 된다는 것이다. 사람들은 이러한 비합리적인 신념을 자기 스스로 계속 되뇌고 확인함으로써 느끼지 않아도 될 불쾌한 정서를 만들어 내고 유지한다. 사람들이 가지고 있는 비합리적인 신념들은 다음과 같다. 첫째, 나는 내가 만나는 모든 사람에게 사랑이나 인정을 받아야 한다. 둘째, 나는 완벽할 정도로 유능하고 합리적이며 가치 있고 성공한 사람으로 인식되어야 한다. 셋째, 나쁘고 사악하며 악랄한 사람은 비난과 벌을 받아 마땅하다. 넷째, 내가 원하는 대로 일이 되지 않는 것은 내 인생에서 큰 실패를 의미한다. 다섯째, 불행은 내가 통제할 수 없는 상황에 의해 발생한다. 여섯째, 위험하거나 두려운 일이 내게 일어나 큰 해를 끼칠 것이 항상 걱정된다. 일곱째, 어떤 난관이나 책임은 부딪혀 해결하기보다는 피하는 게 더 쉽다. 여덟째, 나는 어느 정도는 다른 사람에게 의존해야 하며, 나를 돌봐 줄 수 있는 사람이 주위에 있어야 한다. 아홉

째, 과거의 영향은 결코 사라지지 않으며 과거의 경험과 사건은 현재 내 행동을 결정한다. 열째, 나는 다른 사람의 문제나 고통을 나 자신의 일처럼 아파해야 한다. 열한째, 모든 문제에는 완벽한 해결책이 있으므로 그 해결책을 찾아야 한다. 그렇지 않으면 결국 큰 혼란에 빠질 것이다. 사람들이 정서적 문제를 겪는 이유는 일상생활에서 겪는 구체적 사건 때문이 아니라 이와 같은 비합리적 신념에 따라 그 사건을 합리적이지 못한 방식으로 지각하고 받아들이기 때문이라고 보았다. REBT에서는 인간이 실수할 수 있다는 것을 인정하고, 계속 실수를 하면서도 더 평화롭게 사는 것을 배우는 창조물로서의 자신을 수용하도록 돕는다. 또한 인간의 합리적 삶을 강조하는 인지적 관점과 더불어 실존적 존재를 있는 그대로 수용하는 것을 강조하는 인본주의적 관점을 취한다. 인간이 경험하는 어려움의 기저에는 언제나 인지가 우선적으로 작용한다고 가정하고 있다. 엘리스는 특히 자기패배적인 당위적 신념(self-defeating absolutistic beliefs)에 관심을 보이면서 인간의 사고가 정서와 행동에 결정적 영향을 미친다고 생각하였다. 그는 비합리적 신념의 뿌리를 이루고 있는 세 가지 당위성을 '자신에 대한 당위' '타인에 대한 당위' '세상에 대한 당위'라고 보았다. 자신에 대한 당위는 자신은 반드시 훌륭하게 일을 수행해야 하며, 중요한 타인들로부터 인정받아야만 한다는 것이다. 그렇지 못하는 것은 끔찍하고 참을 수 없는 일이며, 자신은 보잘것없는 하찮은 인간이 되고 말 것이라는 생각을 하는 것이다. 타인에 대한 당위는 타인이 반드시 자신을 공정하게 대우해야 하며, 그렇지 못하는 것은 끔찍하고 자신은 그러한 상황을 참아 낼 수 없다는 사고를 말한다. 세상에 대한 당위는 세상의 조건들이 자신이 원하는 방향으로 돌아가야만 하며, 그렇지 못하는 것은 끔찍하여 자신은 그러한 끔찍한 세상에서 살아갈 수 없다고 생각하는 것이다. REBT에서 'ABC 이론'으로 알려져 있는 ABCDEF는 상담과정에서도 중요한 치료절차로 이용되는데, 이는 선행사건(A) → 신념(B) → 결과(C) → 논박(D) → 효과(E) → 감정(F)을 나타낸다. 즉, 인간의 불안이나 우울, 열등감, 시기, 질투 등의 정서적 반응(consequence: C)은 주로 개인의 신념체계(belief system: B)에 따라 발생한다. 이는 바람직하지 못한 정서적 반응의 원인이 어떤 사건의 발생(activating events: A) 때문이 아니라 그 사건에 대해 가지는 자신의 비합리적 신념(irrational belief: B) 때문이며, 그 혼란된 정서는 합리적 신념에 의해 효과적으로 논박(dispute: D)될 때 사라진다. 이러한 논박의 결과로 새로운 철학이나 새로운 인지체계를 가져오는 효과(effects: E)와 그에 따른 감정(feeling: F)을 갖게 된다. 비합리적 신념을 변화시키는 데 무엇보다 중요한 것은 논박이다. 합리적 신념과 비합리적 신념을 변별할 수 있도록 비합리적 신념을 적극적으로 반박하는 것이 비합리적 신념의 논박이라고 한다. 따라서 내담자와의 친밀한 상담관계를 바탕으로 냉철한 이성에 입각하여 내담자의 비합리적 신념을 반박하고 합리적 신념을 갖게 해야 한다. 비합리적 신념을 찾는 두 가지 요령은, 혼란된 감정과 부적절한 행동에 초점을 두고 찾는 것과 비합리적 신념의 근간인 내담자의 당위적 사고를 점검하는 것이다. '나는 절대로 실수를 해서는 안 된다.'라는 생각을 가지고 있는 사람에게는 그 당위성을 반박하면서 '실수를 해서는 안 되는 이유는 무엇인지, 왜 그런 생각을 갖게 되었는지, 실수를 하면 왜 그것이 끔찍한 일인지, 실수를 해서 일어나는 상황이 절망적으로 나쁜 상황인지' 등의 방법으로 스스로에게 계속 되묻도록 도와준다. 이를 통해 심리적 장애가 사건이나 상황 때문이 아니라 이 사건에 대한 자신의 비합리적인 신념 때문에 일어난다는 것을 깨닫게 해 준다. 내담자가 '반드시 ~해야 한다.' '당연히 ~해야만 한다.'는 당위적 생각을 많이 가질수록 심리적 장애를 더 많이 경험할 수 있으므로 이러한 말들을 '만약 ~했으면 좋겠다.' '그렇게 된다면 조금 ~할 수도 있다.'는 말로 대체할 수 있도록 도와준다. 이처럼 당위적 언어패턴을 선호와 소망으로 변화시킴으로써 충족되지 않아도 큰 문제가 발생되지 않는다는 것을 알 수 있도록 하는 것이다. 합리정서행동치료는 자유연상, 꿈, 내담자의 과거, 감정에 대한 끊임없는 표현과 탐구, 전이현상을 다루는 것 등을 중요시하지 않는다는 점에서 다른 많은 심리치료와 구별된다. 합리정서행동치료는 불안, 적대감, 성격장애, 정신병적 장애, 우울의 심리상담 및 치료, 성, 사랑, 부부문제, 아동양육과 청소년 문제, 사회적 기술훈련, 자기관리의 문제 등에 널리 적용할 수 있다. 벡(Beck)의 인지치료와 비교했을 때 인간관과 변화에 대한 개념 및 기법 등에서 공통점이 많지만, 비합리적 신념의 변화를 통해 논박하고 수정하는 고유한 접근법을 제시하는 점에서는 차이가 있다. 상담기법으로는 내담자의 변화를 위해 인지적 기법, 정서적 기법, 행동적 기법을 사용한다. 인지적 기법으로는 상담자가 내담자의 비합리적 신념을 적극적으로 논박하기, 인지적 과제, 내담자의 언어 변화시키기, 유인물이나 독서요법 등이 있다. 정서적 기법으로는 자신에 대한 무조건적인 수용과 합리적ㆍ정서적 이미지 기법, 유머의 활용, 역할연기, 모범행동 보여 주기, 부끄러움 공격 연습 등이 있다. 행동적 기법으로는 수치심 극복과 모험활동의 시도, 주장훈련, 역할놀이와 행동 재연, 실행적인 숙제 해오기 등이다. 이외에도 낭만주의와 비현실주의의 격파, 열등감의 극복, 실수 가능성의 철학, 비폭력 철학 가지기, 집단훈련이나 수련회 참여하기 등 자신의 변화를 꾀하기 위한 다양한 방법을 활용하는 적극적인 태도를 강조한다.

합리주의
[合理主義, rationalism]

중세의 맹목적 믿음이 낳은 문제점을 극복하고, 인간의 자유와 평등을 확립함과 동시에 인간의 존엄성을 지키려고 한 종교개혁, 문예부흥, 계몽주의 등과 더불어 시작된 사조. 이성주의라고도 함. 철학상담

근대 합리성 추구와 더불어 시작된 철학의 두 조류가 있다면 베이컨(Francis Bacon), 로크(John Locke), 버클리(George Berkeley), 흄(David Hume) 등이 시작한 경험주의와 데카르트(René Descartes), 스피노자(Baruch Spinoza), 라이프니츠(Wilhelm Leibniz) 등이 시작한 합리주의를 들 수 있다. '합리주의(이성주의, rationalism)'라는 말은 라틴어 'ratio'에 기원을 두는데, 원래는 추론, 추리력, 이성을 의미하기도 하고 이유, 근거, 원인을 의미하기도 한다. 따라서 이 단어에는 추론을 통해 이유, 근거를 찾는다는 뜻이 담겨 있다. 이 정신이 근대 합리주의(이성주의) 안에 녹아 있다고 볼 수 있다. 근대 합리주의(이성주의)는 '2×2＝4라는 것은 신도 거부할 수 없다.'고 주장한 그로티우스(Hugo Grotius)의 주장을 계승하여, 수학적인 사고를 매우 중요하게 생각하였다. 더 이상 신학적 세계관에 입각하여 세상의 질서를 세우고 규율을 마련하는 것이 설득력을 잃어버린 근대에서는 서로에게 설득력을 제공해 줄 수 있는 새로운 기준이 필요하였다. 그래서 근대인에게 가장 신뢰를 주는 기준은 수학이나 자연과학이 제공하는 이성적 추론이나 감각적 경험일 수밖에 없었다. 전자에 집중한 철학적 흐름이 합리주의(이성주의)라면, 후자에 집중한 철학적 흐름이 경험주의였다. 합리주의(이성주의)는 고대의 엘레아학파, 플라톤 등을 통해 주장되어 온 이성 중심의 세계관 확립을 중시하였다. 즉, 합리주의(이성주의)는 우리의 참된 인식을 감각경험이 아니라 이성의 논리적 사유에서 찾는 데 집중한다는 점에서 엘레아학파, 플라톤의 전통을 계승했다고 볼 수 있다. 하지만 근대의 합리주의(이성주의)에서는 고대와 달리 존재에

대한 의심과 주체의 이성적 활동에 대한 확신을 강조하는 의식철학, 주체철학에 절대적인 비중을 두고 있었다. 한마디로 이성을 강조하되 존재론적 관점에서 인식론적 관점으로 급선회했다고 볼 수 있다. 합리주의자(이성주의자) 데카르트의 경우, 조금이라도 의심할 수 있는 것은 모두 참된 인식의 조건에서 제외하고, 의심할 수 없는 가장 확실한 것만을 인식의 조건으로 삼고자 하였다. 그래서 그는 내가 의심하고 있다는 사실만은 의심할 수 없다는 입장에서 '나는 생각한다. 고로 존재한다(cogito ergo sum).' 라는 주장을 하였다. 그는 '명증의 규칙' '분석의 규칙' '합성의 규칙' '매거의 규칙'으로 이성을 지도하여 명석하고 판명한 인식에 이르고자 하였다. 스피노자 역시 수학적이고 기하학적인 방식에 입각하여 『기하학적 방식으로 다룬 윤리학(Ethica in Ordine Geometrico Demonstrata)』(1677)을 집필하였으며, 인식을 감각이 관계하는 상상(imaginatio)의 앎을 넘어 이성(ratio)의 앎, 나아가 직관적인 앎(scientia intuitiva)을 중시하였다. 또한 라이프니츠도 수학적 방법에 입각하여 『단자론(La Monadologie)』(1714)을 작업하였으며, 진리와 이성의 논리적 구조와의 밀접한 관계를 분석하였다. 이처럼 합리주의(이성주의)자는 모두 감각경험보다는 이성의 논리적 사유에 기초하여 자신의 학문체계를 마련하고자 하였다. 따라서 추리에서 귀납법보다는 연역법을 중시하였고, 진리론에서는 관념의 논리적 구조를 중시하는 정합설(coherence theory)을 주장하였다. 그러나 합리주의(이성주의)의 이 같은 입장은 감각경험을 중시하는 영국 경험주의자에게 독단론이라는 비판을 받았고, 훗날 칸트에 의해서 합리주의와 경험주의는 비판적으로 종합되는 과정을 겪었다.

합리화
[合理化, rationalization]

용납되기 곤란한 충동이나 행동을 도덕적 · 합리적 · 논리적으로 그럴듯한 이유를 가져와 설명하는 것. **정신분석학**

비판으로부터 자신을 보호하고 자존심을 유지하고자 하는 기만형 방어기제에 속한다. 불합리한 추론을 통해 타당한 이유를 조작하고 현실을 왜곡함으로써 불안한 자아를 보호하고자 한다. 수용될 수 없는 이유로 행동을 하거나 위협적인 생각을 가지고 있을 경우 이 충동에 대해 완벽하게 합리적인 변명을 찾아냄으로써 불안이나 죄책감을 경감시킨다. 억지의 변명이나 이유를 제시하여 자신의 행동이나 실수를 정당화하고 실망에 따른 충격을 완화하는 데 도움이 되는 심리적 전략으로서 의식적인 거짓말이나 변명과는 구별된다. 자신의 키가 작기 때문에 따 먹을 수 없었던 먹음직스러운 포도를 신 포도라고 하여 현실을 왜곡한 이솝우화의 신 포도 이야기나 데이트 신청을 무참히 거절당한 남성이 그 여성이 그렇게 대단하지는 않았다고 자신을 납득시키려는 시도처럼 자신의 결함 때문에 유발되는 불안으로부터 자존감을 지키고자 하는 노력의 일환이다.

관련어 | 방어기제

합일화
[合一化, incorporation]

성숙한 동일시처럼 하나의 심리기능으로서 타인의 특성을 내재화하는 것이 아니라 구강기와 같이 대상을 꿀꺽 삼킴으로써 동일해지려는 것. **대상관계이론**

방어기제의 일종으로 구강기 수준에서 나타나는 동일시의 원시적인 단계라고 할 수 있다. '자기'와 '자기가 아닌 것'을 전혀 분별하지 못하는 유아기의 동일시 현상이다. 즉, 외계에 있는 대상을 입으로 삼키듯이 그대로 자기자아의 구조 속으로 들어오게 한다. 성숙한 동일시의 경우는 대상을 받아들일 때 자아구조 속에서 동화(assimilation)하여 자기 것으로 변형시켜 받아들이는 반면, 합일화의 경우는 이러한 과정이 발달되지 않는다. 페어베언(R. Fairbairn)의 이론에서 유아적 의존단계의 유아는 최초의 주된 양육자, 즉 어머니와 심리적으로 합일화된다. 유아는 어머니와 전혀 분화되어 있지 못하며 의존대상과 완전하게 동일시한다. 의존대상인 어머니와 동일시되는 주된 통로는 바로 젖가슴인데, 어머니가 유아의 접근을 거부하고 욕구를 충족해 주지 못할 때 젖가슴에 대한 욕망은 좌절을 경험한다. 이에 따라 대상에 대한 갈망과 대상의 부재에 대한 두려움 사이에 갈등이 생기고, 이러한 불만족스러운 대상을 경험하는 것에서 분열성 상태(schizoid state)가 초래된다.

관련어 | 일차적 동일시

항등성
[恒等性, constancy]

환경조건이나 제시방법이 달라져도 물체의 속성을 비교적 일정하게 지각하는 현상. 인지행동

지각항등성(perceptual constancy)이라는 개념으로 주로 사용된다. 20세기 초 독일의 일부 심리학자들을 중심으로 시작된 게슈탈트 심리학(gestalt psychology)에서는 다양한 시각자극이 자동적으로 조직화되어 하나의 통합체로 지각되는 현상을 발견하고 그러한 현상에 기초하여 지각조직화의 원리를 제시하였다. 이러한 지각조직의 기본 원리에는 전경배경의 원리(figure-ground principle), 닫힘 원리(closure principle), 착시(illusion) 등이 있다. 착시현상은 흔히 사물을 볼 때 무의식적으로 물체와의 거리를 생각하고 거리에 맞추어 물체의 크기를 인식하기 때문에 일어난다. 또한 시야에서 멀어져 가고 있는 물체의 영상은 그 거리가 두 배로 멀어지면 당연히 절반의 크기가 되어야 함에도 불구하고 그렇게 작아졌다고 느끼지 못한다. 왜냐하면 인간의 시각에는 하나의 대상을 동일한 것으로 인식하기 위해 안정적으로 지각하려는 항등성의 경향이 있기 때문이다. 이러한 현상을 지각항등성이라고 한다. 지각항등성에는 명암항등성, 색채항등성, 모양항등성, 크기항등성, 위치항등성 등의 하위개념이 있다. 예를 들면, 시야에서 멀어져 가는 열차를 바라보고 있으면 망막 위에 맺힌 그 열차의 상(像)은 빠른 속도로 작아진다. 그러나 우리는 그 열차가 작아지는 것을 지각하지 않는다. 우리의 뇌가 이 세상의 물리적 현상에 관한 우리의 기존 지식을 활용하여 지각경험을 통제하기 때문에 열차의 크기가 줄어드는 것이 아니라 자신에게서 멀어진다고 지각하게 되는 것이다. 이때 감각에너지의 변화, 즉 망막 속에 투영된 빛에너지의 속성을 무시하기 때문에 물체의 크기, 색깔, 형태에 대한 우리의 지각경험은 바뀌지 않는다. 또한 책상 옆을 지나가는 동안 여러 각도에서 책상을 볼 때 시각적으로 경험하게 되는 책상 윗면에 대한 지각을 예로 들 수 있다. 책상의 윗면은 사각형이지만 대부분의 각도에서는 망막에 평행사변형의 상을 맺게 한다. 그리고 이 상은 책상을 지나치는 동안 계속 형태가 변화한다. 지각항등성은 망막에 맺힌 책상의 상이 변화해도 계속해서 책상을 사각형으로 지각하는 것을 의미한다. 책상을 지나치는 동안 망막에 맺히는 책상 윗면의 다양한 모양을 지각하는 것이 아니라 책상의 진정한 모양을 지각하는 것이다. 이렇게 여러 각도에서 보아도 일정하게 책상 윗면의 모양을 지각하는 것을 모양항등성이라 한다. 명암항등성은 흰 종이를 볼 때 조명이 어두워지면 그 종이의 실제 색깔은 회색빛을 띠지만 우리는 그것을 여전히 흰색으로 지각하는 현상을 뜻한다. 즉, 명암항등성은 조명에 상관없이 물체의 실제 무채색적 속성을 보는 것이다. 책의 흰 종이는 조명이 약한 방에서 보든 환한 햇빛 아래에서 보든 모두 흰색으로 보이고, 검은 글씨는

ㅎ

조명에 상관없이 검은색으로 보인다. 색채항등성은 명암항등성과 유사한 개념이다. 조명조건이 달라도 지각된 색이 비교적 항등적인 것을 색채항등성이라 한다. 예를 들면, 색판을 가지고 조명이 다른 조건 하에서 보면 색이 약간 달라지는 것을 느낄 수 있다. 그러나 그 차이는 조명의 변화에서 예상되는 차이보다 훨씬 적다. 색판의 파란 사각형을 햇빛 아래에서 보면 모든 파장에서 비교적 같은 양의 에너지를 받아 주로 짧은 파장을 눈에 반사시킨다. 그러나 이 색판을 짧은 파장보다는 긴 파장을 훨씬 더 많이 포함하는 백열전구 아래에서 보면 햇빛 아래에서 볼 때보다 긴 파장을 훨씬 더 많이 반사하기 때문에 매우 다른 색으로 보여야 한다. 그러나 우리 눈은 여전히 파란색으로 지각한다. 이러한 지각항등성 덕분에 우리가 지각하는 세상의 모습은 일관성 있게 유지되고 질서정연하게 보인다. 결국 우리가 지각하고 있는 것은 눈에 비친 바로 그것이 아닌 것이다.

항문기
[肛門期, anal stage]

리비도가 항문이나 요도에 집중되어 항문부위의 감각이 자극과 쾌감의 주요 원천이 되는 시기. 정신분석학

프로이트(S. Freud)가 설명한 심리성적발달의 두 번째 단계로서 2~3세 시기에 해당한다. 항문 괄약을 조절할 수 있는 신경근육의 성장으로 신체의 자율성(autonomy)을 획득하게 되고 대소변을 참거나 배출하는 것을 통해 쾌감을 얻는다. 이 시기의 아동은 원초아에서 비롯된 요구인 즉각적인 배변을 통해 느끼는 쾌감과 부모가 부과하는 사회적 제지 간의 조절을 배변훈련을 통해 습득한다. 아동은 생전 처음으로 외부환경에 의해 자신의 욕구와 충동이 억제되는 것을 경험하며, 즉각적인 배설로 느끼던 만족감을 어느 정도 지연시키는 것을 배워야 한다.

본능적 충동인 배설과 외부현실인 배변훈련 사이에 적절한 조절을 해 나가는 가운데 성격이 형성된다. 그러나 배변에 많은 에너지가 집중되므로 배변에 대한 주변 사람들의 반응, 특히 부모의 반응방식은 아동의 성격발달에 영향을 미친다. 이 시기의 적절한 배변훈련은 아동의 창의성과 생산성의 기초가 된다. 배설조절과 같이 자신의 신체근육을 자율적으로 조종하고 통제하는 것을 통해 자기조절, 독립심, 자율성, 자존감 등을 갖춘 능동적인 성격을 발달시킨다.

관련어 | 구강기, 남근기, 생식기, 심리성적발달, 잠복기

항문기 성격
[肛門期性格, anal personality]

항문기에 나타나는 가학적인 소망이나 환상이 토대가 된 성격. 정신분석학

항문기 성격은 부모가 배변훈련을 통해 아동의 바람직한 행동에 대해서는 보상을 제공하고 부적절한 행동에 대해서는 벌을 주는 과정에서 형성된다. 유아는 강력하고 파괴적인 무기로서 변을 배출하는 항문 공격성을 나타내는데, 이러한 소망은 아동의 놀이에서 폭력이나 폭발의 환상으로 표출된다. 이와 같은 성격 특징을 지닌 성인은 무질서하고 성실하지 못할 수 있다. 또한 이들은 과도하게 관대하거나 혹은 잔인하고 파괴적일 수 있다. 한편, 배변훈련 중에 부모가 아동에게 보상은 제공하지 않고 과도하게 엄격함만을 보일 경우에는 항문 보유적인 성격이 형성된다. 부모가 아동을 처벌함으로써 수치심을 유발하는데, 이때 아동은 배설물을 내보내지 않고 몸 안에 가지고 있으면서 부모에게 대응한다. 이러한 아동은 후일 고집이 세고 인색하며 호전적이고 융통성이 결여된 성격을 형성하게 된다.

관련어 | 고착, 심리성적발달단계, 항문기

항문성애
[肛門性愛, anal erotism]

배설물의 보유와 배출을 통해 성적 쾌감을 얻는 것.
정신분석학

심리성적발달단계의 두 번째 단계에 해당하는 항문기에서 유아의 욕동은 항문을 중심으로 발달된다. 변을 보유하고 부모에게 그것을 귀중한 선물로 보여 주는 항문기 기능을 통해 성적 쾌감을 얻는다. 항문기는 괄약근, 특히 항문 괄약을 조절할 수 있는 신경근육의 발달로 대변을 보유하거나 배설하는 조절과 관련된 항문기 욕구와 연관된 시기다. 아동은 배설물의 보유와 배출을 통해 성적 쾌락을 추구하며, 배설을 참거나 쌓아 둠으로써 공격적 쾌락을 추구한다. 이 발달단계는 아동이 자신의 신체기능을 마음대로 조절할 수 있다고 하는 숙달감과 주변환경에 대한 통제감을 획득하는 데 중요한 영향을 미친다. 부모의 지나친 배변훈련은 질서 정연함, 완고함, 괴팍함, 외고집, 인색함, 극도의 절약 등의 성격 형성을 초래할 수 있다. 이에 대한 비효율적인 방어의 결과 지나친 양가적 태도, 지저분함, 반항적 성향, 분노감, 가학적 혹은 피학적 특성 등을 나타낼 수 있다.

관련어 고착, 심리성적발달단계, 항문기 성격

항불안제
[抗不安劑, antianxiety drugs, anxiolytics]

근심, 걱정, 두려움, 공포, 긴장, 초조 등의 증상을 완화시키는 약물. 이상심리

벤조디아제핀(Benzodiazepine) 계열의 약물로는 알프라졸람, 클로르디아제폭사이드, 클로라제페이트, 다이아제팜, 로라제팜, 클로나제팜 등이며, 선택적 세로토닌 재흡수 억제제는 플루옥세틴, 설트랄린, 파록세틴 등이 있다. 삼환계 항우울제는 클로미프라민, 이미프라민 등이고, 이외에 클로니딘, 프라프라놀롤, 부스피론 등이 있다. 복용 시에는 규칙적으로 정확하게 섭취해야 하며 지속적으로 복용하지 않으면 재발할 위험이 있는데, 장기복용을 하다가 멈추는 경우에는 신체적 의존이나 심리적 의존을 보일 위험도 있다. 알코올과 같이 복용할 경우에는 현기증을 보이며 심장박동과 호흡이 억제되어 사망에 이를 수 있을 만큼 매우 위험하다. 흡연은 약물의 효과를 감소시키기 때문에 금연해야 한다. 또한 이 약물은 오심, 구토, 복통, 설사, 변비, 입 마름, 시야 흐림, 불규칙한 맥박, 어지럼, 졸음, 피부발진 등의 부작용을 보이기도 한다.

항상성
[恒常性, homeostasis]

인체의 변화과정 중에서 유지되는 상대적 평형상태.
생태학적 치료

인체는 어느 한 곳에 불균형이 생기면 스스로의 힘으로 자연스럽게 불균형을 완화하는 방향으로 움직인다. 즉, 항상성은 우리 인체의 시스템에 변동이 일어나 정상치에서 벗어나면 다시 설정치로 되돌아오면서 건강한 기능을 하게 되는 것을 뜻한다. 최근에는 비선형 역동성 개념에 근거하여 항상성을 이해하는 관점이 대두되었다. 비선형 역동성은 인체에 변화가 없거나 예측 가능한 변동은 오히려 정상인에게 적응기 전의 상실을 의미하는 것으로 표현되었다. 즉, 인체는 외부의 예측 불허한 자극에 대해 다양한 과정을 거치지만 궁극적으로 안정성을 찾는다는 것이다. 이처럼 생리적 변수를 시간의 경과에 따라 측정해 보면 생물체에서는 비정상적으로 진동이 일어나며 역동적인 상태임이 확연히 드러난다. 최근 부크먼(Buchman & Funk, 1996)은 인체가 생리적 안정성을 도모하기 위해 상호작용하는 비선형적 메커니즘에 대한 다양한 생리학적 단계에 관

ㅎ

하여 이론을 제시하였다. 부크먼은 우리 인체의 각 기관은 상호작용을 하여 혼란된 상태에 반응하는 것으로 항상성에 관하여 설명하였다. 그러므로 어느 한 기관이 원래의 상태로 돌아가려 할 때 다른 기관들 또한 제자리로 돌아간다는 것이다. 특히 항상성을 조절하는 인체기관 중 큰 역할을 하는 것이 시상하부다. 시상하부는 간뇌의 일부로서 사람의 뇌 무게의 1% 미만을 차지하는 작은 크기의 기관이지만 수분조절, 식욕조절, 체온중추, 혈압조절 등 자율신경계를 조절하고 호르몬을 조절한다.

항우울제
[抗憂鬱劑, antidepressant]

억울기분, 불안, 의욕이나 활동성의 저하, 불편, 자살염려 등의 증상을 호전시키기 위해 사용하는 약물. 이상심리

우울한 기분을 호전시켜 기분을 향상시키기 위해 사용하는 약물이다. 우울을 수반하는 신경증, 경계선 증후군이나 정신분열병의 우울상태에 사용하는 경우도 있다. 항우울제에는 삼환계 항우울제, 선택적 세로토닌 재흡수 억제제, 모노아민산화효소 억제제, 비정형 항우울제가 있다. 삼환계 항우울제로는 아미트리프틸린, 이미프라민, 클로미프라민, 노르트리프틸린 등이 있는데, 이 약물들은 신경전달물질인 노르에피네프린과 세로토닌의 재흡수를 차단하는 작용을 한다. 부작용으로는 어지럼, 신경 과민, 피로, 입 마름 등이 있다. 선택적 세로토닌 재흡수 억제제로는 플루옥세틴, 설트랄린, 파록세틴, 시탈로프람, 에스시탈로프람, 플루복사민 등이 있는데, 이 약물들은 세로토닌의 재흡수를 막고 시냅스의 유용성을 증가시키는 작용을 한다. 일반적으로 부작용이 다른 약물에 비해 적은 편이다. 모노아민산화효소 억제제로는 말프란, 나르딜 등이 있는데, 이 약물들은 노르에피네프린과 세로토닌을 파괴하는 효소의 활동을 차단시키는 작용을 한다. 음식을

피하거나 뇌졸중의 위험을 주는 부작용이 나타날 수 있다. 4∼6주 정도 꾸준히 복용해야 효과가 나타나고, 복용한 경우에는 임의로 중단해서는 안 되며, 반드시 의사와 상의해서 복용해야 한다. 약물을 갑작스럽게 중단하는 경우에는 오심, 설사, 불안, 불면 등의 증상을 보인다.

항정신병 약
[抗精神病藥, antipsychotics]

환각, 망상을 없애거나 감소시키고 정신운동성 흥분을 억제하여 사회적응을 돕기 위한 약물. 이상심리

주로 환각, 환청, 망상, 두서없는 말 등을 통제하기 위해 사용되는데 급성 신경증, 정신분열병, 우울증, 양극성장애, 노인치매와 관련된 흥분 및 섬망, 청소년기의 흥분 및 행동장애의 흥분을 억제하고 불안, 긴장, 걱정, 환각, 망상 등을 억제하는 데 사용한다. 항정신병 약의 대표적인 약물은 정형 항정신병 약(typical antipsychotics)인 클로르프로마진, 플루페나진, 할로페리돌, 치오리다진, 치오칙센 등이며, 비정형 항정신병 약(atypical antipsychotics)으로는 아리피프라졸, 클로자핀, 올란자핀, 리스페리돈, 쿠에티아핀, 지프라시돈 등이 있다. 이 약물은 수주 정도 복용한 후에 효과가 나타나기 때문에 규칙적이고 정확하며 지속적으로 복용해야 하고, 의사와 상의한 후에 중단해야 한다. 알코올과 함께 복용할 경우에는 심한 현기증을 일으킬 수 있으므로 음주를 해서는 안 된다. 이 약물의 부작용은 낮은 혈압, 손발 떨림, 변비, 입 마름, 시야 흐림, 졸음, 현기증, 눈이 침침함, 생리주기 변화, 체중증가, 유방통증, 근육강직, 발열, 피부나 눈의 황변, 빛에 민감함 등이며 당뇨가 있는 경우에는 혈당이 상승할 수도 있다.

해결상자연습
[解決箱子練習, solution box exercise]

ABET(모험에 기초한 경험치료) 활동의 한 기법으로, 내담자의 문제가 해결되었을 때를 상상하여 관련된 다양한 요소를 탐색하도록 하는 기법.
해결중심상담

해결상자연습을 하기 위해 치료자는 구슬, 동전, 작은 조각품, 솔 등의 온갖 다양한 물건으로 가득 찬 상자를 준비하여 집단구성원들에게 보여 준다. 집단의 구성원들은 상자 속에 들어 있는 다양한 물건 중에서 자신의 문제가 해결된 상황이나 예외상황이 실제로 일어났을 경우에 가족에게 주고 싶은 물건을 선택한다. 그리고 선택한 각각의 물건에 이름을 붙인 다음, 그 이름과 물건에 포함된 의미와 선물을 하고 싶은 이유 등을 탐색하기 위한 질문을 한다. 해결상자연습을 통해 내담자들은 자신의 문제를 해결하려는 의지를 강화할 수 있고, 이러한 해결이 가족들에게 어떠한 영향을 미치고 어떠한 가치가 있는지 생각해 보는 기회를 갖는다.

관련어 가상의 상자연습, 모험에 기초한 경험치료, 집단 저글링

해결중심 수퍼비전
**[解決中心 -,
solution-focused supervision]**

내담자의 문제의 원인이 무엇인지에 초점을 맞추기보다는 해결책을 강조하는 해결중심적 접근을 바탕으로 한 수퍼비전.
상담 수퍼비전

해결중심심리치료는 내담자에게 무엇이 잘못되었는가보다는 내담자가 해결하고자 하는 것이 무엇인지를 파악하고, 이를 얻으려는 데 초점을 맞춘다. 따라서 내담자가 자신에게 무엇이 최선인지 알고 있다는 가정을 기초로 하는 이론이다. 이러한 해결중심접근을 배경으로 하는 수퍼비전에서 수퍼바이저는 내담자의 긍정적인 면에 초점을 맞추고, 또한 상담수련생의 긍정적인 면에 초점을 맞춘다. 이 같은 해결중심 수퍼비전의 원리는 다음과 같다. 첫째, 수퍼바이저는 수련생을 가르치는 것보다 자신의 자원을 이끌어 내고 독립적으로 행동하는 것을 배우며, 변화를 도와야 한다. 둘째, 저항을 피하거나 우회하는 것은 협력적인 관계에 도움이 되지 않는다. 셋째, 수련생의 실패보다는 강점과 성공에 집중한다. 넷째, 작은 변화를 통해 점진적인 변화를 기대한다. 다섯째, 극적이거나 급진적인 변화보다는 현실적으로 가능한 일을 목표로 세운다.

관련어 구성주의 수퍼비전, 내러티브적 접근의 수퍼비전, 심리역동적 수퍼비전, 인간중심 수퍼비전, 인지행동 수퍼비전, 체계적 수퍼비전

해결중심단기치료
**[解決中心短期治療,
solution focused brief therapy]**

1980년대에 개발되어 내담자의 문제변화와 해결에 중점을 두고 치료를 시도하는 접근방법. 해결중심상담 혹은 단기치료라고도 함. **해결중심상담**

해결중심단기치료는 사회구성주의 철학에 기반을 두고 있는 치료적 접근방법으로, 1978년 설립된 미국 위스콘신 주의 밀워키에 있는 단기가족치료센터(brief family therapy center: BFTC)에서 드세이저(Steve de Shazer)와 김인수(Insoo Kim Berg)가 주축이 되어 개발한 치료모델이다. 이 치료적 접근법은 1982년부터 해결중심단기치료라고 부르기 시작했는데, 내담자의 삶에 문제가 나타나지 않거나 적게 일어나는 예외상황을 통해 문제해결을 위한 능력이 이미 내담자에게 있음을 인식하도록 하고, 그 해결을 위한 능력을 강화하는 것을 치료의 목표로 삼은 데서 붙인 명칭이다. 해결중심접근의 이 같은 기본적인 생각은 상담과정에서 내담자가 자신이 가진 문제를 해결하려는 의지와 능력을 가지고 스스로 해결책을 찾아 나가도록 도움을 주는 데 주력

ㅎ

하도록 하였다. 따라서 전통적인 심리상담치료가 내담자의 문제의 근원이나 원인을 탐색하는 데 중점을 두었던 것에 비해, 해결중심상담은 문제의 해결과 미래의 모습에 집중하는 차이를 나타낸다. 해결중심단기치료의 과정은 내담자가 자신의 삶에서 변화되었으면 하는 것을 명확하게 인식하도록 하고, 그 변화를 이루기 위해 해야 할 일들을 기초로 다양한 계획을 세워 보도록 한다. 해결중심접근의 이 같은 치료적 전략은 근본적으로 인간은 건강하고 능력이 있으며 누구나 자신의 문제를 해결할 수 있는 능력을 가지고 있다는 믿음을 기초로 하기 때문에 가능한 것이다. 따라서 내담자를 문제를 지니고 있는 부정적인 존재로 바라보는 것이 아니라, 자신이 지닌 자원이나 강점을 활용하지 못하고 있는 존재로 본다. 해결중심접근의 내담자에 대한 이러한 시각에 따라 내담자의 성공적 경험, 즉 예외를 발견하고 그 경험에 사용된 다양한 능력을 지속하여 성공적인 삶을 이어 가도록 격려하는 방법을 적용한다. 해결중심단기치료의 기초가 되는 기본 가정과 원리는 다음과 같다. 첫째, 항상 내담자의 긍정적인 측면에 초점을 맞춘다. 내담자의 삶에서 문제가 되는 상황에 초점을 맞추기보다는 긍정적인 상황에 초점을 맞추는 것이 훨씬 효과적이며, 보다 바람직한 방향으로 변화를 유도할 수 있다. 둘째, 내담자의 삶에서 발생하는 작은 변화는 더 큰 변화로 발전할 수 있는 가능성을 가지고 있다. 셋째, 사람들은 자신의 삶이 더 나은 방향으로 바뀌기를 원한다. 넷째, 내담자의 삶에서 발견되는 예외상황이 더 자주 일어나도록 격려하는 것은 내담자가 문제를 스스로 통제할 수 있다는 자신감과 해결책에 대한 가능성을 깨닫도록 만든다. 다섯째, 내담자의 문제에 대한 탐색이나 그 원인을 파악하려는 노력을 피해야 한다. 여섯째, 내담자와 치료자가 서로 협동하여 문제를 해결해야 한다. 저항하는 내담자가 있는 것이 아니라 유연성이 결여된 치료자가 있을 뿐이다. 해결중심단기치료의 과정은 일반적으로 첫 회기와 나머지 회기로 과정이 세분될 수 있는데, 첫 회기에서 상담구조와 절차 소개, 문제 진술, 예외 탐색, 상담목표 설정, 해결책 정의, 메시지 작성, 메시지 전달 등의 7단계를 거친다. 그리고 첫 회기 이후의 상담에서는 첫 회기 상담 후에 일어난 변화를 유지시키고 강화하고 확대해 가는 과정으로 이루어진다. 이와 같은 해결중심단기치료는 정신병, 알코올 중독, 가정폭력, 학교와 관련된 행동문제 등 다양한 문제를 다루는 데 적용되고 있다.

해결중심적 목표
[解決中心的目標, solution centered target]

내담자의 문제의 원인이나 상태에 대해 집중하지 않고, 그 해결에 관심을 기울여서 상담의 목표를 설정하는 것.

해결중심상담

해결중심상담에서는 내담자의 삶에서 겪고 있는 문제의 원인이 무엇인지 파악하기 위해 내담자의 삶을 심층적으로 탐색하는 데 시간을 보내는 것보다는 문제를 해결하는 데 집중하고, 내담자에게 긍정적이고 효과가 있는 것에 초점을 맞추는 해결중심적 목표를 설정해야 한다고 본다. 이 같은 접근으로 내담자의 문제를 대하면 내담자의 삶에서 실제적으로 행해지는 행동이 우선적으로 고려되고, 그 이면의 의미나 가치에 대한 통찰은 덜 강조되기 때문에 상대적으로 상담기간이 짧아지는 효과가 나타난다. 해결중심적 목표를 세워서 내담자의 문제해결을 효과적으로 돕기 위해서 베르크와 밀러(Berg & Miller, 1992)는 다음 세 가지 규칙을 강조하였다. 첫째, "깨지지 않았으면 붙이지 말라."라는 격언을 기억한다. 내담자에게 문제가 되지 않는 것까지 치료자가 조명하고 주의를 기울일 필요가 없다는 것이다. 치료자는 해결책을 만들어 내는 데 초점을 두어야지, 내담자에게 걱정거리를 더해 주면 안 된다. 둘째, 일단 효과가 있는 것이 무엇인지 알았으면 그것을 더욱 많이 하도록 조언한다. 즉, 치료자가 사용한 방법 중에서 내담자가 어떤 것이 효과적이라고 생각하는지를 알게 될 때, 치료자는 유용한 정보를 많이 얻을 수 있다. 따라서 일단 어느 정도의 성과가 있다는 것이 확인되면 치료자는 내담자에게 그것을 반복하도록 하는 것이 계속적인 성공경험으로 유도하는 바람직한 방법이 된다. 이러한 자세를 유지하기 위해서는 모든 사람들이 삶의 다양한 시점에서 자신의 문제를 성공적으로 극복해 왔다는 믿음을 치료자가 확고히 갖고 있어야 한다. 셋째, 효과가 없으면 반복하지 말고 다른 것을 시도한다. 보통은 상담과정에서 어려움에 부딪혔을 때 비슷한 대처전략을 사용하려는 경향이 있다. 그들이 알고 있는 전략이 매우 한정적이기 때문이다. 이러한 내담자들의 특성을 새롭게 전환시켜 주는 것이 치료자의 역할이다.

관련어 | 해결중심단기치료

해결중심적 미술치료
[解決中心的美術治療,
solution-focused art therapy]

해결중심치료의 입장에서 행하는 미술치료. **미술치료**

드세이저(De Shazer)와 김인수가 개발한 해결중심치료(solution focused therapy)는 내담자가 자신의 문제를 해결할 강점, 자원, 해결책을 이미 가지고 있는 것으로 간주하고, 치료자와 내담자가 협력하여 예외상황, 즉 문제가 발생되지 않거나 덜 심각한 상황과 과거의 성공적 경험을 찾아내어 강화 · 확대하는 데 역점을 둔다. 이러한 해결중심치료는 변화를 창조하는 해결책을 구성함으로써 내담자의 동기를 유발하는 가장 유용한 치료법의 하나로 간주되고 있어 단기간에 행해지는 미술치료에서 매우 유용하다. 내담자의 문제가 미술활동을 통하여 투사될 때, 내담자는 자신의 삶을 관찰하고 더 유리한 결과를 다시 만들어 낼 수 있기 때문이다. 해결중심적

미술치료에서 치료자는 내담자에게 매체를 선택할 기회를 주고 시각적 표현을 촉진하며, 내담자가 작품의 초점이나 주제 및 의미를 선택하도록 한다. 겉으로 드러난 작품을 통해서 치료자와 내담자는 탐색할 관점과 치료방향을 세운다. 여기서는 치료자가 작품에서 병리를 찾지 않고 작품의 내용을 내담자의 반응과 분리하여 해석하지 않으며, 특히 미리 결정해 놓은 특정 결과에 따른 지시를 하지 않는 치료적 자세를 취한다. 말하자면, 해결중심적 미술치료에서는 치료자가 내담자를 이미 자기 문제에 대한 해결책을 가지고 있는 존재로 간주하여, 내담자가 미술치료과정을 거치면서 문제상황이나 부정적인 시각을 창조적으로 소거하거나 재해석할 수 있도록 한다. 그림을 통하여 문제를 시각화함으로써 내담자를 문제에서 분리하고, 그럼으로써 내담자에게 새로운 관점과 해결책을 발견할 수 있는 기회를 제공한다. 이와 같은 해결중심적 미술치료의 기법으로는 예외상황의 발견, 장점을 기초로 한 문제상황의 재구성, 척도화(scaling), 양측미술(bilateral art) 등이 있다. 예외상황의 발견은 문제에 대한 예외를 발견함으로써 문제가 고착된 것이 아님을 깨닫게 하는 것이다. 치료자는 내담자에게서 긍정적인 변화에 대한 정보를 끌어내어 그 긍정적인 변화를 확장시킨다. 장점을 기초로 한 문제상황의 재구성은 치료자가 내담자에게 문제를 바라보는 새로운 방법을 소개하는 것이다. 치료자는 내담자에게 그림을 통하여 자신의 문제를 긍정적인 방향에서 재구성할 수 있는 측면들을 창조하도록 만든다. 척도화는 내담자에게 구체적인 변화의 과정에 참여하도록 하는 것이다. 치료자는 내담자에게 자신의 그림을 평가하게 한 다음, 그림의 일부나 색상을 바꿔 보도록 하여 내담자가 변화를 창조할 수 있는 능력을 상징적으로 경험하도록 해 준다. 양측미술은 통합과 균형을 위하여 내담자에게 양손을 사용하도록 하여 뇌의 좌우 반구에 존재하는 기억과 경험을 자극하는 것이다. 이러한 기법들을 이용하여 내담자로 하여

ㅎ

금 문제가 해결된 상태를 상상해 보고 해결하고자 하는 것들을 구체화하며, 목표를 현실적으로 설정하고 변화를 구체화하여 자신감과 희망을 갖도록 한다. 또한 자신의 강점과 해결방안을 찾아 자신감과 역량을 강화시킬 뿐만 아니라 자신의 삶과 경험에 가치를 부여할 수 있다.

관련어 | 양측미술, 척도화, 해결중심치료

해독치료
[解毒治療, detoxification program]

약물이나 비타민을 투여하여 극심한 알코올 관련 증상이나 금단증상의 고통을 감소시킴으로써 알코올중독을 치료하는 방법의 하나. **중독상담**

알코올중독자가 술을 끊고서 심각한 금단증상을 보일 경우, 다른 치료법 이전에 해독치료가 우선 되어야 한다. 떨림, 불안, 불면증, 두통, 경련, 자극과민, 구토와 같은 경미한 증상들은 대부분 환자들이 감당해 낼 수 있지만, 환각, 발작, 정신병 같은 좀 더 심각한 증상의 경우에는 해독치료가 필요한 것이다. 과거에는 알코올중독치료의 목표가 해독치료였지만, 현대에 와서는 본격적인 중독치료를 위한 준비단계로 여겨지고 있다. 이것은 해독만으로는 알코올중독의 심리적·행위적 형태에 영향을 미치는 근본적인 문제를 해결할 수 없고, 다른 사회심리적 처치와 함께 사용할 때 가장 효과적이기 때문이다. 해독치료는 주로 해독센터와 같은 입원시설이 있는 곳에서 행해지며, 약물을 이용한 약물해독과 사회적 지지를 통한 사회적 해독의 과정이 있다. 입원 중에는 보통 경련억제제와 향정신성 약이 사용되며, 비타민(특히 비타민 B1)을 충분히 공급해 주면서 벤조디아제핀 계열의 약물을 사용해 금단증상의 감소를 유도한다.

관련어 | 알코올중독, 중독

해리
[解離, dissociation]

의식과 동떨어진 상태에서 자기 자신의 한 부분이 분열되는 것으로, 현실적인 상황에서 일정한 거리를 유지한 채 그것을 경험하는 마음의 상태. **분석심리학**

해리는 마음을 편치 않게 하는 근원인 성격의 일부가 그 사람의 의식적 지배를 벗어나 마치 하나의 다른 독립된 성격인 것처럼 행동하는 경우를 말한다. 정확하게 말하면 의식의 해리이며, 프랑스의 신경학자이자 심리학자인 자네(P. Janet)가 발달시킨 개념이다. 자네는 해리의 개념을 통하여 인격의 분리된 부분이 존재하고, 그것이 서로 독립적으로 기능할 수 있다는 것을 제시하였다. 개인의식 또는 심리적 기능의 정상적 통합의 부분 혹은 완전한 분열을 가리키는 해리는 환경적인 스트레스 때문에 신체영역이 아닌 심리영역에서 질병행동이 나타나는 일종의 전환현상이다. 해리는 정신적으로 큰 충격을 받은 경험이 원인이 되어 자신을 마음에서 분리시키는데, 선택적 기억상실을 동반한 의식범위의 축소를 가져온다. 해리는 정상적으로 예기치 못한 일이기 때문에 환자들은 일반적으로 깜짝 놀라는 경험을 하게 되고, 인간의 일반적인 반응이나 기능에 자율적 방해를 받는다. 주로 예상치 못하고 설명할 수 없는 상태로, 환자들이 매우 동요되는 경향이 있다. 이처럼 해리는 최면에 걸렸을 때 경험할 수 있는 전형적인 마음의 상태로서, 감각이 탈색되어 관조적인 입장에서 현실을 경험하는 방식으로 표출된다. 힐가드(E. Hilgard)는 해리현상을 '숨겨진 관찰자'라는 개념으로 설명한 바 있다. 해리는 때때로 극적이긴 하지만 결국 표면적인 변화에 그치고 마는 인격변화가 올 수 있는데, 이는 종종 둔주(fugue)의 형태를 띤다. 이러한 해리성 기억상실증과 둔주상태는 종종 삶의 스트레스에 의해 유발된다. 해리성 장애는 외상(트라우마)이 이유가 되어 유발되기도 하지만 스트레스나 향정신성 물질로 유발될 수도 있다. 분석심리학자 융(C. G. Jung)은 정신의 정상적 작동의 특별 사례로서 해리성의 병리학적 징후를 설명하였다. 그는 해리가 반대 극의 요구에 의해 통제되지 않는 능력에서 선천적으로 의식을 작동하는 데 필요하다고 이론화하였다.

관련어 │ 외상, 해리장애

해리성 기억상실증
[解離性記憶喪失症, dissociative amnesia]

뇌의 이상 없이 심리적 원인에서 발생하는 기억상실증으로, 개인에게 중요한 과거경험과 정보를 갑자기 회상하지 못하는 장애. 정신병리

과거에는 심인성(psychogenic) 기억상실로 불린 장애인데, 기억상실의 범위가 광범위하다는 점에서 단순한 건망증으로 설명할 수 없으며 뇌 기능 장애가 원인이 아니다. 해리성장애의 한 부분으로 해리성 기억상실도 증상을 일으켜 위험한 자극으로부터 자신을 보호하고 외부자극 때문에 생긴 자신의 내적 갈등을 해소하는 의미가 있다. 특정 사건과 관련되어 심적 자극을 준 부분을 선택적으로 기억하지 못하거나 혹은 사건 전체를 기억하지 못하는 경우도 있다. 과거생활을 포함한 전 생애나 그중 일정 기간에 대한 기억상실을 보이기도 한다. 그러나 지식이나 비개인적인 정보에 대한 기억은 남아 있고, 새로운 정보를 학습하는 능력도 남아 있다. 기억장애가 특징적인 증상이지만 의식혼란, 감각장애 등이 동반되기도 한다. 해리성 기억상실증에는 몇 가지 패턴이 있다. 자신의 과거에 대해 전혀 기억하지 못하고 심지어 자신이 누구인지도 기억하지 못하는데, 이 경우를 일반화된(generalized) 기억상실증이라고 한다. 더 흔한 것은 특정 기간에 일어난 특정 사건을 기억하지 못하는데, 이 경우를 국소적(localized) 기억상실증이라고 한다. 주로 강간 같은 끔찍한 범죄, 무시무시한 사고, 자연재해, 전쟁과 같은 외상적 사건에 대해 망각이 일어난다. 특정한 시기에 일어

난 사건에 대한 기억 중 한 부분만 기억하지 못하는 경우는 선택적(selective) 기억상실증이라고 한다. 또한 특정 시기 이후부터 현재까지의 일을 기억하지 못하는 경우는 지속적(continuous) 기억상실증이라고 한다. DSM-5에 따른 해리성 기억 상실증의 진단 기준은 다음과 같다. 첫째, 중요한 자서전적 정보를 회상하지 못하는 것으로, 대개 외상적이거나 스트레스성이며, 일상적인 망각으로 설명할 수 없다. 둘째, 이러한 증상들이 사회적, 직업적 또는 다른 중요한 기능 영역에서 임상적으로 심각한 고통이나 손상을 초래한다. 셋째, 이러한 장해가 물질이나 신경학적 또는 다른 의학적 질환의 생리적 효과들로 인한 것이 아니어야 한다. 넷째, 이러한 장해가 해리성 정체감 장애, 외상후 스트레스 장애, 급성 스트레스 장애, 신체증상장애, 또는 주요 신경인지장애나 경도 신경인지장애로 더 잘 설명되지 않아야 한다.

관련어 │ 해리성 둔주

해리성 둔주
[解離性遁走, dissociative fugue]

기억상실과 동반되어 일어나는 장애로서, 자신의 고유한 주체성(identity)에 대한 기억을 상실하고 자신의 과거에 대해 회상하지 못하며 일부 혹은 완전히 새로운 주체성을 갖는 것. 정신병리

일종의 정서적 도피상태라고 할 수 있다. 자신의 과거나 정체감에 대한 기억을 상실하여 가정과 직장을 떠나 방황하거나 예정 없는 여행을 하며 다른 곳에서 새로운 신분이나 직업을 갖기도 한다. 이때 자신이 기억상실 상태라는 사실조차 모르는데, 이것이 해리성 기억상실과 다른 점이다. 즉, 해리성 둔주는 해리성 기억상실증과 달리 의도성이 크고, 새로운 성격으로 정상적인 기능을 한다. 대부분 해리성 기억상실 환자는 조용하게 고립된 생활을 하

ㅎ

며, 단순한 직업을 가지고 사는 경우가 많다. 해리성 둔주의 경우 자신이 누구인지 알게 되어서야 비로소 발병시기를 기억하는데, 회복 후에는 둔주 기간의 일을 기억하지 못한다. 회복 역시 갑자기 오며 재발은 흔하지 않다. 해리성 둔주도 기억상실증과 마찬가지로 감당할 수 없는 스트레스를 받는다든가, 견디기 어려운 내적 갈등상황에서 일어난다. 이와 같은 해리성 둔주는 기능적 역행성 기억상실로 불리며, 해리성 기억상실증에서 관찰되는 개인적 기억에 더하여 정체성의 상실이 부가되는 것이다. DSM-IV에 따른 해리성 둔주의 진단기준은 다음과 같다. 첫째, 갑자기 가정이나 직장을 떠나 예정에 없는 여행을 하고 자신의 과거를 기억하지 못한다. 둘째, 개인적 정체성의 혼란 혹은 새로운 정체성을 갖는다. 셋째, 장애는 해리성 정체감장애 중에 일어나지 않는 것이며, 물질의 직접적 생리작용에 의하거나 혹은 다른 일반 의학적 상태에 따른 것이 아니다. 넷째, 증상이 임상적으로 심각한 불편을 야기하거나 사회적·직업적 또는 다른 중요한 기능에 장애를 야기한다. 해리성 둔주의 치료에는 내담자의 마음 속 고통을 끌어내서 해소할 수 있도록 해 주는 정신역동적 정신치료가 가장 효과적이라고 알려져 있다. 특히 다른 사람들에게 버림받지 않기 위해 지나치게 복종적으로 행동해 왔거나, 주요 타인의 거절과 인정받지 못함 등의 부정적 반응을 당했을 때의 고통에 과도하게 예민했던 부분 등 과거에 내담자가 경험하여 현재에 이르기까지 영향을 받고 있는 취약한 마음의 부분에 대해서 내담자 스스로 알아차리고 이를 교정할 수 있도록 도와주는 것이 상담의 핵심이 되어야 한다.

관련어 해리성 기억상실증

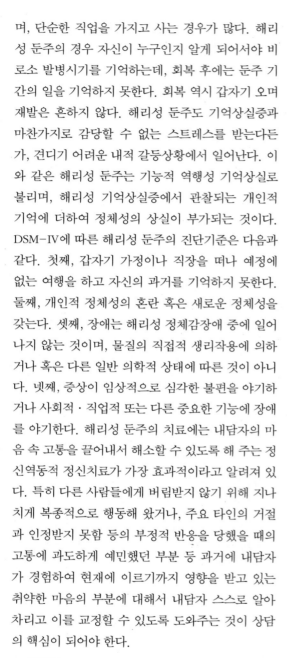

해리성 정체감장애
[解離性 正體感 障礙, dissociative identity disorder: DID]

2개 이상의 분리된 성격이 각각의 정체성, 특성 및 기억을 지니는 정신 의학적 장애. 이상 심리

다중인격장애 또는 다중성격장애라고도 하며, 현재는 DSM-IV와 DSM-5의 진단 범주에 따라 공식적으로는 해리성 정체감장애라고 한다. 해리성 정체감장애는 한 사람 안에 둘 이상의 각기 다른 정체성을 지닌 인격이 존재하는 경우를 말하며, 나타나는 성격은 종종 상호 간에 아무런 인식이 없이 공존한다. 이러한 극도의 심리적 분열은 보통은 신체적 회피가 허용되지 않는 조건에서 발생하는 심각한 신체적, 성적 또는 정서적 외상이 원인인 경우가 많다. 따라서 해리성 정체성장애는 공포스럽고 회피할 수 없는 상황에 대한 창조적인 심리학적 해결 방법이 된다. 해리성 정체감장애의 진단 기준은 다음과 같다. 첫째, 두 개 이상의 다른 성격 상태를 특징적으로 나타내는 정체성의 분열을 보이며 일부 문화에서는 빙의(prossession) 경험으로 기술되기도 한다. 이러한 정체성 분열은 자기감 및 자기주체감의 뚜렷한 비연속성을 포함하며 정서, 행동, 의식의 기억, 지각, 인지와 감각운동기능의 변화를 수반한다. 이러한 징후와 증상들은 다른 사람들에 의해 관찰되거나 본인에 의해 보고될 수 있다. 둘째, 일상적인 사건, 중요한 개인정보, 외상적 사건을 기억함에 있어 공백이 반복적으로 나타나는데, 이러한 기억의 실패는 일상적인 망각으로는 설명할 수 없는 것이다. 셋째, 이러한 증상으로 인해서 현저한 고통을 겪거나 사회적, 직업적으로 중요한 기능에서 손상이 초래되어야 한다. 넷째, 이러한 장해는 널리 수용되는 문화적 또는 종교적 관습의 정상적인 일부가 아니어야 한다(주의: 아동은 가상의 놀이친구 혹은 다른 공상적 놀이에 의해 잘 설명되지 않아야 한다). 마지막으로, 이 장애는 물질(예: 알코올 중독

기간의 망각이나 신체적인 혼란상태)이나 신체적 질병(예: 간질발작)의 생리적 효과로 인한 것이 아니어야 한다.

관련어 | 다중성격장애

해리장애
[解離障礙, dissociative disorders]

기억과 정체감에 영향을 주는 갑작스러운 의식의 변화가 일어나는 장애. 정신병리

기억, 의식, 정체감의 상실과 같이 정상적인 의식기능이 변화되거나 혹은 일시적인 장해를 나타내는 경우다. 전형적으로 스트레스 경험 및 그에 수반된 불안과 관련된다. 적응장애, 외상 후 스트레스 장애, 해리장애 등은 모두 스트레스가 주요 원인으로 인식되고 있지만, 이 세 가지 장애에 따라 스트레스에 대한 반응양상은 상이하다. 유사한 상황이 서로 다른 소인과 취약성을 지닌 개인에게는 아주 다른 반응을 유발할 수도 있다. 해리장애가 있는 사람은 스트레스로 야기된 불안과 갈등을 피하기 위해 다양하고 극적인 방법을 채택한다. 고통스러운 경험을 지워 버리기 위해 갑작스럽고 일시적인 의식의 변화가 나타난다. 종종 비현실감, 소원감, 그리고 이인감을 포함하고, 때로는 자기정체감의 상실과 변화를 나타낸다. 또 중요한 개인적 사건을 회상하지 못하거나 자신의 정체감을 일시적으로 망각하여 전혀 새로운 사람으로 행동하기도 한다. 심지어 자신의 주변환경으로부터 멀리 떨어진 외딴 곳에서 방황하다가 발견되기도 한다. 해리반응은 다른 기능과 통합되는 어떤 정신기능이 서로 구분된 방식으로 혹은 자동적인 방식으로 작용하는 일련의 과정으로서, 보통 의식적인 자각이나 기억회상의 영역 밖에서 작동한다. 사고, 감정, 행동상의 변화가 나타나며, 그로 인해 새로운 정보를 정상적으로 혹은 논리적으로 다른 정보와 연결하거나 통합하지 못한다. 해리장애는 점진적으로 혹은 갑작스럽게 나타날 수 있으며, 지속기간도 일시적이거나 만성적일 수 있다. 해리장애의 원인에 대한 이론적 견해는 다양하다. 정신분석이론에서는 해리장애를 외상적 경험에 대한 방어기제로 해석한다. 바람직하지 않은 사건이나 자기의 일부가 전반적으로 억압된 결과다. 성격 전체를 의식으로부터 분리시킴으로써 극심한 외상경험을 억압하고, 그 결과 건망증이나 둔주가 나타날 수 있다. 행동주의적 관점에서는 해리현상이 스트레스 사건과 그에 대한 기억으로부터 개인을 보호해 주는 회피반응의 기능을 한다고 본다. 기존에는 해리장애를 히스테리 신경증 해리형(hysterical neurosis, dissociative type)이라고 불렀으나, DSM-IV에서는 해리성 기억상실증(dissociative amnesia), 해리성 둔주(dissociative fugue), 해리성 정체감장애(dissociative identity disorder), 그리고 이인증(depersonalization)의 네 가지 조건을 해리장애로 분류하였다. DSM-IV-TR에서는 이들 해리장애의 진단기준을 적용하였고, 달리 분류되지 않는 해리 장애로 분류될 수 있는 해리성 황홀경(dissociative trance disorder)에 대한 진단 지침을 포함하고 있었다. DSM-5에서 해리장애진단에 있어서의 주요변화는 다음과 같다. 첫째, 비현실감은 과거에 이인성장애 진단명과 증상구조에 포함되어 있었지만 현재는 이인/비현실감 장애로 명명된다. 둘째, 해리성 기억상실 상태는 이제 분리된 진단이 아니라 해리성 기억상실로 더 명확하게 진단된다. 셋째, 해리성 정체감 장애의 진단 기준이 관찰 보고된 정체성 분열 증상과 충격적 사건 뿐 아니라 일상사들도 기억하지 못하는 증상을 보이는 것으로 변경되었다. 또한 병적 집착이 정체성 분열의 특징을 기술하는 것으로 포함되었다.

관련어 | 해리성 정체감장애

ㅎ

해마
[海馬, hippocampus]

대뇌의 변연계에 위치한 해마모양의 구조. `뇌 과학`

언어적 기억, 의식적 기억을 담당하는 기관으로, 학습과 기억에 중요한 역할을 하고 단기기억을 장기기억으로 전환하는 데 관여한다. 뇌에서 신경단위세포를 생성하는 몇 안 되는 영역의 하나로, 동물과 사람 모두에 존재한다. 손상을 입으면 기능이나 성격에는 이상이 없지만 장기기억 저장에 장애가 생긴다.

관련어 | 뇌

해방
[解放, exoneration]

맥락적 가족치료에서 내담자가 부모에게 물려받은 회전판으로부터 자신을 해방시키도록 도움을 주는 기법. `맥락적 가족치료`

회전판이란 부모에게 물려받은 파괴적 양식을 자녀가 되풀이함으로써 역기능적 가족 속에서 살아가도록 만드는 것을 말한다. 이 회전판에서의 해방은 단순히 치료의 차원을 넘어서서 가족 간에 서로 돕고 배려하는 새로운 관계를 만드는 것이다. 해방을 위해서는 일종의 절차가 필요하다. 첫째, 가족들은 먼저 자신의 회전판과 부모와의 관계를 이해해야 한다. 둘째, 회전판에 얽힌 여러 가지 복잡한 감정을 다루는 시간이 필요하다. 셋째, 부모세대의 상황과 맥락을 이해하고 받아들임으로써 자신은 같은 방식으로 자녀에게 되풀이하지 않도록 하는 것이다. 좀 더 구체적으로 살펴보면, 회전판을 이해시키기 위해서는 치료자가 가족들로 하여금 자신의 행동을 다측면적인 관점에서 직면하도록 해야 한다. 이렇게 하지 않으면 회전판에 의한 행동을 놓치는 경우가 생기기 때문이다. 다음으로는 회전판 때문에 생긴 복잡한 감정들을 하나씩 정리하는 작업이 필요하다. 감정을 하나씩 다루면서 이 감정이 어떤 의미를 가지고 있는지 알아보는 작업이 필요하다. 이렇게 감정을 다루는 이유는 과거를 현재에서 경험하도록 하고 이를 통해 과거의 경험을 다시 구성해 보는 활동을 도와주기 위해서다. 마지막으로 치료자는 부모의 삶을 이해하고 수용하는 방식으로 가족들을 회전판으로부터 자유롭게 한다. 가족들도 새로운 의미를 발견하고 이를 현재라는 관점에서 재해석함으로써 부모가 가졌던 어긋난 윤리의 맥락을 이해하도록 돕는 것이다. 부모의 삶을 이해하면, 가족들은 부모를 자신의 삶에서 해방시키는 출구를 만드는 것이다. 이와 같은 해방은 가족들에게 새로운 책임과 윤리적 맥락을 직면시킨다. 이러한 과제를 적극적으로 다루어 가려고 노력하는 삶을 통해 통합된 인격을 갖춘 사람이 될 수 있다. 또 이들은 다음 세대를 위해 올바른 윤리적 맥락을 세우고자 노력한다. 그러나 해방을 위한 노력은 쉽지 않다. 많은 노력과 시간을 들여야 하며 분명한 확신이 있어야 하는 활동이다. 특히 회전판 때문에 극심한 심리적 어려움을 겪은 사람이 해방을 위해 노력한다는 것은 결코 쉽지 않다. 만약 부모가 돌아가셨거나 부모를 변화시키는 것이 거의 불가능한 경우에도 가족들은 해방을 위한 노력이 필요한데, 이 노력이 바로 현재 자신의 삶과 미래를 위한 것이기 때문이다. 즉, 그 한계 속에서 해방을 위한 최선의 노력이 있어야 하며 이 경우는 제한된 해방이 된다.

관련어 회전판

해석
[解釋, interpretation]

상담자가 꿈, 자유연상, 저항 등을 통해 나타나는 내담자 행동의 의미를 규명하고, 설명하고, 가르치는 것. `정신분석학`

해석은 내담자의 성격과 증상을 유발한 원인에

대한 상담자의 전문가적 평가에 근거하여 이루어진다. 내담자가 상담자의 해석을 받아들일 준비가 되었을 때 시행하는 것이 치료효과를 높이는 데 도움이 된다. 해석은 내담자의 자아가 새로운 자료를 수용하고 더 다양한 무의식적 자료를 드러내도록 상담과정을 가속화하는 기능이 있다. 정신분석에서 해석은 네 단계로 진행된다. 첫째, 내담자가 특정 사실이나 체험과 직면하도록 한다. 둘째, 직면한 사실이나 사건, 의미 등을 더 날카롭게 초점을 잡아 명료화한다. 셋째, 상담자는 여러 상황과 정보, 그리고 지금-여기에서 일어나는 일을 헤아려 보고, 짐작한 것과 유추한 것 등을 전체적인 의미종합 속에서 추론하여 내담자에게 말로 전달한다. 넷째, 분석과정에서 해석된 것을 통합하고 해석과 더불어 유발된 저항을 극복해 나간다. 그러나 시기가 적절하지 못한 해석은 내담자의 거부에 부딪힐 수 있다. 내담자가 표현한 내용의 표면적인 것부터 먼저 해석한 다음 점진적으로 깊은 의미까지 해석하면서 내담자가 수용하는 정도를 고려하여 해석의 깊이와 수준을 조절한다. 또한 자유연상, 꿈 등의 이면에 담겨 있는 정서나 갈등을 해석하기 전에 먼저 내담자의 저항이나 방어를 지적하고 해석하는 작업이 선행된다.

관련어 | 꿈, 자유연상, 저항

해석단계
[解釋段階, interpretation stage]

실존주의 상담자이자 심리치료사인 메이(R. May)가 『상담의 기술(Art of counseling)』(1989)에서 제시한 면접과정의 한 단계. 실존주의 상담

메이는 면접과정을 친밀한 관계의 수립, 고백, 해석, 내담자의 인격변형 등 4단계로 구분하였다. 내담자가 문제를 기탄없이 이야기하고, 자신이 처한 상황을 설명하고, 테이블 위에 자기가 가진 모든 계획을 드러낸 다음에 해석의 단계가 시작된다. 이 시기에 내담자와 상담자는 함께 드러내 놓은 여러 가지 사실을 검토하고, 이 사실을 토대로 부적응의 원인이 된 내담자의 인격 경향을 파악하는 데 노력을 기울인다. 해석은 상담자와 내담자 두 사람의 협동작업이다. 고백단계에서는 내담자가 무대조명의 초점이 되며, 실제로 이야기 전체를 주도한다. 그러나 해석단계에서 상담자는 우선 유도적인 질문만 하고, 다음에 암시를 통하여 통찰할 기회를 주며, 마지막으로 내담자에게 상담자의 공감적 감화력을 줌으로써 더욱더 중요한 역할을 성취한다.

관련어 | 고백단계

해석학
[解釋學, hermeneutics]

인간의 문학, 예술, 학문적 경험과 그 산물에 대한 의미를 이해하고자 하는 연구방법. 철학상담

해석학의 연원은 그리스까지 거슬러 올라갈 수 있지만, 학문체계로서 본격적으로 다루어지기 시작한 것은 뵈크(Boeckh), 슐레겔(Schlegel), 슐라이어마허(Schleiermacher) 등에 이르러서였다. 우화 해석을 하던 고대의 해석학에서부터 중세와 근대의 성서 해석학을 거쳐, 슐라이어마허에 이르러 모든 텍스트 해석에 기초가 되는 보편적 해석학이 마련되었다. 슐라이어마허는 언어의 도움을 받아 주어진 진술의 정확한 의미를 파악하려는 계몽주의의 문법적 해석과 텍스트를 저자 자신의 고유하고도 독창적인 정신세계에 대한 경험을 바탕으로 이해하려는 낭만주의의 심리적 해석을 결합하려고 하였다. 물론 그는 후기로 갈수록 전자에서 후자로 이행하였다. 딜타이(Dilthey)는 슐라이어마허의 심리주의적 차원을 벗어나기 위하여 표현개념에 비중을 두고 역사에까지 해석학적 이해를 추구하였다. 그는 역사적 이해는 자연과학적 설명과 근본적으로

다르다고 보았으며, 인간의 삶을 이해하는 것은 체험을 동반한다고 보았다. 그리고 이 체험을 통해서 표현된 것의 내면을 이해하는 것은 자연과학처럼 밖으로 끄집어내어 대상화하는 설명의 방식으로는 가능하지 않다고 보았다. 텍스트에 표현된 문자들을 제대로 파악하는 것은 저자의 의도를 이해하는 것인데, 그것은 저자의 역사를 이해하는 체험의 과정을 통해서 가능하다. 그래서 진정한 이해는 저자의 체험세계와 독자의 체험세계가 일치하는 데 있다. 그러나 딜타이의 이 같은 입장에 대해 가다머(Gadamer)와 리꾀르(Ricoeur) 등은 주관적인 심리주의를 벗어나지 못한 것이라고 비판하였다. 가다머는 인간의 이해상황을 하이데거의 존재론적 해석학을 수용하여 인간의 존재론적 조건에 연관을 지어 설명하고자 하였다. 그에 의하면 인간은 이미 일정한 영향사 속에 놓여 있으며, 이해를 하려고 할 때 선판단(Vorurteil)을 통해서 하므로 이해 속에는 이미 일정 정도 오해가 개입되어 있다. 오해와 이해는 대립관계에 놓여 있는 것이 아니라 상호 발전의 계기로 자리하고 있다. 이해는 인간 현 존재의 상황이 역사적이듯이 역사적일 수밖에 없다. 어떤 사람의 해석작용은 이미 그가 영향을 받고 있는 전통과 권위에서 이루어지고 있으며, 그의 이해에는 이미 영향사적 의식이 개입되어 있는 것이다. 가다머는 슐라이어마허나 딜타이의 낭만주의 해석학에서처럼 이해를 저자와 독자의 직접적인 만남으로 바라보지 않으려고 하였다. 영향사적 의식과 이해의 역사성 때문에 저자와 독자는 텍스트를 가운데 두고 저마다 다른 지평에서 참여할 수밖에 없다. 가다머에게 중요한 것은 텍스트 자체이며, 저자가 텍스트를 독점하거나 독자가 텍스트를 전유하는 것을 허락하지 않았다. 텍스트는 저자와 독자가 함께 '놀이(spiel)' 하는 곳이어야 한다. 이처럼 가다머는 텍스트가 저자와 독자 사이의 직접적인 관계에서 이해되어야 하는 것으로 보지 않고, 텍스트가 전달하고자 하는 주제에 이들이 참여하는 것을 중시하였다. 이는 곧 언어가 누구의 전유물이 되는 것을 허락하지 않은 것이자, 모두가 언어 속에 들어와 참여해야 한다는 의미다. 그러나 딜타이, 가다머 등 이들 모두는 하버마스(Habermas)와 리꾀르 등의 비판을 받았다. 왜냐하면 우리가 해석을 할 때, 설명과 이해가 반드시 분리되는 것이 아니며, 오히려 설명이 이해를 선명하게 하기도 하고 이해가 설명을 심화시키기도 하기 때문이다. 이른바 설명과 이해는 서로를 발전시키는 변증법적 관계에 놓일 수 있다. 또한 이들은 하이데거의 존재론적 해석학을 수용한 가다머가 언어에 대한 인간의 자율성, 전통과 권위에 대한 인간의 비판성을 약화시킨다고 비판하였다. 이들은 인간은 언어의 영향 속에 있고 언어의 지배를 받고 있지만, 역으로 언어의 권력화와 자본화가 낳고 있는 부조리에 대해 저항하는 이성의 자율성도 지니고 있다고 보았다. 이 점에서 리꾀르는 헤겔의 변증법과 해석학을 새롭게 종합하여 자신의 해석학을 변증법적 해석학으로 발전시키려고 하였다. 이 같은 해석학의 이론은 오늘날 상담이론에서 아헨바흐(Achenbach), 노먼(Norman), 라하브(Lahav) 등이 활용하고 있다.

해체
[解體, deconstruction]

포스트모더니즘과 후기 구조주의(poststructuralism)의 영향을 받아 습관적이고 구조화된 인간의 삶과 인식에 의문을 던지고, 새로운 의미를 찾고자 하는 철학사조. **이야기치료**

해체주의에서는 관습적인 것, 기존에 확실하다고 받아들이는 것, 진리라고 보는 것에 의문을 던진다. 인간의 삶 속에는 수많은 사건들이 모호하고 불특정한 형태로 산재해 있다. 이런 인간의 삶을 하나의 '사실(real)' 혹은 '진실(true)'로 규정한다는 것은 많은 오류를 낳는다. 따라서 오류를 최소화하기 위해 인간의 삶에는 이러한 모호성과 애매성이 존재한다는 것을 인정하고 사회문화적 맥락에서 그 삶을 이해할 때, 본래의 의미에 더욱 가깝게 접근할 수 있다고 본다. 해체의 개념을 이야기치료에 적용하여 내담자의 지배적 이야기(dominant story)의 절대적인 영향력을 감소시키고자 그 삶의 장(context) 안에서 다각도로 이해하고, 다양한 의미를 부여하여, 사건들을 보다 많은 가능성을 고려하여 새롭게 이해하려는 시도가 바로 해체다. 이는 하나의 구조화된 방식으로 삶의 사건들을 해석함으로써 개인의 삶에서 지배적인 영향력을 행사하는 이야기를 다양한 각도에서 해석할 수 있도록 해 주어 새로운 해석과 의미 부여가 가능해진다. 삶에 대해 다양하고 새로운 해석을 하는 해체는 내담자 개인의 삶의 사건들을 더 넓은 사회문화적 맥락 속에서, 그리고 연관된 다양한 관계들과의 상호작용 속에서 인식할 때 가능해진다. 이야기치료에서 구조화된 지배적 이야기를 해체시키는 작업은 새로운 대안적 이야기(alternative story)를 발견할 수 있는 재구조화의 출발점을 마련하는 계기가 된다.

관련어 | 재구조화, 포스트모더니즘, 구조주의

해체적 경청
[解體的傾聽, deconstructive listening]

내담자나 치료자가 가지고 있는 구조화된 생각의 틀을 벗어나서 삶의 이야기를 내담자가 이해하고, 이야기하는 방식 그대로 받아들이고, 이해하기 위해 노력하는 적극적인 경청의 방법. **이야기치료**

해체적 경청은 이야기치료의 접근법이 내담자의 삶의 이야기에 대해 어떠한 태도로 접근하고 있는지를 잘 설명해 주는 개념이다. 치료자가 내담자의 이야기를 들을 때, 치료자 자신이 가지고 있는 가치관이나 윤리관, 또는 치료자 본인의 이전 삶에서 내담자가 호소하고 있는 이야기와 비슷한 문제를 대했던 태도 등에서 알게 모르게 영향을 받을 수 있는데, 이러한 영향력에서 벗어나기 위해 해체적 경청이 필요하다. 해체적 경청을 위해서 치료자는 내담자가 자신의 삶에 대해 해석하고 의미를 부여하는

고유한 방식을 존중하고, 이에 대해 판단하거나 평가하지 않으면서 치료자 자신의 전문가로서의 영향력을 내담자에게 일방적으로 행사하지 않으려는 노력이 필요하다. 또한 내담자의 이야기와 상호 연관적인 다양한 관계를 파악하고, 더 넓은 사회문화적인 맥락 속에서 여러 가지 해석과 의미 부여의 가능성을 염두에 두면서 이해하려고 해야 한다. 이러한 해체적 경청은 치료자가 내담자의 문제를 누구나 수긍할 수 있는 방법으로 해결하는 것에 집중하는 것이 아니라, 삶의 이야기를 내담자의 시각에서 제대로 이해하고 다양한 가능성을 탐색하려는 해체적인 자세를 가질 때 가능하다.

관련어 | 모르는 자의 태도, 이야기치료, 이야기치료의 가정들, 해체

해체적 질문
[解體的質問, deconstructive question]

대안적 이야기를 구성할 수 있는 독특한 결과들의 발견을 위해서 구조화된 내담자의 지배적 이야기를 해체시키려는 목적으로 하는 질문. **이야기치료**

인간의 삶 속에서 구조화되어 있는 지배적 이야기는 그 삶의 전반에 깊숙이 영향을 미치고 있기 때문에, 이러한 영향력을 받지 않는 독특한 결과(unique outcomes)는 삶에서 마치 존재하지 않는 것처럼 모습을 감추고 있다. 이야기치료의 과정에서 이러한 독특한 결과들을 발견하여 그 존재를 인식할 수 있도록 하려면, 치료자가 내담자의 문제적 이야기를 바라보는 사회구성주의적이고 탈구조주의적인 인식과 태도가 절대적으로 필요하다. 이야기치료사들은 이러한 태도를 바탕으로 내담자에게 해체적 경청과 해체적 질문을 하면서 지배적 이야기의 강력한 영향력을 감소시켜, 구조화된 해석과 의미를 해체할 수 있도록 돕는다. 이를 위해서 치료자는 내담자의 이야기 자체에만 집중할 것이 아니라 내담자의 구조화된 문제적 이야기가 그 삶과 관련된 다른

요소에 미치는 영향력과 그 의미에 대해서 다양한 가능성을 열어 둔 채 자세하고 구체적으로 생각할 수 있도록 질문을 해야 한다. 이것이 바로 해체적 질문이며 이 작업들은 지배적 이야기의 재구조화를 통해 독특한 결과가 드러나게 할 수 있다.

관련어 | 대안적 이야기, 지배적 이야기, 해체적 경청, 해체주의

핵가족
[核家族, nuclear family]

부부와 그들의 미혼자녀로 구성된 가족의 형태.
가족치료 일반

가족을 형태상으로 분류하면 일반적으로 핵가족과 확대가족으로 나눌 수 있는데, 핵가족은 결혼과 동시에 부부 단위로 독립하여 부부와 그들 사이에서 출생한 미혼의 자녀로 구성되어 있는 가족을 말한다. 따라서 가족구성은 2세대로 한정되며 요소가족(elementary family) 또는 부부가족(conjugal family)이라고도 한다. 핵가족이라는 용어는 미국의 사회학자 머독(Murdock)이 1949년에 출간한 『사회구조(Social Structure)』에서 처음으로 사용하였다. 여기서 그는 가족의 형태를 부부가족, 직계가족, 복합가족으로 구분하였다. 부부가족은 부모와 미혼의 자녀로 구성된 가족이고, 직계가족은 부모와 미혼의 자녀, 그리고 한 명의 기혼자녀와 그 배우자 및 자녀로 구성된 가족이며, 복합가족은 부부, 복수의 기혼자녀와 그들의 배우자 및 자녀로 구성된 가족이다. 이 가운데 부부가족이 핵가족에 해당되지만, 일반적으로는 핵가족이라는 용어가 널리 이용되고 있으며 기본가족이나 단일가족으로 부르기도 한다.

관련어 | 확대가족

핼프린의 생애예술과정
[－生涯藝術過程, Halprin life art process: HLAP]

핼프린 동작 중심 표현예술치료의 학술명으로, 인간의 일상생활과 무대 및 갤러리 예술 사이의 벽을 허물고 삶을 예술과 동일시하는 예술 만들기 과정의 경험 속에서 자신과 삶과 관계들을 조직하고, 해체하고, 재조직하면서 변화하고 성장하는 지속적 과정. 무용동작치료

HLAP는 삶과 예술의 통합과정에 따라 이루어지는 통합치료방법으로, 상상기능을 사용하여 동작 및 춤 속에 들어 있는 감정과 이미지, 그리고 자기 신체 지식을 탐구하는 체화교육이며 체화치유과정이라고 할 수 있다. HLAP는 1978년 핼프린(Anna Halprin)과 핼프린(Daria Halprin)이 공동 창립한 미국 타말파연구소(Tamalpa Institute)에서 동작 중심 표현예술치료 임상가 양성과정에서 실시하는 전체 프로그램을 대표하는 공식명칭이다. 표현예술치료방법론의 관점에서 야너(Jahner, 2001)는 HLAP를 "개인 삶의 자료들, 그리고 집단적 문제들을 예술의 지금-여기의 즉시성 및 현장성을 통해서 더 큰 의미를 찾도록 하기 위해 동작, 표현예술, 치료적 예술들을 상호 관련되게 이용하는 통합적 도구다."라고 정의하였다. HLAP 프로그램은 동작치유의식(movement ritual)과 신체-부분 은유기법(body-part metaphor technique)으로 구성되어 있으며, 자연과의 춤, 공동체 치유의식 및 공연을 중시한다. 표현예술치료분야가 발달하는 역사적 과정에서 핼프린 모녀의 선구적 공헌에 따라 그들의 이름을 학명으로 고유명사화하여 HLAP라고 부르게 되었고, 지금은 타말파연구소의 기관명칭으로 대체해 타말파 생애예술과정(Tamalpa life art process: TLAP)이라고도 부른다. HLAP가 지향하는 철학과 치료원리는 다음과 같다. 첫째, 우리 몸은 자각(알아차림)의 도구다. 둘째, 물질, 신체/감정/심리적 상상은 상호작용하는 관계다. 셋째, 신체감각/자세/제스처는 역사, 문화 및 현존재 방식의 반영이다. 넷째, 표현

적 무용/동작을 통해 삶의 주제 및 패턴이 발현되고 삶의 작업이 이루어진다. 다섯째, 창조적 예술상징은 우리 삶의 환경에 메시지를 준다. 여섯째, 표현예술적 방법은 자신/타인/세상과의 관계방식을 가르쳐 준다. 일곱째, 예술을 통해 긍정적 관점을 가질 때 우리 삶을 안내하는 이미지와 모델을 창조한다. 여덟째, 예술과정에서 우리에게 장애가 되는 것과 원하는 것이 표현된다.

관련어 | 동작치유의식, 신체 부분 은유 기법

행동계약
[行動契約, behavior contract]

행동주의 집단상담에서 주로 사용되는 것으로서 특정 방식으로 행동하기 위해 두 사람 혹은 그 이상의 집단구성원이 합의하는 방법. 집단상담

집단구성원 간에 특정한 행동을 했을 때 정적인 강화의 교환을 하기로 계획하는 것이다. 따라서 계약의 내용은 누가 누구를 위하여, 어떤 조건에서, 그리고 무엇을 한다는 것인지 명백하고 구체적인 용어로 진술되어야 한다. 즉, 계약은 성취 가능한 것이어야 하며 적극적인 용어로 진술해야 하고, 적절한 규준을 내포하고 있어야 한다. 따라서 행동계약은 보통 행동목표(purposive behavior)로 진술된다. '어떤 구체적인 행동을 언제까지, 어떤 상황에서, 어느 정도로 할 수 있도록 하겠다.'의 형식으로 진술하는 것이 바람직하다. 잘 짜인 행동목표에는 변화되어야 할 행동이 무엇인지, 변화가 일어날 상황이 무엇인지, 변화에 필요한 예상기간은 얼마인지가 분명하게 진술되어 있고, 또한 자신이나 타인이 그 목표의 성취 여부를 확인할 수 있는 기준도 포함되어 있다.

관련어 | 행동주의 집단상담

행동관찰
[行動觀察, behavior observation]

기초선 측정, 즉 문제 혹은 부적응 행동의 현재 상태 파악이나 실험처치구간에서 표적행동의 발생비율(빈도나 지속시간) 측정, 다시 말해 행동치료의 목표와 계획을 수립하여 표적행동의 변화를 측정하고 평가하는 데 필요한 객관적이고 수치화된 자료를 수집하는 방법. 행동치료

행동관찰은 행동사정(behavioral assessment)에서 사용되는 방법으로, 이를 통해 행동의 빈도, 강도, 속도, 지속시간, 발생간격 등을 기록할 수 있다. 행동관찰은 선행사건-행동-결과(antecedent-behavior-consequences) 모델을 따르는 경우가 많으므로, 관찰자는 선행사건과 행동 및 결과를 관찰하고 기록하는 방법에 대한 전문적인 훈련을 받아야 한다. 관찰기록법은 행동을 계속 지켜보면서 어떤 행동이 발생할 때마다 발생빈도, 지속시간을 그때그때 관찰하여 기록하는 것이다. 대부분의 행동은 결과가 영구히 남아 있는 것이 아니라 순간에 지나가 버리기 때문에 행동이 발생한 때에 그 행동을 관찰하여 기록해 두어야 한다. 내담자의 회상이나 다른 사람들의 보고를 통해 자료를 수집하는 것을 간접관찰이라 하고, 관찰자가 직접 문제행동과 선행사건, 결과에 관한 정보를 기록하고 녹음 혹은 녹화하는 것을 직접관찰이라 한다. 관찰기록의 방법으로는 빈도기록법, 지속시간기록법, 동간격기록법, 시간표집법 등이 있다. 가장 널리 쓰이는 빈도 기록법은 일정 시간에 표적행동이 몇 번 발생했는지 횟수를 기록하는 것으로서, 사건횟수기록법이라고도 한다. 특별한 도구가 필요 없고 빈도를 누가적으로 기록하면 된다. 빈도기록법은 비교적 짧은 시간에 발생했다가 사라지는 행동을 측정할 때 주로 사용한다. 지속시간기록법은 표적행동이 시간적으로 비교적 오래 지속되는 경우에 표적행동이 단위시간에 얼마나 오랫동안 지속되었는지를 측정하는 방법이다. 자주 중단되는 행동을 관찰하여 기록하기 위해서는 시계보다는 스톱워치를 사용하는 것이 좋다.

이 방법은 쉬지 않고 대상자의 행동을 지켜보아야 한다는 단점이 있다. 동간격기록법은 정해진 관찰시간을 동일한 단위시간 간격으로 작게 나누어 그 단위시간에 행동이 발생했는지 또는 얼마나 지속되었는지를 확인하는 방법이다. 행동의 발생빈도와 지속시간을 동시에 측정할 수 있다는 점에서 편리하다. 예를 들면, 60분을 10초 간격으로 나누고 관찰과 기록의 편의를 위해 기록표를 만든 다음 나누어진 단위시간에 표적행동이 발생했는지를 확인하여 해당란에 표시하면 된다.

	10	20	30	40	50	60
1분	+	+	−	−	+	+
2분	+	+	+	+	−	−
3분	−	−	+	−	+	−
⋮	⋮	⋮				

여기서 +와 −가 자주 바뀌는 것은 표적행동의 발생횟수가 빈번했다는 것을 의미하고, +가 연속하여 여러 번 기록된 것은 표적행동이 오래 지속되었다는 뜻이 된다. 동간격기록법에서는 행동이 측정되었을 경우 그 측정치를 발생횟수나 지속시간으로 표시하지 않고 반응률로 표시하며, 이때는 백분율(%)을 사용한다. 이 방법은 학교 교실의 수업상황이나 병원에서 업무를 보면서 동시에 하기에는 어려움이 있기 때문에 이 같은 경우에는 시간표집법을 사용하는 것이 바람직하다. 시간표집법은 정해진 시간에 계속 관찰하는 것이 아니라 몇 번만 선택하여 관찰하는 것이다. 예를 들어, 다음 표처럼 관찰시간 30분 중 3분(혹은 5분)에 한 번씩 관찰한다면 관찰에 소요되는 시간이 거의 필요하지 않고, 따라서 큰 번거로움이 없다. 다른 관찰기록방법보다 관찰시간이 짧고 관찰방법도 쉬워 행동수정연구에서 널리 사용되고 있다.

	3	6	9	12	15	18	21	24	27	30
	+	−	+	+	−	−	−	+	+	+

동간격기록법과 마찬가지로 관찰한 행동의 측정치는 백분율로 환산하고, 동간격기록법과 비슷하지만 시간표집법에서는 각 3분간 계속 관찰하는 것이 아니라 매 3분이 시작될 때마다 관찰하여 당시 표적행동이 발생했는지의 유무만을 기록한다는 점에서 차이가 있다. 따라서 동간격기록법에 비해 관찰기록을 하는 그 순간이 아닌 다른 시간대에 발생한 행동은 기록할 수 없다는 한계가 있다. 한편 일정한 시간마다 시간이 되었음을 알려 주는 타이머를 사용하거나 일정한 시간 간격으로 관찰시간을 알려 주는 신호를 녹음해 놓고 녹음기가 신호를 주는 시간에만 관찰하는 등의 보조기구를 활용하거나 보조기록자를 활용하면 일상 업무를 수행하면서 편리하게 관찰기록을 할 수 있다. 어떠한 방법이든 행동수정에서는 개인의 행동을 계속적으로 측정하는 것을 원칙으로 한다. 연구를 위해서는 측정의 신뢰도를 확보해야 하는데, 이를 위해 행동수정에서는 관찰기록자를 두 사람 이상으로 하여 두 사람의 관찰기록 간 일치도를 산출한다. 빈도기록과 지속시간기록 자료는 작은 수치의 관찰자료를 큰 수치의 관찰기록으로 나누어 100을 곱한 다음 일치도를 산출한다. 예를 들어, 관찰자 A의 표적행동의 빈도관찰기록이 100이고, 관찰자 B의 기록이 90이면 두 관찰자 간 일치도는 90%다. 시간 간격 관찰법과 시간표집법으로 측정한 경우에는 두 관찰자 간 일치한 경우를 전체 관찰의 수로 나눈 다음 100을 곱하여 일치도를 산출한다. 예를 들어, 총 50개의 관찰기록 중 40개의 관찰에서 일치한다면 두 관찰자 간 일치도는 80%다. 일치도를 높이기 위해서는 본격적인 관찰기록에 들어가기 전에 어떤 방법으로 관찰할 것인지 명확히 하고 관찰기록을 해 본 다음 어떤 부분에서 엇갈리는지 확인하여 불일치하는 부분에 대해 의견을 나누고 80% 이상 일치도를 확보한 뒤에 본격적인 관찰기록에 들어가는 것이 좋다.

행동교환이론
[行動交換理論, behavior exchange theory]

원하는 행동의 빈도를 증가시키기 위해 지속되는 관계 속에서의 행동에 대한 이론. 인지행동 가족치료

부부는 행동교환과정을 배워 원하는 행동의 빈도를 증가시키는 데 도움을 받을 수 있다. 이를 위해 먼저 부부는 자신이 원하는 부분과 변화하기를 원하는 부분을 구체적이고 행동주의적으로 표현한다. 전형적인 방법으로는, 각 배우자에게 상대방이 좀 더 자주 하기를 원하는 세 가지 행동을 목록으로 작성하도록 하는 것이다. 이와 같은 방법으로 부부는 하나씩 행동을 분명하게 교환하면서 긍정적 강화로 서로에게 영향을 미치는 방법을 은연중에 배워 나간다. 다른 방법으로는 부부에게 상대방이 무엇을 원하고 있는지 생각해 보도록 하고 그것을 실행하도록 하면서, 그 결과 무슨 일이 일어나는지를 보는 것이다. 와이스(Weiss)와 그의 동료들은 부부들에게 '사랑의 날'을 갖도록 지시하였는데, 그날은 서로 상대방을 즐겁게 해 주는 행동을 두 배로 행하도록 하였다. 스튜어트(Stuart, 1976)는 부부에게 '돌봄의 날'을 서로 교환하도록 하였는데, 그날이 되면 한쪽 배우자는 상대방에게 가능한 한 많은 방법을 동원하여 돌봄을 수행하도록 하였다.

행동기법
[行動技法, action techniques]

몸을 움직이거나 몸으로 표현하는 것을 통해 심리치료를 시도하는 기법의 총칭. 무용동작치료

행동기법이란 무용치료(dance therapy), 예술치료(art therapy), 역할연기(role play), 심리극(psychodrama), 가족 조소법(family sculpture), 놀이치료(play therapy)와 같이 비음성적 의사소통이 중심인 기법을 사용하는 심리치료를 포괄적으로 일컫는 말이다. 언어를 주로 하는 면접법에서도 상황과 목적에 따라 행동기법을 사용하는 경우가 있다.

관련어 | 행위치료

행동모델링
[行動 -, behavioral modeling]

관찰의 결과로 나타나는 특정 행동의 모방과 수행. 행동치료

행동치료영역에서의 모델링은 실제적 생활, 필름 제시, 이미지 상상 등의 방법을 통해 모방하게 될 행동을 내담자에게 노출시키는 절차를 적용한다. 모델의 행동에 관한 단서와 상황을 노출함으로써 그러한 행동에 관한 감정과 태도의 변화를 유도하며 이를 통해 내담자가 모델이 된 행동을 차용하게 된다. 예를 들어, 뱀에 대한 모델의 접근행동을 관찰한 뱀 공포증 내담자는 뱀에 대한 접근행동이 증가할 뿐만 아니라 뱀에 직면하는 상황에서 자신감이 증가하거나 뱀에 대해 느끼던 공포가 감소되거나 제거될 수 있다. 반두라(Bandura)가 제시한 행동 모델링 과정에는 모델이 된 사상(events)에 대한 주의(attention), 관찰을 통해 학습한 것의 파지(retention), 모델행동의 재현(reproduction), 그리고 행동재현에 대한 동기(motivation)라고 하는 네 가지 요소가 포함된다. 첫째, 관찰자의 주의를 끌고 유지시키는 효과에 기여하는 두 요소는 모델의 특징과 관찰자의 특징이다. 일반적으로 모델이 관찰자와 성별이나 연령 등에서 유사성이 높을 때, 존경을 받을 때, 지위가 높을 때, 유능할 때, 매력적일 때 주의집중을 더 많이 받는다. 관찰자의 주의를 끄는 모델이나 모델행동의 특이성도 중요하다. 그러나 비일상적 특이성을 지닌 모델은 일단 관찰자의 주의를 끌 수는 있지만 특이성이 너무 지나쳐서 관찰자와 거리감이 느껴진다고 지각되면 오히려 후속적인 모델링 반응을 방해할 수도 있다. 관찰자의 선택

ㅎ

적 주의집중은 과거의 강화경험에 의해서도 영향을 받는다. 관찰을 통해 학습한 이전의 행동이 강화를 획득하는 데 효과가 있었다는 것이 확인되면 후속 모델링 장면에서도 이와 유사한 행동에 주의를 집중하게 된다. 이전의 강화는 관찰자의 의식 속에 지각태(perceptual set)를 형성하며, 이것은 그 후 관찰경험에 영향을 미친다. 둘째, 주의집중을 통해 획득한 정보는 기억되고 파지될 때 유용하다. 정보는 심상적(imaginal)인 방법과 언어적(verbal)인 방법의 두 가지 상징적 기호로 저장된다. 상징적 부호화(symbolic coding)란 관찰된 행동을 쉽게 저장할 수 있는 형태로 전환하는 절차다. 심상적 방법은 모델링한 경험의 실제 모습을 저장하는 것으로서 관찰 이후 오랜 기간이 지나도 쉽게 인출되고 행동으로 재현될 수 있다. 또한 관찰자는 이미 알고 있는 어떤 것과 관련지어 언어적 개념과 의미를 부여함으로써 모델의 행동을 잘 기억하고 재현할 수 있다. 셋째, 관찰과 파지를 통해 습득된 행동은 행동 재현 과정을 통해 수행으로 연결된다. 인지적으로 습득된 정보는 관찰자의 신체적 능력에 따라 행동으로 나타날 수 도 있고 그렇지 않을 수도 있다. 시범하는 표적행동은 관찰자가 그러한 행동을 수행할 수 있는 신체능력이 갖추어져 있고 또한 반응에 필요한 요소를 갖고 있는 행동이어야 한다. 그리고 관찰자가 적절한 수행반응을 하는 데 필요한 신체적 능력을 갖추고 있다고 하더라도 관찰자의 행동이 모델의 행동을 적절하게 재현하기 위해서는 일정 기간의 인지적 시연(cognitive rehearsal)이 필요하다. 시연과정을 통해 개인은 자신의 행동을 관찰하여 그것을 모델링한 경험의 인지적 표상과 비교해 보고, 이러한 피드백 순환으로 지속적인 자기관찰(self observation)과 자기교정(self correction)을 해 나간다. 넷째, 관찰을 통해 획득한 행동은 강화 요소에 의해 출력(output)된다. 모델의 행동을 정확하게 모방하면 자신의 행동도 긍정적인 결과를 초래할 것이라는 기대감은 관찰자에게 대리적 강화로 작용

한다. 또한 자기평가는 일상적인 맥락에서 이미 시범을 보인 행동을 차용하도록 하는 부가적 유인가를 제공한다. 모델링으로 습득한 행동이나 행동에 수반하는 강화는 치료장면에서 새로운 행동을 실행하고 일상적인 맥락에서 새로운 행동을 처음 시도할 수 있는 기회를 만들어 낸다. 이러한 네 가지 요소 중 어느 한 요소라도 적절하지 않으면 모델링 효과에 문제가 생긴다. 즉, 모델의 행동에 주의를 기울이지 않는다면 그러한 행동이나 상황에 대한 정보를 제공해 주는 모델링 장면의 맥락을 학습할 수 없다. 모델의 행동과 관련된 적절한 상황에 대한 지식을 저장하지 못하거나, 모델의 행동을 회상해서 재현하지 못한다면 그 행동을 수행하기가 어렵다. 또한 어떤 행동이 적절하다고 판단되는 상황적 단서나 그 행동을 수행했을 때 보상을 받을 수 있다는 기대감 또는 동기가 없다면 모델링 학습은 일어나지 않는다.

관련어 | 관찰학습, 대리학습

행동목표
[行動目標, behavioral objective]

학습을 통해 변화시키고자 하는 구체적인 표적행동. `행동치료`

행동치료를 시작하는 단계에서는 궁극적으로 학습시키고자 하는 행동을 구체적으로 규정하는 것이 가장 우선되어야 한다. 수정하고자 하는 표적행동을 명확하게 설정하지 못한다면 행동치료의 목표를 분명하게 규정하지 못할 뿐 아니라 행동치료의 성과를 평가할 때 무엇을 관찰하고 측정 · 평가할 것인가에 대한 기준이 모호해진다. 행동목표를 설정한다는 것은 표적행동의 구체적인 기준과 행동이 발생할 상황을 정하는 것이다. 예를 들어, 내담자가 매주 며칠씩 달리기를 하고, 각각 몇 킬로미터를 달려야 하는지 목표를 정한다. 이때 행동치료에서는

내담자가 달성할 수 있는 수준의 목표를 정하는 것에 초점을 둔다. 목표달성이 가능할 때 원하는 표적행동에 성공적으로 도달하는 경향이 있기 때문이다. 행동목표를 정하는 것은 강화 유관성의 기준이 되고, 초기강화는 개인이 표적행동을 끝까지 완수할 확률을 높여 준다. 또한 행동치료자는 특수한 자극에 대해 규칙적으로 나타나는 특정 반응 행동을 치료목표로 설정한다. 예를 들어, 체계적 둔감법을 적용하는 상담자는 일반적으로 내담자의 공포감을 제거하려고 시도하기보다는 오히려 특정 공포반응 행동을 제거하는 데 초점을 둔다.

행동생태학
[行動生態學, ecology of behavior]

사람이 자연스럽고 일상적인 생활 중에서 어떤 상호작용을 하고 있는지를 직접적으로 관찰하는 것으로, 자료를 수집하고 분석함으로써 인간행동과 환경의 관련성을 연구하는 학문.
`생태학적 치료`

행동생태학은 행동학, 생태학, 진화생물학이 종합된 분야로서 각 생물 종의 행동양상을 연구하는 학문이다. 인간 종의 영역에서는 구체적으로 한 사람 한 사람의 자연스러운 심리학적 행동습성과 일상 행동의 구조, 역학, 내용과의 사이에 있는 순응적인 과정을 탐구대상으로 한다. 선구적 연구로는 아이들의 하루 행동에 대해서 상세한 기록을 취하고 어떤 행동이 어디에서 생기는가를 앎으로써 커뮤니티의 생태를 탐구한 바커(R. Barker) 등의 연구가 있다(1955). 『메어리 애니스의 행동일기』에서는 인구 720명의 작은 마을에서 사는 8세 7개월 된 소녀의 기상(오전 7시)부터 취침(오후 9시 25분)까지의 행동기록이 그녀와 환경과의 상호작용 시점에서 기술되어 보고되고 있다. 그 기록에 의하면 메어리는 하루에 570명의 대상(사람과 물건)과 1,882회의 상호작용을 하였다. 그중 33%가 사람과의 관계였고, 특히 상호작용의 6.5%가 어머니와의 접촉이었다.

어머니에게서 사소한 일 때문에 질책을 받거나 제 멋대로 말하고서 울기도 했지만 그것이 마음의 상처(trauma)로 되는 것까지는 보이지 않았다. 바커의 연구는 유기체와 환경이 상호 의존적인 방식으로 서로 영향을 끼친다는 점과 특정 환경에서 인간이 취하게 되는 예측 가능한 행동양식을 밝혔다는 의의가 있다. 이후 크렙스(J. R. Krebs)와 데이비스(N. B. Davies)의 편저 『Behavioral ecology: an evolutionary approach』를 시작으로 급속히 발전해 오고 있는데, 행동생태학자들은 왜 종마다 살아가는 방식이 다른지, 또 같은 종 내에서도 각 개체의 행동양식이 왜 매우 다양하게 진화했는지에 대해 활발한 연구를 펼치고 있다.

행동수정
[行動修正, behavior modification]

행동주의 상담의 핵심 개념으로서, 인간의 행동을 분석하고 수정하는 것. `행동치료`

행동수정은 학습에 관한 행동주의 심리학의 개념과 원리를 적용하여 여러 형태의 부적응 행동을 변화시키는 것으로서, 행동치료라고도 부른다. 행동주의 학습이론은 수동적 조건형성과 조작적 조건형성으로 구분하는데, 두 갈래의 이론에 근거한 행동의 재교육이 곧 행동수정이라 할 수 있다. 행동수정 이론에는 파블로프(Pavlov)와 왓슨(Watson)의 고전적 조건형성, 스키너(Skinner)의 조작적 조건형성, 손다이크(Thorndike)의 도구적 조건형성, 반두라(Bandura)의 사회학습이론 등이 대표적이다. 행동수정은 행동변화에 관한 응용과학이라 할 수 있다. 그 이유는, 첫째, 행동수정이론이 개인의 행동을 변화시키는 데 응용할 수 있는 체계적인 행동 원리와 법칙을 실험적 절차에 따라 발견하려고 노력하기 때문이며, 둘째, 행동수정자는 실제로 행동을 변화시키고 수정하는 데 심리실험을 통해 발견된 과학적 원리를 응용하고 있기 때문이다. 행동수정은 인간의 대부분의 행동을 학습의 결과로 본다. 행동수정의 이론적 가정은 다음과 같이 정리할 수 있다. 첫째, 행동이 핵심적 관심사다. 둘째, 모든 행동은 동일한 원리로 설명된다. 셋째, 대부분의 행동은 학습된 것이다. 넷째, 행동은 환경변인이 결정한다. 다섯째, 현재의 행동이 중요하다. 행동수정이론에서는 "이 행동이 개인과 이 사람의 생활에서 얼마나 중요한가?" "이 행동을 어느 정도까지 변화시켜야 할 것인가?"에 관심을 가지고 주목한다. 또한 구체적이고 가시적인 행동에 초점을 두어 이러한 특성을 지닌 행동을 행동수정의 대상행동인 표적행동(標的行動, target behavior)으로 정한다. 개인에게 가장 적합한 수정방법을 모색하여 시도한 행동수정 방법이 효과가 없으면 다른 행동수정방법을 강구해야 한다. 행동수정의 또 다른 특징은 기초선 측정 → 행동에 영향을 미치는 요인을 투입하는 실험단계 → 기초선 단계로의 반전 → 변화요인으로의 재반전으로 요약할 수 있는 단일개체 실험설계를 사용하며, 행동변화의 내용도 중시하지만 행동변화의 방법에 특별히 관심을 가지고 행동수정의 기법과 절차를 구체적으로 진술한다는 점이다. 행동수정의 일반적인 모형은 다음과 같다.

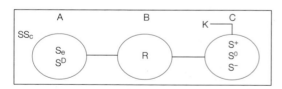

모형에서 S는 자극 또는 환경적 사상(event)으로 행동수정자가 조정하는 과정을 나타내고, R은 행동수정을 받는 사람의 행동 또는 반응으로서 행동수정자가 관찰할 수 있는 것을 말한다. S_e는 수동행동을 유발하는 자극, S^D는 변별자극을 의미하며, S^+는 정적 강화자극, S^0는 정적 강화자극의 탈락을, S^-는 부적 강화자극을 의미한다. SS_c는 행동이 시작될 때의 주변환경으로 행동의 촉진이나 감소에 영향을

주는 환경 전체를, K는 강화의 강화력을 보장하는 동기를 유지하는 과정을 의미한다. A-B는 고전적 혹은 수동적 조건형성, B-C는 작동적 혹은 조작적 조건형성 과정을 보여 준다. 행동수정의 기법에는 바람직한 행동을 증가시키기 위한 정적 강화, 부적응 행동을 감소시키기 위한 소거, 벌, 차별강화 등이 있다.

관련어 │ 강화, 학습이론, 행동주의 상담

행동수정 요청
[行動修正要請, behavior change request]
이마고 부부치료에서 부부가 상대 배우자에게 행동수정을 요구하는 것. 이마고치료

이마고 부부대화를 통해 부부가 서로를 공감적으로 이해하고 또 서로의 어린 시절 상처까지 이해하게 되었을 때, 배우자를 통해 어린 시절의 좌절된 욕구를 채우려고 자신의 배우자에게 행동수정을 요구하게 되는데 이를 행동수정 요청이라 한다. 이는 이마고 부부치료가 다른 일반 부부치료와 다른 점이기도 하다. 즉, 다른 부부치료는 문제의 해결을 위해 부부가 서로 계약을 맺거나 타협을 시도하는 데 초점을 둔다. 반면, 이마고치료에서는 무의식의 치유와 회복에 관심이 있고, 이는 어린 시절의 상처를 둘러싼 배우자 간의 공감적 연결을 통해서만 시도될 수 있다고 설명한다. 다시 말해, 배우자의 상처를 이해했을 때 상대 배우자의 욕구를 채움으로써 자신의 무의식적 욕구를 채우고자 하는 의욕을 느끼게 된다. 이를 위해 상대 배우자에게 하는 행동수정 요청은 세 가지 요건을 갖추어야 한다. 첫째, 긍정적이어야 한다. 부정적인 말은 사람을 방어적으로 만들기 때문이다. 둘째, 측정이 가능해야 한다. 사람들은 자신이 얼마만큼 그리고 얼마나 자주 그 행동을 원하는지에 대한 기준은 자기 자신에게 있다. 셋째, 구체적이어야 한다. 구체적이지 않으면 배우자가 원하는 것을 정확하게 실행할 수 없다. 이

러한 행동수정 요청을 받아들이고 이것을 배우자가 행했을 때 어린 시절에 충족되지 못한 욕구가 충족되는 경험을 하는 것이다. 물론 배우자 이전에도 자신의 어린 시절 욕구를 충족시켜 주는 사람이 있을 수 있다. 하지만 어렸을 때 받지 못한 것은 그것이 거부되었던 사람과 비슷한 사람에게서 받아야 회복이 된다. 이것이 이마고 배우자의 역할이다. 행동수정 요청이 이루어질 때 이것은 부부 모두에게 유익하다. 왜냐하면 남편이 아내의 행동수정 요청을 존중해 준다면 이는 남편의 입장에서 자신의 어린 시절에 제지되었던 기능을 활성화하는 계기가 되기에 부부 모두에게 치유적 회복이 일어나는 것이다. 치유와 성장에는 차이점이 있는데, 배우자가 나의 욕구를 충족해 줄 때 치유가 일어나고 내가 배우자의 욕구를 충족시킬 때 성장이 일어난다.

행동억제
[行動抑制, behavioral inhibition]

낯선 상황이나 사람에 대하여 자신이 하던 활동을 철회하거나, 위축되고 수줍어하며 소극적으로 행동하고 긴장하는 특성으로서 충동억제의 하위유형 중 하나. `아동청소년상담`

억제는 생후 3세경부터 발달하기 시작하여 5~7세경에 현저하게 변화되며, 연령이 증가해도 비교적 일관성 있게 나타나는 안정적인 특성이지만, 중간 정도의 억제 경향이 있는 아동은 비일관적이다. 억제적인 아동은 공격적이고 적대적 문제행동을 외현화하지 않지만 사회적 상황에서 대인관계를 형성하는 데 어려움을 지니고 유능감이 낮으며 사회적 부적응, 불안장애 등 내면화된 문제를 가질 가능성이 높다. 또한 낮은 자존감, 낮은 수준의 언어능력, 낮은 회상기억, 정보에 대한 부정적 지각으로 사회인지발달이 지연된다. 유아기의 행동억제 성향은 청소년기에 또래의 따돌림을 경험하거나 불안이나 우울증과 같은 부정적 정서를 형성할 가능성이 높다.

생리학적으로 억제성향이 높은 아동은 대뇌변연계의 각성 수준이 낮고 각성 순환이 빠르기 때문에 심장박동수와 근육긴장도가 증가하여 위축행동이 더 잘 일어난다. 대표학자로는 케이건(J. Kagan)이 있다. 사회적 평가, 양육자의 역할, 형제간의 관계가 관련 변인으로 알려져 있다.

`관련어` 발달단계, 억제

행동연쇄
[行動連鎖, behavior chaining]

행동수정에서 큰 행동을 구성하고 있는 작은 행동들을 엮어서 강화하여 하나의 큰 행동을 형성하도록 하는 방법. `행동치료`

인간의 행동은 일반적으로 여러 가지 작은 행동들로 구성되어 있다. 따라서 행동연쇄는 한 사람의 행동 레퍼토리에 이미 존재하는 단순하고 작은 행동을 적절한 방법으로 연결하여 보다 복잡한 행동을 학습하도록 하는 것이다. 행동연쇄에서 하나의 단위 행동은 바로 다음 단위행동에 대한 단서가 된다. 행동연쇄를 위해서는 먼저 행동연쇄를 할 행동을 세분화한다. 그 행동의 세부구성행동은 대상자가 큰 어려움 없이 습득할 수 있도록 간단해야 하며, 단위행동은 각각 만족할 만한 행동의 수준이 명확해야 한다. 다음으로 단위행동은 충분히 숙달될 때까지 훈련되어야 한다. 행동연쇄에서 한 단계의 행동이 충분히 숙달되지 않으면 그다음에 연쇄될 모든 행동을 약화시킬 수 있다. 또한 단위행동은 다음 단위의 행동에 대한 단서가 되고 조건강화로 작용하므로 확실한 형성이 되도록 훈련해야 한다. 훈련에서는 이전 단계에서 습득한 단위행동을 모두 이행하도록 해야 한다. 행동연쇄를 사용할 때 단위행동이 다음 단위로 이행될 때 무분별한 정적 강화가 간헐적으로 주어지지 않도록 유의해야 하는데, 이렇게 되면 정말로 강화하고자 하는 행동이 아니라 엉뚱한 행동이 강화되어 형성시키고자 하는 행동이 아닌 부적절한 행동이 형성될 수 있기 때문이다. 행동연쇄방법에는 전진 행동연쇄(forward chaining)와 역순 행동연쇄(backward chaining)가 있다. 전진 행동연쇄는 재활훈련으로 걸음을 훈련할 경우 한 발을 땅에서 들어 올리는 동작부터 옮긴 발을 다시 땅에 내리는 동작까지를 작은 행동으로 나누고 한 발을 땅에서 들어 올리는 동작이 강화되어 형성되면, 다음으로 그 발을 앞으로 내뻗는 동작까지 이어졌을 때 강화를 하는 것이다. 이때 한 발을 땅에서 들어 올리는 동작은 그 발을 앞으로 내뻗는 동작에 대한 단서가 된다. 행동연쇄에서 각 단위 동작을 연결하는 힘은 행동연쇄의 마지막에 주어지는 강화자극에서 얻는다. 역순 행동연쇄는 연쇄된 행동의 여러 동작을 뒤에서부터 거꾸로 하나씩 연결해 가는 방법이다. 전체 행동의 마지막 행동을 먼저 가르친 다음, 바로 그 앞의 행동을 가르치고 그다음 또 그 앞의 행동을 가르치는 방식으로 뒤에서 앞으로 나아간다. 학습이 어려운 행동일수록 전진 행동연쇄보다 역순 행동연쇄 방법을 더 많이 사용한다. 역순 행동연쇄에서는 이전의 행동학습에서 강화를 받아오면서 그 행동이 강화와 연합되어 조건강화의 작용을 하기 때문에 정적 강화가 매우 효과적으로 적용된다. 예를 들어, 혼자서 세수하는 행동을 역순 행동연쇄로 훈련시킬 때 얼굴을 닦은 수건을 다시 거는 것은 최종 행동이고 그 앞 단계의 행동은 수건으로 얼굴을 닦는 것이다. 역순 행동연쇄에서 가장 먼저 강화받는 행동은 얼굴을 닦은 수건을 다시 거는 행동이 된다. 이렇게 얼굴을 닦은 수건을 다시 걸 때마다 강화자극이 주어져서 얼굴을 닦은 수건을 혼자서 잘 걸 수 있게 행동형성이 되는 동안 이 행동은 강화자극과 연합되어 조건강화로 작용한다. 이후 혼자서 수건으로 얼굴을 닦는 행동을 훈련하는 과정에서 혼자 수건으로 얼굴을 잘 닦고 그 수건을 제자리에 걸면 강화가 주어진다. 이때 혼자 얼굴을 잘 닦는 행동 다음에는 사실 강화가 주어지지 않고 최종 행동까지 완료해야 강화가 주어지는데, 얼굴을 닦는 행동 다음에 할 행동이 조건강화로 작용하여 행동수정의 효과를 높인다.

행동의 기능적 분석
[行動 – 機能的分析, functional analysis of behavior]

어느 특정 행동과 그것을 강화하는 것에 대한 연구.
인지행동 가족치료

조작적 행동치료에서 행동과 그것에 대한 강화 그리고 반응에 대해 연구하는 것이다. 문제행동에 대해서 이러한 기능적인 분석을 하는 것은 문제의 원인을 파악할 수 있도록 하는 효과가 있다. 즉, 기능적 분석은 문제가 최대 또는 최소한으로 두드러지는 '정확한 상황'을 확인하며, 표적행동을 통제하는 자극조건이 무엇인지 알아낸다. 이러한 과정을 통하여 가설을 점검하고 이에 따라 치료법을 조정한다. 조작적 조건형성을 시도하는 사람은 목표행동을 주의 깊게 관찰한 다음 그 빈도와 비율을 수량화한다. 그리고 그 행위의 기능을 분석하기 위해 강화와 연관된 행동 결과에 주목한다. 예를 들면, 어떤 아이의 떼쓰는 버릇을 다루기 위해서는 이 아이가 언제 떼를 쓰고, 그 결과가 무엇인지 관찰한다.

행동적 내성
[行動的耐性, behavioral tolerance]

특정 약물을 반복적, 지속적으로 복용하여 약물로 인한 행동적 변화가 이전에 복용한 것과 같은 양으로는 일어나지 않는 내성이 생긴 상태 혹은 약물이 개인에게 해롭다는 것을 인식하면서도 반복적으로 약물을 복용하는 행위. 중독상담

행동적 내성은 약물의 반복적이고 지속적인 남용으로 말이 많아지거나 행동이 용감해지는 등 행동의 변화를 일으키는 약물사용의 효과가 감소되는 것을 말한다. 행동적 내성의 또 다른 의미로, 특정

환경의 요소 때문에 약물을 복용하게 되고, 이러한 반복적인 약물복용 행위로 말미암아 특정 약물에 대한 내성이 생기는 것을 말하기도 한다. 즉, 우울하거나 일이 잘 되지 않을 때 반복해서 약물을 복용하는 행위를 함으로써 그 약물에 대한 내성이 생기는 것이다.

> **관련어** | 내성, 약물중독

행동주의
[行動主義, behaviorism]

자극의 역할과 행동의 객관화 혹은 측정을 강조하면서 외현적 행동과 자극의 관계를 과학적으로 연구한 심리학 및 상담학파. 행동치료

왓슨(Watson)은 의식의 요소를 밝히고 이 요소들 사이의 상호작용을 밝히려 노력한 구조주의(structuralism)와 의식의 기능을 강조한 기능주의(functionalism) 심리학을 비판하면서, 과학으로서의 심리학은 '관찰 가능한 외현적 행동'만을 연구대상으로 삼아야 한다고 주장하였다. 행동주의에서는 인간을 철저히 중립적인 존재로 보면서 자극으로 대표되는 환경의 재구성 및 변화와 이에 대한 학습과정을 통해 인간의 행동을 바람직하게 변화시킬 수 있다고 보았다. 행동주의의 대표적 이론은 파블로프(Pavlov)의 고전적 조건형성과 왓슨, 스키너(Skinner)의 조작적 조건형성이다. 행동주의 심리학의 대표적인 분야는 학습심리학(psychology of learning)이며, 대표 학자로는 파블로프, 스키너 등이 있다.

> **관련어** | 행동수정, 행동주의 상담

행동주의 가족치료
[行動主義家族治療, behavioral family therapy]

행동주의에 근거하여 치료에서 학습의 원리를 강조하며 가족치료에 적용하는 접근법. 인지행동 가족치료

개인의 문제를 가족구성원 간의 관계왜곡의 관점에서 파악하고 이의 개선을 주목적으로 하는 접근방법이다. 행동치료에서는 문제행동을 학습의 결과로 보고, 학습원리에 따라 부적응 행동을 소거하고 적응 행동을 재학습하도록 하는 것을 강조한다. 이러한 원리를 가족치료에 적용한 행동주의 가족치료에서는 가족구성원 모두가 문제행동에 관여되어 있다고 본다. 따라서 치료의 과정에서 가족규칙, 기술훈련, 목표 구체화, 객관적 평가 등을 강조한다. 일반적 치료영역은 행동주의 부모교육, 행동주의 결혼 상담, 성적 역기능 치료다. 가족구성원 개개인과의 상담과 복수의 상담을 병행한다.

> **관련어** | 인지행동주의 가족치료

행동주의 미술치료
[行動主義美術治療, behavioral art therapy]

행동주의 학습이론을 적용한 미술활동을 통하여 문제행동을 소거하고 바람직한 행동을 강화하도록 하는 조력활동. 미술치료

행동주의는 학습이론(learning theory)에 근거하여 부적응 행동의 소거, 적응 행동의 증가나 형성을 목표로 하는 심리치료다. 이는 전통적인 심리치료의 대안으로 등장하였다. 행동치료는 개인적 체험인 마음이나 정신을 대상으로 하는 것이 아니라 겉으로 드러나는 행동, 즉 불안반응 등의 구체적인 문제행동에 초점을 맞춘다. 행동치료에서는 현재를 중요시하며, 증상의 발생상황과 그 증상이 어떤 조건에 유지되고 변용되어 왔는가를 명확하게 하는 것에 중점을 둔다. 미술치료에서의 행동주의적 접

ㅎ

근은 특히 정서장애 아동, 지적장애 아동에게 유효하다고 알려져 있으며, 사례연구를 통하여 행동주의 치료는 부적응 행동의 개선에 도움이 된다는 사실이 입증되었다. 미술치료에 행동주의 기법을 적용하는 것은 정서장애의 부적절한 행동을 소거시킬 뿐만 아니라 정서적 욕구를 표명하도록 하는 데 도움을 준다. 또한 심한 불안장애 아동과 공격행동이 있는 성인을 포함한 다른 집단에게도 유효한 것으로 나타났다. 따라서 행동주의 미술치료는 언어적 표현능력이 부족하거나 지적인 수준이 낮거나 논리성이 부족한 아동 및 성인에게 유효한 심리치료라고 할 수 있다. 미술치료에 활용할 수 있는 행동주의 치료기법을 살펴보면 다음과 같다. 첫째, 미술활동 촉진을 위한 기법으로 조성(shaping), 강화(reinforcement), 촉구법(prompt), 용암법(fading)이 있다. 둘째, 문제행동 소거 및 바람직한 행동 증가를 위한 기법으로 강화자극 소거법, 행동감소를 위한 강화방법(다른 행동의 차별강화, 적절한 행동의 차별강화, 상반되는 행동의 차별강화), 행동적 자기통제법(self-control), 자기교시법(self-instruction), 주장훈련법(assertive training) 등이 있다.

관련어 인지행동적 미술치료, 행동주의

행동주의 부모교육
[行動主義父母教育, behavioral parent education]

행동주의 원리를 적용하여 부모를 대상으로 자녀를 잘 양육할 수 있도록 교육하는 것. **가족상담**

행동주의 상담은 부모가 문제라고 보는 견해를 수용하고 이에 맞는 해결책을 제공하는 데 초점을 둔다. 행동주의 상담자는 교육자의 역할을 담당하여 부모에게 자녀양육장면에서 학습원리를 적용하는 방법을 지도한다. 부모교육 프로그램에는, 첫째, 발작, 섭식장애, 배변훈련과 같은 신체적 증상, 둘

째, 뇌 손상, 지적장애, 정신이상과 같은 복합적 증후군, 셋째, 과잉행동, 싸움, 신체적·언어적 학대와 같은 부정적이고 공격적인 행동, 넷째, 학교공포증이나 두려움, 다섯째, 언어장애, 여섯째, 이부자리 정리, 칭얼거림, 옷 입기와 같은 가정에서의 일상행동 문제 등이 포함된다. 자녀의 다양한 문제행동을 다루기 위해 조작적 조건형성, 반응적 조건형성, 인지 정서적 전략 등이 적용된다. 조작적 조건형성 전략에는 조형, 토큰강화법, 유관계약, 유관관리, 타임아웃 등이 있다. 조형(shaping)은 원하는 목표에 점진적으로 접근하도록 되어 있는 작은 단계마다 행동변화를 강화하는 기법이다. 토큰강화법(token economies)은 점수나 별표 제도를 사용하여 자녀의 바람직한 행동에 대해 보상하는 기법이다. 자녀가 일정한 양의 토큰을 모으면 이에 대해 보상을 제공한다. 유관계약(contingency contracting)은 자녀가 긍정적인 변화를 나타낸 후 어떤 변화들이 지속될 수 있도록 부모와 계약하는 것이다. 유관관리(contingency management)는 자녀의 행동에 근거하여 보상과 처벌을 주기도 하고 제거하기도 하는 기법이다. 마지막으로, 타임아웃(time out)은 일종의 처벌에 해당하는데, 어떤 행동을 감소시키기 위해 자녀를 일정한 장소에 앉아 있게 하거나 혹은 자신의 방으로 들어가도록 하는 기법이다. 반응적 조건형성 전략은 심리적 반응을 수정하는 데 초점을 두며, 대표적인 기법으로 체계적 둔감법, 자기주장훈련, 혐오치료 등이 있다. 한편, 인지정서적 전략에는 생각 멈추기, 모델링, 재귀인, 자기모니터링 등의 방법이 적용된다. 행동주의 부모교육은 광범위한 평가과정과 함께 시작된다. 평가절차는 다양한데, 대표적으로 SORKC 행동모델을 근거로 이루어진다. 이때 S는 자극을, O는 유기체의 상태를, R은 목표반응을, KC는 결과의 특징과 유관을 뜻한다. 평가는 자녀의 변화되어야 할 행동의 선행사건과 후발사건, 행동의 빈도에 대한 정의, 관찰 및 기록을 포함한다. 부모 면담을 통해 문제에 대한 정의와 잠재적 강화물에

대한 정보를 수집하고, 일방경을 활용하거나 혹은 가정방문 기간에 관찰이 이루어진다. 부모는 자녀의 문제행동을 정확하게 파악하고, 그것의 발생빈도 및 맥락을 관찰·기록하며, 자극과 강화물의 역할을 하는 다양한 사건의 발생과 빈도를 기록하도록 훈련받는다. 이러한 평가과정이 완료되면 증가해야 할 행동과 감소해야 할 행동을 결정하고, 행동수정기법들을 적용하여 그 결과를 확인하는 과정이 진행된다. 행동주의 부모교육의 내용은 예방교육차원에서 자녀교육 프로그램에도 동일하게 적용될 수 있다.

관련어 행동주의 상담

행동주의 상담
[行動主義相談, behavioristic counseling]
행동주의 학습이론의 실험연구에 바탕을 두고 있으며 변화의 대상을 행동에 두는 상담접근. **행동치료**

행동주의 상담은 학습심리학의 실증적 근거가 기반이 되며 상담의 목표, 절차, 효과의 평가 등 상담의 전체 과정이 행동상담 특유의 이론적 전제에 기초하고 있다. 행동주의 상담자는 행동적이고 지시적이며 내담자가 보다 효율적인 행동을 배우는 데 도움을 주는 교사, 훈련가로서의 기능을 담당한다. 행동주의 상담의 근거는 모든 행동은 그 행동의 앞과 뒤에 일어나는 사상의 영향을 받아 동기유발된다는 것이다. 즉, 행동상담에서는 인간의 부적응 행동은 그 행동을 선행하는 조건과 그 행동의 결과에 의해 발생·유지된다고 보고, 인간의 부적응 행동을 변화시키거나 바람직한 행동을 증가시키기 위해 동일한 원리를 적용한다. 행동을 직접 변화시키기보다는 그 행동을 선행하는 조건 또는 후속하는 조건을 변화시켜 행동의 맥락을 바꾸고자 한다. 행동의 앞에 일어나는 것은 행동을 일으키는 자극이 되고, 행동의 뒤에 일어나는 것은 그 행동을 더 빈번하게 일으키거나 재발을 방지하거나 진행 중인 행동을 유지하는 동기가 된다.

이 같은 행동주의 상담은 크럼볼츠와 토레슨(Krumboltz & Thoreson)이 『행동상담』이라는 책을 출판하면서 처음 등장하였다. 행동상담의 전조는 행동수정이론과 행동치료에서 찾을 수 있다. 부적응 행동에 행동수정의 접근이 등장한 것은 1960년대로서, 행동의 중요성에 대한 새로운 인식이 나타나면서 행동치료라는 용어가 사용되었고, 부적응 행동의 직접적 치료의 가능성과 직접 치료가 증상 대치로 이어지지 않는다는 증거가 제시되었다. 그리고 『행동 연구 및 치료(Behavior Research and Therapy)』라는 전문지가 1963년에 처음 발행되었는데, 행동수정과 행동치료는 부적응 행동을 직접 치료하는 것, 그리고 학습이론의 개념을 적용하는 것으로 틀을 잡기 시작하면서 행동상담의 근간을 형성하였다. 그러나 초기의 행동치료는 학습원리를 적용한 직접 치료를 주장하기는 했지만 부적응 행동 자체와 치료이론의 본질을 재개념화한 것은 아니었다. 즉, 행동을 여전히 정신역동이나 성격 특성의 표현이라고 보는 기본적인 시각에서 벗어나지는 않았다. 그런 의미에서 초기 행동치료는 새로운 접근이나 이론이라기보다는 기존 상담에서 적용될 수 있는 하나의 상담 절차나 방법이라 할 수 있었다. 행동주의 상담은 다음과 같은 점에서 다른 상담이론과는 차이점을 보인다. 첫째, 인간의 행동 특징은 개인 내부에 존재하는 불변의 성격보다는 개인이 속해 있는 환경 또는 상황에 의해 더 잘 설명될 수 있다. 둘째, 상담과정에서 내담자의 문제를 개인에 국한시키기보다는 내담자의 문제를 둘러싸고 있는 환경변인에 관심을 갖는다. 셋째, 현재에 영향을 미치는 내담자의 과거보다는 현재의 상담과정에 초점을 둔다. 행동주의 상담의 특징들은 다음과 같이 정리할 수 있다. 첫째, 내담자의 호소문제를 행동의 문제로 파악한다. 이는 내담자가 자신의 불만이나 문제를 자신의 생각, 느낌, 행동 등 어떤 용어로 표현하더라도 그것을 내담자가 가진 부적응적인 행동에 대한 표현으로 본다는 것이다. 예를 들면, 골디아몬드와 다이루드(Goldiamond & Dyrud)는 다음 사례에서와 같이 내담자가 보고하는 불만을 행동의 문제로 파악하고 있다. 자살을 원하는 소년이 부모와 함께 상담실에 찾아와 상담자와 면접을 하게 되었다. 면접 중 아버지가 있는 자리에서 어머니는 "토미는 아버지를 싫어해요."라고 말하였다. 아버지도 고개를 끄덕이며 이를 인정하였다. 이 말을 듣고 상담자는 다음과 같이 말하였다. "아버지는 '토미가 싫어하는 행동을 많이 해요.'라고 말하는 식으로 문제를 보는 것이 더 낫지 않을까요? 그리고 한편으로 토미가 좋아하는 아버지의 행동도 있을 수 있을 것입니다." 여기에서 상담자는 아이가 아버지를 싫어한다는 내담자의 불만을 아버지와 아들 사이의 정서적 갈등의 문제로 파악하기보다는 '아버지의 어떤 행동을 아이가 싫어하는가?'라는 질문으로 접근하여 문제를 행동의 문제로 볼 수 있도록 하였다. 둘째, 파악된 부적응 행동의 변화를 위해 행동을 기능적으로 분석한다. 행동에 대한 기능적 분석은 내담자의 부적응 행동을 둘러싸고 있는 환경에 대한 관심인데, 어떤 상황에서 그 행동이 일어나고 있고 어떤 결과가 그 행동을 계속 유지시키는가 등의 정보를 수집한다. 그리고 행동을 둘러싸고 있는 상황이나 환경에 대한 정보는 상황이나 환경이 어떻게 달라지면 행동이 바뀔 수 있는가에 대한 단서를 제공한다. 셋째, 상담자와 내담자 사이의 언어반응의 교환과정에서 상담자가 내담자의 행동적 표현에 대한 언어반응을 증가시킨다. 내담자의 호소문제를 행동의 문제로 파악하고 내담자가 행동적으로 표현하도록 만들기 위해서는 상담자의 도움이 필요하다. 예를 들면, 내담자의 말 가운데 행동에 대한 언급에 선택적으로 반응함으로써 상담이 진행되는 동안 자신의 감정이나 생각을 주로 보고하던 내담자가 자신의 생각을 행동적으로 말할 수 있다. 넷째, 목표를 설정하거나 상담과정과 결과를 평가하는 기준이 내담자의 행동변화에 있다. 이는 곧 상담을 통해 일어나는 감정, 인지, 행동 등 내담자의 여러 측면에서의 변화 가운데 그 변화를 직접적으로 관찰할 수 있는 행동에 주목한다는 것을 의미한다. 또한 이것은 현재 문제가 되고 부적응을 일으키는 행동의 소거뿐만 아니라 이를 대신할 수 있는 적응적 행동으로서의 변화에 관심을 두고 그 변화를 촉진한다는 의미다. 다섯째, 상담목표는 기존의 상담이론들이 설정하는 상담목표와는 다르다. 즉, 자기이해, 합리적인 사고, 자신감, 긍정적 자아개념과 같은 상담목표와는 달리 내담자의 특성에 따라 개별화되고 행동의 용어로 표현된, 그리고 구체적인 실천사항으로 세분화된 상담목표를 설정한다. 예를 들면, 어떤 내담자에게는 '자기주장 하기'가 상담목표가 될 수 있고, 또 어떤 내담자에게는 '자기주장 안 하기'가 상담목표가 될 수 있다. 행동 그 자체로는 바람직함이나 바람직하지 못함이 없고 행동의 과잉 혹은 결핍에 문제가 있다고 보기 때문에 행동주의 상담의 방법은 부족한 행동을 증가시키는 방법과 과잉행동을 감소시키는 방법으로 크게 분류한다. 행동수정의 방법은 주로 강화와 관련되며 바람직한 행동을 증가시키는 과정에서 필요한 경우 바람직하지 않은 행동을 감소시키거나 억제하기 위해 혐오자극을 사용한 혐오통제방법을 병행하기도 한다. 인지적 행동수정에서는 강화 자체보다는 강화에 대한 기대와 관련된 인지적 기제가 영향을 미친다고 본다. 행동주의 상담의 일반적 절차는 행동의 선정과 정의, 행동의 기초선 측정, 행동의 통제, 효과 검증, 행동의 일반화와 고착의 순서로 진행된다.

관련어 학습이론, 행동수정, 행동치료

행동주의 진로상담
[行動主義進路相談,
behavioral career counseling]

학습이론의 원리를 진로를 선택하는 데 적용하여 조력하는 전문적 활동. 진로상담

행동주의 상담은 진로선택에 영향을 미치는 학습과정을 주로 다루며 대표적인 학자는 굿스타인(Goodstein), 크리티스(Crites), 크럼볼츠와 소레슨(Krumboltz & Thoresen) 등을 들 수 있다. 굿스타인과 크리티스는 진로선택에 영향을 미치는 주된 원인을 불안이라고 보고, 불안의 유형을 우유부단형과 무결단형으로 구분하여 설명하였다. 우유부단형은 자아, 즉 자기 자신이나 직업에 대한 정보가 부족하여 진로를 선택하는 데 어려움이 있으며 그 결과 불안이 형성된다. 한편, 무결단형은 자아나 직업에 대한 정보를 충분히 획득하고서도 진로를 결정하는 것에 불안을 느껴 진로선택을 하지 못하는 경우다. 이렇게 진로선택에 대한 불안이 진로를 선택하기 전에 나타나는가, 선택 후에 나타나는가에 따라 상담의 진행과정이 달라진다. 먼저, 불안이 진로를 결정하기 전에 나타나는 무결단형이라면 상담은 다음의 두 과정으로 이루어진다. 첫 번째 단계에서 상담자는 고전적 조건형성을 통해 의사결정과 관련된 불안을 제거한다. 이처럼 불안에 미치는 영향을 제거하면 두 번째 단계에서 상담자는 조작적 조건형성의 학습원리를 적용하여 내담자가 진로선택에 필요한 반응을 획득할 수 있도록 도와준다. 반면에, 불안이 진로선택 후에 형성되는 우유부단형으로 진단되었다면 진로상담은 조작적 조건형성의 원리를 적용하는 것부터 시작한다. 그러나 크럼볼츠와 소레슨은 행동주의 진로상담의 실용적 관점에서 상담목표를 설정할 것을 강조하여 굿스타인과 크리티스가 강조하는 불안이 형성되는 시점이나 진단에 대해서는 언급하지 않았다. 그들은 내담자의 문제는 진로를 선택하는 데 어려움이 있는 것으로 보고, 진로상담의 목표를 내담자가 진로선택을 하도록 도움을 주는 것이라고 강조하였다. 여러 학자의 견해를 종합해 보면, 행동주의 진로상담의 목적은 내담자의 불안을 제거하거나 감소시키며, 도구적 학습을 통하여 진로결정 기술을 습득하는 것이다. 따라서 행동주의 진로상담은 상담목표나 가치보다 상담기법을 더 강조한다. 즉, 주로 불안을 제거하거나 줄이기 위해서는 적응 또는 체계적 둔감화, 고전적 조건형성 등의 원리가 사용되고, 조작적 조건형성의 학습원리와 관련된 강화, 사회적 모방과 대리학습, 변별학습 등의 기법이 사용된다. 행동주의 진로상담에서 심리검사는 개인의 특성이나 개인차를 측정하는 데 유용하다고 하더라도 심리검사가 상담자의 주관심사인 개인과 환경 간의 상호작용을 반영해 주지 않기 때문에 심리검사의 결과를 해석하는 데 비중을 두지 않는다. 그러나 크럼볼츠와 베이커는 흥미검사의 사용을 강조하였다. 그 이유는, 첫째, 내담자가 흥미검사문항에 많은 관심을 보이므로 이로써 여러 직업적 대안에 대한 토의를 자극할 수 있다. 둘째, 흥미검사 점수가 상담자나 내담자가 생각하지 못한 직업에 대한 흥미를 지적해 줄 수도 있다. 행동주의 진로상담의 가장 큰 공헌으로는 직업정보의 제공이다. 크럼볼츠와 동료들은 회계사, 전기기사 등 20여 개의 직종에 대한 직업정보를 상세하게 제공했으며, 진로문제 해결상자를 고안하여 다양한 직업정보를 제시하였다.

관련어 | 진로상담이론

행동주의 집단상담
[行動主義集團相談,
behavioral group counseling]

집단구성원이 가진 문제를 학습과정에서 습득된 부적응 행동으로 보고, 그 부적절한 행동을 제거하고 보다 적절한 새로운 행동을 학습하도록 도움을 주는 집단상담접근. 집단상담

행동주의 심리학에 근거하여 집단구성원의 행동

ㅎ

을 변화시키려는 목적에서 고안된 것이 행동주의 집단상담이다. 행동주의 집단상담에서는 부적응 행동도 적응행동에 관한 학습의 원리로 설명하였다. 개인이 학습한 행동은 환경과의 상호작용, 특히 의미 있는 다른 사람들과의 상호작용 결과다. 행동은 자극, 유기체의 조건, 반응, 그리고 반응의 결과라는 네 가지 요소로 구성되어 있다. 다시 말해서 행동이란 자극에 대한 반응이다. 그러나 유기체의 조건과 뒤따르는 강화의 조건이 반응에 큰 영향을 미친다. 따라서 행동주의 집단상담에서는 유기체의 조건을 바로 이해하고 적절한 강화를 해 줌으로써 특정 자극에 대하여 바람직한 반응을 하도록 행동을 수정하고자 한다. 행동주의 집단상담에서 주로 사용되는 강화는 칭찬, 인정, 높은 평점 등과 관련된 이차적 강화다. 행동주의적 접근 모형에서 집단상담자는 집단구성원의 구체적인 문제를 제거하는 동시에 보다 생산적인 행동 및 바람직한 인간관계의 증진을 돕는 데 노력을 기울인다. 행동주의 집단상담자는 집단구성원인 동시에 관찰자로서, 문제행동의 전제, 그 행동의 특성, 문제행동을 유지시키는 강화인 등을 파악하기 위해서 직접 질문을 하거나 문제행동의 원인을 제시하고 그 행동을 변화시키는 데 필요한 활동과정을 설명하는 직접적인 강의도 한다. 이외에도 집단 토의, 역할놀이, 역할연습, 심리극 및 시범 보이기 등의 기술을 활용한다. 집단에서의 행동수정기술은 크게 나누어 행동을 촉진하고 강화하는 기술과 행동을 약화시키거나 그 빈도를 줄이는 기술이 있다. 행동을 강화하는 기술에는 행동계약을 맺거나, 자기주장훈련, 시범 보이기가 있고 행동을 약화시키는 기술에는 소거, 양립할 수 없는 행동의 강화, 체계적 과민성 제거, 심적 포화가 있다.

관련어 | 행동수정, 행동주의 상담

행동주의 학습이론
[行動主義學習理論, behavioral learning theory]

직접 다룰 수 있고 측정할 수 있는 외현적 행동만을 연구주제로 설정해야 한다고 주장하는 학습이론. 행동치료

왓슨(J. Watson)이 처음 소개한 학습이론이다. 내성법을 통해 인간의식을 연구하고자 했던 기존의 학습이론에 반발하여 과학적인 방법을 적용하여 심리를 연구하고자 하였다. 심리학이 과학이 되기 위해서는 신뢰할 수 있게 측정할 연구주제가 필요한데 그것이 바로 행동이라고 보았다. 왓슨은 의식에 관한 연구는 철학영역에 맡기고 심리학자는 유기체의 경험에 의해 행동이 어떻게 변화하는지에 관심을 가져야 한다고 강조하였다. 그는 "행동주의자의 관점에서 볼 때, 심리학은 객관적인 자연과학의 영역에 속한다. 심리학의 이론적 목표는 행동을 예측하고 통제하는 데 있다. 내성법은 심리학의 기본적인 연구방법이 되지 못하며, 이 방법으로 수집한 정보는 의식에 따라 해석해야 하므로 더 이상 과학적 가치가 없다. 행동주의자는 단일의 도구를 사용하여 동물연구를 하기 때문에 인간과 동물을 구분할 필요가 없다. 인간의 행동은 세련되고 복합적이기는 하지만 결국 행동주의자들이 활용하는 연구 도구들 중의 하나에 불과하다."라고 주장하였다. 정신적 사상은 직접적으로 다룰 수 없으므로 무시한다. 행동은 직접 다룰 수 있는 실체이므로 심리학의 연구대상을 행동으로 보았다.

행동주의적 사이코드라마
[行動主義的 - , behavioral psychodrama]

의학적 사고, 즉 질병을 치료하고 증상을 없애고 행동을 변화시키고 사회적 적응을 촉진하기 위한 사이코드라마. 사이코드라마

켈러만(Kellermann, 1991)이 과학을 자연과학과

인문과학으로 구분하는 관점을 기준으로 삼아 자연과학적 접근으로 분류된 사이코드라마다. 행동주의적 사이코드라마에서는 행동을 정상행동과 이상행동으로 구분하여 진단을 내리는데, 여기서 연출자의 역할은 매우 기술적(technical)이어서 환자에게 특정한 기술적 처방을 주어 증상을 없애는 의사의 역할과 비슷하다. 이러한 행동주의적 사이코드라마의 맥락에서 모레노(Moreno, 1972)는 사이코드라마를 다음과 같이 규정하였다. 즉, 사이코드라마는 환자를 주인공으로 무대 위에 올려놓고 전문 보조자아들의 도움을 받아 문제를 해결하는 것이다. 이처럼 모레노는 사이코드라마를 치료적 방법이자 진단의 방법으로 규정했는데, 증상의 제거와 같은 보다 근본적인 욕구를 만족시키려는 환자들에게 유용하게 사용될 수 있다. 행동주의적 사이코드라마의 대표적인 예를 시연(리허설)으로 들 수 있는데 데이트 예견, 입사 인터뷰, 공동 작업자와의 대결, 자녀 훈육상 문제 등에서 이러한 역할놀이 기법은 행동치료, 주장훈련, 그리고 다른 절충적 접근방식의 주된 방법이 되어 왔다. 주인공은 약간의 성공이라도 달성할 때까지 장면을 반복해야 한다. 이때 관객들은 자신이라면 어떤 식으로 상황을 다룰 것인지를 보여 주기도 하고, 피드백을 주거나 나아가 가장 중요한 일로는 용기를 북돋아 주기도 한다. 환자들은 자신이 너무 억제되어 있으면 자기표현을 연습하고, 히스테리적이거나 폭발적인 경향이 있으면(적극적이면서도 조용한 행동반응으로) 자기통제를 연습할 수 있다.

관련어 | 시연(리허설), 역할놀이, 연출자, 자기주장, 행동치료, 행동주의

행동주의적 심상치료
[行動主義的心像治療, behavior imago psychotherapy]

행동주의적 기법을 적용한 심상치료. `심상치료`

심상치료는 마음과 마음의 외적 내용물이라 할 수 있는 이마고(imago)의 활용을 기본으로 하기 때문에, 무의식적인 면을 많이 다루는 것이 일반적인 데 반해, 행동주의적 심상치료의 기본 입장은 과학적 방법에 근거하여 마음의 기능과 구조 등을 해명하는 것이다. 따라서 행동주의적 심상치료에서는 치료장면에서 내담자가 체험한 심상(imagery)의 기능과 의미를 과학의 범위 내에서 해명하고자 한다. 행동주의적 심상치료는 우리 마음을 학습이론의 결과로 간주하고, 이를 과학적 법칙으로 해명하고자 한다. 이와 같은 행동주의적 심상치료에 적용되는 심상기법은 심상의 임상적 기능과 특징을 행동주의 이론에 근거하여 개발한 것이며, 그런 만큼 심상체험에서의 이완기능과 심상의 학습적 치료기능 및 인식변화적 기능 등을 강조한다. 이 기법은 이완 및 심상을 활용하여 행동수정이나 인식변화를 유도해 내고자 한다. 또한 심층적 심상의 체험을 과학적인 입장에서 파악하고, 인간 마음의 기능, 특징, 상태 등을 현상학적 측면에서 바라보면서 분석, 규명하고자 노력한다. 행동주의적 심상치료의 궁극적인 목표는 심상이라는 도구를 써서 기존의 마음을 새 마음으로 재구성시켜 주는 것이다. 대표적 기법으로는 제이콥슨(Jacobson)의 점진적 이완법을 비롯하여 해머(Hammer)의 심상기법, 존스가드(Johnsgard)의 심상기법, 슈나이더(Schneider)의 심상기법, 크램톤(Crampton)의 심상기법, 알렌(Allen)의 심상기법 등이 있다.

ㅎ

행동주의적 음악치료
[行動主義的音樂治療, Behavioral Music Therapy]

치료목표를 행동 및 발달 문제해결에 두고, 음악을 활용하여 음악 외적인 행동에 관한 문제를 진단한 뒤 바람직한 행동변화의 개선을 꾀하는 음악치료. 음악치료

행동주의적 음악치료는 행동에 관한 통제력 신장을 목표로 하여 음악치료를 행동 변화라는 구체적인 목적으로 사용한다. 이는 철저히 행동과학의 개념하에서 치료과정을 실행하는데, 목표행동을 소거하거나 창출 혹은 수정하여 얼마나 유지·보존할 수 있는지, 그와 관련된 조건형성은 어떤 것이 있는지에 관심을 둔다. 행동주의가 일어난 것은 20세기 초 왓슨(Watson)에 의해서이고, 행동주의가 음악치료에 접목된 것은 1950년대 이후의 일이다. 1955년 제프리(Jeffrey)가 『Science』에 효과적인 강화인으로 음악에 관한 글을 실은 것을 필두로, 음악치료에 행동주의적 경향이 나타났다. 이후 많은 대학과 연구소에서 음악이 행동에 미치는 영향이 연구되면서 음악은 행동수정을 위한 강력한 매개체로 자리 잡았다. 행동주의적 음악치료의 주요 목적은 내담자가 대인관계 기술과 같은 사회적으로 더욱 적절한 행위를 할 수 있도록 도와주는 것이다. 음악치료에서는 행동주의만을 적용하기보다는 주로 인지가 가미된 행동주의 방법으로 나아가는 경우가 많다. 치료적 절차는 행동주의 기법과 동일한데, 음악으로 주어지는 자극과 그에 대한 반응으로 목표행동을 수정해 나간다. 이때 음악은 하나의 단서역할을 하고, 주어진 시간 안에 신체동작구조의 기반을 형성하고, 주의를 집중할 수 있는 매개체가 되고, 행동수정에 대한 보상역할을 한다. 이와 같은 행동주의적 음악치료는 계단식의 위계적 활동과 절차가 특징이다. 첫 번째 단계는 문제가 되는 인지, 행동, 정서 등에서 행동적 지표를 확인하고 탐색한다. 두 번째 단계는 구체적이고 가시화된 행동이 목표로 일단 정해지고 나면 그 행동에 관련된 관찰을 실행한다. 세번째 단계는 내담자의 행동수정을 위한 음악적 환경을 설정한다. 네 번째 단계는 목표행동의 수정을 확인하고 사후평가 등으로 지속성을 확인하고 종결한다. 정해진 원칙은 없지만 행동주의적 음악치료가 성공하려면 우선 반드시 행동원칙에 대하여 바르게 이해하고 있어야 하며, 행동을 분석하고 비판할 수 있는 능력을 정비해야 하고, 새롭게 대안행동을 선택할 수 있어야 한다. 그리고 각 개인의 특정 행동문제에 맞추어 음악을 만들고 선별하고 즉흥연주를 실행한다. 행동주의적 음악치료사들은 음악치료를 실행하지만 조건형성, 노출, 역할극, 이완훈련, 모델링과 같은 행동주의적 기법을 모두 사용한다. 이 음악치료는 행동주의 원칙에 입각하기 때문에 환경적 자극에 관한 관찰 가능한 행동적 반응 연구를 엄격한 절차에 따라 진행하였다.

행동중독
[行動中毒, behavioral addiction]

자신이나 타인에게 해가 될 수 있는 특정한 행위를 계속해서 반복적으로 시행함에 따라 스스로 그 행위의 빈도를 조절할 수 없게 되는 상태. 중독상담

충동 조절 장애의 필수 요소는 자신이나 타인에게 해를 입히는 행위(도박, 인터넷 등)를 하려는 충동과 욕구를 스스로 제어하지 못하는 것으로서, 이 두 가지 요소가 충족되었을 때 행동 중독이라고 진단하였다. 행동 중독증이 있는 사람은 특정 행위를 함으로써 만족감과 기쁨을 얻지만, 이후에 죄책감이나 자기 비난의 감정이 오기도 한다. DSM-IV에서는 행동 중독을 충동 조절 장애(impulse-control disorder)의 개념으로 설명하였다. DSM-5에서 제시되는 행동 중독 장애의 종류로는 병적 도박, 병적 방화, 인터넷 중독, 성 중독, 일 중독 등이 있다.

관련어 | 물질관련장애, 물질중독

행동체계
[行動體系, behavior system]

행동 단위들이 조직화 혹은 재조직화 과정을 통해 유용한 하나의 행동을 조직하는 과정. `현실치료`

개인의 지각된 세계가 좋은 세계 안에 들어 있는 사진첩을 충족시키지 못할 때 불균형 상태에 놓이는데, 이때 순간적으로 비자발적인 행동을 하게 되고 좌절신호를 행동체계로 보낸다. 자신의 삶이 통제되지 않을 때, 좌절감을 느낄 때, 욕구충족이 불가능할 때 행동체계를 작동시키기 위해 좌절신호를 보낸다. 이 신호는 전 행동을 유발하는 신호다. 학습했던 모든 행동이 이 행동체계 안에 저장되어 있다. 불균형이 심할수록 강한 좌절신호가 나오고, 좌절신호가 강할수록 행동을 위한 충동도 강해진다. 좌절신호가 발생하면 개인은 먼저 조직화된 행동을 한다. 조직화된 행동은 행동체계 안에 저장되어 있는 것으로서 현실적으로 이용 가능한 모든 활동, 생각, 느낌을 뜻한다. 이것은 언제든지 상황을 통제하는 데 도움을 주기 때문에 지속적으로 활용되는 행동이다. 한편, 좌절신호가 발생해도 즉각적으로 이용할 수 있는 기존의 조직화된 행동이 없을 경우에는 새로운 행동을 만들어 낸다. 행동체계는 완전히 새로운 행동을 창조하여 조직화하거나 혹은 조직화된 행동을 재조직화하는 작업을 지속한다. 저장된 모든 행동은 개인이 원하는 것을 얻을 수 있도록 하기 위해 현실세계에 영향을 미치고 현실세계를 통제하는 데 그 목적이 있다.

행동치료
[行動治療, behavior therapy]

실험심리학에 기초를 두고 충분히 검증된 학습원리를 적용하여 부적응 행동의 이해 및 체계적인 변화를 추구하는 상담 및 심리치료의 한 형태. `행동치료`

다양한 효과검증으로 입증된 방법을 통하여 내담자의 증상과 원인, 진단과 치료방법을 적용하는 행동치료는 체계적이고 과학적인 접근을 거치며 많은 발전을 이루었다. 행동치료의 기본이 되는 대표적인 이론으로는 파블로프(Pavlov)의 고전적 조건형성, 손다이크(Thorndike)와 스키너(Skinner)의 도구적 또는 조작적 조건형성, 헐(Hull)의 체계적 행동이론, 반두라(Bandura)의 사회학습이론 등이 있으며, 행동은 학습된 것이라는 기본 가정하에 부적응 행동도 학습이론에 따른 재학습을 통해 효율적인 행동으로 바꿀 수 있다고 간주하였다. 행동치료는 크게 세 가지 대표적인 치료방법과 이에 대한 능력을 강조하고 있다. 첫째는 상담을 이끌고 관계를 형성하고 동기를 부여하는 기초능력, 둘째는 직면, 홍수법, 습관화 훈련, 체계적 둔감법, 이완훈련, 자기교습훈련, 대화훈련, 사회기술훈련, 자기조절 훈련과 같은 행동주의 기법을 효율적으로 활용하는 능력, 셋째는 각각의 부적응 행동을 위해 개발된 특별한 치료 프로그램을 수행하는 능력이다. 행동치료가 처음으로 소개된 시기는 정확하지 않으며, 창시자가 누구인지 말하는 것도 쉽지 않다. 다만, 행동치료의 뿌리는 1950년대 영국의 아이젱크(Eysenck), 샤피로(Shapiro), 존스(Jones), 남아프리카공화국의 울페(Wolpe), 라자루스(Lazarus), 미국의 린슬리(Lindsley), 스키너(Skinner), 모우러(Mowrer), 달러드(Dollard), 밀러(Miller) 등의 연구에 있다. 이후 행동치료의 변화는 선형모델에서 포괄적인 체계적 관점으로, 학습모델에서 인지적·정서적 변혁이라 불리는 복합적인 심리학적 개념으로, 단순 인과관계에서 다중관계이론으로 진행되었다. 이 밖에도 행동치료에 내담자와의 관계, 치료과정에 내담자 참여시키기, 문제해결이나 결정능력과 같은 인지적인 요인, 생물학적 관점 등이 강조되었다.

ㅎ

행동치료법

[行動治療法, behavior therapy method]

부적응적인 행동이나 환경을 변화시키기 위해 학습이론을 적용하는 심리치료법의 일종. 특수아상담

행동치료법은 내담자의 다양하고 구체적인 문제에 대처하는 데 적용 가능한 기본적인 개념뿐 아니라 기법과 관련해서도 다양하다고 할 수 있다. 한편, 치료와 측정은 동시적으로 일어나기 때문에 상호 관련이 있다. 행동치료법의 주요 특징은 치료과정의 초기에 구체적인 목표를 규명하는 것이다. 내담자의 목표를 성취하는 데 도움을 주는 행동상담심리사들은 능동적, 지시적 역할을 한다. 내담자가 일반적으로 어떤 행동을 변화시킬지 결정한다면, 상담심리사는 그 행동을 매우 잘 수정할 수 있는 '방법'을 결정한다. 치료계획을 설계하는 데 행동상담심리사는 다양한 치료체계에 따르는 기술과 절차를 이용하고 이것을 각각의 내담자에게 적용한다. 행동치료의 강점은 다양하면서도 구체적인 기법이 있다는 것이다. 행동치료는 문제에 대해서 말이나 통찰만 하는 치료와는 달리 '행위'를 강조하기 때문에 상담심리사는 내담자의 행동변화를 위한 계획을 공식화함으로써 내담자에게 도움을 주는 여러 가지 행동적 전략을 사용한다. 그럼에도 불구하고 행동치료법은 다양한 이유로 비판을 받기도 한다. 첫째, 행동치료법은 행동은 변화시킬 수 있어도 감정은 변화시키지 못한다. 둘째, 행동치료는 치료에서 중요한 관계적 요인을 무시한다. 행동치료에는 내담자와 상담심리사 간 인간관계의 중요성이 무시되어 왔다는 비판이 자주 제기되고 있다. 셋째, 행동치료로 통찰을 할 수 없다. 넷째, 행동치료는 원인보다 증상을 다룬다.

관련어 | 행동수정, 행동 중재

행동치료적 접근

[行動治療的接近,
behavioral therapy approach]

학습원리를 적용하여 내담자의 외현적 행동이나 사고를 변화시키려고 하는 심리치료 접근. 행동치료

행동치료적 접근에서 상담자는 내담자의 부적응적 행동을 적응적 행동으로 대체시키기 위해 학습원리를 적용한다. 행동치료적 접근은 1950~1960년대 초반 무렵 정신분석적 관점에서 이탈하여 실험실 내 동물행동 연구결과에 토대를 둔 학습원리를 인간행동 변화에 적용하고자 한 일련의 심리학자와 임상가 집단에 의해 활발하게 소개되었다. 초기에는 주로 고전적 조건형성과 조작적 조건형성의 원리를 적용하였다. 스키너(B. F. Skinner)에 따르면, 행동치료는 내담자의 바람직한 행동을 증가시키고 바람직하지 못한 행동을 약화 또는 감소시킴으로써 내담자의 적응력을 높이게끔 도와주는 일종의 재학습과정이다. 이후 반두라(A. Bandura)는 스키너의 급진적 행동주의에서 무시되었던 인지(cognition)를 행동치료의 한 부분으로 받아들였으며, 초기 고전적 조건형성과 조작적 조건형성을 관찰학습과 결합하여 사회학습이론을 발전시켰다. 행동치료적 접근은 대부분의 행동이 학습된다는 전제에 근거하여 인간행동은 학습의 법칙을 따른다고 본다. 인간행동이 환경적 사건에 의해 결정된다는 입장을 취하고 관찰할 수 있는 행동을 강조하기 때문에 인간의 내면적 가치나 자유의지를 주장하는 다른 심리치료 학파와 대립된다. 인간에 대한 성선설이나 성악설을 믿지 않으며, 조건형성과 강화의 학습원리로 인간을 악하게도 혹은 선하게도 만들 수 있다는 입장이다. 인간은 조건형성의 산물이라고 보면서 모든 인간학습의 기본 유형으로 자극-반응 패러다임을 주장한다. 슈피글러와 게베르몽(Spiegler & Guevremont, 1998)은 행동치료적 접근의 특징을 다음과 같이 요약하였다. 첫째, 과학적 방법의 원리와 절차에 근거

한다. 동물실험에서 도출된 학습원리는 내담자의 부적응 행동을 변화시키는 데 체계적으로 적용된다. 개인 신념이 아닌 관찰에 근거하여 결론을 내리며, 구체화와 측정을 강조하고, 중재를 반복할 수 있도록 상담목표를 구체적이고 객관적인 용어로 기술한다. 치료과정 중에 내담자의 문제행동과 문제행동을 유지시키는 환경적 조건을 평가한다. 둘째, 과거를 중요시하지 않으며 내담자의 현재 문제와 그것에 영향을 미치는 요인을 다룬다. 현재 내담자가 놓여 있는 환경 내 조건들이 내담자의 문제에 영향을 미친다고 여기며, 그러한 현재 관련 요인을 변화시키기 위해 개입한다. 셋째, 내담자는 자신의 문제를 다루기 위해 구체적인 행동을 하도록 요구받는다. 내담자는 자신의 처지에 대해 단순히 이야기만 하는 것이 아니라 변화를 가져올 수 있는 구체적인 행동목록을 배운다. 상담장면에서뿐만 아니라 밖에서 자신의 행동을 관리하고, 대처기술을 배우고 실습하며, 새로운 행동을 연습함으로써 긍정적인 행동변화를 도모한다. 넷째, 학습을 심리치료의 핵심으로 간주한다는 점에서 교육적인 측면이 강하다. 상담에서 배운 것을 일상생활에 적용할 수 있는 것으로 보기 때문에 내담자의 자기관리능력을 증진시키고, 과제물을 제시하여 내담자의 실제 생활 속에서 행동수정이 이루어지도록 한다. 다섯째, 자기통제방식을 강조한다. 내담자 스스로 행동변화를 시작하고 실시하고 평가할 수 있도록 훈련시키며, 내담자는 자신의 변화에 책임을 지는 과정을 통해 이러한 자기통제능력을 향상시킨다. 여섯째, 행동치료절차는 각 내담자의 요구에 적합하게 개별화한다. 한 내담자의 문제를 다루는 데 다양한 심리치료기법이 사용될 수 있다. 일곱째, 치료는 상담자와 내담자 간의 협력적 관계에 기초한다. 상담자는 행동치료적 접근의 상담과정과 특징에 대해 내담자에게 알려 준다. 행동치료적 상담자는 행동적이고 지시적이며 내담자가 보다 효율적인 행동을 배우도록 조력하는 교사 혹은 훈련가로서 기능한다. 상담자와 내담자 간의 인간적인 관계를 강조하지는 않지만 신뢰할 수 있는 상담관계는 행동변화를 위한 상담작업의 기초가 된다는 점을 인정하고 있다. 일반적인 상담목표는 학습의 새로운 조건을 창출하는 데 있다. 즉, 학습을 위한 새로운 조건을 만든다. 이러한 관점은 학습경험이 문제행동을 해결할 수 있고 학습이 문제행동을 개선시킬 수 있다는 데 근거하고 있다. 행동치료적 접근의 목적은 바람직하지 못한 행동을 소거하고 바람직한 행동을 학습시키는 것이다. 원래는 비현실적인 공포나 불안의 제거와 학습을 통한 행동수정이 주된 목표였으나 최근에는 자기지도가 강조되는 추세다. 내담자가 상담목표를 결정하며 하나의 상담목표는 구체적인 세부목표로 재진술된다. 상담이 진행되는 동안 계속적인 평가를 하면서 이러한 목표의 달성 여부를 확인한다. 일반적인 상담과정은 상담관계의 형성, 문제행동의 규명, 행동분석, 상담 목표와 방법 협의, 상담의 실행, 상담결과의 조정 및 평가, 상담효과의 유지와 일반화 및 종결의 단계로 진행된다. 이러한 과정에서 활용되는 주요 치료기법은 주장훈련, 체계적 둔감법, 이완훈련, 자극 포화법, 부적 강화, 정적 강화, 토큰강화, 행동조성, 용암법, 역할연기, 사고중지, 행동계약 등이 있다.

행동하는 기술
[行動 – 技術, action skills]

화가 나는 감정을 예방하거나, 이를 조절하기 위한 기술.

생애기술치료

일반적으로 사람들은 인간관계에서 화가 나는 감정을 조절하지 못하여 그 관계를 망치게 된다. 이는 자신이 원하는 것이 무엇인지 말하지 않고 즉각적으로 화를 낸다거나, 상대방의 마음에 들지 않는 행동에 대해 바꿀 것을 부탁하지 않고 그냥 견디는 것 등이 원인이다. 이 같은 상황을 방지하기 위한 행동하는 기술로는 공격적인 비판을 잘 조절하고, 근육 이완을 통해 감정의 조절을 시도하고, 스트레스를 잘 조절하고, 서로 화가 날 때 상대방과 함께 조절하는 방법을 개발하는 것 등이 포함된다.

관련어 | 생각하는 기술

행위
[行爲, act]

인간 주체의 총체적인 의지적 활동. **사이코드라마**

행위는 자신의 의지작용에 따른 인간적 활동을 총체적으로 표상한다. 카울바흐(Kaulbach)의 『행위철학』에 따르면, 본래 의미의 행위란 스스로 운동하고 성장, 소멸하고 변화하는 것으로 정의하였다. 실천적 의미의 행위는 자신과 타인이 협의하고 행위 가능성과 교체방법을 모색하여 최선을 위해 결단하는 경우에만 해당된다. 즉, 행위자는 행위를 통해 아직 완성되지 못한 것을 완성시키고, 가능한 것을 실현하도록 요청받는다. 행위와 행동을 비교할 때 행위는 인간의 의지적인 활동으로, 행동은 동물적·습관적·자동적·의식주 중심의 비의지적 활동으로 구분할 수 있다. 심리극에서 행위는 무의식적이고 자연발생적이며 창조적인 행위를 지향한다. 행위는 주인공이 심리적 문제를 그대로 묘사하기 위해 주인공의 갈등상황을 무대 위에서 극으로 만든다. 이는 실연을 통해 주인공이 자신의 문제에 대해 통찰하고 억압했던 감정을 상징적으로 행동화함으로써 감정의 정화를 맛보게 하는 것이다.

행위갈망 [行爲渴望, act hunger] 자아가 소망이나 충동을 충족하고자 하는 욕구로서 행위갈증이라고도 한다. 행위갈망은 심리극 도중 자신의 복잡한 상황에서 정서나 신체 혹은 행위를 경험하고 완성하려는 내면의 의식적, 무의식적 욕구를 말한다. 행위갈망은 참가자의 고통스러운 경험에서 표출된 것이며, 과거의 트라우마를 의식적 수준으로 이끌어 내어 직면하고 극복하려는 욕구가 반영된 것이다. 즉, 심리극에서 주인공은 보조자아를 통하여 원래의 상황을 구체적인 행위로 표현하면서 행위갈망을 인격화한다. 이처럼 실제 경험을 해 봄으로써 참가자의 욕구가 충족되고 자신의 정신 깊은 곳의 미해결된 과제가 해결되어 정서적 긴장상태가 사라지는 것이다. 행위갈망은 심리극의 주인공이 충족시켜야 하는 중요한 부분으로, 연출자는 주인공의 행위갈망이 성취되도록 도움을 주어야 한다.

행위충족 [行爲充足, act fulfillment] 참가자의 소망을 충족시키고 자신의 내면적 갈등을 해결하며 과거에 좌절되거나 억압된 계획을 성공적으로 재창조하도록 하는 것으로서, 참가자의 부정적인 정서경험을 교정하기 위한 직접적인 방법이다. 어린 시절에 상처를 받은 참가자는 그 상황을 재연함으로써 정서경험을 치유하고 건강을 회복할 수 있다. 행위충족에는 행위갈증의 해소와 행위통찰의 의미가 내포되어 있다. 즉, 이제 더 이상 행위의 필요성이 사라지고 행위만족과 더불어 행위의 의미를 대부분 이해했다는 것을 말한다. 심리극에서 행위충족은 어떤 긴 어두운 동굴을 빠져나온 느낌과 같은 놀람과 새로움에 대한 참가자의 반응으로 나타난다. 그러나 행위충족이 아직 이루어지지 않은 참가자는 쉽게 다시 자발성을 일으켜 그다음 행위로 나아간다.

행위화 [行爲化, acting] 의도적인 일련의 동작으로 행위화에는 내적 행위화(acting in)와 외적 행위화(acting out)가 있다. 내적 행위화는 행동억제라고도 하는데, 감정을 내재화하는 방식으로 정서적 갈등을 나타낸다. 즉, 자신의 감정을 겉으로 표출하지 못하고 자기 속으로 향하게 하거나 자신의 마음속에 가두어 두고 있는 것, 즉 외적으로 표현하지 않은 억압된 감정을 말한다. 내적 행위화의 형태로는 우울, 무기력, 자기상해 및 위축 등이 있다. 외적 행위화는 행동발산이라고도 하며, 참가자의 무의식적 욕구나 충동이 외적인 행동으로 표현되는 것이다. 외적 행동위화를 보이는 아동의 경우는 파괴적이고 반사회적인 방식을 따르기 때문에 상담자가 적절하게 통제하기 어렵다. 외적 행동위화의 형태로는 싸우기, 훔치기, 울기, 토라지기, 과잉행동, 불끈하기 및 언어적 위협 등이 있다.

행위 프로파일
[行爲 -, action profile]

본래 경영관리분야에서 연구된 개념인 공간, 시간, 무게의 요소들을 구체화하고 확대시켜서 인간의 동작유형을 통해 분류하는 성격유형. **무용동작치료**

행위 프로파일은 램스던(Ramsden, 1992)이 라반(Laban)의 라반동작분석과 램(Lamb)의 동작 형태(shape) 연구가 합쳐진 에포트와 형태(effort/shape)에 관한 연구에 경영관리분야의 세 가지 성격심리유형을 추가하여 연구한 것이다. 행위 프로파일에서는 인간의 동기적 측면에서의 성격심리를 에포트 요소와 형태 요소가 섞인 동작의 질로 설명하였다. 여기서 에포트란 동작의 역동과정에서 나타나는 운동에너지의 사용방법을 말한다. 에포트는 네 가지 움직임의 요소로 이루어지는데, 첫째, 공간요소인 직선동작은 주의 기울이기 차원의 자료 조사하기 행동에서 정확한 차이를 분석하는 심리과정으로 나타나고, 곡선동작은 자료를 다양하게 연결하고 정보를 조직적으로 구조화하는 심리과정으로 나타난다. 둘째, 무게요소 중 압력이 증가된 동작은 행동의도의 차원에서 강한 행동 기반을 가진 결정과 선택을 하는 심리과정으로 나타나고, 압력이 감소된 동작은 신축성 및 융통성 있는 목표설정으로 나타난다. 셋째, 시간요소에 따르는 가속(빠른) 행동은 행동수행의 측면에서 시기적절한 행동 프로그래밍으로 나타나고, 감속(느린) 행동은 시간상 융통적인 프로그램으로 나타난다. 넷째, 흐름의 요소는 자유로운 동작은 부드럽고 신축성 있는 심리과정으로 나타나고, 묶인 동작은 확고하고 강한 심리과정으로 나타난다. 인간의 동기적 측면을 구성하는 형태요소는 인간이 공간 속에서 움직이는 동작의 형태나 질의 체계를 말한다. 형태요소는 수평차원, 수직차원, 전후차원의 3차원으로 분류된다. 첫째, 수평차원의 동작은 주의 기울이기(탐색하기)라는 성격동기차원에서 여러 가지 접근방법의 수집과 포괄적인 심리과정으로 나타난다. 둘째, 수직차원의 펼치는 동작은 행동반경의 확대 및 대안 만들기 등의 심리과정으로 나타난다. 즉, 위로 올라가는 동작은 행동의도차원에서 목적의 명료화를 나타내고, 아래로 내려가는 동작은 현실성을 중시하는 심리과정을 나타낸다. 셋째, 전후차원의 앞으로 나아가기 동작은 행동 수행하기 차원에서 점진적으로 조망하는 행동계획을 의미하고, 뒤로 물러나기 동작은 실제적인 행동계획을 의미한다. 이렇게 인간행동의 동기적 측면에서 분석한 세 가지 성격심리유형은 에포트 요소와 형태 요소를 섞은 동작의 질로 설명할 수 있다. 그 세 가지 성격심리유형은 행동잠재력에 주의 기울이기(attention), 행동을 취할 의도(intention), 행동을 직접적으로 수행하기(committing)다. 동작/성격심리유형의 행위 프로파일을 적용하는 것은 다음과 같은 특성을 지닌다. 첫째, 행위 프로파일의 행동/성격 패턴은 단순히 행동에너지에 대한 인식이므로, 좋고 나쁨의 평가를 내리지 않는다. 둘째, 행위 프로파일은 행동 수행이나 직무의 만족을 위해 행동을 연구하는 것이므로, 개인은 행동 동기의 측면에서 동의와 선택이 이루어진다. 즉, 동기가 높을수록 주도적이고 창조적이라고 할 수 있다. 셋째, 행동의 효과성을 위해서는 과제와 관련된 자기동기와 타인동기의 조화방법이 필요하다. 동작이나 행동은 충동이나 잠재성이 무의식 영역에서 순간적으로 일어났다가 사라지는 특성이 있기 때문에 동작을 반복적으로 되풀이하거나 시각적으로 포착하여

ㅎ

그 형태를 보존하지 않으면 쉽게 지각되거나 이해되기 어렵다. 더 나아가 특정 형태의 동작 특성이 그것과 관련된 동기나 성격심리는 보이지 않기 때문에 더욱이 그 관련성을 파악할 수 없다. 그러므로 특정한 종류의 동작과 직접적으로 관련된 심리과정을 연구하여 연결한다면, 동작 및 행동과 성격심리를 연결하여 구조화할 수 있으므로 개인의 동작과 심리를 객관적으로 이해할 수 있고 효과적인 인간의 행동과 심리를 산출하는 데 도움이 될 수 있다.

관련어 | 에포트

행위분석
[行爲分析, action analysis]

사이코드라마의 연출자가 무대에서 이루어지는 행동을 여러 가지 측면에서 평가하고 해석하는 일. 사이코드라마

행위분석에서 연출자는 과거경험의 관점이나 저항, 반응, 의사소통을 위한 행동의 관점에서 현재 행동의 의미를 찾는다. 이 행위분석은 주인공이 행위통찰을 하도록 도와주기 위한 것으로서, 사이코드라마에서 연출자는 저항을 해결하고 자발성을 조장하며, 주인공이 자기가 원하는 대로 자유롭게 행동하고 말하고 표현하도록 하면서 내면의 문제를 끄집어내도록 만든다. 사이코드라마에서 이 같은 연출자의 행위분석은 다음의 다섯 가지 요건으로 이루어진다. 첫째, 주인공의 언어적 · 비언어적 표현에 주의를 기울인다. 즉, 연출자는 주인공의 언어적 · 비언어적 행동들이 서로 조화를 이루는지를 관찰한다. 둘째, 연출자는 주인공과 정서적으로 일체감을 느끼면서 동시에 별개의 정체성을 유지할 수 있어야 한다. 연출자의 입장에서 직관적 감정을 유지하는 것과 더불어 주인공에게서 분리되고 감정적으로 거리를 유지하는 것이 필요하다. 셋째, 연출자는 주인공이 말하는 이면의 숨겨진 의미를 파악할 수 있어야 한다. 즉, 분명하게 말로 표현된 내용 이면에 들어 있는 무의식적 의미와 동기를 이해하는 것이 중요하다. 넷째, 연출자는 극 중에서 자신이 이해한 바를 주인공에게 전달할 수 있어야 한다. 이때 적절한 타이밍을 잡아야 하는데, 주인공에게 때 이른 해석을 강요하지 않기 위해서는 노련한 감수성이 필요하다. 다섯째, 연출자는 자신이 이해한 바를 주인공에게 전달하고, 그 이해가 잘못되었다면 교정할 수 있어야 한다.

관련어 | 사이코드라마, 연출자, 주인공

행위완료
[行爲完了, action completion]

행위충족과 같은 의미를 가지고 있는 사이코드라마 기법의 하나. 사이코드라마

행위완료는 주인공으로 하여금 사이코드라마적인 방법으로 자신의 바람을 충족시키고, 꿈이나 갈등을 궁극적으로 해결하며, 과거에 좌절되었거나 억압된 계획을 성공적으로 재창조하도록 하는 것이다. 예를 들면, 몇 가지 요소를 바꾸어 어린 시절 상처를 받았거나 좌절했던 장면을 재연해 보도록 한다. 이때 동료 치료자나 집단원이 부모나 교사의 역할을 할 수 있다. 이와 같은 행위완료는 정서경험을 교정하는 데 보다 직접적인 방법이 된다.

관련어 | 사이코드라마

행위치료
[行爲治療, action therapy]

1950년대 이후 기존의 언어 위주 심리치료에 도입된 행동적 방법과 예술적 방법의 비언어 위주의 심리치료를 통틀어 일컫는 말. 무용동작치료

심리치료과정에서 사용되는 행위적 방법과 예술적 방법은 기존의 대화치료(talk therapy)와는 달리

시각, 청각, 촉각 및 운동감각 등 다양한 감각을 사용하여 자신의 감정을 표현하도록 돕는다. 이러한 형태의 심리치료를 행위치료라고 하는데, 이는 내담자의 인지행동 및 정서를 신체감각적 양식으로 체험하고 표현하기 위해 다양한 예술적 매체를 사용하는 심리치료를 총칭한다. 빌헬름 라이히(Wilhelm Reich)의 신체심리학을 수용하는 많은 신체심리치료사들이 심리치료에 신체적 기법을 도입하여 사용했는데, 이 중에서 위너(Wiener, 2001)는 임상현장에서 사용하는 각종 동작의 형태와 표현기법을 연구하여, 행위치료의 범주를 네 가지로 구분하였다. 첫째, 비지시적 표현활동을 사용하는 표현예술치료의 형태다. 둘째, 신체동작을 통한 자각(알아차림)을 이용하는 신체심리치료의 형태다. 셋째, 사티어(Satir)의 가족 조각 작업같이 대상의 표상체계적 상징을 사용하는 형태다. 넷째, 연극치료같이 공연지도와 같은 심리치료의 형태다. 그러나 게슈탈트 심리치료나 표현예술치료의 심신통합적 관점에서는 심리치료에 사용하는 행위적이고 예술적 매체의 범주를 구별하기보다 통합적이고 상호 순환적으로 연결하여 사용하는 실험적 방법을 시도한다. 이러한 행위치료는 언어적 심리치료방법의 한계를 보완하고자 하는 대안적인 방법이다.

관련어 비언어적 심리치료

행위통찰
[行爲洞察, action insight]

정서적, 인지적, 상상적, 행동적, 그리고 대인관계적 경험이 통합된 것을 의미하는 사이코드라마의 주요 개념. **사이코드라마**

행위통찰은 다양한 행동학습의 결과, 즉 움직이기, 서 있기, 밀거나 당기기, 소리치기, 제스처와 같은 행위언어(action language)를 통하여 획득되는 것으로, 사이코드라마의 독특한 현상이다. 여기서 통찰은 내부를 들여다보는 것으로, 감각적 외부세

계인 현실이 아니라 자신의 내적인 진실을 탐구한다는 것을 의미한다. 행위통찰은 사람마다 경험하는 형태가 다른데, 이를테면 원하던 것을 알게 되고 행동의 결과를 인식하는 경우, 잊고 있었던 기억이 선명해지고 내면에 깊숙이 감추어져 있던 무언가를 찾는 경우, 내부에서 분산되어 있던 것들이 통합되는 경우 등을 들 수 있다. 또한 행위통찰은 갑작스럽게 번뜩이듯이 이해하거나 오랜 시간에 걸쳐 점차적인 발견으로 나타날 수도 있다. 이와 같은 사이코드라마에서의 행위통찰은 경험적 학습(experience learning)과 행동을 통한 학습(learning through doing) 및 비인지적 학습(non-cognitive learning)의 요소를 포함하고 있으며, 특히 경험적 학습은 행위통찰의 가장 분명한 특징이다.

행하지 않기
[行-, not doing]

행하지 않아도 된다는 허용의 암시를 내담자에게 주는 최면기법. **최면치료**

에릭슨 최면의 트랜스 유도법의 일종으로, '~하지 않아도 됩니다.' '~을 할 필요가 없습니다.' 등의 허용적이면서 느긋하고 우회적인 암시법이다. '모르지 않기(not knowing)'와 마찬가지로, 강요하거나 지시적인 느낌을 주지 않아 내담자의 저항을 줄일 수 있고, 내담자는 평가적이고 의식적 차원이 아닌 편안하고 무의식적 차원에서 암시를 받아들여 상담자와의 라포 형성이나 트랜스 유도 및 치료유도에 효과가 나타난다. 예를 들어, "당신은 아무것도 말하지 않거나 움직이지 않아도 되며 어떤 노력을 하지 않아도 됩니다."라는 암시문은 "말하지 말고, 움직이지 마시오."라는 표현이 주는 저항감을 줄이면서 말하거나 움직이지 않도록 유도할 수 있다.

관련어 모르지 않기, 에릭슨 최면, 트랜스

ㅎ

향기치료
[香氣治療, aromatherapy]

방향성 식물을 사용하여 인간 심신의 불편함을 치료하고자 하는 대체의학의 일종. 아로마테라피, 아로마 치료, 향기요법(香氣療法), 방향요법(芳香療法)이라고도 함. 원예치료

향기치료는 자연을 매개로 하는 치유요법 중 하나로, 원예치료 분야에 속한다. 향기치료는 향기(aroma)와 치료(therapy)를 결합하여 만든 용어로, 허브 혹은 약초와 같은 식물에서 발산되는 방향성 향이 아로마이고, 테라피는 치유행위를 일컫는다. 따라서 향기치료는 식물에서 추출하여 정제한 방향성 오일을 흡입하거나 마사지하는 방법을 써서 체내로 흡수시켜 질병의 예방 및 치료, 건강의 유지 및 증진을 도모하는 자연치유법이라 할 수 있다. 향기치료라는 용어는 1928년 프랑스 화학자 가뜨포세(Gattefosse) 박사가 처음 사용하였고, 그 기원은 고대의 인퓨즈드 오일 사용까지 거슬러 올라간다. 고대 이집트 왕조에서는 민간요법으로 아로마를 이용하였고 또한 미라의 방부처리제로도 사용되었으며, 벽화에도 파라오가 아로마를 즐기는 장면이 묘사되어 있다. 중국이나 인도에서도 향을 이용한 기록이 있고, 성경에서도 유향이나 몰약에 대한 기록을 찾아볼 수 있다. 14세기에는 유럽을 뒤덮었던 흑사병의 확산을 막고자 아로마를 사용하기도 했고, 제2차 세계 대전 당시에는 프랑스 의사 발레(J. Valnet)가 부상병 치료를 위해 아로마를 사용하였다. 이후에는 과학과 의학의 급속한 발전으로 아로마에 대한 관심이 다소 떨어지는 듯하였다. 그러다가 현대에 와서 약물치료의 부작용과 화학성분의 중독 등을 염려하는 경향이 강해지고 자연에 의한 치료법을 선호하게 되면서 향기치료는 새로운 부흥기를 맞고 있다. 향기치료의 기본 원리는 오일에서 나오는 향의 입자가 코의 점막을 통해 후각신경을 자극하면 뇌의 변연계에 그 향의 정보가 전달되는 것이다. 인간 뇌의 변연계는 감정을 다스리고 심박, 혈압, 호흡, 기억력, 스트레스, 호르몬 균형 등에 직접적인 영향을 미치는 기관으로, 미세한 향유의 입자가 모공 및 땀샘으로 피부 속에 흡수되어 모세혈관을 통해 질병 치료에 영향을 준다. 아로마 오일이 인체에 작용하는 형태는 향의 입자가 피부 속으로 흡수되어 호르몬 및 효소 계통과 반응하여 화학적 변화를 일으키는 약리학적 작용, 향의 입자가 인체에 작용하여 진정 혹은 상승효과를 일으키는 생리학적 작용, 코를 통해 흡입했을 때 그 향에 반응하는 심리학적 작용 등의 세 가지로 분류할 수 있다. 아로마 오일의 입자는 아주 미세하여 체내 화학계통과 직접 상호작용을 일으킬 수 있고, 지방에 용해가 쉬워 각종 지방질을 통해 체내 흡수가 잘 되어 중추신경계와 같은 지방이 풍부한 조직에 쉽게 도달할 수 있어서 특정 뇌 영역을 자극하여 빠른 치료효과를 볼 수 있다는 장점이 있다. 향기치료는 마사지법, 목욕법, 흡입법, 습포법, 증발법, 확산법 등 다양한 방법으로 실시한다. 마사지법은 에센셜 오일이 피부에 스며들어 피부 각 층을 통과하고, 희석한 캐리어 오일은 넓은 부위로 확산되어 세포 생성 및 노폐물 배출 과정을 촉진하여 피부의 생명력을 높이는 데 효과적이다. 목욕법은 물에 담그는 신체부위에 따라 전신욕, 반신욕, 좌욕, 팔꿈치욕, 수욕, 족욕 등으로 나눈다. 이는 에센셜 오일의 향기 입자가 피부뿐만 아니라 호흡을 통해 폐로 흡수되면서 그 경로와 뇌에 미치는 효과를 함께 얻을 수 있다. 흡입법(inhalation method)은 코와 입으로 직접 향을 흡입하는 방법으로 습식법과 건식법이 있다. 이는 심신의 안정 및 자극에 의한 기분 전환, 집중력 향상 등에 효과가 있으며 단시간에 신속한 효과를 볼 수 있다. 습포법(cataplasm method)은 쉽게 말해 찜질을 하는 것이다. 타박상, 삔 곳, 부은 곳, 근육통 등에 좋다. 증발법(evaporation method)은 열을 이용하여 오일의 향을 공기 중에 퍼트리는 방법이고, 확산법(diffusion method)은 아로마 램프, 스프레이, 아로마 포트, 향초 등을 이용해서 좁은 공간 안에 에센셜 오일을 분자상태로 확산시키는 방법이다. 이 중에서 마사지

법과 흡입법이 가장 많이 이용되고 있다. 향기치료에 사용되는 오일은 여러 종류의 나무, 풀, 꽃, 뿌리, 잎 등에서 추출하며, 사용 가능한 식물은 수백 종이 넘는다. 향기치료의 효과는 인간이 지닌 거의 모든 증상에서 나타나고 있으며, 활용 범위도 점점 확대되고 있고 대체의학으로까지 면모를 갖추고 있는 추세다. 이처럼 향기치료는 심신의 건강을 종합적으로 다스릴 수 있는 자연치유법으로 특별한 부작용 없이 탁월한 효과를 낼 수 있기 때문에 전 세계적으로 각광을 받고 있다. 하지만 향의 농도가 너무 진하거나 향에 너무 오랜 시간 노출될 경우, 또는 함부로 오일을 복용하는 경우에는 부작용이 일어날 수 있으며, 특히 간질 환자에게는 역효과가 나타날 수 있으므로 주의가 필요하다. 임산부의 경우는 산모와 태아에게 좋지 않은 영향을 미친다는 보고도 있다. 향기치료는 원래 100%의 정제된 오일을 사용한 질병치료, 피부미용, 심리회복과 관련된 치유행위를 일컫는 것이지만, 향수나 방향제와 같은 용도로도 많이 쓰이고 있다.

향상
[向上, habilitation]
음악치료의 치료목적 중 하나로, 특정 능력을 활성화시켜 가능한 최고 수준에 이르도록 하는 것.　음악치료

'habilitation'의 사전적 의미는 '훈련, 교육, 투자' 등이다. 그러나 음악치료에서는 이 용어가 '향상'이라는 의미로 쓰인다. 이는 음악치료의 세 가지 치료목적 중 하나로, 복원(rehabilitation)과는 그 의미에 있어 차이가 있다. 복원이 기능의 회복에 목표라면, 향상은 원 기능의 회복이 목적이 아니라 현 상태에서 가능한 가장 높은 수준으로 나아가는 것을 목표로 한다. 다시 말해, 향상은 완치를 목표로 하는 것이 아니라 수준의 단계별 신장을 목표로 삼는 것이

다. 태어날 때부터 결여되어 있었거나 현재 상태에 결핍되어 복원이 불가능한 상태라면, 그 결핍된 상태를 신장시켜 생활 필수 기술 정도의 수준까지 끌어올려 기초생활 및 자기돌보기, 학습을 위한 기본 기능, 사회기능, 신체적응기능 등이 가능하도록 단계별로 심신의 기능을 길러 주는 것이 향상이라 할 수 있다.

관련어　복원

향정신성 약물
[向精神性藥物, psychoactive drug]
인간의 중추신경계에 작용하는 약물의 총칭.　중독상담

오용 또는 남용을 할 경우 인체의 건강에 심각한 위해를 가할 수 있는 약물류를 일컫는 말이다. 향정신성 약물은 성분이나 인체에서의 약리작용에 따라 다음의 세 가지로 구분할 수 있다. 첫째, 중추신경 흥분제(stimulants drug)다. 흥분제는 뇌의 신경 충동을 증가시켜 중추신경계의 활동을 자극하여 각성과 신체활동을 증가시키고, 피로를 느끼지 않게 하며, 기분을 좋게 하는 작용을 한다. 암페타민, 코카인, 카페인, 니코틴 등이 중추신경 흥분제에 속하는데, 카페인과 니코틴을 제외한 대부분의 중추신경 흥분제는 사용이 법으로 금지되어 있다. 둘째, 중추신경 억제제(depressants drug)다. 억제제는 중추신경계의 활동을 억제하는 물질인데, 대표적인 것은 알코올이다. 셋째, 환각제다. 환각제는 중추신경계의 기능을 흥분시키기도 하고 억제하기도 하면서 청각적 · 시각적 환각과 같은 왜곡된 감각 경험을 유발한다. 가장 흔히 사용되는 환각제는 LSD와 마리화나다.

관련어　LSD, 마리화나, 마약, 아편, 알코올, 억제제, 환각제, 흥분제

ㅎ

허구적 목적론
[虛構的目的論, fictional finalism]

허구 속에서 목적을 추구하며 살아가는 인간의 행동을 이해하는 개인심리학의 주요 개념. 개인심리학 성격심리

아들러(Adler)는 개인의 행동을 이끄는 마음속의 중심 목적을 허구적 목적론이라고 하였다(Corey, 1998). 그는 사람은 허구(fiction, 세상은 어떠해야 한다) 속에서 생활한다는 한스 바이힝거(Hans Vaihinger)의 관점을 자신의 목적론에 결부시켰다. 프로이트(Freud)는 성격의 요인으로 신체적 요인과 유아기의 경험을 강조했는데, 아들러는 바이힝거에게서 프로이트의 완고한 역사적 결정론에 대한 반증을 찾았던 것이다. 결국 인간은 과거의 경험보다는 미래에 대한 기대에 따라 행동한다는 생각을 가지게 되었다. 이들 목적은 어떤 목적론적 계획의 일부로 미래에 존재하는 것이 아니라 보다 주관적 혹은 정신적으로 현재 행동에 영향을 주는 노력이나 이상으로서 지금-여기에 존재하는 것이다. 바이힝거는 자신의 책인 『philosophy of as if』에서 인간은 현실적으로는 전혀 실현 불가능한 '마치 ~인 것 같은' 상황이 절대적으로 진실인 것처럼 행동하고, 많은 허구적인 생각에 따라 살고 있다는 흥미로운 견해를 제시하였다. 예를 들면, '모든 사람은 동등하게 만들어졌다.' '목적이 수단을 정당화한다.'와 같은 허구는 현실보다도 더 효과적으로 사람들을 움직이게 한다는 것이다. 행동을 이끌어 주는 허구는 '내가 완전할 때만 나는 안전할 수 있다.' 혹은 '내가 중요한 인물이어야만 나를 수용할 수 있다.' '인생은 위험한 것이고 나는 나약하다.' 혹은 '다른 사람을 신뢰할 수 없다.'는 것으로 표현될 수도 있다. 이런 허구들은 진실과는 다르더라도 인간의 삶을 지배하는 개념이 된다. 명백하게 진술되고 훌륭한 것으로 믿어지는 개념도 있지만, 무슨 뜻인지 알아차리기 힘들면서도 행동에 큰 영향을 미치는 개념도 있다. 아들러는 그러한 것을 허구적 개념(fictive notion)이라고 칭하였다. 이들 허구적 개념들은 보조적 구성개념이나 가정이지 검증을 통해 확인되어야 하는 가설은 아니다. 유용성이 없어진다 해도 생활하는 데 조금도 불편이 없는 것이다. 바이힝거에 따르면 우리 모두는 일련의 허구에 따라 살아가는데, 그 허구는 현실에서 실제적 대응물을 갖지 못하는 관념들로서 사람들은 그것을 경험으로 간주하지도 않고, 순전히 논리적인 것으로 따르지도 않는다. 사람들은 그동안 배워 온 특정 가치 및 이상에 부합하는 허구를 만들어 낸다. 그럼에도 그것은 이상으로서 일상생활에서 커다란 실제적 가치를 갖는다. 이 같은 허구는 활동의 기초로 작동한다. 바이힝거는 허구를 가설과 구분하였다. 가설은 검증할 수 있고, 입증되거나 혹은 잘못된 것으로 드러나 버려질 수도 있다. 그러나 허구는 검증을 하지 않은 것으로서, 어떤 현실적 타당성도 없기 때문에 무너져 버릴 것이다. 그럼에도 허구는 인생을 더욱 유쾌하고 생동감 있게 한다. 예를 들면, '마치 우주 만물이 완전히 순차적이고 편리한 것처럼' 행동함으로써 더욱 편리하고 수용적이 된다. 실제 경험 및 사건이 우리의 기대에 부합하지 않을 때, 그것들이 서로 부합하도록 마음속에 있는 기대들을 바꿀 수 있다. 우리는 우리의 허구에 부합하지 않는 것들을 검열하고 배제하거나 변경시킬 수 있다. 그러나 우리는 영웅에게서 악함을, 그리고 악한에게서 선함을 무시하면서, 행복한 결말이 사실에 비추어 터무니없다 해도 행복한 결말을 기대한다. 프로이트가 현재를 과거의 산물로 간주하는 결정론적 입장을 가진 것과는 달리 아들러는 인간의 행동이 과거경험으로 좌우되기보다는 미래에 대한 기대와 목적에 따라서 더 좌우된다고 생각하였다. 아들러는 사고, 감정, 혹은 행동의 심리적 과정 모두 마음속에 일관성 있는 어떤 목적이 있다고 생각했기 때문에 결정론을 부인하지는 않았지만, 결정론보다는 목적론이 더 중요하다고 보았다. 그래서 설명하기 어려운 행동들도 일단 그들의 무의식적 목적을 알게 되면 이해할 수

있다고 하였다. 안스바허와 안스바허(Ansbacher & Ansbacher, 1982)는 허구적 목적론에서 주관적이고 창의적인 요소와 무의식적 요소, 보상 또는 우월 추구의 요소가 들어 있음을 지적하였다. 프로이트의 결정론적 입장과 대립되는 아들러의 목적 개념은 주관적 요인을 강조한다. 아들러는 허구들이 객관적인 원인으로 환원되도록 있는 것이 아니라 정신구조이며 마음의 창조물이라고 생각하였다. 또한 개인의 주관적이고 창조적인 심리적 속성을 인간의 허구적 세계에서 찾아냈다. 허구가 주관적으로 창조된 것처럼 최종 목적도 주관적이고 창조적인 것이다. 허구는 긍정적인 속성을 갖는 생각들이다. 아들러는 허구에서 주관적이고 최종적인 심리학의 기초를 발견한 것이다. 이 목적은 허구로서 현실 불가능한 이상일지 모르지만 무엇보다도 인간의 노력에 박차를 가할 수 있고, 그의 행위에 대한 궁극적인 설명이 된다. 그러나 정상인은 필요할 때 허구의 영향에서 벗어나 현실을 직시할 수 있는 반면, 정신증적인 사람은 그렇게 하지 못한다고 아들러는 생각하였다. 사람들은 스스로 선택한 목적에 따라 자신의 생활을 평가하고 해석한다. 사람들은 목적을 추구하는 데 자신의 독특한 인지능력과 감정을 사용한다. 개인심리학에서 말하는 허구적 목적론에는 무의식적 개념이 들어 있다. 아들러는 최종 목적을 개인이 개별적으로 만든다고 보지만 보통 이해되지 않는다고 믿었다. 또한 목적은 개인의 열등감에 대한 보상의 한 측면이 된다. 개인이 열등감을 자각하는 순간 시작되어 환경에 보다 잘 적응하고 현재의 어려움을 극복하고자 하는 우월에의 욕구를 통해서 허구적인 목적을 만들어 낸다(Adler, 1973b). 허구적인 목적을 추구해 나가면서 열등감을 극복하고 완전으로 나아가는 것이다. 열등감이 클수록 극복하는 데 필요한 목적이 더 많아야 한다(Adler, 1973b). 그리고 목적 그 자체는 하나의 보상일 수 있다.

관련어 바이힝거, 보상, 아들러

허무망상
[虛無妄想, nihilistic delusion]

사고내용의 허망한 사상으로서 본인, 다른 사람 또는 세상 전체가 더 이상 존재하지 않는다는 믿음. 정신병리

허무망상은 환자가 자신이 세상에 존재하지 않는다, 세상이 사라졌다, 자기는 느낌이 없다고 생각하거나 심지어 자신이 죽은 사람의 세계에서 들어온 영혼이라고 주장하는 등의 생각에 대한 굳은 믿음이며, 이러한 생각이 비정상적이거나 비현실적이라고 생각하지 못하는 것을 말한다.

허용
[許容, permission]

교류분석(TA)의 각본 매트릭스(script matrix)에서 어린아이의 어린이 자아상태(C)에 축적되는 각본 메시지 중 하나. 교류분석

번(Berne)에 따르면, 6세 이전에 어린아이는 부모 혹은 부모 대리자의 양육태도, 금지명령과 허용에 영향을 받아 생활자세를 형성하게 되는데, 이것은 한 어린아이의 자기관 및 세계관이라 할 수 있다. 생의 초기에 어린아이는 자신과 주변의 타인에 대하여 어떤 결단을 내리는 경험을 하게 되고, 이러한 결단이 어린아이 자신과 타인 및 주변환경에 대하여 긍정적 또는 부정적인 자기 나름의 기본적 생활자세를 형성하는 데 적용된다. 교류분석상담에서 상담자는 내담자가 상담자와 함께 시간을 효율적으로 활용함으로써 의례나 폐쇄와 같은 비생산적인 시간구조화를 하지 않도록 허용해야 한다. 또한 내담자가 자신의 모든 자아상태를 경험할 뿐만 아니라 게임을 하지 않아도 되는 분위기가 만들어지도록 허용해야 한다. 대부분의 아동상담에서 내담자는 상담장면에 들어오더라도 여전히 부모의 금지명령에 근거하여 행동한다. 이에 상담자는 무엇보다 내담자로 하여금 부모가 하지 말라고 금지했던 일

들을 하도록 허용해야 한다. 내담자는 허용을 받으면 받을수록 긍정적인 생활자세와 생활각본을 선택할 확률이 높아진다.

관련어 | 각본 매트릭스

허용적 유도법
[許容的誘導法, permissive guide]

내담자의 모든 반응을 허용해 줌으로써 트랜스를 유도하는 최면기법. 최면치료

전형적인 에릭슨 최면의 방법으로, 가능성 단어를 사용하는 것과 모든 경험이나 반응을 인정하고 허용하는 것이 포함된다. 가능성 단어는 '당신은 ~할 수 있다.' '당신은 ~할 것이다.' '당신은 ~할지도 모른다.'와 같은 표현으로 내담자의 자유를 인정해 주면서 잠재적 저항이 우회하도록 하는 단어다. 다음으로 반응을 인정하고 허용한다는 것은 내담자가 보일 수 있는 모든 반응을 허용할 수 있다거나 허용할 것이다, 또는 허용할지 모른다는 표현을 통해 말해 주는 것을 의미한다. 예를 들어, "당신은 눈을 깜빡이는 동안에 몸이 나른함을 느낍니다. 그리고 곧 눈을 감고 싶은 마음이 들 수도 있습니다."라는 암시문을 통해, 눈을 감는 것을 허용한다는 것을 알려 주면서 눈을 감는 데 대한 저항을 줄일 수 있다. 권위적 유도법에 비해 최면감수성의 영향을 덜 받는 방법이며, 내담자에게 권위적 유도법과 함께 융통성 있게 사용해야 한다.

관련어 | 권위적 유도법, 에릭슨 최면, 트랜스

헌신
[沒頭, commitment]

합리정서행동치료

⇨ '정신건강기준' 참조.

헌팅턴병(헌팅턴 무도병)
[－(舞蹈)病, Huntington's disease, Huntington's chorea]

비정상적 특성이 우성인자에 의해 전달되어 발생하는 유전적 질환. 발달심리

이 질환은 미국 의사 헌팅턴(Huntington)이 처음 발견하여 명명하였다. 주요 증상으로는 안면경련과 함께 손, 어깨, 다리 등의 여러 신체부위가 자신의 의도와 상관없이 움직이고 이러한 모습이 마치 춤을 추는 것과 같아 무도병이라고도 한다. 걷기, 말하기 등의 여러 가지 신체 움직임이 불수의적으로 발생하기 때문에 자발적 운동이 어렵다. 인지적으로 사고가 지연되며 기억장애, 환각, 망상, 판단력 감퇴 등이 나타난다. 정서적으로 혼란함, 우울증, 불안을 호소하고 행동적으로 알코올중독, 약물남용, 무반응성, 분별없는 난잡한 행동, 범죄 등의 문제행동을 일으킨다. 이러한 증상은 서서히 진행되며 때로는 당뇨병, 심장병, 폐병 등의 질환에 걸리기 쉽고 발병 후 10~20년 정도 되면 죽음에 이른다. 발병시기는 35~40세에 주로 나타나며 남녀 간의 발병률 차이는 없고 10만 명당 4~8명 정도다. 주요 원인은 1993년에 처음 발표되었으며 4번 염색체의 헌팅턴(huntingtin) 유전자의 돌연변이로 밝혀졌다. 이러한 변이는 단백질 간의 상호작용, 비정상적인 단백질의 응집, 전사조절의 이상, 세포 외 독성, 미토콘드리아의 기능장애 등에 영향을 미쳐 신경세포의 탈락이 그 원인이다. 헌팅턴병은 점차 광범위한 뇌 손상을 일으키고 미상핵, 조가비핵, 담창구, 대뇌피질, 그리고 신경전달물질을 손상시켜 사망에 이르게 된다. 사망시기에 이르면 뇌의 무게가 정상보다 15~20% 감소한다. 지금까지는 특별한 치료법 없이 증상을 완화시키는 데 그치고 있으며, 최근에는 세포이식을 통한 치료법이 개발되어 임상적 실험단계에 있다.

험담 금지하기
[險談禁止 – , prohibitting the gossip]

알아차림과 접촉을 증진시키는 게슈탈트 기법. `게슈탈트`

과거도 미래도 아닌 지금-여기에서의 알아차림과 접촉을 강조하는 게슈탈트 치료에서는 지금-여기에 있지 않은 사람의 일을 말하는 것, 즉 험담하는 것은 문제해결은 물론이고 내담자의 성장에도 아무 가치가 없다고 본다. 예를 들어, "내 친구가 그때 그렇게 했기 때문에……." "그때 그 선생님이 그런 말만 하지 않았어도……." "그 사람이 그렇기 때문에……." 등은 자신의 문제를 설명하면서 흔히 나오는 이야기다. 이 같은 이야기는 단지 머리로 공상하는 것일 뿐, 실제 알아차림을 방해하고 문제해결을 위한 접촉을 불가능하게 만든다. 내담자가 이런 이야기를 할 때면 치료자는 험담은 금지한다고 말해 주면서, 상담장면에 친구나 선생님, 부모나 남편 등이 그 자리에 있는 것처럼 장면을 구성하여 실제 그 사람과 가상의 만남을 갖도록 한다.

헤로인
[– , heroin]

아편의 추출물인 모르핀에서 합성된 무색의 결정화된 분말로서, 모르핀보다 중독성이 10배 정도 강한 물질. `중독상담`

1898년에 하인리히 드레서(Heinrich Dreser) 박사가 세계적인 의약품 회사인 독일의 바이엘사를 통해 헤로인을 모르핀의 중독치료와 기침, 천식, 기관지염을 치료하는 약으로 개발하여 판매하였다. 바이엘사는 헤로인을 복용한 사람들이 영웅과 같이 힘이 세지고 웅혼한 감정이 생긴다고 해서 영웅이라는 뜻의 'heroic'이라는 단어를 사용하여 헤로인(heroin)으로 이름을 지었다. 당시에는 헤로인이 모르핀의 금단증상을 중지시키고 강력한 진통작용을 하는 획기적인 약물로 여겨졌다. 헤로인이 모르핀보다 훨씬 더 강력하고 심각한 의존성과 부작용을 가지고 있다는 것을 알게 된 것은 개발한 지 12년이 지난 후였다. 헤로인을 속어로는 'smack, scag, horse, junk, H'라고도 부른다. 헤로인은 모르핀을 아세틸염화물(acetyl chloride)로 화학처리한 다음 알칼리 용액으로 세척하고 다시 알코올로 결정화하여 추출한다. 이렇게 얻은 헤로인은 무색의 결정화된 분말로 물이나 알코올에 쉽게 용해되는 성질이 있다. 헤로인은 모르핀에 2개의 아세틸기를 더하여 만든 합성물이기 때문에 디아세틸모르핀(diacetylmorphine)이라고도 한다. 하지만 중독성의 심각한 피해가 확인되면서 1913년에는 생산이 중단되었고, 사용도 중지되었다. 헤로인은 모르핀과 약리학적으로 동일하지만, 헤로인이 효과가 더 빨리 그리고 강하게 나타난다. 이것은 헤로인을 추출할 때 추가한 2개의 아세틸기가 헤로인 분자의 용해성을 증가시켜 모르핀보다 더 빨리 뇌 속으로 침투하기 때문이다. 헤로인은 보통 무색인데, 순도와 정제 기술에 따라 색깔은 다양하다. 중독자들이 헤로인을 사용할 때는 주로 종이에 싸서 흡연하거나 코로 직접 흡입한다. 하지만 헤로인을 코로 흡입할 경우 코 점막의 염증을 초래할 수 있고, 심한 경우에는 코의 연골을 녹여 코벽에 구멍이 뚫리기도 한다. 대부분의 경우에는 물에 용해하여 가열한 뒤 주사액으로 만들어서 피하 지방이나 정맥에 주사한다. 헤로인을 인체에 주사할 경우 불과 몇 초 후에 효과가 나타나며, 첫 단계는 폭발적인 쾌감을 느끼게 되는데, 경험자들에 의하면 이는 성교 시의 오르가슴과 유사하다고 한다. 그다음 단계는 복부에서 따스한 기운이 발생하여 온몸으로 퍼져 나가는 듯한 편안함을 느끼게 된다. 이 단계에서는 피로감이나 자신을 억누르고 있던 수많은 불유쾌한 기억들이 사라지고 아주 기분 좋은 만족감을 느낄 수 있다. 하지만 효과가 지속되는 것은 3~4시간에 불과하며, 극심한 금단증상으로 더 많은 헤로인을 투여하게 된다. 이는 곧 치사량에 이르게 하여 사망하게 되는 결과를 가져온다. 헤로인은 강력한 효과만큼 중독성도 모르핀보다 10배나 강하다. 따라서 사용을 중지하면 곧 금단증상이 나타나는데 불안, 고민, 우울 등의 정신적 증세와 함께 발한, 구토, 설사, 식욕부진 등이 동반된다. 이 같은 금단증상을 해결하기 위해 헤로인을 약취(藥醉) 상태에서 많은 양을 투여하면 치사량에 다다르는 경우가 많은데, 치사량의 헤로인이 몸에 투입되면 대부분 1~12시간 사이에 사망한다. 헤로인은 오늘날 밀수로 세계에서 가장 많이 남용되고 있는 불법 약물이다.

관련어 | 모르핀, 아편, 약물중독, 코데인

혁명주의
[革命主義, revolutionism]

혁명의 과정을 거치지 않고는 이상적인 사회를 만들 수 없다는 관점. 철학상담

혁명주의 안에 포함되어 있는 '혁명(revolution)'이라는 단어는 '회전하다' '반전하다'의 의미를 담고 있는 라틴어 'revolutio'에서 유래하였다. 혁명은 그야말로 기존의 정치, 경제 전반에 걸쳐서 체제의 근본적인 변화를 의미한다. 혁명주의는 역사가 점진적 변화를 통해서 전개되는 것이 아니라 혁명을 통해서만 전개된다고 본다. 마르크스(Karl Marx)의 주장처럼 이는 기본적으로 인간 삶의 역사가 계급투쟁의 역사라는 것을 전제하고 있다. 다시 말하면, 투쟁적 과정이 없이는 발전은 있을 수 없다는 관점이 혁명주의에 강하게 자리하고 있다. 따라서 이 입장은 사회개량주의(reformism)와는 근본적으로 다르다. 사회개량주의는 역사의 발전이 점진적 개선을 통해 이루어지는 것이지 혁명을 통해 이루어져서는 안 된다고 본다. 가령, 포퍼(Karl Popper)는 인간은 불완전한 존재이기 때문에 일단 가설을 세워 미래를 기획할 수밖에 없고, 이 가설이 역사의 전개 과정에서 오류로 발생하지 않는 한 잠정적으로 진

리로 받아들이는 점진적 공학주의를 취할 수밖에 없다고 보았다. 그러므로 그는 아직 도래하지 않은 역사의 미래를 미리 법칙적으로 단정하고 자신과 다른 관점을 가진 사람들을 반동으로 취급하고 척결하려는 태도는 역사의 빈곤을 낳을 뿐이며, 폭력의 악순환을 거듭할 뿐이라고 하였다. 개방사회의 구성원은 미래 역사를 단정하는 형태로 접근하여 강요하는 것을 전체주의적 폭력을 행사하는 것으로 규정한다. 점진적 개혁주의의 관점에서, 혁명주의는 인간 인식능력의 월권을 통해 우리에게 폭력을 가하고 있다. 그래서 이미 인간의 유한성을 강조한 칸트도 헤겔 이후 마르크스가 전개한 폭력혁명론과 달리 점진적 개혁론을 주장하였다. 그는 인간이 추구하는 이념은 우리가 도래하기를 바라는 영역이지 우리가 마음대로 단정하여 확정할 수 있는 영역이라고 보지 않았으며, 따라서 이념에 대한 단정적인 결론을 내리는 것은 인간 능력의 월권이라고 보았다. 그러나 혁명주의자는 지금까지의 역사가 혁명으로 발전해 왔으며, 앞으로도 혁명의 과정 없이는 다음 단계의 발전이 가능하지 않다고 보았다. 실제로 과거의 역사를 되돌아볼 때 가진 자는 계속 가지려고 했을 뿐 내놓으려고 하지 않았으며, 기존의 것을 고수하려는 기득권자의 억압적인 상태를 극복하기 위해서는 혁명이 불가피하다는 것이다. 혁명주의자가 보기에 인간의 자유와 해방을 마련하는 데에는 혁명이 불가피하다.

현대목회상담운동
[現代牧會相談運動, modern pastoral counseling movement]

현대적인 의미의 목회상담이 등장하여 발전의 계기가 된 움직임. 목회상담

'임마누엘 운동'이 시작된 1900년대 초에 목회상담이 처음으로 미국에서 시작되었다고 보는 것이

일반적인 생각이다. 따라서 현대목회상담운동은 약 1세기 정도의 역사를 가지고 있다고 볼 수 있다. 현대목회상담운동은 1950년대와 1960년대에 들어와서 일반상담이론들이 활발하게 성장한 시기와 맞물려서 전성기를 맞이하였다. 미국의 교회사가인 브룩스 홀리필드(Brooks Holifield)는 『A History of Pastoral Care in America』에서 1960년대를 현대목회상담운동의 '황금기'라고 표현하였다. 이것은 곧 이전까지는 주로 프로이트 이론의 영향을 받아 발전되어 온 목회상담분야에서, 다른 여러 가지 상담기법이 목회상담에 적용되기 시작하여 다양한 접근방법이 개발되기 시작한 시기라는 데 그 의의가 있다. 이 시기에는 실존주의 이론이나 인간중심 이론 등이 목회상담에 영향을 미쳤는데, 특히 칼 로저스(Carl Rogers)가 제시한 인간중심상담이론은 성장을 위한 인간의 잠재적 가능성이라는 생각이 많은 목회상담자들에게 영향을 주었다. 또한 미국목회상담자연합인 AAPC도 이 시기인 1963년에 설립된 것이다. AAPC의 창립과 함께 목회상담의 교육과 전문적인 훈련을 위해 대학원에 여러 프로그램과 상담소가 세워져, 상담현장의 발전뿐만 아니라 목회상담에 대한 전문적인 연구가 확장되기 시작하였다. 현대사회에서 연구되고 실행되는 목회상담의 특징으로는 영적 상담소의 잠재적 가능성에 대한 탐구, 목회상담의 윤리적·교리적·학적 맥락에 대한 연구, 개인적 치유와 사회적 치유의 연결, 새로운 치료방법의 개발 등 연구 주제와 영역이 다양해지고 전문화되었으며, 첨단기술의 발전으로 새로운 경향, 컴퓨터의 발달, 케이블 텔레비전의 대중화, 전화 및 화상 회의, 통신의 발달 등과 더불어 상담의 시간과 공간에 대한 제약에서 자유로워져 새로운 형태의 목회상담이 가능해지는 등의 상담형태의 첨단화가 이루어지고 있다고 요약할 수 있다.

관련어 | AAPC, 목회상담, 임마누엘 운동

현상학
[現象學, phenomenology]

하이데거(Heidegger), 베커(Becker) 등의 현상학파 학자들의 철학운동을 지칭하는 개념으로, 인간의 의식과 삶의 과정에서 발생하는 다양한 현상을 포착하여 그 본질을 직관적으로 파악하고 기술하려는 움직임. 철학상담

18세기 독일의 수학자이면서 철학자인 람베르트(Lambert)가 자신의 인식론과 관련하여 붙인 이름에서 비롯되었으며, 이후 헤겔(Hegel)이 『정신현상학(Phänomenologie des Geistes)』(1807)이라는 책을 집필하면서 이 용어가 사용되었다. 그러나 '현상학'이라는 학문이 본격화된 것은 고대 아리스토텔레스의 지향성(Intentionalität) 개념을 수용한 볼차노(Bolzano), 브렌타노(Brentano), 마이농(Meinong)의 입장을 발전시킨 후설(Husserl)에 이르러서였다. 후설은 철학이 자연과학에 침식당하는 것을 목격하면서, 특히 '심리학의 아버지'라고 불렸던 분트(Wundt)가 제창한 실험심리학이 인간의 의식세계 모두를 과학적 탐구의 대상으로 전환시키는 것을 목격하면서, 그것의 부당함을 지적하기 위해 실증주의에 대한 비판과 극복의 대안으로 현상학을 주장하게 되었다. 이를 위해 그는 자신의 스승인 브렌타노로부터 '지향성' 개념을 수용하였다. 우리의 의식은 항상 '무엇에 대한 의식'으로서, 이른바 의식대상으로서의 노에마(noema)와 의식작용으로서의 노에시스(noesis)로 구성되며, 이것들은 심리학적 탐구만으로 온전히 분석될 수 없다고 그는 주장하였다. 『Logische Untersuchungen』(1900~1901)에서 지향성을 통해 당시의 심리학이 의식과 대상을 분리하여 접근하는 것을 강하게 비판한 그는, 의식은 이미 '무엇에 대한 의식'으로서 의식과 대상이 분리될 수 없음을 강조하였다. 그의 현상학적 입장에 따르면 의식은 대상 연관적으로 드러나며, 대상은 의식 연관적으로 드러난다. 그러므로 현상학은 나의 의식과 완전히 독립하여 객관적으로 존재하는 그 무엇을 주장하는 입장에 대해서는 근본적으로 반대한

ㅎ

2263

다. 이미 무엇은 의식을 통해서 드러나는 그 무엇이다. 즉, 의식대상은 다양한 의식작용이 대상의식으로 통일된 종합적 결과다. 노에마는 독립된 현실 존재로서의 대상이 아니다. 그것은 의식작용의 의미부여 기능에 지향적으로 포함되어 있는 대상이다. 따라서 현상학은 세계 자체가 경험과 상관없이 존재한다는 '자연적 태도(natürliche Einstellung)'에 대해서 판단 중지를 선포한다. 그는 이와 같은 작업을 하는 데 여러 단계의 환원에 대해 언급하였다. 먼저 '형상적 환원(eidetisch Reduktion)'에 대해서 논의를 하고 있다. 형상적 환원은 주어진 사물에 관한 의식의 내용 중 가변적인 요소들을 제거하고 불변적인 요소를 본질 직관하는 것으로, 이를 통해 본질학 내지는 형상학으로서의 순수현상학이 가능해진다. 그러나 이 단계는 아직 제대로 된 현상학의 단계가 아니라 수학의 단계 정도에 머물러 있다. 그래서 후설은 그다음 단계로 '현상학적 환원(phänomenologische Reduktion)' 내지 '선험론적 환원(transzendentale Reduktion)'을 통해 이 단계를 넘어서려고 하였다. 그는 이 환원으로 의식 초월적 대상을 판단 중지하고 노에마와 노에시스의 관계 속에 놓여 있는 순수의식으로 되돌려 놓고자 하였다. 순수의식은 심리학이 관계하는 사실적 차원의 의식도 아니고, 또한 형식적인 텅 빈 의식도 아니다. 이것은 이론 이전의 의식으로서 무한히 풍부한 내용을 지닌 의식이면서 개별적인 자아의식이다. 이런 면에서 보면 '자아론적 환원'이기도 하다. 이 환원은 데카르트(Descartes)의 경우처럼 조금이라도 의심의 여지가 있는 요소들을 모두 제거함에도 불구하고 제거되지 않고 자신에게 순수하게 남아 있는 의식에 관계하는 경우다. 그러나 이때의 자아의식은 칸트(Kant)의 선험론적 통각(transzendentale Apperzeption)과 같은 형식적인 논리적 의식이 아니라 노에마, 노에시스와 더불어 관계하는 순수 자아의 의식이다. 이 의식은 아직 다른 자아의식과 소통의 관계를 맺지 않아 개인적 차원의 주관적 의식단계를 넘어서지 못하였다. 그래서 후설은 다시 한 번 환원을, 즉 '간주관적 환원(intersubjektive Reduktion)'을 시도하였다. 이것은 신체를 매개로 하여 자아의식들 사이를 다시 한 번 순수의식으로 환원시키는 과정이다. 이를 통해 개인의 자아의식으로는 완전히 환원될 수 없었던 세계 전체를 의식 내용에 이르게 한다. 이렇게 해서 후설은 사실학에서 본질학으로, 본질학에서 현상학으로 이행하게 되었다. 이런 현상학은 셸러(Scheler), 하이데거(Heidegger), 사르트르(Sartre), 메를로퐁티(Merleau-ponty) 등을 거치면서 다양한 변화를 겪었다. 오늘날 현상학은 상담기법에도 많이 활용되고 있다. 내담자를 과학적 탐구를 하듯 대상으로 임하지 않고 상담자와 대등한 주체로 존중하며, 내담자의 경험을 불신과 의심으로 대하기보다는 있는 그대로 구체적으로 경험하면서 존중하는 현상학적 태도는 보스(Boss), 프랑켈(Frankel), 빈스방거(Binswanger) 등이 오늘날 상담학에서 많이 활용하고 있다. 특히 내담자중심이론을 강조한 로저스(Rogers)의 경우, 현상학적 방법을 수용하여 상담자가 내담자에게 지시를 하지 않는 비지시적 상담(non-directive counseling), 이른바 상담자는 내담자의 이야기가 반사되도록 하는 벽의 역할을 담당한 반영적 상담(reflective counseling)을 중시하였다. 그의 반영적 상담은 내담자의 주관적 현실에 공감해 주면서 배려하고 함께하는 데 큰 비중을 두고 있다. 현상학적 방법에 입각한 상담은 환자 스스로가 자신의 문제를 되돌아볼 수 있도록 상황을 만들어 주고, 그를 통해 순수의식을 회복할 수 있도록 도와주는 데 있다. 그렇게 하기 위해서는 '자아론적 환원'에서 마주치는 경험적인 개별적 자아의 차원을 넘어 '간주관적 환원'을 통한 상호 주관적인 의식으로 이행해야 한다.

현상학적 미술치료
[現象學的美術治療,
phenomenological art therapy]

주관적 경험을 강조하는 미술치료적 접근. 미술치료

후설(Husserl)의 현상학은 생생한 경험의 확실성을 모든 경험의 원천으로 삼는다는 점에서 미술치료의 근거가 되는 하나의 중요한 관점을 제시하였다. 여기서 생생한 경험은 의식에 남아 있는 경험으로서의 의식적 경험이며, 내담자는 자신의 의식적 삶에 대한 반성에 따라 자신의 문제를 찾을 수 있다. 후설의 현상학적 환원은 바로 경험의 확실성을 있는 그대로 인정하기 위한 방법으로, 현상학적 미술치료에서 내담자는 자신의 경험의 지평을 정확하고 편견 없이 기술함으로써 자기를 발견할 수 있다. 현상학은 주·객의 지향적 관계에 근거하여 상호 주관성의 문제를 철저히 해명하려는 입장이고, 여기에 근거하여 현상학적 방법이 미술치료에 적용된다. 미술치료는 치료자와 내담자의 상호관계 속에서 행해지며, 현상학적 관점에서 심리적 문제는 상호 주관성의 부재에서 기인한다. 말하자면, 경험적 세계에 대한 선입견을 배제한 상태에서 대상을 바라볼 때 대상의 본질과 만날 수 있는 현상학적 방법은 특히 미술치료 상황에서 요구되는 것이다. 루빈(Rubin, 2001)에 의하면 미술치료는 현상학의 과제, 즉 인간에게 숨겨진 측면을 의식과 의식적 통합에 가능하도록 가장 잘 드러낼 수 있다. 미술치료는 내담자가 자유롭게 미술재료를 선택하고 자유로운 표현과정을 거쳐 구조화된 시야에서 현상으로 미술작품을 바라보도록 하는데, 이렇게 함으로써 현상학적으로 목표를 달성할 수 있는 것이다. 말하자면, 미술치료는 두 가지 방식으로 진실한 경험에 주의를 기울이는데, 첫째는 미술치료에서 내담자는 미술활동을 통하여 투사하며, 그것은 직접적인 경험이다. 그 후 그는 자신의 눈과 의식을 통하여 무엇이 나타나는가를 경험하는데, 이것이 두 번째 직접

적 경험이다. 치료자는 내담자가 두 번째 경험을 할 때, 내담자가 자신의 작품에서 볼 수 있는 모든 것을 볼 수 있도록 작품을 어떻게 보아야 하는지를 가르쳐야 한다. 치료자는 내담자로 하여금 보는 것에 대한 기존의 개념과 선입견을 없애고 열린 눈으로, 의식적으로 미술작품을 바라보도록 훈련시켜 이전에는 보지 못했던 것들을 볼 수 있도록 하는 것이다. 바로 이것이 현상학적 환원에 의하여 본질을 직관하는 것이다. 이러한 맥락에서 비텐스키(Betensky)는 현상학적 방법을 미술치료에 적용하여 현상학적 미술치료방법을 다음의 네 단계로 제시하였다. 첫째는 내담자가 미술재료를 선택하는 것이고, 둘째는 미술작업을 통하여 현상을 창조하는 것이며, 셋째는 현상학적 직관하기이고, 넷째는 현상학적 통합이다. 특히 마지막 단계에서 내담자는 자기를 발견할 수 있으며, 이러한 자기발견이 바로 현상학적 미술치료의 의의다(Rubin, 2001). 현상학적 방법을 통하여 보는 것에 대한 기존의 개념과 선입견을 없애고 자신의 작품을 의식적으로 지각함으로써 내담자에게 새로운 가능성이 열리는 것이다. 내담자는 자유롭게 선택하는 미술매체로 자유롭게 표현하는 과정이나 자신의 미술작품을 감상하고 고찰하는 과정을 통하여 현상학적 목표를 달성할 수 있다. 이와 같이 현상학적 미술치료는 비텐스키에 의해 구체적인 방법론이 제시된 이래 임상장면에서 많이 사용되고 있다. 미술치료 장면에서 현상학적 방법은 내담자에 대한 미술치료사의 태도, 다시 말해 선입견이 배제된 개방적인 태도와 관련하여 매우 중요시되고 있다.

현상학적 장
[現象學的場, phenomenal field]

인간중심상담의 개념으로서, 지금-여기에서 전개되는 유기체의 모든 경험세계, 주관적 경험, 즉 특정 순간에 유기체가 지각하고 경험하는 모든 것. 인간중심상담

현상학적 장은 현상학적인 철학에 기반을 둔 개

념이다. 개인마다 드러나는 현상은 그들에게는 현실이고, 그것은 개인마다 다를 수 있으며, 개인 안에서도 여러 가지 상황에 따라 언제나 변화가 가능하다고 본다. 동일한 현상이라도 개인에 따라 다르게 지각하고 경험하기 때문에 이 세상에는 개인의 현실, 즉 현상학적 장만이 존재한다고 보았다. 인간중심상담에서는 현상학적 장이야말로 그 사람에게는 유일한 현실이라고 보고, 지금-여기에서 그 사람이 어떻게 생각하고 느끼는지가 행동을 결정하는 유일한 요소라고 하였다. 로저스(Rogers)는 개인의 행동은 어떤 행동이든 지각된 대로 그 현실에 적합하다고 보았다. 따라서 개개인의 내적 준거틀을 통해서 지각하고 경험한 것은 그 사람에게는 현실인 것이다. 즉, 현재의 나를 결정짓는 것은 과거의 비관적인 생각들이 아니라 바로 지금의 현상학적 장에 있는 나와 세상에 대한 희망이다. 현상학적 장, 즉 지금-여기에서 발견하는 의미가 원래부터 가지고 태어난 실현경향성과 부합되면 발전과 성장이 가능하고, 반대로 실현경향성과 일치하지 않으면 심리적 문제가 발생한다.

관련어 | 내적 준거틀, 실현경향성

현상학적 초점화
[現象學的焦點化, phenomenological focusing]

어떤 현상을 조명하기 위해 현상학적 방법을 사용하는 일종의 지도된 알아차림. 게슈탈트

현상학적 초점화에는 경험되는 것을 기술하고, 치료자의 해석이나 치료자나 내담자 자신의 경험이 객관적이거나 절대적인 사실이라는 믿음을 괄호로 묶어서 유보시키거나 제외시키고 드러나는 현상만을 가지고 작업하는 것을 말한다. 즉, 내담자의 주호소와 그것과 관련된 신체언어, 드러나는 모든 현상을 주제로 초점화하고, 이를 위해서는 지금-여기

에서 드러나는 모든 현상을 보는 눈이 필요하다. 예를 들어, 치료자는 내담자가 이를 악물고 있고, 눈을 가늘게 뜨고 있으며, 안색이 붉어졌다는 사실에 초점을 두면서 내담자가 그것을 어떻게 경험하고 있는지 물어볼 수 있다. 한편, 게슈탈트 치료에서 말하는 초점화는 단순한 초점화와는 다르다. 게슈탈트 치료는 관계 중심의 치료이며, 관계 중심의 현상학적 방법론에서는 치료자와 내담자가 원칙적으로 동일한 행위를 한다. 처음에는 대개 치료자가 내담자에게 무엇을 경험하는지 묻는다. 그리고 내담자가 치료자에게 보고한 내용들, 혹은 치료자가 관찰한 내용에 대해 자세하게 초점을 맞추는 것도 처음에는 주로 치료자가 한다. 그러면서 차츰 내담자도 할 수 있는 범위 내에서 이 과정을 공동 지도한다. 치료자와 내담자 모두 자신이 경험하는 것이 무엇인지, 그리고 어떻게 경험하는지에 대해서 돌아보고, 그것에 대해 진지하게 이야기를 나눈다. 이러한 현상학적 초점화 작업이 진행되면서 관찰과 추론이 더욱 명료해진다.

관련어 | 알아차림, 현상학

현시적 내용
[顯示的內容, manifest content]

꿈속에 직접 나타나는 꿈의 내용으로서 현재몽의 내용. 정신분석학

정신분석에 따르면, 내담자의 무의식적 자료는 꿈분석을 통해서 얻을 수 있다. 꿈은 잠재적 소망과 무의식적인 방어 간 타협의 소산이므로 내담자의 심리적 갈등을 이해하는 첩경이라고 보았다. 꿈은 현시적 내용과 잠재적 내용이라고 하는 두 가지 수준의 내용을 담고 있는데, 현시적 내용은 꿈속에 나타나는 구체적인 꿈의 내용을 뜻한다. 정신분석에서 꿈을 분석할 때에는 꿈의 현시적 내용보다 상징적으로 드러나 있는 동기와 갈등, 즉 잠재적 내용에

좀 더 초점을 둔다.

관련어 | 꿈, 잠재적 내용, 현재몽

현실감 소실
[現實感消失, derealization]

예전의 친숙했던 외부세계가 더 이상 익숙하지 않고 낯설게 느껴지면서 무의미하게 보이는 주관적 경험. 정신분석학

비현실감 혹은 비현실화라고 불리기도 한다. 자신을 둘러싸고 있는 주변환경이 비현실적이고 무미건조하게 느껴지는 증상으로 지각장애나 판단력 상실과는 관련이 없다. 특정한 상황에 대한 느낌일 수도 있고 전체적인 상황에 대한 느낌일 수도 있다. 일시적이거나 혹은 지속적인 현상이며, 일회적이거나 혹은 반복되는 현상일 수도 있다. 예를 들어, "당신이 내 남편인지는 알고 있지만, 내 남편 같지가 않아요."라는 표현이 이에 해당된다. 때로는 세상이 회색빛으로 단조롭게 느껴지고 정서적 의미가 없는 것으로 느껴진다. 현실감 소실은 흔히 이인증(depersonalization)과 함께 나타나는 경향이 있는데, 이 두 가지 현상은 상황을 비현실적이라고 간주함으로써 불안을 회피하고자 하는 시도에서 비롯된다. 이인증은 자기표상으로부터 에너지 집중을 철회하는 것인 반면, 현실감 소실은 대상표상으로부터 에너지 집중을 철회하는 것이다.

관련어 | 이인증

현실검증
[現實檢證, reality testing]

내담자에게 현실은 그들이 상상하는 것과 반드시 동일하지 않다는 사실을 알아차리도록 해 주는 기법. 게슈탈트

내담자는 흔히 자신의 상상이나 투사를 현실과 혼동하기 때문에 여러 가지 어려움을 겪는데, 가령 현실을 지나치게 무서운 것으로 상상하여 회피하기도 한다. 치료자는 내담자의 이러한 경향을 파악한 뒤 현실로 돌아오도록 이끌어 주어야 한다. 즉, 현실이 내담자가 상상하는 것과는 다를 수 있다는 것을 깨닫게 해 줌으로써 현실감각을 키워 줄 수 있다. 이때 치료자는 내담자에게 자신의 감각을 활용하도록 훈련시켜 현실과 자신이 만든 환상을 구별할 수 있도록 해 줄 수 있다. 예를 들어, 타인이 자신을 비웃을지 모른다고 생각하는 내담자에게 집단에 참여한 구성원들에게 돌아가면서 그들이 자신에 대해 어떤 생각과 감정을 갖고 있는지 직접 물어보도록 하거나, 구성원들의 표정을 살피거나 눈 접촉 혹은 신체 접촉으로 자신에 대한 그들의 태도를 직접 확인하게 하는 것 등이 모두 현실검증의 방법이다. 내담자는 흔히 과거와 현재의 상황을 동일한 것으로 착각하기 때문에 현재 상황에서 자유롭게 행동하지 못하는데, 치료자는 이런 내담자에게 현실검증을 통해 과거의 충격에서 벗어나도록 해 줄 수 있다.

관련어 | 실험, 투사

현실생활장난감
[現實生活 -, real life toys]

놀이치료 중 아동의 집에서 일어난 상황을 실연하도록 만드는 아기인형, 구부러지는 가족인형, 인형집, 가구, 주방기구, 전화기 등의 장난감. 놀이치료

현실생활장난감은 놀이치료에서 사용하는 아기인형, 구부러지는 가족인형, 인형집, 인형가구, 놀이접시, 단지, 팬, 용기, 전화기, 차, 트럭, 비행기와 같은 장난감을 말한다. 놀이치료 세션에서 아동이 집에서 일어난 상황을 실연하도록 하기 위해서는 각각 이러한 대행적인 자료가 필수적이다. 특히 중요한 것은 인형집과 부엌 세트다. 아동은 가족의 문제를 흔히 이 같은 장난감을 이용하여 실연할 수 있다. 심지어 집에 어려움이 있음을 부정하는 아이조차도

ㅎ

구부러지는 가족인형을 가지고 다양한 가족구성원 사이에서 실제로 일어난 상황을 상담자에게 보여 준다. 가족구조나 형제자매 간에 문제가 있는 아동은 인형의 집에 있는 가구들을 재배열하는 데 오랜 시간을 보낸다. 생활이 곤란한 처지에 있다고 느끼고 또한 견딜 수 없는 상황에서 도망갈 수 없는 아동은 상징적으로 운반 수단 장난감을 사용하며, 의사소통 수단으로 전화기를 사용할 것이다. 아동은 직접적으로 드러내는 것이 두려워 털어놓지 못했던 것을 전화기를 사용해서 상담자에게 말할 수 있고, 때때로 생활 속에서 다른 사람(즉, 부재중인 사람)과 의사소통 수단으로 전화기를 사용한다. 플라스틱 장난감 전화 대신 실제 전화기를 사용하면 이러한 작업이 훨씬 더 쉽게 일어날 수 있다. 가능하다면 인형의 옷을 쉽게 벗기고 입힐 수 있고, 구부릴 수 있는 가족인형을 준비하는 것이 가장 좋다. 성적 학대를 받은 많은 아동이 인형 옷을 벗겼다 입혔다 하면서 시간을 보낸다.

관련어 | 공격적 장난감

현실신경증
[現實神經症, actual neurosis]

내적 갈등과 상관없이 현실환경에서 충족할 수 없는 욕구 혹은 우울한 감정 때문에 생기는 심리적 반응. **정신분석학**

프로이트(S. Freud)는 초기이론에서 신경증은 심리적 손상, 특히 어릴 때 받은 성적 유혹이나 비정상적인 성생활이 원인이 된다고 보았다. 이 중에서 유년기의 기억이나 성적 유혹에 의한 것이 아닌 현재의 성생활과 관련된 신경증을 현실신경증이라고 하였다. 성교중단, 금욕생활, 혹은 지나친 자위행위 등으로 나타나는 불안신경증과 신경쇠약, 건강염려증 등이 이에 속한다. 불안신경증은 성교중단과 같이 지나치게 억압되었을 때 생기는 반면, 신경쇠약은 자위행위 후에 나타난다. 이처럼 현실신경증은 그 원인이 성적 에너지와 관련된 리비도가 해로울 정도로 쌓여 생기는 것으로서 신체적인 속성을 지닌다. 고통스러운 기억과 같은 심리적이거나 질적인 요소에 따른 것이 아닌 실제 신경조직의 증상이다. 프로이트는 현실신경증과 정신신경증을 구분하였다. 현실신경증에는 여성에게 많이 나타나는 불안신경증과 남성에게 많이 발견되는 신경쇠약이 있다. 이것들은 고통스러운 기억과 같은 심리적인 요소에 의한 것이 아니라 실제 신경조직의 증상이라는 점에서 현실신경증이라고 일컫는다. 한편, 히스테리와 강박신경증은 정신신경증에 속한다.

관련어 | 신경쇠약

현실원리
[現實原理, reality principle]

현실을 토대로 적절한 시기까지 쾌락충족을 지연시키는 심리적 기능. **정신분석학**

프로이트(S. Freud)가 제시한 성격의 구조모형에서 자아가 작용하는 원리이다. 욕구를 만족시키는 적절한 대상이나 환경조건이 성숙할 때까지 본능적 만족을 지연시킴으로써 개체의 안전을 보전시키는 기능이다. 현실원리는 원초아의 에너지를 저지하고 전환하여 점차 사회적인 제약과 개체의 양심 범위 내에서 방출되도록 해 준다. 자아는 보다 고차원적이고 인지적인 정신과정을 적용하여 현실적이고 논리적인 사고와 계획을 수립하는 이차과정(secondary process)에 의해 작용한다. 원초아가 성적 본능과 공격적 본능에 대한 소원 충족적 심상과 직접적인 만족과 같은 일차과정(primary process)으로 즉각적인 긴장해소를 추구하는 반면, 자아는 원초아와 현실세계 간을 중재하고 현실을 검증하여 유용한 대안을 모색할 때까지 욕구충족을 지연시킨다.

관련어 | 이차과정, 자아

현실적 불안
[現實的不安, realistic anxiety]

외부환경에서 비롯된 실제적인 위험에 대한 두려움.
정신분석학

정신분석에서 설명하는 세 가지 불안유형 중의 하나로, 현실적 근거가 있는 일종의 객관적 불안(objective anxiety)을 뜻한다. 불안의 정도는 실제 위험의 정도에 비례하며, 시험이나 맹수와 같은 외부의 위험에 대한 현실적인 반응으로 나타난다. 현실적 불안은 위험을 피하기 위해 무엇인가를 해야 한다는 경고를 담고 있다는 점에서 개인을 보호하며 적응적 가치가 있다. 현실적 불안의 경고에 주의를 집중하지 않을 경우 즉각적인 위험을 당할 수 있다. 신체적 상해나 물질적·심리적 결핍을 예방하는 데 기여한다. 예를 들면, 교통사고에 대한 불안은 안전운전을 하도록 만들어 개인의 생명을 유지하는 데 도움이 된다.

관련어 | 객관적 불안, 도덕적 불안, 불안, 신경증적 불안

모형을 순차적으로 사용하여 아동의 추상화 능력을 보다 더 증가시킬 수 있는 것으로서, 정서장애와 인지적 지적장애에 대한 효과적인 치료수단이라고 할 수 있다. 실시방법은 다음과 같다. 먼저, 치료자가 작품을 만든 다음 내담자에게 표현해 보도록 하여 내담자의 병리적 증상 이면에 있는 모호한 개념이 구체적인 형태를 띤다. 예를 들어, 집의 개념이 모호한 지적장애아의 경우, 먼저 미술치료사가 아동이 사용하던 막대를 이용하여 집 모양의 나무 막대들을 도화지에 붙여 놓은 뒤, 아동과 함께 집의 여러 부분에 대하여 이야기를 나눈다. 다음 단계에서 아동에게 2차원의 평면에 집을 만들게 한다. 다시 말해, 아동에게 나무막대를 가지고 종이 위에 집을 만들어 보도록 하는 것이다. 그다음 단계에서는 3차원의 집을 만들어 보도록 함으로써 아동에게 집의 개념을 구체화시킨다. 여기서 2, 3차원 모형은 아동에게 개념적인 참조틀(reference frame)이 되고, 모방행동을 촉진시킨다.

관련어 | 행동주의 미술치료

현실조성하기
[現實造成 –, reality shaping]

내담자의 작품에서 부족한 개념이나 영역을 찾아내어 개념을 이해하고 작품을 완성하도록 작품 제작과정을 세분화하여 점진적으로 제시함으로써 내담자가 관찰하면서 실행해 나가는 행동주의적 미술치료기법. 미술치료

행동수정의 원리와 모델링 학습을 적용하여 새로운 행동을 체계적으로 가르치고 아동이 이전에 이해하지 못한 개념을 발달시키는 기법이다. 즉, 조작적 조건형성과 모방절차를 통하여 아동은 시간이 흘러도 유지되는 새로운 행동을 학습하고, 또 새로운 행동 기술을 얻으면 부차적 이득이 나타난다. 이와 같이 현실조성하기는 아동에게 이미지를 표현하는 능력을 향상시키고, 아동의 현실감각과 관련된 중요한 개념들을 발달시키며, 간단하고 구체적인

현실치료
[現實治療, reality therapy]

현재 시점을 강조하고, 내담자의 생각과 행동의 변화를 유도하여 보다 나은 삶을 살 수 있도록 조력하는 데 초점을 두는 상담이론. 현실치료

1960년대 글래서(W. Glasser)가 현실, 책임, 옳고 그름의 세 가지 개념을 토대로 소개한 상담접근이다. 현실치료라는 용어가 공식적으로 사용된 것은 1964년 4월 발표된 「Reality therapy: A realistic approach to the young offender」라는 논문을 통해서였다. 1965년에는 이 접근에 대한 기존의 개념들을 수정 발전시켜 『Reality therapy: A new approach to psychiatry』를 출판하였다. 인지행동적 관점과 개입전략에 기초하여 개발되었으며, 내담자의 자기

결정을 강조하면서 결과보다는 과정을 중요시한다. 상담장면에서 내담자의 변명을 인정하지 않는다. 내담자가 과거의 사건, 선천적 기질, 주변환경 탓을 하지 않고 그 대신 자신이 선택하고 결정한 것에 대한 책임을 질 수 있도록 격려한다. 또한 다른 사람에게 피해를 주지 않으면서 자신의 욕구를 충족하고 행복을 증진시키는 방법을 발견하도록 조력한다. 현실치료는 다양한 인지행동적 전략을 적용하여 내담자가 자신의 욕구를 자각하고, 보다 나은 삶의 구성요소를 인식하며, 삶의 질을 향상시키기 위한 목표와 과정을 구체화할 수 있도록 도와준다. 글래서는 초기이론에서 모든 사람들이 상호 관계성과 존중감의 두 가지 기본욕구를 지니고 있다고 보았다. 두 가지 욕구는 서로 관련되어 있는데, 자신과 타인의 욕구를 정확하게 인식하고자 하는 행동은 자신의 가치를 느끼게 하고 타인과 친밀한 관계를 맺을 수 있도록 해 준다. 이러한 초기개념은 이후 수정·보완되어 발전되어 오고 있다. 초기에 비해 윤리적 문제와 공정성을 덜 강조하고, 치료과정에서의 옳고 그름의 중요성을 지나치게 고집하지 않게 되었으며, 인간의 기본적 욕구를 다섯 가지로 제시하고 있다. 오늘날 현실치료는 개인상담, 집단상담, 가족상담 등 다양한 장면에 적용되고 있다. 학교, 교정기관, 재활 프로그램 등에서 활용하고 있으며, 약물이나 알코올 중독문제를 치료하는 데 널리 활용되고 있다.

관련어 | 기본욕구, 옳고 그름

현실치료연구소
[現實治療研究所, Institute for Reality Therapy]

현실치료의 이론적 개념을 발전시키고 임상적 적용과 관련된 전략 및 기법을 개발하는 데 초점을 둔 연구기관. **현실치료**

글래서(W. Glasser)의 현실치료접근을 교육·보급하기 위해 1967년 로스앤젤레스에 설립된 연구소다. 현실치료를 정신치료, 상담, 학교, 서비스 기관, 그리고 조직관리 분야 등에 적용해 왔으며, 1975년부터 현실치료 교육과정에 참여한 수료자에게 자격증을 발급하고 있다. 1994년 글래서는 '현실치료연구소'를 '통제이론, 현실치료, 좋은 관리 연구소(The Institute for Control Theory, Reality Therapy and Quality Management)'로 명칭을 변경하고 활동업무를 확대하였다. 1981년부터는 『The International Journal of Reality Therapy(국제현실치료학회지)』를 발간하였다. 이후 1996년 캘리포니아 주 채츠워스에 위치한 연구소 명칭을 다시 '윌리엄 글래서 연구소(The William Glasser Institute)'로 고치고 자신의 이론적 개념 중에서 통제이론을 선택이론으로 수정하였다. 연구소 산하에 설치된 교육훈련센터에서 자격증 과정을 운영하며, 학교현장교사와 학교행정가에게 '낙오자 없는 학교'의 개념과 운영방법을 교육하고 있다. 그동안 미국 내에서만 약 25만 명의 교사가 이 교육 프로그램에 참가했으며, 훈련받은 교사들이 소속된 학교에서는 교내 문제발생 건수가 약 80% 이상 감소한 것으로 인정받고 있다.

관련어 | 현실치료

현실치료적 미술치료
[現實治療的美術治療, art therapy based reality therapy]

현실치료의 이론과 기법을 적용한 미술활동을 중심으로 개인의 문제해결과 성장을 촉진하는 조력활동. **미술치료**

현실치료는 글래서(Glasser)가 시작한 것으로서, 선택이론(choice theory)을 바탕으로 하고 있다. 선택이론은 우리의 행동이 내적으로 동기화된다는 기본 가정에서 출발하며, 우리가 사고하고 느끼고 행동하는 것은 타인이나 외부상황에 의해서가 아니라 우리 스스로의 내적 동기에 따른 선택이라는 것이다. 선택이론에 바탕을 두고 있는 현실치료는 과거를 중시하는 전통적 치료방법과 달리, 내담자의 행동과 지금 및 책임을 강조하며, 내담자의 현재 행동에 초점을 맞춘다. 현실치료는 자극-반응 이론에 따른 상담기법과 차원이 다르며, 억압이나 무의식을 다루는 정신분석적 기법과도 다르다. 이 치료의 목표는 많은 사람들이 삶의 현장에서 활용할 수 있는 실용적이고 구체적인 이론과 방법을 제시하여 성숙한 인간으로서의 삶을 영위할 수 있도록 도와주는 것이다. 따라서 현실치료의 이론과 방법에 근거를 둔 미술치료는 내담자의 인지능력과 내적 통제능력을 향상시켜 자신의 행동에 대한 선택과 책임이 자신에게 있다는 것을 인지하고 수용하도록 도와준다. 현실치료적 미술치료는 네 가지 단계, 즉 WANT 탐색단계, DOING 탐색단계, 평가하기 단계, 계획하기 단계로 구분할 수 있다. 각 단계에서는 다양한 미술치료기법을 활용한다. 현실치료적 미술치료의 임상에서 사용할 수 있는 구체적인 미술치료기법은 다음과 같다. 첫째, WANT 탐색단계에서는 자신의 욕구를 이해하는 데 도움을 주는 작업으로서의 '소망나무'를 사용할 수 있다. 둘째, DOING 탐색단계에서는 현재 자신의 행동을 탐색하여 전 행동을 살펴볼 수 있는 '현재 나의 모습'을 사용할 수 있다. 셋째, 평가하기 단계에서는 자신이 원하는 것과 활동하고 있는 것과의 차이를 깨닫도록 하는 '최선의 길'을 사용할 수 있다. 마지막으로 계획하기 단계에서는 내담자의 꿈이 이루어질 수 있도록 실현 가능한 계획들을 구체적으로 세우게 하는 '신체 본뜨기'를 사용할 수 있다. 이와 같은 현실치료적 미술치료는 현실세계에서 지각되는 것을 언어적으로 표현하기 어려운 내담자에게 효과적이다. 원하는 것과 지각된 것을 미술작업을 통하여 자연스럽게 표현함으로써 어떤 욕구를 충족시키고자 하는지 쉽게 깨달을 수 있도록 도와줄 수 있기 때문이다.

관련어 | 현실치료

현장실험
[現場實驗, field experiment]

실험실 안에서가 아니라 현장에 나가서 자료를 얻어 오는 조사연구법. 연구방법

현장실험은 필드워크(field work)와 비슷하지만 필드워크는 참가하면서 관찰하는 법(participant observation)이 주된 측정기법인 반면, 현장실험은 심리검사와 질문지(앙케트) 등을 사용한다는 차이가 있다. 호손 공장의 연구와 듀이(J. Dewey)의 '8년 연구(교수법의 효과 측정)'는 현장실험 연구의 예다. 연구에서 실험법을 사용하지 않을 때는(예, 어떤 학교에서 학대 체험자 수를 조사한다) 순수하게 현장연구(field study)라고 한다.

현재 경험에 맞추기
[現在經驗 -, pace current experience]

내담자가 현재 경험하는 오감적인 차원의 객관적인 사실을 진술하도록 하는 최면화법. 최면치료

밀턴모형 최면화법의 일종으로, 내담자의 외적 경험 중 검증 가능한 것을 부정할 수 없는 방식으로 서술하고 표현하여 상담자가 원하는 방향으로 유도하는 기법이다. 이는 자명한 진술이나 예스 세트와 비슷하다. 이때 주관적인 것, 해석이나 평가적인 것은 해당되지 않는다. 한 예로, "당신이 이 글을 읽으면서 눈이 계속 글자를 따라갈 때는 마음속에서 여러 가지 생각이 교차되는 것을 느끼면서 현재 경험에 맞추기 원리에 대해 더 많이 이해하고 활용하고 싶어질 것입니다."라는 암시문을 들 수 있다.

관련어 | 밀턴모형, 예스 세트, 자명한 진술

현재몽
[現在夢, manifest dream]

수면 중에 꿈작업(dream work)을 통해 잠재된 꿈의 사고가
의식적으로 드러난 결과물. 정신분석학

꿈을 꾼 사람이 회상하는 내용을 뜻하며, 발현몽
이라고도 한다. 현재몽의 내용은 꿈꾸는 개인이 기
억하는 형태적인 측면뿐만 아니라 꿈의 내용과 관
련된 이미지, 이야기, 감각적 내용, 정서 등을 포함
한다. 현재몽을 형성시키는 무의식적인 생각이나
소망을 잠재몽 내용이라고 하는데, 프로이트(S.
Freud)는 잠재몽 내용을 현재몽으로 변환시키는 무
의식적인 심리역동을 꿈작업이라고 하였다. 무의식
영역에 있는 잠재몽은 압축, 치환, 상징적 표상 등의
구체적인 꿈작업을 통해 의식영역에 속하는 현재몽
으로 변형된다. 수면상태에서는 억압이 약화되므로
무의식적인 충동이나 소망이 방출되거나 충족되기
쉽다. 수면 중에는 행동을 통한 표현이 차단되기 때
문에 억압된 소망과 충동은 사고나 환상을 통해 표
현되고자 한다. 하루 일과 중의 잔재나 야간의 감각
자극들은 비교적 쉽게 현재몽으로 표현될 수 있다.
그러나 과거 유아기에 억압되었던 무의식적인 소망
이나 충동은 고통스럽거나 스스로 용납하기 어려운
것이 억압된 것이므로 쉽게 현재몽으로 드러나지
않는다. 수면 중의 느슨해진 억압에도 불구하고, 꿈
의 검열기능은 충동이 방출되는 것을 적극적으로
억제하고 유아기에 억압되었던 소망과 충동이 다른
형태로 위장되도록 저항한다. 그 결과 억압된 소망
과 충동은 중립적인 이미지에 부착된다. 바로 이러
한 과정이 꿈작업이며, 압축, 치환, 상징적 표상과
같은 일차과정 사고에서 특징적으로 사용되는 방식
으로 이루어진다. 압축은 여러 가지 충동과 소망이
하나의 현재몽의 이미지 안에 함께 농축되어 나타
나는 것을 뜻한다. 예를 들어, 화가가 붓 대신에 바
이올린을 연주하는 꿈을 꾼다는 것은 바이올린이라
는 이미지를 통해 그 화가가 가진 다른 여러 충동이

나 욕동을 나타내는 것일 수 있다. 치환은 어떤 대
상과 관련된 충동이나 소망을 보다 수용될 수 있는
다른 대상에게로 전환하는 것을 뜻한다. 예를 들어,
아버지에 대한 파괴적 공격성을 지닌 자녀는 중립
적인 대상인 화분을 깨트리는 꿈을 꾸게 된다. 한
편, 상징적 표상은 추상적이고 복합적인 감정들이
단순하고 집약된 감각적 이미지로 드러난 것을 뜻
한다. 상징이 지닌 무의식적인 의미는 상징적 표상
에 대한 연상을 통해 파악될 수 있다. 어떤 상징들
은 보편적인 의미를 지닌 것도 있는데, 예를 들어 꽃
은 여성의 성기를 상징하고 뱀은 남성의 성기를 상
징한다고 해석할 수 있다.

관련어 │ 꿈, 꿈작업, 상징적 표상, 압축, 잠재몽, 치환

현재불안측정척도
[現在不安測定尺度,
Manifest Anxiety Scale: MAS]

표출된 불안을 알아보는 검사. 심리검사

불안을 검사하기 위해 1951년에서 1953년 사이
에 테일러(T. A. Taylor)가 제작한 검사로, 우리나
라에서는 1969년에 김성태가 번안하였다. 이 검사
지는 표출불안을 측정하는 50문항과 표출불안과는
상관없는 50문항을 미네소타 다면적 인성검사(Mi-
nnesota Multiphasic Personality Inventory: MMPI)
의 K·F·L척도에서 골라 모두 100문항으로 구성하
였다. 짝수 번호의 문항이 표출불안을 측정하는 것
이고, 이 문항에 '○ 표시'를 하는가 하지 않는가의
여부를 불안지수로 산출하도록 제작되었다. 반응의
척도는 '그렇다'와 '아니다'의 자기상태를 '○ 표시'로
한다. 이 검사는 김성태가 Flanagan 상관계수 r을
산출하여 만족할 만한 내적 합치도를 얻었으며, 반
분신뢰도(split half-reliability)는 r=.92를 나타냈다.

현재에 머무르기
[現在 – , being present]

사적인 경험에 새롭고 효과적인 반응이 일어날 가능성을 높이기 위해 현재 순간에 머무르는 것이며, 현재 일어나고 있는 심리적 사건에 대해서 비판단적 접촉을 활성화하는 것.

수용전념치료

삶은 항상 바로 지금–여기에서 이루어진다. 지금 이 순간을 제외한 그 어떤 것도 직접적으로 경험할 수 있는 것은 없다. 그 밖에 모든 것은 개념적인 묘사나 표현, 생각, 계획, 기억일 뿐이다. 이 모든 것이 상상에 의한 미래나 과거를 의미하지만 그것들은 오직 지금 경험될 수 있다. 과거를 고찰하고 미래에 대한 계획을 세우는 능력은 인간에게 매우 유용하고 필수적인 능력이지만, 문제는 사람들이 과도하고 경직되게 미래나 과거에 마음을 빼앗겨 현재와의 만남을 잃고 있다는 것이다. 인지적 융합 때문에 개념화된 미래나 과거를 마치 그 개념화된 지식이 실제로 일어나고 있는 일인 듯 여기면서 정작 현재를 다루는 데는 매우 적은 시간을 할애한다. 수용–전념치료(ACT)에서는 미래나 과거에 대한 생각을 없애는 것이 아니라 사람들이 좀 더 유연해지도록 돕는 것이라고 제안하였다. 즉, 현재에 초점을 맞추는 것이 가장 유용한 순간에 현재에 머무르고, 계획을 세우는 것이 가장 유용한 순간에 미래에 머무르며, 회상하는 것이 가장 유용한 순간에 과거에 머무르도록 하는 것이다. 그러나 우리가 새로운 것을 배우고 주변환경에서 제공되는 기회를 발견할 수 있는 곳은 바로 현재이기 때문에 현재에 초점을 맞추는 것이 특히 중요하다. 그래서 ACT에서는 효율적이고 개방적이며 비방어적으로 현재 순간에 접촉하도록 촉진하고자 한다. 헤이즈(Hayes) 등은 현재에 머무르기 혹은 현재에 존재하기(being present)로 표현하고, 바루흐 등(Baruch et al., 2009)은 현재 순간에 접촉하기(contact with the present moment)로 표현하지만 동일한 의미를 가지고 있다. ACT의 주요 목표 중 하나는 내담자가 과거에 일어났던 일이나 느낌, 생각, 감각과의 투쟁을 내려놓고 지금 이 순간 진행되고 있는 삶과 마주할 수 있도록 도움을 주는 것이다. 지금 이 순간과 만나는 것은 내담자가 생각으로 재구조화된 세계에서 벗어나 외부세계의 자극과 더불어 내면에서 일어나는 생각, 느낌, 기억 등의 내적 진행과정 모두에 계속해서 더욱 직접적인 주의를 기울이며, 온전하게 지금–여기와 만나는 것을 의미한다. 이와 같은 현재에 머무르는 과정에는 두 가지가 있다. 하나는 내담자가 환경과 사적 경험의 존재를 관찰하고 알아차리도록 훈련하는 것이고, 다른 하나는 내담자가 과도한 판단이나 평가 없이 현재에 존재하는 것을 명명하거나 기술하도록 가르치는 것이다. 이들은 모두 '자각의 과정으로서의 자기' 감각을 확립하는 데 유용하다. ACT에서는 다양한 기법을 사용하여 현재에 머무르기를 방해하는 두 가지 중요한 근원인 인지적 융합과 정서적 회피를 없애고자 한다. 그리고 생각의 산물로 구성된 세계보다는 직접적으로 경험하는 세계를 지향하도록 알아차림 혹은 마음챙김 연습을 흔히 사용한다. 알아차림은 비판단적으로 지금–여기에서의 사건에 접촉하는 것으로 정의되는데(Kabat–Zinn, 1994), 그러한 의미에서 수용, 탈융합, 맥락으로서의 자기 및 현재에 머무르기의 조합으로 생각할 수 있다. 이 네 과정이 ACT의 치료요소에 모두 들어 있다. 알아차림 연습에서 가장 중요한 것은 현재 시점이다. 대체로 사람들은 과거의 기억이나 미래의 계획에 몰두함으로써 현재를 놓치거나 왜곡하는 경향이 있다. 또한 한 개인의 고통은 과거의 특정한 경험에서 빠져나오지 못하거나 미래에 대한 과도한 애착에 따른 두려움에서 발생하는 경우가 많다. 따라서 ACT의 목표는 개인의 역사에서 비롯된 감정이나 생각과 싸우는 것을 내려놓고 지금 현재의 순간에 주의를 집중하는 것이다(인경, 2009). 현재에 머무르기를 위한 기법으로 사용되는 것은 행동치료에서 많이 사용하는 행동적, 인지적 노출(exposure)이다. 그러나 ACT에서는 그 목적이 다르다. 불안과 같은 느낌을 감소시키기 위해 연습을 하게 되면, 불안은 바람직하지 않다는 평가에 인지적으로 융합되는 과정이 생기기 때문에 ACT에서는 심리적 유연성과 활기를 증진하기 위해 현재 순간에 머무르기가 유익하다는 것을 강조한다. 헤이즈 등은 현재에 머무르기에서 중요한 것이 관찰하는 자기(observing self) 혹은 관찰자 관점(observer perspective)이라고 하였다. 관찰하는 자기는 알아차림과 명상을 통해 자신의 내부와 외부에서 일어나는 경험들을 비판단적으로 관찰하고 알아차리는 역할을 한다. 또한 사람들은 관찰하는 자기를 통해 자신의 역사 속에서 과거부터 지금까지 자신의 경험을 관찰해 온 관찰하는 자기가 있었다는 것을 경험적으로 깨닫는다. 지금 이 순간으로 돌아와 마음을 충분히 기울여 비판단적으로 현재의 경험을 관찰하고 기술해 보는 것은 자신의 주변환경과 만날 수 있게 하고, 우리의 가치에 따라 행동할 수 있게 도와준다. 지금-여기와 만나는 것은 또한 삶에 대한 회피와 투쟁을 줄여주며, 삶에서 어떤 일이 일어나게 또는 일어나지 않게 하려는 욕구를 내려놓고 삶에서 일어나는 일을 받아들이면서 자신의 고통과 구속에서 자유로워질 수 있다. "기쁨의 순간만큼이나 고통의 순간에서 살아갈 일이 많다."(Strosahl et al., 2004). 그래서 내담자는 자신이 더 좋게 느끼게 될 때가 되어서야 자신의 삶이 시작될 것이라는 태도를 가지고 있는 경우가 많다. 이러한 입장에 있을 때 흔히 놓치는 면은 삶이 바로 지금 일어나고 있다는 것이다. 모든 순간은 바로 지금 살아야만 한다. 현재 순간에 일어나고 있는 일에 대해 시간을 사용하는 것이 최선이며, 이러한 관점을 통해 상담자는 내담자가 자신의 가치를 삶으로 가져오도록 도울 수 있다. 개인경험의 상당수는 고통스러울 수 있다. 그래서 우리는 종종 생각과 느낌, 반응에 대한 자각을 회피한다. 그러나 유연하고 유동적인 자기인식은 바로 현재 속에서 형성되기 때문에 현재에 머무는 것을 통해 내담자는 자신과 자신의 반응이 어떠하고, 자신의 행동을 어떻게 조절하는지 등에 대해 더 많이 배울 수 있다.

관련어 | 마음챙김, 수용전념치료, 심리적 유연성

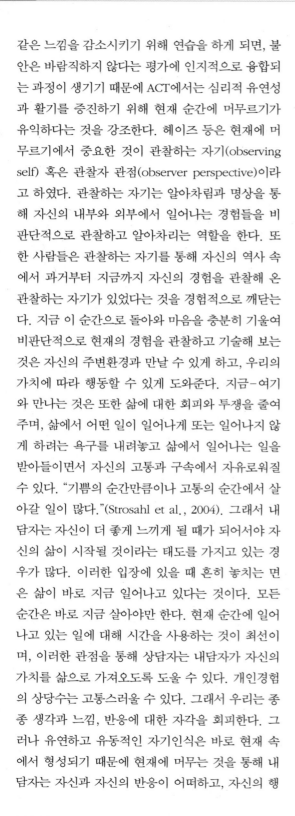

현존재
[現存在, Dasein]

존재하면서도 어떻게 존재해야 하는지를 스스로 결정하고 시간성을 주축으로 과거-현재-미래를 통합함으로써 자신을 기투(企投)하고 탈존하는 존재. 실존주의 상담

하이데거(M. Heidegger)는 『존재와 시간(Being and time)』(1927)에서 현상학적인 관점에서 인간에 대한 이해를 시도했는데, 그는 막연하나마 존재를 이해하고 있는 인간을 '현존재(혹은 세계 내 존재, being-in-the-world)'라고 하였다. 이러한 현존재는 단순히 사물이나 도구적 존재가 아님을 보여 준다. 세계 안에서 다른 많은 존재자들과 관계를 맺는 가운데 본래적인 존재양식을 상실하고 비본래적인 존재방식을 취하게 된다. 이와 같이 본래적 자기를 상실한 현존재를 그는 '일상인(Das Man)'이라고 하였다. 일상인으로서의 현존재는 평균화되고 책임을 지지 않는 몰개성적인 인간으로 전락해 버린다. 이같은 일상인은 불안에서 헤어날 수 없다. 일상인으로서의 현존재가 불안에서 벗어나려면 본래적인 자기를 근원적으로 이해하고 본래적인 자기로서 존재할 것을 결단하지 않으면 안 된다. 이와 같이 본래적인 자기에로 자기 자신을 내던지는 것을 기투라고 한다. 하이데거는 인간에게 공통되게 자의와 상관없이 세상에 던져진 존재로서의 특성을 피투성(被投性)이라고 하였고, 그로 인한 죽음에 대한 자각으로부터 자신의 삶의 의미를 다시 한 번 포착해서 재구성하려는 시도를 기투(企投)라고 하였다. 이러한 기투로 본래적인 존재방식을 찾는 것이 실존이다. 하이데거는 현존재를 죽음에 이르는 존재라고 부르며, 죽음을 실존의 본래성에 도달하는 기반

으로 보았다. 실존은 죽음에의 존재요, 종말에의 존재다. 인간은 죽음을 통해서 스스로의 실존을 짊어지려는 소명에 응답해야 한다. 죽음으로 일단 우리 자신이 내린 결단은 돌이킬 수 없는 필연의 사실이 된다. 나아가 죽음이야말로 인간 모두에게 제각기 각자의 본래적이며 고유한 생을 스스로 책임지고 자유롭게 이끌어 나갈 것을 호소한다.

관련어 | 세계 내 존재, 죽음, 피투성

현존재 분석
[現存在分析, Dasein analysis]

인간 실존의 구조에 관한 하이데거(M. Heidegger)의 연구로 고무된 개념체계의 도움으로 내담자의 내적 경험세계를 재구성하는 것. 실존주의 상담

빈스방거(L. Binswanger)와 보스(M. Boss)를 현존재 분석가의 대표적 인물로 꼽을 수 있다. 현존재 분석은 자연과학의 인과율(causality) 개념을 심리학에 그대로 도입하는 데 반대한다. 인간의 현존재에는 인과관계란 없고 기껏해야 행동의 계열만 있을 뿐이기 때문이다. 그래서 현존재 분석에서는 인과율이라는 개념 대신 동기라는 개념을 사용하였다. 현존재 분석은 현상을 기술하고 설명하는 일에만 관심을 가졌다. 어떤 현상이 나타나는 또 다른 원인이 있다는 인과적 개념을 부정한 것이다. 왜냐하면 현상이란 직접성 바로 그것이며 어떤 현상도 다른 어떤 것의 파생물이 아니기 때문이다. 현존재 분석은 인간을 사물과 같은 것으로 보기를 거부한다. 인간은 세계 내 존재(being-in-the-world)로서 자유롭고 자신의 현존재에 대해 책임을 지는 존재이기 때문에 비인간적 또는 비인간화를 촉진하는 여러 개념에 반대한다. 또한 현존재 분석은 주체와 객체의 이원론에 강력히 반대하고 세계 내 개인의 단일성(unity of individual-in-the-world)을 중시한다. 이와 같이 현존재 분석은 그 자체를 의식의

상태에 대한 연구조사에 한정시키지 않고 개인의 실존에 관한 전체 구조를 고려하며, 개인의 내적 경험세계의 일치를 강조하는 현상학과는 달리 한 개인이 둘 이상의 일치하지 않는 세계들 속에서 살 수 있다는 것을 강조하였다. 또한 경험의 즉각적인 주관적 세계만을 고려하는 현상학과는 달리 개인의 세계 혹은 일치하지 않는 세계들의 발달과 변화를 재구성하려고 한다. 이러한 현존재 분석은 내담자에게 자신의 내면세계를 있는 그대로 자각하고 이해하도록 하며, 지금-여기의 자기 자신을 신뢰하도록 하는 데 치료의 목적을 둔다. 현존재 분석에서는 다른 심리치료에서와는 달리 내담자의 증상치료에 치중하지 않으며, 내담자가 자신의 현존재와 실존을 있는 그대로 경험하도록 하는 데 초점을 맞추고 있다. 증상이나 문제의 해결은 내담자가 자신의 현존재를 있는 그대로 경험할 때 저절로 일어나는 부산물이다. 내담자가 자신의 현존재를 깨닫게 되면 현존재를 위한 자신의 가능성을 적극적으로 성취하도록 돕는다. 그리고 내담자가 경직된 자신의 세계를 설계하는 데 한결 융통성 있고 개방적이 되도록 변화할 수 있게 해 준다.

관련어 | 세계 내 존재, 실존주의 상담

혈뇌장벽
[血惱障壁, blood-brain barrier: BBB]

혈류로부터 뇌와 척수에 물질유입을 막는 장벽. 뇌 과학

뇌와 척수의 모세혈관의 투과성이 상대적으로 떨어지기 때문에 순환하는 혈류 속의 박테리아 등 해로운 물질이 뇌로 들어가는 것을 막는 기능을 한다.

관련어 | 뇌

ㅎ

혐오치료
[嫌惡治療, aversion therapy]

역조건형성(countconditioning)의 일종으로 부적절한 반응을 유발하는 조건자극을 혐오적 반응을 일으키는 무조건자극과 짝지어 부적절한 반응을 감소시키는 치료. 행동치료

혐오치료의 핵심은 대게 구토반응을 일으키는 약물 등을 사용하여 바람직하지 못한 행동에 수반하여 혐오 자극을 줌으로써 그 행동의 발생을 방지하는 혐오통제를 행하는 것이다. 혐오통제에는 도피도 회피도 할 수 없는 상황에서 혐오 자극을 주는 벌, 바람직하지 못한 행동을 할 때 그 전에 계속 주어지던 정적 강화를 중단하는 소거, 바람직하지 못한 행동에 수반하여 모든 정적 강화로의 접근을 차단하는 타임아웃, 바람직하지 못한 행동을 했을 때 개인이 보유하고 있던 정적 강화를 박탈하는 대가 등이 있다.

관련어 | 반응대가, 벌, 소거, 타임아웃

혐오통제
[嫌惡統制, aversive control]

바람직하지 못한 행동에 수반하여 불쾌한 혐오자극을 줌으로써 그 행동의 발생을 방지하려는 것. 행동치료

⇨ '혐오치료' 참조.

협동교수제
[協同敎授制, team teaching]

여러 명의 교사가 협력해서 학생들을 지도하는 교수·학습의 한 형태. 학교상담

교수·학습 조직을 개선하려는 수업조직형태의 하나다. 교육효과를 높이기 위해 교사의 직능이나 역할을 나누어서 하나의 팀을 구성하여 학생들을 지도한다. 교직의 전문성을 도모하고자 하는 취지에서 1950년대 후반 미국에서 시작되었다. 당시 미국 내 학교현장에서의 교원 수 부족에 따른 수업의 질 저하와 초등학교 수준에서 적용되었던 전교과 담임제의 문제점이 지적되는 사회분위기에서 수업 개선과 교육의 질 향상을 목표로 도입한 제도다. 학급 담임제로는 학생들의 능력을 최대한 신장시키기가 어렵다는 이유에서 출발했으며, 우수 교사나 특기 적성을 갖춘 교사의 소질과 능력을 충분히 활용할 수 있다는 장점이 부각되었다. 학생들의 개인차를 고려할 수 있고, 교사의 능력을 효과적으로 활용할 수 있으며, 또한 학교의 시설과 시간을 효율적으로 이용할 수 있다는 이점이 있다. 협동교수제의 기본 목표는 교사 각자의 능력을 가능한 한 많은 학생을 위해 발휘할 수 있도록 하는 체제를 갖추는 것이다. 이에 따르면, 2인 혹은 그 이상의 교사가 협조해서 동일 학급을 대상으로 수업지도계획을 입안하고 실시·평가한다. 학습자 구성은 고정된 단일 학급 형태를 탈피하여 가변 학급(可變學級)으로 운영한다. 또한 학급 규모를 고정시키지 않고 학습 내용이나 활동에 따라 가장 적절한 규모의 인원으로 조직한다. 대그룹으로 일제 수업을 하거나, 수업 목적에 따라서 20~30명의 중그룹으로 나누어 각각의 교사가 분담, 지도하기도 한다. 이를 다시 5~6명의 소그룹으로 나누어 개별지도나 개별학습을 지도할 수도 있다.

협동놀이
[協同-, cooperative play]

인지행동치료

⇨ '놀이' 참조.

협동치료
[協同治療, collaborative therapy]

보스콜로(Boscolo)와 체킨(Cecchin)이 발견한 기법으로 치료의 과정에 가족이 참여하도록 하는 것. 기타 가족치료

기존의 치료기법들은 가족을 배제한 채 주로 치료자가 가족구성원들 간에 주고받는 상호작용을 분석하고, 이를 변화시키기 위한 치료기법을 적용하였다. 따라서 당연히 가족들은 치료에서 수동적인 역할을 할 수밖에 없었다. 이러한 점에 착안하여 협동치료에서는 치료자 혼자 모든 것을 결정하는 것이 아니라, 가족과 함께 충분한 협의를 거쳐 치료의 목표를 세우고 치료과정에 함께 참여한다. 즉, 가족이 능동적으로 치료에 참여하여 가족문제를 해결하는 방법이다.

협력
[協力, cooperation]

우호적이고 생산적인 집단분위기를 형성하기 위해 집단원들 간에 서로 돕는 것. 집단상담

집단이라는 상황은 집단원들이 각자 고민하는 문제를 함께 나누고 진실하게 다룰 수 있는 기회를 제공한다. 또한 다른 집단원들에게서 나타나는 긍정적인 변화를 직접 목격함으로써 상담동기가 유발되고 더욱 적극적으로 집단활동에 참가할 수 있게 된다. 그러나 문제해결과 성장을 위해 집단상담에 참가한 내담자라고 할지라도 효과적인 집단 참여를 위해 요구되는 협력적인 태도를 보이지 않을 수도 있다. 무력감을 느끼고 소극적으로 참여할 수 있는데, 따라서 집단상담의 초기단계에서는 집단원들 간의 상호존중과 협력에 기초한 원만한 상담관계를 확립하는 것이 중요하다. 집단원들도 각자 집단 참여에 대한 책임감을 스스로 느끼고 집단과정에 적극적으로 참여하도록 해야 한다. 드라이커스(Dreikurs)는

상담적인 협력을 위해서는 집단 초기에 상담자와 집단원들 간에 상담목표에 대한 합의가 이루어져야 한다고 강조하였다. 집단원의 목표와 관심이 상담자의 그것과 일치되지 않을 때에는 만족스러운 협력관계가 맺어지기 어렵다. 집단의 공통과제를 위해서는 집단원들의 협력을 얻는 것이 필요하다. 아동을 대상으로 하는 상호작용 놀이 프로그램에서도 협력을 위한 의미를 강화할 수 있다. 다양한 활동을 통해 두 사람, 한 팀, 혹은 전체 집단원이 서로의 영향력을 긍정적으로 경험한다. 또한 체계적인 협력작업을 하고자 하는 집단원의 자연적인 욕구가 충족된다.

협력 글쓰기
[協力 –, writing in collaboration]

여러 사람이 함께 글을 쓰는 작업. 문학치료(글쓰기치료)

협력 글쓰기는 협력적 글쓰기(collaborative writing)라고도 한다. 한 사람이 하나의 글을 쓴다는 일반적인 방식을 벗어나 여러 사람이 하나의 글을 완성하는 형식으로, 집단창작문학의 일환이다. 개인 편집자나 편집팀의 감독을 받을 수도 있지만 상의하달식 감독은 하지 않는 것이 대세다. 이것은 원래 소설에서 여러 작가가 모여 집단으로 작품을 만든 데서 유래하였다. 1931년 애거사 크리스티(Agatha Christie) 등 영국의 추리클럽(The Detection Club) 회원 14명이 릴레이로 작업한 장편 소설 『The Floating Admiral』이 협력 글쓰기 작품으로 유명하다. 최근에는 협력 글쓰기가 교육적인 방법으로 활용되어 학교현장에서 학생들이 함께 하나의 주제를 가지고 글을 쓰기도 하고, 오락적 목적으로 게임처럼 문장 이어 가기를 하기도 한다. 협력 글쓰기의 목적은 하나의 주제로 여러 사람이 순서대로 혹은 순서와 상관없이 글을 이어 쓰면서 개인의 관점에서 벗어나

여러 사람의 관점을 함께 경험하면서 사유의 폭을 넓히는 데 있다. 협력 글쓰기를 하기 위해서는 우선 두 사람 이상의 적당한 집단의 크기를 정하고, 집단의 성격을 탐색하여 그에 맞는 소재나 주제를 결정한다. 집단을 이끌 지도자는 있어도 되고 없어도 된다. 누군가 먼저 시작한 뒤 문장이나 단락을 이어 가면서 주제에서 벗어나지 않고 앞 사람의 글 내용과 형식에 모순되지 않도록 글을 써 나간다. 완성이 되면 서로 공유하여 읽어 본다. 여러 참여자의 다양한 표현방식과 사고가 엮여 하나의 완성된 작품이 되는 과정에서 집단응집력을 높이고, 서로에 대한 이해도를 높여 집단효과 증진을 기대할 수 있다.

협력메모
[協力 - , cooperate memo]

해결중심접근법의 심리치료를 진행하면서 치료회기의 마지막 5~10분 동안 치료자와 개인 또는 가족 내담자들이 함께 치료회기의 요점 및 그에 따른 느낌과 생각을 적는 것.
해결중심상담

협력메모는 치료회기가 시작될 때 이전 회기에서 작성한 메모를 내담자에게 소개하며, 회기가 마무리되는 시간에 해당 회기에서 경험한 일과 생각, 느낌 등의 세부사항을 서로 논의하여 적는 것이다. 협력메모는 다양한 방법으로 작성할 수 있는데, 내담자가 자기 자신에게 메모를 쓸 수도 있고, 내담자나 집단구성원들이 회기 중에 말한 것을 요약해서 쓸 수도 있다. 이처럼 작성형식은 매우 자유롭고, 내용에 대한 선택도 상당히 다양하고 자유롭다. 작성을 할 때는 내담자가 싫어하는 것 혹은 좋아하는 것을 적을 수도 있고, 회기 중 기억하고 싶은 부분을 적을 수도 있으며, 회기의 진행과정을 반영하는 내용을 적을 수도 있다. 때로는 앞으로 이루고자 하는 목표에 대한 것과 그것을 이루고자 하는 바람을 적을 수도 있다. 이렇게 다양한 형식과 내용으로 메모를 작

성한 다음에는 그 내용에 대해서 집단구성원들이 모두 동의를 하는지 확인하고, 더 추가할 것이나 수정할 것이 있는지 물어보면서 끝맺음을 한다. 협력메모를 작성하면, 내담자가 그 메모를 일상생활 도중에 다시 한 번 읽어 보면서 다음 치료회기 때까지 치료과정에서 나눈 이야기를 기억할 수 있도록 하는 효과가 있다. 또한 다음 회기 때 이전 회기에서 작성한 협력메모를 큰 소리로 읽어 보도록 하면, 내담자가 지난 회기 내용을 다시 한 번 상기할 수 있는 기회도 된다.

협력자
[協力者, collaborator]

정서중심부부치료에서 치료자의 역할을 안내자라는 은유로 설명한 것. **정서중심부부치료**

정서중심부부치료에서 치료자가 부부관계의 방향이나 목적지를 미리 알려 주는 것이 아니라 부부와 공동으로 협력해서 나아가야 할 방향을 좇아가며 안내하는 역할을 하는 것을 뜻한다.

관련어 | 과정전문가, 안무

협력적 은유
[協力的隱喩, collaborative metaphor]

치료사와 내담자가 직접 만들어 나가는 창조적 은유의 하나.
문학치료(은유치료)

상담 혹은 심리치료에서 쓰이는 은유는 우선 두 종류로 대별할 수 있다. 하나는 기존에 있던 문학을 은유적으로 사용하는 것이고, 다른 하나는 치료사나 내담자가 직접 만들어 나가는 것이다. 이 중 협력적 은유는 치료사와 내담자가 직접 만들어 나가는 창조적 은유의 하나로, 치료사의 치료적 의도하에 치료사가 직접 만들어 치료에 활용하는 치료사

주관 은유(therapist-generated metaphor)나 치료사의 지도나 안내에 따라서 혹은 순전히 내담자 자신만의 힘으로 내담자가 직접 만드는 내담자 주관 은유(client-generated metaphor)와는 다르다. 협력적 은유는 치료사와 내담자가 서로 담론을 형성하는 과정에서 함께 힘을 모아 만드는 것이다. 치료사는 내담자와 대화를 나누는 중 내담자의 담론 속에서 은유적인 면을 발견하여 그것으로 치료에 활용될 창조적 은유의 단초를 제공할 수 있고, 내담자 스스로도 그 같은 단초를 제공할 수 있으며, 그렇게 시작된 은유적 이야기를 치료사와 내담자는 동등한 입장에서 만들어 나간다. 내담자와 치료사가 함께 힘을 모아 만드는 이야기라는 의미로 합동은유라고 부르기도 한다. 협력적 은유는 개인치료에서는 내담자와 치료사가 함께 만드는 것이지만, 집단치료에서는 참여자들이 모두 참여하여 만들기도 한다. 하나의 은유적인 소재를 가지고 집단 참여자들이 돌아가면서 문장이나 단락을 하나씩 연결해 가는 방식으로 은유적 이야기를 만든다. 협력적 은유를 만드는 과정은 다른 은유를 만드는 과정과 크게 다르지 않지만, 특히 치료사의 의도대로 밀고 나가서는 안 된다는 점을 유의해야 한다. 협력적 은유도 다른 은유적 이야기와 마찬가지로 반드시 결말이 미래지향적이면서 문제해결적이어야 한다. 협력적 은유를 쓸 때 내담자는 스스로에게 자부심을 느낄 수도 있고, 치료사는 그 내담자에게 맞는 특별한 은유를 창조해야 한다는 부담감에서 벗어날 수 있다. 하지만 협력적 은유를 만들 때 치료사는 내담자가 부지불식간에 표현하는 은유적인 표현들을 놓치지 않도록 항상 주의를 기울여야 한다.

관련어 | 내담자 주관 은유

형식적 조작기
[形式的 操作期, formal operations stage]
인지치료

⇨ '인지발달이론' 참조.

형이상학
[形而上學, metaphysics]
철학의 중요한 한 분야로서, 존재의 나타난 현상을 다루는 것이 아니라 존재 그 자체의 근본을 다루는 학문. 철학상담

아리스토텔레스는 바로 이런 성격을 지닌 학문을 '제1철학'이라고 하였으며, 훗날 그가 죽고 난 이후 그의 유고를 정리하면서 이 부분을 '자연학' 뒤에 배치함으로써 '메타피지카(metaphysica)'라고 불리게 되었다. 형이상학은 말 그대로 눈에 보이는 형태(形)를 가진 세계를 넘어선(上) 존재 그 자체에 대한 탐구(學)를 하는 것이다. 고대와 중세에서는 나타난 현상보다 그것을 가능하게 하는 근거로서의 존재 자체를 연구하는 것이 학문의 중요한 과제였고, 그런 이유로 형이상학이 학문 중에서 최고의 학문으로 여겨졌다. 이러한 전통은 중세 교부철학과 스콜라철학에도 이어졌으며, 근대에 이르러서는 라이프니츠(Gottfried Leibniz)와 볼프(Christian von Wolf), 바움가르텐(Alexander Baumgarten) 등이 중요하게 다루었다. 볼프는 『제일철학, 즉 존재론(Philosophia prima sive ontologia)』(1730)에서 기존의 전통 형이상학이 다루었던 존재론, 신학, 심리학에 우주론을 포함하여 형이상학을 일반 형이상학과 특수 형이상학으로 구분하였다. 전자에는 존재론이, 후자에는 신학, 심리학, 우주론이 포함되었다. 존재론에 해당하는 일반 형이상학에서는 '우리 인식의 제일 근거와 사물 일반의 제일 근거'를 다루고, 특수 형이상학에서는 전통 스콜라 형이상학이 다루어 온 '신, 영혼, 세계'에 대해서 다루었다. 바움가르텐 역시 볼

ㅎ

프의 분류법에 따라 근대 형이상학을 새롭게 재건하고자 하였다. 그는 형태를 지닌 자연적 산물을 넘어선 초월적 대상을 다루는 전통 스콜라 형이상학보다는 일반 형이상학에 좀 더 비중을 두고, 대상의 성립 가능성과 대상에 대한 인식 가능성의 문제, 이른바 학문 일반의 성립 가능성 내지는 지식체계의 성립 가능성에 더 집중하였다. 이러한 흐름은 칸트(Immanuel Kant)와 헤겔(Georg Hegel)을 거치면서 형이상학에 대한 새로운 논의를 일으켰다. 특히 칸트는 형이상학에 관련된 모든 책을 아궁이에 집어넣고 태워 버리라고 한 흄(David Hume)의 영향을 강하게 받아 형이상학이 과연 '학문'으로서 성립될 수 있는가에 대해서 집중적으로 연구하기 시작하였다. 그는 자신이 살았던 당시에 형이상학이 몰락해 가는 여왕 헤쿠바(Hecuba)의 신세가 되어 버렸음을 목격하고, 형이상학이 제대로 된 자리를 차지하도록 하는 데 온갖 노력을 기울였다. 그는 근대에 이르러 형이상학이 몰락한 이유를 기존의 형이상학이 학문의 자격조건 내지는 지식의 자격조건에 대한 근본적 반성을 결여한 데 있다고 보았다. 그래서 인간 이성 능력 자체에 대한 근본적 반성과 비판 작업에 착수하였다. 그의 비판철학은 자연적 세계를 넘어서 초월적 대상을 다루는 기존의 특수 형이상학보다는 대상 일반의 성립 가능성과 인식 가능성을 논하는 일반 형이상학(존재론)에 더 집중하였다. 이로부터 그는 초월적 대상에 대한 인식과 이론을 마련하려고 한 기존의 특수 형이상학이 독단적임을 비판하면서, 특수 형이상학이 취급한 초월적 대상들(신, 영혼, 내세 등)을 이론이성이 아닌 실천이성을 통해, 즉 이론적 접근이 아닌 도덕적 접근으로 정립하고자 하였다. 이를 위하여 '자연 형이상학(Metaphysik der Natur)'과 '도덕 형이상학(Metaphysik der Sitten)'으로 구분하여 후자에 크게 비중을 두었다. 그러나 헤겔은 그의 이런 관점이 형이상학을 학문에서 영원히 추방하여 주관적인 것으로 처리해 버리는 결과를 낳았다고 비판하였다. 헤겔은 존재와 사유를 분리하는 칸트의 비판철학이 아니라 존재와 사유를 다시 통일하려는 사변철학적 관점에서 전통 형이상학과 칸트의 도덕 형이상학을 새롭게 종합하고자 하였다. 그러나 헤겔처럼 존재를 개념화하는 것을 반대하는 하이데거(Martin Heidegger)에 이르러 형이상학은 또다시 비판을 받게 되었다. 그는 존재를 존재화하는 기존의 형이상학을 비판하고 존재가 존재 자체로서 드러나게 하는 새로운 존재론을 정립하고자 하였다. 이렇게 형이상학은 현대에 이르기까지 다양한 형태로 명맥을 이어 오고 있다. 그러나 20세기 초반 논리실증주의의 등장과 이들의 강력한 영향으로, 흄이 선언한 형이상학에 대해 사형선고가 재연되었고, 이런 흐름은 오늘날에도 지속되고 있다. 오늘날은 진리론, 정의론, 가치론의 모든 영역에서 형이상학 없이 논의를 전개하려는 경향이 강해지고 있다.

형제간 경쟁
[兄弟間競爭, sibling rivalry]

형제자매 간에 발생하는 경쟁의식 혹은 질투. `가족치료 일반`

형제자매는 부모의 애정을 두고 서로 경쟁하는 상호관계가 발생할 가능성이 있다. 부모 역시 자녀들을 의식적 혹은 무의식적으로 비교하거나 차별을 하게 된다. 이러한 이유들 때문에 형제자매 간에 경쟁의식을 느끼고, 이 때문에 갈등이 나타나 적대감이나 공격적인 행동을 보이기도 한다. 형제간 경쟁은 형제간의 서열이나 나이 차이에 따라 다양한 양상으로 나타나며, 일반적으로 나이 차이가 많을수록 형제간 경쟁의식은 감소한다.

`관련어` 형제간 친밀성

형제간 친밀성
[兄弟間親密性, sibling intimacy]

형제자매 사이에서 서로에게 느끼는 긍정적인 감정.
`가족치료 일반`

형제자매는 같은 부모와 하나의 주거공간을 사용하면서 밀접한 상호작용을 하는 관계다. 이러한 특성 때문에 그 관계에서 경쟁의식이 발달할 수도 있지만, 오히려 더욱 친밀한 관계로 발달할 수 있다. 이들은 가족 내에서 벌어지는 다양한 사건을 공유하면서 불안과 행복을 함께 나누는 상호작용을 통하여 애정과 정서적 지지를 제공하는 등 친밀성을 발달시킨다. 또한 서로 동료적인 관계를 형성하여 좋은 놀이 상대가 되거나 현실적인 도움을 주고받는 관계가 된다.

`관련어` 형제간 경쟁

호소문제명료화
[呼訴問題明瞭化, appealed problem clarification]

내담자의 호소문제를 구체적으로 명확하게 밝히는 일.
`상담 일반`

상담을 의뢰하는 내담자 중 자신의 문제를 제대로 인식하여 이해하는 사람이 있는 반면에 자신이 의뢰한 문제나 현재 상태를 이해하고 상담자에게 전달하는 것이 쉽지 않은 사람도 있다. 따라서 상담 초기에 내담자의 호소문제를 명확히 밝히는 것은 상담을 보다 현실적이고 효율적으로 진행하도록 해준다. 호소문제명료화는 호소내용 명료화, 증상 명료화, 문제상황 명료화, 문제사 명료화, 문제태도 명료화, 상담문제 선정 등으로 세분화할 수 있다. 호소내용을 명료화하기 위해서는 내담자의 언어적·비언어적 표현의 내용, 의미, 상징 등을 명료화해야 한다. 예를 들면, "우리 아이가 또 가출을 했어요."라는 내용에 대해 상담자는 "가출을 했다는 말은 구체적으로 어떻게 했다는 것입니까?" 또는 "우리 아이란 누구를 말하는 겁니까?" 등 구체적 질문을 통하여 명료화할 수 있다. 증상 명료화는 호소문제와 관련하여 겉으로 드러나는 신체적, 심리적, 인간관계, 직무 등과 관련된 증상을 객관적으로 확인하는 것이다. 예를 들면, 시험불안을 겪고 있는 고등학생의 신체적 증상은 두통, 피로감, 식욕부진, 변비가 있으며, 심리적 증상은 긴장, 불안, 우울, 고립감 등이고, 인지적 증상은 주의집중 곤란, 기억 감퇴, 미래에 대한 불안감 등이 있다. 문제상황 명료화는 내담자가 호소하는 문제들은 대부분 상황적 배경이 있으므로 내담자의 일상생활에서 문제가 발생하는 상황을 구체적으로 명료화하는 것이다. 예를 들면, "최근에 대인관계에서 불안을 경험했던 적이 있나요? 그 경험에 대해 이야기해 보시겠어요?"라는 질문을 사용한다. 이런 상황에서는 육하원칙에 따라 질문하는 것이 문제를 더 제대로 명료화할 수 있다. 그러나 지나치게 객관적인 상황만 탐색하는 것은 명료화에 도움이 되지 않는다. 그 상황에서 경험한 내담자의 정서적 경험, 사실에 대한 내담자의 생각, 욕구, 소망과 같은 내담자의 경험적 내용도 탐색해야 한다. 문제사 명료화는 문제가 발생한 시점부터 현재까지 진행되어 온 과거의 사건에 대한 기억이나 회상 또는 기억과 관련된 연상을 통하여 명료화하는 것이다. 예를 들면, "언제부터 그 문제를 느끼기 시작했나요?" "이 문제와 관련하여 떠오르는 기억을 말해 주시겠어요?" 등의 질문으로 명료화한다. 문제 태도 명료화는 내담자가 생각하는 문제가 무엇이고, 원인이 무엇인지, 지금까지 그 문제에 대해 어떻게 대처해 왔으며 결과는 어땠는지, 그리고 지금 자신이 생각하는 해결방법은 무엇인지 등을 질문함으로써 문제에 대한 내담자의 태도를 명료화하는 것이다. 이렇게 문제명료화 과정을 거쳐 상담에서 우선적으로 다루어야 할 문제를 선정해야 한다. 상담문제를 선정할 때는 다음과 같은 사항을 고려해야 한다. 첫째, 상담자가 지각하는 문제보다는 내담자가 호소하는 문제를 우선 선정한다. 둘째, 내담자가 유지하려는 문제보다는 변화시키려는 문제를 선정한다. 셋째, 과거사나 미래의 계획을 다루기보다는 현재 당면한 문제를 다룬다. 넷째, 생활에 크게 영향을 주지 않는 문제보다는 힘든 문제를 우선한다. 다섯째, 변화하거나 해결하기 어려운 문제보다는 해결 가능한 문제를 다룬다. 여섯째, 일반화된 문제보다는 좀 더 구체적이고 명료화된 문제를 선정한다. 일곱째, 심리적 문제나 대인관계의 어려움을 먼저 다룬다.

호손효과
[-效果, Hawthorne effect]

다른 사람을 관찰하거나 개인의 환경을 조작하면 개인의 행동과 능률에 변화가 일어나는 현상. 기업 및 산업상담

1927년부터 1932년까지 하버드대학의 메이오(Mayo)를 중심으로 웨스턴 일렉트릭(Western Electrics)사의 호손공장에서 행해진 호손연구(Hawthorne research)에서 처음 밝혀졌다. 이 연구는 1924년에 시작되었고 초기 연구목적은 조명의 밝기와 작업 생산성의 관계를 밝히는 것이었다. 초기 연구결과는 처음 기대했던 실험결과를 얻었지만 그 결과에 다른 변인이 영향을 미친다는 것을 확인하고 하버드대학의 메이오가 이끄는 팀이 다시 연구에 들어가 1932년에 완성하였다. 그 결과, 다른 근로자의 행동관찰이 생산성에 영향을 미친다는 것을 확인하였다. 즉, 다른 근로자의 행동을 관찰함으로써 개인의 행동이 변화되며 일시적으로 효율이 올라간다. 최근에는 이 효과의 의미가 확장되어, 새로운 관심을 기울이거나 쏟음으로써 대상의 행동이나 능률에 변화가 일어나는 현상을 지칭한다. 이 연구의 의의는 지금까지 경영관리의 중심이었던 과학적 관리법(scientific management)에서 벗어나 인간의 욕구와 감성, 사회심리적 요인에 대한 중요성을 인식하게 된 것이다. 따라서 산업현장에서 인간관계 관리(human relations approach)가 조직되었고, 산업심리학의 모태가 되면서 산업상담의 출발점이라 할 수 있다.

호스피스
[-, hospice]

병원을 중심으로 다양한 전문분야로 구성된 팀 접근을 통해 증상을 효과적으로 조절하고, 환자와 가족을 함께 치료하며 편안한 임종을 위한 돌봄을 제공하는 활동 혹은 이 일의 종사자. 중노년상담

호스피스의 어원은 4세기경 로마에서 처음 사용된 라틴어 'hospitium'이다. 'hospital' 'hostel' 'motel' 등이 모두 어원이 같은데, 이는 '쉬어갈 편안한 장소'를 의미한다. 역사적으로 볼 때 호스피스는 중세에 여행자나 순례자가 성지 예루살렘으로 가는 도중 하룻밤 쉬어 가던 휴식처에서 그 유래를 찾을 수 있다. 이는 중세기의 성지로 순례하는 사람들이 편히 쉬어 가도록 하고, 아픈 사람과 죽어 가는 사람을 위해 숙박의 제공과 돌봄으로서의 간호를 베풀어 준 데서 비롯되었다고 볼 수 있다. 근래에 호스피스는 노인 인구의 증가와 소외, 말기 암 환자의 증가와 생명 경시, 인간존엄성에 대한 경시, 임종자에 대한 소홀, 윤리관 및 가치관의 혼란에 대한 반응으로 생겨났다. 또한 호스피스는 고도의 의학적 치료에도 불구하고 삶의 마지막 단계까지 이른 사람들과 그의 가족에게 특별한 유익을 제공하기 위한 것이기도 하다. 무엇보다 말기 환자의 욕구를 충족해 주어 삶을 풍요롭게 하고 삶의 질을 높이며, 보다 나은 치유를 할 수 있는 잠재적 기회 내지는 선택이라고 할 수 있다. 즉, 호스피스는 환자와 그 가족을 대하는 데 치료로부터 위안이라는 돌봄으로의 변화를 가져왔다. 암 환자는 신체적인 증상과 함께 자신의 죽음과 연관하여 미래에 대한 근심, 불안, 분노, 슬픔, 우

울 등의 정서적인 문제를 겪는다. 이때 호스피스는 암 환자가 위기에서 긍정적인 대처기술을 배우고 희망을 느끼며, 혼자가 아님을 알게 하여 현재의 삶을 즐길 수 있는 방법을 발견하도록 한다. 베이커(Backer)는 신체적, 정서적 및 영적 돌봄을 기본으로 하는 호스피스의 철학을 열 가지로 제시하였다. 첫째, 임종은 삶의 정상적인 부분이다. 둘째, 환자와 가족은 임종에 대하여 정신적, 영적으로 준비해야 한다. 셋째, 가정에서의 돌봄은 환자의 존엄성과 자존감을 최대로 유지해야 한다. 넷째, 가능한 한 임종 때까지 편안한 삶을 살아야 한다. 다섯째, 죽음은 성장의 마지막 단계다. 여섯째, 편안한 죽음을 달성하는 것은 호스피스의 목표다. 일곱째, 존엄성을 가진 임종은 호스피스 돌봄의 중심이다. 여덟째, 타 분야 간의 협력팀은 호스피스 환자와 가족이 요구하는 연속선상의 돌봄을 제공할 수 있다. 아홉째, 환자와 가족은 돌봄의 계획에서 함께 활동하며 반응하는 파트너가 되어야 한다. 열째, 호스피스는 임종과정을 늦추는 것도 당기는 것도 아니다.

호주교류분석학회
[濠洲交流分析學會, Australian Transactional Analysis Association]

www.taaustrailia.com.au 학회

마거릿 화이트(Margaret White)와 제프 화이트(Jeff White) 부부가 국제교류분석학회에서 나와 1982년 서태평양교류분석학회(Western Pacific Association of Transactional Analysis)라는 이름으로 설립한 학회다. 에릭 번(Eric Berne)의 초기 교류분석 이론 철학을 고수하고 국가 인증을 받은 후, 1996년까지 꾸준히 발전하였다. 성장은 계속되었고, 2000년에 이르러서는 호주 지역 내 교류분석을 교육하고 감독하는 유일한 조직이 되었으며, 나아가 뉴질랜드 및 싱가포르 등 동부 지역까지 포함하였다. 하지만 호

주인들을 위한 고유한 훈련과 자격과정이 요구되면서 2009년 WPATA는 호주교류분석학회로 바뀌고 뉴질랜드교류분석학회가 지역학회로 분리되었다. 호주교류분석학회는 호주를 비롯한 서태평양 지역은 물론 세계 전 지역에서 교류분석의 이해와 적용을 돕는 데 헌신하고 있다.

호주심리학회
[濠洲心理學會, Australian Psychological Society: APS]

www.psychology.org.au 학회

호주의 심리학자들을 위한 가장 큰 전문기관으로서 호주심리학회(APS)는 과학적 학문과 지역사회 복지 개선을 통하여 사람들의 삶에 변화를 만들기 위한 메시지를 전파하고 있다. 특히 그들은 사람들의 건강, 복지, 그리고 호주사회에서 직면하는 중요한 사회적 문제를 이해하기 위한 심리학적인 노력을 끊임없이 장려하고 있다. APS는 구성원 및 지역사회에서의 심리학에 대한 올바른 서비스와 심리학의 전문성 강화를 목적으로 설립되었으며, 공식적 제안과 검토, 그리고 외부 여러 기관에 대한 보고서 작성을 위하여 몇 개의 산하기관을 마련하고 있다. 산하기관은 APS 연방정부 관리집행 의뢰, 전문적 업무, 건강, 사회적 문제, 과학과 교육으로 분류되어 있다. APS의 활동으로는 심리학과 과학의 발전, 심리학적 전문성의 이익을 위한 적절한 위치에서의 기회 제공, 학회의 임무와 목표에 대한 광범위한 계획 수립, 관련 기관들과의 연계 등이 있다. 회원은 정부 차원의 심리학자 옹호 그룹으로 구성되어 있는데, 이들은 직업윤리와 책임감을 가지고 비밀원칙을 준수해야 한다. 또한 사회에서의 윤리적 규약을 지켜야 하는데, 이 규약은 심리학적 업무에서의 클라이언트 복지와 직업적 청렴(integrity)의 고수를 위한 것이다. 학회 윤리위원회는 회원들의 규범위

ㅎ

반 행위, 비난 혹은 공동체 내에서의 회원 배제 등 윤리적 문제에 관하여 조사한다.

호킨스와 쇼헷의 모델
[– , Hawkins-Shohet model]

수퍼비전에서 수퍼바이저가 일곱 가지 다른 현상에 초점을 맞출 것을 제안하는 것. 수퍼비전

영국의 모델로서 수퍼비전 과정에서 일어나는 지지와 확신뿐만 아니라 수퍼바이지의 정서적 반응에도 머물 것을 요구한다. 호킨스와 쇼헷의 연구는 일곱 초점의 연구(seven-eyed model)로 불린다. 일곱 가지 초점은 치료회기의 내용(치료회기의 내용에 대한 수퍼바이지의 설명), 전략과 개입(내담자에 대한 개입), 치료적 관계(수퍼바이지와 내담자가 만드는 체계), 치료자의 과정(수퍼바이지의 역전이와 내적 과정이 상담에 어떤 영향을 미치는가), 수퍼비전 관계(병행과정에 주의 기울이기), 수퍼바이저의 과정과 수퍼바이저-내담자 관계(수퍼바이지에 대한 수퍼바이저의 역전이, 수퍼바이저와 내담자가 서로에 대해 가지고 있는 환상에 주의기울이기), 사회적 맥락(수퍼바이저와 수퍼바이지가 속한 전문 공동체에 주의 기울이기)이다.

관련어 | 수퍼비전 초점

라지는데, 긴장하거나 화가 난 경우에는 호흡이 얕고 짧으며 흥분을 하면 빨라진다. 행복하면 느리고 깊은 호흡을 하며 두려움을 느끼면 호흡하는 것이 어렵다. 이렇듯 호흡은 중추신경계와 자율신경계를 통해 우리의 몸과 마음을 연결한다. 호흡은 자율신경계의 통제를 받기 때문에 호흡을 적절히 조절하는 것이 곧 마음을 조절하는 것으로서, 우리의 마음을 안정적이고 집중적인 상태로 유지시킨다. 이처럼 호흡은 일상적으로 끊임없이 진행되고 누구나 할 수 있는 것이다. 그래서 높은 수준의 집중력이 필요한 명상활동을 하기 전 초기단계에서 이루어지며, 모든 명상방법의 기본 활동이 된다. 호흡명상을 하는 방법은 우선 목, 등, 허리가 일직선이 되게 곧고 편안하고 이완된 자세를 취하고, 아랫배에 중심을 두어 숨을 들이쉬고 내쉰다. 이때 숨이 들어오고 나가는 전 과정의 순간순간에 대하여 주의를 기울이며 명상을 한다. 집중명상(concentration meditation)에서는 호흡에 집중하는 것을 강조하고 통찰명상(insight meditation)의 대표적인 마음챙김명상 프로그램에서는 호흡을 의식적으로 조절하지 않는다. 그저 호흡을 알아차리면서 흥미를 가지고 이완된 마음으로 호흡을 관찰하도록 한다. 호흡명상은 통증, 분노, 대인관계, 일상생활의 스트레스를 다루는 데 도움이 된다.

관련어 | 마음챙김, 마음챙김에 근거한 스트레스 완화, 마음챙김에 근거한 인지치료, 명상

호흡명상
[呼吸冥想, breathing meditation]

숨을 천천히 들이쉬고 내쉬는 것에 주의를 기울이면서 마음을 한곳으로 모으는 정신적 활동. 명상치료

호흡은 우리의 생명이므로 출생 후 죽음에 이르기까지 매 순간 일어나는 일이다. 또한 호흡은 우리의 생체에너지인 프라나(prana, 氣)의 흐름을 조절하고 활성화시킨다. 호흡은 우리의 감정에 따라 달

호흡자각
[呼吸自覺, breath awareness]

무용동작치료에서 동작을 이끌어 내기 위하여 생명의 기초적인 움직임 중의 하나인 호흡 또는 맥박을 지켜보는 방법. 무용동작치료

호흡자각은 호흡명상처럼 의식의 초점을 외적 환경에서 내면의 풍경으로 옮겨 외부의 생각을 떨쳐

내고, 순수한 의식상태로 들어가 뇌파가 변화되어 수용과 평온의 상태로 유도되는 것을 말한다. 무용동작치료에서는 동작표현을 하기 전에 이러한 호흡자각을 통해 신체적 감각과 감정을 자각(알아차림)하게 된다. 즉, 우주 생명력과 관계된 우리 개인 생명력의 원천은 호흡과 맥박의 리듬이며, 호흡의 패턴은 곧 우리의 개인성이라고 믿기 때문에, 호흡자각을 통해 자신을 인식하고, 진정한 동작을 이끌어낼 수 있다고 설명하였다. 또한 인간의 감정은 아무것도 없는 무(無)에서 나오는 것이 아니라 생명력의 자극을 포함한 동작의 결과로 생기는 것으로 보고, 동작과 감정, 그리고 호흡과 감정의 인접성을 인정하고 있다. 따라서 우리의 감정 느끼기를 정지하는 기본적 방법이 호흡하기를 그만두는 것이므로, 감정조절을 위해 호흡을 조절하는 일이 우선이라고 믿는다. 즉, 호흡의 자유로운 흐름을 방해하는 근육무장을 해소하기 위해 내담자의 자유롭고 충분하게 호흡하는 능력을 기르는 것이 한 가지 목표다. 핼프린(A. Halprin, 2002)은 호흡의 네 가지 리듬 간격을 들숨, 들숨 정상에서의 정지, 날숨, 날숨 밑바닥에서의 정지와 텅 빔이라고 했고, 이 텅 빔의 상태에서 머물고 호흡 자체의 조화로 되돌아가는 호흡을 기다리라고 제안하였다. 그리고 호흡이 마치 파도같이 솟구쳐 올랐다가 내려가기 전에 휴식이 있은 다음 다시 바닷속으로 흘러간다고 상상할 것을 제안하였다. 이것은 파도라는 자연상징을 이용하여 하나의 자동 체계를 가진 호흡 자체의 생명력을 상상으로 강화하기 위해서다. 신체동작과 호흡하기의 관계에서 볼 때, 치골과 배꼽 사이의 근육이 수축하는 동작에서 날숨을 쉬고 팽창하는 동작에서 들숨을 쉰다. 또는 몸이 바닥을 향해 내려갈 때 날숨을 쉬고 위를 향해 올라갈 때 들숨을 쉬는 등 여러 방법이 있다.

관련어 무용동작치료

혼란기법
[混亂技法, confusion technique]

내담자를 혼란상태에 빠지게 하여 최면을 유도하는 기법.
최면치료

최면유도를 위한 암시나 지시에 대해 비판적이고 부정적인 태도를 보이거나 저항, 거부하는 등 내담자의 의식적 차원의 저항을 우회하여 자연스럽게 최면을 유도하기 위해 에릭슨(Erickson)이 개발한 방법이다. 놀라게 하거나, 충격을 주거나, 혼란을 일으켜 내담자가 의식적으로 평가하거나 비판할 틈을 주지 않고, 그런 의식기능을 어지럽혀 내담자의 혼란상태를 유도한다. 이러한 혼란상황은 멍한 느낌의 상태로 들어가게 하여 트랜스가 유발되거나 무의식적 반응이 드러나게 하는 데 도움을 준다. 혼란기법을 효과적으로 적용하기 위해 갖추어야 하는 요소는 다음과 같다. 첫째, 맥락에서 벗어나는 말이나 행동, 둘째, 두 가지 이상의 해석이 가능한 행동, 셋째, 내담자의 의식적 정보처리능력을 압도하는 과정이다. 혼란기법에는 언어적인 것뿐만 아니라 비언어적이거나 신체적인 것도 있다. 우선 언어적인 혼란기법으로는 모호한 단어, 복잡한 문장이나 끝없이 이어지는 문장 등이 있다. 예를 들면, "당신은 오른손의 느낌을 느낄 수 있습니다. 그러나 오른손의 느낌을 느끼지 못할 수도 있습니다. 하지만 당신은 왼손의 느낌을 느낄 수 있습니다. 그렇지만 왼손의 느낌을 느끼지 못할 수도 있습니다. 그런 가운데 왼손의 느낌을 오른손이 함께 느낄 수도 있습니다. 또한 왼손의 느낌을 오른손이 느끼지 못할 수도 있습니다. 왼손의 느낌을 왼손이 느끼든 느끼지 못하든, 오른손이 느끼든 느끼지 못하든, 그런 것은 기억할 수도 있고 잊어버릴 수도 있습니다……."와 같은 암시문을 들 수 있다. 내담자는 암시문을 따라가다가 머리가 복잡해지고 혼란스러워 이해하기를 포기하고 집중력을 놓아 버림으로써 자연스럽게 이완상태로 접어들어 최면유도에 용이해진다. 비언어적인 혼란기법으로는 악수기법 등이 있다. 에릭슨은 혼란기법을 오랫동안 많이 사용하여, 극심한 고통을 호소하는 사람이나 최면에 관심은 있지만 공격적이고 저항적인 사람에게 효과가 크다는 결과를 보여 주었다.

관련어 | 악수기법, 최면, 최면유도 기법

혼미
[昏迷, stupor]

의식장애 상태의 하나로 약간의 의식이 있는 상태.
정신병리

정상적인 의식이란 감각, 지각, 인식, 지향성, 주의집중 등에 이상이 없고 정상적인 통각(apperception)을 사용하여 경험을 통한 새로운 관념형성이 가능한 상태를 뜻한다. 또한 관념들을 합리적으로 연관시킬 수 있으며, 상황이나 사건을 파악하고 이해하는 데 장애가 없는 상태다. 그러나 가끔 뇌 기능 장애나 심리적 원인으로 이러한 의식활동에 장애가 유발되기도 한다. 의식장애에는 의식의 혼탁, 착란, 몽롱상태, 섬망, 혼미, 혼수 등이 있는데, 그중에서 혼미는 운동능력을 상실하고 외부자극에 대해 거의 반응을 나타내지 않는 상태다. 가끔 강력한 통증자극에 의해 일시적으로 깨어날 수 있으며 약간의 의식이 남아 있는 경우도 있다. 안구운동이나 불수의적인 삼키는 운동이 나타나기도 한다. 크게 기질성 혼미와 심인성 혼미로 구분하는데 심인성 혼미는 극도의 우울감, 긴장감, 무력감을 느낄 때 실제로 의식의 장애는 없으나 마치 의식장애가 있는 것처럼 보이는 경우다.

혼재성 수용 표현언어장애
[混在性受容表現言語障礙, mixed receptive-expressive language disorder]

표현언어장애의 증상뿐만 아니라 단어, 문장 또는 공간용어 등 특정 유형의 단어를 이해하는 어려움이 있는 상태.
재활치료

혼재성 수용 표현언어장애는 구두언어와 상징적 언어 모두를 포함하는 의사소통에서의 장애가 일어나는데, 현저하게 제한된 어휘, 시제의 오류, 단어 회상이나 발달수준에 맞는 긴 문장 또는 복잡한 문장을 만드는 데의 어려움이 있다. 일반적인 생각을 표현하는 데 어려움이 있으며, 단어나 문장 또는 특정 유형의 단어를 이해하는 데도 어려움이 있다. 또한 이러한 장애를 가진 사람들은 가끔 말을 할 때 듣지 않는 것 같고, 혼란해하는 듯하고, 지시받은 행동을 틀리게 하거나, 질문과 전혀 관계없는 적절치 못한 반응을 보이기도 한다. 조용하거나 매우 말을 많이 할 수도 있으며, 대화기술(화제의 전환, 화제의 유지)이 부족하거나 부적절함을 보이기도 한다. 혼재성 수용 표현언어장애는 획득형과 발달형으로 구분되는데, 발달형은 알려진 신경학적 손상과 관련 없이 수용성 언어와 표현성 언어에 장애가 있는 경우다. 획득형은 수용성 언어와 표현성 언어장애가 신경학적 또는 일반 의학적 상태 등으로 인해 정상 발달이 이루어진 후에 발생하는 경우다. 혼재성 수용 표현언어장애는 학업성취, 직업성취 또는 사회적 의사소통을 방해한다. 지적장애, 언어운동 결함이나 감각 결함 또는 환경적 박탈이 있다면, 언어장애는 보통 이 문제에 동반되는 정도를 초과해서 나타난다. 최근에는 진단적으로 지능검사에서 언어성 지능이 비언어성 지능보다 15 이하로 떨어지는 경우를 말하며, DSM-5에서는 이를 상위개념인 언어장애에 포함시켜 정의하고 있다. DSM-5의 진단 기준은 다음과 같다. 첫째, 이해력이나 창작의 부족 때문에 습득과 형식(말하기, 수화, 쓰기)에 반하는 어휘력 감소, 제한된 문장 구조, 화법의 손상 등의 언어 사용에 어려움이 있을 수 있다. 둘째, 언어능력은 충분하지만 나이와 개별적 혹은 단체에서 효과적인 의사소통, 사회참여, 학업성취, 직업능력 기능제한의 결과가 기대에 미치지 못한다. 셋째, 이러한 어려움들이 청각이나 다른 감각의 손상, 역기능, 다른 의학적이나 신경학적 상태에 기인하는 것이 아니고 지적인 결함(지적발달장애)이나 전반적인 발달지연으로도 잘 설명되지 않는다.

혼합하기
[混合 –, blending]

한 부분의 감정이나 신념이 다른 부분 혹은 '자기'와 섞여 있는 상태. 내면가족체계치료.

관리자와 소방관이 두려워하는 것은 유배자의 감정, 사고 혹은 감각이 흘러넘쳐 체계를 혼란에 빠트리는 것이기 때문에, 이를 위해서는 개인의 '자기'와 섞여서 전체 체계에 스며든다. 즉, 관리자와 소방관의 부분들은 기회만 생기면 다른 부분들이나 '자기'와의 경계선을 없애려는 노력을 기울인다. 체계를 이루고 있는 부분들 중 유배자의 부분이 자신의 감정을 '자기'인 체계에게 주입시키면 '자기'가 본래 지니고 있는 자원은 가려지고 부분들의 감정과 특성에 융합되어 체계를 통제하게 된다. 이러한 '자기'와 유배자의 혼합이 관리자와 소방관이 주로 두려워하는 것이다. 상처받은 부분인 유배자들이 체계인 '자기'와 혼합되기를 원하는 데에는 몇 가지 이유가 있다. 첫째, 그들은 자기 자신 밖의 감정을 원한다. 둘째, 그들은 자신들이 어떻게 느끼는지 그리고 무엇을 경험했는지를 체계인 '자기'가 알기를 원한다. 억압받은 집단의 구성원들처럼 그들은 자신의 벽을 부수어 자유로워지기를 원하며 체계로부터 이러한 것들이 수용되기를 원한다. 셋째, 유배자의 부분들이 체계를 지배할 때 그들은 자신을 돌봐 주고 자신을 구해 줄 강력한 힘을 가지고 있는 외부 사람을 바

란다. 넷째, 그들이 혼합을 통하여 획득한 통제를 포기하면 바로 관리자 부분들이 자신들을 다시 유배시킬 것이라고 두려워한다. 따라서 혼합되려고 하면 할수록 관리자들은 그들을 더욱더 추방시키려고 한다.

관련어 | 부분들, 부분의 형태들

홀랜드 이론
[–理論,
Holland's theory, RIASEC's theory]

유전과 환경적 요인으로 형성된 성격유형에 따라 어떤 직업에 더 흥미를 보이거나 선택을 하고, 성격 유형과 일치하는 직업을 선택할 때 직업 만족도가 높다는 것을 강조하는 진로이론. 진로상담

홀랜드는 1966년 『Psychology of Vocational Choice』를 시작으로 하여 4판까지 출간된 『Making Vocational choices』 등을 통하여 개인의 성격과 그에 적합한 직업환경 간의 복잡한 관계를 정립하기 위한 포괄적인 이론을 제시하였다. 인간은 다른 특성, 행동, 흥미를 가지고 있다는 가정하에 성격과 직업을 관련시켜 실재형(realistic), 탐구형(investigative), 예술형(artistic), 사회형(social), 기업형(enterprising), 관습형(conventional)의 여섯 가지 직업흥미유형으로 구분하였다. 이를 육각형 모형 또는 RIASEC 모형(RIASEC model)이라고도 한다. 한 개인은 한 가지 또는 그 이상의 유형에 흥미를 가지며 각 유형은 이와 같은 순서대로 연결되어서 순환적 관계를 이루고 있으므로 유형 간 거리의 정도에 따라 상관관계가 형성된다. 즉, 유형 간 거리가 가까울수록 상관관계가 높다. 또한 각 유형의 상관관계 크기는 일정한 비율을 보이는데, 각 유형 간 거리가 동일하면 상관의 크기도 동일하다. 즉, 실재형과 탐구형의 상관크기는 탐구형과 예술형의 상관크기와 같으며 사회형과 관습형의 상관크기는 기업형과 실재형의 상관 크기와 같다. 육각형 모형을 통해 개인의 직업

ㅎ

흥미를 진단하기 위해서는 일관성(consistence), 일치성(congruence), 변별성(differentiation), 정체성(identity)의 개념을 살펴볼 필요가 있다. 일관성이란 하위유형 간의 내적 일관성을 뜻한다. 즉, 개인의 하위 흥미유형이 육각형에 가까이 나타날수록 흥미의 일관성이 높다고 하며 유형들 간에 서로 인접할수록 더욱 밀접한 관련성을 지닌다는 것이다. 예를 들면, 관습형과 실재형처럼 바로 옆에 위치한 흥미유형을 지니고 있을 때 일관성이 높다고 하며, 기업형과 탐구형처럼 정반대에 위치한 흥미유형을 지니고 있으면 일관성이 낮다고 한다. 일관성이 높으면 자신의 진로나 직업에 대한 의사결정을 비교적 안정적이고 효율적으로 선택할 수 있다. 일치성이란 개인의 성격유형과 작업환경이 유사한 정도를 말한다. 이 일치성은 학업적 성취와 지속, 직무 만족도, 선택의 안정성과 높은 상관이 있다. 점수가 높은 상위 세 가지 유형의 점수를 이용하여 일치성을 확인할 수 있으며, 앞자리부터 일치할 때 일치성이 높다고 볼 수 있다. 변별성은 흥미의 차별성에 대한 측정치로서 특정 흥미유형의 점수가 다른 흥미유형의 점수보다 높으면 변별성이 높고, 대부분의 점수가 비슷하면 변별성이 낮다고 할 수 있다. 변별성은 가장 높은 점수와 가장 낮은 점수의 차이로 알 수 있다. 그리고 의사결정을 잘하지 못하는 개인은 아무것에도 흥미가 없거나 너무 많은 분야에 흥미가 있는 것으로 구분해 볼 수 있다. 이들은 변별성이 낮다고 할 수 있으며, 흥미가 낮은 사람에게는 다양한 직업세계에 대한 정보가 부족한 경우가 있으므로 직업에 대한 정보를 제공해 주는 것이 도움이 된다. 반면에 지나치게 흥미가 많은 사람에게는 객관적인 자기이해 자료(심리검사)를 제공하여 자신의 흥미에 대한 현실적 상황을 탐색하도록 하는 것이 도움이 된다. 정체성이란 개인의 경우 자신의 목표, 흥미, 재능, 선호도 등에 대해 얼마나 명확하게 이해하고 있는가를 나타내는 것이며, 환경의 경우는 작업장의 명확한 목표와 과제, 명확한 보상, 안정성, 통합성 등의 정도를 말한다. 그러므로 개인의 흥미유형과 환경유형이 일치하고, 개인의 흥미유형이 일관적이며, 비교적 변별적인 구조를 지니고 있을 때 정체성이 있다고 할 수 있다. 이렇듯 그는 직업을 선택하는 데 개인의 성격유형과 같은 자기지식뿐만 아니라 직업환경에 대한 직업지식의 중요성을 강조하였으며, 지능적 요소는 덜 중요하게 생각하였다. 그의 이론에 따르면 직업상담의 목표는 자신과 직업, 그리고 직업환경을 구별하는 지식을 키우기 위한 전략을 개발하는 것이다.

홀랜드의 직업성격유형 [-職業性格類型, Holland's occupational personality type] 홀랜드가 구분한 것으로 직업과 관련한 인간의 성격 특성의 여섯 가지 유형이다. 홀랜드(Holland)는 개인과 환경 간의 적합성(person-environment fit), 즉 개인과 환경은 서로에게 영향을 미치며 두 관계가 일치할수록 직업만족도가 높아지는데, 이런 이유로 개인은 자신의 성격유형과 일치하는 직업을 선택하게 된다고 하였다. 그가 제시한 성격유형은 실재형(realistic), 탐구형(investigative), 예술형(artistic), 사회형(social), 기업형(enterprising), 관습형(conventional)의 여섯 가지로 구분되며, 이를 육각형 모형(RIASEC model)이라고 한다. 실재형의 성격 특성은 남성적, 솔직함, 성실함, 검소함, 지구력, 소박함, 말이 적음, 고집스러움, 직선적, 단순함 등이다. 이 유형은 분명하고 질서정연하게 체계적으로 물건, 동물, 기계 등을 다루거나 조작하는 일을 선호하며 교육적이거나 치료적인 활동은 회피하고자 한다. 탐구형은 탐구적, 논리적, 분석적, 합리적, 정확함, 지적 호기심, 비판적, 내성적, 수줍음, 신중함을 보이며, 이 유형은 물리적, 생물학적, 문화적 현상 등을 체계적으로 관찰하고 상징화하는 활동을 좋아하는 반면 사회적 활동과 반복적인 활동은 선호하지 않는다. 예술형은 풍부한 상상력, 강한 감수성, 자유분방함, 개방적, 창의적, 강한 개성, 비협력적 태도를 보인다. 이

유형은 창조적인 예술활동, 즉 자유롭고 상징적인 활동이나 변화무쌍하고 모호한 활동에는 관심을 기울이지만 체계적이며 구조화되고 명확한 결과를 나타내는 활동에는 무관심하다. 사회형은 다른 사람들과 함께하기를 좋아하고 친절하며 다른 사람을 도와주는 것을 즐기고 감정적이면서 희생적이며 이상주의적 경향이 강하다. 따라서 이 유형은 다른 사람들의 문제를 이해하고 도와주거나 치료하고 봉사하는 활동을 즐기지만 기계나 물건을 다루거나 체계적으로 조작하는 활동에는 관심이 없다. 기업형은 지도력이 있어서 다른 사람들을 통솔하거나 지배하려는 경향이 있고 말을 잘하며 외향적이고 낙관적이면서 열의가 있고 경쟁적이다. 이 유형은 다른 사람에게 인정을 받거나 권위를 얻는 데 관심이 많아 조직의 목적과 경제적 이익을 위한 업무계획, 인재관리 등 다른 사람이나 일을 통제하는 업무를 좋아하는 반면 탐구형의 활동에는 관심이 적다. 관습형은 조심성이 많으며 정확하고 세밀하고 빈틈이 없고 계획적이면서 책임감이 강하지만 변화를 싫어하고 완고하다. 이 유형은 체계적인 작업환경에서 일하는 사무적이고 계산적인 활동, 정해진 원칙과 계획에 따라 자료를 기록하고 정리하며 조직하는 일에 흥미를 느끼지만 예술형과 같은 비체계적이고 자율적이며 창조적인 활동은 어렵게 생각한다. 이러한 성격유형을 평가하기 위해 자기지시검사(self-directed search: SDS)가 개발되었다.

홀로트로픽 치료
[-治療, holotropic therapy]

의식의 전체성과 인격을 통합해 나가도록 하는 조력활동.
초월영성치료

'holotropic'이란 그리스어의 'holos(whole, 전체)'와 'trepein(moving in the direction of, ~을 향해 나아가다)'의 합성어로서, 이를 번역하면 '향전체성적(向全體性的)' 또는 '전체 지향적'이라는 의미가 된다. 이 치료법을 개발한 그로프(Grof)는 이를 '통합된 전체를 향해서 나아가는 의식(consciousness aiming toward wholeness)'이라는 용어로 설명하고 있다. 그로프는 체코슬로바키아 출신의 정신의학자로서 일찍이 LSD(lysergic acid diethylamide)-25라는 향정신성 약물(psychotropics)을 통한 환각체험을 직접 경험한 이후로 LSD의 효과에 대해 집중적으로 연구하였으며, 이를 심리치료에 활용하였다. 그는 LSD의 임상적 연구를 통하여 분만체험, 전생기억 등 다양한 변성의식상태를 발견했는데, 인간의 의식에는 여러 수준의 심층적 무의식이 존재하며 환각제의 효과는 이러한 무의식들을 의식의 영역으로 드러내는 촉매역할을 한다고 생각하였다. 이후 그로프는 미국으로 이주하여 에살렌연구소의 상임연구원으로 일하면서 다양한 동서양의 치료법을 접하게 되었다. 이를 계기로 그는 연구영역을 한층 더 넓혀 갈 수 있었다. 1970년대 중반 미국에서 LSD 사용이 금지되자 그로프는 새로운 대체요법으로 과호흡(hyperventilation), 기억, 감정을 환기시키는 음악, 신체활동(bodywork) 등을 결합한 기법인 홀로트로픽 치료를 개발했는데, 이 치료는 다양한 정서적, 정신신체적 장애에 놀랍고도 드라마틱한 효과를 종종 보여 주었다. 그로프는 이 같은 심층적인 체험을 의식의 비일상적 상태로 보았는데, 이 상태에서 획기적인 치유적, 변형적 효과를 가능케 하는 원리는 전통적 심리치료의 기제를 강화하는 형태로 나타난다고 설명하였다. 그러나 기존의 언어치료와 비교할 때, 홀로트로픽 상태에서는 완전히 새로우면서도 이전에 전혀 인식하지 못했던 큰 변화를 경험할 수 있다. 치료과정에서 경험하는 비일상적 의식의 상태는 의식과 무의식의 관계를 역동적으로 변화시키며 심리적 저항과 방어기제를 약화시키는 경향이 있다.

관련어 의식의 작도

홀론
[- , holon]

유기체가 그 자체로 전체를 형성하면서도 더 큰 전체의 일부를 이루는 경향. 초월영성치료

홀론은 헝가리 태생의 영국 과학평론가이자 작가인 케스틀러(Koestler)가 1967년에 발표한 『The ghost in machine』에서 처음으로 소개하고, 1968년 『Beyond atomism and holism: the concept of holon』에서 다시 소개하였다. 그에 따르면, 우주는 대부분 자연적인 위계질서, 즉 다른 전체의 일부가 되는 전체로 구성되어 있는데 이를 홀론이라고 하였다. 예를 들어, 전체로서의 원자는 전체 분자의 일부가 되고, 전체로서의 분자는 전체 세포의 일부가 되며, 전체로서의 세포는 전체 유기체의 일부가 되는 것을 말한다. 각각의 홀론은 더 큰 홀론에 포섭되기 때문에 홀론 자체는 원자, 분자, 세포, 유기체, 생태계로 나아가는 겹쳐진 계층구조를 이루는데, 이를 홀라키(holarchy)라고 한다. 전체성 면에서 상위 단계로 올라갈수록 전 단계를 초월하고 포함하면서 증가하는 질서, 통일성, 기능적 통합을 보여준다.

관련어 | 존재의 대 둥지

홍수법
[洪水法, flooding]

불안을 일으키는 자극에 반복적으로 노출시켜 불안을 제거하는 행동치료기법. 행동치료

자극홍수법이라고도 불리우며, 공포증 환자를 계획적으로 공포의 원인에 직면시켜 치유하는 방법으로 체계적 둔감법과 함께 사용한다. 예를 들어, 차를 타는 데 무서움을 겪는 사람에게 강제로 차를 타게 한다든지, 광장공포(廣場恐怖)가 있는 사람을 시

내 한가운데 계속 있게 하는 등 공포를 불러일으키는 장면에 자신을 노출시켜 익숙해지도록 만드는 것이다. 또한 지나치게 많이 먹는 것과 체중증가에 대한 위협을 느끼는 섭식장애 환자에게 좋아하는 음식을 한없이 먹게 한 다음 토하지 못하도록 한다. 이 같은 홍수법은 내담자가 토해 버리는 행동을 멈추려는 강한 의지를 보일 경우에만 종결되는데, 이 과정을 통해서 내담자는 인지적 재구조화 같은 기존의 학습했던 기술을 연습할 수 있는 기회를 갖는다. 그러나 어떤 경우에는 홍수법이 불쾌감을 유발하여 내담자들이 치료에 참여하는 것을 꺼려 하기 때문에 치료의 효과를 떨어뜨릴 수 있다. 이 방법에서 내담자는 상세한 정보와 준비를 갖춘 다음 가장 강한 불안자극에 노출되고 자신의 불안이 감소될 때까지 그 상황에 머물러 있어야 한다. 실제 상황에서 사용할 수도 있고 내적 심상의 형태로 사용할 수도 있다. 이론적 근거는 내담자가 공포를 일으키는 단서에 여러 번 노출되면 내담자가 두려움의 기반이 없다는 것을 발견하게 된다는 논리다. 홍수법의 치료논리는 내파법과 거의 같다. 내파법은 불안을 제거하기 위한 치료법으로 불안이나 공포를 유발하는 장면이나 그것 때문에 생기는 결과를 최대한 상상적으로 경험하게 함으로써 불안을 제거한다. 예를 들어, 뱀을 무서워하는 사람에게 뱀 때문에 무서운 결과를 가져오는 장면을 생생하게 상상하도록 한다. 뱀이 집단에 가득 있다거나, 뱀에게 물린다거나, 뱀이 목을 감고 있는 장면 등을 생각하도록 하는 것이다. 이는 불안을 유발하는 장면을 여러 번 상상하더라도 실제 그러한 일이 발생하지 않으므로 상상한 장면은 불안을 유발하지 않는다. 그러나 홍수법은 실제 장면에도 노출시킨다는 점에서 내파법과 다르고, 불안이 제거될 때까지 장기간 불안자극에 노출시킨다는 점에서도 내파법과 차이가 있다.

관련어 | 체계적 둔감, 탈감

화병
[火病, Hwa-Byung]

한국 문화와 관련된 문화증후군의 일종으로 오랫동안 속으로 화, 분노, 체념, 패배의식, 적개심, 열등감, 우울 등의 부정적 감정을 삭인 것이 신체적 증상으로 나오는 질환. 정신병리

화병은 억눌린 감정을 제대로 표현하지 못한 채 오랫동안 지속해 온 것이 신체적 증상으로 나타나 가슴의 답답함이나 이물감 등을 호소하는 질병이다. 1995년 미국정신의학회는 미국의 정신장애 진단 분류(DSM-IV)에 화병을 하나의 병명으로 포함하면서 한국 민속 증후군의 하나로 언급하였는데, 분노의 억제로 발생하는 분노 증후군이라고 하였다. DSM-5에서도 문화의존 증후군의 상위개념 안에 화병을 포함시키고 있다. 일반 의학계에서는 신경 정신과에 해당된다. 화(火)는 자연계를 구성하는 5대 주요 물질의 하나로서, 인류에게 이로움과 해악을 동시에 가져온 일종의 자연 현상이다. 화에는 외화(外火)와 내화(內火)가 있다. 외화는 열상에 의한 열중을 말하고, 내화는 내부에서 발생하는 열중을 말한다. 화병의 한의학적인 개념에서는 주로 마음이 원인으로 작용하여 발생하는 심신증의 영역으로 간주하면서 심리적인 쇼크나 정신적인 갈등에 의해서 뇌에 기질적인 변화 없이 일어나는 정신적 혹은 신체적 증상을 수반하는 병이다. 한(恨)과 화병의 비교 연구를 보면 공통부분이 많다. 원인이 되는 생활 경험이 공통적인데 한과 관련된 감정은 과거의 억울하고 분함, 불만으로 거의 체념된 바가 크고 화병에 관련된 것은 비교적 최근의 생활 경험이면서 현재도 진행 중인 사건이 많다. 집안의 한, 배우지 못한 한, 가난과 고생의 한, 억울함을 당한 한, 여성의 한 등은 서로 원인과 결과로 연관되어 있다. 이 같은 한의 경험들과 후유증이 계속 남아 있거나 반복되고 있을 때 바로 화병이 된다. 화병의 진행 과정은 충격기, 갈등기, 체념기, 증상기의 단계를 거친다. 첫째, 충격기는 화가 날 충격을 받은 것으로서 화라기보다 상대방에 대한 배신감, 증오심 등의 분노에 앞서 격하게 일어나 심지어는 살의까지 품게 되는 극한 감정 상태다. 둘째, 갈등기는 충격기를 지나 격한 감정이 어느 정도 진정이 되고 이성을 회복하기 시작하면서 심각한 고민에 빠지지만 이러한 생각은 오래가지 않는다. 셋째, 체념기는 환자들이 근본적인 문제해결보다는 자신의 불행을 받아들이고 운명으로 화를 중화시키는 상태로서 아무 일도 없었던 것처럼 담담한 표정으로 우울증에 빠진 것처럼 보인다. 넷째, 증상기는 신체적인 증상을 호소하는 환자가 대부분인데, 억제와 체념으로 쌓인 화가 근본적으로 해결되는 것이 아니라 스트레스가 되어 만성 스트레스 반응의 형태로 나타난다.

화성
[和聲, harmony]

주파수가 다른 2개 이상의 음들이 동시에 날 때 그 음들 사이에 동시에 맺어지는 관계. 음악치료

화성이란 멜로디, 리듬 등과 함께 음악의 주요 3요소를 이루는 것으로, 서로 높이가 다른 둘 이상의 음이 동시에 울리면서 나는 수직적 결합과 여러 음들이 이어지면서 나는 수평적 진행의 어울림을 말한다. 동시에 울리는 2개 이상의 음이 잘 어울리면 협화음이라 하고, 각각의 음이 서로 어울리지 않아 불안정한 느낌을 주면 불협화음이라 한다. 음악치료에서는 협화음과 불협화음을 주의해서 살펴야 한다. 치료사는 협화음은 정상적인 표현, 불협화음은 비정상적인 증상을 나타내는 표현이라는 이분법적 선입견을 가져서는 안 되며, 내담자가 만들어 내거나 반응하는 화음의 정서적 반응에 유의해야 한다. 주로 협화음이 안정적이며 유쾌한 정서적 반응과 연결되는 경우가 많지만 반드시 그러한 것은 아니다. 불협화음이 협화음에 비해 초조한 심리적 상태를 드러내기도 하지만, 능동적이고 역동적인 내담

ㅎ

자의 에너지를 보여 주는 것이기도 하다. 협화음은 안정적이면서 휴식감을 주면서도 수동적인 내담자 상태를 반영하기도 한다. 화성의 진행을 통하여 사람은 긴장 또는 이완하게 되는데, 협화음과 불협화음의 결합은 시간 속에서 계속적인 긴장과 이완의 역동적 드라마를 형성한다. 음악적 진행은 아무리 불협화음이 많아도 궁극적으로는 협화음으로 끝나게 되는데, 이것은 청중이나 연주가에게 모두 정서적 만족감을 준다. 화성은 노래부르기와 악기연주를 더욱 풍부하게 하여 즐거운 음악적인 경험을 만들어 주고, 그 결과 표현력과 학습동기를 향상시킬 수 있다. 다양한 음계는 개인에게 정서적, 신체적으로 영향을 미친다. 느린 박의 아르페지오 베이스음은 부드럽고 큰 동작을 유발할 수 있는 반면, 스타카토로 연주되는 베이스음은 뛰기나 박수치기, 북치기 같은 반복적인 동작을 유발한다. 5음계의 화음은 어떤 음을 연주하든지 상관없이 조화를 이루는 화음이다. 여기에는 어떤 '잘못'도 있을 수 없다. 치료사와 내담자가 이 같은 화성 속에서 완전히 조화를 이루면, 내담자의 자신감과 자존감을 높일 수 있을 뿐만 아니라 자신이 치료사에게 이해되고 있다는 경험을 하게 된다. 화성은 또한 주의와 각성을 위해서도 사용되는데, 내담자가 주의집중을 제대로 하지 못하면 갑작스러운 불협화음으로 그의 관심을 다시 끌기도 한다.

화엄사상
[華嚴思想, flower garland sutra]

불교의 세계관, 또는 우주관으로서 우주의 모든 사물은 서로 인연이 있어 발생하기도 하고 소멸하며 시간과 공간 속에서 서로 원인이 되기도 하고 하나로 융합되기도 한다는 생각.

동양상담

원래는 대방광불화엄경(大方廣佛華嚴經)이며, 원어의 산스크리트어는 Mahavajplya Buddha-gaṇda-

vyūha-sūtra다. 불교경전 중 하나인『화엄경』에서 밝히고 있는 사상으로 법계(法界, dharma-dhatu), 육상원융(六相圓融), 상입상즉, 무진연기 등으로 분류하여 설명하고 있다. 먼저 법계란 인간의식의 대상이 되고 있는 모든 것을 말한다. 이 모든 것은 일심(一心), 즉 하나의 마음으로 통괄되기도 하고 하나가 다시 모든 것이 되는 것을 일컫는다. 그래서 우주가 하나의 꽃으로 표현되어 현상과 본실체의 양면으로 관찰해 나가는데 이는 다음의 네 가지 의미로 해석된다. 첫째는 사법계(事法界)로서 모든 차별 있는 세계를 뜻한다. 즉, 우주의 모든 것은 하나하나 모두 인연에 의해 화합된 것이므로 제각기 성분과 한계를 지니고 구별되어 나타난다. 둘째는 이법계(理法界)로서 우주의 근본 실체, 즉 평등한 세계를 말한다. 우주 속 사물은 그 근본 실체가 모두 진여(眞如, tathata), 즉 진실로 영원불변하다는 것이다. 셋째는 이사무애법계(理事無碍法界)로서 이(理)와 사(事)가 서로 떨어져 있는 것이 아니라는 뜻인데, 즉 본실체와 현상계가 서로 떨어져 있는 것이 아니라 서로 걸림 없는 상호관계 속에 있다는 것을 말한다. 넷째는 사사무애법계(事事無碍法界)로서 나타난 현상계 그 자체가 절대적인 진리의 세계라는 뜻이다. 모든 사물에는 객체가 있고 또 작용이 있으며 제각기 인연으로 일어나 각각 자성을 지키고 있지만 사(事)와 사(事)를 서로 상대시켜 보면 많은 인연이 상응하여 일연(一緣)을 이루고 있다. 이 일연이 널리 퍼져 있는 다연과 연계되어 서로의 작용이 보이지 않는 곳에서 교류하여 사사무애(事事無碍)하고, 그것이 끝없이 펼쳐져 우주가 되는 것이다. 이 우주의 현상을 체계적으로 관찰해 설명한 것이 십현연기설(十玄緣起說)과 육상원융이다.

관련어 | 연기

화학치료
[化學治療, chemotherapy]

심리적, 정신의학적 치료 중의 하나. 이상심리

심리적 · 정신의학적 치료에는 심리치료, 화학치료, 전기충격치료(ECT), 외과적 수술 등이 있다. 1950년대에 클로르프로마진이 중추신경계를 진정시키는 효과가 있어 정신분열병의 증상을 완화시킨다는 것을 발견한 이후 약물개발이 급격하게 일어났고, 정신장애를 치료하기 위해 약물 혹은 화학물질을 사용하는 화학치료가 발달하게 되었다. 항정신증 약물의 발견 이후에는 항우울제, 항불안제 등이 계속 개발되었다. 그러나 대부분의 약물의 경우 부작용이 있어 복용에 거부감을 보이기도 한다.

관련어 | 전기충격치료, 항불안제, 항우울제

확대자
[擴大者, maximizers]

긴장과 갈등의 상태에서 화를 내거나 다른 사람을 귀찮게 하는 등 자신의 에너지를 확대시켜 반응하는 유형의 사람. 이마고치료

이마고치료의 이론에서 확대자는 주로 축소자에게 매력을 느끼고, 또한 배우자를 선택하는 데 중요한 영향을 미친다고 설명한다. 부부관계에서 확대자는 축소자에게 "왜 당신은 나와 말을 하지 않죠?" "왜 당신은 혼자 있고 싶어 하나요?"와 같은 질문을 자주 하는 경향이 있다고 한다. 축소자를 거북에 비유한다면 확대자는 천둥, 번개와 같은 사람이라고 비유하고 있다. 즉, 부부관계에서 갈등과 긴장의 상황이 발생하면 배우자에 대해 안전감을 느끼지 못하는 축소자는 거북처럼 자꾸 움츠러들지만, 확대자는 움츠러든 배우자를 끄집어내기 위해 더욱 축소자를 쫓아다니며 귀찮게 한다. 그러나 그렇게 하

면 할수록 축소자는 더욱 조용해지고 위축된다. 이처럼 불안전하게 보이는 이들의 관계가 자신들이 의도한 바는 아니다. 즉, 확대자도 축소자를 괴롭히려는 것이 아니라 확대자 나름의 상처받은 감정에 반응을 보이고 있는 것이다. 축소자 역시 확대자를 절망시키려는 반응이 아니라 자신의 안전을 위해 숨어 들어갈 뿐이다. 다시 말해, 자신을 보호하기 위한 내적인 반응이 상대방에게는 받아들여지지 못하는 반응으로 인식되고, 이것이 관계를 더 나쁘게 만드는 요인이 되었다. 그러면서 처음에는 자기 보호적이던 반응이 서서히 계획적으로 서로에게 상처를 주는 행동으로 바뀐다. 부부관계에 있어 자신의 욕구를 채우지 못하면 그 관계에서 안정감을 경험할 수 없고, 축소자 혹은 확대자의 방어기제를 사용하게 된다. 따라서 부부치료의 주된 목적은 부부 모두가 관계에서 안정감을 경험하도록 하는 것이다.

관련어 | 축소자

확산적 사고
[擴散的思考, divergent thinking]

하나의 정확한 정답보다는 여러 개의 가능한 해답을 산출하는 사고기능. 인지행동

발산적 사고라고도 하는데, 정신측정법 및 지능구조에 대한 연구로 유명한 미국 심리학자 길포드(J. Guilford)가 지능에 대한 가설적 모형에서 소개한 개념이다. 그는 사고유형을 수렴적 사고와 확산적 사고로 구분하였다. 문제에 대한 감수성, 사고의 유창성, 융통성, 독창성, 정교성, 재구성력, 집착성 등이 확산적 사고에 포함되는 사고능력이며, 이것들은 창의성과 밀접한 관련을 맺는다. 확산적 사고는 문제에 대해 가능한 여러 답을 다양하게 산출하는 사고형태로서, 예를 들면 '벽돌의 용도를 열거하기'와 같이 문제에서 출발하여 가능한 한 다양한 방

ㅎ

향으로 이동해 가는 사고를 의미한다. 확산적 사고를 하는 사람은 여러 가지 새로운 답을 허용하는 자유반응식 질문을 좋아하며 창의적이다. 길포드가 제시한 확산적 사고의 개념은 그 이후 창의적 사고의 개념형성에 많은 영향을 미쳤다. 한편, 수렴적 사고를 하는 사람은 문제에 대한 적절한 답으로 수렴하는 사고형태를 갖는데, 예를 들어 '33×14＝?'과 같이 하나의 정답을 향하여 진행되는 사고다. 따라서 수렴적 사고를 하는 사람은 단일 정답이 있는 문제유형을 선호한다. 전통적인 지능검사질문은 수렴적으로 생각하는 사람들에게 적합하고, 창의성검사는 확산적 사고를 측정하는 데 적합하다. 대부분의 경우 문제해결과정에서는 수렴적 사고와 확산적 사고가 동시에 일어난다.

관련어 | 수렴적 사고

확산텐서영상
[擴散 – 映像, diffusion tensor imaging: DTI]

대뇌피질의 특성을 측정하는 자기공명영상 기법의 하나.
뇌 과학

우리 몸의 70%를 구성하는 물 분자의 자유확산 운동을 이용한 기법이다. 물 분자가 뇌 조직의 신경섬유다발 등으로 특정한 확산방향을 가지게 되므로 이를 시각적으로 재구성하여 뇌의 여러 영역을 관찰하는 것이다. 비수술적이며 조영제를 사용하지 않고 대뇌신경을 파악할 수 있는 장점이 있지만 아직 해석이 용이하지 않다.

관련어 | 뇌

확인편파
[確認偏頗, confirmation bias]

자신의 신념과 일치하는 의견이나 정보는 확대하여 받아들이고 자신의 신념과 일치하지 않는 의견이나 정보는 축소해서 무시하는 경향. 개인상담

확정편파, 확정편견, 또는 편향확증이라고도 하는 확인편파는 자신의 믿음이나 신념에 유리한 정보에는 지나치게 관대하고, 그와 반대인 정보에는 지나치게 적대적이거나 인색한 것을 말한다. 사회심리학자이며 행동경제학(behavioral economics)에 많은 연구결과를 발표한 길로비치(Gilovich, 1983)는 사람들이 자신의 능력을 과신한 나머지 확증적인 정보에 지나치게 높은 점수를 주고 인식론적으로 불리한 정보를 무시해 버리는 경향이 있음을 발견하여 이를 확인편향이라는 개념으로 설명하였다. 사람들은 자신의 믿음이나 신념에 유리한 정보를 의도적으로 취하여 기존의 인식을 더욱 강화하려는 경향이 있으며, 자신의 믿음이나 신념에 불리한 정보는 의도적으로 배제하거나 경시하여 인식의 수정을 막는다는 것이다. 이처럼 확인편파는 선택적 사고의 일종으로, 사람은 자신의 신념을 확증해 주는 것을 쉽게 발견하거나 찾는 경향이 있고 반대로 자신의 신념에 반하는 것은 무시하거나 덜 찾아보든지 혹은 낮은 가치를 주는 경향이 있다. 이는 마치 자석이 철을 끌어당기는 것처럼 삶에서 강력하고 광범위하게 나타나 합리적이고 객관적인 판단을 흐리게 만든다. 부정적인 것보다 긍정적인 것에 좀 더 영향을 받고 흥분하게 되는 것은 인간만의 고유하고 영원한 오류라는 영국의 철학자 베이컨(Bacon)의 말은 확인편파를 간결하게 설명해 준다. 확인편파의 대표적인 예로 로젠한(Rosenhan, 1973)이 큰 논란을 일으켰던 '가짜 정신병 실험'과 소칼(Sokal, 2000)이 포스트모더니즘의 허구성을 비판하기 위해 벌인 '지적 사기' 실험을 들 수 있는데, 이는 모두 당대의 학계에서 일종의 신념처럼 받아들여지고 있던 주류의 지식체계를 공격함으로써 확인편파의 혐의를 드러

내려 했던 것으로 이해할 수 있다. 러시아의 영화감독인 쿨레쇼프(Kuleshov)는 사람들의 사전기대에 따라 같은 장면에 대한 해석이 크게 달라지는 현상을 적극적으로 이용해서 영화를 제작했다고 한다(Myers, 1993). 사람들은 복잡한 현상을 설명하는 데 과잉단순화하는 경향이 강하다. 그리고 일단 사건을 이해하는 데 도움이 되는 설명을 하나 갖게 되면 다른 설명의 타당성을 깎아내리는 경향이 있다(Shaklee & Fischhoff, 1982). 또한 자신이 암에 걸리지 않았을까 걱정하는 경우 암에 걸렸다는 것을 확인시켜 줄 증거를 더 잘 찾게 된다. 예를 들어, 혈액형과 성격의 관련성이나 재미로 보는 심리테스트, 사주팔자 등에 대한 확고한 믿음 등이 이에 포함된다. 확인편파는 때로는 감당하기 어려울 만큼의 결과를 가져오기도 하는데, 누군가에 대해 획득한 첫 번째 정보가 그 이후에 얻게 되는 나머지 정보에 소홀하게 만들고, 자신이 가지고 있는 편중된 인식을 더 강하게 유지해서 이를 지키고자 노력하게 된다. 이는 자성예언현상에서 쉽게 찾아볼 수 있다. 즉, 타당한 근거 없이 상대방의 모습이나 사건에 대하여 지니고 있는 생각, 가설, 이론을 사회적 상호작용을 통해 맞는 것으로 결론을 내리게 되는 현상이다. 예를 들어, 한 학생에 대해 공부를 못할 것이라고 기대하던 선생은 그 학생을 공부 못하는 학생으로 만들어 학생에 대한 자신의 기대를 현실로 나타나게 만든다. 자신이 믿고 있는 정보에 대해 확인편파로 유용한 정보만을 수집하고 확인하고자 하는 속성은 그 사전가설이 얼마나 신뢰할 만한 것인가와는 무관하게 나타난다. 또한 사전가설이 맞을 가능성의 크기와도 무관했고, 심지어 정확한 판단을 하는 경우 큰 보상이 주어진다고 해도 여전히 나타났다.

확충법
[擴充法, method of amplification]

인류의 거의 모든 시대에 걸친 종교사, 문화사, 정신사의 영역에서 나온 동류(同類)의, 혹은 유사한 그림 모티브를 통해 꿈과 같은 체험을 확장시키고 심화시키는 방법. **분석심리학**

확충법은 분석심리학자 융(C. G. Jung)의 임상적 해석방법의 한 종류로 문화적 요소, 특히 꿈에서 많이 사용된다. 융은 개인의 경험이나 연상으로는 이해할 수 없는 원형상에 대해 이해하기 위해 확충법을 제안하였다. 확충법에서는 더욱 명확하고 풍부한 해석을 위해 신화, 역사, 문화적 배경을 사용한다. 가장 기초적인 작업은 원형상으로 나타난 모티브와 유사한 모티브에 대해 신화, 민담, 종교에 걸쳐 비교해 보는 것이다. 융의 집단무의식에 대한 초기 이해는 원초적 이미지로 구성되어 있고, 문화와 역사를 거쳐 양립한다. 확충법은 자연적 사고의 한 종류로 유추, 이미지화 방법의 절차이며, 다양한 소재로부터 유추하여 비교하고 증거기능을 가진다. 또한 확충법은 집단무의식의 개념에서 나타나는 정당성을 밝힌다. 융은 1908년 에세이에서 처음으로 확충법에 대해 소개하였고, 1947년에는 확충법이 자연적 '논리'를 따른다고 주장하였다. 확충법은 사실임을 입증하는 데 가치를 두고, 인간이 무의식적 마음의 원형적 구조에 도달할 수 있게 한다는 것이다. 활동적 상상과 관련된 임상적 기술이 정확해지면서 확충법은 융의 임상적 이론에 새로운 의의를 지니게 되었다. 확충법의 가장 정확한 임상적 사용은 꿈에서의 관계를 찾는 것이다. 확충법에서의 자아역할은 무의식과 기록을 탐색할 때 결정적 매개로서 중요하다. 확충법의 단점으로는 방대한 지식과정을 통해 분석을 해야 한다는 것과 때때로 환자들의 개인적 상황을 더 크고 과장되게 이끌어 전이를 피하게 하고 전능적 환상을 가지게 한다는 것이다. 확충법을 사용할 때 분석가는 환자가 개인적 의미에 도달할 때까지 꿈 이미지를 연상하는 것을 기다리고, 환자가 확충법으로 더 많은 함축적 개인 내용에 도달할 수 있도록 해야 한다. 그러면 환자는 혼자라는 기분을 덜 느끼고, 인간이 지니는 일반적 고통범위 안에 있는 자신의 개인적 신경증에 대해 이해할 수 있다.

환각
[幻覺, hallucination]

실제 감각으로 느낄 수 없는 사물이나 사건을 인식하는 경험.
`분석심리학` `이상심리`

환각과 착각(錯覺)은 둘 다 잘못된 지각을 한다는 점에서는 비슷하지만, 착각은 환각과는 달리 실제 사물에 자극받는다. 환각은 잠을 이루지 못하는 수면장애, 현실세계에 대해 잘못 이해하거나 뒤틀린 관점을 지니는 망상, 현실세계에 대한 오류로서, 인지하지 않고 자동적 통제 아래 존재하는 심상과도 구별된다. 환각의 가벼운 양상은 동요다. 말초적 환상에서 보이는 움직임을 보거나 희미한 소음이나 목소리를 들을 수도 있다. 청각환각(환청)은 흔히 망상형 정신분열증 환자에게 나타난다. 이때 환각은 대개 친절하기도, 또 심술궂기도 하며 환자의 등 뒤에서 악담을 퍼붓는다. 청각환각처럼 시각환각(환시) 역시 환자의 등 뒤에서 나타날 수 있다. 환각은 환자들이 응시받고 있다고 느끼게 하며, 대개 고의적인 의도를 지닌다. 환자는 혼자 있을 때보다 사람들과 함께 있을 때 청각환각과 시각환각이 더 많이 나타난다. 최면 시 환각과 각성 시 환각은 일반적 현상으로 간주된다. 최면 시 환각은 잠이 들 때 나타나고, 각성 시 환각은 깨어날 때 나타난다. 환각은 또한 약물사용과 관련 있다. 분석심리학자 융(C. G. Jung)은 환자들의 독특한 경험을 모두 환자 개인의 사적인 측면으로만 설명할 수 없으며, 또 환자가 채택한 가치관과 상충하는 관념의 억압으로만 설명할 수도 없다는 것을 확신하였다. 망상, 환각, 환청은 흔히 개인적 경험에서 벗어나 있는 것처럼 보이는 것이다. 특정 형태의 정신병에서는 콤플렉스가 소리의 형태로 나타나기도 한다. 마찬가지로 어떤 형태의 환각(실제와 일치하지 않는 지각)에서는 콤플렉스가 보이기도 한다. 융은 사람들이 흔히 하고 있는 망상과 환각이 정신병의 특별한 징후일 뿐만 아니라 인간에게 매우 의미 있는 어떤 것이라는 사실을 드러내고자 애썼다. 융은 인간이 자신의 원형을 충분히 깨닫지 못하면 환각을 통해 원형의 본질적 의미가 나타날 수도 있다고 하였다.

`관련어` 신경증

환각제
[幻覺製, hallucinogens]

인체에 들어갔을 때 일상생활에서 느끼지 못한 의식상태, 즉 감각, 사고, 자아인식, 감정의 변화를 느끼게 하는 약물류의 총칭. `중독상담`

환각이란 실제로 존재하는 자극이나 대상이 없는데도 그것이 마치 실재하는 것처럼 감각적으로 느끼거나 체험하는 것이다. 환각제를 복용하면 현실의 세계에서는 볼 수 없는 이러한 환각세계를 볼 수 있다. 따라서 환각제를 판타스티카(phantastica)라고 부르기도 한다. 또는 사이키델릭(psychedelic)이라고도 하는데, 이는 LSD나 페요테(peyote) 같은 환각제를 복용하면 자신의 마음속을 시각적으로 통찰할 수 있다고 믿었기 때문이다. 최근에는 종교적인 황홀감 같은 신비한 정신경험을 할 수 있다고 해서 엔티오젠(entheogen) 또는 엔타코젠(entacogen)이라고 부르기도 한다. 자연적으로 발생되는 환각 유발물질들은 특정 문화권에서 주로 종교의식으로 수천 년간 이용되어 왔다. 예를 들어, 아메리카 원주민 인디언 교회의 교인들은 메스카린을 함유하고 있는 선인장인 페요테를 사용하는데, 이것이 신과 보다 쉽게 교감할 수 있게 해 준다고 믿고 있다. 또한 멕시코 원주민들은 종교의식에 실로사이빈 환각제가 들어 있는 버섯을 사용한다. 환각제는 뇌 속의 신경전달물질경로를 변형함으로써 인체가 현실을 인지할 수 없는 상태로 만든다고 알려져 있다. 또한 인체 내에서 중추신경계를 흥분시키기도 하고, 억제하기도 하는 혼합작용을 일으킨다. 환각제를 인체에 사용하였을 때 나타나는 몇 가지 특성은 시간이나 장소에 대한 왜곡, 착란상태, 과거경험의 재생, 불안감, 황홀감, 관념의 비약, 탈인격화 등이다. 환각제의 정신적 부작용으로는 약물경험의 최고조에서 생기는 공포발작(무서운 환각체험)이 흔히 발생한다. 이 때문에 사람들은 거의 실성한 상태가 될 수 있으며, 일반인이나 의료진이 감시하고 보호하지 않으면 사고를 일으킬 위험성이 크다. 그리고 약물을 섭취하기 이전에 심각한 정신병적 곤란을 겪고 있는 사람의 경우에는 이 약물의 사용으로 정신병적 반응이 촉진되는 경우가 많다. 환각제의 또 다른 부작용은 환각 재현현상(flashback)인데, 이것은 약물을 섭취하지 않았는데도 약물을 복용한 것처럼 환각을 경험하는 것이다. 환각제의 종류로는 LSD, 메스카린(mescaline), 펜사이클리딘(phencyclidine) 등이 있으며, 화학구조에 따라서 인돌(indole) 계열과 카테콜(catechol) 계열로 구분한다. 이러한 환각제가 인체에 어떠한 영향을 미치는지에 대한 과학적인 실험결과는 아직 확실하게 나와 있지는 않다.

관련어 | LSD, 메스카린, 실로사이빈, 펜사이클리딘, 항정신성 약물

환각제 지속성 지각장애
[幻覺劑持續性知覺障碍, hallucinogen persisting perception disorder]

과거에 환각제 중독이었던 환자가 사용을 중단하고 난 이후에도 중독 때 경험하였던 지각장애가 일시적으로 다시 일어나는 것. 플래시백이라고도 함. 중독상담

환각제 지속성 지각장애는 환각제 사용을 중단하여 더 이상 그 약물의 효과가 신체에 남아 있지 않은 데도 시야의 움직임에 대한 잘못된 지각, 색채의 섬광, 강렬한 색감, 잔상, 후광과 같이 마치 환각제를 사용한 것과 같은 경험을 일시적으로 하는 것을 말한다. 이러한 현상은 약물을 중단한 지 일주일 만에, 혹은 수년 후에도 나타날 수 있다. 또한 지속시간도 수초에서 수시간까지 일정하지 않다. 따라서 이와 같은 지각장애는 정상적인 사회생활을 하는 데 장애가 된다.

관련어 | 중독, 플래시백, 환각제

환경심리학
[環境心理學, environmental psychology]

인간과 환경 간의 관계를 연구하는 심리학. 기타

환경심리학은 인간과 인간이 처한 환경 간의 관계를 탐색하여 공공장소, 사회요건, 환경건립 등 여러 다양한 분야에 적용하고자 설계 및 고안한 학문이다. 복지에 대한 관심이 커지면서 개인의 범주를 벗어나 개인이 처한 환경적 요인의 개선에 대한 요구가 확대되었고 자연환경, 사회적 조건, 인공환경, 정보환경 등이 인간에게 미치는 영향에 대한 연구가 급속도로 진행되면서 환경심리학이 급성장하고 있다. 환경심리학은 심리학, 사회과학, 생태학, 경제학, 지리학, 건축, 조경, 설계 등 여러 분야가 결합된 이론으로, 건축가, 조경사, 설계사 등이 복합적인 공조체제를 유지하면서 실행된다. 이는 인간의 행위 및 태도가 환경적 요인과 관련이 있다는 것을 전제로 하고 있으며, 학제 간 협력을 통해서 광범위한 연구가 진행되고 있다. 환경심리학의 기원은 알려져 있지 않지만, 헬파흐(W. Hellpach)가 자신의 저서에서 처음 사용한 것으로 보고 있는데 해와 달이 인간의 행위에 미치는 영향, 색채와 형태의 영향 등을 기술하였다. 이외에도 환경심리학 초기 학자로는 레빈(K. Lewin)과 브런스윅(E. Brunswik) 등이

ㅎ

있고, 최근에는 카민스키(G. Kaminski)와 그라우마나(C. Graumana) 등을 들 수 있다. 제2차 세계 대전이 끝나면서 인간이 환경에 얼마나 큰 영향을 받는지에 관한 연구와 필요성이 고개를 들었고, 이러한 사회적 요구가 사회심리학의 일환으로 환경심리학이 자리 잡을 수 있도록 하였다. 환경심리학의 목적은 여러 분야의 전문가들이 협력하여 인간이 처한 환경 제반을 개선시킴으로써 인간 삶의 질을 향상시키는 데 있다. 이는 미시적 관점과 거시적 관점으로 나눈다. 미시적 관점은 개인적 입장에 국한되어 있는 것으로, 개인이 몸담은 가정 및 일상의 환경을 개선하는 것이 그 개인의 삶과 행위에 변화를 야기할 수 있다는 협의적 환경개선을 말한다. 이에 비해 거시적 관점은 개인 입장을 벗어나 공동체 전반의 환경, 나아가 도시단위의 환경기능을 효과적으로 개선하는 데까지 범위를 넓힌 것이다. 환경심리학은 인간행위의 이해를 출발점으로 한다. 사람이 어떻게 환경을 감지하느냐 하는 주의(attention) 단계를 거쳐, 자연 및 인공적 환경을 어떻게 인식하고 어떤 것에 관심을 가지느냐 하는 인식 및 인지지도(perception and cognitive maps) 단계로 넘어가서, 개인이 선호하는 환경을 찾을 수 있는 선호환경(preferred environments) 단계에 이른다. 선호환경과 관련하여 환경적 스트레스 및 대처(environmental stress and coping) 단계가 도래한다. 이 같은 과정을 거치면서 개인은 자신의 환경을 포함한 공동체 환경 개선에 참여하여 주변환경 개선 및 관리에도 관여하고, 이를 유지 보호하기 위한 역할까지 할 수 있다. 환경심리학은 초점을 어디에 두느냐에 따라 문제 지향, 체제 지향, 학제 간 지향, 시간 외 공간 지향 등으로 나누어지기도 한다. 문제 지향은 환경과 그 환경 내에 거주하고 있는 사람들 간의 관계로 빚어지는 문제에 관한 직접적 연구를 일컫는다. 이는 특정 문제에 관련된 환경적 요인을 탐색하여 그 해결책을 찾아가는 방법이다. 따라서 개인이 처한 공간과 그 개인이 점하고 있는 공간에 대한 탐색이 중요한 부분을 차지한다. 체제 지향은 개인은 공동체, 집단, 조직 등의 구성원이라는 입장에서 행해진다. 이는 집단의 상호작용에 더 큰 비중을 두고, 사회적 통합에 관련된 요인을 강조한다. 학제 간 지향은 복합적 관점을 지니고 문제에 접근하기 위해 여러 분야의 학문이 상호 협력해야 한다는 입장에 서 있다. 환경심리학이라는 분야 자체가 다양한 학문과 분야의 협력이 있어야 가능하기 때문에 연구도 사회학, 정치학, 인류학, 경제학, 행동과학 등 여러 범주의 학문이 바탕이 되어, 발달심리학, 인지과학, 조직이론, 신경과학 등이 서로 협력해야 한다. 이러한 학문 외에도 조경학, 실내디자인, 도시계획, 산업계획, 자연보호와 같은 실천분야도 협력이 되어야 한다. 시간 외 공간 지향은 과거의 중요성을 짚고 넘어가자는 입장이다. 즉, 과거 역사적 요인들을 제대로 이해하여 현재 및 미래의 문제들에 대처하자는 것이다. 이런 다양한 입장 아래 환경심리학은 현대에 거시적 그리고 통합적 심리학을 이끌고 있다.

환경요법
[環境療法, environmental treatment]

내담자를 둘러싼 사회환경의 조정 및 개선을 통해 각종 생활장애를 해결하려는 치료법. 기타

환경요법은 문제를 해결하는 데 사람에게 초점을 맞추는 것이 아니라, 문제를 지닌 내담자 주변의 환경적 요소를 변화시키는 방법으로 간접적 치료법이라고도 한다. 환경요법은 여러 분야가 함께 관여하는 프로그램으로, 사회관계 조정 및 개선, 타 기관이나 시설에의 송치(送致), 구체적이고 현실적인 사회복지서비스 제공 등을 수행한다. 이는 내담자의 문제가 내담자의 욕구에서 비롯된다고 보고, 그 욕구는 내담자의 생활상 외적 조건 및 환경에서 시작된다는 전제하에 내담자의 환경요인을 변화시켜

내담자 스스로 그 주변을 활용할 수 있도록 하는 것이다.

관련어 | 환경치료

환경조작
[環境操作, environmental manipulation]
문제해결을 위해 주변 사회환경을 의도적으로 변화시키는 방법. 기타

환경조작은 소년법에서 사용된 이래 그 범위가 확장되고 있는데, 환경조정(環境調整, environmental coordination), 환경수정(環境修整, environmental modification) 등으로 쓰이기도 한다. 심리치료나 상담 분야에서만이 아니라 생태학적 관점에서도 중요성이 재인식되면서 다양한 분야에서 환경조작에 관한 연구 및 프로그램 개발이 진행되고 있다. 환경조작은 문제를 일으키는 반복적 환경을 재구성하여 문제의 소지를 없애고 새로운 방향을 재설정하고자 하는 것을 목적으로 실행한다. 환경조작의 실행이 위기행동 발생 사전에 이루어지는지, 사후에 이루어지는지에 따라 두 가지로 나눌 수 있다. 사전에 이루어지는 선행적 환경조작(antecedent-based environmental manipulation)은 서로 다른 사건을 통제된 환경 내에서 잘 관찰하는 것이 우선과제다. 사후에 이루어지는 결과적 환경조작(consequence-based environmental manipulation)은 서로 다른 결과를 탐색해서 환경조작을 실행한다. 두 경우 모두 위기행동에 환경이 미치는 영향이 크다는 전제하에 그 환경적 영향을 고려하여 재구성하기 위한 것이다. 주의할 점은 환경이나 주어진 조건이 치료사나 주변의 노력으로 개선될 수 있는 범위 안에서 행해져야 한다는 것, 잠재된 위험 요건, 내담자 상황, 치료사의 객관적 능력, 환경적 요인 등에 대한 정확한 평가가 선행되어야 한다는 것, 내담자가 미성년인 경우 부모나 보호자의 동의를 얻어야 한다

는 것, 평가할 사회적 기능에 관해서 치료사가 적절한 가설을 가지고 있어야 한다는 것 등이다. 또한 환경조작 실행은 일반적으로 다음과 같은 단계로 진행된다. 첫째, 목표로 삼은 단일 위기행동을 평가한다. 둘째, 내담자 주변의 사회적 기능의 타당성 등에 관한 하나의 가설을 세운다. 셋째, 시험해 보고자 하는 가정된 기능에 기반을 두고 환경적 사건을 선별한다. 넷째, 그 외 다른 환경적 요소들을 지속적으로 유지할 수 있도록 한다. 다섯째, 재구성된 환경적 요소들로 예측하거나 가시적으로 나타난 결과들이 목표로 삼은 위기행동에 미친 영향을 평가하여 가설을 증명한다. 이런 과정을 통해서 실행되는 환경조작은 내담자 위기행동을 지속시키는 사회적 기능에 관한 사정을 통해서 치료사가 더욱 구체적이고 현실적인 효과를 도출할 수 있는 방법을 고안하도록 하며, 위기행동을 야기하는 직접적 요인을 환경에서 찾아 상담개입을 더욱 효과적으로 진행할 수 있게 하고, 다양한 문제들을 생태학적으로 해결하여 해당 문제에 대한 파급효과까지 볼 수 있다.

환경치료
[環境治療, milieu therapy]
내담자가 속한 치료적 공동체를 활용하는 심리치료법으로, 거주환경 내에서 내담자 스스로 책임감을 갖도록 타인 및 주변과의 관계를 활용하는 치료법. 기타

환경치료는 시설 및 기관에 머물러 있는 환자들에게 주로 적용하는 방법으로, 사회 및 정신적 부적응 치료와 재활을 위해 주변환경 변화에 초점을 두는 치료법이다. 환자들이 시설에서 벗어나 바깥세상에서 겪게 될 여러 어려움을 극복하기 위해서는 현실적 경험 및 상호 관계형성을 미리 습득해야 한다. 이를 위해서는 전문적으로 훈련을 받은 의료진의 상주가 필수적이며, 고도로 구조화된 환경을 갖추고 치유에 필요한 사회적 측면들이 모두 구비되어야 한다. 이런 입장에서 환경치료는 치료적 공동

ㅎ

체(therapeutic community)라는 용어를 만들었다. 이는 환자가 접하고 있는 모든 것, 의사나 간호사 같은 치료진뿐만 아니라 다른 환자들, 기관 내 직원, 시설 및 규범, 기구, 제도 등 환자를 둘러싸고 있는 모든 것을 포함하는 개념으로, 모든 것이 치료적으로 구성되어 있어야 한다는 의미를 담고 있다. 1940년대까지 세계는 두 차례의 세계 대전을 겪었고, 그 여파로 영국에서는 일대일 치료방식이 제대로 행해질 수 없게 되었다. 그런 시대적 상황에서 치료적 공동체 형성은 불가피해졌고, 시설 및 기관 내에서의 환경치료가 실질적으로 행해지게 되었다. 이전까지 기관이나 병원에서 행해지던 권위적이고 억압적인 태도 대신 환경치료에서는 치료진과 함께 환자도 참여자로 인정하면서 민주적 병실 운영체제를 이루어 나갔다. 이에 따라 환자도 입원부터 시작되는 모든 치료과정을 알고 그에 대한 결정권을 가지며, 그에 따른 책임까지 지게 되었다. 1960년대 이후 환경치료는 정신장애인의 지역사회 관리라는 정신보건의 시대적 흐름을 주도하는 데 결정적 역할을 하였다. 현재는 거의 모든 대학 병원급 이상의 정신과 병동에서 각자 조건에 적합한 환경치료 모형을 운영하고 있다. 환경치료사는 치료공동체 내의 환자들에 대한 치료, 상담 등에 대한 배경지식을 제대로 갖춘 전문가여야 한다. 이 같은 환경치료는 19세기부터 임상에 적용되어 오면서 환자들이 인간 상호작용 및 행동에 필요한 기술을 습득하는 데 이용되었다. 프랑스어로 환경(milieu)이라는 말은 '중간 장소(middle place)'라는 뜻으로, 이 치료법의 안전성에 관한 의미를 담고 있다. 정신질환을 앓는 환자를 인격파탄자나 위험한 인물로 보지 않고 인간의 기능한 부분이 제대로 작동하지 않는 일반 환자로 인식하면서 그들을 위한 인적, 물적 자원을 활용하여 새로운 환경을 도입하고 그들의 자율성을 보장해 주고자 하는 것이 환경치료의 목적이다. 환경치료 참여자들은 고립되지도 않고 연구에 이용되지도 않으며, 감독체제하에 놓이지도 않는다. 이들은 단지 치유목적으로 통제된 환경에서 함께 생활하고, 치료사는 이런 과정을 지켜보면서 시작부터 중핵적 역할을 맡는다. 환경치료는 환자들의 정신 안에서 건강하고 긍정적인 요소들을 찾아내어 이를 키워 줌으로써 사회에 건강하게 복귀하도록 해 주는 치료방법이다. 환경치료는 외래환자에게도 활용하지만, 입원 중인 환자에게 적용하는 경우가 많다. 주로 30명 내외의 집단구성원으로 9~18개월 정도 함께 생활하면서 환경치료를 수행하는데, 이때 참여자들은 자신 및 단체의 타인에 대한 책임까지 함께 진다. 집단 내 비슷한 동료들의 상호작용, 신뢰, 안전감, 생활의 반복 등이 복합적으로 활용되면서 치료적 환경이 참여자들의 심리적 문제에 영향을 주어 건강한 생활양식을 지속적으로 습득할 수 있도록 한다. 환경치료가 성공하기 위해서는 지지, 구조, 반복, 지속적 기대 등이 필수적이다. 따라서 다른 치료보다 치료사의 역할이 중요하고 복잡하다. 환경치료사는 역할모델이 되는 동시에, 집단에서 기대되는 행동을 직접 보여 줄 수 있어야 하며, 집단규범을 개발하고 권위적 인물로서 질서를 만드는 데도 결정적인 역할을 담당해야 한다. 또한 집단구성원들이 치료종결 후 자기관리를 할 수 있도록 지도하는 것도 매우 중요하다. 환경치료사에게는 환자들의 안전하고 양육적인 분위기 조성 및 유지에 대한 의무가 있다. 또 환자 사정, 치료계획 개발, 집단치료 촉진, 환자 행위 및 상호 간 행위에 관한 감독, 개입, 환자 진행과정 평가, 가족면담, 공동체 기관과의 협의, 직원감독 등에 대한 의무도 있다. 한편, 환경치료는 비교적 긴 시간이 필요하지만 안전하고 신뢰할 수 있는 주변 분위기를 조성할 수 있다. 집단구성원들은 그 분위기 내에서 자신의 행동 변화를 편하게 시도해 볼 수 있고, 판단이나 보복에 대한 두려움 없이 자신의 깊은 상처나 비밀에 대해 말할 수 있으며, 다른 집단구성원들과의 갈등 속에서도 건강한 공감 및 이해를 해 나갈 수 있다. 이외에도 혼자라는 고독감을 줄이고, 새로운 생각을 발전시키며, 자신의 어려움에 대처할 수 있는 방법을 환경 안에서 심도 있게 배울 수 있다. 환경치료는 주로 성격장애나 행동문제에 많이 활용되고, 알코올 및 약물중독 환자들의 재활에도 효과적이다. 참여자들의 주변환경을 통제하고 생활 전반을 설계하여 안전한 기관 및 시설 내에서 행해지기 때문에, 매우 강력한 힘을 갖지만 다른 치료양식보다 치료사의 영향력이 지배적이라는 점을 유의해야 한다.

관련어 ┃ 환경요법

환기적 반응
[喚起的反應, evocative responding]

정서중심부부치료에서 부부간 모호한 경험에 집중하는 대신 정서에 집중하도록 하는 기법. 정서중심부부치료

'evocative(환기적)'는 라틴어의 'evocare(부르다)'라는 단어에서 유래하였다. 즉, 부부간 대화에서 표면적이고 불분명한 사건과 경험에 집중하는 것에서 연관된 정서에 집중하여 이를 명확히 하도록 유도함으로써 이전과는 다른 방식으로 해당 경험과 사건을 인식하도록 도와주는 것이다. 부부는 이를 통하여 새로운 변화에 대한 가능성을 깨닫는다. 부부의 환기적 반응을 위한 치료자의 반영과 질문에는 전문가적인 지식이나 의견, 가치관 등이 포함되지 않도록 주의해야 하며, 내담자들이 자신의 경험과 관련된 정서를 명확히 하고 이를 조직화하여 상징화할 수 있도록 도움을 주어야 한다.

관련어 ┃ 강조, 공감적 추측, 자기개방

환상
[幻想, fantasy]

부정확하고 잘못된 지각적 인상, 또는 실제 지각상의 잘못된 해석. 분석심리학

환상은 사고의 콤플렉스, 정신에너지의 표현된 흐름을 나타낸다. 이러한 환상은 원인과 목적으로 이해할 수 있다. 환상은 원인적 측면에서 해석할 경우 생리학적 상태의 증상처럼 보일 수 있고, 선행사건의 결과일 수 있다. 목적론적 측면에서 해석할 경우에는 상징처럼 여겨질 수 있고, 명백한 목표를 나타내기 위해 추구하는 것이거나 미래심리적 발달경로를 추적하기 위한 것일 수도 있다. 융(C. G. Jung)은 활성화된 환상과 비활성화된 환상을 구분하였다. 활성화된 환상은 직접적 무의식적 내용의 지각을 향한 직관적 태도에 의해 환기되며, 비활성화된(수동적) 환상은 자연발생적이고 자율신경적인 무의식적 콤플렉스의 징후다. 그러므로 수동적 환상은 항상 의식적 비난이 필요하다. 활성화된 환상은 오직 무의식적 반대의 관점을 강화하지 않도록 하는 반면, 무의식에 반대되지 않는 의식적 태도를 제공함으로써 비난을 요구하지 않는다. 융은 동화된 환상의 의미방식으로서 적극적 상상의 방법을 개발했는데, 중요한 것은 해석만 하는 것이 아니라 환상에 대해 경험하는 것이다. 무의식적 환상의 계속되는 의식화, 환상적 사건에서의 적극적 참여는 다양한 무의식적 내용이 전개한 의식의 효과다.

관련어 ┃ 적극적 상상

환상문기법
[幻想門技法, fantasy door approach: FDA]

내담자와 치료자가 함께 해결과 변화를 향한 적절한 수단으로서 창조한 문을 열고 들어서게 하는 최면기법. 최면치료

최면상담의 기법으로, 내담자와 상담자가 함께 유도한 환상으로서의 문은 보편적인 호소력을 가지고 뜻 깊은 변화를 대변하여 개인적 차원에서 의미 있게 작용한다. 주된 초점은 내담자가 지각하는 세계와 변수로, 환상 속의 문을 열고 들어섬으로써 현재를 새롭게 재정의하고 원하는 방향으로 현재를

재창조할 수 있도록 해 준다. 이는 현상학적 접근과 게슈탈트적 요소를 강조하며 환상-이미지 기법, 좌-우뇌 반구 기능의 원리를 이용하는 것으로, 공동작용의 과정(synergic process)이며 함께 일하는 것 (Coulter, 1976)을 의미한다. 다시 말해 환상문기법은 서로 다른 생각이나 기능이 함께 작용하거나 일함으로써 부분의 합계 이상의 의미, 즉 게슈탈트와 같은 새로운 총합을 이루어 내는 것을 말한다. 이렇듯 치료자와 내담자의 공동작업을 통하여 출현한 것으로 좌-우뇌 반구의 의사소통과 연결성, 즉 시너지가 초래될 수 있는 기법이다. 환상문기법은 구체화-응고화 또는 구체화 단계, 이완 단계, 유도된 환상 단계, 문으로 가기의 4단계로 구성된다. 구체화-응고화 단계는 내담자가 고통스럽고 마비된 정서를 상상을 통하여 특정 물질이나 물리적 대상으로 전환하는 단계다. 이는 내담자의 문제를 명료화하도록 해 준다. 이완 단계에서는 환상이완기법의 카운트다운을 통하여 내담자를 이완시킨다. 유도된 환상 단계는 문으로 가는 유도된 환상이 이루어지는 단계다. 이때 내담자의 지각적 장에 적합한 기법이 중요한데, 예를 들어 폐쇄공포증이 있는 사람에게 동굴이나 터널 속에서의 이완이나 상상은 적절하지 않다. 또한 내담자의 경험에 합치되는 유도가 중요하다. 내담자가 느끼는 자기만의 장소에서 관련한 상상을 하게 하는 것은 결국 그의 지각적 장에서 전략을 구성하고 실행하도록 하는 것이기 때문에 효과가 크다. 마지막 단계인 문으로 가기에서 중요한 것은 문 뒤쪽에서 일어나는 일이다. 여기서 내담자는 성장을 방해하고 좌절을 불러일으킨 문제와 만나게 되는데, 이때 새로운 각성이 일어나거나 새로운 발견을 하거나 새로운 해결을 찾는다.

관련어 | 최면, 최면상담

환상이완기법
[幻想弛緩技法, fantasy relaxation technique: FRT]

환상연습을 통하여 원지 않는 행동이 일어나기 전에 나타나는 신체적 단서를 찾아서 통제할 수 있도록 해 주는 최면상담 전략의 하나. **최면치료**

내담자는 불안상황 직전에 나타나는 최초의 신체적 단서를 만날 때까지 특정 장면을 생각하는 환상연습을 충분히 하고, 신체적 단서가 나타나면 바로 카운트다운을 하여 자기이완을 실시한 뒤 그다음 장면의 상상으로 넘어간다. 마찬가지로 다시 불안을 일으키는 신체단서를 만나면 자기이완을 실시하고, 더 이상 신체단서를 만나지 않을 때까지 환상과 이완의 과정을 반복하는 것이다. 이는 상담의 전체 과정에 적용되는 것이 아니라 전체 과정의 한 부분, 특히 실행단계에 적용된다. 이 기법은 보다 큰 의미에서 성장을 향한 움직임을 방해하는 원지 않는 행동을 내담자가 극복하고 통제할 수 있도록 한다는 데 가치가 있다. 따라서 이를 통하여 우리는 정신적 공황이나 후속적인 문제행동의 유발로 이어지는 신체적 초기 단서를 각성할 수 있으며, 바로 그때 즉각적인 이완상태로 가는 반응을 한다. 그 결과 정신적 혼란상태에서 벗어날 수 있는 것이다. 이는 행동주의적이고 절충주의적 기법으로, 누구나 쉽게 익힐 수 있는 간단한 기법이다. 먼저 환상이완기법은 원지 않는 행동을 변화시키기 위한 효과적인 수단이 될 수 있다는 점에서 행동주의적 기법이다. 한편으로 환상이완기법은 행동주의 기법인 탈감법 및 상호 제지법과 매우 유사하지만 다음과 같은 점에서는 차이가 있다. 첫째, 환상이완기법은 일반적으로 한두 회기 정도만 실시하는 간단한 기법이다. 둘째, 환상이완기법은 불안유발자극의 위계를 사용하지 않지만, 내파치료처럼 문제가 되는 자극에 바로 적용된다. 셋째, 환상이완기법은 원지 않는 행동이 일어나기 전에 나타나는 신체적 단서에 초점을 맞춘다. 다음으로 환상이완기법의 절충주의적 특성은 인본주의적 치료, 실존주의적 치료, 그리고 게슈탈트 치료적 속성을 모두 포괄하고 있다는 점이다. 먼저 환상이완기법의 인본주의적 측면은 인간이란 반응적인 존재일 뿐만 아니라 앞을 내다보고 행동하며 미리 대책을 강구하는 존재로서 스스로의 성숙과 성장을 경험할 수 있다고 가정한다는 점이다. 이 입장에서는 인간의 전체성을 가정하며, 인지적 · 정서적 · 신체적 차원의 통합으로 자기통제를 지향하고, 통제력을 학습할 수 있다고 본다. 그리고 환상이완기법을 통하여 이루어지는 신체적 각성은 바이오피드백 기제를 사용하지 않고도 즉각적으로 신체상태에 대해서 피드백하는 역할을 한다. 다음으로 환상이완기법의 실존주의적 측면은 인간이란 자신의 행동을 선택할 수 있고 통제할 수 있으며, 자신의 행동에 대해서 책임을 질 수 있는 존재란 점이다. 마지막으로 환상이완기법의 게슈탈트적 측면은 인간의 통합성과 전체성을 가정하고, 전경 · 배경의 원리를 사용할 뿐 아니라 게슈탈트적인 각성의 개념에 의존한다는 점이다.

관련어 | 게슈탈트, 실존주의, 인본주의, 최면, 최면상담, 행동주의

환언적 진술
[換言的陳述, reduction statement]

정신분석 놀이치료에서 사용하는 진술 중 하나로, 외견상 다른 사건을 일상적 형태로 가져와 아동이 인지하지 못하던 행동의 패턴을 말해 주는 진술. 놀이치료

환언적 진술은 루이스(M. Lewis)가 분류한 정신분석적 놀이치료에서 놀이에 대한 해석을 진술하는 방법 중 하나다. 정신분석적 놀이치료에서 놀이에 대한 해석을 어떻게 하는가에 따라 아동 자신의 자각과 통찰에 영향을 준다. 루이스는 주의진술, 환언적 진술, 상황적 진술, 전이해석, 원인적 진술의 측면으로 설명하였다. 그중 환언적 진술은 전혀 다른 사건이나 행동을 일상적인 형태로 끌어내림으로써

행동의 미처 모르던 유형을 알아차리도록 하는 것이 목적이다. 예를 들면, 어른이 조금만 참견을 하거나 지시를 해도 화를 내는 아동에게 "너는 무엇이든지 혼자서도 잘한다고 생각하는구나." "네가 항상 잘해야 한다고 생각하는구나."라고 진술해 줌으로써 아동이 보여 주는 여러 행동을 통하여 반복되는 행동유형을 찾아낸다.

관련어 | 상황적 진술, 주의진술

환유
[換喻, metonymy]

어떤 사물을 그것의 속성과 밀접한 관계가 있는 다른 낱말을 빌려서 표현하는 수사법. 문학치료(은유치료)

제유와 대유의 개념을 환유와 혼동하는 경우가 많은데, 제유는 사물의 한 부분으로 그 사물의 전체를 나타내는 수사법이고, 대유는 제유와 환유를 포함하는 말로 앞의 두 개념보다 상위의 개념이면서 제유와 환유를 구별하지 않는 경우에 흔히 사용하는 말이다. 또 은유와 환유도 자주 비교되는데, 이것들은 표현하고자 하는 대상을 다른 대상에 비유하여 표현하는 수사법인 비유법에 속한다. 은유는 사물의 상태나 움직임을 암시적으로 나타내는 수사법이고, 환유는 어떤 사물을 그것의 속성과 밀접한 관계가 있는 다른 낱말을 빌려서 표현하는 수사법이다. 예를 들어, '내 마음은 호수'는 은유이고, 한민족을 '백의(白衣)'로 표현한 것은 환유다. 은유와 환유는 근본적으로 그 기능이 다르다. 은유는 이해와 해석에 대한 것으로서 하나의 현상을 다른 것에 관한 현상으로 묘사하여 이해하거나 설명하는 수단이 되는 데 반해, 환유는 참조함에 대한 것으로서 구성부분이나 상징적으로 연결된 다른 어떤 것을 언급하여 사물이나 존재를 명명하거나 정의하는 방법이 된다. 은유가 현실의 한 수준에서 다른 수준으로 그 속성을 이항하는 것으로 효과를 내는 것이라면, 환

ㅎ

유는 동일한 수준 내에서 의미를 연관시켜 효과를 내는 것이다. 현실을 재현하는 것은 어쩔 수 없이 환유어를 포함할 수밖에 없다. 우리는 전체에 입각한 현실의 부분을 선택한다. 은유는 사물 간의 관계를 창조하고, 환유는 그 관계의 의미를 내포한다. 환유라는 낱말은 명칭의 변화라는 의미를 가진 그리스어 'metōnymia'에서 유래하였다. '~뒤에' '~넘어'라는 의미의 'metá'에, 이름이라는 의미를 가진 'ónyma' 혹은 'ónoma'에서 나온 말의 비유를 명명하기 위해서 사용된 접미사가 붙어서 만들어진 단어다. 환유와 은유가 자주 비교되는 것은, 두 비유법이 하나의 용어를 다른 것으로 대체한다는 공통점 때문이다. 은유의 대체는 구체적인 유사성에 근거를 두고, 환유는 인접성에 근거를 둔다. 환유가 두 개념 간의 인접성 혹은 그 연관성에서 효력을 발생시키기 때문에 환유를 사용할 때는 하나의 지시대상을 다른 것으로 완전히 그 속성을 바꾸어 버리는 은유와는 달리, 그 지시대상이 가지고 있는 속성은 그대로 유지된다. 환유는 개념상 다의성을 띤다. 동일한 낱말형태가 의미상으로는 상이한 여러 뜻을 가진다는 말이다. 예를 들어, 펜(pen)이라는 낱말은 필기도구(writing instrument)라는 의미를 가지면서 동시에 우리(enclosure)라는 의미도 가진다. 이 둘은 동음이의어가 된다. 수사학적으로 환유를 말할 때는 다른 시간이나 공간 안에서 그것에 인접한 것을 언급하여 간접적으로 어떤 것을 묘사하는 전략이 된다. 정신분석학자인 자크 라캉(Jacques Lacan)은 유사성에 의한 은유와 인접성에 의한 환유를 대비시키면서 인간이 지니고 있는 언어와 정신의 본질을 설명하였다. 그는 인간의 무의식은 언어처럼 구조화되어 있다는 말을 통해서 인간의 주체가 지닌 비유적 속성을 설명하고, 인간의 분열된 주체는 은유와 환유로 구성되어 있다고 주장하였다. 그의 주장에 따르면 인간의 주체가 은유와 환유로 구성되어 있으므로 인간의 정신과 인간의 욕망도 무의식과 언어처럼 은유와 환유의 구조로 되어 있다. 그의

관점에서 보는 환유는 욕망의 기제다. 주체는 타자의 욕망을 욕망하기 때문에 이 욕망은 절대 충족되지 않는다. 본질적인 주체의 욕망은 숨겨 두고, 계속해서 마치 태양 주위를 도는 행성들처럼 주체는 타자의 욕망을 좇아 실제 자신의 욕망을 선회하게 되는 것이다. 이는 인접성으로 설명되는 환유의 기능과 일치한다. 라캉은 압축(compression)과 전치(displacement)에 은유와 환유를 대입하여, 압축은 유사한 여러 요소를 하나로 묶는 유사성에 기초한 은유로 보고, 전치는 인접성에 근거한 연관성으로 그 입장을 바꾸는 것이므로 환유로 보았다. 움베르토 에코(Umberto Eco)는 은유와 환유는 깊이 연관되어 있어서 두 메커니즘은 상호작용을 한다고 주장하였다. 그는 모든 은유는 뿌리를 거슬러 올라가 보면 부호체계를 구성하고 부분적이건 전체적이건 모든 의미장의 구조가 기초하는 일련의 환유적 연관성과 만난다고 하였다. 축어적 관념과 비유적 관념 사이에 상호작용이 일어난다는 것은 이미 이 둘이 환유적 관계를 맺고 있음을 말해 주는 것이다. 은유가 한 사물의 관점에서 다른 사물의 관점을 말하는 것이라면, 환유는 한 개체를 그 개체와 관련 있는, 혹은 그 개체와 인접한 다른 개체로 말하는 방법이라고 할 수 있다. 은유의 기능이 주로 사물이나 개념을 이해하는 데 있다면 환유는 사물이나 개념을 지칭하는 데 그 기능이 있다. 은유가 이해를 위한 장치라면 환유는 지칭을 위한 장치다. 환유는 상징 발생에 주요한 역할을 하기도 한다. 환유로 말할 수 있는 것들이 문화적인 속성이 강하기 때문이다. 문화가 변모하면 그 시대 안에서 공통된 의미를 생성하던 상징은 사라지는 것처럼 환유는 확고한 문화적인 관습에서 설득력이 생긴다. 러시아 출신의 미국 언어학자이면서 프라하학파의 창시자인 로만 야콥슨(Roman Jakobson)은 은유와 환유의 성격을 밝혀내는 데 크게 이바지하였다. 그는 실제 비평에 자신의 업적을 적용해서, 18세기에서 19세기 낭만주의 예술에서는 은유적 성격이 강하고 19세기 중엽 이후 리

얼리즘 예술에서는 환유적 성격이 강하며, 세기말 문예사조라 할 수 있는 상징주의에서는 은유적 성격이 강하다고 하였다. 그에 따르면 문학장르에서도 시는 은유적이고 소설은 환유적이라고 할 수 있으며, 연극은 은유적이고 영화는 환유적이라고 하였다.

<u>관련어</u> 은유

활동기대수명
[活動期待壽命, active life expectancy]

장애가 생겨서 기능수준이 바뀌기 전까지의 연수. `중노년상담`

활동기대수명은 65세 이상 성인의 건강이나 서비스 필요성을 결정하는 중요한 요인이다. 일상생활의 활동과 관련된 장애는 65세 이후 급격하게 증가하고 노인이 되면 집 밖에서 이동하는 능력이 감퇴되며, 특히 양로시설에 거주하는 연약한 노인들은 대체로 비활동적이다.

활용
[活用, utilization]

최면치료과정에서 내담자가 드러내는 모든 정보를 이용하는 기법. `최면치료`

에릭슨 최면의 주요 치료기법으로, 내담자의 변화를 효과적으로 유도하고 치료하기 위해 내담자의 신념, 좋아하는 단어나 말, 문화적 배경, 개인사뿐 아니라 심지어 신경증적 습관까지 치료적 수단으로 이용하는 것이다. 즉, 상담상황에서의 모든 것을 치료에 이용하는 독특한 치료기법이다. 활용의 원래 의미는 특정 목적을 위하여 주변의 자원을 이용한다는 것이다. 상담자는 정형화된 기법을 사용하기보다 시시각각으로 변하는 내담자의 반응이나 욕구뿐만 아니라 주변환경이나 상황에 맞추어 반응하는 것으로, 외부에서 무엇을 주입하기보다는 이미 인간 내부에 존재하는 무의식적 자원과 학습을 이용하고 활성화한다. 따라서 가장 인간중심적인 기법이라고 할 수 있다. 에릭슨(Erickson)은 내담자의 저항도 오히려 상담의 재료로 이용하였는데, 내담자의 저항을 수용하고 인정하며 지지함으로써 내담자 스스로 저항을 해결하도록 하였다. 효과적인 활용을 위해서는 내담자의 자원을 발견하고 가치를 진단하며 자원을 개발한 다음 문제로 연결하는 절차와 단계를 참고해야 한다. 활용의 구체적인 종류로는 내담자의 언어, 흥미와 동기, 신념과 참조 체제, 행동과 증상, 바이오 라포, 반대 세트와 노 세트 등이 있다.

<u>관련어</u> 노 세트, 반대 세트, 에릭슨 최면

황혼증후군
[黃昏症候群, sundowning]

노년기에 이르러 해가 지거나 밤이 되었을 때 장애행동이 악화되고 흥분되거나 사고가 혼란스러워지거나 방향감각이 상실되는 증상. `중노년상담`

저녁이나 밤에 집 주변 걸어 다니기, 주방의 가전제품 켜 놓기, 텔레비전이나 라디오 등을 크게 틀어 놓고 보거나 듣기 등이 이 증상에 속한다. 알츠하이머 환자의 약 20% 정도는 이 같은 증상을 보이며, 행동이 주로 밤에 나타나기 때문에 알츠하이머 환자를 돌보는 가족들은 밤잠이나 휴식에 방해를 받아 큰 부담이 되고, 이런 이유로 환자를 입원시키려고 한다. 이러한 증상은 매일 거의 같은 시간대에 발생하므로 일주기리듬의 손상이라 할 수 있다. 따라서 증상을 개선하기 위하여 새틀린, 볼리서, 로스, 헤르츠와 캠벨(Satlin, Volicer, Ross, Herz, & Campbell, 1992)은 알츠하이머 환자에게 적절한 시간에 밝은 빛을 제공하는 것이 문제행동이나 수면 문제를 감소시키는 데 긍정적인 효과가 있음을 보고하였다.

ㅎ

회광반조
[回光返照, when mind's light returns]

불교의 개념으로서 빛을 돌이켜 거꾸로 비춘다는 뜻으로 각 개인은 자신의 본심, 즉 참나를 다른 데서 찾으려 하지 말고 자기 자신을 돌아보고 찾으라는 말. 동양상담

불교의 선종에서 '자신의 욕망을 외부에서 찾으려고 하기보다는 자기 내면으로 돌이켜서 자성을 직시한다.'는 뜻으로서 선을 수행하는 하나의 방법이 될 수 있다. 임제(臨濟) 스님은 깨침이 무엇인지 묻는 제자에게 "너의 묻는 말 속에 문득 회광을 반조할 수 있으니(즉, 너의 마음의 빛을 돌이켜 비추어 보면 거기에 깨침의 길이 들어 있으니) 따로 구할 곳이 없다. 네 몸과 마음이 바로 부처와 조사인 것을 알았다면 따로 더 할 일이 없다. 그것이 바로 도의 자리다."라고 말하였다. 『임제록(臨濟錄)』을 보면 "그대는 말이 떨어지자마자 스스로 돌이켜 비추어 보라. 다른 데서 구하지 말지니, 그대 몸과 마음이 조사님이며 부처님과 한 치도 다르지 않음을 알아야 한다(爾言下便自回光返照，更不別求，知身心與祖佛不別)."라고 되어 있다.

회귀분석
[回歸分析, regression analysis]

하나의 종속변인에 영향을 주는 변인이 무엇이고 그 변인 중 가장 큰 영향을 미치는 변인이 무엇인지, 또 종속변인을 설명해 줄 수 있는 가장 적합한 모형이 무엇인지를 밝히는 통계적 방법. 통계분석

회귀분석은 상관계수에 기초하며 종속변인이 양적 변인이고 독립변인이 양적 변인 혹은 질적 변인일 때 사용할 수 있다. 이를테면 복수의 변인 간 관계를 기술할 때, 변인 X의 변화에 대응하여 변인 Y가 변화한다고 하면 거기에는 어떤 함수관계가 존재하며 $Y=f(X)$로 나타낸다. 이때 X를 독립변인(예측변인), Y를 종속변인(기준변인)이라고 부르며, X에 의하여 Y를 예측하는 분석을 회귀분석이라고

한다. 독립변인이 하나면 단순회귀분석(simple regression analysis), 독립변인이 다수면 중다회귀분석(multiple regression analysis)이라고 한다. 회귀분석을 사용하기 위해서는 종속변인이 양적 변인이어야 하고 종속변인은 정규분포 가정을 충족해야 한다. 회귀선(regression line)은 변인에 대한 최적의 예측을 제공하는 방정식을 기초로 한다. 회귀선 방정식을 통하여 연구자들은 주요 변인에 대해 가장 적합한 선을 결정하게 된다. 최적의 선이란 산포도의 모든 점에 가장 가까운 예측을 하는 선이다. 이 선으로 종속변인과 독립변인 간의 관계를 연구할 수 있다. 회귀선을 결정하기 위해 이용하는 회귀방정식은 $Y=bX+a$로 표현된다. 방정식에서 Y값은 예측된 독립변인값이고, b는 회귀의 기울기인데, 이는 독립변인 때문에 종속변인이 변한 정도에 따라 나타난다. 여기서의 b를 회귀계수라고 부른다. 회귀방정식에서 X값은 독립변인의 점수값이다. 마지막으로 방정식에서 a는 Y절편을 나타낸다. 방정식의 Y절편은 독립변인(X)이 0일 때 종속변인의 값에 관한 정보를 제공한다. 이 방정식에는 중다회귀방정식의 경우처럼, 추가적인 예측변인도 포함될 수 있다. 방정식에서 Y값은 모든 독립변인값과 표준편차값을 조화시키는 역할을 한다. 중다결정계수(R)는 두 변인 간에 공유된 관계를 나타낸다. 종속변인의 가변성 정도는 독립변인의 값에 포함될 수 있다(Mertler & Vannatta, 2005). 다시 말해, 중다결정계수를 통하여 연구자들은 종속변인값을 알 수 있고, 예측할 수 있는 종속변인에서 관찰되는 차이가 어느 정도로 큰지 파악한다. 예를 들어, 한 상담자가 치료양식(즉, 독립변인)을 토대로 치료결과(즉, 종속변인)를 연구하고자 할 경우, 치료양식에 의해 설명되는 치료결과의 정도를 알아보기 위해 중다결정계수를 조사할 수 있다. 단순회귀분석은 독립변인을 측정함으로써 종속변인을 예측하는 통계적 절차다. 단순회귀분석을 할 때 독립변인은 종속변인을 결정하는 데 이용되는 변인이 되며, 따라서 단순

회귀분석를 통하여 예측변인으로 알게 된 정보를 토대로 주요 변인에 관한 예측을 한다. 만일 학교상담자가 조기대학 프로그램에 학생들이 성공을 할지 예측하고자 한다면, 회귀분석을 이용할 수 있다. 예를 들어, 상담자는 학생의 성적(즉, 예측변인)을 토대로 조기대학 프로그램(즉, 기준변인)에서 학생의 성공 여부를 예측할 수 있다. 중다회귀분석은 단순회귀분석을 확장한 것이지만 하나의 예측변인(즉, 독립변인)을 이용하는 대신 여러 예측변인을 이용한다. 중다회귀분석에서는 예측변인들을 조합하여 기준변인(즉, 독립변인)에 미치는 영향을 조사한다. 따라서 예측변인을 이용하여 얻은 정보로 종속변인값에 관한 정보를 얻을 수 있다. 가령, 직업교육상담자가 고용성공률(즉, 기준변인)을 예측하고자 한다면 수입, 교육, 지역(즉, 예측변인)에 관한 정보를 수집할 것이다. 이러한 예측변인들은 고용성공률에 영향을 미쳐 앞으로의 고용성공률과 관련한 예측을 가능하게 한다. 중다회귀분석에서 각 독립변인이 종속변인에 영향을 주는 정도는 회귀계수인 B나 표준화 회귀계수인 β로 설명할 수 있다. 일반적으로 회귀계수인 B가 높을수록 각 변인의 영향력은 크다고 볼 수 있지만 각 변인들의 측정치가 다르므로 쉽게 단언할 수는 없다. 독립변인들의 각기 다른 측정치를 표준화하여 각 독립변인이 종속변인에 주는 영향을 분석하기 위해서는 표준화 회귀계수인 β를 참조한다. 회귀분석과 개념적으로 동일한 것으로 로지스틱 회귀분석(logistic regression analysis)이 있다. 종속변인이 양적 변인일 때 종속변인에 영향을 주는 변인을 찾아내는 방법이 회귀분석이라고 한다면, 종속변인이 집단을 두 집단으로 나누는 이분변인일 때 사용하는 통계적 방법이 로지스틱 회귀분석이다. 이분변인은 두 범주로 구분되는 변인으로 옳음-그름, 합격-불합격, 처치 집단-비처치 집단 등의 경우를 생각할 수 있다. 예를 들어, 자격시험에 합격한 집단과 불합격한 집단에 영향을 주는 독립변인이 무엇이지, 그리고 집단분류를 어떤 변인들이 얼마만큼 설명하고 있는지를 로지스틱 회귀분석으로 설명할 수 있다. 로지스틱 회귀분석은 두 집단 판별분석(discriminant analysis)과 유사하지만, 종속변인의 정규분포 가정과 등분산성(homoscedasticity) 가정충족 여부에 제한을 받지 않을 뿐만 아니라 회귀분석과 매우 유사하기 때문에 좀 더 선호한다.

관련어 │ 상관계수

회원재구성 대화
[會員再構成對話, re-membering conversation]

인간의 삶을 '클럽'이라는 은유를 적용하여 볼 때, 내담자의 대안적 이야기와 함께 새로운 인생을 살아가는 클럽의 회원재구성을 통해 삶의 정체성을 재구조화하려는 이야기치료 대화기법의 하나. 이야기치료

회원재구성 대화는 이야기치료이론을 창설한 화이트(M. White)가 1988년 발표한 논문 「Saying Hello Again: The incorporation of the Lost Relationship in the Resolution of Grief」에서 사랑하는 사람과 이별한 사람들의 슬픔을 다루는 것을 연구하는 과정에서 시작되었다. 그는 논문에 대한 은유를 탐색하던 중 마이어호프(Myerhoff, 1982)의 책에서 '회원재구성'이라는 단어에 영감을 얻어 회원재구성대화를 발전시켰다. 회원재구성, 즉 're-membering'은 회상하기라는 뜻인 'remembering'과는 다른 단어다. 이는 글자의 재미있는 조합으로 새로운 뜻을 표현한 것인데, 쓰인 글자조합의 의미 그대로 're-'라는 '다시'의 의미를 가진 접두사와 'membering(회원구성)'이라는 단어를 의도적으로 조합한 형태다. 이렇게 조합한 글자의 의미는 '회원재구성'이 되는 것이다. 회원재구성대화는 인간이 삶을 살아간다는 것은 인생이라는 거대한 클럽의 한 회원으로 살아가는 것이라는 은유적인 표현 속에서, 인생의 클럽 속에서 대안적 이야기로 새롭게 구조화된 삶을 살아가기 위해서는 클럽의 구성원도 새롭게 구성해야 한다고 설명한

ㅎ

2307

다. 즉, 이전과는 다르게 재구조화된 삶의 이야기를 살아가는 내담자이므로, 이전의 삶과는 다른 구성원들과 새로운 정체성을 가진 삶을 살아가야 한다는 은유적인 의미가 담겨 있다. 이렇게 새로운 회원들로 구성된 내담자의 삶은 이전과는 다른 보다 만족스러운 삶을 위해 재구조화된 이야기의 영향력 아래에서 새로운 정체성을 형성하게 된다. 또한 내담자는 회원재구성 대화를 통해 자신의 삶에서 여러 가지 부정한 영향을 주고받던 관계를 보다 긍정적으로 재구조화하여 자신의 정체성을 재구성할 수 있는 기회를 얻는다. 회원재구성 대화는 종종 영어 원어를 그대로 직역한 '회상대화'로 번역되기도 하는데, 단순히 내담자의 과거에 대하여 수동적으로 회상하는 것에 그치는 것이 아니라 보다 적극적이고 능동적으로 과거의 삶에 존재했던 관계를 재정립하고 의도적으로 삶을 재구조화하는 것을 목표로 한다는 점에서 '회원재구성 대화'라는 번역이 보다 적합하다. 회원재구성 대화에는 내담자의 대안적 이야기와 관련 있는 과거의 이미지에서 기억되는 어떤 사람, 혹은 생각이나 단어, 읽었던 글, 노래, 특정한 하나의 장면 등 그 어떤 것도 대상이 될 수 있다. 치료자는 특정한 이미지에 대하여 내담자가 느끼는 감정이나 정체성에 대해 이야기하도록 하고, 또한 그 이미지의 시각에서 내담자의 새로운 모습을 바라볼 때의 가치나 정체성에 대하여 생각해 보도록 한다. 이렇게 재구조화된 새로운 이야기가 현재의 삶에서 가지는 의미 및 영향력과 연결되어, 현재의 재구조화된 새로운 이야기(새로운 회원권)가 자신의 삶을 어떻게 바꾸는지에 대한 생각을 강화하게 된다.

관련어 대안적 이야기, 문제적 이야기, 지배적 이야기, 회원재구성 대화의 지도

회원재구성 대화의 지도
[會員再構成對話 – 地圖,
re-membering conversations map]

재구조화된 대안적 이야기를 가지고 삶을 살아갈 내담자의 삶에 새로운 정체성을 강화해 주기 위한 회원재구성 대화의 과정을 도식화한 것. **이야기치료**

이야기치료사는 회원재구성 대화의 기법을 사용해서 인생의 클럽을 이루고 살아가는 내담자 삶의 과거, 현재, 그리고 미래를 방문해서 대안적 이야기(alternative story)를 가지고 살아가는 새로운 정체성을 지닌 클럽의 회원을 재구성하고, 새로운 의미와 영향력을 부여하는 작업을 한다. 회원재구성 대화의 특징은 이러한 작업들이 치료자가 시켜서 하는 수동적인 채집과 재구조화 작업은 아니라는 것이다. 이것은 내담자가 보다 적극적으로, 그리고 특정한 목적을 가지고 자신의 삶 속의 여러 관계와 정체성을 새롭게 재구성하는 데 그 특징이 있다. 이 같은 독특한 특징을 지닌 회원재구성 대화를 보기 쉽게 도식화한 것이 회원재구성 대화의 지도다. 이 지도는 크게 내담자 자신의 대안적 이야기와 내담자의 삶에서 현재 그 대안적 이야기와 관련해서 떠올릴 수 있는 특정한 이미지(혹은 사람, 단어, 감명받은 책이나 영화 등 어떤 것도 가능)라는 2개의 구조로 나누어서 생각하며, 그 관계성에 대해 이야기하도록 한다. 먼저, 대안적 이야기와 관련하여 떠올린 이미지가 내담자의 대안적 이야기의 영향을 받은 삶에 어떤 기여를 했는지 질문할 수 있다. 두 번째로 그 이미지의 시각에서 볼 때, 내담자의 정체성을 어떻게 규정할 수 있는지 묻는다. 세 번째에는 생각의 방향을 바꾸어서, 그 이미지에 내담자는 어떤 기여를 했는지 묻는다. 마지막 네 번째로 내담자가 그 이미지의 정체성에 대해서 어떻게 생각하고 가치를 부여하고 있는지 설명하도록 질문을 한다. 이 네 가지 질문은 순서대로 구성되는 것이 아니라 치료과정에서 대화의 흐름에 따라, 그리고 내담자와 치료사의 의지에 따라 얼마든지 순서가 바뀔 수

있다. 회원재구성 대화의 예를 보면, 자신은 사람들에게 편안함과 만족을 주는 능력이 있는 사람이라는 대안적 이야기를 가진 내담자에게 다음과 같은 질문을 할 수 있다. "다른 사람들에게 편안함과 만족을 주는 본인의 모습에 대해 알고 있는 사람이 있나요? 또는 그러한 모습과 연관되어 생각나는 어떤 이미지나 장면 혹은 읽은 책의 구절이나 단어가 떠오르는 것이 있나요?" "지금 떠올린 사람(혹은 이미지)이 지금 당신의 새로운 모습에 미친 영향은 무엇인가요?" "그 사람(혹은 이미지)이 지금 당신 모습을 보면 어떤 말을 할 것 같나요?" "당신은 지금 떠올린 사람(혹은 이미지)에게 어떤 영향을 미쳤나요(무엇을 했나요)?" "지금의 당신이 과거의 그 사람(혹은 이미지)에게 전하고 싶은 말은 무엇인가요?"

관련어 | 이야기치료의 지도, 회원재구성 대화

회전판
[回轉板, revolving slate]

사람이 삶을 살면서 일정하게 반복적으로 나타내는 행동의 형태. **가족치료 일반** **맥락적 가족치료**

회전판은 여러 행동이 세대를 지나면서 반복적으로 나타나는 것을 말한다. 사람들은 다양한 종류의 회전판 행동을 가지고 있다. 바람을 피우는 행동, 알코올중독, 이혼, 폭력, 무시 등 수많은 회전판 행동이 있는데, 바람을 피우는 행동에 대한 세대 간 회전판의 예를 보면 다음과 같다. 아버지가 바람을 피움으로써 가정을 제대로 돌보지 않는 가정에서 자란 아들이 있다. 아들은 아버지로부터 부정유산을 물려받았다. 아들은 자라면서 아버지에 대한 반항과 반발, 어머니에 대한 연민 등 복잡한 감정을 지니고 있다. 성인이 된 아들의 원장에는 부정명령에 따른 불량신용으로 채워져 있다. 따라서 아들의 자아

상은 부정적이고, 낮은 자존감과 부정적인 생각으로 가득 차 있다. 더구나 여자를 존중하는 태도보다 무시하거나 성적 대상으로만 생각하는 경향이 있다. 이 같은 사람이 성인이 되어 결혼을 하면 여자에 대한 태도 때문에 아내와 갈등을 겪게 되고 아내의 이해와 수용을 받지 못한다. 그러면 이 사람은 다른 여자와 바람을 피우면서 아내를 원망한다. 이렇게 아버지의 바람피우는 행동과 아내를 무시하는 행동이 아들 대에도 같은 방식으로 나타나는 것이다. 회전판은 다음 세대에 파괴적 부여를 만드는 역할을 한다.

효과법칙
[效果法則, law of effect]

행동의 결과가 미래의 그 행동의 재발을 통제한다는 행동수정의 원리. **행동치료**

손다이크(Thorndike)가 정립한 것으로서, 만족한 결과를 초래한 반응이 학습되고 불만족스러운 결과를 초래한 반응은 점차 하지 않게 되는 현상을 뜻한다. 이는 결국 문제해결행동의 효과가 학습을 좌우한다는 것이다. 손다이크는 장면과 반응의 결합이 형성될 때 그것이 불만족스러운 결과를 수반하면 그 결합의 강도가 약화된다고 하였다. 즉, 상은 결합을 강화하고 벌은 결합을 약화시킨다는 것이다. 손다이크는 만족에 의해서 결합의 강화가 증대하지만 불만족이 반드시 그 결합을 약화시키지는 않으며, 불만족은 행동의 변화를 일으켜 올바른 반응이 일어나는 기회를 높인다고 정정함으로써 벌의 간접적 작용을 인정하였다. 다시 말해, 인간행동이 만족감과 쾌락으로 학습되는 것만은 아니며, 처벌이나 비판 등 불만족 요인에 따라서도 학습이 강화된다고 하였다. 효과의 법칙과 학습과의 관계는 효과의 법칙을 보는 관점에 따라 세 가지로 나눌 수 있다. 첫째, 효과가 모든 학습의 근본 조건이라고 생

각하는 헐(Hull)의 강화의 법칙이다. 둘째, 효과는 학습적 습관형성의 조건은 아니지만 실행, 즉 습관의 중요한 결정자라고 생각하는 톨만(Tolman)의 접근의 법칙이다. 셋째, 자율신경계에 의해서 통제되는 정서적 조건화는 접근의 법칙으로 설명할 수 있다고 주장한 이원론이다.

효과적인 리더십
[效果的 - , effective leadership]

> 내면가족체계치료에서 가족구성원이 균형과 조화를 이룰 수 있도록 연민, 공정, 비전, 돌봄의 특성을 소유하고 있는 리더십. **내면가족체계치료**

가족이 균형과 조화를 이루고 이를 유지하기 위해서는 효과적인 리더십이 필요하다. 이러한 리더십의 자질을 소유하기 위해 요구되는 사항은 매우 다양하고 복잡하다. 내면가족체계치료에서는 효과적인 리더십을 다음의 일곱 가지로 설명하고 있다. 첫째, 자원, 책임, 영향력을 공평하게 배분함으로써 균형을 유지한다. 둘째, 경계에 대해 검토한다. 이것은 모든 가족구성원이 자신의 가치를 느끼고 가족과 연결되어 있다는 느낌을 가질 뿐만 아니라, 학습과 발달에 필요한 관심, 정보, 사생활보호를 제공받는다는 것을 확실하게 하는 것을 뜻한다. 또한 차이가 허용되고 실수가 인정되며 문제가 인지되고 꿈이 공유될 수 있는, 즉 문제나 감정이 유배되지 않는 환경을 만드는 것이다. 셋째, 가족구성원 간의 양극화 중재다. 이러한 중재가 공평하고 현명하다고 느껴질 수 있도록 구성원 간의 존중과 신뢰를 유지시키는 것이 필요하다. 넷째, 가족구성원의 발달 보살피기다. 가족구성원의 기본적인 물리적 욕구를 충족해 주고 안전한 환경을 제공하는 것이다. 그들이 상처 입거나 혹은 그들의 의견이 가족의견과 일치하지 않을 때 무시하지 않고 편안하게 해 주는 것과, 그들이 개인적 비전과 역할을 발견하고 실천할 수 있도록 격려해 주는 것이 포함된다. 다섯째, 가족과 외부체계 관련시키기다. 이는 다른 체계들과의 관계를 조화롭게 만들고 유지하는 것뿐만 아니라, 가족의 욕구와 비전을 주장하는 것이 포함된다. 또한 다른 체계로부터의 피드백을 왜곡이나 지연 없이 해석하고, 그러한 피드백이 가족의 구조나 가치의 특성 혹은 문제를 어떻게 반영하는가에 대한 안목을 가지는 것을 의미한다. 여섯째, 개인적 모델링이다. 자신을 돌보면서도 균형과 조화로운 삶을 추구하고자 하고, 보다 큰 체계를 위해 희생하려는 본보기를 구성원들을 위해 만들어 주는 것이다. 이때 그 성취과정에서의 힘든 노력을 숨겨서는 안 된다. 일곱째, 가족이 공유하는 비전 유지하기다. 조화로운 가족은 대부분 정체성이 있다. 효과적인 가족 지도자는 자신의 개인적 비전을 가지고 있을 뿐만 아니라, 다른 구성원들도 각자의 비전을 찾을 수 있도록 도움을 준다. 또한 공유된 비전을 만드는 개인의 비전 간의 공통점을 찾기 위해 가족논의를 이끈다.

후광효과
[後光效果, halo effect]

> 인물이나 사물 등 일정한 대상을 평가 혹은 관찰하면서 그 대상의 특성이나 능력이 다른 면의 특성이나 능력에도 영향을 미치는 현상. **연구방법** **학교상담**

후광효과는 대상의 특징적인 장점 또는 단점이 눈에 띄면 그것을 그의 전부로 인식하는 오류를 말하는 심리학 용어로서 광배효과(光背效果)라고도 한다. 이는 외적 특징을 잡으면 그 특징에서 연상되는 일정한 고정관념에 맞추어 대상을 완전히 이해한 것으로 짐작하는데, 어떤 사람이 가지고 있는 한 가지 장점이나 매력 때문에 다른 특성도 좋게 평가되는 것이다. 다시 말해, 어떤 관찰대상의 개개 특성에 대한 인지는 관찰자가 그 대상에 대해서 이미 특정적인 인지가 있을 때, 그것이 배경이 되어 합치하는 방향으로 편견이 생기는 수가 있다. 이와 같이 하나 또는 몇 개의 두드러진 특징을 기초로 하여 매우 호의적이거나 너무 부정적으로 개인을 평가하는 경향을 의미한다. 사람들은 타인에 대해 형성한 인상을 일관되게 유지하려는 경향이 있어서 어떤 사람에 대해 신체적인 매력을 느껴 그 사람을 긍정적으로 평가하고 나면 신체적인 매력과는 아무 관계가 없는 지적 능력이나 성격 특성까지 긍정적인 평가를 내리는 경우가 있다. 어떤 사람이 매력적이면 그 사람은 지적이고, 관대하고, 성격도 좋고, 집안환경도 좋을 것이라고 생각하는 것이다. 반면, 어떤 사람이 매력적이지 않으면 그 사람은 둔하고, 이기적이고, 성격도 나쁘고, 집안환경도 나쁠 것이라고 생각한다. 이처럼 신체적 매력이 개인의 다른 인상 평가에 긍정적으로 영향을 미치는 현상을 후광효과라 하고, 반대로 부정적인 영향을 미치는 현상을 부정 후광효과(negative halo effect)라고 한다. 상담자는 내담자의 자존감과 자기관리를 위해 후광효과를 적용하여 내담자의 적절한 특성이나 기능을 내담자의 삶에서 다른 특성과 기능에까지 긍정적으로 평가할 수도 있다. 그러나 전문상담자는 내담자의 상황을 평가할 때 후광효과의 부정적인 측면에도 유의한다. 예를 들어, 현명한 상담자는 약물남용이나 게임중독에 빠진 내담자가 아무리 옷을 잘 입고 성공한 사람이라 할지라도 후광효과의 오류를 범하지 않는다. 그리고 상담자는 내담자에게 다른 사람들에 대한 결론을 도출할 때 후광효과가 영향을 미칠 수 있다는 것을 교육할 필요도 있다. 예를 들어, 종속 의존적 습관을 극복하고자 애쓰는 내담자는 어떤 삶의 한 영역(예, 사업, 예의, 카리스마)에서 앞서가는 사람이 다른 영역(예, 친밀한 관계, 개인적 약속)에서는 앞서가지 못할 수 있다는 것을 이해할 때 큰 도움이 된다.

후기급성금단증상
[後期急性禁斷症狀, post acute withdrawal: PAW]

약물사용을 중단한 뒤 일정 기간이 지나서 나타나는 금단증상의 하나. 중독상담

이 금단증상은 알코올뿐만 아니라 아편, 벤조디아제핀, 항우울제나 기타 다른 중독성이 있는 약물을 복용한 경험이 있는 사람에게도 나타날 수 있다. 임신 중 알코올이나 중독성이 있는 약물을 복용한 엄마에게서 태어난 아이 역시 이 증상을 경험할 수 있다. 후기급성금단증상이 나타나면 집중을 잘 못하고, 단기기억장애가 나타나며, 감정의 기복이 심하고, 균형을 제대로 못 잡고 눈과 손의 방향이 일치하지 않는 등 여러 가지 신체조절능력장애가 나타난다. 증상의 강도와 빈도, 그리고 지속시간 등은 사람마다 다르게 나타난다.

관련어 │ 금단증상, 약물중독, 중독

후두엽
[後頭葉, occipital lobe]

시각자료를 분석하고 처리하는 뇌 부위. 뇌 과학

뇌의 뒤쪽에 위치하여 시각정보를 분석하고 통합하는 역할을 수행한다. 손상을 입으면 물체를 보아도 인지하지 못하는 시각적 인지불능을 초래하기도 한다. 후두엽은 전두엽, 두정엽, 측두엽과 함께 대뇌피질을 구성한다.

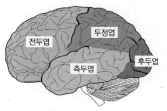

대뇌피질 모식도

관련어 │ 뇌

후천성 면역결핍증후군
[後天性免疫缺乏症候群, acquired immune deficiency syndrome: AIDS]

인간면역결핍바이러스(human immunodeficiency virus, HIV)라고 하는 인체면역기능 악화 바이러스 감염이 원인인 질환으로 에이즈로도 불리며, 면역력이 현격하게 저하되어 감염증을 비롯한 종양 등이 나타나는 증상. 성상담 이상심리

에이즈는 후천성 면역부전증후군(後天性免役不全症候群)으로도 불리며, 몸의 면역력 혹은 저항력이 극단적으로 저하되어 발열, 침한(寢汗), 임파선종장(淋巴腺腫張), 식욕부진, 하리(下痢), 체중감소, 날씨로 인한 감염증, 카포시 육종(Karposi's sarcoma)과 같은 악성 종양 등의 증상이 나타난다. 예후는 매우 좋지 않으며 치명률(致命率)이 진단 후 3년 이내 75% 이상이다. 인간 면역결핍 바이러스(human immunodeficiency virus: HIV)에 일단 감염이 되면, 인간 신체 내 면역세포인 CD4 양성 T-림프구가 파괴되어 면역력이 현저히 감소하면서 각종 감염성 질환에 무방비 상태가 되고, 종양이 발생하여 목숨을 잃는 결과를 초래한다. HIV는 백혈구 내 림프구에서 증식하기 때문에 백혈구가 많은 혈액이나 정액을 통해서 점막 혹은 피부의 상처 난 자리 등부터 감염이 된다. HIV는 혈액검사로 간단하게 진단하는데, 혈액 내 항체를 조사하여 감염 유무를 확인할 수 있다. 현대에 이르러서는 HIV 바이러스 억제가 가능한 치료제가 개발되어 면역력 유지에 도움을 주고 있다. HIV 감염은 주로 수혈을 통한 혈액, 비정상적인 성적 접촉에 따른 정액 등을 통하여 이루어지기 때문에, 여러 상대와 남성 피임 기구인 콘돔 없는 성관계를 갖는 사람들이나 하나의 주사기를 공용하는 마약중독자들의 감염확률이 일반인에 비해 훨씬 높은 것은 사실이다. HIV가 퍼지기 시작한 시점을 정확하게 알 수는 없지만, 의학전문가들은 침팬지에게서 발견되는 원숭이 면역결핍 바이러스(simian immunodeficiency virus: SIV)에서 유래된 것으로 보는 경우가 일반적이며, 발현시기는 1930년대 정도

로 추정하고 있다. 현재 에이즈 감염 및 그로 인한 사망률이 가장 높은 곳이 아프리카 대륙인데, 이는 중앙아프리카 원주민이 SIV 보유 침팬지와 접촉하여 HIV가 출현했다는 가설을 뒷받침해 주기도 한다. 에이즈는 1981년 6월 5일에 있었던 미국질병관리예방센터(Centers for Disease Control and Prevention: CDC)의 5명의 심각한 폐렴 환자 보고에서 공식질병으로 인식되기 시작하였다. 에이즈가 불치의 전염병으로 처음 의학계에 보고되었던 1980년대 초기에 최초 보고 사례가 주로 남성 동성애자였기 때문에 대중은 이를 성병과 같은 종류로 오인하였다. 현재까지 에이즈는 전 세계적으로 2,800만 명의 목숨을 앗아 간 것으로 보고되고 있다. 중앙 및 서부 아프리카 등지의 국가에서는 전체 인구 10% 이상이 에이즈에 감염되었다고 추정하고 있으며, 특정 국가는 25%가 넘는 경우도 있다. 에이즈는 아프리카 대륙에서만 아니라 전 세계적으로 급속도로 확산되고 있어 에이즈 예방이 국가 차원의 대처문제로 부각되고 있다. HIV 감염 확산을 막기 위해서는 성관계를 할 때 반드시 콘돔을 사용하고, 주사기를 재사용하지 않는 등 주사기 관리를 철저히 하며, 수혈과정에서 주의를 기울여야 한다. 특히 산모가 HIV에 감염되어 있는 경우는 출산 시 태아도 감염이 될 확률이 높기 때문에 임신 2기부터 항HIV 약제를 산모에게 투여하도록 한다. 그렇게 하면 태아의 감염률은 1% 이하로 떨어진다. 2000년대 이후 억제제 치료의 한계 극복을 위한 연구들이 지속적으로 진행되고, 2007년에는 FDA 승인까지 받은 더욱 혁신적인 HIV 세포 내 전이과정 억제치료제가 개발되었으며, 우연한 완치의 경우였지만 2010년 에이즈 환자의 완치 사례가 보고되기도 하였다. 세계적으로 에이즈와 HIV에 대한 인식이 확산되면서 예방책의 홍보가 활발해지고 있기 때문에 에이즈는 이제 두려움과 공포의 대상에서 벗어나고 있는 추세다.

관련어 후찬상 면역 결핍 증후군

후최면암시
[後催眠暗示, post – hypnotic suggestion]

최면상황에서 얻는 치료적 효과가 상담 후에도 지속되도록 암시를 주는 기법. 최면치료

에릭슨(Erickson)이 즐겨 사용한 방법으로, 상담이 끝난 뒤 어떤 문제상황에 봉착하더라도 최면상황에서 연습한 특정한 방식으로 반응할 수 있도록 암시를 주는 것이다. 다시 말해, 상담과정에서 얻는 치료적 성과가 현실생활에서도 적용될 수 있도록 만드는 것이다. 예를 들어, 특정 대상에 공포증을 갖고 있는 사람에게 최면상황에서 공포반응에 대처할 수 있는 수단을 훈련시킨 다음 실제 공포상황에서 미리 연습해 둔 이완반응을 적용하도록 암시를 준다. 이처럼 최면상황에서 문제와 직접 관련이 있는 과제를 수행하여 내담자가 일상생활에서 직접 행동으로 실천하도록 하였다.

관련어 | 에릭슨 최면

훈습
[薰習, vasana]

불교에서 향기가 옷에 스며들듯이 불법을 들어 마음을 닦아가는 현상. 동양상담

우리의 몸과 마음, 입으로 표현하는 선하고 악한 말이나 행동과 마음속에서 일어나는 선악의 생각들이 일어나는 그대로 없어지지 않고 반드시 어떤 인상이나 몸짓으로 자기도 모르게 마음과 몸속에 머무르도록 두는 작용을 말한다. 마치 냄새나 향이 옷 속에 배어들듯이 인간의 습성도 어떤 색으로 남아 그 훈기가 스며드는 것이다. 훈습을 『대승기신론』에서는 염법훈습(染法薰習)과 정법훈습(淨法薰習)으로 크게 구분한다. 염법훈습이란 마음의 작은 흔들림으로 일어나는 작용에서 시작하여 점차 현실적인 미혹의 상황으로 전개되어 가는 모든 타락적인 작용을 말한다. 여기에는 무명훈습(無明薰習), 망심훈습(妄心薰習), 망경계훈습(妄境界薰習)이 있다. 무명훈습은 모든 번뇌의 원인인 무명, 즉 자신이 있다고 집착하는 상태가 절대진리(진여, 眞如)로 받아들여진 것으로 훈습되어 분별의 망령된 마음이 형성되는 것을 말한다. 망심훈습은 무명에 훈습된 것들이 생사의 고통을 나타내는 것을 말한다. 망경계훈습은 아집과 분별을 증가시켜 더욱 번뇌에 사로잡히는 것을 말한다. 정법훈습은 자신의 몸에 진여법(眞如法), 즉 우주 만물의 보편적이며 절대적 진리가 있다는 것을 깨닫고 열반으로 향하게 하는 것이다.

훈습
[薰習, working through]

내담자가 자신의 증상이나 문제점을 자각하고 통찰하도록 만들기 위해 스스로 저항을 극복하고 이해하도록 반복적으로 체험시키는 과정 혹은 절차. 정신분석학

내담자가 현실에서 유사한 상황에 직면했을 때 그것을 스스로 해결할 수 있도록 도움을 주기 위해 치료장면에서 그 문제를 반복적으로 경험하도록 하는 과정이다. 프로이트(S. Freud)의 논문 「Remembering, Repeating and Working through(기억, 반복, 훈습)」에서 제시한 용어로, 철저한 조작 혹은 철저한 작업이라고도 한다. 훈습의 목적은 내담자가 인지한 저항을 숙지시키고, 내담자를 반복강박의 지배로부터 해방시키는 것이다. 이러한 과정을 통해 내담자는 새로운 자각과 더불어 지금까지 경험하지 못한 것을 조합하거나 재인식하여 자신의 존재를 새롭게 체험할 수 있다. 알로(A. Arlow)는 정신분석이 초기 시작단계, 전이의 발달단계, 전이의 훈습단계, 전이의 해결단계로 진행된다고 보았다. 정신분석에서 중기단계의 초점은 내담자로 하여금 전이신경증을 훈습하도록 하여 전이와 저항을 분석하는 데 있다. 따라서 훈습을 통해 내담자의 통찰을 변화로 이끄

는 것을 방해하는 저항을 반복적이고 정교하게 탐색하고, 통찰이 문제해결에 효과적으로 적용될 수 있도록 내담자 스스로 자신의 행동과 태도를 변화시키고자 노력한다.

관련어 | 저항분석, 전이분석

휘익기법
[-技法, swish pattern]

두 손을 함께 사용하며 특히 하위양식적 요소를 활용하여 없애고 싶은 특정 행동이나 원하지 않는 반응을 없애고 원하는 바람직한 행동이나 반응을 새롭게 할 수 있도록 만드는 기법.
NLP

휘익기법은 없애고 싶은 상태를 선명한 영상으로 상상, 창조해서 한쪽 손에 담거나 펼친다. 그리고 바람직하여 새롭게 만들고 싶은 상태를 역시 창조하여 다른 손에 담도록 한 다음, 입으로 '휘익' 하고 바람소리를 내면서 새로운 바람직한 영상을 든 손이 바람직하지 않은 원하지 않는 영상을 든 손을 빠르고 강하게 밀어내도록 하는 방식으로 적용한다. 바람직하지 않은 상태, 원하지 않는 상태가 되었다고 생각이 될 때 내담자 스스로 휘익기법을 반복하여 적용하도록 권유한다. 문제를 하나의 물체, 실체가 있는 스크린처럼 생각하도록 하여 스크린을 마주 본 두 손바닥에 담게 한 다음 한 손이 다른 손을 대체하도록 하는 이 방법은 내담자의 기분이 좀 더 좋아지도록 하고 실제 습관을 바꾸는 효과가 있다는 보고가 있다. 상담장면에서 각 장면 혹은 대상을 아주 구체적으로 생생하게 그리게 한 다음 휘익기법을 적용하며, 최소한 세 번 정도 반복하도록 한다.

흡입제
[吸入製, inhalants]

다양한 휘발성 물질을 포함하여 인체에 흡입되었을 때 정신적·육체적 변화를 초래하는 향정신성 약물류. 중독상담

흡입제는 그 속에 포함된 화학물질이 빠른 속도로 폐에 흡수되면서 수초 내에 중추신경계에 영향을 미쳐 약 5~15분간 기분을 바꾸어 준다. 하지만 그에 따른 내성도 생긴다. 이러한 흡입제로는 클로로폼과 에테르 같은 마취용 가스를 비롯해서 혈관확장제, 석유제품, 시멘트, 본드, 페인트, 시너, 살충약 등이 있으며, 구성성분의 성질에 따라서 탄화수소류와 비탄화수소류로 구분하기도 한다. 이러한 물질들을 사용하면 망상과 환각상태를 경험하게 되고, 성격이 공격적으로 변하기도 한다. 흡입제는 주로 청소년층에서 상대적으로 많이 사용하며, 우리나라에서는 1970년대 이후 청소년들이 본드와 부탄가스 등의 흡입제를 남용하여 사회문제로 대두되기도 하였다. 하지만 흡입제는 알려져 있는 육체적 의존성 또는 육체적 금단증상을 유발하지 않기 때문에 마약류로 분류하지는 않고, 「유해화학물질 관리법」에서 환각물질로 정하여 섭취 또는 흡입하거나 이를 목적으로 소지, 판매하는 것을 금하고 있다.

관련어 | 마약, 마약류, 향정신성 약물

흥미검사
[興味檢査, interest inventory]

여러 분야에서 흥미와 동기를 측정하는 검사. 심리검사

다양한 활동에 대한 선호 경향이나 흥미, 동기를 기록하는 검사 또는 질문지다. 대표적으로 학습흥미와 직업흥미로 나누어지는데, 흥미검사는 종종 진로상담의 하나로 사용된다. 일부는 선호직업을 가진 사람들을 대상으로 규준화되었다.

관련어 | 스트롱 직업흥미검사, 진로발달

흥분
[興奮, excitement]

접촉행동을 하는 데 사용되는 유기체의 에너지. 게슈탈트

일련의 접촉행동을 하기 위해서는 에너지를 동원하여 감각기관과 운동기관에 투여함으로써 목표물에 접근할 수 있고, 마침내 이를 받아들이고 동화시킨다. 펄스(Perls)는 이때 사용되는 유기체의 에너지를 '흥분'이라고 하였다. 다시 말해, 생명체를 움직이는 활성에너지라고 할 수 있다. 하지만 생명체는 흥분에너지를 바로 행동으로 바꿀 수는 없다. 우선 처한 환경과 상황을 판단하고 난 뒤, 판단결과에 따라 흥분에너지를 행동에 투입하게 된다. 펄스는 또한 이러한 상황 판단에 따라 변형된 흥분에너지를 감정이라고 불렀는데, 감정의 체험은 우리의 욕구와 그 대상에 대해 중요한 정보가 된다. 개체가 환경에 다가가는 행동을 할 때뿐만 아니라 환경 속의 새로움을 만나고 이를 동화시키는 과정에서도 흥분은 매우 중요한 역할을 한다. 흥분을 통해서 유기체와 환경이 통합될 수 있기 때문이다. 그리고 흥분은 알아차림과 접촉에서 빼놓을 수 없는 요소다. 우리가 알아차림과 접촉을 할 수 있는 것도 흥분이 있기 때문이다. 알아차림은 유기체의 활동에너지인 흥분을 지각하는 것이고, 접촉은 이러한 에너지를 받아들여 행동으로 전환시키는 행위다.

관련어 | 알아차림, 접촉

흥분시키는 대상
[興奮 – 對象, exciting object]

유아가 경험하는 어머니와의 관계가 감당하기에 지나치게 자극적일 때 어머니를 흥분시키는 대상으로 내재화하는 것. 대상관계이론

페어베언(W. Fairbairn)은 아동이 대상상실에 대한 불안에 대처하기 위해 대상을 내재화하여 나쁜 대상 부분을 통제한다고 보았다. 내재화된 대상들은 자아분열을 거쳐 독특한 자아상태를 발생시킨다. 즉, 만족스러운 대상은 분열되지 않은 채 수용하는 대상이 되어 중심자아로 남는다. 그러나 불만족스러운 대상은 흥분시키는 대상과 거부하는 대상으로 나누어져 억압된다. 흥분시키는 대상은 리비도적 자아(libidinal ego)를 발생시키는데, 이것은 중심자아보다 더 유아적이며 덜 현실적이다.

관련어 | 거부하는 대상, 리비도적 자아, 수용하는 대상

흥분제
[興奮劑, stimulant drug]

인체 내에서 중추신경계의 활동을 흥분시키거나 증가시키는 역할을 하는 약물류의 총칭. 자극제 혹은 상승제라고도 함. 중독상담

흥분제는 인체 내에서 심박동수, 혈압 및 뇌 기능을 증가시켜 중추신경계를 자극하므로 사용자가 피로를 느끼지 않도록 한다. 소량을 투여하면 원기를 강화하여 힘이 넘치는 듯하고 기분 좋은 상태를 유지할 수 있다. 이에 따라 사용자는 안정감이 없어지고 수다스러워지며, 불면증에 걸리기 쉬우면서 피로를 쉽게 느끼지 못하게 된다. 하지만 대부분의 흥분제는 심리적 의존성을 일으켜 빠르게 오남용으로 유도한다. 흥분제로는 코카인, 메스암페타민, 암페타민, 카페인 등이 있다.

관련어 | 메스암페타민, 억제제, 카페인, 코카인, 향정신성 약물

희생양
[犧牲羊, scapegoat]

집단이나 가족에서 어려움이나 문제의 원인으로 지목되거나 비난받는 사람. 가족치료 일반

희생양은 인류사회의 개념만큼 오래되었는데, 이

는 고대로부터 사람이나 동물이 사회의 나머지 구성원들을 위해 제물이 되었음을 말해 주는 것이다. 원어 그대로 스케이프고우트라고도 하는 희생양의 원래 의미는 『구약성서』의 레위기 제16장에 나오는 속죄양이다. 이것이 전환되어 다른 사람의 죄나 책임을 지는 사람, 즉 희생자의 의미로 사용되고 있다. 가족치료에서 희생양은 양자 간의 문제를 회피하기 위해 가족 내에서 증상이나 문제를 가진 사람을 만드는 것을 뜻한다. 가족희생양의 개념은 미누친(Minuchin)의 구조적 가족치료 개념과 보스조르메니나기(Boszormenyi-Nagy)의 맥락적 가족치료, 헬링거(Hellinger)의 가족세우기 치료 등에서 발견할 수 있다. 가족이 그들의 가족항상성을 유지하기 위해 가족구성원 중에서 한 명을 희생양으로 이용하게 되는데, 여기서 이용당한 가족구성원이 가족희생양이 된다. 가족희생양이 만들어지는 주요 동기는 부부갈등이며, 부부갈등의 회피수단으로 만들어진다. 부부간 갈등이 있거나 가족 안에 긴장이 있는 경우 희생양을 통하여 긴장과 불안, 적대감을 투사하는 것이다. 가족희생양의 기능은 부부갈등이 있음에도 불구하고 가족체계를 안정화시키는 힘으로 작용한다는 점이다. 부부는 부부간 갈등으로 발생하는 긴장과 불안을 해소하지 못하고, 이를 위해 가장 쉬운 방법인 희생양을 찾아서 긴장과 불안을 해소하려고 한다. 브래드쇼(Bradshaw)는 역기능 가족체계 속에서 가족희생양의 역할을 하는 자녀의 모습을 다음과 같이 열거하였다. 부모의 부모역할, 어머니 아버지의 친구, 가족상담사, 어머니의 우상, 아버지의 우상, 완벽한 아이, 성자, 어머니 아버지에게 용기를 주는 아이, 악당, 귀염둥이, 운동선수, 가족 내 평화주의자, 가족중재자, 실패자, 순교자, 어머니의 배우자, 아버지의 배우자, 광대, 문제아 등이다. 가족희생양의 역할 중 가장 우세한 역할이 바로 '문제아' 역할이라고 한다. 이러한 가족에서 희생양이 된 구성원은 가족에게는 문제아로 지목될 수 있지만 가족의 긴장을 다른 데로 돌리도록 하고

가족에게 결속의 토대를 제공하는 중요한 역할을 담당한다. 대부분의 경우 가족 안에서 자녀가 가족희생양의 역할을 맡는다고 한다. 가족희생양은 고통에도 불구하고 역기능적인 가족체계 속에서 가족의 항상성을 유지하려는 뒤틀린 관계 및 의사소통패턴이다. 따라서 이 같은 가족희생양 메커니즘을 변화시키기 위해서는 온 가족의 참여가 필요하다.

관련어 | 역할 이론, 역할카드게임

희생자
[犧牲者, victim]

교류분석

⇨ '드라마 삼각형' 참조.

흰지팡이
[-, white cane]

시각장애인이 보행을 하는 데 사용하는 지팡이. 특수아상담

손잡이(grip)와 자루(shaft), 그리고 바닥 부분인 팁(tip)으로 구성되어 있다. 흰지팡이의 사용은 1946년 미국의 포지(V. Forge) 육군병원의 안과의사 후버(R. Hoover)가 처음 소개하였다. 당시 후버는 길이 117센티미터, 지름 1.17센티미터, 무게 170그램의 시각장애인용 지팡이를 제작하고 사용법을 발표하였다. 시각장애인의 사용에 효율적인 지팡이의 길이는 시각장애인이 지팡이를 바닥에 대고 똑바로 섰을 때 지팡이 손잡이 끝이 겨드랑이 정도에 닿는 것이다. 흰지팡이는 시각장애인의 표지이고 자주성의 상징이다. 즉, 시각장애인이 흰지팡이를 들고 길에 나선 것은 남에게 의존하지 않고 보행할 수 있음을 과시하는 표지다. 「도로교통법」에서는 흰지팡이

를 가진 시각장애인을 운전자가 발견하면 차의 속도를 줄이고 서행을 하도록 되어 있다. 이처럼 시각장애인이 흰지팡이를 들고 서 있으면 주위 사람들의 도움을 받기가 쉽다. 원래 지팡이는 병약자나 노약자가 약한 몸을 의지하기 위하여 사용하는 것이었고, 시각장애인은 길을 걸을 때 촉각을 연장하는 도구로 써 왔던 것인데, 제2차 세계 대전 이후 실명 상이용사가 많이 생기자 지팡이에 흰색을 칠해서 눈에 잘 띄게 한 것이 흰지팡이라는 명칭이 생긴 연유다. 시각장애인이 아니면 흰지팡이를 들고 다니지 못하도록 법으로 규정해 놓은 나라도 있다. 흰지팡이는 지면의 변화와 장애물에 대한 정보를 제공해 주는 안테나이며, 귀나 코와 같은 감각기로 생각할 수 있다. 이 감각기능을 효과적으로 발휘하기 위하여 미국을 비롯한 여러 나라에서는 흰지팡이 사용기술을 체계적으로 연구하여 '시각장애인 보행학(peripatology)'이라는 학문이 성립되었고, 미국의 대학에는 '시각장애인 보행훈련사 교양강좌'가 설치되었다.

히솝
[-, Hyssop]

> 신경진정, 혈압상승, 방부, 항경련, 소화, 통경(痛經), 거담, 해열, 상처치료 등에 효과가 있는 허브로서, 남유럽과 아시아의 온화한 기후대가 원산지이며 유럽 전역, 러시아, 북아메리카 대륙에서 재배. `향기치료`

히솝은 다년생 관목으로 20~60센티미터까지 자라며, 작고 가느다란 잎과 나선형의 청자주색, 분홍색, 흰색 꽃이 핀다. 히솝 오일은 정신을 고무시키는 효과가 있어서 집중력 저하, 단기간의 심적인 피로, 만성적인 신경쇠약 등에 추천되며 우울, 비관을 증상으로 가진 사람들의 치료에 사용한다. 그리고 히솝은 혈압상승의 효과가 있어서 저혈압 치료에 도움이 되고 소화계를 강화해 주며, 식욕촉진제, 위경련 완화, 가스제거에 도움이 된다. 또한

점액을 녹이고 기관지 경련을 완화해 주어 감기, 인후염, 인플루엔자, 기관지염, 천식의 치료에 효과적이다.

히스테리
[-, hysteria]

> 광범위하고 다양한 감각·운동의 장애를 일으키는 정신장애의 일종으로 통제되지 않는 정서적 부절제의 마음 상태. `분석심리학` `정신분석학`

히스테리는 신경증의 한 형태로 기질적인 것이 아니라 기능적인 질병이다. 히스테리로 분류할 수 있는 함축적 기준은 다음과 같다. 심인성 증상, 무의식적 발병으로 증상이 환자에게 모종의 이득을 가져다주어야 하고, 전환 또는 해리 과정을 거쳐 일어나야 한다. 이 질환은 심인성 반응 형식, 외부 사정이나 자극에 대한 불편감정의 반응으로 정신적 또는 신체적 반응이 일어난다. 따라서 히스테리의 증상은 운동성과 감각적, 심리적 측면이 있다. 히스테리의 유래는 여성 특유의 질환과 오해에서 비롯되어 자궁에 원인이 있다고 잘못 믿고 있어서, 고전 그리스어로 '자궁'을 의미하는 'υστέρα(hystéra)'다. 지금은 히스테리가 일반적인 용어로 여러 가지 의미로 사용되고 있기 때문에 정신의학에서는 기본적으로 '히스테리'라는 용어를 사용하고 있지 않다. 현대의학전문가들은 진단범주로서 '히스테리아'를 사용하며, 신체화장애와 같은 범주를 더욱 자세히 정의할 때 대신 사용한다. 1980년에 미국정신의학회는 공식적으로 '히스테리 신경증, 전환 유형'의 장애를 '전환장애'로 명칭을 수정하였다. 분석심리학자인 융(C. G. Jung)의 심리학적 유형론에서는 외

ㅎ

향형의 인간에게 히스테리성 신경증이 흔히 나타날 수 있다고 언급하였다. 히스테리성 신경증의 특징은 다른 사람에게 자신을 과시하고 시선을 끄는 것이다. 이는 외향성이 지닌 객체와의 지나친 관계형성을 시도하려는 특징 때문에 나타난다. 히스테리성 성격의 또 다른 특징은 환상작용인데, 이 때문에 히스테리 환자는 거짓말쟁이라는 오해를 사기도 하지만 이는 외향적 태도를 보상하기 위한 무의식의 반응 때문에 일어나는 것이다. 히스테리성 환자들은 몇몇 갈등의 일부와 관련된 개인의 과거 복합적 사건이 야기할 수 있는 극도의 두려움 때문에 자기통제를 잃을 수 있다.

힐데가르트의 보석치료
[－寶石治療, Hildegard's jewel therapy]
보석 자체가 지니고 있는 성분이 신체의 기운에 영향을 미친다는 관점의 대체의학. 기타

힐데가르트 보석치료는 독일 빙엔(Bingen)에 있는 루페르츠베르크(Rupertsberg) 수도원의 수녀 힐데가르트의 저서에서 소개된 '힐데가르트 의학(Hildegard medicine)'의 한 가지다. 힐데가르트 의학은 1970년대 독일의 의사 헤르츠카(G. Herzka)가 소개하여 독일과 오스트리아 등지의 독일어 분야에 큰 영향을 미쳤다. 힐데가르트는 온화한 자연치료법으로 전인적 고찰을 근본으로 한 의학을 주장했는데, 그중 보석치료법은 신체증상뿐만 아니라 정신, 영혼의 상태에도 영향을 미친다고 하였다. 그녀는 보석 자체가 지닌 미세한 성분이 보석을 몸에 지닌 사람의 신체 내부의 기 흐름에 영향을 미친다고 보고, 보석을 구체적 질병치료에 사용하였다. 그녀는 보석의 에너지 파장이 피부와 접촉하여 보석을 지닌 사람의 에너지 흐름, 즉 활기 및 생명 에너지(viriditas)에 작용한다고 생각하였다. 보석은 부정적인 에너지에 대항하는 작용을 하고, 보석의 치료

효과는 인간 생명에너지를 보호하면서 해악을 막아주고, 손상부분을 치유해 주는 에너지 장에서 나타난다. 힐데가르트는 보석이 지닌 에너지 성질을 인식하여 가능한 보석의 형태 그대로 치료에 사용하였다. 힐데가르트의 이론은 현대 보석치료연구의 기본 지침이 되어 응용 및 활용되고 있다. 투어멀린(tourmaline) 보석요법, 키도마미 교수의 오감자극을 통한 치유법, 오카모토의 보석파장연구 등 여러 치유법 및 연구가 행해지고 있다. 현대인의 바쁜 일상과 과로에 의한 만성 피로 등 기의 쇠약현상을 해소하기 위해서 자연치유의 일환으로 보석치료가 많이 활용되고 있는데, 이처럼 보석을 치료에 활용할 때는 손에 쥐거나 환부에 대는 등 직접 착용하는 방법을 많이 이용한다. 에메랄드는 시력, 두통, 면역성, 평형감각 등에 영향을 미치면서 지적 성장에도 도움을 주고, 다발성 경화증, 파킨슨병, 간질 등에도 효과가 있다고 한다. 루비는 심장기능 및 혈액순환 기능에 도움을 주고, 전염성 질환을 비롯한 신체저항력에 도움을 주며 혈액 관련 치료에 활용되기도 한다. 사파이어는 식욕부진, 각종 신경성장애, 발열, 류머티즘 등에 효과가 있다. 진주는 알레르기성 질환 예방에 도움을 주고, 우울증 예방에도 효과가 있다. 수정은 불안을 비롯한 심리적 장애에 영향을 미쳐 신경불안, 정서장애, 불면증 등에 효과를 내고, 상처나 화상으로 인한 물집을 치유하는 데 도움을 준다. 칼세도니는 편도선염을 비롯한 목 부분 불편감의 여러 증상에 도움을 주고, 심리적으로 자신감을 강화시키기도 한다. 마노는 발열 및 피부장애에 효과가 있고, 긴장해소에 도움을 준다. 오닉스는 피부와 눈 및 귀, 심장과 신장 등의 질환에 효과가 있고, 심리적 안정에도 영향을 미친다. 이외에 호박도 피부질환에 사용된다.

관련어 치유 숲길

힐링
[–, healing]

인간의 정신적·신체적 상태가 회복되는 것으로서 치유(治癒)라고도 함. **목회상담**

심리치료에서는 각각의 이론이 목표하는 바에 따라 힐링이 의미하는 바가 다르게 나타난다. 예를 들어, 내담자중심치료에서는 자아실현, 정신분석에서는 무의식의 통찰 등을 말한다. 웹스터 사전에 따르면, 힐링이란 '건강하도록 치료하거나 회복하는 행위 또는 과정' '건강을 얻는 과정'을 말한다. 현대사회에서 피로나 인간관계에서 오는 스트레스는 참으로 심각하다. 이 같은 스트레스를 적절히 발산시키지 못하여 정신적 질환에 시달리는 사람이 계속 증가하고 있다. 이 같은 마음의 병을 치유하기 위한 심리학으로 최근 주목받는 것이 상담이나 힐링인데, 상담은 내담자의 고민을 듣거나 조언을 해 주는 방법이다. 또한 힐링은 주로 육체에 기분 좋은 자극을 주어 정신을 안정시키거나 마음 깊은 곳에 억압되어 있는 감정을 발산시키는 두 가지 방법이 있다. 전자의 예로서 유명한 것은 최근 화제가 되고 있는 향기치료(aromatherapy: 허브 등 식물의 방향이나 정유를 이용하여 기분을 상쾌하게 바꾸는 요법)다. 욕탕에 유자향의 입욕제를 넣는 것도 방향요법의 하나다. 후자의 경우는 로저스(Rogers)의 이른바 치료적 상담이나 심리치료에서 쓰는 방법과 같은 것이다. 즉, 예술치료(art therapy)에서 볼 수 있듯이 환자에게 그림을 그리게 한다든지 노래를 부르게 하여 억압된 감정을 밖으로 내보내는 시도나 여러 가지 상한 감정을 치유하기 위해 감정을 발산·정화시키는 다양한 기법이 해당된다. 당초 힐링이나 힐러(healer)라는 말은 신앙요법을 특징으로 하는 크리스천 사이언스(christian science)에 의한 치유방법을 포함하는 의미로 사용하였다. 그리고 1988년에는 미국 서해안과 캐나다를 중심으로 힐링센터라고 불리는 도장(道場)이 증가하였고 요가, 태극권(太極拳) 등의 보디워크, 명상, 좌선(坐禪) 등의 정신통일, 자연식 등 심신의 통합, 발전을 노리는 영성(spirituality)을 중시하는 활동이 성행하였다. 지금 우리나라 목회상담에서는 심리치료에 내적 치유(inner healing) 등을 포함해서 기독교적 신앙요법을 추가한 개념으로 보고 있다.

힘의 의지
[–意志, will-to-power]

힘을 소유하려는 의지로서, '권력의 의지'라고도 함. **개인심리학**

아들러(Adler)는 열등감을 프로이트 정신분석학의 리비도에 상당하는 행위의 원동력이라고 생각하였다. 사람은 열등감을 장기간 견디어 낼 수 없기 때문에 그것을 극복하려는 노력을 한다. 초기에는 사람들이 열등감을 보상하기 위해 권력을 손에 쥐려 한다고 생각하였다. 이것이 힘(권력)에의 의지다. 후기에는 우월추구의 노력이 힘을 소유하는 데 그치지 않고 그 사람 고유의 무의식적인 인생목표를 추구하는 것으로 생각하게 되었다. 아들러는 힘 지향성이 신경증 환자에게서 특히 두드러진다는 점을 발견하였다. 그에 따라 힘(권력)에의 의지는 목표추구의 특수한 병적인 경우라고 생각하게 되었다. 최종적으로 인생목표는 궁극적으로 공동체 소속을 겨냥한 선(善)한 것이라고 생각하게 되면서 힘(권력)에의 의지 개념은 약화되었다. 힘에의 의지는 니체의 권력에의 의지개념에서 빌려 온 것이다.

관련어 남성성 추구, 목적론, 열등감, 우월추구

ㅎ

기타

AA의 12단계
[－十二段階, AA's 12steps]

알코올중독자의 자조모임인 AA에서 알코올중독자들이 일상
생활에서 반복되는 중독의 문제를 해결하는 데 도움을 주기
위해 만든 12단계의 규칙. 중독상담

AA의 12단계는 알코올중독으로부터 회복된 초기 멤버들의 경험을 바탕으로 만든 규칙이다. 알코올중독자들의 단주를 돕기 위한 모임인 AA 모임은 AA의 12단계를 잘 지키도록 서로 격려하는 것을 원칙으로 삼고 있다. AA는 알코올중독의 치료를 위해 가장 중요한 것은 자기 스스로 중독의 상태에 있음을 인식하는 일이라고 강조하고 있으며, 12단계도 그러한 AA의 원칙에 따라 알코올중독자 스스로 자신의 상태에 대한 정확한 인식을 하고 이를 받아들이며, 자신의 음주와 관련된 행동에 대한 도덕적인 책임감을 함양할 수 있는 단계로 구성되어 있다. AA의 12단계를 구체적으로 살펴보면 다음과 같다.

첫째, 알코올 앞에 무력함을 시인하라. 알코올릭은 현재 상황에서 삶을 통제할 수 없으며 패배했음을 시인해야 한다. 둘째, 더 큰 힘이 알코올릭을 회복시킬 것이라는 믿음을 가져라. 더 큰 힘에 의존하겠다고 시인하는 것은 알코올릭이 삶 속에서 마음을 열고 큰 변화를 받아들일 준비를 하는 데 필수적이다. 셋째, 신의 보호에 대해 신뢰할 것을 약속하라. AA 회원들은 스스로 자신의 집단이 영적이라고 여기지만 직접적으로 특정 종교와 관련된 것은 아니라는 점을 명심해야 한다. 신의 존재를 인정하지만 신에 대한 정의는 사람마다 다르게 내릴 수 있다. 이것은 영적인 존재에 기대기 위한 하나의 일반적인 의무다. 넷째, 스스로 철저하고 두려움 없는 도덕률을 만들라. 다섯째, 일단 약점에 대한 목록이 만들어지면 알코올릭은 이 잘못들을 신과 자기 자신, 타인 앞에서 시인하라. 여섯째, 알코올릭은 반드시 '신이 성격적 약점들을 제거해 주시도록 사전

에 준비해야 한다.' 이것은 영적인 재성숙의 과정에서 어렵고도 중요한 단계다. 바뀐 태도와 변화에 대한 수용, 개방된 마음가짐을 갖추는 것이 필요하다. 일곱째, 겸손한 마음으로 우리의 약점을 제거해 주시도록 신에게 간구하라. 여덟째, 해를 끼친 모든 이에 대한 목록을 만들고 그들에게 기꺼이 용서를 구할 준비를 하라. 아홉째, 가능한 어디서든 사람들에게 직접적으로 용서를 구하라. 단, 타인에게 상처를 주지 않는 한에서 실천하라. 열째, 개인적 삶을 목록화하고 빠른 시일 내에 잘못을 시인하고자 노력하라. AA에서 한 번 알코올릭은 영원한 알코올릭이며, AA 모임은 단순히 완치를 위한 치료가 아니라 하나의 삶의 방식임을 마음속 깊이 새겨 두어야 한다. 열한째, 신과의 접촉을 위해 기도와 명상을 하라. 열두째, 다른 알코올릭이 여전히 고통받고 있다는 메시지를 전하라.

관련어 | AA의 12전통, 알라틴, 알아넌, 알코올중독, 알코올중독자 모임, 자조모임

AA의 12전통
[-十二傳統, AA's 12traditions]

1950년 오하이오 주 클리블랜드에서 개최된 세계AA총회에서 채택되어 알코올중독자들의 자조모임인 AA에서 규범으로 삼고 있는 12개의 행동강령. 중독상담

AA의 12전통은 1946년 알코올중독자들의 모임인 AA의 회원을 위해서 창설자와 초기 회원들이 문서화하여 국제적인 잡지인 『A. A. 포도나무』에 실었다. 이를 1950년 오하이오 주 클리블랜드에서 개최된 세계AA총회에서 전체적인 회원들의 동의하에 채택한 것이 AA의 12전통이다. AA 모임에서는 AA의 12전통을 통해 회원의 의식을 강화하고, 비공식적인 형태의 모임이라 할지라도 원칙을 지키고 올바른 태도로 임하는 것이 중요하다는 것을 강조하고 있다. AA는 회원들의 이러한 인식을 바탕으로 12전통을 지키면서 AA 모임이 가지고 있는 본래의 목적

을 보다 효과적으로 달성하고, 조직을 잘 유지하기 위해 노력하고자 한다. 또한 이 전통은 AA뿐만 아니라, 알코올중독자들의 가족을 위한 자조모임인 알아넌, 알라틴에서도 함께 지키고 있다. AA의 12전통에는 AA 모임의 목적과 실행지침 등이 자세하게 서술되어 있다. 특히 절대적인 신의 존재를 믿고 의지하도록 권유하고 있는데, 이것은 특정 종교를 언급하는 것이 아닌, 절대적인 힘을 가진 대상에게 의지하여 현재의 어려움을 극복하는 것을 권유하는 것이다. AA의 12전통은 다음과 같은 내용으로 이루어져 있다. 첫째, 우리의 공동복리가 무엇보다 우선되어야 한다. 개인의 회복은 AA의 공동유대에 달려 있다. 둘째, 우리의 집단목적을 위한 궁극적인 권위는 하나다. 이는 우리 집단의 양심 안에 당신 자신을 드러내 주시는 사랑 많으신 신(神)이다. 우리의 지도자는 신뢰받는 봉사자일 뿐이지 다스리는 사람이 아니다. 셋째, 술을 끊겠다는 열망이 AA의 회원이 되기 위한 유일한 조건이다. 넷째, 각 집단은 다른 집단이나 AA 전체에 영향을 끼치는 문제를 제외하고는 반드시 자율적이어야 한다. 다섯째, 각 집단의 유일한 근본 목적은 아직도 고통받고 있는 알코올중독자들에게 메시지를 전하는 것이다. 여섯째, AA 집단은 관계 기관이나 외부기업에 보증을 서거나 융자를 해 주거나 AA의 이름을 빌려 주는 일 등을 일체 하지 말아야 한다. 돈이나 재산, 명성의 문제는 우리를 근본 목적에서 벗어나게 할 우려가 있기 때문이다. 일곱째, 모든 AA 집단은 외부의 기부금을 사절하며 전적으로 자립해 나가야 한다. 여덟째, AA는 항상 비직업적이어야 한다. 그러나 서비스센터에는 전임 직원을 둘 수 있다. 아홉째, AA는 결코 조직화되어서는 안 된다. 그러나 봉사부나 위원회를 만들 수 있으며, 그들은 봉사 대상자에 대한 직접적인 책임을 갖는다. 열째, AA는 외부의 문제에 대해서는 어떤 의견도 가지지 않는다. 그러므로 AA의 이름이 공론에 등장해서는 안 된다. 열한째, AA의 홍보원칙은 적극적인 선전보다는 AA의 본래

매력에 기초를 둔다. 따라서 대중매체에서 익명을 지켜야 한다. 열두째, 익명은 우리의 모든 전통의 영적 기본이며, 이는 각 개인보다 항상 AA의 원칙을 앞세워야 한다는 것을 일깨워 주기 위해서다.

관련어 | 알라틴, 알아넌, 알코올중독, 알코올중독자 모임

AB – CDEFG법칙
[– 法則, practice the AB–CDEFG]

내담자와의 우호적인 관계를 형성하는 데 도움이 되는 현실치료에서의 다섯 가지 전략. 현실치료

상담자는 내담자와의 치료관계를 형성하기 위해 다섯 가지 전략을 유의해야 한다. 첫째, '항상 침착하고 예의 바를 것(Always Be Calm & Courteous)'은 상담자가 침착하고 동요하지 않는 모습을 보이면서 친절하고 예의 바른 태도로 내담자를 대하는 것을 뜻한다. 둘째, '항상 확신을 지닐 것(Always Be Determined)'은 문제를 가지고 있는 내담자에게도 보다 효율적이고 도움이 되는 행동선택이 가능하다는 것과, 또한 내담자가 효과적인 행동선택을 함으로써 좀 더 보람된 삶을 영위할 수 있다는 것에 대해 상담자가 확신을 갖는 것이다. 셋째, '항상 열정적일 것(Always Be Enthusiastic)'은 내담자를 만날 때 유쾌하고 긍정적인 상태를 유지해야 한다는 의미다. 상담자 자신이 개인적인 고통으로 소진되어 있을 경우 상담의 효율성이 낮아진다. 따라서 상담자 스스로도 자신의 욕구와 바람을 충족시킬 수 있도록 해야 하며, 이를 통해 보다 열성적인 자세로 상담에 임할 수 있어야 한다. 넷째, '항상 확고할 것(Always Be Firm)'은 상담자의 일관되고 침착한 태도, 합리적인 규칙의 실천, 결정적이고 확고한 계획 수립하기 등이 현실치료의 지침과 절차를 효과적으로 적용하는 적절한 환경이 된다는 의미다. 다섯째, '항상 진실할 것(Always Be Genuine)'은 상담자 자신이 정직하고 진실하게 내담자를 대하는 태도를 보여 줌으로써 내담자는 개방적이고 솔직한 인간관계를 통해 정신적으로 건강해지고 삶의 질이 향상될 수 있다는 점을 배우게 된다는 뜻이다.

관련어 | 치료적 환경

ABC 이론[1]
[– 理論, ABC theory]

합리정서행동치료

⇨ '합리정서행동치료' 참조.

ABC 이론[2]
[– 理論, ABC theory]

위기상담을 실시하는 데 적용되는 원리로서 관계형성, 문제의 핵심 파악, 문제해결책 강구 등의 과정을 거치는 상담의 틀. 위기상담

존스(W. Jones)가 위기를 다루기 위하여 제시한 상담방법으로서, 이후 클라인벨(Clinebell), 스위처(Switzer), 글래서(Glasser), 스톤(Stone) 등이 발전시켰다. 이 상담과정은 총 3단계로 이루어지며, 최근에는 C단계를 C와 D단계로 구분하여 ABCD 이론이라고 부른다. 먼저, A는 관계를 형성하는 단계(achieve a relationship)로서, 위기를 맞이한 내담자를 있는 그대로 받아들이고 그의 말에 귀를 기울이는 것이다. B는 문제의 핵심을 파악하는 단계(boiling down)로서, 내담자가 호소하는 문제는 여러 가지로 복잡하게 엉켜 있는 경우가 많은데 이러한 복잡한 문제들의 우선순위를 고려하여 하나하나 정리해 나간다. 이 과정을 통하여 위기를 겪는 내담자의 문제의 핵심을 파악하게 되는데, 이때 심리적 평가나 분석은 바람직하지 않다. 내담자에게 개방적 질문과 긍정적 반응을 보임으로써 내담자가 위기를 현실적으로 바라볼 수 있도록 도와주는 단계

다. C는 문제를 해결하기 위한 대안을 선택하는 단계(coping actively)로서, 위기를 스스로 해결할 수 있는 방법이 있는지, 주변에서 도움을 줄 수 있는 사회적 지지체계가 있는지 확인하는 것이다. 문제가 확인되고 그것을 해결하기 위한 내담자의 강점과 주변의 지원체계가 확보되었다면 내담자를 돕기 위한 확실한 목표를 설정하고 내적·외적 자원을 적절히 분배하여 실현 가능한 대안의 우선순위를 정한 다음 실천해 나간다. 마지막으로 D는 발전단계(develop implement)로서, 실행한 결과를 다시 고려하여 좀 더 바람직한 대안을 찾아 실행한다. 즉, 이 단계에서는 구체적인 실천계획을 수립하고 실천방향을 설정하여 실행한 다음 그에 대한 피드백이나 평가를 실시하여 해결책을 발전시켜 나간다.

관련어 위기개입, 위기상담

AQAL
[- , all quadrants & all levels]

윌버(Wilber)의 통합적 접근의 핵심으로, 다양한 관점에서 모든 것을 조화롭게 만드는 역할을 수행하며 광범위하고 정확한 의미로 삶과 실재를 이해하는 방식으로 모든 상한과 모든 수준. **초월영성치료**

인간의 모든 현상을 가장 포괄적으로 이해하고자 노력하는 이론이 통합 이론이며, 이것의 이론적 근거가 AQAL이다. 이는 의식, 우주, 모든 수준, 모든 차원에서의 인간발달에 관한 지도(map)라고 할 수 있는데, 수백 가지 이론으로부터 핵심적 진리를 추출하는 메타 이론(metatheory)으로서 영적 전통, 철학, 근대과학, 발달심리학, 다른 많은 학문들의 심오한 통찰을 체계화한 것이다. AQAL은 모든 상태(all states)와 모든 상한(all quadrants), 그리고 모든 선(all lines), 모든 수준(all levels), 모든 유형(all types)을 말한다.

모든 상태 [-狀態, all states] 앞서 언급한 영속적 구조인 수준과 구별되는 개념으로 일시적이며 상대적으로 빠르게 지나가는 경험을 말한다. 의식의 상태는 일상적 의식과 변성적 의식이라는 두 가지 주요 범주로 나누어진다. 일상적 의식상태는 깨어 있는, 꿈꾸는, 그리고 깊은 수면상태다. 변성적 의식상태는 비일상적 의식상태라고도 불리며, 명상이나 기타 정관 수행들로 야기된 경험뿐 아니라 약물이나 단식으로 야기된 경험도 포함된다. 누구나 일시적으로 자아초월적 상태를 체험하는 것은 가능하지만, 이러한 체험이 어떻게 해석되고 통합되는지는 대체로 체험자의 현재 두드러진 발달수준의 기능에 따라 결정된다.

모든 상한 [-象限, all quadrants] 실재에 대한 네 가지 필수관점으로서 '사상한(four quadrants)'이라고 하며 통합이론의 핵심적 구성요소 중 하나다. 인간의 개인적이고 집합적 차원에서의 내면적, 외현적 측면을 의미하는데 좌상 상한, 우상 상한, 좌하 상한, 우하 상한으로 구분한다. 먼저, 좌상 상한은 개인의 내적이고 개인적인 주관적 경험의 현상학적 측면으로서 주로 '나(I)'의 1인칭 관점에서 기술할 수 있는 모든 경험, 감각, 지각, 느낌, 생각을 말한다. 이것은 개인이 의식적으로 경험하는 것인데, 여기에는 개인이 의식하지 못하는 충동, 동기도 포함된다. 둘째, 우상 상한은 외적이고 개인적인 행동적 측면으로서 '그것(it)'의 3인칭 관점에서 개인의 구조, 행동, 사건, 과정을 객관적이고 실증적으로 기술하는 것을 말한다. 셋째, 좌하 상한은 내적이고 집단적 경험의 문화적 측면으로서 집단의 상호 주관적인 차원을 말하는데 개인이 속한 공동체의 구성원들이 공통적으로 이해하는 것들을 말한다. 즉, '너(you) 혹은 우리(we)'의 2인칭 관점에서 공통된 가치관, 세계관, 관습, 언어적 의미, 윤리, 의미 구성 활동들을 기술하고 배우자, 가족, 친구, 중요 타자 등의 관계를 포함한다. 넷째, 우하 상한은 외적이고 집단적인 경험의 사회적 측면으로서 구조에 대한 상호 객관적인 관점을 말한다. 즉, 경제구조, 교육체계, 고용, 교통, 정부체제, 도시구조, 사회현상 등을 '그것들(its)'의 3인칭 복수형으로 기술하는 것이다. 각 상한은 치료자에게 내담자에 대한 다양한 관점을 제공해 주며, 이 관점들은 서로 보완관계에 있다. 각 상한으로 이해하는 내담자의 예를 들면 다음과 같다. 즉, 우울증에서 좌상 상한은 내담자가 자신을 무가치하게 평가하는 것이고, 우상 상한 요인은 수면장애, 비정상적인 EEG, 신경전달물질의 조절이상 등이며, 좌하 상한은 우울증 삽화를 발전시킬 가능성과 우울증을 해석하는 방식 등을 말하며, 우하 상한은 경제적 어려움, 적절한 치료의 부재 등을 말한다. 네 가지 측면을 통합하여 한 개인의 현상을 이해해야 한다고 통합이론에서는 강조하고 있다.

모든 선 [－線, all lines] 우리 존재와 기능에 대한 다양한 측면으로서, 발달의 기본 수준을 중심으로 최소한 20~30여 개의 상대적이며 독자적으로 발달해 가는 것을 말한다. 이는 각각의 측면에서 독립적으로 잠재력을 발달시켜 나가는 것인데, 그 대표적인 선은 인지, 도덕, 정서, 창조성, 욕구, 자기정체성, 성 등이다. 예를 들면, 철수는 인지와 도덕의 선은 잘 발달되고 있지만 정서나 자기정체성의 선에서는 발달이 늦게 이루어질 수 있다.

모든 수준 [－水準, all levels] 상대적으로 영속적이고 전일적인 구조를 의미하며, 전체적·통합적 관점에서 자아초월적 또는 영적 수준들을 포함하는 심리적 발달과 병리의 전 스펙트럼이다. 윌버(Wilber)는 의식의 기본 구조를 개념화했는데, 전 개인(prepersonal), 개인(personal), 초개인(transpersonal)의 세 영역으로 구분하고 있다. 그리고 의식의 발달은 발달수준(levels), 구조(structures), 파동(waves)이라는 상이한 용어로 설명하고, 발달수준을 9단계로 나누었다. 발달수준은 각 발달단계의 질적으로 구별되는 특성을 나타내기 위해 사용하는 용어이며, 구

조는 각 단계의 통합적이고 전일적인 성격을 강조하고 각 단계가 서로 어우러져 흐르는 유동성을 강조하기 위해 파동이라는 용어로 설명하고 있다. 이는 한 개인이 특정한 단계에 발달수준이 머물러 있는 것이 아니며 실현 가능한 잠재력을 지니고 있는 존재이므로 각 단계는 구체적인 구조로 이루어진 것이 아니라 가능성의 파동이라 할 수 있다. 먼저, 전 개인은 대략 7세경까지를 일컫고 의식수준의 1단계에서 3단계를 말한다. 이는 응집력이 있고 상대적으로 안정적이며 개인화된 자기감이 아직 출현하는 과정 중에 있다. 이 시기에 아동은 초기에는 환경과 자신이 미분화된 상태로서 감각물리적(sensoriphysical) 구조를 지니며 그다음에는 환상과 정동적(phantasmic & emotional) 구조로 아동은 자신의 정서적 자아감을 발달시켜 자신과 타인의 감정을 구분할 수 있으므로 타인과 정서적 분화가 이루어진다. 대략 3세 이후가 되면 아동은 표상심(representational mind) 구조로 드디어 정서적 자기를 점차적으로 발달시켜 나간다. 둘째, 개인영역은 4단계에서 6단계 수준을 말하며, 상대적으로 안정되고 일관된 자기감을 발달시키고 강화시키는 영역이다. 대략 7세경이 되면 규칙과 역할심(rule & role mind) 구조를 형성하여 타인의 관점을 수용하는 능력이 발달하고 자아정체성을 형성하며 사회규칙들을 이해하고 습득하게 된다. 사춘기가 되면 형식과 반성적(formal operations) 구조의 출현으로 반성적이고 분화된 사고와 표면적 모습이나 인습에서 벗어나려고 한다. 이런 과정을 통하여 양심적인 자기가 발달하면서 점차 비전과 논리(vision & logic) 구조를 형성해 나간다. 셋째, 초개인 영역은 7단계에서 9단계를 말하며 보다 의도적이고 관조적 수행(contemplative practice)을 통해서 발달하게 된다. 즉, 우주의 영적인 원천으로서의 궁극적 정체성을 다양한 수준에서 깨닫게 되는 단계를 말한다.

모든 유형 [－類型, all types] 세계 내 존재(being-in-the-world)의 서로 다른 개별적인 방식으로서의 성격유형을 말한다. 이는 수평적 차원으로서, 성격 5요인 모델, MBTI, 에니어그램, 아들러(Adler)의 출생순서, 성별 등으로 구분하여 개인의 발달을 설명할 수 있지만 이 유형으로 모든 사람의 발달을 정확히 설명하지는 못한다.

ARCS 모형
[－模型, ARCS model]

학습을 촉진하기 위하여 학습자의 학습에 대한 동기유발과 유지전략이 우선되어야 함을 강조하여 켈러(Keller, 2010)가 제안한 학습동기화 전략. 학습상담

이 전략은 주의집중(attention), 관련성(relevance), 자신감(confidence), 만족감(satisfaction)의 네 가지 요인으로 구성되어 있으며, 각 구성요소의 첫 글자를 따서 ARCS 모형이라고 한다. 주의집중은 학습과제에 대한 흥미와 호기심을 유발하여 학습에 주의를 기울이는 것뿐만 아니라, 학습과정 중에 주의집중력을 유지하는 것을 말한다. 관련성은 학습내용이 자신과 관계가 많을수록 흥미를 갖게 된다는 것이므로 학습자가 학습의 필요성을 느끼고 학습 내용이 자신의 목적과 목표, 그리고 자신의 가치관과 일치하도록 해야 학습동기를 높일 수 있다. 자신감은 학습조건, 성공기회, 개인적 통제의 세 가지 조건에서 이루어진다. 즉, 학습조건은 학습자들이 불안해하는 요소를 제거하고 학습내용을 충분히 이해할 수 있도록 설명해 주어야 한다. 그리고 학습하는 과정에서 성공할 수 있는 기회가 주어져야 하며, 스스로 노력하고 조절하면서 통제할 수 있어서 자신의 능력으로 성공한 경험을 갖게 될 때 자신감을 가질 수 있다. 만족감은 성공적으로 수행한 학습 결과에 대한 보상과 내재적 즐거움을 갖도록 하는 강화, 그리고 형평성이 있고 정의로운 처리방식으로 지각되는 공정성과 같은 긍정적 느낌을 통해 형성된다.

관련어 학습전략

ARE 모델
[－, ARE model]

내담자의 몰입, 최면상태의 승인, 최면유도의 3단계로 진행되는 최면유도모델. 최면치료

에릭슨(Erickson)의 접근을 발전시킨 자연스러운 최면유도모델로, 에릭슨재단에서 기어리와 제이그(Geary & Zeig)가 개발하였다. 내담자의 몰입(absorption) 단계에서는 내담자를 주의집중시키고 유지하는 것으로 시작하여 점차 이완된 상태로 유도한다. 최면상태의 승인(ratification) 단계에서는 내담자에게 발생한 변화를 기정사실화하고 최면 상태에 있음을 승인하여 내담자의 무의식 속에 최면상태에 있다는 개념을 심는다. 최면유도(elicitation) 단계에서는 최면을 본격적으로 유도하는데, 해리를 촉진하는 암시로 시작한다. 해리가 발생하면 긍정적인 환상, 연령퇴행과 전진, 사고의 유연성 확보, 감정경험, 심상훈련 등 내담자가 자원을 탐색할 수 있는 다양한 접근을 시도한다.

관련어 에릭슨 최면, 최면유도 모델

BASIC I. D.
[－]

라자루스(Lazarus)가 개발한 구조화된 프로필 설문지를 통해 내담자가 선호하는 측면을 분석하고 평가할 수 있도록 만든 일곱 가지 영역. 통합치료

다양식 행동치료를 위한 치료계획의 수립은 일곱 가지 BASIC I. D. 영역에 대한 종합적인 평가에서 시작한다. BASIC I. D.는 내담자를 평가하기 위한 일곱 가지 기본 기능 범주를 뜻하는 단어의 머리글자를 모아서 만든 용어다. 즉, 관찰 가능한 행동(behavior), 기분과 정서의 정동(affect), 신체적이고 감각적 경험인 감각(sensations), 환상·꿈·기억과 같은 심상(image), 사고·신념·철학의 영역인 인지(cognitions), 대인관계(interpersonal relations),

전반적인 영양상태나 건강상태 등의 생물학적 기능의 상태를 나타내는 약물생물학(drugs, biology)이다. 이 일곱 가지 영역으로 내담자가 어떤 측면을 선호하는지 파악하고 평가할 수 있다.

관련어 | 구조화된 프로필 설문지, 다양식 행동치료, 통합치료

C세대
[-世代, C-generation]

중독된 세대를 지칭하는 것으로, 컴퓨터, 게임, 만화, 영화, 음악, 스포츠 등 한 분야에 지나치게 몰입하는 세대.
아동청소년상담

콘텐츠를 스스로 만들고 이를 인터넷 공간에 저장하고 다른 사람과 공유하는 특징적인 행동을 하는 세대를 지칭하는 말로 사용되기도 한다. 이렇게 '중독된 세대(chemical generation)' '컴퓨터 세대(computer generation)' '사이버 세대(cyber generation)' '콘텐츠 세대(contents generation)'라는 다양한 이름으로 불리는 이들은 컴퓨터 사용이 활발하고, 인터넷을 통해 여러 가지 정보를 얻으며, 얻은 정보를 다른 사람들과 자유롭게 공유하는 것에 빠져 있다는 공통된 특성이 있다. 처음에는 컴퓨터, 게임, 만화, 영화, 음악, 스포츠 등 특정 분야에 지나치게 몰입하는 '중독된 세대'를 가리키는 용어였다. 그러다가 초고속 정보통신망의 보급이 일반화되면서 인터넷을 통해 다양한 정보를 얻고, 얻은 정보를 다른 사람들과 자유롭게 공유하면서 능동적으로 디지털 세상에 참여하는 젊은이들이 나타났다. 이들 젊은이들은 초고속 정보통신 환경에서 성장해 그만큼 디지털 기기에 익숙하다. 이 때문에 이들을 '컴퓨터 세대' 또는 '사이버 세대'라 하여 역시 C세대로 부른다. 하지만 컴퓨터 세대까지만 해도 인터넷 환경 안에서 일방적으로 정보를 받아들이는 수용자 차원에 머물렀다. 즉, 컴퓨터 사용자는 인터넷을 정보의 창고로만 생각해 인터넷상에 존재하는 수많은 정보를 적극적으로 받아들이기만 할 뿐, 자신이 직접 인터넷 세상을 만들어 가는 창조자 역할은 하지 못하였다. 그러나 콘텐츠 세대로서의 C세대는 단순히 수용자 차원에 머무르던 컴퓨터 세대가 인터넷이나 휴대전화 등 각종 디지털 기기를 이용하여 스스로 콘텐츠를 생산해 내는 창조자 개념으로 넘어가는 과정에서 등장한 용어다. 그러나 넓은 의미에서 볼 때 컴퓨터 세대를 단순한 정보 수용자 세대로만 보는 데는 한계가 있다. 콘텐츠를 직접 생산해 내는 창조자 세대라 하더라도 컴퓨터 세대인 점에서는 같기 때문이다. 따라서 콘텐츠 세대 역시 컴퓨터 세대의 연장선에 있다고 할 수 있다. 다만, 콘텐츠 세대는 컴퓨터 세대의 여러 가지 특징 가운데 창조적 관점에 무게를 둔 개념일 뿐이다. 콘텐츠 세대는 각종 디지털 기기 사용자를 소비자로 보고, '소비자가 콘텐츠를 창조한다(consumer's creating contents).'는 뜻으로 쓰이기도 한다.

관련어 | @세대, Digital Nomad 세대, E세대, G세대, M세대, N세대, P세대, U세대, W세대, X세대, Y세대, Z세대, 베이비붐 세대

CAT
[-, Club of alcohol treatment]

중독자의 개인적 성장과 지역사회와의 상호작용을 촉진하는 역할로 알코올중독자를 치료하기 위한 치료적 집단.
중독상담

1979년 유고슬라비아에서 처음으로 시작된 모임이다. CAT 집단은 사회심리학과 행동주의의 접근법에 기초한 것으로 알코올 관련 문제들이 가족과 지역사회의 상호작용과 관계에서 발생한다는 기초 가정하에서 출발하므로, 알코올중독의 문제를 개인의 생활패턴과 가족, 그리고 지역사회조직과 상호작용하는 행동유형을 그 원인으로 보고, 치료를 위해서는 개인의 알코올중독에 대한 치료뿐만 아니라 가족과 지역사회가 공조를 해야 한다고 주장하였

기타

다. 이러한 점에서 알코올중독을 개인이 가지고 있는 하나의 질병으로 보고 치료에 접근하는 AA와는 다른 특징을 가진다고 할 수 있다.

관련어 알코올중독, 알코올중독자 모임

CIA 기법
[－技法, correction of innermovie with alienation effect]
내면영화의 영화적 성질을 역이용하여 다른 내면영화로 대치하거나 그것의 청각적, 시각적 성질을 바꾸는 방법을 통한 영화치료기법. **영화치료**

CIA 기법은 부정적인 내면영화에 대해 전통적인 언어를 사용하는 치료가 아니라 내면영화의 영화적 성질을 역이용한 영화치료기법이다. CIA 기법에서는 브레히트식 소격효과를 적절하게 이용했던 여러 감독의 영화기법처럼 내면영화를 문자나 말풍선을 넣어 회화화하거나 내면영화 속의 또 다른 내면영화를 만들기도 한다. 또한 내면영화에 새로운 내레이션을 차용하거나 내면영화 속의 등장인물, 사건, 배경, 시간 등을 변화시키거나 내면영화의 속도를 바꾸어 보는 등 여러 가지 영화적 수단을 이용한다. CIA 기법은 먼저 내면영화에 대해 충분히 다룬 후에야 효과적으로 적용할 수 있다. 따라서 내면영화의 세부사항, 그것이 현재에 미치는 영향, 내면영화를 떠올릴 때의 감정 등에 관한 자료를 충분히 수집하고 검토해야 한다. 또한 내면영화는 대부분의 내담자에게 강렬한 정서적 경험에 휩싸이게 만들기 때문에 내면영화를 생생히 떠올릴 수 있을 정도의 심리적 거리가 확보된 다음 서서히 진행되어야 최적의 효과를 얻을 수 있다. CIA 기법의 실제 과정은 다음과 같다. 우선 신체감각을 유도한 뒤 내면영화를 떠올리고 이미지화한다. 이 내면영화에 새로운 음악을 얹고 새로운 자막이나 말풍선을 추가한다. 그런 다음 새로운 내레이션을 더하고, 새로운 등장인물, 새로운 배경, 새로운 시간을 입힌다. 이 내면영화를 액자에 넣고 제3자처럼 쳐다본다. 그 후 마지막으로 지금까지 작업한 것을 토대로 또 다른 내면영화를 만들어 이어 붙이고, 영화 속 영화 만들기 혹은 대안 영화 이어 붙이기를 한다.

CORBS
[－]
상담의 수퍼비전 과정에서 수퍼바이저가 상담수련생에게 보다 효과적인 피드백을 줄 수 있는 지침사항을 기억하는 데 도움이 되는 기억술. **상담 수퍼비전**

CORBS는 각각 명확(clear)하고, 개인의 의견(owned)이고, 정기적(regular)이고, 균형(balanced) 있고, 구체적(specific)이라는 뜻을 가진 단어의 첫 글자를 조합한 단어이다. 이 기억술은 보다 효과적인 수퍼비전을 위해 수퍼바이저가 알아 두어야 하는 요소들을 기억하기 쉽게 해주는 것으로서 호킨스와 쇼헷(Hawkins & Shohet, 1989)이 제시하였다. CORBS의 세부내용을 살펴보면 다음과 같다. 첫째, 수퍼바이저는 수련생인 상담자에게 주고자 하는 피드백을 명확하게 밝혀야 한다. 상대방이 상처를 입을까 봐 머뭇거리거나 불분명한 의사를 전달하는 것은 오히려 상대방을 더 불안하게 만들고 피드백의 내용을 똑바로 이해하지 못하도록 만든다. 둘째, 수퍼바이저가 수련생에게 주는 피드백은 절대적인 진리나 인식이 아니라는 사실을 알 수 있도록 해야 한다. 따라서 수퍼바이저의 피드백이 개인적인 의견이라는 것을 밝혀야 한다. 셋째, 수퍼바이저는 수련생에게 상담에 관련된 피드백을 정기적으로 주도록 노력하여, 수련생이 그 피드백을 자신의 상담에 반영시킬 계획을 충분히 세우고 활용할 수 있도록 해야 한다. 넷째, 수퍼바이저 자신의 견해가 왜곡되는 것을 방지하기 위해서라도 부정적인 피드백과 긍정적인 피드백의 균형을 유지해야 한다. 피드백의 균형은 수련생이 지나치게 부정적인 피드백 때문에 자기비하에 빠지는 것을 방지할 수 있다. 다섯째, 수퍼바이저가 수련생에게 피드백을 제공할 때는 일반적이거나 모호한 말투보다는 구체적이고 확실한 말을 사용하여 감정이 아니라 객관적인 사실을 전달할 수 있도록 해야 한다. 수퍼비전에서 수퍼바이저가 수련생에게 피드백을 줄 때 이와 같은 지침을 지키는 것은, 상호 부적절한 의사소통으로 불편한 관계를 형성한다거나 부정적인 수퍼비전의 결과로 이어지는 것을 방지해 준다.

관련어 | 수퍼비전

CP
[-, contents provider]

인터넷을 통해 고객에게 정보를 제공하는 주체. **사이버상담**

CP는 인터넷에서 이용자에게 제공되는 정보의 내용을 제작하는 사람이나 기관을 의미하는데, 주로 해당 분야의 전문가로 구성된다. 콘텐츠 제공업체가 자신의 콘텐츠를 직접 운영할 때도 별도의 부담 없이 정보를 증대시킬 수 있고, 정보의 질에 맞는 정보제공계약을 체결할 수 있다. CP 서비스 기반이 인터넷으로 전환됨에 따라 특정 서비스를 통해 콘텐츠를 제공할 필요가 없어졌기 때문에 전문성과 아이디어만 있으면 굳이 독립성이 보장되지 않는 콘텐츠 일괄관리방식을 택할 필요가 없다.

DASIE 5단계 모형
[- 五段階 模型]

넬슨 존스(R. Nelson-Jones)가 제안한 것으로, 생애기술치료의 진행단계를 체계적으로 보여 주는 모델. **생애기술치료**

DASIE 모형은 내담자의 문제해결뿐만 아니라 근본적인 문제기술을 탐색하는 데 도움이 된다. DASIE의 5단계 과정은 다음과 같이 이루어져 있다. 첫째, D(Develop, 발달) 단계는 문제를 명확하게 파악하고 관계를 발달시키는 단계다. 이때는 상담자와 내담자 사이에 보다 적극적으로 내담자의 자기지지를 강화시키는 지지적인 상담관계를 형성하여, 서로 협조적으로 내담자의 문제를 탐색하고, 명료화하고, 이해하고자 한다. 둘째, A(Assess, 진단) 단계는 기술언어를 통해 내담자의 문제를 진단하고 진술하는 단계다. 이때는 상담자가 D단계에서 수집한 정보를 바탕으로 내담자의 문제를 지속시키는 습관이 무엇인가에 대한 진단과 진술이 이루어진다. 셋째, S(State, 진술) 단계는 치료목표를 명확하게 진술하고 이를 위한 계획을 세우는 단계다. 여기서는 다시 2개의 하위단계로 나누어지는데, 내담자에게 부족한 기술을 치료의 목표로 설정하는 것과 이를 수행하기 위한 중재 프로그램을 계획하는 것이다. 이때 상담자는 내담자가 이러한 상담목표를 잘 이해하고 있는지, 그리고 그 계획에 동의하고 있는지를 확인해야 한다. 넷째, I(Intervene, 중재) 단계는 내담자의 생애기술이 발달될 수 있도록 중재하는 단계다. 이러한 중재는 '말하고' '보여 주고' '행동하는' 방법을 통해 오랜 시간의 과정이 필요하다. 상담자가 이러한 중재역할을 충실하게 수행하기 위해서는 관계기술과 훈련기술을 제대로 갖추고 있어야 한다. 다섯째, E(Emphasize, 강조) 단계는 획득한 생애기술의 실제 생활에의 적용을 강조하고 종결하는 단계다. 상담자는 내담자가 상담과정에서 획득한 삶의 기술을 실제 생활에 적용하고 이를 잘 유지할 수 있도록 점진적인 계획하에 상담을 종결해야 한다. 예를 들어, 내담자가 획득한 기술들을 실제 삶으로 전환하고 이를 유지하기 위한 자기지시능력을 발달시키기 위해서 구체적인 상황을 기술한 녹음테이프를 내담자에게 준다든지, 생애기술을 실제 생활에 적용, 유지할 때 예상되는 여러 가지 어려움에 대해서 토의를 하는 방법을 사용할 수 있다.

관련어 | 기술언어, 인간관계 기술

기타

Daytop TC 프로그램
[–, Daytop TC program]

1963년 윌리엄 오브라이언(William O'Brien) 신부가 설립하여 현재 미국 뉴욕에 본부를 두고 있는 치료적 공동체.
중독상담

1963년에 Daytop이라는 비영리 단체로 시작하여 1984년 전 세계적으로 70여 개국에 치료적 공동체에 대한 교육과 운영을 전수하는 국제단체로 발전하였다. Daytop의 치료 프로그램은 참만남집단, 역할모델, 지위 부여 및 지위에 따른 의무 주기 등이 있다. 이 프로그램은 동료집단과 자조의 개념에 기반을 두고 있어서 의존자가 약물을 하지 않고 생산적인 삶을 살아갈 수 있도록 도움을 주고자 세심하게 구조화된 가족적 환경을 제공하며, 동료 사이의 긍정적인 상호작용을 강조한다.

관련어 | 자조모임, 치료적 공동체

DEP
[–, Developmental assesment for the Early intervention Program planing]

발달 지체나 장애를 가질 위험군에 속한 영아의 조기선별을 위한 진단검사. 심리검사

발달 지체나 장애를 가질 위험군에 속한 영아를 조기선별하기 위해 2008년에 장혜성, 서소정, 하지영이 개발한 검사로, 대상은 0~36개월 영아다. 부모, 양육자, 교사를 평정하는데, 의미가 있고 장애 위험에 노출되어 있는 영아 및 심각한 장애로 이어질 수 있는 영아를 조기에 발견하여 지원함으로써 장애를 예방하고 건강한 삶을 영위할 수 있도록 도와주는 영아선별검사도구다. 이 검사로 영아의 발달수준을 확인하고 영아가 지닌 장점과 취약점을 파악하여 장애를 가질 위험이 있는 영아의 조기선별이 가능한 것이다. 이 검사는 현장교사와 부모를 비롯하여 누구나 쉽게 영아의 발달상태를 검사할

수 있도록 구성하였다. 또 영아기의 발달적 특성을 고려하여 월령 단계를 보다 세분화하였다. 하위영역을 살펴보면, 대근육 영역에서 측정하는 것은 자세 유지 능력, 고개 들기, 앉기, 기기, 서기, 계단 오르내리기, 달리기, 점프하기, 균형 잡기다. 소근육 영역에서 측정하는 것은 눈동자의 움직임, 손과 손가락의 사용, 눈과 손의 협응이다. 의사소통 영역에서 측정하는 것은 구어를 사용하여 의사소통이 어려운 경우에 보완 대체 의사소통방법이 필요한지 점검하는데, 발성, 옹알이, 듣기, 이해하기, 말하기, 의문어, 부정어, 시제의 사용 등이다. 사회정서 영역에서 측정하는 것은 다양한 환경에서 의미 있는 사람과 사회적인 행동을 형성해 나가면서 집단에서 요구되는 행동을 배우고 사회에 참여하고 변화를 이해하는 것이다. 양육자 및 또래와의 상호작용의 중요성 영역에서 측정하는 것은 양육자와의 상호작용, 또래와의 상호작용, 자아개념, 다양한 감정표현이다. 인지 영역에서 측정하는 것은 대상 영속성, 인과관계, 모방, 상징, 문제해결, 수 개념, 분류 등이다. 기본 생활 영역에서 측정하는 것은 영아가 독립적으로 기능하며 사는 데 필요한 능력이 신변처리이므로 음식 먹기, 배변훈련, 손 씻기, 옷 벗고 입기 등이다.

DO A CLIENT MAP
[–]

린다 셀리그먼(Linda Seligman)이 개발한 것으로 통합치료의 계획을 세우기 위한 12단계 과정. 통합치료

여러 가지 심리치료이론을 통합하여 사용하는 통합치료에서는 다양한 이론에서부터 나오는 상이한 요소들을 하나로 묶을 수 있게 조직화하고, 치료적 개입의 차례를 명료화하며, 구체적인 치료의 전략을 세우는 일이 중요하다. 이 같은 치료계획을 세우기 위한 모델로 셀리그먼은 1998년에 'DO A CLIENT

MAP'을 개발하였다. 이것은 각 단계의 머리글자를 따서 'DO A CLIENT MAP'이라는 용어를 만든 것으로, 진단(diagnosis), 치료의 목적(objective of treatment), 평가(assessments), 치료자(clinician), 장소(location), 중재방식(interventions), 강조점(emphasis), 인원수(number of people), 시간(timing), 약물치료(medication), 부가서비스(adjunct services), 예후(prognosis)의 12단계로 이루어져 있다. 이러한 치료계획은 내담자의 특성, 개인의 관심사, 동기, 자기인식 등에 따라 계획수립과정이 달라질 수도 있다. 또한 치료자는 치료계획을 수립하기 이전에 내담자의 문제와 증상을 명확하게 파악해야 하고, 내담자의 강점과 약점 및 문제적 상황에 대하여 깊이 있게 이해하고 있어야 한다.

관련어 | 통합치료

DSM축
[－ 軸, axes of the DSM]

정신장애의 진단 및 통계편람에서 진단을 하는 데 사용하는 5개의 중심. **이상심리**

축 I은 임상적 증상이나 임상적 관심이 필요한 정보가 제시된다. 일반적으로 현재 나타나고 있는 증상이나 문제에 근거하여 진단이 내려진다. 축 I에 속하는 장애로는 불안장애, 기분장애, 섭식장애, 해리장애, 정신분열증 등이 있다. 축 II는 성격장애와 지적장애에 관한 정보를 포함한다. 오랫동안 지속되어 온 문제들과 관련이 있다. 축 III은 내담자의 일반적 의학상태에 대한 정보를 포함한다. 현재 심리장애와 관련이 있을 것으로 보이는 의학적 상태를 기록한다. 예를 들어, 알코올중독의 경우에는 간경화증이라는 의학적 상태가 고려해야 할 중요한 사항이 될 수 있다. 축 IV는 진단, 치료, 예후에 영향을 줄 수 있는 심리사회적 환경적 문제에 대한 정보를 포함한다. 주거문제나 직장문제와 같이 심리장애의 발생 원인이 될 수 있는 심리 사회적 스트레스가 기술된다. 축 V는 전반적인 적응적 기능수준(GAF)을 포함한다. 일상생활에서의 적응 정도를 0~100까지의 점수로 제시한다. 점수가 높을수록 적응적 기능수준이 높다는 의미다. 5개의 축을 통한 진단의 예는 다음과 같다. 축 I은 알코올중독, 축 II는 가벼운 지적장애, 축 III은 만성 통증, 축 IV는 이혼, 실직, 친구가 없음, 축 V는 GAF＝30 등이다. DSM-5에서는 이러한 다축체계 없이 단순화하여 기술하게 되었다. 1~3 축이 결합되었으며 4, 5축 역시 관련된 내용을 연결하여 기술하고 있다. DSM-III에 처음 도입되었고 이후 DSM-III-R과 DSM-IV 그리고 DSM-IV-TR에 걸쳐서 계속 유지되어 온 축 기반 진단시스템은 2013년 발표된 DSM-5에서는 폐지되었다.

관련어 | 다축평가, 정신장애진단 및 통계편람

E세대
[－ 世代, E-generation]

스스로 사업체를 일으켜서 경영인이 되고 싶어 하는 특징을 가진 세대. **아동청소년상담**

E세대는 사업체를 스스로 만들어 경영인을 꿈꾸는 세대를 가리키는데, 여기서 'E'는 enterpriser의 머리글자로, 미국에서는 어린이 기업가를 일컫는다. 이 세대의 구성원들은 어린 시절부터 기업을 경영하는 것에 관심을 가지고 이를 위한 다양한 교육에 참가하기도 하며, 10대 때부터는 크고 작은 사업을 경영해 보기도 한다. 이들에게는 X세대의 상징인 요란한 복장, 타인에 대한 냉담함, 이기심은 존재하지 않는다. 대신 끊임없는 호기심과 탐구, 도전의식이 이들의 가슴 밑바닥에 깔려 있다. 물론 기회가 닿으면 과감하게 사업을 일군다. 주목표는 역시 컴퓨터 소프트웨어다. 대기업이 눈을 돌리지 못하는 틈새를 파고드는 것이 이들의 주된 전략이다.

기타

EARS
[−,eliciting, amplifying, reinforcing, start again]

해결중심의 상담을 시행할 때 필요한 네 가지 주요 활동.

해결중심상담

해결중심상담에서 첫 회기상담 이후 일어난 변화를 계속 유지하고, 강화하고, 확대해 가는 작업이 2회기 이후 주요 과제가 된다. 이러한 과정에서 필요한 치료자의 주요 활동 네 가지, 즉 이끌어 내기(eliciting), 확장하기(amplifying), 강화하기(reinforcing), 다시 시작하기(start again)의 머리글자를 따서 'EARS'라 한다. 첫째, 이끌어 내기(E)에서는 지난 번 치료 이후 일어난 변화를 질문을 통해 확인한다. 첫 회기 이후에 무엇이 나아졌는지, 어떤 긍정적인 변화가 있었는지에 대해 질문한다. 둘째, 확장하기(A)에서는 예외를 확대하기 위해서 긍정적인 변화에 대해 자세하고 구체적으로 질문한다. 주로 육하원칙에 따른 구체적인 질문을 한다. 셋째, 강화하기(R)에서는 긍정적으로 변화된 성공과 강점을 언어적 · 비언어적으로 강화한다. 또한 그 변화가 내담자와 그의 삶에 주는 가치가 무엇인지 확인하고 이를 칭찬한다. 강화는 내담자의 문제가 일어나지 않았던 예외에 주목하여 이를 집중적으로 탐색하거나 확인하고 칭찬하는 것으로 행해진다. 넷째, 다시 시작하기(S)는 확신, 동기, 과정, 희망 등의 정도를 확인하는 척도질문으로 내담자의 긍정적인 변화가 얼마나 구체적이고, 내담자의 삶에서 실현 가능한 영향력을 발휘할 수 있는지에 대해 판단하게 된다. 이때 내담자의 긍정적인 변화가 충분히 구체적이거나, 삶을 개선시킬 만한 것이 아니라면 "지난번보다 나아진 다른 부분이 있나요?"와 같은 질문을 통해서 또 다른 긍정적인 변화를 찾아 다시 확인하는 작업을 반복한다. 이 같은 반복은 내담자가 자신의 긍정적인 변화에 대해 충분히 말했다고 판단될 때까지 "또 좋아진 것은 없을까요?"라고 계속 질문한다.

관련어 | 예외질문, 척도질문

EFT
[−, emotional freedom technique]

특정 경혈을 두드림으로써 신체에너지시스템의 혼란을 해소하여 치유하는 기법. **뇌과학**

사고장요법에서 변형된 것으로, 부정적 감정은 신체에너지시스템(경락 기능)이 혼란된 것이라 보고 손가락으로 경락을 두드려 생성한 에너지를 말과 행동으로 조절하여 치유력과 잠재력을 극대화하는 기법이다.

관련어 | 사고장요법

Fernald 접근법
[−接近法, Fernald approach]

읽기와 쓰기를 향상시키기 위한 교수방법. **학습상담**

1920년대 미국의 퍼날드(Fernald)와 켈러(Keller)가 개발한 방법으로서, 읽기뿐만 아니라 쓰기와 철자법의 교수에도 적용된다. 이 방법은 아동의 경험을 존중하고 학습자의 동기를 강조하므로 읽기를 잘하지 못하는 아동이 지니는 감정적 문제를 극복하는 데 도움이 된다. 이는 4단계로 진행되는데, 각 단계에서 다감각적 접근법이 활용되며 아동의 능력에 따라 과정을 선택하여 진행하기도 한다. 먼저, 아동이 제안하는 이야기를 교사가 작성하고 작성된 이야기 중에서 학습할 단어나 어휘를 선정한다. 선정한 단어나 어휘를 종이나 칠판에 적은 다음 아동은 손가락으로 따라 쓰거나 읽는다. 아동은 자신이 말한 것을 보지 않고 쓸 수 있을 때까지 반복한다. 학습한 단어로 아동이 이야기를 직접 쓰고, 타이핑하고, 워드 프로그램을 이용하여 출력한 자료를 읽는다. 두 번째 단계는 새로운 단어를 배우는 과정이다. 교사가 작성한 단어를 아동 스스로 학습할 수 있으며, 자신이 기억한 단어를 쓰고 기록하고 타이핑하여 읽는다. 세 번째 단계는 아동이 흥미를 가지고 있는 읽기 자료를 선택하여 새로운 단어를 확인하고 두세 번 말한 다음 자료를 보지 않고 자신이 한 말을 쓴다. 네 번째 단계는 새로운 단어를 재인하고 읽기와 어휘력을 발달시키기 위하여 이미 학습한 단어들을 새로운 단어에 일반화시키는 과정이다. 즉, 읽기 자료에서 새로운 단어가 무엇인지 확인하도록 하여 새로운 단어의 의미를 지금의 문맥과 이전 학습 단어를 중심으로 추론해 보도록 한다.

관련어 쓰기장애, 읽기장애

FUNN
[– , functional understanding not necessary]

인간의 긍정적인 변화를 위해서 기능적인 이해가 필수적인 것은 아님을 뜻하는 해결중심접근의 개념. **해결중심상담**

FUNN은 론케(Rohnke, 1994)가 해결중심접근으로 모험에 기초한 경험치료(ABET)를 적용할 때 내담자의 문제를 해결하고 치료하기 위해서 문제의 원인을 정확하게 이해하고, 이를 해결할 확실한 치료책이 없더라도 여러 가지 활동과 경험을 통해 내담자가 즐거운 시간을 보내는 것이 그들의 삶에 긍정적인 영향을 미칠 수 있다고 설명한 개념이다. 따라서 ABET에 참여하는 내담자들은 자신의 심각한 문제를 직접적으로 다루고 그 원인과 해결책을 찾아내는 것에 집중하기보다는, 다양한 활동을 통해서 즐거움을 경험하게 된다. 이러한 경험은 이전과

는 다른 공간, 경험 또는 현실 속에서 변화의 가능성을 찾거나 변화를 이루어 내는 용기를 얻을 수 있다.

관련어 모험에 기초한 경험치료

G세대
[– 世代, G-generation]

1988년 서울올림픽을 전후한 시기에 태어나 글로벌 마인드를 갖추고 자라난 세대. **아동청소년상담**

G세대란 푸른색을 뜻하는 'Green'과 세계화를 뜻하는 'Global'의 영어 머리글자를 따온 것이다. G세대를 특징짓는 단어는 적극적, 미래 지향적, 세계화된 세대인데, 이들은 건강하고 적극적이며 세계화를 향하고 미래 지향적인 젊은 세대로 환경운동, 반핵 평화 포럼과 같은 곳을 활동 무대로 자신의 주장을 당당하고 적극적으로 펴고 있다. 1988년을 전후로 태어나 외동자녀 비율이 처음으로 50%를 넘어선 세대로, 사교육, 영어 열풍, 조기유학 등 부모의 집중투자를 받으며 자랐고, 해외여행, 유학, 어학연수 등을 통해 글로벌 마인드가 형성되었다. 학교에 들어가자마자 인터넷을 접해 산업화와 정보화의 세례를 동시에 받았고, 이들은 컴퓨터 · 휴대전화 · 디지털카메라 등의 디지털 문화에 익숙하며 외국어 구사 능력도 우수하다. 다른 사람을 의식하기보다는 자신만의 특성과 개성, 개인적 행복감을 무엇보다 중요하게 생각한다. 또 자신에게 충실하고, 자신감 또한 충만하며, 밝고 낙천적인 성향을 지니고 있다. 반면에 성실성과 끈기, 친화력이 부족하다는 평가를 받기도 한다. 이 세대는 절약과 저축보다 소비가 중요하다는 인식이 퍼지기 시작한 시절에 태어나 매사 소비자로서의 의식이 투철하여 자신이 갖고 싶은 것은 꼭 소비하는 강력한 구매 성향을 가지고 있다.

관련어 @세대, C세대, Digital Nomad 세대, E세대, M세대, N세대, P세대, U세대, W세대, X세대, Y세대, Z세대, 베이비붐 세대

기타

GHB
[-, gamma hydroxy butyrate]

무색, 무취의 분말이나 정제형태를 띠는 중추신경억제제.
중독상담

GHB를 일명 '물뽕'이라고 부르는데, 이는 복용 시 음료수 등의 액체에 타서 마신다는 이유로 붙은 이름이다. 여기서 '뽕'은 메스암페타민을 지칭하는 속어인 '히로뽕'에서 나왔다. 즉, 물에 타서 먹는 히로뽕이라는 뜻이다. GHB를 물에 몇 방울 타서 마시면 10~15분 이내에 기분이 좋아지고, 취한 듯한 상태가 되면서 몸이 이완된다. 또한 알코올에 타서 먹으면 그 효과는 더욱 상승한다. GHB의 이 같은 효과 때문에 주로 성범죄에 많이 이용되어 레이디 킬러(lady killer), 혹은 데이트 강간 약물(date rape drug)이라고 불리기도 한다. 과다복용 시에는 뇌사나 사망에 이를 수도 있다. GHB는 2001년 열린 제44차 유엔마약위원회에서 향정 마약류로 분류되었으며, 우리나라에서는 2001년 마약류로 지정되었다.

관련어 | 메스암페타민, 약물중독

Gillingham 접근법
[-接近法, Gillingham approach]

읽기, 쓰기 및 철자 운용 능력을 향상시키기 위한 다감각적 교수방법. 학습상담

질링엄과 스틸먼(Gillingham & Stillman)이 1930년 오톤(Orton)의 교수법에 근거하여 개발한 접근법이다. 이는 알파벳법이라고도 하는데, 문자(letter)와 음소(phoneme)의 관계를 다감각접근법을 활용하여 한 번에 한 자씩 배워 나가는 과정으로 크게 3단계로 진행된다. 먼저 학습해야 할 철자가 들어 있는 문자를 제시하여 문자의 이름과 문자의 음소를 대응시키는 시각기호와 문자이름의 연합을 학습하도록 한다. 이때 자음과 모음을 구별하기 위해 다른

색을 사용하며, 10개의 문자를 학습한다. 2단계는 음운혼성(phoneme blending)을 통하여 단어를 만드는 과정이며, 아동은 배운 문자를 활용하여 만든 단어카드를 보고 음을 들으면서 손가락으로 문자를 추적하고, 단어를 쓰고 읽으면서 시각기호와 문자음의 연합을 학습한다. 3단계는 지금까지 작성된 단어카드를 이용하여 문장을 만들거나 이야기를 꾸미며, 아동이 자신에게 하는 말을 듣고 문자의 이름이나 음을 말하는 것과 자신의 언어 기관에 대한 느낌을 연합하도록 한다.

관련어 | 쓰기장애, 읽기장애

HAPA 모형
[-模型, health action process approach: HAPA]

슈워처가 건강행동의 변화를 설명하기 위해 제시한 모형. 건강행동과정접근이라고도 함. 중독상담

HAPA 모형은 사람들이 왜, 그리고 어떻게 위험한 행동은 삼가고, 건강한 행동을 습득하는지를 설명해 준다. 슈워처(Schwarzer)는 인간이 건강한 행동을 습득할 수 있는 이유는 위험 행동을 자기 스스로 조절하고 예방할 수 있는 통제력을 지니고 있기 때문이라고 설명하였다. 이러한 슈워처의 위험 행동과 건강 행동을 중독과 절제의 개념으로 설명한 것이 바로 HAPA 모형이다. 이 모형에서는 인간이 어떠한 행동을 하려고 하는 행동의도를 갖기까지의 단계를 동기화 단계(motivation phase)라고 하며, 행동의지를 가진 이후의 단계를 의지단계(volition phase)라고 하였다. 즉, 동기화 단계는 각각 행동의도를 소유하게 되는 단계이고, 의지단계는 실제로 행동을 행하는 단계에 해당한다. 행동에 대한 의도를 형성하는 동기화 단계에서 사람들은 특정한 행동을 하기 위해 동기부여 혹은 목표를 설정한다. 이 단계는 다음의 세 가지 자각으로 가능하다. 첫째,

현재의 행동을 변화시키려는 동기를 갖게 만드는 위험자각(risk perception), 둘째, 결과에 대한 믿음을 의미하는 성과기대(outcome expectancies), 셋째, 도전적인 요구와 자신의 기능에 대해 통제할 수 있다는 신념인 지각된 자기효능감(perceived self-efficacy)이다. 이러한 요인을 통하여 개인의 목적이 동기화 단계에서 달성이 되면, 그다음으로 세부계획을 세우고 행동을 시도해 보며, 변화된 행동을 유지하면서 장애물이나 실패를 극복해 나가는 등의 실질적인 행동을 실행하는 단계인 의지단계로 들어간다. 의지단계에서는 이전의 동기화 단계보다 더 많은 자기조절(self-regulation) 능력이 필요하다. 자기조절 과정은 구분이 모호하기는 하지만, 계획, 시작, 유지, 재발관리, 그리고 이탈의 단계로 나누어서 생각할 수 있다. 예를 들어, '실현 가능한 계획 세우기'를 통해서 세부계획을 짜고, 이를 실천하기를 시작하여 방해물을 극복하는 것을 통해 변화된 행동을 유지하고, 변화되기 이전의 행동을 다시 행할 재발의 가능성을 최소화시킬 수 있는 전략을 세우는 등의 노력을 한다. 이 같은 자기조절 과정이 쉽지는 않지만 행동변화의 유지는 이러한 기술의 전략적 발달을 통해서 이루어진다.

관련어 | SBCM 모형, 계획된 행동모형

HDD
[– , hard disk drive]

컴퓨터 하드디스크의 위치, 읽기, 쓰기, 저장 등을 제어하는 기억 장치. 사이버상담

HDD는 원판형 알루미늄 기판이나 유리 기판 위에 자기 기록막을 입혀서 자기 헤드로 데이터를 기록·재생하는 장치다. 외부의 먼지에 헤드나 기록막이 손상되지 않도록 밀봉한 형태로, 컴퓨터 외부 기억 장치의 주류를 이루고 있다. 고정 자기 디스크라고도 한다.

Hegge – Kirk – Kirk 접근법
[– 接近法, Hegge-Kirk-Kirk approach]

읽기 능력을 향상시키기 위하여 개발한 훈련방법. 학습상담

교육이 가능한 지적장애 아동을 위하여 개발된 훈련법으로, 교정적 읽기훈련(remedial reading drills)이라고도 불린다. 이 훈련은 발음 중심의 읽기 훈련이며, 연습기회를 많이 주고 문자와 소리 간의 관계를 단순화하여 아동이 문자와 음소의 관계를 기억하도록 구성해 놓았다. 즉, 아동이 문자와 음소의 연합관계를 학습하는 데 교사가 다음과 같은 단계로 모음과 자음을 제시한다. 예를 들면, 모음 'ㅏ'를 학습하기 위한 1단계는 모음 'ㅏ'를 'ㅅ-ㅏ-ㄴ' 'ㄱ-ㅏ-ㄴ' 등으로 제시하고 충분히 학습한 다음 2단계에서는 마지막 자음을 바꾸어, 즉 'ㅅ-ㅏ-ㄹ' 'ㄱ-ㅏ-ㄹ'로 만들며, 마지막 단계에서는 첫 자음과 마지막 자음을 모두 바꾸어 학습한다. 그러나 아동이 '삶'과 같은 불규칙한 음운 합성단어를 접하게 될 때는 통단어(whole word)로 읽고 기억하도록 가르친다.

관련어 | 읽기장애

HTML
[– , hyper text markup language]

인터넷 문서인 웹 문서를 만드는 컴퓨터 언어. 사이버상담

웹 문서는 곧 HTML 문서의 모음이라고 볼 수 있고, 웹 서버는 HTML 문서가 저장된 컴퓨터라고 볼 수 있을 정도로 오늘날 모든 웹 문서는 HTML 형식으로 만들어진다. 텍스트를 어떻게 구성할 것인지, 이미지를 어떻게 배치할 것인지, 또 하이퍼링크를 어떻게 만들 것인지 등 부가정보가 포함된다. 웹을 구축하려는 사용자라면 반드시 HTML 사용방법을 알아야 한다. HTML의 규약을 규정한 HTML-DTD

기타

파일을 이용하여 HTML 문서를 쉽게 만들 수 있는데, HTML은 사용이 간편하다는 장점 때문에 현재 널리 사용되고 있다. 웹 서버를 그냥 명령어 라인 상태로 접속했을 경우, 파일의 확장자가 .html로 되어 있는 파일이 있는데, 이러한 파일이 바로 HTML로 작성된 파일이다. HTML을 이용하여 웹 서버는 각종 문자의 지정이나 크기, 폰트, 그림의 위치, 링크의 위치 등을 표현한다. HTML 문서의 특징을 살펴보면 다음과 같다. 첫째, 전화처럼 이야기를 주고받을 수 있다. 둘째, 응용 프로그램 및 문서를 공유할 수 있다. 셋째, 대화를 나누며 파일을 송수신할 수 있다. 넷째, 화이트보드(칠판) 기능이 지원된다. 다섯째, 채트 프로그램을 사용하여 메시지를 주고받을 수 있다.

IP [1)]
[-, information provider]

인터넷에서 제시되고 공유되는 각 분야의 정보를 수집하고 가공하여 인터넷 통신망을 통해 사용자에게 제공하는 사람이나 기관. **사이버상담**

IP는 주로 인터넷 주소 지정에 대한 약속과 이 주소를 바탕으로 통신 상대방까지 자신의 메시지를 전송할 수 있는 경로의 설정과 관련된 작업을 수행한다. 또한 전송해야 하는 메시지의 크기가 클 때 이를 적절한 크기로 쪼개어 보내고 받는 일도 수행한다.

IP [2)]
[-, identified patient]

가족상담에서의 개념으로, 역기능적 가족 안에서 가족의 핵심적이고 내적인 갈등을 표출하도록 무의식적으로 선택된 가족구성원. **가족상담**

IP는 베이트슨(Bateson)의 가족항상성 연구에서 밝혀진 개념으로서, 가족 안에서 내적 갈등이 증폭되면서 가족은 무의식적으로 이러한 불편함과 어려움을 한 가족구성원에게 집중하고 그에게서 원인을 찾는 현상이다. 가족의 핵심적 갈등과 어려움은 자연스럽게 가족구성원 한 사람 한 사람에게 어려움을 가져오고, 이 중에서 특히 많은 어려움을 표출하고 이 어려움이 다른 가족구성원들에게 불편함을 많이 주는 한 사람을 만들어 낸다. IP의 문제나 어려움은 그 가족의 비밀, 문제, 역동을 드러낸다. 가족상담에서는 보통 IP를 중심으로 다른 가족구성원이 함께 모여 집단의 형식으로 가족의 어려움이나 문제를 다룬다. IP는 확인된 내담자라는 의미지만 다른 의미로는 증상 보유자, 표출된 문제의 보유자라고도 할 수 있으며 대부분 가족 안에서 첫 번째로 상담 등의 도움이 필요하여 상담에 의뢰되는 사람이다. 예를 들면, 크고 작은 비행 등의 외현적 문제행동을 보이거나 심한 우울, 불안 등 내면적 문제행동을 보이는 아동 또는 청소년이 부모의 의뢰로 상담을 하는 경우 이 아동 또는 청소년은 가족 전체의 문제와 어려움을 자신의 문제행동으로 표출하고 있는 IP라고 할 수 있다. 이런 점에서 베이트슨은 IP가 가족 전체를 위해 희생하는 것이라고 보았으며, 융(Jung)의 경우 대대로 내려오는 가족의 업보(Karma)를 IP가 짊어지고 있는 것으로 설명하기도 하였다. 가족은 IP 때문에 가족 전체가 힘들다고 호소하면서 바람직한 변화를 요구하지만 어떤 식으로든 그들이 지금까지 해 오던 방식을 유지하려는 무의식적인 욕구도 함께 가지고 있다. 따라서 가족상담을 성공적으로 수행하게 되면 IP 개인의 어려움 혹은 문제도 개선되지만 다른 가족구성원 역시 변화될 것이다. IP의 문제에만 초점을 맞출 경우 IP의 문제가 개선되면 부모가 이혼을 하게 된다거나 다른 가족구성원이 또 다른 어려움을 표출하게 되는 식으로 가족문제가 다른 방식으로 다시 일어나기도 한다.

관련어 가족상담, 희생양

ISP
[−, internet service provider]

웹 호스팅과 같은 인터넷 서비스를 제공하는 회사 혹은 개인.
사이버상담

대개는 인터넷에의 접근권을 판매한다. 예전에는 주요 대학에 속해 있거나 미국 국방성 기록을 가지고 있는 경우에만 인터넷에 접속할 수 있었지만 지금은 인터넷 서비스 공급업체를 이용하면 쉽고 편리하게 인터넷에 접속할 수 있다. 대부분의 인터넷 서비스 공급업체는 서번 네트워크(메일, 뉴스, 웹)와 라우터, 그리고 고속 인터넷 백본 망에 연결된 모뎀을 가지고 있다. 가입자가 인터넷에 접속하기 위해서는 서버와 도메인명 또는 유닉스를 배울 필요 없이 지역 네트워크로 전화만 걸면 된다.

IT
[−, information technology]

인터넷의 성장으로 발달한 새로운 영역으로서 컴퓨터 하드웨어, 소프트웨어, 통신장비 관련 서비스와 부품을 생산하는 산업의 통칭. **사이버상담**

인터넷이 일반화되면서 정보기술산업은 통신분야를 포함하게 되어 현재 IT라고 하면 정보기술에 통신을 더하여 정보통신기술이라는 의미로 이해되고 있다. '정보화 기본법'에 따르면 정보통신은 정보의 수집, 가공, 저장, 검색, 송신, 수신 및 그 활용과 이에 관련되는 기기, 기술, 역무, 기타 정보화를 촉진하기 위한 일련의 활동과 수단을 말한다. 사이버 상담 영역에서 IT란 정보를 창조하고, 저장하고, 전시하며, 탐색하고, 사용하기 위해 온라인에서 의사소통하는 것과 컴퓨터를 사용하는 것을 의미한다. 전 세계 경제에서 IT 산업이 차지하는 비중은 꾸준히 증가하고 있다.

ITPA 모형
[−模型, Illinois test of psycholinguistic abilities model: ITPA model]

언어표현치료 프로그램. **학습상담**

1975년 카르네스(Karnes)가 정보처리 모형에 근거하여 18개월에서 취학 전까지의 지적장애 아동과 실조된 아동의 시각적·청각적 연속 기억, 시각적·청각적 종결능력, 시각적·청각적 수용·통합·표현 기능 등을 평가하기 위하여 열두 가지 하위검사로 구성된 심리언어능력검사를 개발하였다. 이를 근거로 구어치료 프로그램이 개발되었다. 이 프로그램은 인간도 컴퓨터와 마찬가지로 감각기관에서 정보를 받아들이고, 받아들인 정보를 기억하거나 저장하며, 이러한 정보는 부분적으로 완성되거나 새로운 다른 형태로 조직되고 인간의 언어나 행동으로, 혹은 함께 작용하여 표현된다는 기본적 가정을 가지고 있다.

관련어 | 구어장애

KB 심상치료
[−心理治療, Katathymes Bilderleben: KB]

심층적 심상현상을 매개로 하는 대표적인 역동적 심상치료로, 독일 괴팅겐대학 교수면서 정신분석가인 로이너(Leuner)가 개발한 가장 구조화되어 있고 체계적인 심상치료. **심상치료**

KB 심상치료의 정식명칭은 'Katathymes Bilderleben'이며, 북구와 동구권에서는 'Symboldrama', 영미권에서는 'Guided Affective Imagery, GAI' 'Guided Imagery, GI' 'Guide Affective Imagery Psychotherapy, GAIP' 등으로 알려져 있다. KB 심상치료는 현재 독일 정부에서 공인하는 상담 및 심리치료(Leuner, 1980)이며, 유럽의 상담 및 임상 장면에서 정신과 의사, 상담 및 임상심리학자, 심리치료사가 다루는 주요한

기타

상담 및 심리치료다. 'Katathymes Bilderleben'이라는 말은, 그리스어에서 유래한 것으로 'Kata'는 '~에 수반되는' '~에 의거하는'이라는 뜻이고, 'thym'은 '감정, 정서, 마음, 영혼, 정신' 등의 뜻을 지닌다. 또한 'Bild'는 독일어로 '형상, 표상, 심상, 상상' 등의 뜻을 가지고 있고, 'Erleben'은 체험이나 주관적 경험을 의미한다. 종합하면 깊은 정서를 수반하는 심상체험이라고 할 수 있다. 따라서 KB 심상치료는 내담자의 깊은 마음과 정서가 수반된 심상을 매개로 하는 심리치료 혹은 깊은 마음과 정서를 동반한 심상체험을 기반으로 하는 심리치료를 뜻한다. 'Katathym'이라는 용어를 처음 소개한 사람은 정신분열증 개념을 세상에 처음 선보인 마이어(Maier)지만 로이너가 이해한 개념과는 차이가 있다. 로이너에게 'Katathym'은 병리적 체험현상에 국한되는 것이 아니라 모든 인간이 체험할 수 있는 현상으로 일어나는 정신 내적 활동이다. 그는 심층적 심상현상의 임상적 기능에 관한 관찰과 연구를 거듭하면서 'Katathym'이라는 용어로 심상을 소개하였는데, KB에서 말하는 심상현상은 색채성, 유연성, 3차원적으로 전개되는 공간성 등의 특징을 지닌 형상적 심상현상을 말한다. 로이너는 심상을 체험하는 사람이 자신의 자율 의지에 영향을 받지 않고, 시야계에 지속적으로 머물러 있다가 점점 더 많은 형태의 상으로 전개되는 특징을 갖는 현상을 두고 KB 심상현상이라고 하였다. 이러한 심상현상은 특정 부류의 사람들만 경험하는 병리적이거나 망상적인 것이 아니라 누구라도 체험할 수 있는 깊은 심적 수준의 현상이며, 이는 부정적 기능과 긍정적 기능의 양면을 모두 지니고 있다고 말하였다. KB 심상치료는 특히 내담자가 체험한 부정적 기능의 심상을 분석하고, 이를 토대로 직접 재구성하는 작업에 크게 비중을 두는 역동적 심상치료다. 심층심리학적 이론에 근거를 두고 있으며, 치료방법은 실버러(Silberer), 크레치머(Kretschmer), 슐츠(Schultz), 하피히(Happich), 드주와이어(Desoille)와 같은 사람들에게서 많은 영향을

받았다. 로이너는 KB 심상치료를 개발한 다음 KB의 이론적 배경과 방법론을 개선하였으며, 그 결과 KB 심상치료는 좀 더 구체적인 치료이론과 치료방법을 가지게 되었다. KB 심상치료는 비구조화된 심상치료에서 출발했지만 이후 치료방법이 개선되어 구조적이고 체계적인 심상치료로 발전한 것이다. KB 심상치료는 실제 치료장면에서는 유도시각심상체험을 통하여 내담자의 문제 및 무의식 내용을 규명하고, 이를 근거로 부정적 심상구조를 교정하는 치료방법을 특징으로 한다(Leuner, 1954). KB 심상치료의 치료작업은 주로 심상체험작업 위주로 진행된다. 초기작업에서는 상담자가 먼저 내담자에게 KB 심상치료의 치료과정 및 진행방법을 설명해 주며, 내담자와의 면담은 주로 심층적 면담방법으로 진행한다. 면담작업에서는 내담자 소개, 내담자의 주요 경험 및 사건, 자신의 환경, 병력, 학력, 습관, 가족사항 등을 다루고, 이어서 내담자 문제에 관한 진단작업에 들어간다. 진단작업은 심층역동적 진단법(Tiefenpsychologische Anamnese)으로 다룬다(Leuner, 1978). 심층면담을 한 뒤에는 바로 유도시각심상체험을 시작한다는 점이 특징적이고, KB 심상치료에서 다룬 모든 심상체험의 의미는 반드시 심층역동학적 치료이론에 근거하여 분석하고 해석한다. 치료의 궁극적인 목표는 내담자의 이상적인 심상체험, 내담자가 체험한 심상내용의 올바른 분석 및 심상 재구성 작업 등이라 할 수 있다. KB 심상치료의 방법은 기본, 중급, 상급 단계로 구성되어 있으며, 이 단계를 인도하기 위한 여러 수준의 구조화된 시각심상척도가 있다. 보다 구체적으로, KB 심상기법의 치료과정은 크게 다음과 같은 심상척도의 특징으로 구성된 치료단계를 따른다. 기본 단계의 심상척도는 꽃심상, 초원심상, 시냇물 심상, 산 심상, 집 심상, 숲 심상이다. 중급단계의 심상척도는 주요인물심상(친지, 친척, 친구, 부모, 남편, 부인의 모습 등), 성적 심상, 사자동물 심상, 이상적 자아심상이다. 상급단계의 심상척도는 지옥장면, 물웅덩

이, 동굴, 구덩이, 화산, 거울, 서적이다. 중급 및 상급 단계에서는 기본 단계와 달리, 상담자가 내담자의 심상체험에 적극적으로 중재하고 개입하는 점이 특징이다. 상담자는 내담자가 체험한 심상의 내용과 모습의 의미를 분석하고, 동시에 재구성 작업을 인도한다. 상담자는 내담자가 체험한 유도시각심상에 직접 관여하기 위해서 KB 심상치료의 포괄적인 치료이론을 매우 심도 있게 이해해야 한다. 심상체험은 일반 투사기법과 같은 단순한 진단적 기능뿐만 아니라 심상체험 자체만으로도 우리 성격구조의 중요한 요인을 움직이는 결과를 가져올 수 있다. 요컨대 KB 심상치료는 특히 유도시각심상을 통하여 내담자 문제의 심층적 원인분석을 인도하는 역동적 심상치료로서, 내담자가 체험한 심상의 내용을 부정하는 작업과 심상을 재구성하는 치료작업을 체계적으로 연구하여 개발한 심리치료다. 상담자가 내담자의 심상체험에 적극적으로 중재하고 개입하여 그의 심상내용을 수준별로 분석하고 재구성하는 작업을 하는 것이다. KB 심상치료의 초기작업은 14단계를 거치고, 상담회기는 평균 10~20회기 정도이며, 단기로 진행할 경우는 5~10회기 정도다. 회기당 시간은 50분에서 2시간까지 때에 따라 융통성 있게 진행하며, 주 1, 2회 정도를 원칙으로 한다. 이와 같은 KB 심상치료는 신경증 및 만성 신경증(신체화장애, 강박장애, 불안장애, 정동장애, 공포장애 등), 사춘기 및 청소년기의 사회 부적응장애와 학습 부적응장애 등에 뚜렷한 치료효과가 있으며, 언어소통이 어려운 내담자, 지적장애, 고령의 노인 내담자, 호전성이 있는 정신분열장애 및 우울장애 등에도 만족한 변화 및 치료효과가 있음이 밝혀졌다. 이 같은 KB 심상치료는 1994년에 러시아와 이탈리아에 지부가 창설되었고, 현재는 세계 20여 개국에 지부가 있으며, 각국 지부는 독일 KB심리치료협회에서 권한을 위임받아 운영되고 있다.

관련어 유도시각심상

LSD
[-, Lyseric acid diethylamide]

강력한 환각제의 하나. 중독상담

LSD는 1938년 스위스 산도스 사의 약리연구소의 호프만(Hoffmann) 박사가 맥각균(claviceps purpurea)에서 합성한 물질로서, 자연적으로 형성되는 뇌신경전달물질인 세로토닌과 화학구조가 유사하며, 백색 분말로 맛이나 냄새가 없는 것이 특징이다. 이 물질을 처음에는 LSD-25라고 명명했는데, 이는 리제르그산 계열 중 25번째로 만들어진 화합물이기 때문이다. 맥각균은 잡초, 특히 호밀에 기생하여 생장하는 실 모양의 곰팡이인데, 이 곰팡이가 호밀 이삭에 붙으면 길고 검은 쐐기가 생기면서 맥각병을 일으킨다. 호프만 박사가 맥각균에서 LSD를 합성하기 전까지 사람들은 이에 대한 약리작용을 알지 못한 채 경험적으로 출산 후 산모의 출혈을 막아 주는 처치제로 사용해 왔다. 맥각균에 중독되면 온몸이 불에 타는 듯한 고통을 느끼게 되고, 곧바로 치료하지 않으면 괴저로 발전하여 신체 말단이 떨어져 나간다. 게다가 심한 신체경련과 환각이 나타나기도 한다. LSD를 합성한 호프만 박사는 맥각균에 대한 실험을 진행하다가 환각증세를 경험하였고, 이것이 LSD를 합성하는 데 아이디어를 제공하였다. LSD는 주로 1960년대 반문화 운동 시기에 많이 남용되었으며, 현대에는 어느 정도의 자극을 주면서 싼값으로 지루함을 달래고, 1960년대를 회고하고 싶은 이유로 청소년을 비롯한 젊은이들이 많이 사용한다. LSD는 속어로 acid라고 하는데, 주로 비밀장소에서 제조되어 우표와 같은 형태의 종이에 그림으로 인쇄하여 판매되고 있다. 사용자들은 이 종이를 혀로 핥거나 종이를 그대로 삼킨다. LSD는 소량의 경구 투여로도 효과가 나타날 만큼 매우 강력한데(1회 사용량은 100~200마이크로그램), 코카인의 100배, 메스암페타민의 300배에 달하는 효과를 나타낸다. 이 물질을 사용하면 시각, 촉각, 청각 등의 감각을

기타

왜곡시키는 강력한 환각효과를 경험하게 되며, 이러한 환각상태는 항상 좋은 것만은 아니다. 기분 좋은 경험을 할 수 있는 환각경험(trip)을 할 수도 있지만, 극심한 공포, 불안, 두려움이 나타나는 환각을 경험(bad trip)할 수도 있다. 환각의 효과는 복용 후 30분 정도 지나서 나타나며, 보통은 6~8시간 정도 효과가 지속된다. LSD의 사용에 따르는 특별한 신체변화나 내성 혹은 금단증상은 특별히 보고되지 않았지만, 공포를 느끼게 하는 환각이 나타날 때에는 실질적인 범죄행위와 연결될 수 있는 위험요소를 가지고 있다. 또한 LSD 사용을 중단한 이후에도 이전의 환각경험을 다시 하는 환각재현작용이나 장기화된 정신이상 증세, 공포감 등이 나타날 수도 있다. LSD로 인한 신체변화는 그리 뚜렷하지는 않지만 의존자의 뇌와 염색체에 손상을 일으키고, 동공확대, 심박동과 혈압의 상승, 수전증, 오한 등의 증상이 나타난다. LSD는 사람뿐만 아니라 동물에게도 강력한 효과를 나타낸다. 이 약물 때문에 고양이가 쥐를 무서워할 수도 있고, 거미가 거미집을 제대로 짓지 못하기도 한다.

관련어 | 약물중독, 향정신성 약물, 환각제

M세대
[-世代, M-generation]

휴대전화와 인터넷을 사용하고 나 자신을 중요시하며 이동성을 삶의 본질과 근거로 삼는 세대. 아동청소년상담

모바일 세대(mobile generation) 혹은 밀레니엄 세대(millennium generation)라고도 부르는 M세대는 1980년대 초반 이후의 출생자를 주로 지칭한다. 기성세대가 휴대전화를 단순한 통화수단으로 여기는 것과는 달리 M세대는 휴대전화를 전화 거는 용도 외에 다양하게 사용하며, 나 자신을 중시하는 이른바 '나홀로' 족을 일컫는다. 그리고 휴대전화에 통화기능 이상의 의미를 부여하며 과도한 집착을 보

인다. 한편, 미국의 닐 하우(Neil Howe)와 윌리엄 스트라우스(William Strauss)는 『밀레니엄 세대의 부상(Millennials rising)』에서 1980년대 초반 이후 출생자를 '밀레니엄 세대'라고 이름 붙이고 덜 반항적이고 더 실질적이며 개인보다는 팀, 권리보다는 의무, 감정보다는 명예, 말보다는 행동을 중시한다고 정의하였다. M세대의 또 다른 특징으로는 성공에 대한 높은 기대치, 빠른 속도, 소셜 네트워킹, 협력 등이 있다.

관련어 @세대, C세대, Digital Nomad 세대, E세대, G세대, N세대, P세대, U세대, W세대, X세대, Y세대, Z세대, 베이비붐 세대

MRI 모델
[-, Mental Research Institute model: MRI model]

가족의 문제를 강화시키는 역기능적인 의사소통과 상호작용의 유형을 파악하고, 그 구조를 깨트림으로써 문제증상을 해결하고자 한 단기전략적 접근모델. 전략적 가족치료

1959년 돈 잭슨(Don Jackson)이 설립한 정신건강연구소(Mental Research Institute: MRI)에서 정신분열증을 가진 가족을 연구하던 연구팀을 중심으로 가족 내 의사소통에 관한 획기적인 연구성과가 발표되었는데, 이를 바탕으로 발전한 치료적 접근을 MRI 모델이라고 한다. MRI 모델에서는 가족 문제를 해결하고자 한 노력이 오히려 강화시키는 것을 보고, 역기능적이고 구조화된 가족의 상호작용에 관심을 기울였다. 즉, 이들에게는 가족이 어떤 내용의 상호작용을 하는가보다는 어떤 형태의 상호작용이 일어나는가가 주된 관심사였다. 따라서 이러한 가족의 문제가 해결되려면 문제를 강화하고 있는 가족의 역기능적이고 정형화된 상호작용의 패턴을 인식하여, 그것을 깨트릴 때 가능하다고 보았다. MRI 모델의 치료적 접근과정은 다음과 같이 요약할 수 있다. 첫째, 내담자가 제안하고 있는 문제

에 대한 다양한 정보를 통하여 문제해결의 방법과 관련되어 정형화된 역기능적 가족의 상호작용을 파악한다. 둘째, 해당 가족의 역기능적 상호작용을 지지하고 있는 가족규칙을 파악한다. 셋째, 다양한 치료적 개입을 전략적으로 문제가족에게 시행함으로써 가족 규칙을 변화시키는 노력을 한다. MRI 모델은 밀란학파의 팔라촐리(Palazzoli), 보스콜로(Boscolo), 체킨(Cecchin) 등에게 많은 영향을 주었다.

관련어 | MRI, 밀란모델

N세대
[- 世代, N-generation]

2000년대 디지털 시대에 들어서면서 나타난 신세대.
아동청소년상담

'Net generation'을 줄인 말로, 사이버 공간을 삶의 중요한 장소로 인식하고 컴퓨터 정보통신의 발전 속에 성장한 네트워크 세대를 일컫는다. N세대라는 말은 베스트셀러 작가이자 미래학자인 돈 탭스콧(Don Tapscott)의 『N세대의 무서운 아이들(Growing Up Digital: Net Generation)』(1998)에서 처음 사용하였다. 디지털 네트워크를 자유자재로 다루는 세대라는 의미의 문명세대인 N세대는 그들의 생활공간, 즉 집, 학교, 사무실 등 모든 공간에는 컴퓨터가 설치되어 있고, 인터넷을 통해 의사소통을 하며, 전화보다 이메일에 더 익숙하다. 또한 N세대는 대부분 핵가족으로 구성된 가정에서 1970년대 이후 경제적 풍요로움의 사회적 분위기 속에서 성장하면서 부모의 관심과 경제적 투자의 중심이 된 세대로서, 소비욕구 또한 매우 강력해서 강력한 잠재구매력을 가지고 있으며 가정의 구매 의사결정에 많은 영향을 미치는 등 막강한 소비계층으로 떠오르고 있다. 더군다나 N세대는 경제력이 없으면서도 부모세대 못지않은 소비력을 보이고 있어서, 많은 기업이 이들을 상대로 마케팅 전략을 펼치고 있다.

이외에도 N세대는 강한 독립심과 자율성을 가지고 있고, 원하는 정보를 찾아가며, 네트워크를 통한 다양한 문화를 체득함으로써 국제적 감각을 지닌 채 자유로운 표현과 뚜렷한 관점을 가지고 자기계발과 혁신을 추구하는 특징을 보인다.

관련어 | @세대, C세대, Digital Nomad 세대, E세대, G세대, M세대, P세대, U세대, W세대, X세대, Y세대, Z세대, 베이비붐 세대

NEO 인성검사(한국판)
**[- 人性檢査,
NEO Personality Inventory: NEO-PI]**

아동의 정신건강, 학업성취, 학습방법, 심리적 장애 등을 예언하는 성격검사. **심리검사**

인성을 평가하기 위해서 1997년에 안현의, 안창규가 개발한 검사로, 대상은 초등학교 3학년부터 6학년까지의 아동이다. 검사시간은 약 40분 정도 소요되며, 문항 수는 150문항이다. NEO-PI는 학교상담 및 학교심리의 적극적인 조력과정에서의 증상적 진단을 하고, 동시에 건강한 성격의 지표 및 기질적·성격적 특성을 파악하여 생활지도, 성격지도, 학습지도 및 진로지도의 효율성을 높여 준다. 그리고 연구자들이 개발한 인성검사에서 나타난 요인과 심리학 문헌에서 나타난 구성개념을 통합, 분석하여 '5요인 구조'라는 인성차원을 밝혀 만들어진 검사다. 이 검사는 보통 사람들 간의 인성 특성 차이를 나타내 주는 것으로서, 다른 사람들과 비교하여 자신만의 독특한 사고와 감정 및 대인관계의 특징이 어떻게 나타나는지를 말해 준다. 여기서 5요인이란 먼저 불안, 적대감, 우울, 자의식, 충동성, 심약성 등을 포함하는 신경증 요인, 둘째, 온정, 사교성, 주장, 활동성, 자극 추구성, 긍정적 정서 등을 포함하는 외향성 요인, 셋째, 상상, 심미성, 감정의 개방성, 행동의 개방성, 사고의 개방성, 가치의 개방성 등을 포함하는 경험에 대한 개방성 요인, 넷째, 신뢰성, 솔직

성, 이타성, 순응성, 겸손, 동정 등을 포함하는 친화성 요인, 다섯째, 유능성, 정연성, 충실성, 성취에 대한 갈망, 자기규제성, 신중성 등을 포함한 성실성 요인 등을 말한다. NEO-PI는 성격에 대해서뿐 아니라 정신건강, 학업성취, 학습방법, 심리적인 장애 등을 예언해 주기 때문에 부적응 상태에 대해서도 이용할 수 있는 활용도가 많은 검사라 할 수 있다. 또한 일반 학생들의 성격을 정확하게 판별하고 지도 가능하게 한다. 내용은 외향성, 개방성, 친화성, 성실성, 신경증, 신뢰도 척도로 구성되어 있다.

관련어 | 5요인 모형

NLP
[−, Neuro Linguistic Programing]

인간의 무의식적 경험처리구조를 의식화하여 새로운 행동으로의 변화를 유도하는 접근. NLP

NLP는 무의식적으로 작용하는 자신의 신경화학적 정보처리방식을 이해하고, 그 결과 합리적인 방식은 구조화하고 비합리적인 방식은 재구조화하여 자신의 사고나 행동의 근거를 규정하고 변화를 유도하는 접근이다. NLP에서는 인간의 무의식적인 경험처리방식을 이해하기 위해 심상을 활용하여 주관적 경험을 회상하고 오감을 활용하여 경험에 대한 생각과 느낌을 순차적으로 확대·분석하여 해석한다. 따라서 NLP는 사람들이 특정 분야에서 탁월성을 보일 수 있는 방법을 연구하고 가르치는 것인데, 탁월하거나 우수한 사람들이 특정 분야에서 특출한 성과를 이룩하기 위해 사용하는 원리와 방법, 즉 패턴을 찾아내 이를 사람들의 삶에 활용한다. 상담, 교육, 보다 효율적인 의사소통과 자기계발을 위한 비즈니스, 목회활동, 영성개발, 스포츠, 그리고 가속학습 분야에서 활용되고 있다. 사람들이 이룩한 성공적인 경험을 모방하는 방법을 알려 주기 때문에 성공적인 삶을 살도록, 자신의 개인적 천재성을 발견

하고 개발하도록 도움을 준다. 이 NLP는 미국의 존 그라인더(John Grinder)와 리처드 밴들러(Richard Bandler)가 1970년대 초에 창시하였다. 이들은 당대 최고의 상담자로 알려진 프리츠 펄스(Fritz Perls), 버지니아 사티어(Virginia Satir), 밀턴 에릭슨(Milton Erickson)에 대해 함께 연구하는 과정에서 서로 다른 성격의 소유자인 세 사람이 뜻밖에도 유사한 치료적 패턴을 보인다는 것을 발견하였다. 이들은 이 발견을 다듬어서 효율적인 의사소통, 개인의 변화, 가속학습, 행복한 인생을 위한 일에 활용될 수 있는 뛰어난 치료체계로 개발하였다. 그러고는 1975년 『마술의 구조 1(The Structure of Magic I)』이라는 저서로 연구결과를 처음으로 세상에 내놓았다. 이 책에서 그들은 NLP의 메타 모형이라는 언어학적인 내용을 다루었는데, 일반의미론과 변형문법의 지식을 토대로 내담자와의 현실 파악을 풍부하게 하기 위한 의사소통방법을 구체화하였다. 다음 해 출판한 『마술의 구조 2(The Structure of Magic II)』에서는 인간이란 지각시스템과 언어화에 대한 모형을 통해서만 세상을 알 수 있다는 점을 강조하였다. NLP에서 N은 신경(Neuro)으로서 우리의 모든 행동이 시각, 청각, 촉각, 후각, 미각의 오감이라는 신경적 과정을 통하여 생겨난다는 의미로 사용된다. 사람은 정보에 대해 감각함으로써 이해하고 그렇게 이해한 바탕 위에서 행동한다. 신경은 가시적이고 생리적인 반응, 그리고 비가시적인 사고과정까지 포함하는데 이는 인간의 몸과 마음이 분리될 수 없는 하나의 통일체라는 의미다. L은 언어(Linguistic)로서 인간이 자신의 사고와 행동을 규정하고 타인과 의사소통하기 위해 언어를 사용한다는 점을 나타내고 있다. P는 프로그래밍(Programing)으로서 특정한 결과를 생산하기 위해 우리의 생각과 행동을 조직화하는 방식을 의미한다. 즉, NLP는 인간이 어떻게 보고 듣고 느끼는지를 알아내어 조직화하며 또 감각을 통하여 외부세계를 어떻게 편집하고 여과해 내는지를 다루는 것이다. 또한 인간이 주관적 경험

을 어떻게 언어로 표현하고 특정 결과를 산출하기 위해 의도적, 비의도적으로 어떻게 행동하게 되는지를 탐구한다. NLP의 원리는, 첫째, 먼저 자신과 라포를 형성하고 다음으로 타인과의 라포를 형성한다. 둘째, 자신이 달성하고자 하는 바, 즉 목표를 파악한다. 셋째, 감각기관을 통하여 자신의 행동을 이해하고 나은 방향으로 나아간다. 넷째, 여러 행동대안을 염두에 두고 선택하여 행동하는 행동적 융통성을 갖는다. NLP의 전제는 다음 열여섯 가지로 제시할 수 있다. 첫째, 지도는 영토가 아니다. 사람들은 현실 그 자체가 아닌 자신이 가지고 있는 실재에 대한 지도에 반응한다. 지도는 영토를 편리하게 그려 놓은 것으로서 인간은 지도에 따라서 움직이고 의사소통을 한다. 즉, NLP는 현실 자체가 아닌 그것을 반영하는 지도를 변화시키는 기술이다. 둘째, 인간의 행동은 목적 지향적이다. 인간은 목적이 무엇인지 항상 의식하면서 행동하는 것은 아니지만 행동의 이면에는 어떤 목적이 존재한다. 셋째, 의사소통에서 전달하고자 하는 의미는 상대방으로부터 내가 얻는 반응에 의해 결정된다. 따라서 의사소통을 제대로 하는지의 문제는 상대방으로부터 원하는 반응을 얻었는가의 문제와 직결된다. 우리가 하는 말은 의도와 다르게 전달될 수 있지만 그렇다고 실패는 아니며 단지 상대방에게서 어떤 반응과 피드백을 얻는 것뿐이다. 넷째, 경험은 일정한 구조로 구성된다. 우리의 사고와 기억은 나름의 일정한 패턴으로 이루어진다. 그 구조나 패턴을 바꾸면 경험의 내용 또한 바뀐다. 예를 들어, 나쁜 기억은 불쾌한 시각적 장면이나 청각적 소리 및 나쁜 감정을 일으키는 내용의 구조로 이루어진다. 그러므로 그 장면을 좋은 것으로, 소리를 좋은 것으로, 좋은 감정을 일으키는 내용으로 구조를 바꾸면 기억도 변화될 수 있다. 다섯째, 모든 행동은 좋은 의도에서 나온다. 우리의 행동은 언제나 우리에게 가치 있는 무엇인가를 성취하기 위해 나온다. NLP에서는 행위 그 자체와 그 행위 뒤에 있는 의도나 목적을 구분한다.

어떤 행동이 부정적으로 보이는 것은 우리가 그 행동의 목적을 알지 못하기 때문이다. 여섯째, 마음과 몸은 하나의 체계이며 서로 영향을 주고받는다. 다른 하나에 영향을 주지 않고 변화시키는 것은 불가능하다. 일곱째, 사람은 그 당시에 할 수 있는 가장 최선의 선택을 한다. 아무리 파괴적이고 악한 행동이라 해도 그것은 그 사람이 자신에게 주어진 세상에 대한 지도 혹은 모형으로 당시에 할 수 있는 최선의 선택을 한 결과다. 그의 세상모형 혹은 지도에서 더 나은 선택을 할 수 있는 선택권을 부여한다면 그는 그것을 받아들일 것이다. 여덟째, 사람들은 자기 나름으로는 완벽하게 일한다. 어느 누구에게도 잘못한다거나 서투르다고 말할 수 없다. 중요한 것은 그들이 어떤 방식으로 행동하는지 알아내어 그 방법을 보다 유익하고 바람직한 방향으로 변화시키는 것이다. 아홉째, 실패란 없고 단지 피드백(배움)이 있을 뿐이다. 열째, 배움은 살아 있다는 증거이며 우리는 배우지 않을 수 없다. 열한째, 우리에게는 필요한 모든 자원이 이미 있거나 새롭게 창조할 수 있다. 자원이 없는 사람은 없으며, 다만 자원이 없는 상태가 있을 뿐이다. 열두째, 어떤 사람이 무엇인가 할 수 있다면 다른 사람도 그것을 배워 행할 수 있다. 탁월성은 복제가 가능하며 탁월성을 모방하고 그것을 다른 사람에게 가르칠 수 있다. 인간은 성공적인 성취를 모방함으로써 탁월성을 달성할 수 있다. 열셋째, 선택할 수 있다는 것은 선택할 수 없는 것보다 바람직하다. 가능하면 광범위하게 여러 가지 선택을 할 수 있는 자신의 지도를 찾는 것이 중요하다. 항상 선택의 폭을 넓히고 가장 많은 선택, 즉 가장 유연한 사고와 행동을 하는 사람이 모든 상호작용에서 가장 큰 영향력을 미치게 된다. 열넷째, 무의식은 선한 의도를 가지고 있다. 무의식은 의식의 균형을 잡아주며 본래 악의적인 것이 아니고 선의적이다. 열다섯째, 이해하기를 원한다면 실행해야 한다. 인간은 행동을 하고 나서 그것을 이해하게 되고 행동의 결과로 배우는 경우가 많다. 열여섯째,

인간은 감각을 통하여 모든 정보를 처리한다. 이러한 전제를 바탕으로 한 NLP의 전략은 크게 메타 모형(meta-model), 라포 형성, 해결 지향적 행동패턴의 관점바꾸기, 앵커 충돌, 표상체계와 빈사(서술, 단언), 모델링 등이다.

이 없으면 큰 관심이 없고, '옳고 그름'보다는 '좋고 싫음'을 기준으로 판단하는 부정적인 면도 가지고 있다.

관련어 @세대, C세대, Digital Nomad 세대, E세대, G세대, M세대, N세대, U세대, W세대, X세대, Y세대, Z세대, 베이비붐 세대

OK 자세
[-姿勢, OK position]

교류분석

⇨ '생활자세' 참조.

OK감
[-感, OKness]

교류분석

⇨ '생활자세' 참조.

P세대
[-世代, P-generation]

사회 전반에 걸친 적극적인 참여 속에서 열정과 힘을 바탕으로 사회 패러다임의 변화를 일으키는 세대. 아동청소년상담

P세대란 사회 전반에 적극적으로 참여(participation)하면서 열정(passion)과 힘(potential power)을 바탕으로 사회적 패러다임의 변화를 주도하는 세대를 지칭한다. 이들은 집단 안에서의 인간관계를 중요시하고, 자신의 의견을 솔직하게 표현하며, 개성을 존중하는 개인, 직접적인 체험을 중시하는 경험, 재미와 즐거움, 그리고 느낌을 중시하는 감성을 특징으로 하는 세대다. P세대는 사건이 발생하면 즉시 인터넷을 통해 문제를 공유하며 확산시켜 나간다. 그러나 공익차원의 사회문제라도 자신과 직접 관련

PC 통신
[-通信, PC communication]

컴퓨터를 사용하여 문자, 숫자, 음성, 영상 데이터 등을 전송하는 것. 사이버상담

PC 통신은 개인용 컴퓨터를 이용하여 이를 정보망이나 다른 컴퓨터에 연결하여 통신을 함으로써 여러 가지 정보를 주고받는 것이다. PC 통신은 1977년에 시작되었는데, 개발 동기는 멀리 떨어진 컴퓨터끼리 자료를 주고받기 위한 것이었다. 그 후 한 대의 컴퓨터가 마치 게시판 형태로 발전하였다. 전자 게시판이 기업형 PC(천리안, 나우누리, 하이텔, 유니텔 등) 업체로 발전하여 서비스의 질과 양이 갑자기 늘어나기 시작하였다. 이러한 기업형 PC 통신은 각자 통신사에 유료회원으로 가입하여 통신사 서버를 통해 회원들의 단말기와 접속할 수 있었다. PC 통신으로 가능한 일은, 첫째, 다양하고 신속한 정보의 습득이다. 기업분석이나 증권시장 동향, 해외 최신 기술의 변화 추이, 새로운 학설과 파급효과 등 전문적언 분야의 정보를 제공받을 수 있었다. 둘째, 관심분야의 동호회 활동이 가능하다. 셋째, 게시판에서 게시물을 읽을 수 있다. 자신이 원하는 게시물을 클릭하면 선택된 내용이 화면에 나타났다. 넷째, 자료파일의 제공과 수집이 가능하다. 다섯째, 컴퓨터로 채팅과 화상통신이 가능하다. 여섯째, 통신상 가상 쇼핑몰에 제시된 물건 가격을 알아보는 등 전자 상거래 서비스가 가능하다. 마지막으로, 상담자와 내담자가 통신사 서버가 제공하는 공간에서 상담을 할 수 있었다. PC 통신의 의사소통은 통신의

동시성을 기준으로 크게 실시간 혹은 동시적(synchronous) 통신과 비실시간(asynchronous) 통신으로 구분되었다. 실시간 혹은 동시적 의사소통은 인스턴트 메시지(쪽지)나 채팅이 대표적 예가 되었고, 이러한 의사소통은 온라인에서 동시적으로 발생하였다. 각 참가자들의 의사표현이 전달되는 속도만큼 의사교환이 지체되고, 참가자들은 의사교환 당시 모두 정보의 발신처와 수신처에 현존해야 한다. 비실시간 의사소통은 동시에 발생하지 않는 것이다. 이메일이나 게시판 같은 비동시적 의사소통은 참가자들이 수신자와 송신자의 동시 접속 가능성 여부에 구애받지 않고, 편리한 시간에 자신의 메시지를 작성하고 읽을 수 있도록 해 주었다. 영상이 사용되는가에 따라서는 문자기반 의사소통과 영상기반 의사소통으로 나누어졌다. 문자기반 의사소통(text-based communications)은 청자와 화자가 문자를 통해 서로 메시지를 주고받는 것으로서 음성 단서나 비언어적 단서가 배제된다는 특징이 있다. 사이버상담에서는 문자기반 의사소통이라는 한계를 극복하기 위해 이모티콘 등 정서를 표현할 수 있는 수단이 활발하게 개발·사용되고 있다. 영상기반 의사소통의 예로는 화상회의(video-conferencing)가 있다. 영상신호 및 음성신호를 교환하여 서로 상대방을 보면서 회의할 수 있는 체계로 원격화상상담(distance conferencing counseling)에서 주로 사용하는 방식이다. 모니터를 활용하여 상담자와 구성원들이 대화하면서 서로의 모습을 볼 수 있는 것이다. 텔레비전의 원격뉴스리포터와 비슷하다. 원격화상상담은 원거리에 있는 상담자와 내담자가 화면으로 서로를 보면서 일대일 혹은 집단으로 상호작용하면서 진행하므로 사이버상담 중 대면 상담과 가장 가까운 형태라고 할 수 있다. 사이버 공간에서 발전된 영상기술을 기존의 대면 상담과 유사한 환경을 구현하는 데 활용한 것으로서, 대면 상담과 사이버상담의 장점이 결합되어 보다 효과적인 상담방법이 될 수 있다. 원격화상상담을 위해서는 인터넷을 할 수 있는 환경에 마이크가 달린 PC 카메라가 장착되어야 하고, 내담자가 컴퓨터 주변기기를 다룰 수 있는 능력이 있어야 한다. 한편, 원격화상상담의 특성상 익명성이 보장되는 이점이 없고, 실시간 대면과 같은 정도의 해상도와 전달력이 보장되지 않는 경우가 많아서 아직까지는 보편화되지 못하고 있는 실정이다. 하지만 향후 발전의 여지가 많은 사이버상담의 형태라 할 수 있다.

PEACE 모형
[-模型, PEACE model]

마리노프(Marinoff)가 제시한 철학상담의 모형으로, 인간의 삶을 변화시킬 수 있는 요소를 다섯 단계로 설명한 것.
철학상담

PEACE 모형은 마리노프가 철학적 고전에서 우리의 삶을 변화시킬 수 있는 요소를 끄집어내어 철학상담의 대중화와 확산에 기여한 방법이다. 마리노프는 PEACE 모형을 사용하여 인간 생활의 모든 문제를 해결하고자 하였다. PEACE는 problem, emotion, analysis, contemplation, equilibrium의 머리글자를 조합한 단어로, 해당되는 단어는 인간 삶을 변화시키는 각 단계를 의미한다. 첫째는 어떤 문제를 철학적으로 인식하는 문제(problem)의 단계다. 둘째는 그 문제가 마음에 야기한 정서를 분석하는 정서(emotion)의 단계다. 셋째는 문제를 해결하기 위한 대안을 나열하고 평가하는 분석(analysis)의 단계다. 넷째는 이전에 비해 더 전체적으로 상황을 고찰하는 명상(contemplation)의 단계다. 다섯째는 지금까지의 단계를 거쳐 마음의 평정을 회복하는 평정(equilibrium)의 단계다.

관련어 | 철학상담, 철학실천

기타

PRO 접근법
[-接近法, PRO-approach]

호주의 은유치료 권위자인 조지 번스(George Burns)가 창안한 것으로, 은유적 이야기를 만드는 방법. **문학치료(은유치료)**

PRO 접근법이란 P(problems)는 문제, R(resources)은 자원, O(outcomes)는 결말 혹은 성과로서 각 항목에 해당하는 영어의 두음을 따와 PRO라는 말을 사용하여 만든 접근법이다. 내담자에게 이야기가 일반적으로 제시되는 순서에 따라서 PRO라고 해 두었다. 우선 이야기는 내담자에게 맞는 문제를 제시하고, 둘째, 이야기의 등장인물이 문제를 해결하기 위한 적절한 자원을 판단하여, 셋째, 이야기의 성공적인 결말을 보여 준다. 하지만 번스는 은유적 이야기를 만들 때는 이 과정을 역으로 적용하도록 하였다. 즉, 결말을 먼저 정해 두고, 내담자가 바람직한 결말에 이르도록 하는 자원, 능력, 수단 등을 다음으로 살펴본 뒤, 그 은유적 이야기가 벗어나야 할 문제가 무엇인지는 마지막 단계에 고려한다. PRO 접근법에 따른 은유적 구상의 순서는 다음과 같다. 1단계, 결말 지향 평가에 초점을 맞춘다. 치료에서 은유를 개발하고 사용하는 황금률은 '목표를 분명히 하고 이야기를 그 방향으로 나아가게 한다.'이다. 그것을 위해서 치료사는 내담자가 치료에서 얻고자 하는 것이 무엇인지 분명하고 정확하게 알고 있어야 한다. 결말 지향 접근, 결말에 집중된 가설, 내담자가 드러내는 목표탐색, 부정적인 데서 긍정적인 데로의 이동, 포괄적 목표에 대한 질문, 구체적 결말 탐색, 결말 예측, 결말 실증 등이 이를 위해 도움이 된다. 2단계, PRO 접근법을 공식화한다. 은유결말을 결정하는 끝에서 시작하여 필요 자원 개발을 위한 가운데를 설정하고, 문제에 맞추어 탐색하는 전 과정으로 은유를 구상한다. 결말을 정한 다음에는 치료목표를 얻는 데 필요한 치료적 개입이 향할 지도(map)를 가질 수 있다. 자원 개발을 위한 가운데를 설정할 때는 있는 능력을 찾아내고, 있는 능력을 활용하고, 필요한 자원을 구축하고, 새로운 것을 배우는 경험을 만들고, 새로운 발견의 기회를 열어 두는 과정을 거친다. 맨 끝으로 극복해야 할 장애나 방해물이 무엇인지 조사해 본다. 은유적 이야기에 나오는 등장인물이 만나게 되는 위기나 도전은 새로운 경험창출로 가기 위한 수단이므로, 문제는 결론을 향한 수단이 된다. 은유적 이야기를 구상할 때는 PRO 접근법의 역으로 하지만, 이야기를 할 때는 PRO의 순서를 그대로 따른다. 문제를 먼저 제시하고, 다음에 자원(즉, 학습과 발견)을 이끌어 내며, 결말로 마무리한다. PRO 접근법을 가지고 이야기를 개발할 때는 내담자가 동일시할 듯한 인물을 개발하여 주인공과 상황을 만든다. 그다음 내담자와 비슷한 문제적 상황을 주인공이 경험하고, 그로 인해서 위기에 처하거나 도전에 직면하는 것이다. 그러고는 내담자가 이미 가지고 있는 능력을 사정하여 과거 기술들을 재활성화하고, 현재 문제를 극복할 수 있는 새로운 수단을 개발할 수 있도록 해 주는데, 이렇게 하면 내담자가 쓸 수 있는 도구가 무엇인지 스스로 자각하도록 도와줄 수 있다. 결국, 만족할 만한 결과에 이르도록 사용 가능한 자원을 어떻게 활용하는지 발견하는 단계로 나아가서 학습과 발견을 촉진한다. 적용과 변화, 발견의 과정은 내담자가 마지막 단계인 치료목표 도달에 이르도록 해 준다. 번스는 PRO 접근법에 입각하여 자신, 내담자 혹은 자신과 내담자가 함께 개발한 이야기 앞에 제시된 문제, 개발된 자원, 나타난 결과 등을 목록화하여 밝혀 둔다. PRO 접근법은 번스가 치료적 이야기로 개발한 은유를 구상하고, 구성하고, 적용하는 핵심 기법이다.

관련어 | 은유치료

Q-분류방법
[-分類方法, Q-sort]

1953년 스티븐슨(W. Stephenson)이 개발한 것으로서, 태도나 흥미를 측정하고 평가하는 데 유용한 기법. 연구방법

Q-분류방법에서 평가 대상자는 어떤 진술, 특성, 그림 등이 기재된 카드를 나누어 받은 뒤에 자신이 속하는 특성을 나타내는 차원에서 자신이 생각하는 현재 위치에 따라 카드를 분류해야 한다. 카드에 적힌 진술문의 예는 '나는 마음만 먹으면 어떤 일이든지 잘할 수 있다.' '나는 다른 사람들의 비판에 예민한 편이다.' '나는 다른 사람들을 즐겁게 하기 위해 애쓴다.' 등이다. 어떤 특성을 나타내는 차원은 '나와 가장 비슷하다.'부터 '나와 가장 덜 비슷하다.'까지, '가장 좋다.'부터 '가장 나쁘다.'까지, '가장 중요하다.'부터 '가장 중요하지 않다.'까지 등으로 표현되는 하나의 연속선이라고 볼 수 있다. 또한 특성을 나타내는 차원은 대부분 2~9개 정도의 범주로 나누어진다. 예를 들어, 가장 흔히 사용된 Q-분류방법이라고 할 수 있는 캘리포니아 Q-분류방법은 모두 100개의 서술적 진술문을 피평가자에게 주고 자신을 '지극히 잘 나타내는 것'에서부터 '지극히 잘 못 나타내는 것'까지의 9개 범주로 주어진 진술문을 분류하도록 되어 있다. Q-분류방법을 가장 잘 활용한 예는, 저명한 상담심리학자인 로저스(C. Rogers, 1959)에서 찾아볼 수 있다. 로저스는 내담자가 이상적으로 생각하는 자신의 모습과 현재 자신의 모습과의 괴리를 찾아내는 데 이 방법을 사용하였다. 즉, 상담을 시작하기 전에 로저스는 내담자가 여러 가지 진술문이 기재된 카드를 두 번 분류하게 했는데, 첫 번째는 현재의 자신을 기술하고 있는 카드를 고르고 두 번째는 미래에 되고 싶은 자신의 모습을 잘 나타내 주는 카드를 고르게 하였다. 첫 번째 분류내용과 두 번째 분류내용 간의 괴리가 클수록 상담이 더 많이 필요하다는 것을 의미한다. 또한 상담이 어느 정도 진행된 뒤 다시 같은 절차에 따라 카드를 분류하도록 한다. 이때 현재 모습을 그리는 분류내용과 이상적 모습을 그리는 분류내용 간 괴리가 상담을 시작했을 때보다 줄어들수록 치료효과가 크다는 의미다. Q-분류방법이 적용되는 대상은 흥미와 학교교사, 교과과목, 학교에 대한 태도 등 다양하다. 내담자 자신을 서술하거나 나타내는 카드를 분류하게 하는 Q-분류방법은 상담연구에 많이 활용되고 있다. Q-분류방법의 가장 큰 한계는 피험자가 카드를 분류하기가 어렵고 시간이 많이 걸린다는 점이다. 또한 하나의 차원에만 초점을 두기 때문에 리커트 척도, 평정척도 및 의미변별척도보다 일반적인 평가에 활용할 수 있는 유용도가 낮은 편이다(강승호외, 1996).

REPLAN

영(Young)이 설명한 성공적 심리치료의 여섯 가지 공통 요인. 통합치료

REPLAN은 머리글자로 이루어진 용어로서 여섯 가지 요인은, 첫째, 긍정적 치료관계를 뜻하는 관계(relationship), 둘째, 내담자의 자아존중감의 향상을 나타내는 효능감(efficacy), 셋째, 내담자의 새로운 변화를 위한 격려인 실행(practicing), 넷째, 내담자의 정서적 안정화(lowing), 다섯째, 긍정적인 변화를 위한 내담자의 동기증대를 뜻하는 활성화(activating), 여섯째, 내담자의 새로운 학습경험과 인식인 새로움(new)이다. 영은 성공적인 심리치료에서 이상의 여섯 가지 요인이 공통적으로 나타난다고 설명하였다.

관련어 | 통합치료

기타

Rey-Kim 기억검사
[-記憶檢査, Rey-Kim Memory Test]

기억장애를 평가하는 검사. `심리검사`

기억장애를 평가하기 위하여 김홍근(1999)이 개발한 국내 최초 표준화된 기억검사다. 임상현장에서 폭넓게 사용되고 있는 언어기억검사 K-AVLT(K-Auditory Verbal Learning Test)와 시각기억검사 K-CFT(K-Complex Figure Test)의 두 가지 소검사로 구성되어 있다. 이는 안드레 레이(Andre Rey)가 개발한 AVLT(1964)와 CFT(1941)를 우리나라 실정에 맞게 번안 및 수정한 검사다. 척도는 각 소검사의 원점수를 평균 10, 표준편차 3인 척도로 전환한 환산척도, 피험자의 수행을 전체적으로 종합하여 단일한 점수로 요약한 MQ 척도, 그리고 기억 단계 중 어느 단계에서 결함이 있는지를 파악하도록 고안된 차이 척도가 있다. 여기서 차이 척도는 K-AVLT에서 산출되는 학습 기울기, 기억 유지도, 인출 필요성의 3개 지표와 K-CFT에서 산출되는 그리기/기억 일치도, 언어기억과 시각기억의 수준 차이를 보는 언어기억/시각기억 일치도, K-WAIS IQ와 Rey-Kim 기억검사결과를 비교하는 지능/기억 일치도, 그리고 병전/병후 MQ 일치도 등 총 7개의 지표로 이루어진다. 각각의 소검사 측정내용 및 채점방식은 다음과 같다. 먼저 K-AVLT에서는 15개의 단어를 반복적으로 학습시킨 다음 이 단어를 얼마나 잘 기억하는지 검사한다. 검사는 5회의 반복시행, 지연회상, 지연재인 순으로 실시한다. K-CFT에서는 복잡한 도형을 학습시킨 다음 이 도형을 얼마나 잘 기억하고 형성해 내는지 검사한다. 도형은 18개의 요소로 구성되어 있으며 형태와 위치의 정확도에 따라 채점한다. 성인용 Rey-Kim 검사 외에도 아동에게 적합한 '아동용 Rey-Kim 기억검사'로 개편하여 만 7~15세 틱장애/ADHD 아동의 기억기능을 검사하는 데 사용하고 있다.

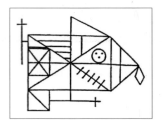

관련어 | 기억검사, 기억장애, 치매

RISSSC 기법
[-技法, RISSSC technique]

정서중심부부치료에서 치료자에게 요구되는 중요한 비언어적 태도들을 머리글자로 표현한 것. `정서중심부부치료`

정서중심부부치료에서는 치료자의 비언어적, 언어적 메시지가 지속적으로 일치하는 일관성을 강조한다. 따라서 치료자의 언어로 내담자에게 전달되는 메시지가 비언어적인 메시지와 동일하게 유지되도록 치료자는 내담자에게 보여 주는 특정 태도, 목소리, 눈 맞춤 등의 비언어적인 메시지까지 내담자가 자신의 정서적 경험에 머무를 수 있도록 도움을 주고 치료자와 강한 동맹을 맺을 수 있도록 노력해야 한다고 강조하고 있다. 이러한 치료자의 일관성을 유지하기 위한 노력의 내용을 머리글자만 조합하여 'RISSSC'라고 하며, 위험의 뜻을 가진 'risk'와 동음어로서 내담자의 정서적인 위험이 나타날 때 치료자의 비언어적 지각을 향상시켜 돕는 기법이라는 의미가 있다. RISSSC 기법 중 R(Repeat, 반복)은 치료자가 강조를 위해 의도적으로 주요 단어와 문장을 반복하는 것이다. 반복은 내담자가 추후에 자신의 감정경험에 개입할 수 있도록 하고 정서경험의 과정을 경험하는 데 도움을 준다. I(Image, 심상)는 치료자가 추상적인 단어로는 표현이 불가능한 감정을 포착하여 이를 이미지나 형상을 이용하여 나타내는 것을 의미한다. S(Simple, 단순)는 치료자가 단순하고 간결한 문구로 내담자에게 반응하는 것이고, S(Slow, 천천히 진행)는 내담자가 더 깊게 감정을 경험할 수 있도록 치료자가 회기의 과정과 말의 속도를 천천히 진행하는 것이며, S(Soft, 부드러움)는 치료자가 내담자에게 안정감을 주고 깊은 감정을 드러낼 수 있도록 부드러운 목소리로 이야기하는 것이다. C(Client's words, 내담자의 언어)는 치료자가 내담자를 지지하고 인정하는 태도로 내담자가 언급한 말과 문구를 선택하여 진행하는 것이다. 치료자는 내담자가 사용한 언어나 문장을 잘 기억하고 기록해 두었다가 감정을 불러일으켜 확대해야 하는 순간에 사용하며, 이를 통하여 치료의 연속성을 만들어 나간다.

ROPES 프로그램
[-, ROPES program]

올가미, 굵은 밧줄, 높은 강단, 사다리, 그리고 기둥으로 구성된 일련의 구조물과 장애물 세트를 사용하는 활동을 통해서 시행하는 ABET(모험에 기초한 경험치료)의 한 프로그램. [해결중심상담]

ROPES 과정(ROPES Course)이라고도 하며 외형은 마치 군대의 장애물 코스와 유사하며, 집단을 위한 다양한 경험적 활동과 관련된 여러 가지 모험활동이 포함된다. 이러한 과정을 통해 집단구성원들은 다양한 등급의 개입과 그에 따른 어려움, 그리고 예측 가능한 위기를 체험하며 그에 따른 대처법을 연습할 수 있다.

관련어 | 가상의 상자 연습, 모험에 기초한 경험치료, 집단 저글링, 해결상자연습

SAD PERSONS 척도
[-尺度, SAD PERSONS scale]

자살의 위험을 알아보는 검사. [심리검사]

자살위험을 평가하는 검사로서 슬픈 사람 척도 (The SAD PERSONS Scale)라 할 수 있다. 여기서 'SAD PERSONS'는 다음의 약어로 위험상태에 있는 사람을 의미한다. S는 성별(남성), A는 연령(노인 내담자), D는 우울, P는 시도의 전력, E는 에탄올(알코올) 남용, R은 이성적 사고의 상실, S는 사회적 지지체계의 결핍(외로움, 고립됨), O는 조직화된 계획, N은 배우자 부재, S는 병(특히 만성적 병이나 말기의 병)을 뜻한다. 세부적으로 살펴보면, 우선 성별(sex)에는 일반인의 오해가 있다. 자살기도는 여자가 남자보다 3배 이상 많이 하지만, 실제로 자살로 사망하는 것은 남자가 여자보다 3배 이상 많다. 연령(age)은 실제로 젊은 사람보다 40, 50대 이후의 중년이나 노인의 자살 가능성이 높다. 일반적으로 우울한 감정, 죄의식, 미래에 대한 비관적 생각, 잠들기 어렵고 입맛이 떨어지며 체중이 줄어드는 등의 우울증 환자의 자살 가능성이 높다. 과거의 자살 시도(previous attempt)는 이전에 자살기도를 한 경험이 있는 사람이 재시도를 할 가능성이 매우 높다. 음주(ethanol abuse)는 술 마시는 것을 통해서 괴로움을 잊는 방식으로 어려움을 해결해 온 사람들은 술 자체가 자살의 가능성을 높인다. 물론 알코올중독자의 자살률은 일반인에 비해 매우 높다. 이성적 사고능력의 상실(rational thinking loss)은 망상에 사로잡히거나 환각상태에서는 합리적인 판단을 할 수 없어서 자살의 가능성이 높다. 사회적 지지의 결여(social support lacking)는 어려움에 부딪혀서 혼자 해결하기 힘들 때 주위에서 정신적 · 물질적인 도움이 있다면 자살과 같은 극단적인 해결책을 사용할 가능성이 줄어든다. 계획(organized plan)은 유서 같은 것을 쓰거나, 약을 사 모으거나, 다리나 고층 옥상을 미리 답사해 보는 것과 같은 계획적인 행동이 있으면 자살의 가능성이 매우 높다. 배우자 부재(no spouse)는 현재 결혼상태에 있는 사람이 미혼, 이혼, 사별한 사람에 비해서 자살 가능성이 낮다. 신체적 질병(sickness)은 자살을 통해 사망한 경우를 대상으로 한 연구결과를 보면 상당수가 자살

반년 이내에 의료기관에서 진료를 받은 적이 있다.

SBCM 모형
[-模型, social-behavioral-cognitive-moral model: SBCM model]

오포드(Orford)가 강력한 애착의 발달과 그에 대한 사회적 반응의 결과로 개념화하여 중독의 과정을 설명한 모델.
중독상담

정식명칭은 사회-행동-인지-도덕 모형이며, 이를 간단히 SBCM 모형이라고 부른다. 오포드는 중독에 대한 기존의 연구가 중추신경계에 영향을 미치는 약물(헤로인, 코카인, 알코올 등)의 중독현상에만 집중하고, 일반 중독현상에 대한 전체적인 접근이 부족했다고 지적하면서, 중독의 발달과 포기의 현상을 애착의 발달개념을 적용하여 SBCM 모형으로 설명하였다. 이 모형은 과도한 탐닉의 발달과 변화를 3단계로 나누어 설명하고 있으며, 각 단계에서 영향을 미치는 사회·도덕적 측면을 열거하였다. 여기서는 중독의 과정이 단순히 개인의 심리적인 문제로만 형성되고 발달하는 것이 아니라, 사회적인 맥락과 도덕적인 맥락의 영향 속에서 과도한 탐닉이 발달과 변화를 거듭한다고 설명하였다. 예를 들어, 중독이 잘 발달할 수 있는 유전적 혹은 생물학적 요인이 존재하지만 사회·도덕적인 특정 상황에서 이러한 중독이 보다 병적으로 발전하는 특수한 경우가 있다.

관련어 | 중독

SMART 목표 설정
[-目標設定, SMART goal setting]

통합치료의 접근법에서 가장 우선적인 과제인 목표 설정을 위한 지침. 통합치료

파머(Palmer)는 통합치료에서 우선적으로 다루어야 할 과제인 목표 설정을 위해서는 내담자가 SMART한 목표를 설정할 수 있도록 상담자가 지원해야 한다고 설명하였다. SMART는 구체적이고(specific), 측정 가능하고(measurable), 성취 가능하고(achievable), 관련되고(relevant), 시간적 범위를 고려한(time bound) 목표를 내담자가 설정하는 것이다. 이러한 목표의 설정은 내담자의 문제에 대한 명확한 인식과 그 문제를 극복할 내담자의 능력 및 자원에 대하여 충분하게 이해하고 있을 때 가능하다.

관련어 | 통합치료

T-집단
[-集團, T-group]

일종의 학습실험실로서 '지금-여기'의 즉시적인 생각과 느낌 및 반응에 초점을 맞추며, 학습하는 방법을 중점으로 10~15명의 구성원과 1명 또는 2명의 집단상담자의 도움 아래 서로 협력자로서, 그리고 한 사람의 개인으로서 지지해 주면서 동기를 유발하고 집단 경험의 결과로 대인관계 기술을 배우며, 자신의 새로운 자아상과 현실적 가능성을 발견하여 인간관계 및 집단 관계의 개선을 탐색하는 훈련집단. 집단상담

집단구성원들이 목표설정, 관찰, 피드백, 자료분석, 활동계획, 평가 등에 직접 관여하는, 일련의 경험을 토대로 하는 학습활동으로 진행된다(Lubin & Eddy, 1973). T-집단 경험은 애초에 정상인을 대상으로 하여 그들의 능력을 증진시키려는 교육적 목적에서 시작된 것으로서, 종전의 집단상담이 치료적 목적으로 상담기술을 개발시켜 온 것과는 매우 다르다. 하지만 T-집단은 치료집단이라는 성격과 교육집단이라는 성격을 함께 가지고 있다. 집단구성원의 행동이 바람직하지 않을 경우에는 치료적 성격을 띠고, 정상적인 정도의 집단구성원을 보통 이상으로 발달시키고자 할 경우에는 교육집단의 성격을 띤다. 훈련의 과정(curriculum)으로 보면 처음에는 비교적 치료적이고 뒤로 나아가면서 교육적 성격이 강하게 나타난다(세키 카즈오 장혁표, 강호기, 1987). T-집단은 미국의 NEA(National Education

Association)의 MIT(Massachusetts Institute of Technology)에서 활동했던 레빈(Lewin)이 사회심리학 분야의 실행연구(action research) 부문의 연구성과를 집단역동 연구의 새로운 방법으로 적용해 보려는 시도에서 시작되었다. 이렇게 T-집단은 1947년 여름에 미국의 메인 주 베델지역의 굴드아카데미(Gould Academy)에서 레빈이 창설한 비영리단체인 전국훈련연구소(National Training Laboratories: NTL) 주체로 처음 실시되었다. 집단훈련의 실험실 방법(laboratory method)이라는 취지에서 시작된 T-집단은 종전의 집단형태가 심리치료적인 입장에서 활용되었던 것에 비하여, 첫째, 교육적인 훈련이란 면을 강조하고, 둘째, 주로 집단적으로 실시하며, 셋째, 지적 학습이기보다는 정의적(affective) 체험학습이고, 넷째, 의지적이며 행동화를 중시한다는 특징을 보인다. 또한 T-집단은 집단역학(group dynamics)과 장이론(field theory)에 근거를 두고 있다. 초기에 T-집단을 인도하던 사람들과 T-집단 연구자들은 T-집단과정을 통해 집단구성원들이 자기 자신에 대한 이해와 의사소통기술이 향상되고, 다른 집단구성원들의 감정과 생각을 좀 더 민감하게 알아차리고 반응하며, 집단과정에 대한 통찰이 증진되는 것을 관찰할 수 있었다. 이후 T-집단은 인간 상호작용과 집단과정의 특성을 관찰하는 인간관계 기법에 관한 훈련으로 집단구성원들이 자기발견을 통해 대인관계 기술을 습득할 수 있도록 하였다. T-집단은 보다 높은 수준의 자아실현과 대인관계의 향상을 목적으로 했기 때문에 심리학자, 교육학자, 사회사업가, 의사 등 전문가들이 각자의 고유한 영역과 입장에서 T-집단의 발전에 공헌할 수 있었다. 게다가 인간관계를 중시하는 직업인, 기업인 등에게도 환영을 받아 T-집단은 일반인에게도 많이 인식되고 있다. 이처럼 T-집단은 다양한 형태로 발전되었는데, 1960년대와 1970년대에는 산업체를 중심으로 조직활성화(team building)와 조직문화개선에 초점을 두고 진행되었다. 이 시기 감수성 훈련이라는 이름으로 연구된 논문에서 'T-집단기법을 사용한 감수성 훈련(McGregor, 2000)', '참만남집단의 형태로 진행되는 감수성 훈련(Baker, 1976)'이라는 표현이 등장하는 것으로 보아 감수성 훈련이라고 불리는 집단형태는 T-집단과 참만남집단에서 출발했다고 추측할 수 있다. 감수성 훈련집단은 T-집단, 참만남집단, 체험집단, 관계증진훈련, 공감훈련, 마이크로 카운슬링, 인간관계훈련 등의 총칭이라는 주장도 있다. 이후에는 T-집단(인간관계 내에서의 훈련), 산업체 장면 중심으로 감수성 훈련집단(대인관계 감수성 훈련), 로저스의 인간중심접근에 바탕을 둔 참만남집단 등의 이름으로 여러 가지 실제 집단과 연구가 진행되어 왔다. 이러한 집단훈련과정은 각종 전문직 종사자, 상담을 전공하는 학생을 대상으로 심리교육, 인간적 성장, 집단과정 학습의 측면에서 널리 활용되고 있다(윤관현, 이장호, 최송미, 2006). 우리나라에서는 전남지역과 대구를 중심으로 1970년대부터 시작되었다. 먼저 전남지역에서는 한국카운슬러협회 전남 지회의 초청으로 내한한 일본카운슬러협회 대표인 이토오 회장을 비롯한 전문가들이 T-집단 형태의 감수성 훈련을 실시하였다. 이때 국내에서 참석한 사람들은 주로 교육학 전공자나 생활지도 및 상담 분야 전공자 또는 종사자였다. 그중 한 사람인 이상훈은 1971년에 몇몇 사람들과 함께 인성 개발 집단훈련을 실시하였는데, 이것이 오늘날 한국인성개발원의 모체가 되어 지금까지 발전해 오고 있다. 또한 대구지역에서는 1971년에 우리나라의 전문학자가 처음으로 시작하였다. 이형득은 당시 미국에서 목회상담을 전공하고 계명대학교 교수로 활동하면서 대학생, 대학원, 가정주부, 기독교 성직자를 대상으로 다양한 T-집단을 활발하게 소개하였다. 그 후 유동수는 기업체 사원을 대상으로 조직 내 구성원의 감수성 훈련을 비구조적인 접근법으로 실시하였으며(유동수, 2005), 심상권 역시 비구조적 접근법으로 서로 모르는 개인집단을 대상으로 실시하였다. 이장호와 이재창은 주로 청소년을 대상으로 구조화된 프로그램을 연구·실시하였다(이장호, 김정희, 1992; 이재창, 1992). 감수성 훈련은 이외에도 목회자를 대상으로 인간관계 훈련이라는 이름으로 넓게 활용되어 왔으며, 최근에는 일반 성인뿐만 아니라 군인, 비행청소년을 포함한 청소년층, 분열증 환자에까지 그 대상을 넓혀 실시되고 있다.

관련어 | 감수성 훈련, 참만남집단

U&I 진로탐색검사
[- 進路探索檢査, Upraise & Improve Test]

학습과정에서 보일 수 있는 행동 및 태도, 성격양식을 알아보는 검사. `심리검사`

학습과정에서 보일 수 있는 행동 및 태도, 성격양식을 알아보기 위해 2002년에 연우심리연구소에서 출시한 검사로, 대상은 중학생 이상이다. 진로성숙도에 관한 스티븐 크리티스(Stephen Crites)의 연구와 미국고용서비스국(USES)의 진로흥미에 관한 12개 척도를 바탕으로 하여 개개인의 진로성숙도와 진로흥미 및 진로성격을 종합적으로 진단함으로써 진로결정에 도움이 되는 제반 정보를 제시해 준다. 이 검사의 문항 수는 216문항으로 구성되어 있다. 학업과 관련한 고민이나 심리적 상태를 알아보고, 성격적인 요인을 바탕으로 자신에게 가장 적합한 학습성격, 학습행동 및 적성을 파악하여 올바른 학습방식과 학습전략을 설정할 수 있다.

U세대
[- 世代, U -generation]

컴퓨터나 유선 네트워크를 의식하지 않고, 시간과 장소에 상관없이 휴대전화와 인터넷을 통하여 언제 어디서나 정보를 교환하며 서로의 존재를 확인하는 세대. `아동청소년상담`

언제 어디서나 서로의 정보를 공유하는 U세대는

라틴어 'ubique'가 어원인 'ubiquitous'의 머리글자를 따서 이름 지은 것으로 유비쿼터스 세대라고도 한다. 이는 '동시에 어디에나 존재하는, 편재하는'이라는 사전적 의미를 가지고 있다. 즉, 시간과 장소에 구애받지 않고 언제나 정보통신망에 접속하여 다양한 정보통신서비스를 활용할 수 있는 환경이 유비쿼터스다. 따라서 U세대는 여러 기기나 사물에 컴퓨터와 정보통신기술을 통합하여 언제, 어디서나 서로 정보를 공유하고 확인하면서 커뮤니케이션하며 서로의 존재와 의미를 확인하고, 이를 통해 삶의 가치와 자신의 정체성을 확인하는 세대다.

관련어 | @세대, C세대, Digital Nomad 세대, E세대, G세대, M세대, N세대, P세대, W세대, X세대, Y세대, Z세대, 베이비붐 세대

UPI
[-, University Personality Inventory: UPI]

대학생의 고민에 관한 질문지법. `심리검사`

대학생 및 대학 입학을 앞둔 학생을 대상으로 하는 검사인데, 대학에 입학하는 시기의 고민을 파악함으로써 문제를 조기 발견하고 원조하는 것을 목적으로 한다. 이 검사는 학생상담의 일환으로 실시하는 경우가 많으며, 전국 대학에서 널리 이용되고 있다. 총 60문항으로 구성되어 있고, 해당되는 항목에 ○표를 하면 된다. 그런 다음 각 문항을 1점으로 계산하여 유피아이(UPI) 득점을 산출한다.

URL
[-, uniform resource locator]

서버, 파일, 웹 페이지, 뉴스그룹과 같은 인터넷상 자원을 확인하기 위해 사용되는 부호. `사이버상담`

www 시스템이 인식할 수 있도록 주소를 기술하는 일종의 문법으로, 인터넷상의 여러 컴퓨터에 존

재하는 자원의 위치와 어떤 접속방법을 사용할 것
인지를 지정한다. URL은 www 시스템의 하이퍼링
크를 지정하는 데도 사용된다. www상의 문서들이
서로 거미줄처럼 연결될 수 있는 것도 URL을 사용
하여 문서의 위치를 지정할 수 있기 때문이다. 주의
할 점은 컴퓨터 주소의 경우에는 대소문자의 구분
이 없으나, 파일의 디렉토리와 실제 파일 이름을 쓸
경우에는 대소문자를 구별해서 사용해야 한다. 또
파일이름을 입력하지 않더라도 해당 디렉토리에 기
본 웹 페이지가 있다면 자동으로 지정된다.

W세대
[－世代, W-generation]
월드컵 세대(world cup generation)를 줄인 말로, 2002년
한일 월드컵 축구대회를 공동 체험한 세대. 아동청소년상담

　W세대는 2002년 월드컵을 계기로 탄생한 세대
로, 길거리 응원 등을 통하여 월드컵의 열정을 공동
으로 체험하면서 한국인으로서의 정서적 유대감을
새롭게 형성한 세대다. 이들은 X세대나 N세대처
럼 신세대를 지칭하는 것과는 의미가 조금 다른데,
2002년 월드컵 때 함께 응원하던 30대, 40대의 중년
까지 포함할 수 있는 개념이기 때문이다. W세대는
자기중심적인 경향에서 벗어나 공동체 안에서 자신
을 표현하고 즐거움을 추구하는 특징을 가지고 있
는데, 2002년 월드컵을 통해 자신들이 좋아하는 축
구를 즐기고 한국팀을 응원하기 위해 대회기간 중
자발적 공동체를 형성하여, 열정적 에너지를 분출
하고, 개방적 세계관을 보여 주었다. 그리고 이들은
붉은색 티셔츠와 두건, 태극기 등을 이용한 파격적
옷차림에 열광적 응원으로 세계의 이목을 끄는 독
특한 개성을 발휘하였다.

관련어 @세대, C세대, Digital Nomad 세대, E세대, G세
대, M세대, N세대, P세대, U세대, X세대, Y세대,
Z세대, 베이비붐 세대

WDEP체계
[－體系, WDEP system]
내담자의 행동변화를 유도할 수 있는 현실치료의 구체적인 상
담 절차. 현실치료

　W는 바람(wants) 탐색하기, D는 활동하기(doing),
E는 평가하기(evaluation), 그리고 P는 계획하기
(planning)를 뜻한다. 글래서(W. Glasser)는 내담
자가 자신의 현재 행동이 자신이 원하는 것을 얻는
데 전혀 도움이 되지 않고 있다는 사실을 깨닫고, 또
한 자신이 원하는 것을 충족해 줄 수 있는 다른 선택
가능한 행동이 있다는 것을 믿을 때 비로소 변화에
의 동기가 유발될 수 있다고 보았다.

　바람 탐색하기 [－, wants] 상담자는 내담자가
바라는 것과 좋은 세계에 담겨 있는 내용을 탐색하
는데, 내담자가 원하는 것과 원하지 않는 것을 탐색
하고, 원하지 않는 것 중에 지금 현재 가지고 있는
것을 탐색한다. 예를 들어, '무엇을 원하는가?' '진정
으로 원하는 것이 무엇인가?' '부모님이, 친구들이,
혹은 주위 사람들이 당신에게 바라는 것이 무엇이
라고 생각하는가?' '어떤 시각으로 사물과 환경을 바
라보는가?' '상담을 받고 나면 무엇이 어떻게 변화되
기를 바라는가?'라는 질문을 통해 내담자의 좋은 세
계를 탐색하고, 이제까지 희미하게 알고 있던 자신
의 바람을 명확하게 인식할 수 있도록 도와준다. 이
때 상담자는 내담자로 하여금 스스로 원하는 바가
무엇인지 깨닫도록 도와주는 동시에, 주위 사람들
이 내담자에게 원하는 바가 무엇인지도 알 수 있게
한다. 내담자와 주위 사람들이 원하는 것이 서로 일
치하는지를 파악함으로써 내담자의 바람에 내포되
어 있는 근본적인 욕구가 무엇인지를 명료화할 수
있다. 또한 내담자의 지각체계를 탐색하는 것은 내
담자가 지식여과기라고 하는 일차수준의 지각으로
현실세계를 바라보는지, 아니면 가치여과기라고 하
는 이차수준의 지각으로 외부세계를 파악하는지를

기타

확인하는 데 도움이 된다.

활동하기 [行動-, doing] 전 행동 탐색하기는 내담자가 지금 어디로 가고 있는지를 스스로 확인할 수 있도록 도와준다. "당신은 무엇을 하고 있습니까?"라는 질문을 통해 내담자의 현재 행동에 초점을 맞춘다. 이 질문은 4개의 요소로 구성되는데, 먼저 '당신은'이라는 질문부분은, 내담자가 자신의 행동원인을 환경적 여건이나 다른 사람의 탓으로 돌리거나 변명하려는 것을 중지시키는 효과가 있다. 자기 행동에 대한 책임 있는 인식을 강조한다. 둘째, '무엇을'이라는 질문부분을 통해 내담자의 내면세계를 탐색한다. 내담자로 하여금 욕구충족을 위해 선택한 행동이 과연 효과가 있는지, 그리고 통제할 수 있는 영역과 통제 불가능한 영역은 각각 어떤 것인지에 대해 확인하는 기회를 제공한다. 셋째, '하고(doing)'라는 질문부분은 내담자의 전 행동 중에서 특히 활동하기 요소를 탐색하는 데 초점을 두고 있다. 내담자로 하여금 자신이 원하는 것과 그것을 얻기 위해 구체적으로 행하고 있는 것에 대해 자기평가를 할 수 있도록 도와준다. 넷째, '있습니까?'라는 질문부분은 내담자가 현재의 행동에 초점을 맞출 수 있도록 해 준다. 현실치료에서는 욕구는 항상 현재에 존재하기 때문에 그 해결책 또한 현재에 있다고 본다. 내담자로 하여금 지금 행동하고 있는 것에 초점을 두도록 하는 것은 그가 자신의 행동에 대해 의식적인 통제를 할 수 있고, 대안적인 행동을 새롭게 선택할 수 있으며, 나아가 자신의 삶을 변화시킬 수 있다는 사실을 가르쳐 주는 데 목적이 있다.

평가하기 [評價, evaluation] 평가는 행동이나 지각된 것이 현실적인지, 그리고 자신과 타인에게 도움이 되는지를 확인하는 작업이다. 따라서 상담자는 내담자가 자신의 목표, 행동, 지각, 그리고 그러한 것들의 결과를 평가하도록 도와준다. 예를 들어, "당신의 현재 행동이 당신에게 도움이 됩니까?" "당신이 지금 하고 있는 것은 당신이 진정으로 원하는 것을 얻는 데 도움이 됩니까?" "당신이 원하는 것은 현실적이거나 실현 가능한 것입니까?" "그런 식으로 세상을 보는 것이 당신에게 도움이 됩니까?"라는 질문은 내담자의 구체적인 행동을 살펴보고 내담자가 지금 하고 있는 행동들이 자신의 욕구충족에 도움이 되는지 혹은 방해가 되는지를 판단할 수 있도록 해 준다. 내담자가 자신이 선택한 행동의 결과를 직면하도록 하고, 그로 하여금 행동의 효율성과 효과성을 판단하도록 한다. 자신의 행동을 판단하지 못한다면 긍정적인 변화를 기대할 수 없다. 내담자가 자기 행동의 효과에 대해 가치판단을 할 때 비로소 실패에 작용하는 것은 무엇인지, 그리고 성공을 위해 자신이 책임질 수 있는 변화가 무엇인지를 결정할 수 있게 된다.

계획하기 [計劃-, planning] 행동변화에 대한 책임 있는 계획은 상담과정의 핵심이며 일종의 교수단계다. 현실치료의 궁극적인 목표는 내담자의 바람과 욕구를 충족시킬 수 있는 바람직한 계획을 수립하는 데 있다. 내담자의 현재 행동 중에서 욕구충족과 관련하여 비효과적이고 부정적인 것들을 찾아내어 이것을 긍정적인 것으로 바꿀 수 있도록 도와준다. 이때 긍정적인 계획이라는 것은 자신의 욕구나 바람을 충족하기 위해 현실적으로 수용될 수 있고 또한 다른 사람들에게 피해를 끼치지 않는 전 행동을 뜻한다. 효과적인 계획의 일반적인 특징은 다음과 같다. 첫째, 내담자의 욕구와 가능한 한 밀접하게 연결되어야 한다. 둘째, 이해하기 쉽고 간단해야 한다. 계획은 또한 구체적이고 측정할 수 있는 것이어야 하며, 융통성이 있고 수정과 변화가 용이해야 한다. 셋째, 현실적이고 실행 가능한 것이어야 한다. 넷째, 적극적인 활동에 관한 것이며, 무엇을 할 것인지를 수립해야 한다. 다섯째, 상담자는 내담자로 하여금 혼자서 행할 수 있는 계획을 개발하도록 격려해야 한다. 또한 숙련된 질문을 함으로써 내담자가 구체적인 계획을 세우도록 도와주어야 한다. 여섯째, 반복적이어야 한다. 계획은 비교적 정기적이고 지속적으로 행해져야 한다. 일곱째, 즉시성을 지녀야 한다. 계획은 가능한 한 빨리 행동에 옮길 수 있는 것이어야 한다. 여덟째, 과정 중심의 활동을 포함한다. 아홉째, 내담자는 계획을 실행하기 전에 상담자에게 피드백을 받는다. 내담자는 계획이 현실적이고 실행 가능한 것인지, 자신이 바라고 요구하는 것과 관련 있는지를 상담자와 함께 평가해야 한다. 그리고 계획이 실행된 후에도 재평가가 필요하다. 마지막으로, 내담자가 스스로 계획을 실행하기 위해서는 실천내용을 기록하도록 한다. 이와 관련하여 효율적인 계획을 수립할 때 고려해야 할 일곱가지 사항을 SAMIC³/P로 표현하고 있다. 분모의 P는 계획자(planner)를 뜻하는 것으로서, 계획수립과 이행에 관한 모든 책임이 계획자인 내담자에게 있다는 것을 함축한다. 일곱 가지 본질적인 구성요소는 다음과 같다. 첫째, 단순해야 한다(simple). 계획이 너무 복잡하면 수행될 수 없다. 둘째, 도달할 수 있는 것이어야 한다(attainable). 즉, 계획은 현실적이어야 한다. 셋째, 측정할 수 있어야 한다(measurable). 계획은 구체적이고 정확해야 한다. 넷째, 즉각적이어야 한다(immediate). 계획은 가능한 한 빨리 수행되어야 한다. 다섯째, 계획자가 통제해야 한다(controlled). 계획은 다른 사람이 하는 것에 의존하지 않는다. 여섯째, 일관성이 있어야 한다(consistent). 가장 훌륭한 계획은 정규적인 근거로 반복된다. 일곱째, 이행하겠다는 언약이 있어야 한다(committed). 계획은 확고한 의지를 가지고 수행되어야 한다.

Wee 센터
[– , Wee center]

⇨ '위 센터' 참조.

X 결함증후군
[– 缺陷症候群, fragile-X syndrome]

성염색체의 이상으로서 X 염색체가 구부러져 있거나 너무 가는 것이 원인이 되는 유전적 질환. 발달심리

주요 증상은 지적 능력의 결함, 자폐적 행동, 긴 얼굴, 큰 고환, 큰 귀, 비정상적인 뇌파, 마비와 같은 신체장애다. 그리고 불안, 과잉활동, 주의력 부족, 비정상적인 의사소통, 대인관계 등의 심리적 장애가 수반된다. 이 증후군은 여성보다 남성에게 더 많이 나타난다. 왜냐하면 남성의 성염색체는 XY여서 X 염색체에 결함이 생기면 대체할 X 염색체가 없는 데 반해 여성의 성염색체는 XX여서 X가 2개이므로 하나의 X 염색체의 결함을 다른 X 염색체가 수정ㆍ보완할 가능성이 있기 때문이다.

관련어 염색체 이상

X세대
[– 世代, X-generation]

1968년을 전후해서 태어난 세대로서 정확한 특징을 설명하기가 모호한 세대. 아동청소년상담

X세대는 1960년대와 1970년대 베이비붐 세대 이후에 태어난 세대를 지칭하는 말로서, 전체적으로 정확한 특징을 묘사하기 어려운 모호한 세대다. 이 명칭은 주로 1990년대 초에 이르러 신세대의 특징을 지칭하는 말로 사용되었으며, 베이비붐 세대 마지막 10년을 이루는 시기에 태어났다고 해서 베이

기타

비 버스트 세대(baby-bust generation)라고도 부른다. X세대라는 말은 캐나다 작가인 더글러스 쿠플랜드(Douglas Coupland)가 1991년 뉴욕에서 출간한 팝아트 스타일의 소설 『X세대(Generation-X: Tales for an Accelerated Culture)』에서 처음 사용하였고, 이전의 세대들과는 분명히 다른 특성을 가지고는 있지만 마땅히 한마디로 정의할 용어가 없다는 뜻으로 X를 붙여 새로운 세대를 지칭하게 되었다. 이후 필립 모리스 사가 1993년 4월 2일에 신세대 고객을 위해 말보로(marlboro) 담배값을 인하하면서 소설 『X세대』의 제목을 인용하여 신세대들을 지칭한 것에서 널리 알려졌다. 우리나라에서 X세대라는 말은, 1990년대 오렌지족이라는 청소년들의 과소비 향락문화가 언론의 관심을 끌게 되고 독특한 대중문화에 대한 신세대의 취향으로 인해 사회 전체적으로 이들이 기존 세대와는 구별되는 독특한 특징을 지닌 것이 인식되면서부터 사용하게 되었다. 특히 1993년 아모레 화장품의 '트윈엑스' 광고로 인해 X세대가 신세대를 지칭하는 말로 널리 사용되었다. 우리나라의 X세대는 청소년기에 6·29 민주화 항쟁을 경험하면서 정치적으로 민주화된 시기에 성장하였고, 산업화의 수혜를 받아 물질적·경제적 풍요 속에서 성장한 집단이라는 공통된 세대적 특성을 가지고 있다. 이로 인해 이들은 기존의 가치나 관습에서 자유롭고, 개인주의적이며, 자신이 좋아하는 분야에만 집중하는 특징을 보인다. 또한 각종 다양한 대중매체 발달의 시대라는 영향을 강하게 받아 독특한 문화를 형성하고, 과소비와 향락을 추구하며, 대중문화에 열광한다. 자기주장이 강하며 자신만의 세계에 빠지려고 하는 것도 X세대의 특징이라고 할 수 있다. 때로는 X세대의 다양한 특징을 'PANTS'라는 단어로 설명하기도 하였다. 이는 각각 Personal, Amusement, Natural, Trans-border, Service를 말하는데, 우선 Personal은 개인적이고 자신만의 주장이나 세계를 중요시하는 특성을 나타낸다. Amusement는 심각하거나 진지한 것

을 거부하고 재미와 즐거움을 추구하는 삶을 원한다는 뜻이고, Natural은 자연에의 강한 욕구, Trans-border는 나이나 성을 구분하지 않으려는 가치관, 그리고 Service는 하이테크와 하이터치의 서비스를 즐기는 세대를 의미한다.

관련어 @세대, C세대, Digital Nomad 세대, E세대, G세대, M세대, N세대, P세대, U세대, W세대, Y세대, Z세대, 베이비붐 세대

Y세대
[-世代, Y-generation]

베이비붐 세대의 자녀층으로 1980년대 초반 이후 태어난 세대.
아동청소년상담

Y세대는 베이비붐 세대가 낳은 2세대를 지칭하는 말로, 21세기의 주역이 될 세대라는 의미를 포함하며 에코 부머스(Echo Boomers), 밀레니엄 세대(millenium generation) 혹은 디지털 세대(digital generation)라고도 불린다. 이들은 대개 1980년대에서 1999년 사이에 출생했는데, 민주화가 정착되어 정치적으로 안정된 사회에서 성장하여 정치에 무관심하며, 국제화·정보화 및 컴퓨터와 인터넷 보급의 혜택을 받은 사람들이다. Y세대라는 용어는 미국의 보험회사인 푸르덴셜 사가 청소년을 대상으로 실시한 지역사회 봉사활동 실태보고서에서 처음으로 사용하였다. 이 보고서에 따르면 미국에 살고 있는 11세에서 18세의 청소년 95%가 지역사회의 봉사에 참여하기를 원하는 것으로 나타났다. 이 결과를 바탕으로 보고서에서는 이러한 젊은이들이 매사에 긍정적으로 'Yes'라고 대답하는 세대라는 의미에서 Y세대라는 명칭을 붙였다. Y세대의 주된 가치는 개성과 다양성이며, 오락과 즐거움을 중요시한다. 또한 낙천적이며 지적 호기심이 많고, 유행에 민감하면서 신속한 정보력을 가지고, 소비 지향적이다. 그리고 긍정적인 가치관과 공동체 의식을 바탕으로 사회문제에도 큰 관심을 보여 21세기를 이끌어 나

갈 주역으로 보았다. Y세대가 과거의 다른 세대와 구별되는 두드러진 특징은 테크놀로지에 대한 우수성이라고 할 수 있다. 어렸을 때부터 컴퓨터를 소유하고, 이를 즐기는 컴퓨터 문화가 일반화된 첫 세대로서 인터넷을 정보탐색, 구매, 오락, 게임, 메일, 커뮤니티 활동 등에 광범위하게 사용한다.

관련어 @세대, C세대, Digital Nomad 세대, E세대, G세대, M세대, N세대, P세대, U세대, W세대, X세대, Z세대, 베이비붐 세대

Z세대
[- 世代, Z-generation]

X세대와 Y세대의 다음 세대로서 소비시장에 막대한 영향을 끼치는 세대. 아동청소년상담

Z세대는 X세대와 Y세대의 다음 세대이자 알파벳의 마지막 글자로 '20세기 마지막 세대'를 의미한다. 'between'의 준말로 어린이와 틴에이저 사이에 긴 세대, 즉 '트윈 세대'라고 부르기도 하고, 때로는 '1318세대'라고도 부르는데, 1990년대 말에 13~18세 사이에 속한 연령층이다. Z세대의 가장 두드러진 특징은 인터넷 게임과 유행에 민감한 소비활동이라고 할 수 있다. 이메일과 실시간 채팅으로 친구들과 대화하며, 수시로 변하는 유행에 발맞추어 외모를 치장하는 데 자신의 용돈을 아낌없이 소비한다. 대중문화에도 관심이 많아 특히 랩 음악을 좋아하고, 힙합 의상을 즐겨 입는다. 상품을 판매하는 사람들은 이러한 Z세대의 특성에 관심을 기울이며, 미래의 막강한 소비군단으로 보고 과자나 음료, 자동차 모델명 혹은 영화 제목에까지 단어의 끝에 알파벳 'z'를 사용하여 제품명을 만들었다. 대표적인 예로 드림웍스 영화사는 자신들이 제작한 애니메이션 영화의 제목을 「Antz」라고 붙이고, "Z야말로 새롭게 사고하고 독립적으로 행동하는 신세대를 대표하는 글자"라고 소개하였다.

관련어 @세대, C세대, Digital Nomad 세대, E세대, G세대, M세대, N세대, P세대, U세대, W세대, X세대, Y세대, 베이비붐 세대

@세대
[- 世代, @ generation]

1990년대 말에서 2000년대 초의 청소년을 부르는 말로서 첨단정보산업시대에 뉴미디어 사용이 일상화가 되어 버린 세대. 아동청소년상담

@는 이메일 주소를 표시하는 데 사용되는 기호로 디지털 시대의 상징이다. @세대는 이러한 디지털 시대를 살아가면서 책이나 신문, 잡지, 텔레비전 등 기존 미디어의 이용과 함께 휴대전화, 컴퓨터, 인터넷 등 첨단 미디어를 자유자재로 폭넓게 사용하는 퓨전 라이프 스타일(fusion life style)의 형태를 보인다.

관련어 C세대, Digital Nomad 세대, E세대, G세대, M세대, N세대, P세대, U세대, W세대, X세대, Y세대, Z세대, 베이비붐 세대

2차 개체화 과정
[二次個體化過程, second individuation process]

청년기의 생물학적 변화에 대한 보다 적극적이고 성숙한 자아의 적응체계가 이루어지는 발달과정. 아동청소년상담

블로스(Blos)가 지칭한 용어로, 청년기의 자아가 부모의 통제에서 벗어나 독립하는 과정을 말한다. 또한 개체화는 부모에 대한 오이디푸스적 집착에서 벗어나는 것을 의미하기도 하므로, 개인의 성정체성의 확립과도 연관성이 있다. 블로스는 청소년기의 개체화 과정을 여섯 가지의 하위단계로 세분화하였다. 첫 번째 단계는 청년 초기에 자아가 발달하기 시작하는 잠재기다. 두 번째 단계는 급격하게 증가된 성적 욕구와 공격적 욕구가 산만하고 방향성이 없는 상태로 방출되는 청년 전기(preadolescence)

기타

다. 세 번째 단계는 친구, 텔레비전 스타 등에 열중하여 자신의 성적 욕구를 표출할 수 있는 구체적인 대상을 찾는 시기인 청년 초기(early adolescence)다. 네 번째 단계는 성적 혼돈과 갈등이 심리적으로 구조화되는 청년 중기(middle adolescence)다. 다섯 번째 단계는 이전 단계까지의 갈등이 안정적으로 통합되는 청년 후기(late adolescence)다. 여섯 번째 단계는 성숙한 대처능력과 적응체계를 가지게 되어 성인기로 이행하는 과도기인 청년 이후기(postadolescence)다.

관련어 | 블로스의 적응체계이론

3개의 의자들
[三個-椅子-, three chairs]

ABET(모험에 기초한 경험치료) 활동에서 사용하는 기법으로, 3개의 의자를 이용하여 내담자의 과거, 현재, 미래의 삶을 탐색하도록 하는 것. 해결중심상담

3개의 의자 프로그램을 진행하는 치료자는 먼저 3개의 의자를 한 줄로 배치한다. 그런 다음 첫 번째 의자는 5년 전의 삶을 나타내고, 두 번째 의자는 현재 모습을 나타내며, 세 번째 의자는 앞으로 5년 동안의 삶을 나타낸다고 내담자에게 설명해 준다. 이때 집단구성원들은 각각 3개의 의자에 차례로 앉으면서 해당 의자가 의미하는 시간에서의 자기 모습을 떠올려 보며 이야기를 나눈다. 집단구성원들이 자신의 이야기를 할 때, 치료자는 "그때의 당신은 행복한가요?" "당신이 제일 두려워하는 것은 무엇인가요?"라는 질문을 하여 구성원들의 이야기를 더욱 확장할 수 있고, 3개의 의자에서 자신의 이야기를 다 마치고 나면 "당신은 어느 의자에서 두려움을 적게 느끼고 좀 더 행복했나요?" "당신은 과거에 이러한 문제들을 어떻게 극복했나요?" "그때 당신에게 어떤 충고가 도움이 되었나요?" 등의 질문을 하면서 내담자의 예외나 강점을 찾을 수 있도록 도와

준다.

관련어 | 모험에 기초한 경험치료, 해결상자연습

3인칭 글쓰기
[三人稱-, writing in the third person]

자신이 겪은 감정적 사건이나 심리적 외상을 1인칭으로 서술하지 않고 다른 누군가에게 일어난 일을 바라보듯 목격자가 되어서 3인칭으로 서술하는 글쓰기 기법. 문학치료(글쓰기치료)

제3의 관찰자, 즉 어떤 사건에 직접 관련되지 않고 객관적 입장을 유지할 수 있는 3자적 입장에 서 있는 인물이 되는 것이다. 3인칭 글쓰기는 문학작품의 3인칭 관찰자 시점에서 비롯된 개념으로, 글쓰기 치료에서 자신의 생각과 느낌을 끊임없이 지배하는 강력한 감정적 경험에 대한 글을 써야 할 경우 본인의 입장이 아닌 다른 누군가에게 일어난 외상의 목격자 입장에서 자기 경험을 이야기할 수 있도록 하는 기법으로 제안되었다. 글을 쓸 때, '나(I)'라는 1인칭이 아닌, '그(he)' 혹은 '그녀(she)'와 같은 3인칭을 사용한다. 3인칭 관찰자 시점이 되면, 1인칭으로서 자신의 이야기를 쓸 때와는 달리 감정적인 면에서 벗어나 객관적 거리를 유지하고, 사건을 있는 그대로 볼 수 있는 관점이 생긴다. 소설 같은 문학작품에서는 작가의 감정적 동선을 배제하고 사건을 객관화하여 거리를 둘 때 이 같은 방법을 사용한다. 우리나라 소설인 주요섭의 『사랑손님과 어머니』(1935)에서, 옥희의 시선으로 어머니와 사랑방에 세든 하숙생 간의 사랑을 묘사한 방법이 대표적인 예가 될 수 있다. 옥희라는 제3의 관찰자를 통해서 어머니와 하숙생 간의 감정을 우회하여 표현함으로써 거리두기를 한 것이다. 자신의 심리적 외상이나 스트레스, 감정적 갈등을 바라보는 관점을 바꾸는 것은 그 문제를 해결하는 데 무척 유익하다. 3인칭 관점의 사용은 격앙된 감정적 사건을 다른 각도에서 바라보게 해 줄 뿐 아니라 주제로부터 초연해지

게 만들어 주기 때문에 문제를 효과적으로 다룰 수 있는 강력한 글쓰기 기법이 된다. 때로는 1인칭으로 자신이 겪은 감정적 사건을 쓴 다음 다시 한 번 3인칭으로 관점을 바꾸어 써 보도록 한다.

관련어 관점의 전환, 글쓰기치료

3C
[三－, three C]

3개의 C, 저널기법에서 '보내지 않는 편지'의 유용성을 요약한 말. 문학치료(글쓰기치료)

3C는 구체적으로 catharsis(정화), completion(완성), clarity(명확성)를 말한다. 정화는 억압된 감정을 표출함으로써 그 감정을 정화시킨다는 의미로 사용된다. 현재 자신에게 분노, 고통, 슬픔, 비애 또는 괴로움 등을 주는 대상에게 솔직하게 거침없이 편지(보내지 않는다는 전제로 쓰는 편지)를 쓰는 과정에서 나타난다. 충분히 감정을 쏟아 내어 쓴 편지는 부정적 감정이 해소되도록 찢거나 짓밟는 등의 방법으로 없애 버린다. 완성은 이별, 죽음 등으로 끝난 대상, 관계 속에서 새로운 전환점을 주고 싶은 주변 대상에게 슬픔과 애도, 그리움 등의 감정을 담아 편지를 씀으로써 미완성의 관계를 완성할 수 있도록 돕는 것을 말한다. 편지를 통하여 정리되지 못한 감정들이 진행되고 변화되는 과정을 알 수 있다. 명확성은 보내지 않는 편지를 쓰면서 발견할 수 있는 성찰과 깨달음을 의미한다. 편지 쓰기는 대상에게 의견을 듣거나 함께 토론하지 않고 일방적으로 자신의 생각과 느낌을 전달하기 때문에 자신에게 깊이 집중할 수 있다.

관련어 성찰적 글쓰기, 카타르시스 글쓰기

3E
[三－, three E]

다카에스(高江洲)가 제시한 예술치료의 세 가지 기본 태도. 미술치료

표현(expression)의 자유에 대한 보장, 공감(empathy)의 지속, 환경(environment, ecology)에 대한 배려를 말한다. 첫째, 표현의 자유에 대한 보장은 어떤 표현이든지 내담자의 표현을 있는 그대로 수용하는 것이다. 둘째, 공감의 지속은 내담자와 함께하는 자세를 말한다. 표현이란 대인관계의 감각을 나타내기 때문에 치료자는 내담자의 감정이나 신체적 감각을 이해할 수 있다. 내담자의 심한 정신병리적 표현에 직면할 경우에도, 치료자는 내담자가 상처받지 않도록 배려하고 적절하게 개입하여 내담자가 원래의 자기를 표현하고 실현할 수 있도록 함께하는 자세가 필요하다는 것이다. 셋째, 예술치료를 실시하기 위한 장(field)과 환경에 대한 배려를 말한다. 말하자면, 임상장면에서 스태프의 구성은 어떠한지? 작업할 방은 준비되었는지? 특히 스태프의 마음의 준비가 되어 있는지? 등을 살펴 내담자와 마주할 수 있는 장을 형성해야 한다는 것이다.

관련어 예술치료

3R
[三－, three Rs]

책임(responsibility), 현실(reality), 옳고 그름(right and wrong)의 세 가지 현실치료요소. 현실치료

책임은 다른 사람의 욕구충족을 방해하지 않는 범위 내에서 자신의 욕구를 충족하는 능력을 의미한다. 글래서(W. Glasser)는 각자 자신의 행동에 대해 책임을 지지 않는 데에서 모든 문제가 비롯된다고 보았다. 현실치료에서는 사람들이 자신의 행동

에 대한 책임뿐만 아니라 자신의 욕구를 충족시켜야 하는 책임도 강조하고 있다. 또한 과거의 조건이나 현재의 여러 여건, 그리고 타인의 행동도 자신의 무책임한 행동에 대한 구실로 사용될 수 없다고 본다. 자신의 삶에 대한 책임을 받아들이고 그러한 책임에 따른 행동을 시작하기 전까지는 변화가 불가능하다. 정신건강과 책임을 동일한 것으로 간주한다. 책임을 느낄수록 더 건강하고 책임을 지지 않을수록 건강하지 않다는 것이다. 개인적인 불행과 고통은 무책임의 결과이지 무책임의 원인이 될 수 없다. 책임은 곧 현실을 직면하는 것이라고 할 수 있다. 현실과의 직면이란 곧 현실세계의 모든 여건을 받아들여야 한다는 것과 현실세계를 통제함으로써 자신의 욕구를 충족해야 한다는 것을 뜻한다. 기본 욕구나 바람(wants)의 충족은 현실세계가 규정해 놓은 범위와 한계 내에서만 가능하다. 과거를 바꿀 수 없다. 과거를 이해하려는 것은 단지 우리의 관심을 현실로 돌리기 위한 것이다. 흔히 자신을 변화시키기 위해서는 과거를 이해해야 한다고 하면서 무책임한 현재 행동에 대한 하나의 구실로 활용한다. 현실치료에서는 무책임을 정신병으로 간주하는데, 정신병이란 곧 '나의 현실을 거부한다.'는 것으로 해석될 수 있기 때문이다. 현실을 거부하는 것은 자신의 삶에 대한 책임을 지지 않으려고 스스로를 설득하는 것에 해당된다. 따라서 현실치료에서 상담자는 내담자가 더욱 책임 있는 행동을 하고 자신의 현실을 직면하도록 하여 문제를 해결해 나갈 수 있도록 도움을 준다. 한편, 가치판단은 현실적으로 주어진 상황에서 책임 있는 행동을 하는 사람에게는 매우 중요하다. 그래서는 옳고 그름을 판단하지 않고 행동하는 것은 일관성이 없거나 현실성이 결여된 독단적인 행동이 될 수 있다고 경고한다. 욕구충족을 위한 합리적인 방법을 찾기 위해 가치판단은 매우 중요하다. 또한 가치판단은 행동변화를 위한 추진력이 된다. 기본적 욕구충족과 책임은 서로 밀접하게 관련되어 있다. 책임 있는 행동을 하기 위해서

는 사회제도, 도덕, 규범과 같은 현실적 여건을 고려해야 한다. 또한 다른 사람의 욕구충족을 방해하지 않는 범위 내에서 자신의 욕구충족을 추구하는 데 있어서도 가치판단은 필요하다.

4일간의 글쓰기
[四日間 –, four-day writing]

문학치료(글쓰기치료)

⇨ '4일간의 표현적 글쓰기' 참조.

4일간의 표현적 글쓰기
[四日間 – 表現的 –, four days of expressive writing]

페니베이커 글쓰기치료의 기본 방법. 문학치료(글쓰기치료)

4일간의 표현적 글쓰기는 페니베이커(James Pennebaker)가 표현적 글쓰기의 유익성을 실험하기 위해 시행한 글쓰기 기법으로, 최소 4일간 적어도 하루에 20분 이상 글을 쓰는 방법이다. 1980년대 중반, 심리학 교수였던 페니베이커는 50여 명의 학생을 대상으로 글쓰기가 감정과 면역체계에 미치는 영향에 대해서 실험을 하였다. 실험에 참가한 학생들은 4일 동안 연속적으로 글을 쓰는 데 동의하였다. 그들 대부분은 실험실에서 자신의 감정을 글로 털어놓았고, 삶에서 가장 끔찍했던 경험과 사건에 대해서 솔직히 적었다. 이 실험의 핵심은 4일간의 표현적 글쓰기를 마치고 난 몇 주 혹은 몇 달 후에 그들에게 무슨 일이 발생하는가였다. 실험결과 표현적 글쓰기로 자신의 깊은 감정을 글로 털어놓은 사람들은 단지 피상적인 주제에 대해 글을 쓰게 한 통제집단보다 43% 적게 의사를 찾았다. 다나–파버 암 연구소(Dana-Farber Cancer Institute)와 보스턴에 있는 하버드 의대 등에서 연구한 결과로는, 4일간의

표현적 글쓰기가 암환자의 정신적·신체적 건강 증진에 도움이 된다는 것이 밝혀졌다. 이 기법이 신체 증상을 감소시키는 데도 효과적이었다고 나타났다. 4일 동안 글을 쓰는 과정을 통해서 자기 내면의 부정적인 정서만이 아니라 긍정적인 정서까지 다루어 카타르시스 효과를 일으킬 수 있다. 또한 자신을 괴롭히던 문제를 정서적 표현과 함께 글로 표현하여 스트레스와 부정적 정서에 대처할 수 있는 능력을 기를 수 있다. 4일간의 표현적 글쓰기는 처음 글을 쓰기 시작한 날부터 최소 4일간 매일 20분 이상 글을 쓰는 것이 핵심이다. 4일 동안 같은 주제로 글을 써도 되고, 하루하루 다른 주제로 써도 된다. 어떤 주제든 자신이 힘들어하는 문제에 관한 이야기를 쓴다. 철자법이나 문법, 띄어쓰기 등은 전혀 고려하지 말고, 가능한 한 솔직하게 주제에 관련된 감정을 최대 수준까지 열어 둔다. 자신의 마음을 최대한 개방하여 솔직하게 쓰는 것이다. 관점을 바꾸어 다른 시각에서 써 보기도 한다. 처음에 1인칭 시점으로 글을 썼다면, 관찰자적 시점으로 바꾸어 글을 써 보는 경험도 해 본다. 다 쓴 글은 공개하지는 않는다. 숨겨 두거나 없애 버려도 된다. 이 글쓰기는 공유를 위한 것이 아니다. 4일간의 글쓰기에서 주의할 점은 감정이 갑자기 증폭될 때 정신병 예방법칙(플립 아웃 법칙)을 따르는 것이다. 경우에 따라서 4일간 연속적으로 쓰지 않고 격일로 쓰는 경우도 있다. 이와 같은 4일간의 표현적 글쓰기는 외상적 경험과 그와 관련된 부정적 정서를 비롯한 양가적이고 다양한 감정을 쉬지 않고 토해 냄으로써 카타르시스 효과를 기대할 수 있으며, 여러 실험 결과를 통하여 육체적 질환을 앓는 사람들에게 신체증상을 감소시키는 효과도 기대할 수 있음이 증명되었다. 심리적으로 질환을 앓고 있는 사람들에게도 4일간의 글쓰기는 극심한 불안 및 우울 수준을 안정시키는 데 도움이 된다.

관련어 정신병 예방법칙, 표현적 글쓰기

4행 정형시
[四行定型詩, pantoum]

여덟 줄로 된 4연 16행의 고대 인도네시아의 운문.
문학치료(시치료)

팬텀은 시 전체가 시 행의 반복으로 되어 있는 영시의 목가(villanelle)와 비슷한 시 형식으로, 각 연마다 4행으로 되어 있다. 팬텀의 순환적 형식은 저널쓰기 및 반성에 이상적이다. 이 형식은 시를 쓰기 힘들다는 선입견을 극복하고 놀라운 결과를 낳기도 하였다. 한 행 한 행 형식에 맞추어 쓰다 보면 전혀 신경을 쓰지 않게 되고 그 때문에 검열을 하지 않는다. 각 연의 두 번째와 네 번째 행은 그다음 첫 번째와 세 번째 행으로 반복된다. 이 패턴이 계속되다가 마지막 연에서 패턴반복이 달라진다. 마지막 연의 첫 번째와 세 번째 행은 끝에서 두 번째의 둘째와 넷째가 된다. 시의 첫 번째 행은 마지막 연의 마지막 행이 되고, 첫 연의 세 번째 행은 마지막 연의 두 번째 행이 된다. 낱말은 똑같지만 그 의미는 반복되면서 바뀐다. 이는 구두점, 동음이의, 간단한 재문맥화 등이 달라지면서 변하는 것이다. 팬텀은 말레이의 운문형식인 판툰(pantun)에 그 기원을 둔다. 팬텀을 쓴 유명 작가로는 위고(Hugo), 르콩트 드릴(Leconte de Lisle), 보들레르(Baudelaire), 아쉬버리(Ashbery), 해커(Hacker), 저스티스(Justice) 등이 있다.

4Cs
[-, four Cs]

노인부부의 결혼생활만족도를 평가하는 네 가지 요소.
중노년상담

노인부부에게는 젊은 시절의 열정, 독립, 변동성, 신체적 매력에서 벗어나 서로의 지지와 이해, 깊은 충성심, 활동의 성숙한 나눔, 공평감, 상호의존성이 더 필요하다. 무엇보다도 책임(commitment), 돌봄

(caring), 대화(communication), 갈등해결(conflict resolution) 등이 노인기의 결혼만족도를 측정하는 요소라 할 수 있다. 책임은 결혼에 대한 책임, 변화에 대한 책임, 치료적 과정에 대한 책임을 말한다. 돌봄은 성숙한 지원과 이해, 애착, 응집력, 애정표현, 성적 활동 등을 포함한다. 대화는 상대방의 말을 주의 깊게 들어 주고 정서적 표현을 주고받는 것을 말한다. 갈등해결은 매일매일의 의사결정, 삶의 문제와 관계에 대한 성숙한 문제해결, 명백하지만 숨겨진 정서적 갈등을 해결하는 기술 등을 포함한다.

관련어 | 7Cs

5개의 리듬
[五個 - , 5 rhythm]

미국의 춤 치료 전문가인 로스(Roth)가 창안한 것으로, 춤을 통한 자기치유와 명상방법.　무용동작치료

로스는 5개의 리듬에 몸을 맡기고 움직이면 자신의 자연성을 일깨우고, 직관과 상상력을 확장시킬 수 있다고 하였다. 또한 리듬이 틀 없는 틀로서의 역할을 하여 정신적·육체적 표현의 범주를 넓혀 주고, 영혼이 잊고 있던 부분을 볼 수 있게 하며, 직관적 이해력과 예술적 감수성을 일깨워 준다고 설명하였다. 5개의 리듬은 삶과 사랑, 태어남과 죽음, 예술과 신에 대한 내적인 가르침을 의미하고, 각각의 리듬은 원초적인 열정과 욕구를 찾아내어 본래의 인간성과 연결시키는 에너지를 일깨워 주는 역할을 한다. 5개의 리듬은 흐름, 스타카토, 혼돈, 영혼의 노래, 침묵의 춤으로 구성되어 있다. 이것의 전체적인 구성을 보면, 흐름에서는 여성적인 가르침을 받아들이고, 스타카토에서는 남성을 찾아내며, 혼돈에서는 이 둘을 통합한다. 영혼의 노래에서는 가장 확장된 자신을 경험하고, 침묵의 춤에서는 신비스러운 자신의 본질을 만나게 되어 영혼이 휴식을 취할 수 있게 되는 것이다. 이상과 같은 5개의

리듬을 타기 위해서는 다섯 가지 사항, 즉 목적지·방향, 공간, 바라보기·인식하기·행동하기, 호흡, 음악이 고려되어야 한다.

흐름 [- , flowing] 5개의 리듬 중 첫 번째 리듬이다. 유동적이고 느슨하며 나긋나긋한 상태를 말한다. 흐름의 원형은 어머니, 여인, 성모를 나타내며 그것에 맞추어 추는 춤은 여성적인 리듬의 에너지를 가지고 있다. 먼저, 어머니의 원형을 나타내는 흐름은 모든 다른 원형의 초석으로서, 우리가 춤 자체를 출 수 있는 굳건한 반석이 된다. 우리에게 몸을 준 어머니와 같이 이 흐름은 우리의 존재에 집중하고 명확하게 하는 모든 신비한 힘이 모이는 장소를 의미한다. 다음은 여인의 원형을 나타내는 흐름으로, 모든 종류의 느낌에 대해 깨어 있고, 몸을 따라 그 자취를 좇으며, 춤에 엄청난 생명력과 에너지를 주는 한 부분을 의미한다. 마지막으로 성모의 원형을 나타내는 흐름은 우리 내부의 신비스러운 부분을 의미한다. 성모의 에너지를 개발하려면 때로 침묵을 수련하는 것이 도움이 된다. 어머니나 여인의 원형과 달리, 성모는 순수한 자아탐색자다. 성모의 마음과 연결이 끊어지거나 지쳐 버리면 우리는 경외감과 놀라움의 감각을 상실한다. 성모는 충만하면서도 동시에 텅 빈 느낌이며, 개인적인 직관뿐만 아니라 우리를 다른 사람과 세상으로 연결해 주는 부족(tribe)의 본능을 일깨우는 것이다. 흐름은 호흡의 초점을 들숨에 두고 계속 이어지는 느낌으로 몸을 움직이며, 한 동작이 다른 동작으로 바뀔 때에도 계속 흐르는 느낌을 유지함으로써 끊임없이 변화되는 동작을 민감하게 느낀다. 흐름의 리듬은 태아에서 2세까지의 리듬으로 유동적이고 부드러운 동작을 한다. 흐름의 이미지는 중국의 만리장성, 돌고래, 파동, 사막의 모래언덕, 가우디의 건축물, 승무(僧舞), 독수리, 나룻배, 도로를 따라 달리는 자동차, 비행기의 선회 등이다.

스타카토 [-, staccato] 5개의 리듬 중 두 번째 리듬이다. 첫 번째 리듬인 흐름이 어머니를 상징하는 대지와 연결된 반면, 스타카토는 불(火)과 연결되어 있다. 대지가 단단하고 감각적인 데 반해 불은 타오르고 소멸되는 것으로서, 양(陽)이고 열정적이며 우리 내부의 에너지를 일깨우는 것이다. 그 열기는 몸을 통해 퍼져 나가고 해방된 열정으로 춤을 추게 만드는 원동력으로서, 에너지와 정열을 만나게 하며 다른 사람에게 자신을 표현하는 방법이자 외부세계에 자신을 드러내는 행위다. 말하자면 스타카토는 단지 생각하는 것이 아니라 행동을 취하는 것이다. 그리고 흐름이 들숨이라면 스타카토는 호흡을 밖으로 내뱉는 날숨의 동작으로, 육체적인 피로에서 분노까지, 고통에서 기억까지, 증오부터 비통까지의 모든 것을 밖으로 풀어 주는 역할을 한다. 스타카토는 마치 뼈가 춤을 추는 것처럼 꺾이고 끊어지며 직선으로 모든 각도와 모서리를 만들어 내는 동작이다. 스타카토는 3~19세의 주의가 산만한 시기에 주로 나타나는 동작이다. 또한 스타카토는 신체적으로는 무릎에 해당하며, 심리적 발달단계에서는 자아(ego)가 표현되는 시기를 뜻한다. 스타카토의 원형은 아버지, 아들, 성령을 나타내며, 그 리듬에 맞추어 추는 춤은 스타카토라는 남성적인 에너지를 가지고 있다. 먼저 아버지의 원형인 스타카토는 우리의 한계를 알고 있고 경계선을 표시하며, 최상이 무엇인지 알고 있다. 아버지는 우리의 몸과 영혼의 남성적인 의식이며, 활동적이고 실천적이고 보호한다는 상징적인 의미를 가지고 있다. 따라서 아버지의 원형은 스키, 수영, 운전, 암벽타기, 요가 또는 발레와 같은 특정한 규칙과 움직이는 방법에 따라 몸을 훈련하는 모든 활동이 포함된다. 아버지는 우리와 외부세계를 연결하는 다리역할을 하며, 이 다리는 여성적인 자아가 우리 고유의 방식과 시간의 리듬에 따라 춤추게 만든다. 다음으로 아들의 원형인 스타카토는 '지금-여기'에 있으며, 그 의식은 전혀 다른 2개의 현실을 잇는 다리다. 이것은 실제

하는 생명인 아버지의 땀을 성령과 연결시켜, 그 양극성을 우리의 가슴속에 심어 주는 역할을 한다. 즉, 아들의 원형은 감정을 표현하게 하고, 진실을 말하게 하는 영혼의 한 부분으로 작용하는 것이다. 마지막으로 성령의 원형인 스타카토는 진실을 찾는 탐구자이자 수련자로서 다른 사람과의 상호작용과 행동을 통해 진실한 본성이 하나 됨을 찾게 만드는 힘을 의미한다. 성모의 에너지가 신성함의 의식, 우주적 하나됨, 자연의 법칙 속에서 발현된다면, 성령은 개인에서 집단으로, 명상에서 기도로, 인식에서 행동으로 옮겨 가게 하는 역할을 한다. 즉, 성모가 함께 춤을 출 수 있는 사람을 알아볼 수 있게 한다면, 성령은 깨달음의 성스러운 일을 함께할 수 있는 영혼을 적극적으로 찾게 만든다고 할 수 있다.

혼돈 [混沌, chaos] 5개의 리듬 중 세 번째 리듬이다. 혼돈의 리듬은 흐름과 스타카토의 리듬이 부딪쳐서 만들어진다. 혼돈은 남성적인 에너지와 여성적인 에너지를 통합하는 리듬으로, 흐름과 스타카토의 두 에너지가 신비롭게 결합된 창조적인 에너지다. 실제로 혼돈은 우리의 정신 속에 있는 여성성과 남성성이 가장 잘 만난 상태를 나타낸다. 혼돈에서는 상대적인 것이 모든 것을 초월하며, 하나로 통합되어 환상의 세계가 펼쳐지기 때문에 예술의 세계라고 한다. 혼돈의 리듬은 마음을 일깨우고, 발에 그 뿌리를 두고 있다. 혼돈의 춤을 출 때, 우리는 한쪽 뇌에서 다른 쪽 뇌로 우리의 마음을 옮기면서 한쪽 발에서 다른 쪽 발로 몸의 중심을 옮기는 독특한 패턴의 발동작을 이용한다. 혼돈은 어머니, 여인, 성모가 남성적 상대인 아버지, 아들, 성령과 하나 되는 공간이다. 이러한 연금술적인 만남에서 예술가, 연인, 구도자가 태어나는 것을 의미한다. 따라서 혼돈의 춤을 추는 것은 마음과 몸이 하나가 되게 하고, 직관으로부터 우리를 막고 있는 모든 것을 풀어 놓는 행위로서 모든 여성성과 남성성의 원형을 하나로 묶어 주는 역할을 한다. 혼돈의 리듬은

청소년기의 리듬으로, 대개 10대 사춘기부터 30대까지 이어진다. 혼돈의 이미지는 끓는 물, 눈사태, 회오리바람, 롤러코스터, 팝콘 튀기기, 나이아가라 폭포, 믹서에 과일을 갈 때의 모습, 온갖 것들이 뒤섞여 있는 고물 창고, 범퍼카, 원숭이 등이다. 혼돈의 원형은 예술가다. 예술가의 원형을 나타내는 혼돈은 아버지와 어머니가 통합되어 자신의 춤, 노래, 시, 퍼포먼스 등으로 독특하게 표현된다. 연인의 원형이 나타나는 혼돈은 아들과 여인의 통합된 모습을 의미한다. 연인은 여인과 아들, 매력과 행동에서 태어나는데, 이 두 가지가 자기 내면에서 결합할 때 우리는 다른 사람과 연결될 수 있다는 의미다. 구도자의 원형으로 나타나는 혼돈은 성모와 성령의 통합, 다시 말해 성모와 성령의 순결과 지혜가 통합되어 있는 상태를 의미한다. 구도자는 마음의 상태이며 우리 실존의 비유로서, 혼돈 속에서 질서를 찾는 힘을 가지고 있다. 이러한 구도자의 원형은 혼돈 속에서 어둠과 빛이 포용되며 뒤섞여 있는 지대에 존재하고, 이 지대에서 성모와 성령, 예술가와 연인, 여성성과 남성성, 내적인 것과 외적인 것이 모두 춤 속에서 용해된다. 이런 정신 안에서 우리는 어떤 것에도 구속되지 않고 해방될 수 있다고 한다.

영혼의 노래 [靈魂 -, lyrical] 5개의 리듬 중 네 번째 리듬이다. 이는 자아실현의 리듬을 의미하며, 5개 리듬 가운데 가장 복잡하다. 흐름은 여성성을, 스타카토는 남성성을, 혼돈은 여성성과 남성성의 결합을 의미하는 반면, 영혼의 노래는 고정된 것은 없다는 것, 특히 우리의 정체성에서 고정된 것은 아무것도 없음을 의미한다. 또한 영혼의 노래는 우리를 바람에 연결시키는 리듬으로서 자아실현을 의미하고, 초월과 유동성을 배우게 한다. 영혼의 노래에서는 들숨에 초점을 두고, 동작의 특징은 끝없이 이어지면서 가볍게 떠오르는데, 거의 땅을 밟지 않고 발가락으로 춤추고 돌면서 뛰고 바닥과 가볍게 부딪치는 것이다. 영혼의 노래는 기쁨과 연결되어 있으며, 사회와의 관계성을 의미한다. 그리고 40~60대의 원숙기에 나타나는 동작을 의미하며, 그 이미지는 봄, 징글벨, 발리 섬의 무용수, 모빌의 창시자인 칼더의 작품, 마티스의 작품 등이다. 영혼의 노래의 원형은 고대 샤머니즘적 전통을 계승하는 자연에 의한 변형자다. 여기에서 변화는 생존을 위해 필요한 것이며, 우리를 새로운 차원으로 데려가는 것을 의미한다. 이러한 변화를 위해서는 강함보다 민감함이 필요한데, 이는 내면의 아이가 늘 깨어 있도록 민감해져야만 상황에 따라 유연하고 자유롭게 변화될 수 있기 때문이다. 흐름은 우리에게 우주의 한 부분이 되는 법을 보여 주고, 스타카토는 소통의 한 부분이 되는 법을 가르쳐 주며, 혼돈은 이러한 통합이 작동할 수 있는 에너지 사용법을 알려 준다면, 영혼의 노래는 전 우주 안에서 우리 자신의 위치를 보여 주는 역할을 한다.

침묵의 춤 [沈黙 -, stillness] 5개의 리듬 중 마지막 다섯 번째 리듬이다. 이는 영혼의 완전한 휴식을 의미하며, 여기서 독특하고 끊임없이 변하는 속성을 지닌 신비스러운 자신의 본질을 발견하게 된다. 침묵의 춤은 고통이나 상처를 아름다움, 사랑, 우정, 창조성으로 변화시키는 역할을 한다. 침묵의 춤에서는 호흡으로 몸을 조율한다. 그리고 그 호흡의 리듬에서 단순한 동작을 하는데, 호흡이 올라가면 몸도 올라가고 호흡이 내려가면 몸도 내려간다. 호흡은 길게 온몸으로 하고, 동작은 자신의 중심에서 시작한다. 침묵의 춤에서는 몸 전체가 움직이고, 의식은 참나[眞我]와 일치된 궁극의 상태가 된다. 또한 정서는 자비를 나타내며, 관계성으로는 우주와의 연결을 의미한다. 침묵의 춤은 61세 이후부터 죽음에 이르는 시기에 해당하며, 그 이미지는 공(空), 궁술, 난초, 바위, 잠자는 고양이, 뱀, 거북, 피카소의 청색시대, 사막 등이다. 침묵의 춤의 원형은 연금술사다. 연금술사가 납으로 금을 만들고, 황금에서 불순물을 뽑아내듯이, 어둠의 춤을 추어 어둠을

빛으로 만드는 것을 의미한다. 그 빛의 고요한 지점에서는 공포 속에서 사랑을, 고통 속에서 기도를 만들어 내는 연금술사를 찾을 수 있다. 연금술사는 강박적인 생각의 고리를 끊어, 상처를 딛고 스스로 치유할 수 있는 힘을 찾을 수 있도록 한다.

관련어 | 5개의 리듬으로의 여행

5개의 리듬으로의 여행
[五個 – 旅行, travel to 5 rhythm]

로스(Roth)가 창안한 춤을 통한 자기치유와 명상방법인 5개의 리듬과 함께, 동작에 자기를 온전히 내맡기며 기도하는 마음으로 몸의 각 부분에 귀를 기울여 춤을 추는 것. **무용동작치료**

5개의 리듬으로의 여행에서 말하는 5개의 리듬은 흐름, 스타카토, 혼돈, 영혼의 노래, 침묵의 춤이며, 각 리듬에서 나타나는 춤의 특징은 다음과 같다. 첫째 리듬인 흐름에서는 발을 올렸다 내렸다 하면서, 여러 곳을 옮겨 다니고 숨을 들이쉴 때마다 아랫배에 주의를 기울이며 자신의 몸이 모든 종류의 원을 그리도록 편안하게 둔다. 둘째 리듬인 스타카토에서는 몸을 수축하여 아랫배 깊은 곳으로부터 숨을 토해 낸다. 셋째 리듬인 혼돈에서는 어떠한 생각도 할 수 없는 상태다. 따라서 머리에서 모든 생각을 지우고, 모든 관심을 발에 집중한다. 발로 리듬을 맞추면서 몸의 긴장을 풀고 온몸을 흔든다. 넷째 리듬인 영혼의 노래에서는 혼돈에서처럼 멈춤 없이 계속 박자를 쏟아 내지만, 좀 더 가벼운 톤의 박자가 된다. 마지막 리듬인 침묵의 춤에서는 박자의 호흡 속으로 미끄러져 들어가 자신의 축을 중심으로 돌아서, 깨어나는 꿈의 흐름 속으로 옮겨 간다. 5개의 리듬으로의 여행을 통해 내담자는 자신의 몸에 귀를 기울이는 방법을 배우고, 그 순간 어떻게 하는 것이 적절한 것인지를 습득하게 된다.

관련어 | 5개의 리듬

5분 전력 글쓰기
[五分全力 – , five-minute sprint]

글쓰기 주제를 정한 다음 5분 동안 멈추지 않고 계속해서 글을 쓰는 글쓰기치료기법. **문학치료(글쓰기치료)**

5분 전력 글쓰기는 애덤스(K. Adams)가 제시한 글쓰기치료기법이다. 감정, 결심, 일어난 사건 등 무엇이든지 글감으로 정할 수 있다. 5분이라는 짧은 시간 마음에 떠오르는 것 무엇이든 쓰면 된다. 하루 중 5분을 내는 것은 누구에게나, 어디서나, 언제든 가능하다는 전제로 행하는 능률적인 글쓰기 기법이라 할 수 있다. 이 기법에서 중요한 것은 5분간 절대로 멈추면 안 된다는 것과 가능한 빨리 쓰는 것, 그리고 정해진 시간을 반드시 지키는 것이다. 이 기법은 저항을 최소화하여 억압되어 있거나 감추어진 깊은 정서를 드러내고자 할 때 사용한다. 5분 전력 글쓰기의 주제는 매우 자유로우며, 정해진 형식도 없다. 3행시나 4행시 같은 행시나 그 외의 창조적 글쓰기도 가능하다. 단지 5분간 멈추지 않아야 한다는 것이 유일한 규칙이다. 정해진 시간을 맞추기 위해서는 타이머를 사용하면 편리하다. 처음 5분 동안 글쓰기를 마치고 나서 원하면 다시 더 할 수도 있고, 쓴 것을 읽지 않은 채로 치울 수도 있다. 좀 더 쓸 수 있을 것 같은 상황에서도 시간이 되면 반드시 멈추어야 하는데, 이처럼 정해진 시간과 멈추지 않는다는 조건 때문에 검열을 피할 수 있는 것이다.

5요인 모형
[五要因模型, big five model]

성격을 다섯 가지 차원으로 설명하는 논리의 틀. **성격심리**

성격을 설명하는 특질 이론의 하나로, 1949년 피스크(Fiske)가 커텔(Cattell)의 16요인 모형을 바탕으로 성격의 5요인을 제시하면서 5요인 모형이 발달하기 시작하였다. 하지만 그의 연구는 1961년 투페(Tupes)와 크리스털(Christal)의 연구가 나오기 전까지는 크게 알려지지 않았다. 그들은 성격의 5요인을 외향성(extroversion), 우호성(agreeableness), 성실성(conscientiousness), 정서적 안정성 대 정신증(emotional stability/psychotism), 문화(culture) 등으로 제안하였다. 이후 이 모형은 1963년의 노먼(Norman), 1964년의 보르가타(Borgatta), 1967년의 스미스(Smith) 등이 연구를 계속하였으며, 1980년대와 1990년대는 디그맨과 타케모토 쇼크(Digman & Takemoto-Chock, 1981), 맥크래와 코스타(McCrae & Costa, 1987; 1997) 등이 초기의 연구를 새로운 방식으로 분석하여 여러 연령과 다양한 집단에서의 적용 가능성을 검증하였다. 특히 1981년 골드버그(Goldberg)는 여러 연구를 검토한 결과, 공통된 다섯 가지 성격요인이 있음을 확인하고 이를 'Big Five'라 칭하였다. 여기서 'Big'이란 각각의 성격요인이 수많은 특질을 가지고 있다는 뜻이다. 이때 다섯 가지 성격요인은 개방성, 성실성, 신경증, 외향성, 우호성이다. 이를 바탕으로 맥크래와 코스타는 신경증, 외향성, 개방성만을 강조한 NEO-PI검사를 개발하였고, 1992년에는 NEO-PI-R(NEO-Personality Inventory Revised)을 개발하여 성격의 5요인을 측정할 수 있게 되었다.

개방성 [開放性, openness] 자신이 경험하는 것을 있는 그대로 받아들이는 것으로서 낯선 것에 대해 인내하고 탐색하는 것을 말한다. 이 특질을 나타내는 말은 호기심 많음, 여러 영역에 대한 흥미와 관심이 많음, 창의적, 독창적, 상상력이 풍부함, 비관습적 등이다.

성실성 [誠實性, conscientiousness] 사회규범이나 법을 존중하고 충동을 통제하며 목표 지향적 행동을 조직하고 유지하며 목표를 추구하도록 동기를 부여하는 것을 말한다. 이 특질을 나타내는 말은 체계적, 믿음직함, 근면, 규칙적, 정돈, 시간을 잘 지킴, 야망이 큼 등이다.

신경증 [神經症, neuroticism] 정서적 불안이나 적응의 정도를 말한다. 이 특질을 나타내는 말은 심리적 고통, 비합리적 사고, 충동적이고 부적응적 행동, 걱정, 초조함, 불안정, 부적절한 정서, 심기증 등이다.

외향성 [外向性, extroversion] 개인의 관심이나 초점이 외부세계로 향하는 것을 말한다. 이 특질을 나타내는 말은 사교적, 적극적, 말하기 좋아함, 낙관적, 즐거움 추구, 상냥함 등이다.

우호성 [友好性, agreeableness] 다른 사람과 친밀한 관계를 맺고 그 관계를 지속하려는 것으로서 대인관계를 지향하는 것을 말한다. 이 특질을 나타내는 말은 호감이 감, 친절함, 여린 마음, 신뢰, 도움을 줌, 관대함, 솔직함, 협조적, 성격이 좋음 등이다.

관련어 | 16PF 성격검사, NEO 인성검사, 특질

6분 글쓰기
[六分-, six minute writing]

볼턴(G. Bolton)이 제안한 것으로, 6분 동안 직관적 글쓰기를 하는 것. 문학치료(글쓰기치료)

볼턴은 6분 정도의 시간이 직관적 글쓰기(free-intuitive writing)를 하기에 가장 적당하다고 생각하였다. 때로는 생각이 창의성과 직관을 방해할 수 있기 때문에 짧은 시간에 손이 가는 대로 집중해서 계속 쓰되 문법, 철자, 글씨체 등 모든 검열에서 자유로워야 한다.

관련어 | 5분 집중 글쓰기, 반자동글쓰기, 직관적 글쓰기

7단계 문제해결모형
[七段階問題解決模型, seven-step problem-solving model]

와식(Wasik)이 개발하여 문제중심상담에서 사용하는 모형으로, 내담자의 연속적 문제해결의 단계를 설명한 것.
`문제중심치료`

　상담자는 7단계 문제해결단계를 통해서 내담자가 자신의 문제해결을 위해 해야 하는 것을 인식하도록 해 주고, 다양한 요인 사이에서 문제를 확인하여 이에 대한 해결책을 만들며, 이 해결책을 시도해 보도록 할 수 있다. 또한 문제 해결 도구인 해결책의 효율성을 평가하는 단계까지 제시하였다. 문제해결의 각 단계를 살펴보면 다음과 같다. 첫째, 1단계는 문제확인의 단계로 내담자가 해결하고 싶어 하는 문제가 무엇인지 파악하는 것이다. 이때 그 문제가 여러 가지라면 우선순위에 따라 문제일람표를 작성하기도 한다. 이 작업에서 특히 주의해야 할 것은 내담자의 명료하고 특정한 문제를 도출하는 것이다. 둘째, 2단계는 내담자가 무엇을 원하는지 목표를 설정하는 것이다. 이 목표는 정밀하고 명료하며 실제적이어야 한다. 셋째, 3단계는 내담자가 무엇을 할 수 있는지에 대한 해결책을 설정하는 것이다. 이 단계에서 내담자는 자신의 문제를 변화시킬 수 있는 해결책을 많이 제시하도록 자극을 받는다. 하지만 내담자가 아무 의견도 제시할 수 없는 상태거나 의견 제시를 거부한다면 내담자를 격려하기 위해서 상담자가 몇 가지 의견을 제시할 수도 있다. 넷째, 4단계는 3단계에서 제시된 해결책을 실행했을 때 어떤 결과가 나타날지 생각해 보고, 장점과 단점을 고려해 보는 것이다. 이때 해결책의 실행 가능성에 대해 0~10까지 등급을 매겨서 보다 쉽게 실현 가능성을 파악할 수 있도록 할 수 있다. 다섯째, 5단계는 이제까지의 과정을 거치면서 제시된 해결책을 실행할 것인지 결정하는 것이다. 여섯째, 6단계는 실제적인 실행의 단계로서, 내담자의 실제 삶에서 제시된 해결책을 실행하는 것이다. 실행을 하는 데에는 상담과정에서 미리 연습을 해 보아 내담자가 실제 상황을 보다 편안하게 받아들일 수 있도록 도와준다. 일곱째, 7단계는 6단계에서 실행한 것들이 효과적이었는지 평가하는 것이다. 만일 그 실행이 효과적이었다고 평가되면 해결해야 할 다음 문제로 넘어간다. 그러나 비효율적이었다고 평가되면 이유를 생각해 보고 재실행을 격려한다.

7Cs
[-, seven Cs]

노인부부의 결혼만족도, 기능장애 등을 평가하고 진단하는 일곱 가지 요소. `중노년상담`

　성격 특성(characteristic), 계약(contract), 문화적이고 인종적 요소(culture), 책임(commitment), 돌봄(caring), 대화(communication), 갈등해결(conflict resolution) 등의 요소들을 말한다. 성격 특성은 한 사람 또는 두 사람 모두에게 장애가 되는 성격 특성과 정신병리적 증상을 포함한다. 계약은 부부 각자가 결혼에서 얻고자 기대하는 것과 관계 속에서 실제로 경험하는 것이 다를 경우에 참고한다. 노인부부는 묵시적 계약문제를 지니고 있거나 명시된 계약문제 또는 노골적인 의견 불일치를 보인다. 노인부부의 계약문제는 오랜 결혼생활로 인하여 은퇴, 무능, 배우자의 성장에 대한 차이 등 심각한 생애문제로 변화되는 결과를 낳기도 한다. 재혼한 부부는 성생활, 돌봄, 집안일, 경제적 수입, 자녀와의 관계 등에 대하여 새 배우자에게 기대했던 것을 얻지 못한다고 생각한다. 원가족의 신념, 경험, 문화적 전통과 같은 문화적, 인종적 요소는 결혼생활의 만족에 큰 영향을 미친다. 이러한 문제는 가족 내적으로 갈등을 유발할 뿐만 아니라 친구나 친척에게서, 또는 사회적 압력을 겪기도 한다. 책임은 결혼에 대한 책임, 변화에 대한 책임, 치료적 과정에 대한 책임을 말한다. 신뢰할 수 있는 경험, 믿음, 긍정적 관계에

기타

대한 기대에서 책임을 가질 수 있다. 돌봄은 지지와 이해, 애착, 응집력, 애정표현, 성적 활동 등을 포함한다. 오랜 결혼생활을 한 노인부부는 정서적 또는 신체적 무능이 없다면 돌봄 영역에서 긍정적 결과를 낳는다. 재혼한 부부는 상호 의존을 위해 결혼했기 때문에 돌봄을 표현하는 여러 가지 방식과 관련된 갈등을 겪는다. 대화는 노인이나 젊은 부부 모두에게 중요한 기술이다. 노인 남성은 자신의 감정을 표현하는 것이 어렵고 여성은 자기주장하는 것이 어렵다. 재혼한 노인부부는 적절한 대화기술을 발달시키기 위하여 많은 노력을 해야 한다. 갈등해결은 일상생활의 의사결정, 삶과 관계의 문제에 대한 성숙한 문제해결, 정서적 논쟁을 해결할 때 필요한 갈등조절기술을 포함한다. 이 7Cs 모형은 노인부부뿐만 아니라 결혼기간에 상관없이 결혼관계를 측정하는 데 도움이 된다.

관련어 | 4Cs

9분할 통합회화
[九分割統合繪畵, nine division integration painting]

용지를 9칸으로 나누어 내적 갈등을 이미지로 표현하여 좀 더 깊이 이해하도록 하는 미술치료기법. 미술치료

　모리타니(森谷)가 제안한 것으로, 치료자가 검은색 매직으로 A4 용지에 테두리를 그려 화면을 3×3으로 9분할하고, 그것을 내담자에게 제시하여 각각의 칸 안에 그림을 그리도록 한다. 9분할 통합회화법의 목표는 복잡하게 얽혀서 하나로 정리할 수 없는 다양한 이미지를 포괄적이고 종합적으로 표현하여 갈등을 구체적이고 통합적으로 파악하는 것이다. 그런 만큼 자신을 비롯하여 가족과 친구에 대한

이미지를 깊이 있게 다룰 수 있다. 일반적으로 가족관계를 파악하기 위하여 동적 가족화(KFD)를 많이 사용하고 있지만, 동적 가족화는 주관적이고 결정적인 장면을 나타내는 경우가 많다. 그러나 내담자의 가족에 대한 감정은 복잡한 만큼, 하나의 국면에 한정 짓는 것은 바람직하지 않다. 9분할 통합회화에서는 지면이 9개로 분할된 용지를 제시하기 때문에 비교적 쉽게 여러 장면의 가족이미지를 표현할 수 있다. 이 같은 맥락에서 가족관계문제를 다루는 데는 9분할 통합회화가 동적 가족화보다 더 효과적이다. 준비물은 A4 용지, 검은색 매직, 연필, 크레파스나 색연필이고, 실시방법은 다음과 같다. 먼저, "오른쪽 아래 칸에서 시계 반대 방향으로 중심을 향하여 순서대로 그리거나, 반대로 중심에서 시계 방향으로 오른쪽 아래 칸을 향하여 순서대로 그리거나 어떤 방법으로 그려도 좋습니다. 어머니, 아버지, 형 등에 관하여 일상생활에서 느낀 대로, 생각나는 대로, 머리에 떠오르는 대로 무엇이라도 상관없으니 자유롭게 그리세요. 도저히 못 그리겠으면 문자, 도형, 기호 등 아무것이라도 상관없습니다."라고 지시한다. 그다음 각 그림에 대한 간단한 설명을 쓰도록 한다. 이어서 색연필이나 크레파스로 채색을 하게 한 뒤에 전체적으로 어떤 느낌이 드는지, 그림 · 문자 · 도형 · 기호 등으로 표현된 이미지가 무엇을 의미하는지에 대하여 이야기를 나눈다.

출처: http://cafe.daum.net/simrimisul

A.A. 연합단체 한국지부(1996a). 12단계와 12전통. 서울: A.A. 연합단체 한국지부.

A.A. 연합단체 한국지부(1996b). 익명의 알콜 중독자들. 서울: A.A. 연합단체 한국지부.

AAMFT (1995). 가족치료 용어사전. (미국부부가족치료학회 편저, 우재현 편저). 대구: 정암서원.

EBS 지식채널 e (2007). 지식e 2권: 가슴으로 읽는 우리시대의 지식. 서울: 북하우스.

Freeman, J., 이경화(2007). 신세대 엄마가 선택한 우리아이 영재로 기르기. 서울: 학지사.

강갑원(2004). 알기 쉬운 상담이론과 실제. 서울: 교육과학사.

강경호(2002). 역기능 가정의 성인아이와 상담. 경기: 한사랑가족상담연구소.

강문희, 박경, 강혜련, 김혜련(2006). 가족상담 및 심리치료. 서울: 학지사.

강봉규(1999). 상담이론과 실제. 서울: 교육출판사.

강봉규(2009). 심리검사의 이론과 기법. 서울: 동문사.

강상규, 성정은, 이혜진(2010). G세대 끌어안기를 통한 미래시장 확보. 서울: KT경제경영연구소.

강선애(2009). 음악교과에서 준비도(readiness) 형성을 활용한 독보력 향상 방안 연구. 한국교원대학교 석사학위논문.

강순화(1994). 집단상담에서의 언어반응 유형과 관련 변인과의 관계 및 효과에 관한 연구: 상담자 교육에서 마라톤 형태의 집단을 중심으로. 이화여자대학교 박사학위논문.

강승호, 김명숙, 김정환, 남현우, 허숙(1996). 현대 교육평가의 이론과 실제. 경기: 양서원.

강영희(2008). 생명과학대사전. 서울: 아카데미서적.

강원대학교 인문과학연구소 엮음(2009a). 인문치료, 어떻게 할 것인가. 강원: 강원대학교 출판부.

강원대학교 인문과학연구소 엮음(2009b). 인문치료학의 모색: 인문학의 치유적 활용. 강원: 강원대학교 출판부.

강위영, 송영혜, 변찬식(1993). 놀이치료. 서울: 도서출판 특수교육.

강위영, 정대영(2001). 학습장애 아동교육. 서울: 형설출판사.

강은주(2002). PET와 fMRI를 이용한 기억의 기능 해부학 연구 및 임상적 적용. 한국심리학회지: 실험 및 인지, 14, 243-256.

강재륜(1990). 철학: 사적전개와 현대의 제문제. 서울: 일신사.

강진령(2005). 집단상담의 실제. 서울: 학지사.

강진령(2008). 상담심리용어사전. 경기: 양서원.

강진령(2009). 상담과 심리치료. 경기: 양서원.

강진령(2011). 집단상담의 실제(2판). 서울: 학지사.

강진령(2012). 집단상담과 치료. 서울: 학지사.

강진령, 유형근(1999). 집단 괴롭힘. 서울: 학지사.

강진령, 이종연, 유형근, 손현동(2009). 상담자 윤리. 서울: 학지사.

강현식(2010). 꼭 알고 싶은 심리학의 모든 것: 심리학에 관한 150개의 개념들. 서울: 소울메이트.

강희천(1999). 기독교 교육의 비판적 성찰. 서울: 한국기독교서회.

고건, 김종권, 김지홍, 문병로, 신영길, 염헌영, 우치수, 유석인, 이상구, 한상영(2000). 전산학개론. 서

울: 다성출판사.

고려대학교 부설 행동과학연구소(1999). 심리척도 핸드북. 서울: 학지사.

고미영(2004). 이야기치료와 이야기의 세계. 서울: 청목출판사.

고미영(2010). 이야기치료의 변천과 발전: 이야기 확장을 추구한 마이클 화이트의 이야기치료의 여정. 한국 가족치료 학회지, 18(1), 83-106

고병인(2003). 중독자 가정의 가족치료: 역기능 가정 성인 아이 치유의 기독교적 접근. 서울: 학지사.

고영남, 박선영(2013). 상담심리의 이론과 적용. 경기: 양서원.

고정자(2003). 결혼준비 교육의 필요성에 관한 연구. 생활과학연구논문집, 11. 215-233.

공마리아, 김갑숙, 박경규, 이근매, 임호찬, 전순영, 전영숙, 정현희, 최선남, 최외선(2006). 미술치료개론. 대구: 동아문화사.

공석영(2003). 교육사회학. 서울: MJ미디어.

공정식, 유병택(1998). 교정심리학. 서울: 도서출판 육서당.

공정식, 정선희(2010). 현대교정학. 경기: 한국학술정보(주).

곽금주(2002). 아동 심리평가와 검사. 서울: 학지사.

곽금주, 박혜원, 김청택(2002). 한국 웩슬러아동지능검사(K-WISC-III) 표준화연구 I: 신뢰도와 구성타당도. 한국심리학회지, 15(1), 19-33.

곽병선(1997). 교육과정. 서울: 배영사.

곽준기, 송은범, 정창곤(2005). 지체장애아 교육. 서울: 도서출판 특수교육.

곽호완, 김영진, 박창호, 남종호, 이재식(2003). 공학심리학(3판). 서울: 시그마프레스

곽호완, 박창호, 이태연, 김문수, 진영선(2008). 실험심리학 용어사전. 서울: 시그마프레스.

교육과학기술부(2008). Wee Project: 친한 친구교실 및 학생생활지원단 운영계획. 서울: 교육과학기술부.

교육부(2013). 2013 특수교육통계, 서울: 교육부.

구광현, 이정윤, 이재규, 이병임, 은혁기(2005). 학교상담의 이론과 실제. 서울: 학지사.

구본권(2007). 지체장애아동교육: 치료교육 접근. 서울: 시그마프레스.

구본용(1997). 청소년의 집단 따돌림의 원인과 지도방안: 따돌리는 아이들, 따돌림 당하는 아이들. 서울: 청소년 대화의 광장.

구정모(2004). 교수 능력 향상을 위한 교원 원격 연수에 마이크로티칭 기법의 적용 모델 개발. 한국 교원대학교 박사학위논문.

구훈정, 신민섭(2008). 아동 색선로검사의 표준화 연구. 소아청소년정신의학, 19(1), 28-37

국립특수교육원(1996). 시각 중복 장애아 학습지도 프로그램. 경기: 국립특수교육원.

국립특수교육원(2009). 특수교육학용어사전. 서울: 하우.

권대훈(2006). 교육심리학의 이론과 실제. 서울: 학지사.

권만우(2006). 메시지 자극과 뇌파 반응의 관계 연구. 고려대학교 박사학위논문.

권석만(2000). 우울증. 서울: 학지사.

권석만(2009). 서울대학교 리더십 향상 프로그램의 운영을 위한 성격적 강점검사의 개발. 서울대학교 기초교육원 연구보고서.

권석만(2011). 긍정심리학: 행복의 과학적 탐구. 서울: 학지사.

권석만(2011). 젊은이를 위한 인간관계의 심리학. 서울: 학지사.

권석만(2012). 현대 심리치료와 상담이론. 서울: 학지사.

권석만(2013). 현대 이상심리학(2판). 서울: 학지사.

권석만, 유성진, 임영진, 김지영(2010). 성격강점검사: 전문가 지침서. 서울: 학지사 심리검사연구소.

권석만, 한수정(2000). 자기애성 성격장애. 서울: 학지사.

권성호(1996). 마이크로 티칭 시스템의 효율적 활용 방안 연구. 대학생활연구, 14, 145-163.

권수영(2007). 기독(목회)상담, 어떻게 다른가요. 서울: 학지사.

권영국, 박현지(2002). 정보화시대의 컴퓨터개론. 서울: 형설출판사.

권영민(2004). 한국현대문학대사전. 서울: 서울대학교 출판부.

권옥자, 유혜숙, 배인자, 윤애희, 정은주, 박정민(1997). 유아를 위한 교수매체의 이론과 실제. 서울: 형설출판사.

권이종, 김천기, 이상오(2010). 청소년문화론. 경기: 공동체.

권일남, 임재호(2011). 군상담 심리학개론. 경기: 교육과학사.

권정혜, 채규만(1999). 한국판 결혼만족도검사의 표준화 및 타당화 연구. 한국임상심리학회지: 임상, 18(1), 123-139.

권정희(2008). 현대교회음악이 청소년 정신건강에 미치는 영향: 우울경향치유를 위한 가사 변형을 중심으로. 백석대학교 박사학위논문.

권중돈(2007). 노인복지론. 서울: 학지사.

권형규(2010). 뇌교육 뇌치료. 경기: 교육과학사.

기영화(2007). 노인교육의 실제. 서울: 학지사.

기원일(2012). 영재아와 일반아의 기억폭과 실행기능 특성 비교. 한국교원대학교 석사학위논문.

길임주, 양성용(2006). 디자인 진로적성검사의 개발. 디자인학연구, 19(1), 283-292

김경빈(1993). 한국형 약물중독 선별검사표 제작에 관한 예비연구 II: 한국형 청소년 약물중독 선별검사표 1(KOADAST-1). 임상병원논문집, 38-49.

김경빈(1996). 한국형 청소년 약물중독 선별검사표 연구. 청소년 약물남용실태와 예방대책 연구. 세종: 문화체육관광부.

김경빈(1997). 약물사용 및 약물중독 청소년의 조기발견에 대한 연구. 청소년학 연구, 4(1), 209-223.

김경빈, 한광수, 이정국, 이민규, 김유광, 김철규(1991). 한국형 알코올중독 선별검사 제작을 위한 예비연구 III. 신경정신의학, 30(3), 569-581.

김경옥, 최은영, 김주호, 공대종, 구병수(2004). 알코올성 Korsakoff병(Alcoholic Korsakoff's psychosis) 환자 1례에 대한 증례 보고. 동의신경정신과 학회지, 15(1), 155-165.

김경용(2001). 기호학의 즐거움. 서울: 민음사.

김경우(2008). 사회복지조사방법론 강의. 서울: MJ미디어.

김경희(1999). 발달심리학: 생애 발달. 서울: 학문사.

김경희(2002). 게슈탈트 심리학. 서울: 학지사.

김계현(2000). 상담심리학연구: 주제론과 방법론. 서울: 학지사.

김계현(2002). 상담심리학 연구. 서울: 학지사.

김계현(2009). 학교상담과 생활지도. 서울: 학지사.

김계현, 김동일, 김봉환, 김창대, 김혜숙, 남상인, 천성문(2000). 학교상담과 생활지도. 서울: 학지사.

김계현, 김창대, 권경인, 황매향, 이상민, 최한나, 서영석, 이윤주, 손은령, 김용태, 김봉환, 김인규, 김동민, 임은미(2011). 상담학개론. 서울: 학지사.

김계현, 박경숙, 이훈구, 곽금주, 임호성, 윤성근, Takuma T. (1999). 왕따, 학교폭력의 실태와 대처방안. 일본 동경국제대학 T. Takuma 교수 초청 한·일 학술대회. 서울: 경희대학교.

김계현, 황매향, 선혜연, 김영빈(2004). 상담과 심리검사. 서울: 학지사.

김광수(2008). 다문화사회와 학교상담의 역할과 과제. 서울교육대학교 다문화연구소.

김광은, 윤유경, 권석만, 하승수(2010). 긍정심리학적 관점에서 본 사관생도의 성격적 강점과 행복 및 생활적응과의 관계. 한국심리학회지: 상담 및 심리치료, 22(1), 233-248.

김교헌(2002). 심리학적 관점에서 본 중독. 한국심리학회지: 건강, 7(2), 159-179.

김규수(2010). 가족치료-이론과 실제-경기: 양서원.

김규수, 류태보(2001). 교류분석 치료. 경기: 형설출판사.

김규수, 오현숙(2010). 가족치료: 이론과 실제. 경기: 양서원.

김기은, 함태영, 강두철, 고창준, 이준수(2003). 두개 이열증을 동반한 Robinow 증후군 (Fetal Face Syndrome) 1례. 대한소아신경학회지, 11(2), 385-390.

김기태(2006). 위기개입론-일상생활의 위기와 극복방법-서울: 대왕사.

김기태, 안영실, 최송식, 김주영(2004). 알코올중독자의 회복훈련. 경기: 양서원.

김기태, 안영실, 최송식, 이은희(2005). 알코올중독의 이해. 경기: 양서원.

김기홍(2009). 장애아교육학-장애아동의 이해와 교육을 위한 입문서-. 서울: 집문당.

김나함(2007). 기독교상담의 인간이해. 한국기독교상담학회지, 제11권, 11-28.

김난예, 김춘경(2003). 성격 우선순위검사(K-PPS)의 타당화 연구, 상담학연구, 4(4), 615-629.

김남(1999). 으뜸교육학(하). 서울: 학문사.

김남수, 권은주(2005). 몬테소리 교육프로그램이 유아의 다중지능에 미치는 효과 연구. 한국보육지원학회지, 1(1), 59-81.

김남진, 김용욱(2010). 특수교육공학. 서울: 학지사.

김남희(2005). 덕 윤리와 도덕적 상대주의. 대동철학, 32, 139-161.

김덕호, 김연진(2001). 현대 미국의 사회운동. 서울: 비봉출판사.

김동배, 권중돈(1998). 인간행동이론과 사회복지실천. 서울: 학지사.

김동일, 김계현, 김병석, 김봉환, 김창대, 김혜숙, 신종호(2005). 특수아동상담. 서울: 학지사.

김동일, 김향숙, 홍성두(2005). 청소년 학습전략검사(ALSA: assessment of learning strategy for adolescent) 타당화 연구. Asia Pacific Education Review, 6(2), 95-115.

김동일, 박경애, 김택호(1995). 청소년 시간, 정신에너지 관리연구: 프로그램 종합보고서. 서울: 한국청소년상담원.

김동일, 손승현, 전병운, 한경근(2010). 특수교육학 개론: 장애·영재 아동의 이해. 서울: 학지사.

김동일, 신을진, 이명경, 김형수(2011). 학습상담. 서울: 학지사.

김동일, 이대식, 신종호(2009). 학습장애아동의 이해와 교육(2판). 서울: 학지사.

김명권(2009). 자아초월심리학 개관. 한국카운슬러협회: 상담과 지도, 44, 57-68.

김무진(1996). 기분장애. 병원약제사회지, 13(2), 138-153.

김미경(2008). 자폐장애 및 정서 행동장애의 이해. 서울: 청목출판사.

김미경, 문장원, 서은정, 윤점룡, 윤치연, 이상훈(2007). 정서 및 행동장애아 교육. 서울: 학지사.

김미연(2008). 인지행동적 교육프로그램이 아동의 우울과 인지적 오류에 미치는 효과. 진주교육대학교 석사학위논문.

김민예숙, 김혜경, 배인숙, 이문자, 이미혜, 정춘숙, 황경숙(2005). 왜 여성주의 상담인가: 역사, 실제, 방법론. 서울: 한울아카데미.

김병성(1996). 교육연구방법. 서울: 학지사.

김보경, 오영진(2005). 단기 기억상실을 주증(主症)으로 하는 6례(例)의 임상보고 -중기(中氣), 건망(健忘), 해리성 기억장애 중심으로-. 동의신경정신과학회지, 16(2), 287-299.

김보애(2003). 놀이치료의 이론과 실제. 서울: 학지사.

김보애(2004). 신비스러운 모래놀이치료. 서울: 학지사.

김봉환(1997). 대학생의 진로결정 수준과 진로준비행동의 발달 및 이차원적 유형화. 서울대학교 박사학위논문.

김봉환, 이재경, 유현실, 황매향, 공윤정, 손진희, 강혜영, 김지현, 유정이, 임은미, 손은령(2010). 진로상담이론: 한국 내담자에 대한 적용. 서울: 학지사.

김봉환, 정철영, 김병석(2006). 학교진로상담. 서울: 학지사.

김봉환, 최명운(2002). 직업카드를 이용한 고등학생의 직업흥미 탐색. 한국진로교육학회, 15(1), 69-84.

김상윤, 최진원, 조채영, 권미량, 조정아, 차영숙, 최숙연(2007). 유아 교수매체 및 교수공학. 서울: 청목출판사.

김석(2007). 에크리: 라캉으로 이끄는 마법의 문자들. 경기: 살림출판사.

김선현(2006). 임상미술치료의 이해. 서울: 학지사.

김성균, 이승희, 라수연, 김민석, 정희, 이유경, 이태훈, 김경훈(2001). 알코올로 인한 Wernicke disease의 치험 1례. 대한한방내과학회지, 22(4), 723-728.

김성이(2002). 약물중독총론. 경기: 양서원.

김성태(1969). Taylor의 표출불안척도(表出不安尺度) 한국판(Data: Korean Version of Taylor Manifest Anxiety Scale). 서울: 한국심리학회.

김성현(2012). 만 5세 유아의 인지적 억제와 작업기억 폭이 회상수행에 미치는 영향. 한국교육문제연구, 30(2), 281-300.

김세곤, 현정환(2008). 인간행동의 심리학적 기초. 경기: 공동체.

김세균, 김수행, 송태수, 이환식, 임종헌, 장명학(2006). 유럽의 제노포비아: 세계화 시대의 인종갈등. 서울: 문화과학사.

김소희(2011). 인지행동놀이치료 프로그램이 위축된 아동의 자기지각에 미치는 효과. 대구대학교 석사학위논문.

김수동, 이우경(2004). 사이코드라마의 이론과 적용. 서울: 학지사.

김수옥, 최승희(2006). 인간관계를 위한 심리학. 서울: 박영사.

김수현, 김갑숙(2007). 중학생의 성별에 따른 16PF 성격특성과 인물화(DAP) 성격요인과의 관계. 미술치료연구, 14(3), 509-531.

김승재(1990). 사회사업 실천에 있어서 생태체계적 관점의 사정도구에 관한 연구. 서울대학교 석사학위논문.

김승태, 홍경수(1994). 소아·청소년 및 성인 우울신경증 환자에 대한 Paroxetine의 항우울 및 항불안 효과 검증. 소아·청소년정신의학, 5(1), 83-92.

김아영(2002). 학업동기 검사 사용자 매뉴얼. 서울: 학지사.

김아영, 박인영(2002). 학업 동기 척도 표준화 연구. 교육평가연구, 15(1), 157-184.

김애순, 윤진(1997). 청년기의 갈등과 자기이해. 서울: 중앙적성출판사.

김양현, 김유미(2008). 해결중심상담. 경기: 교육과학사.

김연(1997). 여성이해와 상담. 서울: 도서출판 두란노.

김열권(2006). 위빠사나: 부처님이 깨달음을 얻은 수행법. 서울: 불광출판부.

김열규(1983). 한국의 신화 민속 민담. 서울: 정음사.

김영모(1984). 한국사회복지론. 서울: 경문사.

김영봉, 최철용, 강병재(2007). 교육심리학. 경기: 서현사.

김영서(2009). 안정 상태의 뇌파와 호흡의 상관관계에 관한 연구. 인천대학교 박사학위논문.

김영숙, 윤여홍(2003). 특수아상담의 이해. 서울: 교육과학사.

김영순(1999). 공포, 불안반응을 보이는 자폐성향 아동의 놀이치료 사례연구. 놀이치료연구, 3(1), 73-85.

김영진(1998). 효율적인 학습상담법. 경기: 양서원.

김영진(2003). 아동·청소년 지도자를 위한 학습상담연구. 경기: 양서원.

김영진(2004). 철학적 병에 대한 진단과 처방: 임상철학. 서울: 철학과 현실사.

김영채(2002). 사고와 문제해결심리학: 인지의 이론과 적용. 서울: 박영사.

김영태(2002). 아동언어장애의 진단 및 치료. 서울: 학지사.

김영필, 김주완, 김석수, 신인섭, 이종왕(2008). 정신치료의 철학적 지평. 서울: 철학과 현실사.

김영혜(2005). 상담에서 도식의 이해와 적용. 한국심리학회지: 상담 및 심리치료, 17(4), 751-768.

김영혜, 박기환, 서경현, 신희천, 정남운 역(2011). 상담 및 심리치료의 이론. 서울: 시그마프레스.

김영환(1997). 행동치료의 원리. 서울: 하나의학사.

김영환, 문수백, 홍상황(2008). 심리검사의 이론과 실제. 서울: 학지사.

김영희(2009). 한국 여성의 심리장애와 심리치료. 서울: 학지사.

김완일(2006). 군상담의 이론과 실제. 서울: 학지사.

김용석, 홍지영(2007). 한국어판 아동용 사회기술 척도(Children's Self-Report Social Skills Scale)의 개발과 평가. 한국아동복지학, 24, 177-206.

김용태(2000). 가족치료이론. 서울: 학지사.

김용태(2007). 통합의 관점에서 본 기독교상담학: 배경, 내용 그리고 모델들. 서울: 학지사.

김우성, 허은정(2007). 베이비붐 세대, X세대, Y세대 소비자들의 소비관련 가치관과 라이프스타일의 비교. 소비자문화연구, 10(4), 31-53.

김욱동(1999). 은유와 환유. 서울: 민음사.

김욱동(2004). 모더니즘과 포스트모더니즘. 서울: 현암사.

김원경, 조홍중, 허승준, 추연구, 윤치연(2009). 최신특수교육학(2판). 서울: 학지사.

김유숙(2000). 가족상담. 서울: 학지사.

김유숙(2005). 가족치료: 이론과 실제. 서울: 학지사.

김은미(2002). W세대의 가치관과 행동양식. 2000년, 통권 234호, 58-62.

김응렬(2001). 사회조사방법론의 이해. 서울: 고려대학교 출판부.

김의숙, 이창식(2008). 문학콘텐츠와 스토리텔링. 서울: 도서출판 역락.

김익균, 김혜금, 정원주, 최정선(2005). 아동발달. 서울: 교문사.

김인규(1998). 상담에 대한 기대와 청소년상담. 청소년상담연구, 6, 40-59.

김인숙, 우국희(2002). 사회복지사가 인식하는 임파워먼트의 의미에 관한 질적 연구. 한국사회복지학, 49, 36-41.

김인자(1997). 현실요법과 선택이론. 서울: 한국심리상담연구소.

김재옥, 조성희, 이수정(2009). M-FAST(Miller Forensic Assessment of Symptoms Test)의 타당화 연구. 한국심리학회지: 일반, 28(2), 427-447

김재은(2002). 그림에 의한 아동의 심리진단. 서울: 교육과학사.

김재은, 유기섭(1981). 심리검사의 활용. 서울: 중앙적성출판사.

김재환, 오상우, 홍창희, 김지혜, 황순택, 문혜신, 정승아, 이장한, 정은경(2010). 임상심리검사의 이해. 서울: 학지사.

김정규(1997). 게슈탈트 심리치료. 서울: 학지사.

김정규(2003). 비파사나 명상과 인지행동치료를 통합한 불안장애의 게슈탈트 심리치료. 한국심리학회지, 22, 475-503.

김정규(2010). 게슈탈트 관계성 향상 프로그램. 서울: 게슈탈트미디어.

김정근, 한윤옥, 황금숙, 김순화, 신주영(2007). 정신건강과 자아발달을 돕는 체험적 독서치료. 서울: 학지사.

김정미, 신희선(2006). K-CDI 아동발달검사 표준화 연구. 한국아동학회, 27(4), 39-53.

김정미, 신희선(2006). 영·유아 발달 선별검사(Child Development Review)의 한국에서의 표준화 연구. 아동간호학회지, 12(3), 333-340.

김정미, 신희선, 임성오(2007). 0~5세를 위한 한국형 영·유아 발달 선별검사(K-CDR)의 타당성에 대한 연구. 아동간호학회지, 13(2), 222-229.

김정빈(2004). 근본불교의 가르침: 사제 팔정도를 중심으로. 서울: 불광출판사.

김정연(2010). 철학과 마음의 치유: 철학 실천의 지형도와 그 과제를 중심으로. 범한철학, 115, 47-74.

김정욱, 권석만, 정남운(2000). 한국판 대인관계 문제 척도(K-IIP)의 개발: 요인구조 및 심리측정적 특성. 한국심리학회지: 상담 및 심리치료, 12(1)., 153-175.

김정진(2007). 사회복지실천기술론. 경기: 서현사.

김정택, 심혜숙(1994). MBTI 적용 사례집. 서울: 한국심리검사연구소.

김정희 역(2004). 현대 심리치료. 서울: 학지사.

김정희, 강병직(2007). K-DTVP2 검사를 활용한 미술 표현 능력과 시지각 발달과의 상관성 연구. 미술교육논총, 21(1), 25-52.

김정희, 이재창(1998). 에듀넷 교육종합상담 발전 방안 연구. 경기: 한국교육학술정보원.

김제한, 공석영, 이규명, 권순달(2002). 교육심리학. 경기: 양서원.

김종문(1977). 지역사회개발론. 서울: 박문사.

김종운(2003). NLP 집단상담이 ADHD 아동의 학교적응 및 행동변화에 미치는 효과. 동아대학교 박사학위논문.

김종일(2006). 지역사회복지론. 서울: 청목출판사.

김준기(2009). 영화로 만나는 치유의 심리학: 상처에서 치유까지, 트라우마에 관한 24가지 이야기. 서울: 시그마북스

김준명(2007). HIV감염. 경기: 군자출판사.

김중술(2005). 신 사랑의 의미. 서울: 서울대학교 출판부.

김중호(2005). 상처받은 내면아이의 치유: 방치된 내면아이를 중심으로. 기독문화연구, 특집호, 23-40.

김지영, 권석만(2008). 인지행동적 가족치료이론의 개관: 가족도식 및 가족 신념을 중심으로. 인지행동치료, 8(2), 1-26.

김진세(2009). 스타트 신드롬: 행복한 시작을 위한 심리학. 경기: 위즈덤 하우스.

김진숙(1996). 예술심리치료의 이론과 실제. 서울: 중앙적성출판사.

김진숙, 김창대, 박애선, 전종국, 천성문 역(2007). 집단상담: 과정과 실제. 서울: 시그마프레스.

김진호(2001). 전환교육의 이론과 적용에 관한 연구. 특수교육학연구, 35(4), 73-98.

김창남(2004). 청년문화의 역사와 과제. 문화과학, 37, 173-185.

김창대(2009). 인간변화를 촉진하는 다섯 가지 조건에 관한 가설: 상담이론의 관점에서. 인간이해, 30(2), 21-43.

김창원(2007). 알코올과 알코올의존증. 서울: 하나의학사.

김채순(2102). 수용전념 및 인지행동 심리치료 프로그램이 청소년의 우울증, 심리적 수용 및 자기통제에 미치는 영향. 창원대학교 박사학위논문.

김청송(2002). 정신장애 사례연구-DSM-IV를 중심으로-. 서울: 학지사.

김청송(2003). 임상심리사: 이상심리학. 서울: 영진닷컴.

김청자, 장선철(2004). 교육심리학. 서울: 동문사.

김춘경 역(2003). 집단상담: 전략과 기술. 서울: 시그마프레스.

김춘경(2006). 아들러 아동상담이론과 실제. 서울: 학지사.

김춘경, 이수연, 이윤주, 정종진, 최웅용(2010). 상담의 이론과 실제. 서울: 학지사.

김춘경, 이수연, 최웅용(2006). 청소년상담: 이론과 실제. 학지사.

김춘경, 이수연, 최웅용, 홍종관(2004). 상담 및 심리치

료의 이해. 서울: 학지사.

김춘경, 정여주(2001). 상호작용놀이를 통한 집단상담. 서울: 학지사.

김충기(2000). 진로교육과 진로상담. 서울: 동문사.

김충기, 장선철(2006). 진로상담. 서울: 태영출판사.

김치영, 정현태(2009). 지역사회복지론. 서울: 파워북.

김태련, 강우선, 김경은, 기도연, 김문주, 박랑규, 서수정, 양혜정, 이경숙, 장은진, 정은정, 조현섭, 허묘연(2003). 발달장애 심리학. 서울: 학지사.

김태련, 임연희, 이경숙(1996). 한국판 심리-언어능력 표준화를 위한 연구-. 한국교육심리학회지: 발달, 9(1), 30-42.

김필진(2007). 아들러의 사회적 관심과 상담. 서울: 학지사.

김향희(2007). 아동용 한국판 보스톤 이름대기 검사의 검사방법 타당성 연구. 언어청각장애연구, 12(2), 125-138.

김향희, 김정환, 허지회, 김덕용, 성수진, 김정완, 허지희(2008). 실어증 선별검사 개발을 위한 내용타당도 검증. 언어청각장애연구, 13(3), 353-380.

김향희, 나덕렬(1997). 한국판 보스톤 이름대기 검사(KBNT). 서울: 학지사.

김헌수, 김태호(2006). 상담이론과 실제. 서울: 태영출판사.

김현표(2011). 웃음치료, 내 몸을 살린다. 서울: 모아북스.

김현희, 김세희, 강은주, 강은진, 김재숙, 신혜은, 전선혜, 김미령, 박연식, 배옥선, 신창호, 이송은, 이임숙, 전방실, 정순, 최경, 홍근민(2003). 독서치료의 실제. 서울: 학지사.

김현희, 김재숙, 강은주, 나해숙, 양유성, 이영식, 이지영, 정선혜(2010). 상호작용을 통한 독서치료. 서울: 학지사.

김형섭(2004). 융심리학입문. 서울: 문예출판사.

김형태(2000). 상담의 이론과 실제. 서울: 동문사.

김형태(2006). 21세기를 위한 상담의 이론과 실제. 서울: 동문사.

김혜숙(2003). 가족치료이론과 기법. 서울: 학지사.

김혜숙(2011). 도덕적 사고에 대한 전체적인 조망. 윤리교육연구, 24, 1-20.

김혜숙, 공윤정, 박한샘(1996). 청소년상담모형 개발 II: 비협조적 내담자의 상담. 서울: 청소년 대화의 광장.

김혜숙, 이희배, 유계숙(2008). 이혼상담과 이혼법. 서울: 학지사.

김호연, 유강하(2009). 인문치료학의 정립을 위한 시론적 연구. 강원: 강원대학교 출판부.

김호영, 최진영(2010). 노인 기억장애 검사(Elderly Memory-disorder Scale)의 검사-재검사에서 변화의 유의성. 한국심리학회지, 일반, 29(3), 441-460.

김홍근(1999a). K-WAIS의 활용을 위한 세 가지 고찰. 한국심리학회지: 임상, 18(2), 179-186.

김홍근(1999b). Rey-Kim 기억검사: 해설서. 대구: 도서출판 심경심리

김홍근(2001). Rey-Kim 기억검사를 이용한 기억장애 평가. 재활심리연구, 8(2), 29-48.

김홍용(1994). 성격개조를 위한 교류분석(TA) 프로그램: 교류분석사 양성과정 연수교재. 서울: 국제교류분석학회.

김환, 이장호(2006). 상담면접의 기초: 마음을 변화시키는 대화. 서울: 학지사.

김희경(2000). 상상계와 문화 원형 연구 수 원형과 만다라. 기호학연구, 8(1), 87-127.

김희대(2007). 한국의 전문상담교사 제도. 경기: 서현사.

김희수, 박경애(2002). REBT를 적용한 진로 집단상담 프로그램이 대학생의 진로발달에 미치는 효과. 한국심리학회지 상담 및 심리치료, 14(2), 한국심리학회.

김희중(1992). 한국마약퇴치운동본부의 창립취지와 방향. 대한약사회지, 3(3), 51-54.

김희진(2004). 결혼초기 부부관계 향상 프로그램 개발. 서울여자대학교 박사학위논문.

나수호(2009). 한국 설화에 나타난 원형적인 인물 트릭스터의 경계성. 구비문학연구, 28, 47-68.

나윤길, 표내숙(2010). 보디빌딩 선수 및 동호인의 운동중독에 관한 연구. 한국 스포츠심리학회지, 21(1), 33-47.

노경이(2009). 영성과 자아존중감 및 종교 간의 관계 연구. 상담학연구, 10(4), 2591-2606.

노안영(2002). 101가지 주제로 알아보는 상담심리. 서울: 학지사.

노안영(2005). 상담심리학의 이론과 실제. 서울: 학지사.

노안영, 강영신(2003). 성격심리학. 서울: 학지사.

노안영, 송현종(2006). (상담실습자를 위한) 상담의 원리와 기술. 서울: 학지사.

노재규, 김지수, 안윤옥(1997). 국내 편두통의 역학 및

임상특성 연구. 대한신경과학회지, 15(1), 1-18

니시무라 스에이오(2003). 모래놀이치료: 2003년 발달지원학회 제10차 워크숍. 발달지원학회. 2-52.

대구광역시교육청(2007). 전문상담교사 운영방안. 대구: 대구광역시교육청.

대구광역시교육청(2008). 전문상담순회교사 담당업무. 대구: 대구광역시교육청.

대구대학교심리치료학과(1995). 심리치료 용어사전 I. 대구: 대구대학교심리치료학과.

대한두통학회(2009). 두통학. 서울: 군자출판사.

대한청각학회(2008). 청각검사지침. 서울: 학지사.

도상금(2000). 충동통제장애. 서울: 학지사.

류경남, 최수정, 정석환(2006). 가족상담심리 용어사전. 서울: 학지사.

류분순(2000). 무용·동작치료학. 서울: 학지사.

류종훈(2004). 최신정신건강론. 서울: 청목출판사.

류종훈(2007). 사회복지상담의 이론과 실제. 경기: 양서원.

목경찬(2012). 유식불교의 이해. 서울: 불광출판사.

무진장(1978). 불교의 기초지식. 서울: 홍법원.

문경주, 오경자, 하은혜, 박중규(1999). 주의산만·과잉활동 문제를 보이는 아동의 아동·청소년 행동평가척도(K-CBCL). 한국심리학회지, 임상, 18(2), 199-207.

문명혜(2001). 유아 및 아동의 한국판 실버 그림검사 타당성. 동아대학교 박사학위논문.

문선모(2005). 교육심리학. 경기: 양서원.

문성원(1998). 컴퓨터에 의해 매개되는 사회적 유능성 증진프로그램의 개발 및 효과검증. 연세대학교 박사학위논문.

문수백(2007). 한국판 CAS의 신뢰도 및 타당도 분석. 미래유아교육학회지, 14(3), 245-280.

문수백, 변창진(1997a). 교육심리 측정 도구. K-ABC. 서울: 학지사.

문수백, 변창진(1997b). 한국판 K-ABC 실시·채점 요강. 서울: 학지사.

문수백, 여광응, 조용태(2003). 한국판 시지각 발달검사. 서울: 학지사.

문순홍(1999). 생태학의 담론. 서울: 아르케.

문영석(1999). 사목, 1999년 10월호. 48. 서울: 한국천주교중앙협의회.

문용린(2011). 문용린 교수의 정서 지능 강의: 부모와 아이가 함께 키워야 할 마음의 힘. 서울: 북스넛.

문용린, 임재연, 이유미, 강주현, 김태희, 김충식, 김현수, 김영란, 이정옥, 박종효, 이진국, 신순갑, 최지영, 김미란, Gunder, R., 최정원, 장맹배, 이기숙, 김미연, 홍경숙, 장현우(2008). 학교폭력 위기개입의 이론과 실제. 서울: 학지사.

문장원(1996). 근전도 바이오피드백 훈련이 주의집중 결함 과잉행동 아동의 긴장이완과 부적응 행동에 미치는 영향. 대구대학교 박사학위논문.

문지영(2007). 분열정동형 장애를 가진 성인과의 송라이팅을 통한 표현적, 지지적 음악 심리치료. 한국음악치료학회지, 9(1), 한국음악치료학회.

문현미(2006). 심리적 수용 촉진 프로그램의 개발과 효과: 수용-전념치료 모델을 중심으로. 가톨릭대학교 박사학위논문.

미국정신의학회(2008). 간편정신장애 진단통계편람 DSM-IV-TR(*Desk Reference to the Diagnostic Criteria Form DSM-IV-TR*). (강진령 역). 서울: 학지사. (원전은 2000에 출판).

민성길(2012). 최신정신의학. 서울: 일조각

민성길, 김경희(1998). 홧병의 증상. 신경정신의학, 37(6), 1138-1145.

민윤기, 김보성, 안권순, 한건환(2011). 인간생활과 심리학. 서울: 학지사.

민족문학사연구소현대문학분과(2000). 1970년대 문학 연구. 서울: 소명출판.

박경, 최순영(2010). 심리검사의 이론과 활용(2판). 서울: 학지사.

박경숙, 정동영, 정인숙(2001). KISE 한국형 개인 지능검사 개발 연구(연구보고서 No 3). 경기: 국립특수교육원.

박경숙, 정동영, 정인숙(2003). KISE-KIT의 신뢰도와 타당도에 관한 연구. 특수교육저널: 이론과 실천, 4(2), 1-19

박경애(1997). 인지·정서·행동치료. 서울: 학지사.

박경애(1999). 인지행동치료의 실제. 서울: 학지사.

박경애(2005). 상담의 주요 이론과 실제. 서울: 교육아카데미.

박동혁(2011). 학습문제의 진단과 이해. 상담과 지도, 46, 95-106.

박미경(1997). 예비부부를 위한 결혼준비교육 프로그램. 부산대학교 석사학위논문.

박병관(2000). 학습 능력검사 요강. 서울: KPTI 한국 심리검사연구소.

박병식(2005). 일본의 스쿨카운슬러제도. 인문사회논총, 12, 149-166.

박상규, 강성군, 김교헌, 서경현, 신성만, 이형초, 전영민(2009). 중독의 이해와 상담실제. 서울: 학지사.

박선영, 유경숙(2010). 춤테라피: 이론과 실제. 서울: 학지사.

박선환, 박숙희, 이주희, 정미경, 김혜숙(2008). 정신건강론. 경기: 양서원.

박선희, 박은희, 최진영, 나덕렬(1998). 한국판 치매평가검사의 타당도와 신뢰도 연구. 한국심리학회지, 임상, 17(1), 247-258.

박선희, 박태진(2010). 자극과 맥락의 정서성이 기억 부호화에 미치는 영향: ERP 연구. 인지과학, 21(2), 387-408.

박성덕, 이우경(2008). 정서중심적 부부치료-이론과 실제-. 서울: 학지사.

박성수(1984). 개인구념이론: 성격과 심리치료. 서울: 교육과학사.

박성수, 박재황, 황순길, 오익수(1993). 청소년상담정책연구. 서울: 청소년 대화의 광장.

박성호(2001). 상담의 직무환경에서의 위험요소와 사회적 지지가 상담자의 심리적 소진에 미치는 영향. 이화여자대학교 석사학위논문.

박성희(1997). 상담학 연구방법론. 경기: 양서원.

박성희(2001). 상담의 새로운 패러다임: 상담과 상담학 1. 서울: 학지사.

박성희(2007a). 나이칸 상담. 서울: 학지사.

박성희(2007b). 동사섭 상담. 서울: 학지사.

박성희(2007c). 모리타 상담. 서울: 학지사.

박성희(2007d). 불교와 상담. 서울: 학지사.

박성희(2007e). 선문답과 상담. 서울: 학지사.

박성희, 이동렬(2002). 상담의 도구: 상담과 상담학 3. 서울: 학지사.

박순옥(2002). 호스피스. 경기: 현문사,

박아청(1985). 현대의 교육심리학. 서울: 학문사.

박아청(1993). 청소년 상담이론 모형으로서의 자아정체성 이론. 대학생활연구, 11, 53-70.

박아청(2008). 성격심리학의 이해. 서울: 교육과학사.

박애선(2006). 여성주의 상담의 이해: 우리 모두는 행복해지려고 살아가고 있다. 제23기성폭력전문상담원 교육자료집, 65-76.

박양근(2004). 경력개발과 취업전략. 서울: 무역경영사.

박언하, 백현옥, 조미숙(2009). 아동복지론. 서울: 광문각.

박영숙(1994). 심리평가의 실제. 서울: 하나의학사.

박영숙, 박기환, 오현숙, 하은혜, 최윤경(2010). 최신 심리평가. 서울: 하나의학사.

박영숙, 박기환, 오현숙, 하은혜, 최윤경, 이순묵, 김은주(2010). 아동·청소년·성인 대상 최신 심리평가. 서울: 하나의학사.

박원명, 전덕인(2010). 양극성장애. 서울: 시그마프레스.

박은영(2011). 인공와우관련 연구논문 동향분석. 조선대학교 석사학위논문.

박인이(2004). 지적장애학생 신변자립 지도사례. 특수교육 사례연구. 123-135. 경기: 국립특수교육원.

박재간, 손홍숙, 서경석, 박정희, 이호선, 최정윤, 백상창, 손화희, 박충선(2006). 노인상담론. 경기: 공동체.

박종원, 김선희, 허창구, 김완석(2009). 직업심리학. 서울: 학지사.

박종한, 권용철(1989). 노인용 한국판 Mini-Mental State Examination (MMSE-K)의 표준화 연구(제1편): MMSM-K의 개발. 신경정신의학, 28(1), 125-135.

박지환, 민성길, 이만홍(1997). 홧병에 대한 진단적 연구. 신경정신의학, 36(3), 496-502.

박진규(2010). 청소년문화. 서울: 학지사.

박찬부(2007). 기호, 주체, 욕망. 경기: 창비.

박창호, 곽호완, 김성일, 김영진, 김진우, 이건효, 이재식, 이종구, 한광희, 황상민(2007). 인지공학심리학: 인간-시스템 상호작용의 이해. 서울: 시그마프레스.

박철수, 성시용, 정경천(2000). 감정부전장애에 대한 Paroxetine의 효과. 최신의학, 43(2), 28-36.

박태수, 고기홍(2007). 개인상담의 실제(2판). 서울: 학지사.

박태영(1999). MRI모델을 적용한 '자살하겠다'는 아동의 가족치료. 한국정신보건 사회사업학회, 8, 105-134.

박태영(2001). 집단따돌림 당하는 고등학생의 상호작용적 가족치료와 구조적 가족치료 모델의 작용.

정신보건과 사회사업, 12, 95-119.

박태영(2002). 가족생활주기와 가족치료. 서울: 학지사.

박태영, 박신순, 김선희(2013). 전환장애를 가진 부인에 대한 가족상담의 효과 분석. 상담학연구, 14(1), 627-656.

박현순(2000). 공황장애. 서울: 학지사.

반신환, 백미숙(2009). 심리검사를 사용하는 학습상담의 실제. 서울: 시그마프레스.

방기연(2011). 상담 수퍼비전의 이론과 실제. 경기: 양서원.

방기연, 불교상담개발원(2000). 불교상담. 서울: 조계 종출판사.

배국원(1995). 종교학의 비교연구방법. 비교문화연구, 2, 51-87.

배소영, 임선숙, 이지희, 장혜성(2004). 구문의미이해력 검사. 서울: 서울장애인종합복지관.

백대중(2012). 주의력결핍 과잉행동장애(ADHD) 흰쥐의 트레드밀 운동이 뇌 기능에 미치는 효과. 상명대학교 박사학위논문.

백승균(2008). 호스피스 철학. 대구: 계명대학교 출판부.

백승희(2009). 초등학부모에게 꼭 필요한 이야기. 경기: 이담북스.

백영훈(2012). NLP 이론과 실제-행복 만들기-. 서울: 이담북스.

백청일(2006). 유아교육과정 상(上). 서울: 북타운.

변영계, 강태용(2003). 학습기술: 공부를 잘하는 방법. 서울: 학지사.

변영계, 박한숙(2004). 초등학생용 학습기술 훈련프로그램. 서울: 학지사.

변영순(2003). 비만과 섭식장애. 서울: 계축문화사.

변지연(2003). 플라톤의 공화국에서 수잔 랜서의 시점의 시학까지. 한국서사학회지 내러티브 제1호.

변창진(2008). 청소년 인성검사 실시요강. 서울: 마인드프레스.

변학수(2005). 문학치료. 서울: 학지사.

보건복지부(2004). 노인학대예방센터 업무수행지침. 서울: 보건복지부.

보건복지부(2008). 2013년까지 자살률을 10만 명당 20명 미만으로. 서울: 보건복지부.

보건복지부, 순천향대학교 모자보건 연구소(1998). 선천성 대사질환의 진단 및 치료법 개발: 제3차년도 최종보고서. 서울: 보건복지부.

불교와 심리학의 만남(2000). 불교의 12연기론과 상담: 제1차 월례발표회 자료집. 서울: 불교와 심리학의 만남.

사랑의 전화 출판부(1999). 위기상담 24시: 전화상담의 원리와 실제. 서울: 사랑의 전화 출판부.

서강식(2007). 피아제와 콜버그의 도덕교육이론. 경기: 인간사랑.

서경희, 김미경(2004). 고기능 자폐아의 중앙응집. 정서·행동장애 연구, 20(1), 315-336.

서광(1993). 불교상담심리학 입문. 서울: 불광출판사.

서덕원, 안효진, 류호선, 이수빈, 고인성, 박세진(2011). 한방정신요법 및 자율훈련법을 사용한 경련을 주증상으로 하는 전환장애 1례. 동의신경정신과 학회지, 22(4), 143-155

서문자, 강현숙, 임난영, 오세영, 권혜정(1993). 재활의 이론과 실제. 서울: 서울대학교 출판부.

서소정, 하지영, 장혜성(2008). 0~36개월 영아발달선별 검사도구의 타당성에 대한 연구. 아동학회지, 29(5).

서울대학교 교육연구소(1995). 교육학 용어사전. 서울: 하우동설.

서윤경(2009). 예비 교사를 대상으로 한 마이크로티칭의 효과와 운영 전략 탐색. 한국교원교육연구, 26(4), 271-297.

서해정 외(2010). 경기도 미혼모부자가족 실태조사 및 지원방안 연구. 수원: (재)경기도가족여성연구원.

서혜경(2009). 노인죽음학개론. 서울: 경춘사.

서혜석, 강희숙, 이미영, 고희숙(2013). 가족치료 및 상담. 경기: 공동체.

석동일, 박상희, 신혜정, 박희정(2002). 한국 표준그림 조음검사도구 개발에 관한 연구. 언어청각장애연구, 7(3), 121-143.

석창훈(2006). 상담과 환경의 통합 패러다임. 상담학연구, 6(1), 29-42.

선병국, 천남수(2005). 병무청 인성검사와 군부대 인성검사. 병무, 62호.

선안남(2010). 기대의 심리학. 서울: 소울메이트.

설기문(2000). 최면과 최면치료. 서울: 학지사.

설기문(2003). 자기혁신을 위한 NLP 파워. 서울: 학지사.

설기문(2009). 에릭슨 최면과 심리치료. 서울: 학지사.

설아람(2002). 뉴로-퍼지를 이용한 만성적인 스트레스 평가. 연세대학교 석사학위논문.

설은주(2011). 가정사역론: 가정사역의 제반이론과 목회적 실천방법. 서울: 예영커뮤니케이션.

성영신, 장세욱, 강정석(2000). Digital Networking: N세대의 커뮤니케이션 심리. 한국심리학회지: 소비자 광고, 1(2). 1-24.

성은영, 박은주(2004). 사회적 가장놀이에서 나타나는 비언어적 메타커뮤니케이션 분석. 한국영유아교원교육학회, 8(4), 325-347.

성태제(2015). 교육연구방법의 이해. 서울: 학지사.

성태제, 시기자(2014). 연구방법론(2판). 서울: 학지사.

성혜옥(2011). 친밀감이 부부갈등의 벽을 허문다. 서울: 예영커뮤니케이션.

세키 카즈오, 장혁표, 강호기(1987). 감수성 훈련의 원리와 실제. 서울: 형성출판사.

손병덕, 강란혜, 백은령, 서화자, 양숙미(2008). 인간행동과 사회환경. 서울: 학지사.

손영철(2009). 군상담 이렇게 합니다. 서울: 시그마프레스.

손원숙(2001). Equivalence Constructs Measured by Two Different Language Versions of 16PF. 한국심리학회지: 일반, 21(1). 91-116.

손정표(2003). 신독서지도방법론. 대구: 태일사.

손주영, 이연숙, 이윤정, 정선희, 정진유, 김윤선, 김하늬(2006). 중학생과 학부모의 청소년을 위한 건강가정 교육에 관한 요구도와 생활 만족도. 한국가정과교육학회지, 18(1), 95-111.

손지영(2009). 장애학생 고등교육을 위한 e-러닝과 보편적 설계. 경기: 한국학술정보.

손진훈, 김남일, 유연옥(1994). 심리학의 이해. 서울: 한올출판사.

손철민(2004). 이야기치료의 이론과 실제. 상담과 선교. 45, 35-54.

송길연, 정윤경, 장유경, 이지연(2005). 발달심리학(6판). 서울: 시그마프레스.

송명자(2007). 발달심리학. 서울: 학지사.

송민자(2001). 사이버상담의 이용실태에 관한 연구. 단국대학교 석사학위논문.

송선희(2000). Sternberg의 삼위일체 지능이론에 대한 고찰. 교육문제연구, 13, 103-120.

송성자(1992). 가족관계와 가족치료. 서울: 홍익제.

송성자(2004). 가족과 가족치료. 경기: 법문사.

송성자(2006). 이혼상담 법제화를 위한 제2회 한국상담전문가 교육대회 자료집. 서울: 한국상담전문가연합회.

송성자(2010). 교류분석개론. 서울: 시그마프레스.

송성자, 정문자(2003). 경험적 가족치료: Satir 이론과 기법. 서울: 중앙적성출판사.

송영혜(2001). 놀이치료원리. 경북: 대구대학교 출판부.

송원영, 김지영(2009). 커리어 포트폴리오를 통한 대학생의 진로설계. 서울: 학지사.

송인섭(1982). 자아개념 진단검사. 서울: 한국심리적성연구소.

송인섭(1997). 자아개념의 구조모형. 학생생활연구, 4(1), 49-79.

송인섭(2004). 자아개념 측정도구의 타당화 연구. 교육평가연구, 17(2), 1-25.

송정애(2010). 가족상담의 이론과 실제. 경기: 양서원.

송호준, 이상복, 강경희, 이은진(2009). 발달협응장애를 보이는 아동의 공존병리에 관한 문헌연구. 특수교육재활과학연구, 48(3), 171-197.

신경진(2010). 상담의 과정과 대화기법. 서울: 학지사.

신경희(2011). 전인적 스트레스 의학에서 본 마음치유의 신경생리학적 의의. 한국정신과학회지, 15(1), 71-94.

신명숙(2010). 기독교상담. 서울: 학지사.

신명희, 강소연, 김은경, 김정민, 노원경, 박성은, 서은희, 원영실, 황은영(2010). 교육심리학. 서울: 학지사.

신문자, 김재옥(2010). 한국 아동용 토큰검사(Korean Token Test for Children)의 표준화 연구. 언어청각장애연구, 15(2), 135-145.

신문자, 김재옥, 이수복, 이소연(2008). 정상 성인의 조음기관 구조 및 기능선별검사 제작을 위한 예비연구. 말소리와 음성과학, 15(4), 171-188.

신미경(1995). 노인위기 극복을 위한 지지집단에 관한 연구. 계명대학교 석사학위논문.

신민섭, 김수경, 김용희, 김주현, 김향숙, 김진영, 류명은, 박혜근, 서승연, 이순희, 이혜란, 전선영, 한수정(2012). 그림을 통한 아동의 진단과 이해: HTP와 KFD를 중심으로. 서울: 학지사.

신민섭, 조수철, 홍강의, 김중술(1998). 한국판 학습장애 평가척도의 개발 및 표준화 연구. 신경정신의학, 37(6), 1233-1245.

신석기, 최태진, 박성미, 이은영(2007). 심리검사의 이론과 실제. 경기: 서현사.

신석호(2004). 킬레이트화 요법이 자폐스펙트럼장애와 혼합형 수용-표현 언어장애의 증상에 미치는 영향. 가톨릭대학교 박사학위논문.

신성원(2008). 우리나라의 자살 실태 분석. 한국콘텐츠학회논문지, 8, 190-196.

신수진(2008). 인지행동수정이 경도 지체부자유 학생의 자아존중감에 미치는 효과. 대구대학교 석사학위논문.

신숙재(2000). 아동중심놀이치료. 서울: 동서문화원.

신승려(2009). 미술치료핸드북: 개념과 기술. 서울: 창지사.

신원선(2004). 사이코드라마·음양·카타르시스. 서울: 푸른사상사.

신응섭, 이재윤, 남기덕, 문양호, 김용주, 고재원, 강성록(2006). 심리학 개론. 서울: 박영사.

신응섭, 이재윤, 문양호, 김용주, 남종호, 김민식(1990). 심리학. 서울: 박영사.

신종란(2007). 과학교수학습모형을 적용한 생물예비교사의 수업분석. 단국대학교 석사학위논문.

신태용(2004). 약물 오·남용. 서울: 신일상사.

신현균(2000). 신체형장애. 서울: 학지사.

신현숙, 이경성, 이해경(2003). 청소년 부적응 문제에 대한 부모와 청소년의 평가: 요인구조의 비교와 예측변인의 탐색. 교육학연구, 41(4), 1-23.

신현숙, 이경성, 이해경(2003). 청소년 행동문제의 청소년 평가와 교사 평가 간 관계. 상담학연구, 4(1), 111-126.

신현자(2010). 지지적 집단미술치료가 시민단체(NGO) 활동가의 심리적 소진에 미치는 효과. 대구대학교 석사학위논문.

신희선, 한경자, 오가실, 오진주, 하미나(2002). Denver II 발달검사를 이용한 한국과 미국의 아동 발달 비교 연구. 지역사회간호학회지, 13(1), 89-97.

심교준 역(2001). 인생을 위한 NLP. 서울: 한언.

심영섭(2011). 영화치료의 이론과 실제. 서울: 학지사.

심응철, 전우병, 양돈규(2008). 심리학과 생활(개정판). 경기: 서현사.

심철호(1997). 카운슬링의 이론과 실제. 서울: 사랑의 전화.

심현섭, 김영태, 김진숙, 김향희, 배소영, 신문자, 이승환, 이정학, 한재순, 윤혜련, 김정미, 권미선(2010). 의사소통장애의 이해(2판). 서울: 학지사.

안범희(1993). 학교학습심리학. 서울: 하우.

안상환, 김병준(2011). 운동중독자의 운동 전중후 감정변화 양상. 체육과학연구, 22(1), 1725-1738.

안서원 역(2000). 21세기를 위한 가속학습. 서울: 고려대학교 출판부.

안석모, 권수영, 김필진, 박노권, 박민수, 신명숙, 이관직, 이정기(2009). 목회상담이론 입문. 서울: 학지사.

안성우(2000). PSU 어음수용역치 검사 지침. 난청과 언어장애, 23(1), 67-79.

안소연(2010). 주의산만 아동을 위한 해결중심 단기상담 프로그램의 구성과 적용. 경인교육대학교 석사학위논문.

안영진(2007). 현대인의 정신건강. 경기: 양서원.

안창일(2008). 임상심리학. 서울: 시그마프레스.

안창일, 고영건, 김지혜, 김진영, 박경, 서혜희, 안귀여루, 오상우, 육성필, 이경희, 이명선, 이은영, 이임순, 이현수, 이형초, 정진복, 조선미(2008). 이상심리학. 서울: 학지사.

안현정, 권연진(2007). A Study on Metaphor and Metonymy of Hand. 언어과학, 14(2), 195-215.

양숙미(2011). 장애인가족의 역량강화와 가족지원모델. 장애인복지대학 자료집. 서울: 한국사회복지학회.

양옥경, 김정진, 서미경, 김미옥, 김소희(2001). 사회복지실천론. 경기: 나남출판사.

양유성(2004). 이야기치료: 이야기를 통한 인간이해와 심리치료. 서울: 학지사.

양유성, 강은주, 김민화, 김재숙, 박종수, 이봉희, 이상욱, 이영식, 정선혜(2008). 발달적 독서치료의 실제. 서울: 학지사.

양재하, 김은하, 최성훈(2010). 시상하부와 인체의 항상성 조절. 동서의학, 35(2), 5-12.

양정하, 황인옥, 김정희, 배의식, 박미정, 김남숙, 강가영(2010). 지역사회복지론. 경기: 공동체.

엄명용, 김성천, 오혜경, 윤혜미(2000). 사회복지실천의 이해. 서울: 학지사.

여광응(2004). 교사 및 부모를 위한 신변자립 프로그램. 대구: 대구대학교 출판부.

여광응, 이영재, 이은림, 심우정, 임지향, 권영화, 이성현, 윤숙경, 조용태, 강학구(2003). 특수아동의 심리학적 이해. 서울: 학지사.

여광웅, 정종진, 이승국, 문태형, 조민수, 전명남, 문병상(2004). 학교학습 극대화를 위한 교유심리학. 경기: 양서원.

여연중(2005). 은둔형외톨이. 서울: 지혜문학.

연문희, 강진령(2002). 학교상담. 경기: 양서원.

연문희, 이영희, 이장호(2008). 인간중심상담-이론과 사례 실제-. 서울: 학지사.

염지숙(2003). 유아교육실습: 예비교사들의 경험이야기. 한국교원교육연구, 20(2), 223-248.

염태호, 김정규(1990). 비행청소년의 성격특성과 성격유형: 소년원의 절도범과 폭력범을 중심으로. 형사정책연구, 8, 193-222.

영남대학교미술치료연구회(2011). 미술치료학 개론. 서울: 학지사.

오세진, 김용희, 김청송, 김형일, 신맹식, 양계민, 양돈규, 이요행, 이장한, 이재일, 정태연, 현주석(2010). 인간행동과 심리학(3판). 서울: 학지사.

오윤선(2010). 청소년 세대 진단과 이상행동치료. 서울: 예영커뮤니케이션.

오정수, 류진석(2006). 지역사회복지론. 서울: 학지사.

오정희(2002). 재활의학. 서울: 대학서림.

오제은(2009). 내면아이치료와 주요 인물들과의 관계 재구성 경험의 해석학적 연구: 실존주의적 관점에서의 논의. 상담학연구, 10(3). 1305-1325.

오혜영(2002). 한국 아동용 MFFT의 표준화 연구. 성균관대학교 박사학위논문.

우남희(1992). 아동의 언어발달에서의 모방의 역할: 각 이론에 따른 연구절차 분석. 아동학회지, 13(1), 5-15.

우재현(1991). 산업상담. 대구: 정암서원.

우재현(1996a). 교류분석 입문. 대구: 정암서원.

우재현(1996b). 산업상담의 이론과 실제. 대구: 정암서원.

우재현(1998). 심성개발을 위한 교류분석(TA) 프로그램. 대구: 정암서원.

우재현(1999). 임상교류분석(TA)프로그램. 대구: 정암서원.

우재현, 정덕규 역(1994). 게슈탈트치료. 대구: 정암서원.

원동연, 유혜숙, 유동준(2005). 5차원 독서치료. 경기: 김영사.

원사덕, 이현경(2004). 약물남용 예방론. 서울: 계축문화사.

원사덕, 이현경(2005). 약물과 보건. 서울: 계축문화사.

원호택(1998). 이상심리학. 서울: 법문사.

원호택, 박현순, 이민규, 김은정, 조용래, 권석만, 신현균, 이훈진, 이영호, 송종용, 신민섭(2000). 심리장애의 인지행동적 접근. 경기: 교육과학사.

유동수(2000). 감수성훈련. 서울: 학지사

유미(2010). 현장적용을 위한 미술치료의 이해. 경기: 이담.

유미숙(1997). 놀이치료: 이론과 실제. 서울: 상조사.

유미숙, 이영미, 이정화, 정윤경(2003). 놀이치료 핸드북. 서울: 양지.

유봉호(1998). 현대교육과정. 서울: 교학연구사.

유성경(1999). 적응유연성 발달을 통한 청소년비행의 예방 및 개입. 청소년상담연구, 7, 26-40.

유성경, 손난희, 김창대, 홍세희, 권경인, 한영주, 윤정숙, 윤정순(2009). 상담자의 타당화 수준 평가 척도 개발 및 타당화. 상담학연구, 10(4), 1873-1889.

유성진, 권석만(2008). 심리치료에서 도식과 양식 개념에 대한 고찰. 한국심리학회지: 상담 및 심리치료, 27(1), 91-117.

유연호(2011). 뉴로피드백을 이용한 뇌파 훈련이 지적장애인의 뇌기능지수와 운동 수행 능력에 미치는 영향. 영남대학교 박사학위논문.

유영주(2001). 건강가족연구. 서울: 교문사.

유은정, 백무진, 안성우, 최상배, 최영숙, 서중현, 이광렬, 서유경(2010). 청각장애아동이해와 교육. 서울: 학지사.

유정영(2009). 뉴로피드백 훈련이 ADHD 아동의 주의력 및 충동성에 미치는 효과. 부산대학교 석사학위논문.

유정화(2008). 원적외선 온열 요법과 아로마 마사지요법이 자율신경계에 미치는 영향. 성신여자대학교 석사학위논문.

유호인(2000). 알코올중독치료의 길잡이. 서울: 은혜병원 알코올치료센터.

윤가현(2001). 성 문화와 심리. 서울: 학지사.

윤가현, 권석만, 김문수, 남기덕, 도경수, 박권생, 송현주, 신민섭, 유승엽, 이영순, 이현진, 정봉교, 조한익, 천성문, 최준식(2013). 심리학의 이해(4판). 서울: 학지사.

윤관현, 이장호, 최송미(2006). 집단상담 원리와 실제. 경기: 법문사.

윤남옥(1999). 가정을 공격하는 사탄의 거짓말들. 서울:

진흥.

윤병이(2005). 자동 구어의 독립화가 브로카 영역 손상 환자의 언어 회복에 미치는 영향. 대구대학교 석사학위논문.

윤상철(2003). 가족상실과 위기상담. 서울: 한글.

윤순임, 이죽내, 김정희, 이형득, 이장호, 신희천, 이성진, 홍경자, 장혁표, 김정규, 김인자, 설기문, 전윤식, 김정택, 심혜숙(1995). 현대상담 · 심리치료의 이론과 실제. 서울: 중앙적성출판사.

윤영화(2001). 뇌 과학에서 본 기억과 학습. 서울: 학지사.

윤재호, 정남운(2009). 메타커뮤니케이션에 대한 이해와 활용. 한국심리학회, 28(3). 599–626.

윤점룡, 김병식, 박용석, 박주완, 백순이, 서원욱, 심재중, 유종호, 이원희, 이한후, 임웅현, 차용찬, 최기상(2005). 장애학생의 이해와 교육. 서울: 학지사.

윤치연, 이영순, 천성문(2004). 특수아상담 및 치료교육 프로그램. 서울: 학지사.

윤혜진(1998). 도덕적 실재론과 도덕적 딜레마. 철학, 56, 275–303.

윤호균(1999a). 동양심리학: 서구심리학에 대한 대안 모색. 서울: 지식산업사.

윤호균(1999b). 불교의 연기론과 상담, 동양심리학. 서울: 지식산업사.

윤효운(2007). 뇌 과학이 접근하는 인간의 마음. 인문과학논총, 45. 13–20.

은선경(1998). PC통신상담의 운영실태와 문제점에 관한 연구: 서울, 경기, 인천 지역을 중심으로. 숭실대학교 석사학위논문.

이경우, 김경희(2006). 커뮤니케이션과 대인관계. 서울: 보고사.

이경우, 조부경, 김정준(2001). 구성주의 이론에 기초한 유아과학교육. 경기: 양서원.

이경준(2006). 한국과 독일의 장애인 자조모임 연구: 양국 참가자들의 지원욕구와 인식비교 및 독일의 자조모임 지원 동향. 한국장애인복지학, 4, 11–116.

이경화, 김연진, 고진영(2008). 부모교육. 서울: 학지사.

이광준(1998). 카운슬링과 심리치료. 서울: 학문사.

이광호(2007). 유쾌한 심리처세술. 서울: 미네르바.

이귀행(2004). 자살의 심리학적 측면. 생물치료정신의학, 10, 11–14.

이규광, 신윤오, 이태용(1997). 유뇨증 소아의 공존질병 및 정서상태. 소아 · 청소년정신의학, 8(1), 34–42.

이근매(2010). 상담사, 심리치료사, 사회복지사, 교사를 위한 콜라주 미술치료. 서울: 학지사.

이기숙, 김득성, 공미혜, 김은경, 전영주(2009). 결혼의 기술(2판). 서울: 신정.

이기숙, 손태홍, 김수연, 김예정, 김상현(1998). 결혼과 가족. 부산: 서림출판사.

이남석(2008). 무삭제 심리학: 반복되는 인생의 NG 장면, 그 비밀을 파헤치다. 경기: 예담.

이남옥(2005). 이혼상담(하). 서울가정법원 상담위원회 자료집.

이다은(2010). 가정의 음악환경이 유아의 음악능력 및 음악적 지능에 미치는 영향. 동국대학교 석사학위논문.

이달엽(2000). 직업상담의 이론과 실제. 서울: 형설출판사.

이도영, 김남옥, 추석호, 이수연, 김규식(1999). 교류분석: 이론과 실제. 서울: 중앙적성출판사.

이동원, 박옥희(2001). 사회심리학. 서울: 학지사.

이만종(2007). 최신범죄학 개론. 서울: 학현사.

이명숙(1996). 청소년 문제에 대한 합리적 정서적 행동치료와 생태체계적 상담. 원광대학교 석사학위논문.

이명희(2002). 인간관계훈련 프로그램이 여중생의 공격성 감소에 미치는 효과. 공주대학교 석사학위논문.

이무석(2006). 정신분석에로의 초대. 서울: 이유.

이민규(2003). Positive Thinking: 자기긍정의 힘. 서울: 원앤원북스.

이봉화(2011). 만다라를 활용한 집단 미술치료가 초등학생의 뇌기능지수에 미치는 효과. 영남대학교 석사학위논문.

이봉희(2006). 시/문학치료와 문학수업, 그 만남의 가능성 모색. 문예비평연구, 20, 103–129.

이봉희(2007). 저널치료: 새로운 일기쓰기 '새국어교육'. 한국국어교육학회, 77, 235–264.

이봉희(2008). 발달적 독서치료의 실제. 서울: 학지사.

이봉희(2010a). 내 안의 시인을 깨우는 문학치료. 어문학, 110, 31–60.

이봉희(2010b). 저널치료: 선화/낙서 그리고 글쓰기.

지성과 창조, 13, 139-158.

이부영(1998). 분석심리학. 서울: 일조각.

이부영(1999). 우리 마음속의 어두운 반려자-그림자-. 서울: 한길사.

이부영(2001a). 아니마와 아니무스. 서울: 한길사.

이부영(2001b). 자기와 자기실현. 서울: 한길사.

이부영(2006). 분석심리학. 서울: 일조각.

이상노 편(1986). TAT 성격진단법. 서울: 중앙적성출판사.

이상현(1997). 범죄심리학. 서울: 박영사.

이상현, 추성경, 박현주(2007). 현대실기교육의 이해. 서울: 학문사.

이상희, 노성덕, 이지은(2010). 또래상담. 서울: 학지사.

이선영(2009). 수용-전념치료에서 과정변인이 불안에 미치는 효과. 고려대학교 박사학위논문.

이성록(2007). 사회적 인간의 본성. 서울: 미디어 숲.

이성진(2002). 행동수정. 서울: 교육과학사.

이성진, 유효순(1988). 행동수정의 기법 I. 서울: 교육과학사.

이성진, 임진영, 여태철, 김동일, 신종호, 김동민, 김민성, 이윤주(2009). 교육심리학서설. 경기: 교육과학사.

이성진, 홍준표(1986). 행동수정의 원리. 서울: 교육과학사.

이성태(2010). 인간관계론. 경기: 양서원.

이소영(2001). EQ개발을 위한 무용교육 프로그램 개발. 경성대학교 석사학위논문.

이소우, 김용태, 김진숙, 박신환, 조성호(1997). 청소년 위기상담. 서울: 청소년 대화의 광장.

이소현(1999). 행동지도의 실제: 상동행동, 자폐행동. 제2회 이화특수교육연수회. 이화여자대학교.

이소현(2003). 유아특수교육. 서울: 학지사.

이소현, 박은혜(2006). 특수아동교육(2판). 서울: 학지사.

이소현, 박은혜, 김영태(2000). 교육 및 임상현장 적용을 위한 단일대상연구. 서울: 학지사.

이수도(1999). 인간관계론. 서울: 형설출판사.

이수범(2004). N세대 소비문화에 대한 문화 기술적 연구. 광고학 연구, 5(3), 71-90.

이수연, 권해수, 김현아, 김형수, 문은식, 서경현, 유영달, 정종진, 한숙자(2013). 성격의 이해와 상담. 서울: 학지사.

이수정(2006). 최신 범죄심리학. 서울: 학지사.

이수정(2011). 집단음악치료가 노인의 자아통합감에 미치는 영향. 한세대학교 석사학위논문.

이수정, 고려진, 김재경(2009). 한국판 Psychopathy Checklist-Revised(PCL-R)의 구성타당도. 한국심리학회지: 사회 및 성격, 23(3), 57-71.

이숙, 우희정, 최진아, 이춘아(2009). 부모교육: 훈련중심. 서울: 학지사.

이숙, 최정미, 김수미(2002). 현장중심 놀이치료. 서울: 학지사.

이숙재(2006). 유아를 위한 놀이의 이론과 실제. 서울: 창지사.

이순경(2009). 인간관계훈련 프로그램이 비만 초등학생의 대인관계에 미치는 효과. 경북대학교 석사학위논문.

이순민(2014). 정신건강론. 서울: 학지사.

이승환, 배소영, 심현섭, 김영태, 김향희, 신문자, 한재순, 김진숙, 이정학(2001). 의사소통장애개론. 서울: 하나의학사.

이승희(2006). 특수교육평가. 서울: 학지사.

이승희(2009). 자폐스펙트럼의 이해. 서울: 학지사.

이시나(2003). 학교사회사업가와 교사의 협력이 무단결석 청소년의 학교생활 적응에 미치는 영향. 서울여자대학교 석사학위논문.

이영분, 신명화, 권진숙, 박태영, 최선령, 최현미(2008). 가족치료: 모델과 사례. 서울: 학지사.

이영선, 박정민, 최한나(2001). 사이버상담의 기법과 윤리. 부산: 한국청소년상담원.

이영식(2006). 독서치료 어떻게 할 것인가. 서울: 학지사.

이영실, 이현우, 강윤경, 신화식, 최정자(2010). 가족치료. 경기: 양서원.

이영애, 박희경 공역(2001). 기억연구의 실제와 응용. 서울: 시그마프레스

이영호, 원호택, 권정혜, 김수현, 김계현, 박량규, 홍숙기, 장은주, 박광배, 박동건, 한국심리학회(1991). 현장연구방법론 각론. 서울: 성원사.

이요셉(2006). 하루 5분 웃음운동법. 서울: 팝콘북스.

이용숙, 김영천, 이혁규, 김영미, 조덕주, 조재식(2005). 실행연구방법. 서울: 학지사.

이용자(2004). 대학생 요구조사 분석을 통한 진로지도 개선 방안에 관한 연구. 상담학연구, 5(4), 1095-1110.

이용재(2008). 한 책, 한 도시 운동의 현 단계와 발전전

략: 원북원부산운동을 중심으로. 한국도서관정보학회지, 39(3).

이유경(2004). 원형과 신화. 서울: 이끌리오.

이유송(2007). 해결중심 단기상담이 주의산만 아동의 집중력 향상에 미치는 효과. 광주교육대학교 석사학위논문.

이윤주(2007). 상담사례개념화의 요소: 어떻게 하면 상담을 더 잘하게 될 수 있을까?. 경기: 한국학술정보.

이윤주(2013). 공부 200% 업그레이드하기. 서울: 학지사.

이윤주, 신동미, 선혜연, 김영빈(2003). 초심상담자를 위한 집단상담기법. 학지사: 서울.

이윤주, 양정국(2007). 밀턴 에릭슨 상담의 핵심: 은유와 최면. 서울: 학지사.

이은주(2000). 남녀공학 여자 대학생의 인간관계망 형성에 관한 연구. 숙명여자대학교 석사학위논문.

이은진, 최애나, 임용자(2008). 예술심리치료의 이해. 서울: 창지사.

이인화, 고욱, 전봉관, 강심호, 전경란, 배주영, 한혜원, 이정엽(2003). 디지털 스토리텔링. 서울: 황금가지.

이임선(2008). 웃음, 나를 치유하는 힘. 서울: 랜덤하우스 코리아.

이임선(2010). 몸과 마음을 치유하는 웃음치료. 서울: 하남출판사.

이임선, 배기효, 백정선(2009). 웃음치료 개론. 서울: 창지사.

이장한(2001). 가상환경을 통한 주의력 증진 프로그램의 효과검증-EGG 바이오피드백훈련과 인지훈련 비교-. 중앙대학교 박사학위논문.

이장호(1993). 상담심리학 입문. 서울: 박영사.

이장호(2005). 상담심리학. 서울: 박영사.

이장호(2006). 노인상담. 서울: 시그마프레스.

이장호, 금명자(1998). 상담연습 교본. 서울: 법문사.

이장호, 김정희(1995). 집단상담의 원리와 실제. 경기: 법문사.

이장호, 정남운, 조성호(2011). 상담심리학의 기초. 서울: 학지사.

이재창(1966). 교정상담의 이론과 기법. 교정연구, 6, 339-365.

이정모(2001). 인지심리학: 형성사, 개념적 기초, 조망. 서울: 아카넷.

이정모(2009). 인지과학: 학문간 융합의 원리와 응용. 서울: 성균관대학교 출판부.

이정모, 강은주, 김민식, 김기택, 김정오, 박태진, 김성일, 신현정, 이광오, 김영진, 이재호, 도경수, 이영애, 박주용, 곽호완, 박창호, 이재식(2009). 인지심리학. 서울: 학지사.

이정모, 이재호(1998). 인지심리학의 제문제(II). 서울: 학지사.

이정일(2006). 아테네 승리법. 서울: 미다스북스.

이정춘(1994). 매스미디어 효과 이론. 경기: 나남출판사.

이정현, 추연구(2006). 충동성 인지양식의 고저에 따른 발달장애아의 시지각 발달검사 반응 특징. 발달장애연구, 10(1), 101-114.

이종구(2006). 육군인성검사 체계 연구. 육군리더십센터 2006년 육군인성검사 발전 세미나 자료집.

이종구, 이해경, 김명소(2003). 한국여성의 자아개념의 요인구조와 성차. 한국심리학회지: 여성, 8(2), 1-19.

이종승(2009). 교육 · 심리 · 사회 연구방법론. 경기: 교육과학사.

이종승, 김형태(1999). 중 · 고등학생용 표준화 진로탐색검사 개발연구. 교육심리연구, 13(3), 261-292.

이종환, 곽호완, 이상일, 장문선(2013). 경계선 성격장애 성향군의 정서조절 능력: 억제 기능, 과민반응, 조절곤란을 중심으로. 한국심리학회지 임상, 32(3), 543-565.

이지연(2004). 여성주의 상담의 적용실제와 방향. 한국심리학회지: 상담 및 심리치료, 16(4), 773-791.

이지연, 정창원, 정유경(2000). 경력개발 프로그램 개발 및 시범적용: 중소기업 근로자의 경력개발 요구조사 중심. 서울: 한국직업능력개발원.

이지은(2002). 폭식행동에 대한 단기 심리교육 프로그램의 효과. 청소년상담연구. 141-159.

이창기(2004). 마약 이야기. 서울: 서울대학교 출판부.

이철수(2006). 사회복지학소사전. 서울: 블루피쉬.

이철수, 이남순, 이승현, 홍봉수, 위홍복, 염일열, 안병용, 송노원, 배외수, 박영국, 김경, 황순형, 황철수, 이경남, 장인봉, 최정규, 김인숙, 이재현, 이철수, 박봉정, 이은희, 최인수, 김치영, 이동춘(2009). 사회복지학 사전. 서울: 블루피쉬.

이충환(1974). 청년문화론. 서울: 현암사.

이태영(1988). 요가의 이론과 실제. 서울: 민족사.

이태영(2000). 요가. 서울: 여래.

이태영(2003a). 요가철학. 서울: 여래.

이태영(2003b). 하타요가. 서울: 여래.

이한준, 박계순(2008). 뉴 패러다임 보건학. 서울: 대경 북스.

이해경, 신현숙, 이경성(2004). 청소년 자기보고형 문제행동평가척도의 개발: 신뢰도와 타당도의 검증. 한국심리학회지, 발달, 17(1). 147-170.

이해경, 이양, 용홍출(2005). 교육심리학. 경기: 양서원.

이향수(2009). 다중지능이론의 음악교육활용. 한양대학교 석사학위논문.

이현경(2008). 이야기치료: 이론과 실제. 경기: 양서원.

이현경(2010). 임상장면에서의 가족상담과 치료. 경기: 양서원.

이현림(2004). 진로상담. 경북: 영남대학교 출판부.

이현림(2007). 진로상담. 경기: 양서원.

이현림(2008). 상담이론과 실제. 경기: 양서원.

이현림, 김봉환, 김병숙, 최웅용(2003). 현대진로상담. 서울: 학지사.

이현림, 김봉환, 송재홍, 천성문(2000). 진로지도와 상담. 경북: 영남대학교 출판부.

이현림, 김순미, 천미숙(2007). 집단상담의 이론과 실제. 경기: 양서원.

이현섭, 김상윤, 추정선, 조선희(1999). 아동발달심리. 서울: 학지사.

이현수(1994). 임상심리학. 서울: 박영사.

이현수(1997). 아이젱크 성격검사. 서울: 학지사.

이현수(2000). 임상심리학. 서울: 박영사.

이현수(2001). 성격과 행동. 서울: 학지사.

이현혜(2008). 성폭력에 대한 이해. 서울: 한국양성평등교육진흥원.

이형득(1989). 집단상담의 실제. 서울: 중앙적성출판사.

이형득(1992). 상담이론. 서울: 교육과학사.

이형득(2003). 본성실현상담. 서울: 학지사.

이형득(2005). 상담의 이론적 접근. 서울: 형설출판사.

이형득, 김선남, 김성회, 이성태, 신완수(1997). 상담의 이론적 접근. 서울: 형설출판사.

이형득, 김선남, 김성회, 이성태, 이수용, 전종국, 정욱호(2005). 상담의 이론적 접근. 서울: 형설출판사.

이형득, 김성회, 설기문, 김창대, 김정희(2003). 집단상담. 서울: 중앙적성출판사.

이형영, 국승희, 윤진상, 신일선(1999). Eysenk의 성격차원과 수면특성의 관계. 대한신경정신의학회지, 38(5), 1077-1088.

이혜성(1998). 여성상담. 서울: 정일.

이호선(2005). 노인상담. 서울: 학지사.

이홍표, 김태우(2010). 도박중독의 재활: 타 정신장애와의 비교. 한국심리학회지: 사회문제, 16(3), 241-265.

이화여대 사회복지학과 편(1999). 가족치료총론. 서울: 동인.

이훈구, 한종철, 정찬섭, 오경자, 한광희, 황상민, 김민식(2009). 인간행동의 이해(2판). 경기: 법문사

이희경(2006). 부정에서 긍정으로: 심리학의 새로운 접근. 한국상담심리학회 연차학술대회발표논문.

인경(2009). 수용 및 전념치료(ACT)의 명상작업. 명상치료연구, 3, 6-32.

임상심리학회(1992). K-WAIS 실시요강. 성남: 한국가이던스.

임성관(2008). 책과 함께하는 마음 놀이터 3. 서울: 시간의 물레.

임승환, 박제일, 천성문, 이승희(2004). LCSI와 이화방어기제 간의 상관관계 연구. 상담학연구, 5(1). 61-77.

임승환, 한종철(2003). LCSI(Lim's Character Style Inventory) 성격검사 개발. 한국심리학회지: 상담 및 심리치료, 15(1), 35-56.

임언, 정윤경, 상경아(2001). 진로성숙도검사개발 보고서. 서울: 한국직업능력개발원.

임용자(2004). 표현예술의 이론과 실제-동작, 미술 및 언어 표현의 통합적 접근-. 서울: 문음사.

임은미(2006). 사이버상담: 이론과 실제. 서울: 학지사.

임은미, 김지은, 박승민(1998). 청소년 사이버상담의 실제와 발전방안. 청소년상담연구, 6(1), 115-132.

임은미, 전주(2001). 우리나라 청소년 사이버상담에 관한 연구. 경희대학교 석사학위논문.

임은희(2010). 인간행동과 사회환경. 경기: 양서원.

임인재, 김봉환(2007). 중고등용 진로흥미검사. 서울: 마인드프레스.

임정훈, 한기순, 이지연(2008). 교육심리학. 경기: 양서원.

임종원, 김재일, 홍성태, 이유재(2002). 소비자 행동론(2판). 서울: 경문사.

임지경(1998). 가상공동체 밀착도에 따른 컴퓨터 매개 커뮤니케이션(CMC) 이용에 관한 연구. 고려대학교 석사학위논문.

임지룡, 김영순(2000). 신체언어와 일상언어 표현의 의사소통적 상관성. 언어과학연구, 17, 59-78.

임진형(2000). 유치원 초임교사의 사회적 지지, 자기효능감과 직무스트레스 간의 관계. 이화여자대학교 석사학위논문.

임호용(2006). 현실공간과 가상공간에서의 대학생 자아정체감 비교연구. 연세대학교 석사학위논문.

임호찬(2008). 재활심리개론. 경기: 서현사.

장경철(2009). 신학으로의 초대. 서울: 두란노.

장동원(1997). 기업조직에서 내외동기의 결정요인과 그 효과. 한양대학교 박사학위논문.

장명선(2004). 바이오피드백 훈련이 만성 두통 환자의 스트레스반응에 미치는 효과. 서울대학교 석사학위논문.

장미경, 김연진, 윤혜경(2010). 놀이치료(2판). 서울: 창지사.

장미향, 성한기(2007). 집단따돌림 피해 및 가해경험과 사회정체성 및 사회지지의 관계. 한국심리학회지, 21(1), 77-88.

장석민, 임두순, 송병국(1992). 진로성숙도검사 표준화 연구. 서울: 한국교육개발원.

장선철, 문승태(2003). 상담심리학. 서울: 동문사.

장유정(2006). 사회복귀 프로그램 운영 실제. 2006년 마약류 퇴치 심포지엄 발표자료. 71-90.

장은영, 유지숙(2003). 외상성 뇌손상 환자군간 K-WAIS와 Rey-Kim 기억검사 반응 비교. 한국심리학회지: 임상, 22(1), 187-201.

장혁표, 윤순임, 이죽내, 김정희, 이형득, 이장호, 신희천, 이성진, 홍경자, 김정규, 김인자, 설기문, 전윤식, 김정택, 심혜숙(2006). 현대상담 · 심리치료의 이론과 실제. 서울: 중앙적성출판사.

장혁표(1990). 가족치료. 서울: 중앙적성출판사.

장혁표(1992). 생활지도의 이론과 실제. 서울: 형설출판사.

장현갑(2007). 마음챙김: 나의 마음을 경영하는 위대한 지혜. 서울: 미다스북스.

장현실(2006). 몸과 마음이 예뻐지는 아로마테라피. 서울: 아카데미북.

장휘숙(2006). 성인심리학: 성인발달, 노화, 죽음. 서울:

박영사.

장휘숙(2009). 여성 심리학. 서울: 박영사.

전겸구(1989). 생활 스트레스- 우울증과 관련된 개인적 그리고 대리적 대처자원의 속성-. 한국심리학회지: 임상, 8(1), 77-96.

전경숙(1996). 새 심리치료 개론 신경언어프로그래밍. 서울: 하나의학사.

전경숙(2002). 주관적 경험을 통한 인간이해 심리치료. 서울: 학지사.

전경원(2001). 유아 도형창의성검사 요강. 서울: 학지사.

전경원(2002). 유아 창의적 특성검사. 서울: 학지사.

전경원(2005). 유아 종합 창의성검사 요강. 서울: 학지사.

전산용어사전편찬위원회(2005). 컴퓨터 · 인터넷 · IT용어대사전. 서울: 일진사.

전윤식, 장혁표(1986). 집단잠입도형검사. 서울: 코리안테스팅센터.

전주(2001). 우리나라 청소년 사이버상담에 관한 연구. 경희대학교 석사학위논문.

전헌선, 이규식, 이상복, 강수균(2002). 치료특수교육의 이해 I. 서울: 배영사.

정경미, 이경숙, 박진아, 김혜진(2008). 한국판 부모양육스트레스 검사(Korean-Parenting Stress Index: K-PSI)의 표준화 연구. 한국심리학회지: 임상, 27(3), 689-707.

정기철(2002). 상징, 은유, 그리고 이야기. 서울: 문예출판사.

정남운(2001). 대인관계 원형모델에 따른 한국판 대인관계 문제척도의 구성. 심리과학, 10(1), 117-132.

정동선, 하규섭, 정희연, 구훈정, 황준원, 김붕년, 신민섭, 조수철, 홍강의(2006). 주의력결핍과잉행동장애와 양극성장애 공존 환아군과 주의력결핍과잉행동장애 환아군의 비교연구. 신경정신의학, 45(6), 588-597.

정동화(2003). 유아생활지도와 상담. 경기: 서현사.

정두식, 양광익, 이보람, 방차옥, 이태경, 성기범, 안무영, 박형국(2001). 알코올 금단 발작 환자에서 진전섬망 예방에 대한 Nimodipine과 Chlordi-azepoxide의 효과 비교. 순천향의대논문집, 7(1), 91-96.

정문자(2007). 사티어 경험적 가족치료(2판). 서울: 학지사.

정문자, 송성자, 이영분, 김유순, 김은영(2008). 해결중심단기치료. 서울: 학지사.

정문자, 정혜정, 이선혜, 전영주(2012). 가족치료의 이해 (2판). 서울: 학지사.

정미경, 문은식, 박선환, 박숙희, 이주희(2009). 심리학 개론. 경기: 양서원.

정민(2006). 대학생의 인생과제를 중심으로 한 생애과 제 검사의 개발. 전남대학교 박사학위논문.

정민, 노안영(2003). 생활양식, 심리유형 (MBTI) 과 생 활 스트레스와의 관계. 한국심리학회지: 상담 및 심리치료, 15(4), 693-710.

정민자, 고선주, 곽배희(2005). 성상담 교육 이론과 실제. 서울: 대왕사.

정방자(1985). 정신 역동적 상담과정에서의 상담자와 내담자의 언어반응분석. 서울대학교 박사학위 논문.

정방자, 최경희(2000). 대인관계와 정신역동. 서울: 이문 출판사.

정부자, 김영태, 신문자(2008). 아동용 토큰검사(Token Test For Children-Second Edition: TTFC-2)의 국내 적용 타당화 기초연구. 언어청각장애연구, 13(4), 621-634.

정석환(2002). 목회상담학 연구. 경기: 한국학술정보(주).

정선영, 김진영 (2012). 예비유아 교사의 메타인지와 셀프리더십과의 관계 연구. 교육과학연구, 43(2), 97-119

정성란, 고기홍, 김정희, 권경인, 이윤주, 이지연, 천성 문 (2013). 집단상담(한국상담학회 상담학총서 4권). 서울: 학지사.

정순례, 양미진, 손재환(2010). 청소년상담: 이론과 실제. 서울: 학지사.

정순례, 이병임, 조현주, 오대연(2013). 학습이론의 이해 와 적용. 서울: 학지사.

정승석(1989). 불전 해설사전. 서울: 민족사.

정승아(2010). 콤플렉스는 나의 힘. 서울: 좋은책 만들기.

정시련, 전경희(2003). 담배, 오백년의 이야기. 경북: 영 남대학교 출판부.

정시호(2000). 가족 유사성 개념과 공통 속성: 어휘장 이론과 관련하여. 한국어 내용론, 7, 491-520.

정여주(2006). 노인미술치료. 서울: 학지사.

정영숙(2001). 사회과학조사 방법론. 경북: 대구대학교 출판부.

정옥분(2000). 성인발달의 이해: 성인・노인심리학. 서울: 학지사.

정옥분(2002). 아동발달의 이해. 서울: 학지사.

정옥분(2004). 발달심리학: 전생애 인간발달. 서울: 학지사.

정옥분(2005). 청년심리학. 서울: 학지사.

정옥분(2008). 발달심리학: 전 생애 인간발달. 서울: 학지사.

정옥분(2009). 아동발달의 이해. 서울: 학지사.

정옥분, 정순화, 임정하(2007). 정서발달과 정서지능. 서 울: 학지사.

정원식, 박성수, 김창대(1999). 카운슬링의 원리. 경기: 교육과학사.

정원철(2005). 사회복지실천과 상담. 경기: 양서원.

정윤남(2009). 뇌호흡 프로그램이 지적장애 학생의 정 서적 행동 및 운동 능력에 미치는 효과. 중부대 학교 석사학위논문.

정은정, 조현섭, 허묘연(2003). 발달장애 심리학. 서울: 학지사.

정인석(2009). 제3판 트랜스퍼스널 심리학: 동서 예지의 통 합과 자기초월의 패러다임. 서울: 대왕사.

정인숙, 김계옥, 박경숙, 강영택, 정동영(2005). KISE-SAB의 신뢰도와 타당도에 관한 연구. 특수교육 학연구, 39(4), 217-236.

정정옥, 이경희, 임은숙(2003). 아동의 성장과 발달 이해. 서울: 교육아카데미.

정종진 편저(1998). 사랑의 심리와 교육 클리닉. 대구: 장 원교육.

정종진(2003). 어린이 행동장애: 원인・발달・치료. 서울: 시그마프레스.

정종진(2010). 교육평가: 이론과 실제. 경기: 양서원.

정진선, 문미란(2008). 인간관계의 심리: 이론과 실제. 서 울: 시그마프레스.

정진욱, 윤희용, 추현승, 이지형, 김승수(2005). 최신 컴 퓨터 개론. 서울: 홍릉과학출판사.

정철원(2005). 사회복지실천과 상담. 경기: 양서원.

정현숙, 최연실, 유계숙(1998). 결혼학 개론. 서울: 상명 대학교 출판부.

정현주(2006). 음악치료기법과 모델. 서울: 학지사.

정현희(2007). 실제 적용 중심의 미술치료. 서울: 학지사.

정현희, 이은지(2010). 실제 적용 중심의 노인미술치료. 서울: 학지사.

정혜원(2008). 아동용 교우관계문제검사의 개발과 타당화. 초등상담연구, 7(1), 37-66.

정혜원, 김종미, 홍상황(2008). 아동용 교우관계문제검사의 개발과 타당화. 한국심리학회지: 학교, 5(1), 1-25.

정휘숙(2006). 성인심리학: 성인발달, 노화, 죽음. 서울: 박영사.

제석봉(2002). TA 심리학. 한국미실치료학회. 학술발표대회, 40, 149-154.

제석봉, 최외선(2006). TA 교류분석의 이론과 실제. 대구: 한국 TA 연구소.

조계종교육원(2005). 간화선. 서울: 조계종출판사.

조남형, 김대영(2005). 함께 보면 보여요: 시각장애인을 돕는 올바른 방법. 서울: 황금가지.

조석희(1996). 우리 아이는 어느 분야의 영재일까? 서울: 사계절.

조선미, 박혜연, 김지혜, 홍창희, 황순택(2006). 한국 아동인성평정척도(Korean Personality Rating Scale for Children, KPRC)의 표준화 연구. 한국심리학회지: 임상, 25(3), 825-848.

조성자(1996). 몬테소리 교육학. 서울: 중앙적성출판사.

조성호(2001). 심리도식치료. 한국심리학회지: 상담 및 심리치료, 14(4), 775-788.

조수철(2010). 음악, 인간을 연주하다. 서울: 서울대학교출판문화원.

조양원(2002). 사회복지관 상담서비스 개선방안에 관한 연구. 인천대학교 석사학위논문.

조영남(1993). 마이크로티칭과 교사교육. 교육학연구, 31, 77-92.

조옥희, 권영자(1998). 몬테소리 유아교육. 서울: 중앙적성출판사.

조은숙(2007). 현대인의 정신건강. 서울: 법문사.

조인수(1995). 발달장애아 직업적 훈련 프로그램. 경기: 국립특수교육원.

조인수(1998). 발달지체인 생활, 직업재활훈련의 이론과 실제. 서울: 교육과학사.

조휘일, 이윤로(1999). 사회복지 실천론. 서울: 학지사.

조흥중, 오종희, 이강희(2001). 한국의 문헌에 나타난 장애인관. 광주보건대학 논문집, 26(1). 79-98.

좌현숙(1997). 퇴원한 만성정신장애인의 사회적응을 위한 지지집단의 과정연구. 서울대학교 석사학위논문.

주리애(2010). 미술치료학. 서울: 학지사.

주왕기(1991). 펜시클리딘의 남용. 약학연구소보, 4(1991. 12.). 1-11.

주왕기(1998). 약물위원회 정책연구보고서. 국무총리 청소년보호위원회.

주왕기(1999). 약물남용. 서울: 신일상사.

주왕기, 곽영숙, 주진형(2000). 약물남용 어떻게 치료할 것인가. 서울: 신일상사.

주일경(2009). 약물재활복지론. 서울: 시그마프레스.

주일경(2009). 한국 사회의 약물 문제에 대한 실천적 논의-약물재활복지론-. 서울: 시그마프레스.

중앙승가대학교 불교사회복지연구소(2009). 현대적 의미의 불교와 심리상담. 김포: 중앙승가대학교 불교사회복지연구소.

지승희, 오혜영, 김경민(2010). 단회 채팅상담의 상담자 언어반응분석: 자살위기청소년 사례를 중심으로. 청소년상담연구, 18, 167-186.

지승희, 이영선, 박정민, 이자영, 박성호(2003). 사이버상담자 교육. 부산: 한국청소년상담원.

지용근, 김옥희, 양종국(2005). 진로상담의 이해. 서울: 동문사.

지제근(2004). 알기 쉬운 의학용어 풀이집. 서울: 고려의학.

진형준(1994). 융의 개성화 과정연구. 인문과학, 2, 65-80.

차배근(1993). 커뮤니케이션학 개론. 서울: 세영사.

차주환, 이동혁(2013). 청소년의 신경증과 부모와의 애착안정성이 사회기술에 미치는 영향: 주의조절과 공감의 매개역할. 상담학연구, 14(4), 2085-2105.

천성문, 박순득, 박명숙, 박원모, 전은주, 이영순, 정봉희(2009). 상담심리학의 이론과 실제. 서울: 학지사.

최경숙(2005). 발달심리학: 아동·청소년기. 서울: 교문사.

최경숙(2005). 아동·청소년기 발달심리학. 서울: 교문사.

최경희, 박경(2004). 남자고등학생의 인터넷 중독 및 게임 중독과 16PF의 관계. 심리치료, 4(1), 73-96.

최광현(2008). 가족세우기 치료. 서울: 학지사.

최광현(2009). 부모상실의 트라우마에 대한 트라우마 가족치료 사례연구. 한국가족치료학회, 17(2), 23-41.

최규련(2008). 가족상담 및 치료. 경기: 공동체.

최규상(2009). 유머스타일. 서울: 토네이도.

최범식(2004). 심상치료와 상담의 모든 것. 서울: 학지사.

최범식(2009). 심상치료의 이론과 실제. 서울: 시그마프레스.

최선남, 김갑숙, 전종국(2007). 집단 미술치료. 서울: 학지사.

최선혜(2003). 발달연령에 기초한 가창지도 프로그램이 자폐아동의 언어이해력 및 자발어 증가에 미치는 효과. 대구대학교 석사학위논문.

최성규(1996). 어음청력검사를 이용한 보청기 적합검사가 청각장애아동의 어음변별력 향상에 미친 효과. 특수교육학회지, 17(3), 79-88.

최성규(2001). 순음청력검사와 어음청력검사결과의 상관관계 분석. 난청과 언어장애, 24(3), 109-122.

최성수(2007). 청년문화와 기독교교육. 기독교교육연구, 17(1), 54-85.

최성재(2005). 사회복지조사방법론. 서울: 나남출판사.

최수미(2003). 간호이론에서 '항상성' 개념의 발달. 간호학탐구, 12(2), 58-71.

최순남(2005). 인간행동과 사회환경(3판). 경기: 법문사.

최영미(2007). 고기능 자폐장애 아동과 수용-표현성 언어장애 아동의 웩슬러지능검사를 통한 인지특성 비교-. 전남대학교 석사학위논문.

최영민(2011). 대상관계이론을 중심으로 쉽게 쓴 정신분석이론. 서울: 학지사.

최영민(2011). 쉽게 쓴 자기심리학. 서울: 학지사.

최영안(2002). 상담장면의 활용가능성 탐색을 위한 한국판 Millon다축임상검사의 재표준화 기초연구. 숙명여자대학교 박사학위논문.

최영희, 김영희, 심희옥, 심미경(2009). 아동상담. 서울: 창지사.

최옥채(2003). 교정복지론. 서울: 학지사.

최옥채, 박미은, 서미경, 전석균(2007). 인간행동과 사회환경. 경기: 양서원.

최외선, 김갑숙, 최선남, 이미옥(2006). 미술치료기법. 서울: 학지사.

최외선, 백양희, 김갑숙(2000). 체계론적 가족치료. 서울: 형설출판사.

최외선, 이근매, 김갑숙, 최선남, 이미옥(2006). 마음을 나누는 미술치료. 서울: 학지사.

최원호(2008). 상담윤리의 이론과 실제. 서울: 학지사.

최유정(2010). 문화콘텐츠 소재로서 트릭스터 연구. 한국외국어대학교 석사학위논문.

최윤미 외(1998). 현대청년심리학. 서울: 학문사.

최윤미(1999). 심리극. 서울: 중앙적성출판사.

최윤미(2000). (실존 심리치료) 나는 사랑의 처형자가 되기 싫다. 서울: 시그마프레스.

최윤희(2000). 비언어커뮤니케이션. 서울: 커뮤니케이션북스.

최은영(2008). 약물중독. 서울: 학지사.

최은영, 공마리아(2008). 미술심리치료. 서울: 학지사.

최은영, 양종국(2005). 청소년비행 및 약물중독상담. 서울: 학지사.

최정윤(2010). 심리검사의 이해. 서울: 시그마프레스.

최정윤, 박경, 서혜희(2000). 이상 심리학. 서울: 학지사.

최진영, 이소애(1997). 한국판 치매평가검사(K-DRS)의 규준 연구. 한국심리학회지, 임상, 16(2), 423-433.

최창호(1997). 젊은 심리학자 최창호의 마음을 움직이는 키워드 77가지. 서울: 가서원.

최항순(2000). 복지행정론. 서울: 신원문화사.

최해경(2009). 사회복지 실천론. 서울: 학지사.

최해림, 이수용, 금명자, 유영권, 안현의(2010). 전문적 상담현장의 윤리. 서울: 학지사.

최헌진(2010). 사이코드라마 이론과 실제. 서울: 학지사.

최혜란(2006). 상담에서 라포 형성을 위한 NLP적 원리와 방법에 대한 연구. 진리논단, 13, 1011-1031.

추정선(2005). 상담교육을 위한 이상심리학의 이해. 서울: 교육과학사.

컴퓨터용어표준연구회(1999). 컴퓨터용어대사전. 서울: 영진출판사.

탁진국(2007). 심리검사: 개발과 평가방법의 이해. 서울: 학지사.

통계청(2000). 한국표준직업분류. 서울: 통계청.

통계청(2010). 사회조사를 통해 본 베이비붐 세대의 특징. 보도자료.

하경숙(2009). 힐데가르트 보석요법이 중년여성의 우울과 자존감에 미치는 영향. 한국공예논총, 12(4).

하대현(1992). R. Sternberg의 삼위일체 지능이론과 교육적 함의. 유아교육논총, 2, 29-48.

하은혜, 오경자(1997). 포스터 발표: K-CBCL 행동평가 척도의 표준화: 신뢰도, 타당도 분석. 한국임상심리학회 97 하계학술대회. 66-71.

하은혜, 이수정, 오경자, 홍강의(1998). 문제행동에 대한 청소년 자신과 부모 평가간의 관계: K-CBCL과 YSR의 하위요인 구조 비교. 소아 · 청소년정신의학, 9(1), 3-12.

하정혜, 김지현(2012). 한국 중년여성 성역할갈등척도 개발 및 타당화 연구. 상담학연구, 13(6), 2987-3007.

한광일(2007). 웃음치료법. 서울: 삼호미디어.

한광희, 임중우, 김민식, 이일병, 변혜란, 김진우, 김상문, 이승종, 이익환, 이민행, 임춘성, 박창균, 나동렬(2000). 인지과학. 서울: 학지사.

한국고용정보원(2007). 한국고용직업분류 2007. 서울: 한국고용정보원.

한국교육개발원(1992a). 입시위주 교육의 실상과 대책. 2. 서울: 한국교육개발원.

한국교육개발원(1992b). 한국 사회교육의 실상과 미래 전망 연구/ 1차년도: 한국 사회교육의 발전 과정 및 특성 분석. 서울: 한국교육개발원.

한국교육개발원(1992c). 한국교육개발원 교육정보자료. 서울: 한국교육개발원

한국교육개발원(1992d). 한국교육의 종합이해와 미래구상: 학교교육과 선발제도편. 3. 서울: 한국교육개발원.

한국교육심리학회 편(2000). 교육심리학 용어사전. 서울: 학지사.

한국교육평가학회(2004). 교육평가용어사전. 서울: 학지사.

한국무형자원연구소(2004). 육군표준인성검사 프로그램. 육군본부.

한국무형자원연구소(2006). 육군표준인성검사 프로그램. 육군리더십센터 2006년 육군인성검사 발전 세미나 자료집.

한국문화예술회의(2008). 예술의 사회적 기여에 관한 국내외 실증사례연구. 서울: 한국문화예술위원회.

한국산업인력공단중앙고용정보원(2009). 2010 한국직업사전. 서울: 한국산업인력공단중앙고용정보원.

한국상담심리학회(2009). 상담전문가 윤리강령. 서울: 한국상담심리학회.

한국상담학회(2009). 한국상담학회 윤리강령. 서울: 한국상담학회.

한국심리상담연구소(2003). 현실요법-선택이론 워크북.

한국언어치료학회(2004). 언어치료: 음성장애/자폐증/뇌성마비. 대구: 한국언어치료학회.

한국여성개발원(1991a). 우리여성: 평등한 삶을 위하여 (1). 한국여성개발원 연구보고서. 1-52.

한국여성개발원(1991b). 우리여성: 평등한 삶을 위하여 (2). 한국여성개발원 연구보고서. 53-104.

한국여성개발원(1991c). 한국여성개발원 교육자료. 서울: 한국여성개발원.

한국정보통신기술협회(2007). 정보통신용어사전. 서울: 두산동아.

한국청소년학회(1999). 청소년학 총론. 경기: 양서원.

한국통합교육학회(2005). 교사를 위한 특수교육입문 통합교육. 서울: 학지사.

한국특수교육연구회(2009). 최신 특수아동의 이해. 경기: 양서원.

한국특수교육학회(2008). 특수교육 대상자 개념 및 선별기준. 서울: 한국특수교육학회.

한국형사정책연구원(2003). 신종 마약류에 대한 경찰의 대응 방안. 형사정책연구, 14(1), 89-128.

한규석(2002). 사회심리학의 이해(2판). 서울: 학지사.

한덕웅, 성한기, 강혜자, 이경성, 최훈석, 박군석, 김금미, 장은영(2005). 사회심리학. 서울: 학지사.

한만봉(2009). 사회복지상담. 서울: 이담.

한미령(2005). 양극성장애 청소년의 단기 심리치료 사례. 정서 · 행동장애 연구, 21(4), 279-302.

한복희(2004). 독서클리닉의 이론과 실제. 서울: 한국도서관협회.

한상철, 김혜원, 설인자, 임영식, 조아미(2003). 청소년 문제행동: 심리학적 접근. 서울: 학지사.

한성디(2006). 신학으로의 초대. 서울: 잠언.

한수미(2011). 인지심리학. 경기: 교문사.

한완상(1973). 현대사회와 청년문화. 서울: 법문사.

한재희(2001). 전인적 목회 돌봄을 위한 인간이해와 목회상담. 한국기독교상담학회지, 2, 127-153.

한재희(2006). 상담패러다임의 이론과 실제. 서울: 교육아카데미.

한재희(2009). 한국의 가족문화와 다문화상담. 진리논단, 19, 117-132.

한전숙(1984). 현상학의 이해. 서울: 민음사.

한찬욱(2007). 선형적 사고와 비선형적 사고. 산업기술연구소논문집, 19, 1-9.

한홍석(2006). 정서장애 특수학교: 그 정체성에 대하여. 한국정서행동장애아교육학회 춘계학술대회 자료집.

함인희(2004). W세대 논의의 사회학적 함의. 2000년, 통권 254호, 38-40.

허근배(2006). 李娃傳의 분석심리학적 연구. 인문학논총, 5(2), 147-170.

허영부(1997). 교육심리학. 서울: 학문사.

허원구, 이성형, 최인규(2011). 조사방법론의 이해. 서울: 삼영사.

허진자(2008). 부부간 심리적 욕구의 차이, 오해 및 부부갈등간의 관계. 경남대학교 석사학위논문.

현성용, 김교헌, 김미리혜, 김아영, 김현택, 박동건, 성한기, 유태용, 윤병수, 이봉건, 이순묵, 이영호, 이재호, 이주일, 진영선, 채규만, 한광희, 황상민(2008). 현대심리학 이해(3판). 서울: 학지사.

현외성, 조추용, 박차상, 김혜정, 김용환(1998). (노인상담소의 설립, 운영, 상담을 위한) 노인상담, 이론과 실제. 서울: 유풍출판사.

홍경자(2001). 상담의 과정. 서울: 학지사.

홍경자(2006). 대인관계의 심리학. 서울: 이너북스.

홍기칠(2003). 기독교상담에서의 성경과 기도의 활용. 한국기독교상담학회지, 5, 133-153.

홍대식(1993). 심리연구법. 서울: 박영사.

홍성두(1997). 유뇨증. 특수교육 사례연구, 2, 74-78

홍성두, 김민동(2009). 어머니의 우울수준 예측을 위한 초등학생의 문제행동유형 탐색: 의사결정나무분석을 중심으로. 정서·행동장애연구, 25(2), 125-142.

홍성열(1998). 사회과학도를 위한 기초통계: Windows용 SPSS. 서울: 학지사.

홍성열(2001). 사회과학도를 위한 연구방법론. 서울: 시그마프레스.

홍성하(2010). 다문화상담이론에서의 방법론적 토대로서 현상학. 철학, 105, 143-168.

홍세희(2001). 임상심리학 이론의 경험적 검증을 위한 최신 연구방법론: 구조방정식 모형을 이용한 매개모형과 잠재평균 모형의 분석. 한국임상심리학회 워크숍 자료집.

홍수연, 이승연(2013). 아동기에 경험한 정서적 학대와 성인기 경계선 성격장애 성향의 관계: 정서인식의 명확성과 경험적 회피의 매개효과. 상담학연구, 14(5), 3003-3021.

홍숙기(2001). 성격심리(하). 서울: 박영사.

홍숙기(2011). 성격심리. 서울: 박영사.

홍재란 (2007). 학업성취도 상하 집단 간 시각적 인지기능 및 뇌 활성화 차이. 전남대학교 박사학위논문.

황매향(1997). 면담상담에서 행동중심 기법의 효율성에 관한 연구. 학생연구, 32, 60~70.

황매향(2008). 학업상담. 서울: 학지사.

황민아(2002). 한국 브로카 실어증 환자의 문장 이해. 언어청각장애연구, 7(2), 65-85.

황선진(1991). 가정학이 나아가야 할 방향에서 본 인간생태학. 인문과학, 21(1), 109-124.

황성원, 김경희, 오승아, 조현주, 권정임(2010). 아동심리와 상담. 서울: 학지사.

황순길, 류진아, 이경아, 장진이, 정재우, 유형근(2005). 학교청소년상담사 학교상담활동모형 연구. 청소년상담연구(총서), 114, 1-149.

황응연(1993). 청소년상담의 성격과 학문적 과제. 청소년상담연구, 1(1), 3-17.

황의경(2004). 언어장애 이해와 교정의 실제. 서울: 홍익제.

황정규(2004). 학교학습과 교육평가(개정판). 경기: 교육과학사.

황혜리(2002). 동료 상담자에 의한 지지집단상담효과. 상담학연구, 3(2), 365-383.

황혜정(1995). 게슈탈트(형태) 관점에서의 문제해결과 통찰력. 교육개발, 95, 93-99.

Clark, K. (1949). 佐々木 英也譯. 風景畫論. 東京: 岩崎美術社.

スギタ峰康 (2000). 교류분석(김현수 역). 서울: 민지사.

가도카와 요시히코(2005). 기업을 살리는 웃음의 기술(賣上げがぐんぐん伸びる'笑顔'の法則: '笑顔コンサルタント'が教える儲かるお店の秘密). (이요셉 외 역). 서울: 두앤비컨텐츠.

可藤豊文(2005). 명상의 심리학: 대승기신론의 이론과 실천(瞑想の心理学一大乗起信論の理論と実践). (김세곤 역). 경기: 양서원. (원저는 2000년에 출판).

岡嶋一郎, 針塚進(1999). 心理劇におけるウォーミングアップ體驗尺度を通してみたウォーミングアップ様式と體驗との關係性. 心理劇, 4(1). 69-77.

皆藤章編(2004). 臨床心理査定技法 2. 東京: 誠信書房.

高江州義英, 大森健一(1984). 風景と分裂病心性: 風景構成法の空間論的検討. 山中 康裕編. H. NAKAI 風景構成法. 中井久夫著作集 別巻 1. 東京: 岩崎学習出版社. 119-137.

九野, 德田, 荻野(1975). 破瓜病心像世界へのイメージ繪畫療法的接近. 藝術療法, 6, 23-37.

國分康孝(1992). 構成的グループエンカウンター. 誠信書房.

國分久孝(2000). シェアリングとは何構か. 國分康孝 監修. プエンカウンターで總合が変わる. 東京: 圖書文化社.

네모토 기쓰오(2007). 상처가 두려운 당신을 위한 따뜻한 카운슬링(傷つくのがこわい). (이수미 역). 서울: 푸른숲. (원저는 2005년에 출판).

大野精一(1998). 學校教育相談の定義について. 教育心理學年報, 37. 153-159.

渡辺三枝子(1996). カウンセリング心理學. 東京: ナカニミア出版.

藤内三加(2008). 交互ぐるぐる描き物語統合法(MSSM法)における誘発線の機能について-青年期後期を対象とした一考察. 奈良大学大学院研究年報, 13. 141-150.

福原眞知子他譯編(1985). マイクロカウンセリング-"學ぶ-使う-教える"技法の統合: その理論と實際. 東京: 三嶋書房.

山崎暁(2005). アセスメントとしてのコラージュ技法研究に関する一考察. 多摩心理臨床学研究, 2. 37-45.

杉本幹博(1969). 北上外縁帯, 岩手県小本・田野畑地域の中生層.

三上直子(1999). S-HTP法: 統合型 HTP法による臨床的・發達的アプローチ. 東京: 誠信書房.

杉浦京子(1994). コラージュ療法. 東京: 川島書店.

石隈利紀(1999). 學校心理學: 教師スクールカウンセラ・保護者のチームによる心理教育的援助サービス. 東京: 誠信書房.

松岡式(1972). 색채진단테스트의 원리와 방법. 일본제판.

松松老漢(2010). 심리학 산책: 플라톤에서 스턴버그까지. (홍민경 역). 서울: 시그마북스.

深山富男(1994). サイコドラマ(心理劇)-參加者の報告と監督による考察-. 愛知学院大学文学部紀要, 23. 35-49.

安藤 治(2009). 명상의 정신의학(瞑想の精神医学: トランスパーソナル精神医学序説). (김재성 역). 서울: 민족사. (원저는 1993년에 출판).

林潔(1982). スタディスキルスと大學カウンセリング. 新書館.

斎藤環(1998). 社會的ひきこもり一終わらない思春期. 東京: PHP親書 65.

斎藤環(2002). ひきこもり救出メニュアル. 東京: PHP研究所.

田中態次郎(1959). ソシオメトリー理論と方法. 明治圖書出版.

佐藤静(2001). コラージュ制作の研究. 東京: 風間書房.

村上仁譯(1954). 精神分裂病. 東京: みすず書房.

太田久紀(2003). 불교의 심층심리: 유식에의 초대(佛教の深層心理). (정병조 역). 서울: 현음사. (원저는 1983년에 출판).

히로나카 마사미(2004). 모래놀이치료의 본질적・실천적 문제. 모래놀이치료: 2004년 발달지원학회 제14차 워크숍. 발달지원학회. 15-27.

Abraham, W. (1964). *The slow learner*. New York: Center for Applied Research in Education.

Abram, J. (2008). Donald Woods Winnicott(1896-1971): A brief introduction. *International Journal of Psycho-Analysis, 89,* 1189-1217.

Abram, J., & Hjulmand, K. (2007). *The language of Winnicott: A dictionary of Winnicott's use of words*. London: Karnac Books.

Accardo, P. J., & Whitman, B. Y. (2002). 발달장애 용어사전(*Dictionary of Developmental Disabilities Terminology*). (여광응 외, 한국발달장애학회 역). 서울: 학지사. (원저는 1996년에 출판).

Achenbach, G. B. (1987). *Philosophische Praxis,*

Schriftenreihe zur philosophischen Praxis. Bd. I. Koeln.

Achenbach, T. M. (1985). *Assessment of taxonomy of child and adolescent psychopathology*. Burlington, VT: University of Vermont & State Agricultural College.

Achenbach, T. M. (1990a). Conceptualization of developmental psychopathology. In M. Lewis & S. M. Miller (Eds.), *Handbook of developmental psychopathology*. New York: Plenum Press.

Achenbach, T. M. (1990b). *Guide for the Semistructured Clinical Interview for Children Aged 6-11*. Burlington, VT: University of Vermont Department of Psychiatry.

Achenbach, T. M. (1991). *Manual for the Child Behavior Checklist/4 - 18 and 1991 Profile*. Burlington, VT: University of Vermont Department of Psychiatry.

Achenbach, T. M. (1992). *Manual for the Child Behavior Checklist/2-3 and 1992 Profile*. Burlington, VT: University of Vermont Department of Psychiatry.

Ackerknecht, E. H. (1982). *A Short History of Medicine*. Baltimore and London: The Johns Hopkins University Press.

Adams, J. E. (1979). *More Than Redemption: A Theology of Christian Counseling*. Phillipsburg: Presbyterian and Reformed Publishing Co.

Adams, K. (2006). 저널치료(*Journal to the Self*). (강은주, 이봉희 역). 서울: 학지사. (원저는 1990년, 개정판. 1997년에 출판).

Adams, K. (2006). 저널치료의 실제(*Way of the Journal: A Journal Therapy Workbook for Healing*). (강은주 외 역). 서울: 학지사. (원저는 1998년에 출판).

Adams, M. V. (2004). *The fantasy principle: psychoanalysis of the imagination*. New York: Brunner-Routledge.

Adams, J. E. (1970). *Competent to Counsel*. Michigan: Baker.

Adams, J. E. (1973). *The Christian Counselor's Manual: The Practice of Nouthetic Counseling*. Grand Rapids: Zondervan Pub. Press.

Adler, A. (1930). *Das Problem der Homosexualitaet*. Leipzig.

Adler, A. (1937). *What life should mean to you*. Boston: Little, Brown and Company.

Adler, A. (1956). Extracts from The science of living. In H. L. Ansbacher & R. R. Ansbacher (Eds.), *The Individual Psychology of Alfred Adler: A systematic presentation in selections from his writings* (pp. 357-358). New York: Harper Torchbooks. (Reprinted from *The science of living*, New York: Greenburg, 1929).

Adler, A. (1959). *Understanding human nature*. New York: Fawcett.

Adler, A. (1964). *Social interest: A challenge to mankind*. New York: Capricorn. (Original work published 1933).

Adler, A. (1965). *Praxis und Theorie der Individual-psycholgoie 2*. Frankfurt/M.

Adler, A. (1966). *Menschenkenntnis*. Frankfurt/M.

Adler, A. (1972). *Der nervose Charakter*. Frankfurt/M.

Adler, A. (1973a). *Der Sinn des Lebens*. Frankfurt/M.

Adler, A. (1973b). *Individualpsychologie in der Schule. Vorlesungen für Lehrer und Schuler*. Frankfurt/M.

Adler, A. (1974). *Die Technik der Individualpsychologie 2*. Frankfurt/M.

Adler, A. (1976). *Kindererziehung*. Frankfurt/M.

Adler, A. (1977). *Studie über Minderwertigkeit von Organen*. Wien.

Adler, A. (1979). *Superiority and social interest*. New York: Norton & Company.

Adler, A. (1981). 아들러 심리학 해설(*What Life Should Mean To You*). (설영환 역). 서울: 선영사. (원저는 1932년에 출판).

Adler, G. (1908). Transference, real relationship and alliance. *Journal of Psychoanalysis, 61*. 547-557.

Adler, J. (1972). Integrity of body and psyche: some

notes on work in process. In B. F. Govine & J. Chodorow (Eds.), What is dance therapy really?. Proceedings of the Seventh Annual Dance Therapy Conference (42-53). American dance Therapy Association.

Adler, R. (2003). 인간관계와 자기표현(*Confidence in Communication: A Guide to Assertive and Social Skills*). (김인자 역). 서울: 한국심리상담연구소. (원저는 1977년에 출판).

Adlerian Psychotherapy: An Overview of Theory And practice. Free Essays, Cliff Notes and Term Paper Database. www.essays.cc

Affleck, D. C., & Garfield, S. L. (1961). Predictive judgments of therapists and duration of stay in psychotherapy. *Journal of Clinical Psychology, 17*, 134-137.

Agnew, S. (2009). *Environmental psychologist job description and activities*. the UK's official graduate careers website.

Aigen, K. (2011). 음악중심 음악치료(*Music-Centered Music Therapy*). (이경숙 역). 서울: 학지사. (원저는 2005년에 출판).

Aiken, L. R. (1989). *Assessment of personality*. Boston: Allyn & Bacon.

Ainsworth, M. (1979). Attachment as related to mother-infant interaction. In J. S. Rosenblatt, R. A. Hinde, C. Beer, & M. Busnel (Eds.), *Advances in the study of behavior* (Vol. 9). Orlando: Academic Press.

Ainsworth, M. D. S. (1973). The development of infant-mother attachment. In B. M. Caldwell & H. N. Ricciuti (Eds.), *Review of child development research* (vol. 3). Chicago: University of Chicago Press.

Ajzen, I. (1985). From intentions to actions: A theory of planned behavior. In Kuhl J., & Beckmann J. (Eds.), *Action control: From cognition to behavior*(pp. 11-39). New York: Springer-Verlag.

Ajzen, I. (1991). The theory of planned behavior. *Organizational Behavior and Human Decision Processes, 50*. 179-211.

Al-Anon Family Group Headquarter. (1989). *Alateen-Hope for Children of Alcoholics*. New York: Al-Anon Family Group Headquarter, Inc.

Albert, M. C., & Susan, M. H. (2009). 보조테크놀로지의 원리와 실제(*Assistive Technologies: Principles and Practice*, 2nd ed.). (오길승, 남용현, 오도영, 남세현 역). 서울: 학지사. (원저는 2001년에 출판).

Alden, L. E., & Wallace, S. T. (1995). Social phobia and social appraisal in successful and unsuccessful social interactions. *Behavior Research and Therapy, 33*. 497-505.

Alder, J. (1996). *Arching Backward: The Mystical Initiation of a Contemporary Woman*. Inner Traditions / Bear & Co.

Alexander, F. (1930). The Neurotic Character. *The International Journal of Psychoanalysis, 11*. 292-311.

Allen, G. J., Szollo, S. J., & Williams, B. E. (1986). Doctoral students' comparative evaluations of best and worst psychotherapy supervision. *Professional Psychology: Research and Practice, 17*. 91-99.

Allen, J. (1981). Linguistic-based algorithms offer practical text-to-speech systems. *Speech Technology, 1*(1), 12-16.

Allen, J. P., & Litten, R. Z. (1992). Techniques to Enchance Compliance with Disulfiram. *Alcoholism: Clinical and Experimental Research, 16*(6), 1035-1041.

Allen, P. (1992). Artist in residence: An alternative to 'inclinification' for art therapists. *Journal of the American Art Therapy Association, 9*(1), 22-29.

Allen, J. G. (2010). 트라우마의 치유(*Coping With Trauma Hope Through Understanding*). 서울: 학지사. (원저는 2005년에 출판).

Alloy, L. B., Riskind, J. H., & Manos, M. J. (2010). 이상심리학: 현재의 조망(*Abnormal Psychology*). (홍창희, 조진석, 성경순, 이명주, 최성진 역).

서울: 박학사. (원저는 2006년에 출판).

Allport, G. W. (1961). *Pattern and growth in personality*. New York: Holt, Rinehart and Winston.

Alter, R. (1981). *The art of biblical narrative*. USA: Library of Congress Cataloging in Publication Data.

American Counseling Association (2002). *ACA Code of Ethics and Standards of Practice*. ACA.

American Counseling Association (2003a). *ACA governing council meeting minutes*. Alexandria, VA: Author.

American Counseling Association (2003b). *Standards for qualifications of test users*. Alexandria, VA: Author.

American Counseling Association (2003c). *The ASCA National Model: A framework for school counseling programs*. Alexandra, VA.

American Counseling Association (2003d). *The Effectiveness of and Need for Professional Counseling Services*. Alexandria, VA: Author (Office of Public Policy and Legislation).

American Counseling Association (2005a). *American Counseling Association code of ethics*. Alexandria, VA: Author.

American Counseling Association (2005b). *Position on high-stakes testing*. Alexandria, VA: Author.

American Counseling Association (2009). *The ACA Encyclopedia of Counseling*. Alexandria, VA: American Counseling Association.

American Educational Research Association, American Psychological Association, & National Council on Measurement in Education (1999). *Standards for educational and psychological testing* (3rd ed.). Washington, DC: American Psychological Association.

American Psychiatric Association (1994). *Diagnostic and Statistical Manual of Mental Disorders* (4th ed.). Washington, DC: American Psychiatric Association.

American Psychiatric Association (1995). 정신장애의 진담 및 통계편람, 제4판(*Diagnostic and Statistical Manual of Mental Disorders*, 4th ed.). (이근후, 강병조, 곽동일, 민성길, 박민철, 박영숙, 신석철, 우종인, 이길홍, 이무석, 이정호, 정성덕, 정인과, 한오수, 황익근 역). 서울: 하나의학사. (원저는 1994년에 출판).

American Psychiatric Association (2000). *Diagnostic and statistical manual of mental disorders* (4th ed.). Washington, DC: Author. Leong, F. T. L., Tinsley.

American Psychiatric Association (2000). *Diagnostic and statistical manual of mental disorders fourth edition text revision, DSM-IV-TR*. Washington, DC: American Psychiatric Association.

American Psychiatric Association (2009). *DSM-V: The Future Manual*. Arlington: American Psychiatric Association.

American Psychiatric Association (2013). *Diagnostic and Statistical Manual for Mental Diseases* (5th ed.).

American Psychiatric Association. (2008). 간편 정신장애진단 통계편람 DSM-IV-TR(*Diagnostic and Statistical Manual of Mental Disorders, 4th ed.*). (강진령 역). 서울: 학지사. (원저는 2000년에 출판).

American Psychoanalytic Association (2002). 정신분석 용어사전(*Psychoanalytic Terms and Concepts*). (이재훈 외 공역). 서울: 한국심리치료연구소. (원저는 1994년에 출판).

American School Counselor Association (2002). *Position statement: High-stakes testing*. Alexandria, VA: Author.

American School Counselor Association (2003). *The American School Counselor Association national model: A framework for school counseling programs*. Alexandria, VA: Author.

American School Counselor Association (2004). *ASCA national standards for students*. Alexandria, VA: Author.

American Speech-Language-Hearing Association (1988). Utilization and employment of speech-language pathology supportive personnel with underserved populations. *ASHA, 30,* 55-56.

American Speech-Language-Hearing Association (2002). *Answers and Questions about stuttering.* Rockville, MD: Author.

Amundson, N. E., Harris-Bowlsbey, J., & Niles, S. G. (2013). 진로상담과정과 기법(*Essential elements of career counseling: Processes and techniques,* 2nd ed.). (이동혁, 황매향, 임은미 역). 서울: 학지사. (원저는 2009년에 출판).

Anastasi, A., & Urbina, S. (1997). *Psychological testing* (7th ed.). Upper Saddle River, NJ: Prentice Hall.

Anastasi, A., & Urbina, S. (2003). 심리검사(*Psychological testing,* 7th ed.). (김완석, 전진수 역). 서울: 율곡출판사. (원저는 1997년에 출판).

Anderson, C. A., & Bushman, B. J. (2002). Human aggression. *Annual Review of Psychology, 53*(1), 27-51.

Anderson, H. H., & Anderson, G. M. (1951). *An introduction to projective techniques & other devices for understanding the dynamics of human behavior.* NY: Prentice-Hall.

Anderson, J. R. (2001). *Kognitive Psychologie,* 3. Aufl., Heidelberg: Spektrum Akademischer Verlag.

Anderson, J. R. (2012). 인지심리학과 그 응용 (*Cognitive Psychology and its Implication*). (이영애 역). 서울: 이화여자대학교 출판부. (원저는 2009년에 출판).

Anderson, T. (1987). The reflecting team: Dialogue and meta-dialogue in clinical work. *Family Process, 26,* 415-428.

Andersone, D. R. (2001). *Early childhood television viewing and adolescent behavior.* Boston, Massachusetts: Blackwell.

Annis, M., & Davis, C. S. (1989). Relapse Prevention. In R. K. Hester, & W. R. Miller (Eds.), *Handbook of Alcoholism Treatment Approaches.* Elmsford, NY: Peramon Press.

Ansbacher, H. L. (1952). Alfred Adler's concepts of community feel, social interest and the relevance of community feeling for old age, *Individual Psychology, 48*(4), 402-412.

Ansbacher, H. L., & Ansbacher, R. R. (Hg.). (1982). *Alfred Adlers Individualpsychologie.* Reinhardt München/Basel.

Ansbacher, L., & Ansbacher, R. (1956). *The individual psychology of Alfred Adler.* New York: Basic Books.

Appleton, V. (2001). Avenues of hope: art therapy and the resolution of trauma. *Art Therapy, 18,* 6-13.

Ardelt, M. (2004). Wisdom as expert knowledge system: a critical review of a contemporary operationalization of an ancient concept. *Human Development, 47,* 257-285.

Argyle, M. (1983). *The psychology of interpersonal behavior* (4th ed.). Harmondsworth: Penguin Books.

Arieti, S. (1976). *Creativity: the magic synthesis.* New York: Basic Books.

Arlin, P. K. (1975). Cognitive development in adulthood. A fifth stage. *Developmental Psychology, 11,* 602-606.

Arlin, P. K. (1990). Wisdom: the art of problem finding. In R. J. Sternberg (Ed.), *Wisdom: its nature, origins, and development.* Cambridge: Cambridge University Press.

Arlow, J. A. (1989). Psychoanalysis. In R. J. Corsini (Ed.), *Current psychotherapies* (pp. 19-64). Itasca, IL: Peacock.

Armstrong, T. (1994). *Multiple intelligences in the classroom.* Alexandria, Va.: Association for Supervision and Curriculum Development (ASCD).

Arndt, J., Greenberg, J., Schimel, J., Pyszczynski, T., & Solomon, S. (2002). To belong or not to belong: That is the question. *Journal of Personality and Social Psychology, 83,* 26-43.

Arnett, J. (1996). Sensation-seeking, aggressiveness and adolescent reckless behavior. *Personality* and *Individual Differences, 20,* 693−702.

Arnett. (1998). Risk behavior and family role transitions during the twenties. *Journal of Youth and Adolescence, 27,* 301−320.

Arnold, M. B. (1960). *Emotion and personality.* New York: Columbia University Press.

Arnold, M. S. (1997). The connection between multiculturalism and oppression. *Counseling Today, 39,* 42.

Arnone, W. (1982). Preretirement planning: an employee benefit that has come of age. *Personnel Journal, 61,* 760−763.

Aron, E. N., & Coups, E. J. (2006). *Statistics for psychology* (4th ed.). Upper Saddle River, NJ: Pearson Merrill Prentice Hall.

Arthur, G. L., & Gfoerer, K. P. (2002). Training and supervision through the written word: A description and intern feedback. *Family Journal: Counseling and Therapy for Couples and Families, 10,* 213−219.

Arvay, M. J. (2002). Talk as Action: A Narrative Approach to Action Theory. *Canadian Journal of Counselling, 36*(2), 113−120.

Assagioli, R. (1965). *Psychosynthesis: a manual of principles and techniques.* Harmondsworth, Eng.: Penguin Books.

Astramovich, R. L., & Coker, J. K. (2007). Program evaluation: the accountability bridge model for counselors. *Journal of counseling and Development, 85,* 162−172.

Atchley, R. C., & Barusch, A. S. (2004). *Social forces and aging: an introduction to social gerontology*(10th ed.). Belmont, CA: Wadsworth: Thomson Learning.

Atkinson, D. J., & Field, D. H. (Ed.) (1995). *New Dictionary of Christian Ethics and Pastoral Theology.* Illinois: Inter−Varsity Press.

Atkinson, R. L. (1979). *Introduction to psychology.* NY: Harcourt Brace Jovanovich.

Attwodd, & Tony. (2006). (세상과 소통을 꿈꾸는) 아스퍼거 증후군 아이들(*Asperger's syndrome: a guide for parents and professionals*). (이상연, 조장래 역). 서울: 궁리. (원저는 1998년에 출판).

Aubin, G., Hachey, R., & Mercier, C. (1999). Meaning of Daily Activities and Subjective Quality of Life in People with Severe Mental illness. *Journal of Occupational Therapy, 6*(2), 53−62.

Ave−Lallemant, H. G. (1978). Experimental deformation of diopside and websterite. *Tectonophysics, 48,* 1−27.

Axline, V. M. (1947). *Play Therapy: The Inner Dynamics of Childhood.* Boston: Houghton Miffin.

Ayllon, T., & Azrin, N. H. (1968). *The Token Economy: A motivational system for therapy and rehabilitation.* New York: Appleton−Century−Crofts.

Ayto, J. (1990). *Dictionary of World Origins.* New York: Little, Brown, and Company.

Babinski, J. (1896). Sur le réflexe cutané plantaire dans certains affections organiques du systéme nerveux central. *Comptes Rendus de la Société de Biologie, 48,* 207−208.

Bachelard, G. (1969a). *The poetics of reverie.* New York: The Orion Press.

Bachelard, G. (1969b). *The poetics of space.* Boston: Beacon.

Baddeley, A. (2009). 당신의 기억: 기억을 사용하는 교양인의 안내서(*Your Memory: A User's Guide*). (진우기 역). 경기: 예담. (원저는 2004년에 출판).

Baer, R. A. (2003). Mindfulness Training as a Clinical Intervention: A Conceptual and Empirical Review. *Clinical Psychology: Science and Practice, 10*(2), 125−143.

Baer, R. A. (2009). 마음챙김에 근거한 심리치료(*Mindfulness based treatment approaches: clinician's guide to evidence base and applications*). (안희영, 김재성, 박성현, 김영란, 조옥경 역). 서울: 학지사. (원저는 2006년에 출판).

Bagarozi, D. A., & Anderson, S. A. (1989). *Personal marital and family myths: Theoretical for-*

mulations and clinical strategies. New York: Norton.

Baikie, K. A., & Wilhelm, K. (2005). Emotional and physical health benefits of expressive writing. *Advances in Psychiatric Treatment, 11,* 338-346.

Bailey, D. B., & Wolery, M. (1992). *Teaching infants and preschoolers with disabilities.* New York: Macmillan.

Baird, B. N., Bossett, S. B., & Smith, R. J. (1994). A new technique for handling sexually abusive calls to telephone crisis lines. *Community Mental Health Journal, 30,* 55-60.

Baker, E. L. (1985). Psychoanalysis and psychoanalytic psychotherapy. In J. L. Lynn & J. R. Garske (Eds.), *Contemporary psychotherapies* (pp. 19-67). Columbus, OH: Merrill/Prentice Hall.

Baker, E., & Nelson, A. (2001). Orgone therapy, in R. J. Corsini(Ed.), *Handbook of innovative therapy*(462-472). New York: John Wiley & Sons, Inc.

Baker, F. et al. (2011). 신경재활 음악치료(*Music Therapy Methods in Neurorehabilitation: A Clinician's Manual*). (최병철, 정은주, 김지연 역). 서울: 하나의학사. (원저는 2006년에 출판).

Baker, S. B. (2000). *School counseling for the twenty-first century.* New Jersey: Merrill.

Baker, T. B., & Tiffany, S. T. (1985). Morphine tolerance as habituation. *Psychology Review, 92,* 78-108.

Bakhtin, M. M. (1986). *Speech genres and other late essays.* Austin: University of Texas Press.

Ball, J. C., Lange, W. R., Myers, C. P., & Friedman, S. R. (1988). Reducing the Risk of AIDS Through Methadone Maintenance and Social Behavior. *Journal of Health and Social Behavior, 29*(3), 214-226.

Baltaxe, C. A. M., & Simmons, J. Q. (1981). Disorders of language in childhood psychosis, Current concepts and approaches. In J. Darby (Ed.), *Speech evaluation in Psychiatry.* New York: Grune & Stratton.

Baltes, P. B., & Baltes, M. M. (1990). *Successful aging: perspectives from the behavioral sciences.* Cambridge & New York: Cambridge University Press.

Baltes, P. B., & Baltes, M. M. (Eds.) (1990). *Successful aging: Perspectives from the behavioral sciences.* New York: Cambridge University Press.

Baltes, P. B., & Smith, J. (1990). Towards a psychology of wisdom and its ontogenesis. In R. J. Sternberg (Ed.), *Wisdom: its nature, origins, and development.* Cambridge: Cambridge University Press.

Bandler, R., & Grinder, J. (1975). *The Structure of magic: A book about Language and therapy.* Palo Alto, CA: Science and Behavior Books.

Bandler, R., & Grinder, J. (1979). *Frogs into princes: Neuro-linguistic programming.* Moab, UT: Real People Press.

Bandler, R., & Grinder, J. (1982). *Reframing.* Moab: Real People Press.

Bandura, A. (1969). *Principles of behavior modification.* New York: Holt, Rinehart & Winston.

Bandura, A. (1977a). Self-efficacy: toward a unifying theory of behavior change. *Psychological Review, 84,* 191-215.

Bandura, A. (1977b). *Social learning theory.* Englewood Cliffs, NJ: Prentice-Hall.

Bandura, A. (1986). *Social foundations of thought and action: a social cognitive theory.* Englewood Cliffs, JN: Prentice-Hall.

Bandura, A. (2004). (변화하는 사회 속에서의) 자기효능감(*Self efficacy in changing societies*). (윤운성, 정정옥, 기경신 역). 서울: 학지사. (원저는 1997년에 출판).

Bandura, A., Ross, D., & Ross, S. A. (1963). Imitation of film-mediated aggressive models. *Journal of Abnormal and Social Psychology, 66,* 3-11.

Banham-Bridges, K. M. (1931). *Social and emotional development of the pre-school child.*

London: Kegan Paul, Trench Trubner & Co. Ltd.

Banks, J. A., Banks, C. A., & Banks, M. (2011). 다문화교육 현안과 전망(*Multicultural Education: Issues and Perspectives*, 7th ed.). (차윤경, 부향숙, 윤용경 역). 서울: 박학사. (원저는 2006년에 출판).

Banting, L. K., Dimmock, J. A., & Lay, B. S. (2009). The role of implicit and explicit components of exerciser self-schema in the prediction of exercise behaviour. *Psychology of Sport and Exercise, 10*(1), 80-86.

Barbara, H. (1981). *Encounters with the soul: Active imagination as developed by C. G. Jung.* Santa Monica: Sigo.

Barber, V. (2009). 미술치료 작업노트: 나를 찾는 여행 (*Explore yourself through art: A practical guide to using a wide range of art forms for self-expression, personal growth and problem-solving*). (홍은주 역). 서울: 시그마프레스. (원저는 2002년에 출판).

Bardmann, T., Kersting, H. J., Vogel. H. C., & Woltmann, B. (1991). *Irritation als Plan.* Aachen: Kersting Verlag.

Barker, R. G. et al. (1955). *Hemerography of Mary Ennis.* New York: Harper.

Barkley, R. A. (1990). *Attention deficit hyperactivity disorder: A handbook for diagnosis and treatment.* New York: Guilford Press.

Barlow, D. H. (2000). Unraveling the mysteries of anxiety and its disorders from the perspective of emotion theory. *American Psychologist, 55,* 1247-1263.

Baron, M. A., & Boschee, F. B. (1995). *Authentic assessment: The key to unlocking student success.* Pennsylvania: Technomic.

Barrett-Lennard, G. T. (1962). Dimensions of therapist response as causal factors in therapeutic change. Psychological Monographs, No. 562.

Barry, D. (1997). Telling changes: from narrative family therapy to organizational change and development. *Journal of Organizational Change Management, 10*(1), 30-46.

Barsky, A. J., Saintfort, R., Rogers, M. P., & Borus, J. F. (2002). Nonspecific medication side effects and the nocebo phenomenon. *Journal of the American Medical Association, 287,* 622-627.

Bart, P. (1971). Sexism and Social Science. *Journal of Marriage and Family, 33*(4).

Bartenieff, I. (1980). *Body Movement: Copying with the environment.* New York: Gordon & Breach.

Bartl-Storck, C., & Müller, G. (1999). Beeinträchtigung der problemlösefähigkeit bei Broca-Aphasie (Deficits in problem solving in patients with Broca's Aphasia). *Sparache and Kognition, 18*(3-4), 98-112.

Baruch, D. E., Kanter, J. W., Busch, A. M., & Juskiewicz, K. L. (2009). Enhancing the therapy relationship in acceptance and commitment therapy for psychotic symptoms. *Clinical Case Studies, 8*(3), 241-257.

Basseches, M. (1984). *Dialectical thinking and adult development.* Norwood, NJ, U.S.A.: Ablex

Bates, J. E., & Wachs, T. D. (1994). *Temperament: individual differences at the interface of biology and behavior.* Washington, D.C.: American Psychological Association.

Bateson, G. (1982). Geist und Natur. Frankfurt/M.: Suhrkamp.

Bateson, G., Jackson, D., Haley, J., & Weakland, J. H. (1981). Toward A Theory of Schizophrenia. In Robert Jay Green & James L. Framo (Eds.), *Family Therapy: Major Contributions.* Madison and Connecticut: International University Press, Inc.

Battaglia, S. (2008). 살바토레의 아로마테라피 완벽가이드(*The comeplete Guide to Aromatherapy*). (권소영, 김성은, 김은정, 김준홍, 유강목 역). 경기: 현문사. (원저는 2004년에 출판).

Battino, R. (2007). *Guide Imagery: Psychotherapy and Healing Through the Mind-Body Connection.* Wales: Crown House Pub. Ltd.

Bauer, J. (2006). 몸의 기억(*Das Gedähtnis Des Körpers*).

(이승은 역). 서울: 이지북. (원저는 2004년에 출판).

Baumrind, D. (1971). Harmonious parents and their preschool children. *Developmental Psychology, 4,* 275-284.

Baumrind. (1991). The influence of parenting style on adolescent competence and substance. *Journal of Early Adolescence, 11.* 56-95.

Beavers, W. R. (1977). *Psychotherapy and Growth a Family Systems Perspective.* Brunner Mazel: New York.

Beavers, W. R., & Hampson, R. B. (1990). *Successful Families, Assessment and Intervention.* Norton: New York.

Beck, A. T. (1963). Thinking and depression I. *Archives of General Psychiatry, 9,* 324-333.

Beck, A. T. (1964). Thinking and depression II. *Archives of General Psychiatry, 10,* 561-571.

Beck, A. T. (1967). *Depression: Clinical, experimental, and theoretical aspects.* New York: Hoeber.

Beck, A. T., Freeman, A., & Davis, D. D. (2008). 성격장애의 인지치료(*Cognitive therapy of personality disorders,* 2nd ed.). (민병배, 유성진 역). 서울: 학지사. (원저는 2004년에 출판).

Beck, A. T., Rush, A. J., Shaw, B. F., & Emery, G. (1979). *Cognitive Therapy of Depression.* New York: Guilford.

Beck, A. T., Wright, F. D., Newman, C. F., & Liese. B. S. (2003). 약물중독의 인지행동치료(*Cognitive Therapy of Substance abuse*). (이영식, 이재우, 서정석, 남범우 역). 서울: 하나의학사. (원저는 1993년에 출판).

Beck, A., Brain, J. R., Shaw, B. F., & Emery, G. (1997). 우울증의 인지치료(*Cognitive therapy of depression*). (원호택, 박현순, 신경진, 이훈진, 조용래, 신현균, 김은정 역). 서울: 학지사. (원저는 1979년에 출판).

Beck, C. T. (2002). Theoretical perspectives of post-partum depression and their treatment implications. *American Journal of Material & Child Nursing, 27,* 282-287.

Beck, J. S. (1997). 인지치료: 이론과 실제(*Cognitive therapy: basics and beyond*). (최영희 역). 서울: 하나의학사. (원저는 1995년에 출판).

Beckett, S., & Dolman, C. (2010). *Narrative Therapy Intensive Training Workshop note.* Adelaide: Dulwich Centre.

Beels, C. C. (2008). Some historical conditions of narrative work. *Family Process, 48*(3), 363-378.

Behar-Horenstein, L. S., & Ganet-Sigel, J. G. (1999). *The Art and Practice of Dance: Movement Therapy.* Needham Heights, MA: Pearson Publishing Solutions.

Behme, H. (1985). *Miteinander reden lernen, Sprechspiele im Unterricht.* München: Indicium.

Beirne-Smith, M., Itenbach, R. F., & Patton, J. R. (2002). 지적장애(*Mental Retardation, 6th ed.*). (신종호, 김동일, 신현기, 이대식 역). 서울: 시그마프레스. (원저는 2002년에 출판).

Beirne-Smith, M., Patton, J. R., & Kim, S. H. (2008). 지적장애(*Mental Retardation: An Introduction to Intellectual Disabilities,* 7th ed.) (신종호, 김동일, 신현기, 이대식 역). 서울: 시그마프레스. (원저는 2006년에 출판).

Beisser, Arnold. (1970). The paradoxical theory of change. In J. Fagan & I. Sheperd (Eds.), *Gestalt therapy now* (pp. 77-80). Palo Alto: Science and Behavior Books.

Bellah, R. N., Madsen, R., Sullivan, W. M., Swidler, A., & Tipton, S. M. (1985). *Habits of the heart: Individualism and commitment in American Life.* Berkeley, CA: University of California Press.

Bem, S. L. (1993). *The lenses of gender: transforming the debate on sexual inequality.* New Haven: Yale University Press.

Benjamin, L. S. (1994). SASB: A bridge between personality theory and clinical psychology. *Psychological Inquiry, 5,* 273-316.

Benkofske, M., & Heppner, C. C. (1999). Program evaluation. In P. P. Heppner, D. M. Kivlighan,

& B. E. Wampold (Eds.), *Research design in counseling* (pp. 488-513). Belmont, CA: Wadsworth.

Benningfield, A. B. (1994). The impaired therapist. In G. W. Brock (Ed.), *American Association for Marriage and Family therapy ethics casebook.* Washington, DC: American Association for Marrriage and Family therapy.

Ben-Shahar, T. (2010). 하버드대 52주 행복연습(*Even Happier: A Gratitude Journal for Daily Joy and Lasting Fulfillment*). (서윤정 역). 경기: 위즈덤하우스. (원저는 2009년에 출판).

Benson, H. (1975). *The relaxation response.* New York: Morrow.

Benson, H. (1997). The nocebo effect: History and physiology. *Preventive medicine, 26,* 612-615.

Benson, H., & Kipper, M. Z. (2006). 마음으로 몸을 다스려라(*The relaxation response*). (정경호 역). 서울: 동도원. (원저는 2000년에 출판).

Benson, H., & Proctor, W. (2003). 과학 명상법: 조금 더 건강하게 조금 더 행복하게(*Beyond the relaxation response: how to harness the healing power of your personal beliefs*). (장현갑, 장주영, 김대곤 역). 서울: 학지사. (원저는 1985년에 출판).

Bentzen, W. R. (1997). *Seeing young children: A guide to observing and recoding behavior* (3rd ed.). New York: Delmar Publishers.

Berg, I. K., & de Shazer, S. (1993). Making numbers talk: Language in therapy. In S. Friedman (Ed.), *The new language of change.* New York: Guilford Press.

Berg, I. K., & Szabo, P. (2011). 해결중심단기코칭(*Brief Coaching for Lasting Solutions*). (김윤주, 노혜련, 최인숙 역). 서울: 시그마프레스. (원저는 2005년에 출판).

Berg, I., & Miller, S. (1992). *Working with the problem drinker.* New York: Norton.

Berge, A. (1997). *Narratives in Popular Culture, Media, and Everyday Life.* Thousand Oaks, CA. Sage.

Berger, D. S. (2012). 자폐아동을 위한 음악치료와 감각통합(*Music Therapy, Sensory Integration and the Autistic Child*). (이경숙 역). 서울: 시그마프레스. (원저는 2002년에 출판).

Berkow, R. (1987). *The Merck manual of diagnosis and therapy* (15th ed.). Rahway, NJ: Merck, Sharp, & Dohme Research Laboratories.

Bernard, J. (1971). Sexism and Discrimination. *The American Sociologist, 6*(4).

Bernard, J. M. (1979). Supervisor training: A discrimination model. *Counselor Education and Supervision, 19,* 60-68.

Bernard, J. M. (1981). Inservice Training for clinical supervisors. *Professional Psychology, 12,* 740-748.

Bernard, J. M. (1997). The discrimination model. In C. E. Watkins, *Handbook of psychotherapy supervision.* New York: Wiley.

Bernard, J. M., & Goodyear, R. K. (1998). *Fundamentals of Clinical Supervision* (2nd ed.). Needham Heights, MA: Allyn & Bacon.

Bernard, J. M., & Goodyear, R. K. (2008). 상담 수퍼비전의 기초(*Fundamentals of Clinical Supervision, 3rd ed.*). (유영권, 방기연 역). 서울: 시그마 프레스. (원저는 2004년에 출판).

Berne, E. (1961). *Transactional analysis in psychotherapy.* New York: Grove Press.

Berne, E. (1964a). *Games People Play.* New York: Grove Press.

Berne, E. (1964b). Trading Stamps. *Transactional Analysis Bulletin, 3*(10), 127.

Berne, E. (1966). *Principles of group treatment.* New York: Oxford University Press.

Berne, E. (1972). *What do you say after you say hello?.* New York: Grove Press.

Bernstein, P. L. (1979). The use of symbolism with in a gestalt movement therapy. In P. L. Bernstein (Ed.), *Eight theorectical approaches in dance movement therapy* (111-130). Dubuque, Iowa: Kendal/Hunt Publishing co.

Bess, T. L., Harvey, R. J., & Swartz, D. (2003). *Hierarchical confirmatory factor analysis of the Myers-Briggs Type Indicator.* Paper presented at the Annual Conference of the Society for Industrial and Organizational Psychology. Orlando.

Best, J. A., Flay, B. R., Towson, S. M. J., Ryan, K. B., Perry, C. L., Brown, K. S., Kersell, M. W., & d'Avernas, J. R. (1984). Smoking prevention and the concept of risk. *Journal of Applied Social Psychology, 14,* 257-273.

Betts, D. J. (2003). Developing a projective drawing test: experiences with the face stimulus assessment. *Art Therapy, 20,* 77-82.

Betz, N. E., & Hackett, G. (1981). The relationship of career-related self-efficacy expectations to perceived career options in college women and men. *Journal of Counseling Psychology, 28,* 399-410.

Bienefeld, D. (2009). 정신역동이론(*Psychodynamic theory for clinicians*). (유성경, 이은진, 서은경 역). 서울: 학지사. (원저는 2006년에 출판).

Bienenfeld, D. (2009). 상담 및 임상 실무자를 위한 정신역동이론(*Psychodynamic theory for clinician*). (유성경, 이은진, 서은경 역). 서울: 학지사. (원저는 2006년에 출판).

Bingham, R. P., & Ward, C. M. (1996). Practical applications of career counseling with ethnic minority women. In M. L. Savickas & W. B. Walsh (Eds.), *Handbook of career counseling theory and practice* (pp. 291-314). Palo Alto, CA: Davies-Black.

Binswanger, L. (1975). *Being-in-the-world: Selected papers of Ludwig Binswanger.* London: Souvenir Press.

Bion, W. R. (1962). *Learning from experience.* London: Heinemann.

Birchler, G. R., & Fals-Stewart, W. (1994). Marital dysfunction. In V. S. Ramachandran (Ed.), *Encyclopedia of human behavior, 3,* 103-113. Orlando. FL: Academic.

Birchler, G. R., & Schwartz, L. (1994). Marital dyads. In M. Hersen & S. M. Turner (Eds.), *Diagnostic interviewing.* New York: Plenum.

Birmaher, B. (2008). 소아 청소년기의 양극성장애(조울증): 양극성장애 아동과 청소년을 위한 새 희망(*New Hope for Children and Teens with Bipolar Disorder: Your Friendly, Authoritative Guide to the Latest in Traditional and Complementary Solutions*). (육기환 역). 서울: 하나의학사. (원저는 2004년에 출판).

Blake, R. R., & Mouton, J. S. (1964). *The managerial grid.* Houston: Gulf.

Blake, R. R., & Mouton, J. S. (1985). *The managerial grid III: a new look at the classic that has boosted productivity and profits for thousands of corporations worldwide.* Houston: Gulf Pub. co.

Blatner, A. (2005). 사이코드라마 기법(*Acting-In: Practical Applications of Psychodramatic Methods, 2rd ed.*). (최윤미 역). 서울: 시그마프레스. (원저는 1996년에 출판).

Blatner, A. (2007). 심리극으로의 초대(*Foundations of Psychodrama: history, theory, and practice*). (박희석, 김광운, 이정희 역). 서울: 시그마프레스. (원저는 2000년에 출판).

Blau, P. M. (1956). Social mobility and interpersonal relations. *American Sociological Review, 21,* 290-295.

Bleuler, E. (1950). *Dementia Praecox or the Group of Schizophrenias.* New York, NY: International University Press.

Bleuler, E., & Zinkin, J. (1950). *Dementia praecox or the group of schizophrenias.* New York: International Universities Press.

Bloch, S., Reibstein, J., Crouch, E., Holroyd, & Themen, J. (1979). A method for the study of therapeutic factors in group psychotherapy. *British Journal of Psychiatry, 134,* 257-263.

Blocher, D. H. (1996). *Developmental counseling.* New York: Ronald Press.

Bloomfield, H. (1980). 이것이 TM이다: 초월적 명상술

(*TM*). (성한표, 최병선 역). 서울: 태종출판사. (원저는 1975년에 출판).

Blos, P. (1967). The Second Individuation Process of Adolescence. *Psychoanalytic Study of the Child, 22,* 162-186.

Blos, P. (1979). *Developmental issues.* New York: International Universities Press.

Blum, T. (Ed.) (1993). *Prenatal Perception, Learning and Bonding.* Berlin: Leonardo Publishers.

Bob, A. (2005). 팀장 리더십(*The Everything Leadership Book*). (임태조 역). 경기: 위즈덤하우스. (원저는 2001년에 출판).

Bok, S. (1979). *Lying: Moral choice in public and private life.* New York: Vintage

Boles, S. A. (1999). A model of parental representations second individuation and psychological adjustment in late adolescence. *Journal of Clinical Psychology, 55*(4), 497-512.

Bolton, G. (1999). *The Therapeutic Potential of Creative Writing: Writing Myself.* London and Philadelphia: Jessica Kingsley Publishers.

Bolton, G. Wright, J. K., Howlett, S., Lago, L., & McMillan, I. (Eds.) (2004). *Writing Cures: An Introductory Handbook of Writing in Counseling and Therapy.* UK: Brunner-Routledge.

Bolton, G. Field, V., Thompson, K., & Morrison, B. (Eds.) (2006). *Writing Works.* London: Jessica Kingsley Publishers.

Bonanno, G. A. (2004). Loss, Trauma, and Human Resilience-Have we underestimated the human capacity to thrive after extremely aversive events?. *American Psychologist, 59*(1), 20-28.

Boone, D. R. (1987). *Human communication and its disorders.* Englewood Cliffs: Prentice Hall.

Booth, M. (2004). 아편 그 황홀한 죽음의 기록(*OPIUM: A History*). (오희섭 역). 서울: 수막사. (원저는 1996년에 출판).

Borchert, D. M. (2006). *Encyclopedia of Philosophy.* Detroit, New York: Thomson Gale.

Borders, L. D., & Leddick, G. R. (1987). *Handbook of Counseling Supervision Alexandria.* VA: Association for Counselor Education an Supervision.

Bordin, E. S. (1968). *Psychological counseling* (2nd ed.). New York: Appleton-century-Crofts.

Bordin, E. S. (1979). The geralizability of the psychoanalytic concept of the working alliance. *Psychotherapy: theory, research and practice, 16,* 252-260.

Bordin, E. S. (1990). Psychodynamic model of career choice and satisfaction. In Browun, D., & Brooks, L. (Eds.), *Career choice and development.* San francisco: Jossey-Bass Pu.

Bordin, E. S., & Kopplin, D. A. (1973). Motivational conflict and vocational development. *Journal of Counseling Psychology, 20,* 154-161.

Bordin, E. S., Nachmann, B., & Segal, S. J. (1963). An articulated framework for vocational development. *Journal of Counseling Psychology, 10,* 107-116.

Borgatta, E. F. (1964). The structure of personality characteristics. *Behavioral Science, 12,* 8-17.

Boss, M. (1963). *Psychoanalysis and daseinanalysis.* New York: Basic Books.

Boszormenyi-Nagy, I., & Krasner, Barbara R. (1986). *Between Give and Take: A Clinical Guide to Contextual Therapy.* New York: Brunner/Mazel Publishers.

Boszormenyi-Nagy, I., & Ulrich, D. N. (1981). Contextual family therapy. In A. S. Gurman & D. P. Kniskern (Eds.), *Handbook of Family Therapy.* New York: Brunner/Mazel Publishers.

Boszormenyi-Nagy, I., Grunebaum, J., & Ulrich, D. (1991). *Contextual Therapy in Handbook of Family Therapy*: Vol. II ed. by A. S. Gurman & D. P. Kniskern. New York: Brunner/Mazel, Publishers.

Botvrin, G. J., & Tortu, S. (1988). Preventing adolescent substance abuse through life skill training. In R. M. Price, E. L. Cowen, R. P. Lorion, & J. RamosMcKay (Eds.), *Fourteen ounces of prevention: A casebook for practitioners* (pp. 98-

110). Washington DC: American Psychological Association.

Bourne, E. J. (2010). 불안, 공황장애와 공포증 상담 워크북(*The Anxiety & Phobia Workbook*). (김동일 역). 서울: 학지사. (원저는 2005년에 출판).

Bowe, F. G. (2000). *Universal Design in Education: Teaching Nontraditional Students*. Praeger Publishers.

Bowen, M. (1960). *Family concept of schizophrenia*. In D. jackson (Ed.), *Etiology of schizophrenia*. New York: Basic Books.

Bowen, M. (1980). *Key to the genogram*. Washington, DC: Georgetown university Hospital.

Bowker, J. (2000). *The concise Oxford dictionary of world religions*. Oxford: Oxford University Press.

Bowlby, J. (1951). *Maternal care and mental health: a report prepared on behalf of the World Health Organization as a contribution to the United Nations programme for the welfare of homeless children*. Geneva: World Health Organization.

Bowlby, J. (1969). *Attachment and loss: Attachment* (Vol. 1). London: Hogarth Press.

Bowlby, J. (1985). The role of childhood experience. In M. J. Mahoney & A. Freeman (Eds.), *Cognition and psychotherapy* (pp. 181-200). New York: Plenum.

Boyd, J. (1978). *Counselor supervision: Approaches, preparation, practices*. Muncie, IN: Accelerated Development.

Boylin, W. M. Anderson, S. A., & Bartle, S. E. (1993). Symbolic-Experiential Supervision: A Model for Learning or a Frame of Mind?. *Journal of Family Psychotherapy, 3, Issue 4*, 43-59.

Bozarth, J. D., & Fisher, R. (1990). Person-centered career counseling. In Walsh, W. B., & Osipow, S. H. *Career coounseling: contemporary topics in vocational psychology*. New Jersey: Lawrence Erilbaum Associates.

Bradford, W. S., Charles, R. H., & Gloria, A. H. (1998). 사회복지실천 기법과 지침(*Techniques and Guidelines for Social Work Practice*). (김혜란 감수, 서울대 사회복지실천연구회 역). 경기: 나남출판사. (원저는 1997년에 출판).

Bradshaw, J. (2002). 수치심의 치유(*Healing the Shame That Binds You*). (김홍찬, 고영주 역.) 서울: 사단법인 한국기독교상담연구원. (원저는 1988년에 출판).

Brammer, L. M. (1978). 상담관계의 이론과 진행(*The helping relationship: process and skills*). (이춘실 역). 서울: 목양사. (원저는 1973년에 출판).

Brammer, L. M. (1985). *The helping relationship: process and skills*. Englewood Cliffs: Prentice-Hall

Brandell, J. R. (1992). Focal conflict analysis: A method of supervision in psychoanalytic psychotherapy. *Clinical Supervisor, 10*(1), 51-69.

Brandon, F. G., & Stella, K. (1998). How good does a parent have to be?. Issues and examples associated with empirical assessments of parenting adequacy in cases of child abuse and neglect. In J. R. Lutzker (Ed.), *Handbook of Child Abuse Research and Treatment* (pp. 53-72). New York: Plenum Press.

Bray, J. H., & Jouriles, E. N. (1995). Treatment of marital conflict and prevention of divorce. *Journal of Marital and Family Therapy, 21,* 451-473.

Brayfield, A. H. (1950). *Readings in modern methods of counseling*. Appleton Century Crofts.

Brazelton, T. B. (1973). *Neonatal Behavioral Assessment Scale. Clinics in Developmental Medicine, 50*. London: Spastics International Medical Publications.

Brazelton, T. B. (1978). The Brazelton Neonatal Behavioral Assessment Scale: introduction. *Monographs of the Society for Research in Child Development, 43,* 1-13.

Breakwell, G. M., Hammond, S., Fife-Schaw, C., &

Smith, J. A. (2006). *Research methods in psychology* (3rd ed.). London: Sage.

Brecht, B. (1949). *Kleines Organon für das Theater.* Frankfurt: Suhrkamp.

Brecht, B. (2000). *Schriften zum Theater.* Frankfurk: Suhrkamp Verlag.

Breckenridge, M. E., & Vincent, E. C. (1966). *Child development: physical and psychological growth through the school years* (4th ed.). Philadelphia: Saunders.

Brems, C. (2005). 심리상담과 치료의 기본 기술(*Basic Skills in Psychotherapy and Counseling*). (조현춘, 이근배 역). 경기: 아카데미프레스. (원저는 2001년에 출판)

Brenner, C. (2002). Conflict, compromise formation and the structural theory. *Psychoanalysis Quarterly, 71,* 397–418.

Brew, L., & Ahekruse, M. K. (2008). (효과적인) 상담관계의 비결(*Building the relationship: common errors in helping*). (이은경, 이지연 역). 서울: 시그마프레스. (원저는 2006년에 출판).

Briggs, S. R. (1989). The optimal level of measurement for personality constructs. In D. M. Buss & N. Cantor (Eds.), *Personality psychology: Recent trends and emerging directions* (pp. 246–260). New York: Springer–Verlag.

Broadbent, D. E. (1958). *Perception and communication.* New York: Oxford University Press.

Broca, P. (1865). Sur le siège de la faculté du language articulé. *Bulletins et Memoires de la Société d'Anthropologie, 6,* 337–393.

Brod, C. (1984). *Technostress: The human cost of the computer revolution.* Reading, Mass: Addition Wesley.

Brodsky, S. L. (1973). *Psychologists in the Criminal Justice System.* Urbana, IL: University of Illinois Press.

Bronaugh, Whit. (1995). *Forest therapy. American Forests Autumn.*

Bronfenbrenner, U. (1977). Toward an experimental psychology of human development. *American Psychologist, 32,* 513–532.

Bronfenbrenner, U. (1979). *The Ecology of Human Development: Experiments by Nature and Design.* Cambridge, MA: Harvard University Press.

Brown, D. (1996). Brown's values–based, holistic model. In D. Brown & L. Brooks et al. (Eds.), *Career choice and development* (3rd ed.). (pp. 337–372). San Francisco, CA: Jossey–Bass Publishers.

Brown, D., & Brooks, L. (2003). 진로상담의 기술(*Career counseling techniques*). (김충기, 김희수 역). 서울: 시그마프레스. (원저는 1991년에 출판).

Brown, J. F., & Voth, A. C. (1937). The path of seen movement as a function of the vector field. *American Journal of Psychology, 49,* 543–563.

Brown, J. H., & Brown, C. S. (2005). 부부치료-효과적 임상을 위한 개념과 기술(*Marital Therapy: Concepts and Skills for Effective Practice*). (김영희, 최규련, 홍숙자 역). 서울: 박학사. (원저는 2002년에 출판).

Brown, J., & Mowbray, R. (1994). Primal integration. In D. Jones (Ed.), *Innovative Therapy: A Handbook.* Buckingham: Open University Press.

Brown, J., Brown, C., & Portes, P. (1991). *The families in transition program.* Louisville, KY: University of Louisville.

Brown, M. Y. (2004). *The practice of psychosynthesis-unfolding self.* Los Angeles: Psychosynthesis Press.

Brown, R. (2009). 이마고 부부관계치료-이론과 실제(*Imago Relationship Therapy: An Introduction to Therapy and Practice*). (오제은 역). 서울: 학지사. (원저는 1999년에 출판).

Brown, R. W. (1976). Reference. *Cognition 4,* 125–153.

Brown, S. A., Goldman, M. S., & Christiansen, B. A. (1985). Do Alcohol Expectancies Mediate Drinking Patterns of Adult?. *Journal of Consulting and Clinical Psychology, 53*(4), 512–519.

Browning, D. S. (1987). *Religious Thought and the Modern Psychologies: A Critical Conversation in the Theology of Culture*. Philadelphia: Fortress.

Browning, D. S. (1996). *A Fundamental Practical Theology: Descriptive and Strategic Proposals*. Minneapolis, MN: Augsburg Fortress.

Bruch, & Hilde. (1994). 황금새장 속에 갇힌 그녀: 신경성 식욕부진증이란 무엇인가?(*Golden cage: the enigma of anorexia nervosa*). (이은희, 기회란 역). 서울: 하나의학사. (원저는 1978년에 출판).

Bruess, C. E., & Greenberg, J. S. (2011). 성교육의 이론과 실제(*Sexuality education: Theory and practice*, 5th ed.). (조아미, 박선영, 유우경, 이정민, 진영선, 박은혁, 정재민, 선필호, 김소희 역). 서울: 학지사. (원저는 2009년에 출판).

Bruner, J. (1986). *Actual minds, possible worlds*. Cambridge: Harvard University Press.

Bruner, J. (1990). *Acts of meaning*. Cambridge, MA: Harvard University Press.

Bruner, J. (1993). *The Culture of Education*. US: Harvard University Press.

Bruns, G. W. (2011). 이야기로 치유하기-치유적 은유활용 사례집-(*Healing with Stories: your casebook collection for using therapeutic metaphors*). (김춘경, 배선윤 역). 서울: 학지사. (원저는 2004년에 출판).

Bruscia, K. E. (1987). *Improvisational Models of Music Therapy*. Springfield, IL: Charles C. Thomas Pub.

Bruscia, K. E. (1998). *Defining Music Therapy*. Gilsum, NH: Barcelona Pub.

Brwon, M. Y. (2007). 정신통합의 실제-펼쳐지는 자기-(*Unfolding Self: The Practice of Psychosynthesis*). (임용자, 김옥경 역). 서울: 하나의학사. (원저는 2004년에 출판).

Buber, M. (1970). *I and thou* (W. Kaufman, Trans). New York: Charles Scribner's Sons. (Original work published 1946).

Buber, M. (1984). *I am Thou*. Edinburgh: T. Clark.

Buchman, D., & Funk, J. B. (1996). Video and computer games in the '90s: Children report time commitment and game preference. *Children Today, 31*, 12-15

Buck, J. N. (1948). The H-T-P technique: A qualitative and quantitative scoring manual. *Journal of Clinical Psychology, 4*, 317-396.

Buck, J. N. (1948). The H-T-P technique: A qualitative and quantitative scoring manual. *Journal of Clinical Psychology, 5*, 3-90.

Buck, R. (1984). *The communication of emotion*. New York: Guilford Press.

Buckley, P. (1995). Ego defenses: A psychoanalytic perspective. In H. R. Conte & R. Plutchik (Eds.), *The Einstein series: Vol. 10. Ego defenses: Theory and measurement* (pp. 38-52). New York: Wiley.

Bühler, C. (1933). *Der Menschliche Lebenslauf Als Psychologisches Problem* (*The Course of Human Life as a Psychological Problem*). Leipzig: S. Hirzel. (2nd ed., Göttingoen: Hogrefe, 1959).

Bundschuh, K. (2004). 특수교육심리학(*Konrad Bundschuh: Heilpadagoische Psychologie*). (김성애, 홍은숙 역). 경기: 양서원. (원저는 2003년에 출판).

Burger, J. M. (2004). *Personality* (6th ed.). Belmont, CA: Thomson/Wadsworth.

Burgess, A. W., & Baldwin, B. A. (1981). *Crisis intervention theory and practice: clinical handbook*. Englewood Cliffs, NJ: Prentice-Hall.

Burks, H. (1984). *Burks'Behavior Rating Scales*. Los Angeles: Western Psychological Services.

Burley, T., & Bloom, D. (2010). Phenomenological Method. In P. Brownell (Ed.), *Handbook for Theory, Research, and Practice in Gestalt Therapy* (pp. 151-183). Newcastle, UK: Cambridge Scholars Publishing.

Burnell, G. M., & Motelet, K. P. (1973). Correspondence Therapy. *Arch Gen Psychiatry, 28*(5), 728-731.

Burns, G. W. (2009). 어린이와 청소년을 위한 마음을 치유하는 101가지 이야기(*101 Healing Stories For*

Kids And Teens: Using Metaphors In Therapy). (김춘경 역). 서울: 학지사. (원저는 2004년에 출판).

Burns, G. W. (2010). 마음에게 들려주는 101가지 이야기 (*101 Healing Stories: Using Metaphors in Therapy*). (김춘경, 배선윤 역). 서울: 학지사. (원저는 2001년에 출판).

Burns, R. C. (1990). *Guide to family-centered circle drawings(F-C-C-D) with symbol probes and visual free association-*. London: Routledge.

Burns, R. C. (2001). 동적 집-나무-사람 그림검사(*Kinetic-House-Tree-Person Drawing(K-H-T-P): an interpretative manual*). (김상식 역). 서울: 하나의학사. (원저는 1987년에 출판).

Burns, R., & Kaufman, S. (1972). *Actions, styles and symbols in Kinetic Family Drawings (K-F-D): An interpretive manual*. New York: Brunner/Mazel.

Bush, J. (1997). *The handbook of school art therapy: introducing art therapy in to a school system*. Springfield, Illinois: Charles Thomas Publisher.

Buss, A., & Plomin, R. (1984). *Temperament: Early developing personality traits*. Hillsdale, NJ: Erlbaum

Calasanti, T. (2009). Theorizing feminist gerontology and sexuality: An intersectional approach. In V. L. Bengtson, M. Silverstein, N. M. Putney, & D. Gans (Eds.). *Handbook of Theories of Aging, 471-486*. NY: Springer.

Campbell, A. (1981). *Rediscovering Pastoral Care*. Philadelphia: Westminster.

Campbell, A. (1999). Staying alive: Evolution, culture, and women's Intrasexual aggression. *Behavioral and Brain Sciences, 22,* 203-214.

Campbell, D., & Stanley, J. (1963). *Experimental and quasi-experimental designs for research*. Boston: Houghton Mifflin.

Campbell, J. M. (2000). *Becoming an effective supervisor: A workbook for counselors and psychotherapists*. Philadelphia, PA: Accelerated Development.

Cane, F. (1951). *The artist in each of us*. New York: Pantheon Books.

Capacchione, L. (2008). 어린이를 위한 크리에이티브 저널(*Creative Journal for Children: A Guide for Parents, Teachers and Counselors*). (이봉희 역). 서울: 시그마프레스. (원저는 1989년에 출판).

Caplan, G. (1964). *Principles of preventive psychiatry*. New York: Basic Books.

Capuzzi, D., & Gross, D. R. (2002). *Counseling and psychotherapy: Theories and interventions*. Merrill/ Prentice Hall.

Carducci, B. J. (2009). *The psychology of personality: Viewpoints, research, and applications* (2nd ed.). Belmont, CA: Brooks/Cole Publishing Company.

Carey, M., & Russell, S. (2003). Outsider-witness practices: some answers to commonly asked questions. *International Journal of Narrative Therapy and Community Work, 1,* 3-16.

Carey, M., & Russell, S. (2003). Re-authoring: Some answers to commonly asked questions. *International Journal of Narrative Therapy and Community Work, 3,* 60-71.

Carey, M., Walther, S., & Russell, S. (2009). The Absent but Implicit: A Map to Support Therapeutic Enquiry. *Family Process, 48*(3).

Carkhuff, R. R. (1969). *Helping and human relations: a primer for lay and professional helpers*. New York: Holt, Rinehart & Winston.

Carlson, J., & Slavik, S. (1997). *Techniques In Adlerian Psychology*. Washington: Taylor & Francis.

Carlson, R. A. (1997). *Experienced Cognition*. Mahwah, NJ: Erlbaum.

Carr, A. (1998). Michael White's Narrative Therapy. *Contemporary Family Therapy, 20*(4), December.

Carrington, P. (1977). *Freedom in meditation*. Garden City, NY: Doubleday.

Carroll, M. (1996). *Counseling supervision: Theory, Skills, and Practice*. London: Cassell.

Carter, J. D., & Narramore, B. (1979). *The in-*

tegration of psychology and theology: An introduction. Grand Rapids: Academie Books, Zondervan Publishing House.

Carter-Harr, B. (1975). Identity and personal freedom. *Synthesis 2*, 56-91.

Cartwright, N. (1999). *The dappled world. A study of the boundaries of science.* Cambridge: Cambridge University Press.

Carver, C. S., & Scheier, M. F. (2005). 성격심리학(성격에 대한 관점들)(*Perspectives on personality*). (김교헌, 심미영, 원두리 역). 서울: 학지사. (원저는 2004년에 출판).

Carver, C. S., & Scheier, M. F. (2007). *Perspectives on personality* (6th ed.). Boston, MA: Allyn & Bacon.

Carver, C. S., & Scheier, M. F. (2013). 성격심리학 (*Perspectives on personality,* 7th ed.). (김교헌 역). 서울: 학지사. (원저는 2012년에 출판).

Case, W. F. (1996). Can the "Halfway House" stand?-Semidemocracy and Elite Theory in Three Southeast Asian Countries. *Comparative Politics, 28*(4), 437-464.

Casey, B. M., McIntire, D. D., & Leveno, K. J. (2001). The continuing value of the Apgar score for the assessment of newborn infants. *New England Journal of Medicine, 344,* 467-471.

Cashdan, S. (2005). 대상관계치료(*Object relations therapy*). (이영희, 고향자, 김해란, 김수형 역). 서울: 학지사. (원저는 1988년에 출판).

Cater, B., & McGoldrick, M. (1980). *The Family Life Cycle: A Framework for Family Therapy.* NY: Gardener Press.

Cater, B., & McGoldrick, M. (2005). *The Expanded Family Life Cycle: Individual, Family and Social Perspectives* (3rd ed.). Boston: Allyn & Bacon.

Cattell, R. B., & Child, D. (1975). *Motivation and dynamic structure.* New York: Wiley.

Catts, H. W., Kamhi, A. G. et al. (2008). 언어와 읽기 장애(*Language and reading disabilities,* 2nd ed.). (김정미, 윤혜련, 이윤경 역). 서울: 시그마프레스. (원저는 2004년에 출판).

Celani, D. (2001). Working with Fairbairn's ego structures. *Contemporary Psychoanalysis, 37,* 391-416.

Center for Substance Abuse Treatment. (1998). *Naltrexone and Alcoholism Treatment: Treatment Improvement Protocol (TIP) (Seriese 28.).* Rockville, MD: US Department of Health and Human Services.

Chaiklin, S., & Schmais, C. (1979). The chace approach to dance therapy. In P. L. Berstein (Ed.), *Eight theorectical approaches in dance movement therapy* (pp. 15-30). Dubuque, Iowa: Kendal/ Hunt Publishing Co.

Chamberlain, D. (1998). *The Mind of Your Newborn Baby.* Berkeley: North Atlantic Books.

Chance, P. (2004). 학습과 행동 (*Learning and behavior,* 5th ed.). (김문수, 박소현 역). 서울: 시그마프레스. (원저는 2002년에 출판).

Charland, H., & Cote, G. (1998). The Children of Alcoholics Screening Test(CAST): test-retest reliability and Concordance Validity. *Journal of Clinical Psychology, 54*(7), 995-1003.

Charles, Z., Karen, K., & Kirst-Ashman. (2002). 인간 행동과 사회환경(*Understanding Human Behavior & The Social Environment,* 5th ed.). (김규수, 김인숙, 박미은, 박정위, 설진화, 우국희, 홍선미 역). 서울: 나눔의 집. (원저는 2001년에 출판).

Chen, I. J. (2007). Using the theory of planned behavior to understand in-service kindergarten teachers' behavior to enroll in a graduate level academic program. *Journal of College Teaching & Learning, 4*(11), 13-18.

Chodoff, O. (1974). The diagnosis of hysteria: An overview. *American Journal of Psychiatry, 131,* 1073-1078.

Chodorow, J. (1984). To move and to be moved. In A. Green, A. Woodman, & J. Chodorow, *Body and psyche, Quadrant, 17*(2).

Chodorow, J. (1991). *Dance therapy & depth psy-*

chology: the moving imagination. London & New York: Routledge.

Chodorow, J. (1997). *Encountering Jung on active imagination*. New Jersey: Routledge.

Chodorow, J. (2003). 춤동작 치료와 심층심리학(*Dance therapy and depth psychology: the moving imagination*). (임용자, 나해숙 역).서울: 물병자리. (원저는 1991년에 출판).

Chodorow, N. J. (1999). *The Power of Feelings: Personal Meaning in Psychoanalysis, Gender, and Culture*. Yale University Press

Chou, K. L., & Chi, I. (2002). Successful aging among the young-old, old-old, and oldest-old Chinese. *International Journal of Aging and Human Development, 54,* 1-14.

Christensen, D. N. (1998). *Solution focused based casework*. Class handout, University of Louisville, Louisville, KY.

Ciarrochi, J., Forgas, J. P., & Mayer, J. D. (2005). 정서지능(*Emotional Intelligence in Everyday Life*). (박재현, 장승민, 권성우 역). 서울: 시그마프레스. (원저는 2001년에 출판).

Cisler, R., Holder, H. D., Longabaugh, R., Stout, R., & Zweben, A. (1998). Actual and estimated replication costs for alcohol treatment modalities: Case study from Project MATCH. *Journal of Studies on Alcohol, 59,* 503-512.

Clair, M. (2009). 대상관계이론과 자기심리학(*Object relations and self psychology*). (안석모 역). 서울: 시그마프레스. (원저는 2004년에 출판).

Claire, M. (1996). *Object Relations and Self Psychology: An Introduction* (2nd ed.). Pacific Grove, CA: Brooks/Cole.

Clark, L. P. (1925). The phantasy method of analyzing narcissistic neuroses. *The Psychoanalytic Review, 11*(1), 225-232.

Clarke, K. M., & Greenberg, L. S. (1986). Differential effects of the Gestalt two-chair intervention and problem solving in resolving decisional conflict. *Journal of Counseling Psychology, 33,* 11-15.

Clarkson, P. (1992). *Transactional analysis psychotherapy: an integrated approach*. London: Tavistoky/Routledge.

Clarkson, P. (1995). *The Therapeutic Relationship*. London: Whurr.

Clarkson, P. (2010). 게슈탈트 상담의 이론과 실제(*Gestalt Counselling in Action*). (김정규, 강차연, 김한규, 이상희 역). 서울: 학지사. (원저는 1999년에 출판).

Clarkson, P., & Mackewn, J. (1993). *Fritz Perls*. London: Sage.

Clarrochi, J., Forgas, J. P., & Mayer, J. D. (2005). 정서지능(*Emotional Intelligence in everyday life: a scientific inquiry*). (박재현, 장승민, 권성우 역). 서울: 시그마프레스. (원저는 2001년에 출판).

Clayton, R. R., Cattarello, A. M., & Johnstone, B. M. (1996). The effectiveness of Drug Abuse Resistance Education (Project DARE): 5-year follow-up results. *Preventive Medicine, 25,* 307-318.

Clements, S. D. (1966). *Minimal brain dysfunction in children*. Washington: US Goverment Printing Office.

Clifton, D., Doan, R., & Mitchell, D. (1990). The re-authoring of therapist's stories: Taking doses of our own medicine. *Journal of Strategic and Systemic Therapies, 9*(4), 61-66.

Clinbell, H. (1962). *Basic Types of Pastoral Care and Counseling: Resourses for the Ministry of Healing & Growth*. New York: Abingdon Press.

Clinebell, H. (1984). *Basic Types of Pastoral Care and Counseling*, rev. ed. Nashville, TN: Abingdon Press.

Clinebell, H. J. (1998). 생태요법(*Ecotherapy-Healing Ourselves, Healing the Earth*). (오성춘, 김의식 역). 서울: 한국장로교출판사. (원저는 1996년에 출판).

Clore, G. L., & Byrne, D. (1974). The reinforcement affect model of attraction. In T. L. Huston (Ed.), *Foundations of interpersonal attraction* (pp. 143-170). New York: Academic Press.

Cloud, D. (2009). *Hildegard of Bingen.* Wayoflife.org

Cohen, B. H. (2001). *Explaining psychological statistics* (2nd ed.). New York: Wiley.

Cohen, J. (1988). *Statistical power analysis for the behavioral sciences* (2nd ed.). Hillsdale, NJ: Lawrence Erlbaum.

Cohen, J. (1992). A power primer. *Psychological Bulletin, 112,* 155-159.

Cohen, S. (1985). *Visions of Social Control: Crime, Punishment and Classification,* Polity Press

Colemdan, M. C. (2005). 정서 및 행동장애-이론과 실제(*Emotional and Behavioral Disorders*). (방명애, 이효신 역). 서울: 시그마프레스. (원저는 1996년에 출판).

Collins, G. R. (1977). *The Rebuilding of Psychology.* Wheaton: Tyndale.

Collins, G. R. (1980). Integrating psychology and theology: Some reflections on the state of the art. *Journal of Psychology and Theology, 8*(1), 72-79.

Collins, G. R. (1981). *Psychology & theology: Prospects for integration.* Nashville: Abingdon.

Collins, G. R. (1988). *Christian counseling: a comprehensive guide.* Nashville, TN: Thomas Nelson Publishers.

Comer, R. J. (2014). 이상심리학(*Fundamentals of abnormal psychology*, 7th ed.). (오경자, 정경미, 송현주, 양윤란, 송원영, 김현수 역). 서울: 시그마프레스. (원저는 2014년에 출판).

Comier, L. S., & Comier, W. H. (1997). *Interviewing strategies for helpers: Fundamental skills and cognitive behavioral interventions.* New York: Brooks/Cole.

Conners, C. K. (1969). A teacher rating scale for use in drug studies with children. *American Journal of Psychiatry, 126,* 884-888.

Constantine, M. G., & Ladany, N. (2000). Self-report multicultural counseling competence scales: Their relation to social desirability attitudes and multicultural case conceptualization ability. *Journal of Counseling Psychology, 47,* 155-164.

Conte, C. (2009). *Advanced Techniques for Counseling and psychotherapy.* New York: Springer Publishing Company.

Conze, E. (1959). *Buddhism: its essence and development.* NY: Harper Torchbooks.

Conze, E. (2003). *Buddhist meditation.* NY: Dover Publications.

Cooley, C. H. (1922). *Human Nature and Social Order.* New York: C. Scribner's Sons.

Coopersmith, S. (1967). *The antecedents of self-esteem.* San Francisco: W. H. Freeman & Co.

Corder, B. F. (2007). 청소년 집단치료: 구조화된 기법 중심으로(*Structured Adolescent Psychotherapy Groups*). (김진숙 역). 서울: 학지사. (원저는 2007년에 출판).

Corey, G. (1996). 심리상담과 치료의 이론과 실제(*Theory and practice of counseling and psychotherapy*, 4th ed.). (조현춘, 조현재 역). 서울: 시그마프레스. (원저는 1991년에 출판).

Corey, G. (2000). 집단심리상담의 이론과 실제(*Theory and practice of group counseling,* 4th ed.). (조현춘, 조현재, 이희백, 천성문 역). 서울: 시그마프레스. (원저는 1994년에 출판).

Corey, G. (2003). 심리상담과 치료의 이론과 실제(*Theory and practice of counseling and psychotherapy,* 6th ed.). (조현춘, 조현재 역). 서울: 시그마프레스. (원저는 2001년에 출판).

Corey, G. (2006). 통합적 상담: 사례중심의 접근(*Case approach to counseling and psychotherapy*). (이정아, 현명호, 유제민, 박지선 역) 서울: 시그마프레스. (원저는 2006년에 출판).

Corey, G. (2008). 상담 및 심리치료의 통합적 접근(*The Art of Integrative Counseling*). (현명호, 유제호 역). 서울: 시그마프레스. (원저는 2001년에 출판).

Corey, G. (2010). 심리상담과 치료의 이론과 실제(*Theory and Practice of Counseling and Psychotherapy*). (조현춘, 조현재, 문지혜, 이근배, 홍영근 역). 서울: 시그마프레스. (원저는 2008년에 출판).

Corey, G. (2012). 심리상담과 치료의 이론과 실제(*Theory and practice of counseling and psychotherapy,*

8th ed.). (조현춘, 조현재, 문지혜, 이근배, 홍영근 역). 서울: 시그마프레스. (원저는 2009년에 출판).

Corey, G., Corey, M. S., & Callana, P. (2008). 상담 및 심리치료 윤리(*Issues and ethics in the helping professions*). (서경현, 정성진 역). 서울: 시그마프레스. (원저는 2007년에 출판).

Corey, G., Corey, M. S., Callanan, P., & Russell, J. M. (1988). *Group techniques (Revised ed.).* Pacific Grove. CA: Brooke/Cole.

Corey, M. S., & Corey, G. (2005). 집단상담: 과정과 실제(*Groups: Process and practice,* 5th ed.). (김명권, 김창대, 박애선, 전종국, 천성문 역). 서울: 시그마프레스. (원저는 1997년에 출판).

Corfield-Sumner, P. K., & Stolerman, I. P. (1978). Behavioral tolerance. In D. E. Blackman & D. J. Sanger (Eds.), *Contemporary research in behavioral pharmacology.* New York: Plenum.

Cormier, L. S., & Hackney, H. (2007). 심리상담의 전략과 기법: 상담연습을 중심으로(*Counseling strategies and interventions,* 6th ed.). (김윤주, 임성문, 이주성, 최국환 역). 서울: 시그마프레스. (원저는 2005년에 출판).

Corn, A. L., & Koenig, A. J. (1996). *Perspectives of low vision. In A. L. Corn & A. J. Koenig* (Eds.), *Foundation of low vision: Clinical and functional perspectives.* New York: AFB Press.

Corsini, R. J. (1966). *Role Playing in Psychotherapy.* Chicago: Aldine.

Corsini, R. J. (1973). *The behind-the-back encounter.* In L. R. Wollberg & E. K. Schwartz (1973), *Group therapy: An overview.* New York: Intercontinental Medical Book Co.

Corsini, R. J., & Wedding, D. (1992). 현대심리치료(*Current Psychotherapies,* 2nd ed.). (김정희, 이장호 역). 서울: 중앙적성출판사. (원저는 1972년에 출판).

Corsini, R. J., & Wedding, D. (2004). 현대 심리치료(*Current psychotherapies,* 6th ed). (김정희 역). 서울: 학지사. (원저는 1999년에 출판).

Corsini, R. J., & Wedding, D. (2007). 현대 심리치료(*Current psychotherapie*s, 7th ed.). (김정희 역). 서울: 박학사. (원저는 2005년에 출판).

Corsini, R. J., & Wedding, D. (2008). *Current psychotherapies* (8th ed.). Belmont, CA: Brooks/Cole Publishing Company.

Cosgrove, L., & McHugh, M. C. (2000). Speaking for ourselves: Feminist Methods and Community Psychology. *American Journal of Community Psychology, 28*(6), 815-838.

Costa, P. T. Jr., & McCrae, R. R. (1992). *Revised NEO Personality Inventory(NEO-PI-R) and NEO Five-Factor Inventory(NEO-FFI) professional manual.* Odessa, FL: Psychological Assessment Resources.

Costa, P. T., & McCrae, R. R. (1978). Objective personality assessment. In M. Storandt, I. C. Siegler, & M. F. Elias (Eds.), *The clinical psychology of aging* (pp.119-143). New York: Plenum.

Costa, P. T., & McCrae, R. R. (1989). Personality continuity and the changes of adult life. In M. Storandt & G. R. VandenBos (Eds.), *The adult years: Continuity and change* (pp.45-77). Washington, DC: American Psychological Association.

Costa, P. T., & McCrae, R. R. (1989). Personality, stress, and coping: Some lessons from a decade of research. In K. S. Markides & C. L. Cooper (Eds.), *Aging, stress and health.* (pp. 267-283). New York: Wiley.

Costa, P. T., & McCrae, R. R. (1989). *The NEO-PI/NEO-FFI manual supplement.* Odessa, FL: Psychological Assessment Resources, Inc; 1989.

Costa, P. Y. Jr., & McCare (1980). Still stable after all these years: personality as a key to same issues in adult and old age. In P. B. Baltes (Ed.), *Life-span development and behavior.* New York: Academic Press.

Costanza, M. E., Luckmann, R. S., Rosal, M., White, M. J., LaPelle, N., Partin, M., Cranos, C., Leung, K. G., & Foley, C. (2011). Helping men make an informed decision about prostate cancer screening: a pilot study of telephone counseling. *Patient Education and counseling, 82,* 193-200.

Costonis, M. (1978). *Therapy in Motion.* Chicago: University of Illinois Press.

Cotter, J. (2009). *Narrative Couples Therapy: The Power of Externalization.* GoodTherapy.org

Couch, R. D., & Childers, J. H. (1987). Leadership strategies for instilling and maintaining hope in group counseling. *Journal for Specialists in Group work, 12*(4), 138-143.

Coulter, A. N. (1976). *Synergetic: Adventure in human development.* Englewood Cliffs, NJ: Prentice-Hall.

Coupland, D. (1991). *Generation X: Tales for an Accelerated Culture.* London: Abacus.

Covner, B. J. (1942). Studies in phonographic recordings of verbal material: II. *Journal of Consulting Psychology, 6,* 149-151.

Cowley, G., & Springen, K. (1995). Rewriting life stories. *Newsweek, 125*(16), 70-74.

Cozolino L. J. (2013). 뇌기반 상담심리학의 이론과 실제 (*Cozolino, Louis, The neuroscience of human relationships: attachment and the developing social brain*). (이민희 역). 서울: 시그마프레스. (원저는 2007에 출판).

Crabb, L. J. (1975). *Basic principles of biblical counseling: meeting counseling needs through the local church.* Grand Rapids: Zondervan Corporation.

Crabb, L. J. (1977a). *Effective Biblical Counseling.* Grand Rapids, MI: Zondervan.

Crabb, L. J. (1977b). *Effective Biblical Counseling: A Model for Helping Caring Christian Become Capable Counselors.* Grand Rapids, MI: Zondervan Pub. House.

Crabb, L. J. (1998). *Inside out.* Colorado: NAVPRESS.

Crabb, L. J., & Allender, D. (1990). *Encouragement: The Key to Caring.* Grand Rapids, MI: Zondervan Corporation.

Craig, C. H., & Sleight, C. C. (1990). Personality relationships between supervisors and students in communication disorders as determined by the Myers-Briggs Type Indicator. *Clinical Supervisor, 8*(2), 41-51.

Craig, E. (1998). *Encyclopedia of philosophy* (Vol. 7.). London & New York: Routledge.

Crain, W. C. (1980). *Theories of development.* New York: Prentice-Hall.

Cramer, P., & Gaul, R. (1988). The effects of success and failure on children's use of defense mechanisms. *Journal of Personalities, 56,* 729-742.

Creswell, J. W. (2006). *Qualitative inquiry and research design: Choosing among five traditions* (2nd ed.). Thousand Oaks, CA: Sage.

Creswell, J. W. (2011). 연구방법: 질적, 양적 및 혼합적 연구의 설계(*Research design: Qualitative, quantitative, and mixed methods approaches*). (김영숙, 류성림, 박판우, 성용구, 성장환, 유승희, 임남숙, 임청환, 정종진, 허재복 역). 서울: 시그마프레스. (원저는 2009년에 출판).

Crites, J. O. (1969). *Vocational Psychology.* New York: McGraw-Hill Book Co.

Crites, J. O. (1973). *Theory and research handbook for the career maturity inventory.* Monterey, Calif, CTB: McGraw-Hill.

Crites, J. O. (1978). *Career Maturity Inventory: Theory and Research Handbook.* Monterey, California: C.T.B/McGraw-Hill.

Crites, J. O. (1981). *Career counseling: models, methods and materials.* New York: McGraw-Hill Book Co.

Cross, T. L., Bazron, B. J., Dennis, K. W., & Isaacs, M. R. (1989). *Towards a culturally competent system of care.* Washington, DC: Child and Adolescent Service System Program Technical Assistance Center.

Crow, T. J. (1981). Positive and negative schizophrenia symptoms and the role of dopamine. *British Journal of Psychiatry, 137,* 383-386.

Csikszentmihalyi, M. (1997). *Creativity. Flow and the psychology of discovery and invention*. New York: Harper Perennial.

Csikszentmihalyi, M. (2007). 몰입의 즐거움(*Finding flow: the psychology of engagement with everyday life*). (이희재 역). 서울: 해냄. (원저는 1997년에 출판).

Cully, S. (1991). *Integrative Counseling Skills in Action*. London: Sage.

Cumming, E., & Henry, W. (1961). *Grawing old, the process of disengagement*. New York: Basic books.

Curnow, T. (1999). *Wisdom, intuition, and ethics*. Aldershot: Ashgate Publishing.

Curran, E. (2008). *Guided Imagery for Healing Children and Teens: Wellness Through Visualization*. BeyondWords publishing.

Cushman, P. (1995). *Constructing the self, constructing America*. New York: Addison Wesley.

D'Zurilla, T. J. (1986). *Problem-Solving Therapy: A Social Competence Approach to Clinical Intervention*. New York: Springer.

Dagley, J. (1984). *A vocational genogram* (mineograph). Athens, GA: University of Georgia.

Danielson, C. K., & Phelps, C. R. (2003). The assessment of children's social skills through self-report: A potential screening instrument for classroom use. *Measurement & Evaluation in Counseling & Development, 35*(4), 218.

Dansereau, D. F. (1988). Cooperative learning strategies. In C. E. Weinstein, E. T. Goetz, & P. A. Alexander (Eds.), *Learning and study strategies: Issue in assessments, instruction, and evaluation* (pp. 103-120). Orlando, FL: Academic Press.

Darenport, L. (2009). *Healing and Transformation Through Self-Guided Imagery*. Ten Speed Pr.

Darley, F. C., Aronson, A. E., & Brown, J. R. (1969). Differential diagnostic patterns of dysarthria. *Journal of Speech and Hearing Research, 12*, 246-269.

Darley, F. C., Aronson, A. E., & Brown, J. R. (1975). *Motor Speech Disorders*. Philadelphia. PA: W.

Darley, J. M. & Latané, B. (1968). Bystander intervention in emergencies: Diffusion of responsibility. *Journal of Personality and Social Psychology 8*, 377-383.

Darley, J. M., & Latane, B. (1968). Bystander intervention in emergencies: Diffusion of responsibility. *Journal of Personality and Social Psychology, 8, 377-383.*

Das, J. P. (2007). 읽기곤란에서 난독증까지(*Reading Difficulties & Dyslexia-An Interpretation for Teachers*). (이영재 역). 서울: 학지사. (원저는 2001년에 출판).

Dass, R. (1971). *Be here now*. San Cristobal, NM: Lama Foundation.

Davidson, L. (2004). Phenomenology and contemporary clinical practice: introduction to Special Issue. *Journal of Phenomenological Psychology, 22.* 149-162.

Davison, G. C., Kring, A. M., & Neale, J. M. (2005). 이상심리학(*Abnormal psychology,* 8th ed.). (이봉건 역). 서울: 시그마프레스. (원저는 2001년에 출판).

Dayton, T. (1994). *The drama within*. Florida: Health Communications, Inc.

De Leon, G. (1997). *Community as Method-Therapeutic Communities for Special Populations and Special Settings*. USA: Library of Congress Cataloging-in-Publication Data.

De Leon, G. (2000). *The Therapeutic Community: Theory, Model and Method.* NY: Springer Publishing Company.

De Leon, G., Staines, G. L., Perlis, T. E., Sacks, S., Mckendrick, K., Hilton, R., & Brady, R. (1995). Therapeutic Community Methods on Methadon Maintenance(Passages): An open clinical trial. *Drug and Alcohol Dependence, 37*(1), 45-57.

De Shazer, S. (1985). *Keys to solution in brief therapy*. New York: W. W. Norton.

2413

De Shazer, S. (1988). *Clues: Investigating solutions in brief therapy.* New York: Norton.

De Shazer, S. (1991). *Putting Difference to Work.* New York: W. W. Norton.

De Shazer, S., Berg, I. K., Lipchick, E., Molnar, A., Gingerich, W., & Weiner-Davis, M. (1986). Brief therapy: Focused solution development. *Family Process, 25,* 207-221.

De Young R. (1999). Environmental Psychology. In D. E. Alexander & R. W. Faribridge (Eds.), *Encyclopedia of Environmental Science,* 223-223. Hingham.

Deci, E. L., & Ryan, R. M. (2000). Self-determination theory and the facilitation of intrinsic motivation, social development, and well-being. *American Psychologist, 55,* 68-78.

Deeken, A. (2002). 죽음을 어떻게 맞이할 것인가(死とど う向き合うか). (오진탁 역). 서울: 궁리. (원저는 1994년에 출판).

DeJong, P., & Berg, I. K. (2002). *Interviewing for solutions* (2nd ed.). Pacific Grove, CA: Brooks/Cole.

Dell, P. F., & O'Neil, J. A. (2009). Preface. In P. F. Dell & J. A. O'Neil (Eds.), *Dissociation and the dissociative disorders: DSM-V and beyond.* New York: Routledge.

Delmonte, M. (1989). Meditation, the unconscious, and psychosomatic disorders. *International Journal of Psychosomatics, 36,* 45-52.

Derrida, J. (1978). *Writing and difference.* Chicago, IL: University of Chicago Press.

Deshler, D., & Schumaker, J. (1988). An instructional model for teaching students how to learn. In J. Graden, J. Zins, & M. Curtis (Eds), *Alternative educational delivery systems Enhancing instructional options for all students.* Washington, DC: National Association of School Psychologists.

Devine, T. G. (1987). *Teaching study skills: a guide for teachers.* Boston: Allyn and Bacon.

Dewey, J. (1971). *Experience and education.* London: Collier-Macmillan.

Diamond, S. (1954). The house and tree in verbal phantasy, II. Their different roles. *Journal of Projective Techniques, 18,* 414-417.

Dies, R. R. (1994). Therapist variables in group psychotherapy research. In A. Fuhriman & G. M. Burlingame (Eds.), *Handbook of group psychotherapy: An empirical and clinical synthesis* (pp. 114-154). New York: Wiley.

Digman, J. M., & Takemoto-Chock, N. K. (1981). Factors in the natural language of personality: reanalysis, comparison, and interpretation of six major studies. *Multivariate Behavioral Research, 16,* 149-170.

Diller Starbuck, E. (2006). *The Psychology of Religion: An Empirical Study of the Growth of Religious Consciousness.* MT: Kessinger Publishing.

Dilts, R. (1983). *Roots of neuro-linguistic programming.* California: Meta Publication.

Dinkmeyer, D. C., & Pew, W. L. (2005). ADLER 상담 및 심리치료: 개인심리학의 통합적 접근(*Adlerian Counseling and Psychotherapy*). (김춘경 역). 서울: 시그마프레스. (원저는 1979년에 출판).

Dinkmeyer, D. C., & Sperry, L. (2004). 상담과 심리치료: 아들러 개인심리학의 통합적 접근(*Counseling and Psychotherapy: An Integrated, Individual Psychology Approach*). (김춘경 역). 서울: 시그마프레스. (원저는 1999년에 출판).

Dobson, K. S., & Dozois, D. J. A. (2001). Historical and philosophical bases of the cognitive-behavioral therapies. In K. S. Dobson (Ed.), *Handbook of cognitive-behavioral therapies.* New York: Guilford Press.

Dodge, K. A. (1986). A social information processing model of social competence in children. In M. Perlmutter (Ed.). *Minnesota symposia on child psychology* (Vol. 18): *Cognitive prospective in children social and behavioral development.* Hillsdale. NJ: Eribaum.

Doherty, W. (2001). *Take back your marriage: Sticking together in a world that pulls us* apart. New York: Guilford Press.

Doherty, W. J. (1995). *Soul searching: Why psychotherapy must promote moral responsibility.* New York: Basic Books.

Dolan, Y. (1991). *Resolving sexual abuse.* New York: Norton.

Dolgin, K., & Behrend, D. (1984). Children's knowledge about animates and inanimates. *Child Development, 55,* 1646-1650.

Dolliver, R. (1967). An adaptation of the Tyler Vocational Card Sort. *Personnel and Guidance Journal, 45,* 916-920.

Dolliver, R. H. (1981). Test review: a review of five vocational card sorts. *Measurement and Evaluation is Guidance, 14,* 168-174.

Dougher, M. J. (1994). The act of acceptance. In S. C. Hayes, N. S. Jacobson, V. M. Follette, & M. J. Dougher (Eds.), *Acceptance and change: Content and context in psychotherapy* (pp. 37-45). Reno, NV: Context Press.

Douglas, V. (1983). Attentional and cognitive problems. In M. Rutter (Ed.), *Developmental Neuropsychiatry* (pp. 280-329). New York: Guilford Press.

Drake, R. E., McLaughlin, P., Pepper, B., & Minkoff, K. (1991). Dual diagnosis of major mental illness and substance disorder: An Overview. *New Directions for Mental Health Services, Summer, 50,* 3-12.

Dreikurs, R. (1932). Ueber Liebeswahl. In: *Internationale Zeitschrift für Individualpsychologie.* 10. Jg.

Dreikurs, R. (1967). *Psychodynamics, psychotherapy, and counseling.* Chicago: Alfred Adler Institute.

Dreikurs, R. (1971). *Social equality: the challenge of today.* Chicago: Henry Regnery.

Dreikurs, R., & Soltz, V. (1964). *Children the challenge.* New York: Hawthorn Books.

Dreikurs, R., Shulman, B. H., & Mosak, H. (1952). Patient-therapist relationship in multiple psychotherapy. I. *Psychiatric Quarterly, 26*(1), 219-227.

Dreikurs, R., Shulman, B. H., & Mosak, H. (1982). *Multiple psychotherapy: Use of Two Therapists with One Patient.* Chicago, IL: Adler school of Professional Psychology.

Drummond, R. J., & Jones, K. D. (2006). *Assessment procedures for counselors and helping professionals*(6th ed.). Upper Saddle Rive, NJ: Pearson Merrill Prentice Hall.

Dryden, W., & Lazarus, A. A. (1991). *A Dialogue with Arnold Lazarus: It Depends.* Buckingham: Open University Press.

Dumas, J. E., & Nilsen, W. J. (2005). 청소년 이상심리학(*Abnormal child and adolescent psychology*). (임영식, 김혜원, 설인자, 조아미, 한상철 역). 서울: 시그마프레스. (원저는 2003년에 출판).

Dunker, K. (1945). On problem-solving. *Psychological Monographs, 58*(5), Ch. VII.

Dunkle, J. H., & Friedlander, M. L. (1996). Contribution of therapist experience and personal characteristics to the working alliance. *Journal of Counseling Psychology, 43,* 456-460.

DuPaul, G. J., & Stoner, G. (2007). ADHD 학교상담(*ADHD in the schools,* 2nd ed.). (김동일 역). 서울: 학지사. (원저는 2003년에 출판).

Durbin, N., Gross, E., & Borgatta, E. (1984). The decision to leave work. *Research on Aging, 6,* 572-592.

Durkheim, E. (1893). *The division of labor in society.* New York: Free Press.

Durkheim, E. (1897). *Suicide: A study in sociology.* New York: Free Press.

Dusay, J. (1977). *Egograms.* New York: Harper & Row.

Duval, S., & Wicklund, R. A. (1972). *A theory of objective self-awareness.* New York: Academic Press.

Duvall, E. M., & Miller, B. C. (1985). *Marriage and family development* (6th ed.). New York: Harper & Row.

Dweck, C. (1986). Motivational processes affecting learning. *American Psychologist, 41*(10), 1040-1048.

Dworkin, J. (2005). Risk taking as developmentally appropriate experimentation for college students. *Journal of Adolescent Research, 20*, 219-241.

Eagan, G. (1997). 유능한 상담자(*The skilled helper*). (제석봉, 유계식, 박은영 역). 서울: 학지사. (원저는 1994년에 출판).

Earley, J. (2004). 상호작용중심의 집단상담(*Interactive group therapy: integrating, interpersonal, action-orientated, and psychological approaches*). (김창대, 신희천, 권경인, 민경화, 강지현, 김수임, 성윤희, 최은실, 황애경, 김태선 역). 서울: 시그마프레스. (원저는 2000년에 출판).

Ebel, R. L., & Frisbie, D. A. (1991). *Essentials of educational measurement* (5th ed.). Englewood Cliffs, NJ: Prentice Hall.

Eckert, T. L., Dunn, E. K., Codding, R. S., & Guiney, K. M. (2000). Self-report: Rating scale measures. In E. S. Shapiro & T. R. Kratochwill (Eds.), *Conducting school-based assessments of child and adolescent behavior*(pp. 150-169). New York: Guilford Press.

Egan, G. (2005). 상담기술연습서: 유능한 상담자의 동반 워크북(*Exercises in helping skills,* 7th ed.) (서미진 역). 서울: 시그마프레스. (원저는 2002년에 출판).

Eggen, P., & Kauchak, D. (2006). 교육심리학: 교육실제를 보는 창(*Educational Psychology: Window on Classrooms,* 6th ed.). (신종호, 김동민, 김정섭, 김종백, 도승이, 김지현, 서영석 역). 서울: 학지사. (원저는 2006년에 출판).

Eifert, G. H., & Forsyth, J. P. (2005). *Acceptance and commitment therapy for anxiety disorders: A practitioner's guide to using mindfulness, acceptance, and value-based behavior change strategies.* Oakland, CA: New Harbinger.

Ekstein, R., & Wallerstein, R. S. (1972). *The teaching and learning of psychotherapy* (2nd ed.). New York: International University Press.

Elias, L. J., & Saucier, D. M. (2007). 임상 및 실험 신경심리학(*Neuropsychology: Clinical and experimental foundations*). (김명선 역). 서울: 시그마프레스. (원저는 2005년에 출판).

Elkind, D. (1967). Egocentrism in adolescence. *Child Development, 38*, 1025-1033.

Elkind, D. (1978). *The child's reality: there developmental themes.* Hilsdale. NJ: Eribaum.

Elkind, D., & Bower, R. (1979). Imaginary audience behavior in children and adolescents. *Developmental Psychology, 15*, 38-44.

Ellenberger, H. (1970). *The discover of the unconscious: the history and evolution of dynamic psychiatry.* New York: Basic Books.

Ellenberger, H. (1970). *The discovery of the unconscious: The history and evolution of dynamic psychiatry.* New York: Basic Books.

Ellenwanger, W., & Groemminger, A. (1979). *Maerchen-Erziehungshilfe oder Gefahr?.* Freiburg. Herder.

Elliott, R., Goldman, R. N., Watson, J. C., & Greenberg, L. S. (2004). *Learning Emotion-Focused Therapy: The Process-Experiential Approach to Change.* American Psychology Association.

Ellis, A. (1973). *Humanistic psychotherapy: The rational-emotive approach.* New York: McGraw-Hill.

Ellis, A. (1979a). The practice of rational-emotive therapy. In A. Ellis & J. Whiteley (Eds.), *Theoretical and empirical foundations of rational emotive therapy* (pp.61-100). Monterey, CA: Brooks/Cole.

Ellis, A. (1979b). Discomfort Anxiety: A new cognitive behavioral construct, Part I. *Rational Living, 14*(2), 3-8.

Ellis, A. (1979c). *The intelligent Woman's Guide to Dating and mating.* Secaucus, NJ: Lyle Struart.

Ellis, A. (1994). *Reason and Emotion in Psychotherapy* (2nd ed.). New York: Brich Lane Press.

Ellis, A., & Dryden W. (1997). *The practice of*

rational emotive behavior therapy (2nd ed.). New York: Springer.

Ellis, A., & MacLaren, C. (2007). 합리적 정서행동치료 (*Rational Emotive Behavior Therapy*). (서수균, 김윤희 역). 서울: 학지사. (원저는 1998년에 출판).

Ellis, A., Gordon, J., Neenan, M., & Palmer, S. (2000). 스트레스 상담: 인지 · 정서 · 행동적 접근 (*Stress counseling: a rational emotive behavior approach*). (김남성, 조현주 역). 서울: 민지사. (원저는 1998년에 출판).

Ellis, M., & Douce, L. (1994). Group supervision of novice clinical supervisors: Eight recurring issues. *Journal of Counseling and Development, 72*(5), 520-525.

Elmes, D. G., Kantowitz, B. H., & Roediger, H. L. (2006). 심리학 연구방법(*Research methods in psychology*). (남종호 역). 서울: 시그마프레스. (원저는 2011년에 출판).

Emmons, M. L. (1978). *The Inner Source: A Guide to Meditative Therapy*. Sam Luis Obispo, Calif., Impact Publishers.

Enns, C. Z. (2009). 여성주의와 상담(*Feminist Theories and Feminist Psychotherapies*). (김민예숙 역). 서울: 한울. (원저는 2004년에 출판).

Enoch, M. D., & Trethowan, W. H. (1979). *Uncommon Psychiatric Syndrome* (2nd ed.). Bristol: John Wright and sons.

Epstein, N. B., & Bishop, D. S. (1981). Problem-centered systems therapy of the family. In A. S. Gurman, & D. P. Kniskern (Eds.), *Handbook of Family Therapy*. New York: Burnner Mazel.

Epstein, N. B., Bishop, D. S., & Levin, S. (1978). The McMaster model of family functioning. *Journal and Family Counseling, 4,* 19-31.

Epston, D., & White, M. (1992). *Experience, contradiction, narrative & imagination*. Adelaide: Dulwich Centre Publications.

Erford, B. T. (2008). *Research and evaluation in counseling*. Boston: Houghton Mifflin/Lahaska Press.

Erford, B. T. (Ed.). (2007). *Assessment for counselors*. Boston: Houghton Mifflin/Lahaska Press.

Erikson, E. (1956). The Problem of ego identity. *Journal of the American Psychoanalytic Association, 4,* 56-121

Erikson, E. (1964). *Insight and responsibility*. New York: Norton

Erikson, E. H. (1950). *Childhood and society*. New York: W. W. Norton.

Erk, R. R. (2010). DSM-IV-TR 진단에 따른 아동 · 청소년상담 및 심리치료(*Counseling treatment for children and adolescents with DSM-IV-TR disorders,* 2nd ed.). (노성덕, 김호정, 이윤희, 윤은희 역). 서울: 시그마프레스. (원저는 2008년에 출판).

Eron, L. D. (1982). Parent-child interaction, television violence, and aggression of children. *The American Psychologist, 37,* 197-211.

Eron, L. D. (1983). Age trend in the development of aggression, sextyping, and related television habits. *Developmental Psychology, 19*(1), 71-77.

Eron, L. D., & Huesmann, L. R. (1986). The role of television in the development of prosocial and antisocial behavior. In D. Olweus, J. Block, & M. Radke-Yarrow (Eds.), *Development of antisocial and prosocial behavior*. Orlando, FL: Academic Press.

Erskine, R., & Zalcman, M. (1979). The Racket System: A Model for Racket Analysis. *Transactional Analysis Journal, 9*(1), 51-59

Eschen, J. T. (2002). *Analytical Music Therapy*. New York & London: Jessica kingsley Pub.

Esman, A. (1989). Psychoanalysis and general psychiatry: obsessive-compulsive disorder as paradigm. *PsycSCAN Psychoanalysis, 37,* 319-336.

Esquirol, J. (1838). *Des maladies mentales*. Paris: Bailliere.

Estrella, K. (2005). Expressive therapy-an integrated arts approach. In C. A. Malchiodi (Ed.),

Expressive therapies(183–209). New York & London: The Guilford Press.

Ewen, R. B. (2003). *An introduction to theories of personality*. Hillsdale, NJ: Lawrence Erlbaum Association.

Ewing, J. A. (1984). Detecting Alcoholism: The CAGE Questionnaire. *Journal of American Medical Association, 252,* 1905–1907.

Eysenck, H. (1985). *Decline and fall of the Freudian empire*. New York: Viking.

Eysenck, H. J. (1970). *The structure of human personality* (3rd ed.). London: Methuen.

Fagan, J., & Shepherd, I. L. (1970). *Gestalt therapy now*. New York: Harper & Row.

Fairbairn, W. (1958). On the nature and aims of psycho–analytical treatment. *International Journal of Psycho–Analysis, 39,* 374–385.

Fairburn, C. G. (2008). *Cognitive behavior therapy for eating disorders*. New York: Guilford Press.

Fairburn, C. G., Cooper, Z., & Shafran, R. (2003). Cognitive behavior therapy for eating disorders: a 'transdiagnostic' theory and treatment. *Behav Res Ther, 41,* 509–528.

Falicov, C. (1998). *Latino families: A guide to Multi-cultural practice in therapy*. New York: Guilford.

Falvell, J. H., & Wellman, H. M. (1977). Metamemory. In R. V. Kail & J. W. Hagen (Eds.), *Perspectives on the development of memory and cognition*. Hillsdale, NJ: Lawrence Erlbaum Associates.

Farnsworth, K. E. (1982). The conduct of integration. *Journal of Psychology and Theology, 10,* 308–319.

Farren, C., Kaye, B., & Leibowitz, Z. (1985). *Deal me in card*. Silver Springs, MD: Career Systems.

Fede, B., & Ronall, R. (1980). *Beyond the hot seat: Gestalt approaches to group*. New York: Brunner/Mazel.

Feil, N. (1982). *V/F validation: The Feil method*. Cleveland, OH: Edward Feil Productions.

Feist, J., & Feist, G. J. (2006). *Theories of person-ality* (6th ed.). New York: McGraw–Hill.

Feitis, R. (1978). *Ida Rolf talks: about Rolfing and physical reality*. New York: Harper & Row Publishers, Inc.

Feldenkrais, M. (1977). *Awareness through movement*. New York: Harper SanFrancisco.

Feldman, B. L., Williams, N. L., & Fong, G. T. (2002). Defensive verbal behavior assessment. *Personality and Social Psychology Bulletin, 28,* 776–788.

Feldman–Barrett, L., & Gross, J. J. (2001). Emotion representation and regulation: A process model of emotional intelligence. In T. Mayne & G. Bonanno (Eds.), *Emotion: Current issues and future directions* (pp. 286–310). New York: Guilford.

Ferenczi, S. (1959). *Introjection and transference: In Contributions to Psychoanalysis* (pp. 30–80). New York: Dover.

Ferreiro, B. W., Warren, N. J., & Konanc, J. T. (1986). ADAP: A Divorce Assessment Proposal. *Family Relations, 35*(3), 439–449.

Ferrucci, P. (1990). *What We May Be*. London: Aquarian Press.

Festinger, L. (1957). *A Theory of Cognitive Dissonance*. Stanford, CA: Stanford University Press.

Fiegenbaum, W., & Tuschen, B. (1996). Reizkonfrontation. In J. Margrag (Hg.), *Lehrbuch der Verhaltenstherapie (Bd. 1): Grundlagen–Diagnostik–Verfahren–Rahmenbedingungen* (pp. 301–313), Berlin: Springer.

Fiegenbaum, W., Freitag, M., & Frank, B. (1992). Kognitive Vorbereitung auf Reizkonfrontationstherapien. In J. Margraf & J. C. Brengelmann (Hg.), *Die Therapeut–Patient–Beziehung in der Verhaltenstherapie* (pp. 89–108). München: Röttger.

Filicori, M., Cognigni, P., Tabarelli, C., Spettoli, D., Taraborrelli, S., & Ciampaglia, W. (2000). Modulation of folliculogenesis and steroidogenesis in women by graded menotrophin administration. *Human Reproduc, 17,* 2009–2015.

Fincher, S. F. (1998). 만다라를 통한 미술치료(*Creating mandalas: for insight, healing, and self-expression*). (김진숙 역). 서울: 학지사. (원저는 1991년에 출판).

Fine, R. (1979). *A history of psychoanalysis.* New York: Columbia University Press.

Firestein, S. K. (1974). Termination of psychoanalysis of adults: a view of the literature. *Journal of the American Psychoanalytic Association, 22,* 873–894.

Firman, J., & Gila, A. (2007). *Assagioli's Seven Core Concepts for Psychosynthesis Training.* California: Psychosynthesis Palo Alto.

Firman, J., & Russell, A. (1992). *What is Psychosynthesis?* California: Psychosynthesis Palo Alto.

Fisch, R., Weakland, J. H., & Segal, L. (1982). *The tactics of change: doing therapy briefly.* San Francisco: Jossy–Bass.

Fischer, B. J. (1995). Successful aging life satisfaction and generativity in late life. *International Journal of Aging and Human Development, 41,* 239–251.

Fisher, J. J. (2007). *What is Environmental Psychology?.* environmentalpsychology.com

Fisher, S. (1986). *Development and structure of the body image.* New Jersey: Lawrence Erlbaum Associates.

Fiske, D. W. (1949). Consistency of the factorial structures of personality ratings from different sources. *Journal of Abnormal and Social Psychology, 44,* 329–344.

Flavell, J. (1963). *The developmental psychology of Jean Piaget.* NJ: Van Nostrand.

Flavell, J. H., Miller, P. H., & Miller, S. A. (2003). 인지발달(*Cognitive development*). (정명숙 역). 서울: 시그마프레스.

Fleishman, E. A. (1973). Twenty years of consideration and Structure. In E. A. Fleishman & J. G. Hunt (Eds.), *Current Development in the Study of Leadership.* Southern Illinois University.

Fletcher, J. M., Lyon, G. R., Fuchs, L. S., & Barnes, M. A. (2007). *Learning Disabilities: From Identification to Intervention.* New York: Guilford Press.

Fletcher, T. B., & Hinkle, J. S. (2002). Adventure based Counseling: An Innovation in Counseling. *Journal of Counseling & Development, 80*(3), 277–285.

Foelling, I. (1994). The discovery of phenylketonuria. *Acta Paediatrica Supplement, 407,* 4–10.

Foerster, H. V. (1985). *Sicht und Einsicht: Versuche zu einer operativen Erkenntnistheorie.* Braunschweig: Vieweg.

Fogarty, T. F. (1976). Marital crisis. In P. J. Guerin, Jr. (Ed.), *Family therapy: Theory and practice.* New York: Gardner Press.

Forcehimes, A. A. (2004). De profundis: Spiritual transformations in Alcoholics Anonymous. *Journal of Clinical Psychology, 60*(5), 503–517.

Ford, E. (1992). *Motivating humans: Goals, emotions, and personal agency beliefs.* Newbury Park, CA: Sage Publications.

Foreman, Milton. (1967). T–Groups: their implications for counselor supervision and preparation. *Counselor education and supervision, 7,* 48–53.

Forester Therapeutic Counselling Agency. www.foerstcoounselling.co.kr

Forester–Miller, H. (2006). Rural communities: can dual relationships be avoided?. In B. Herlihy & G. Corey(Eds.), *Boundary issues in counseling: multiple roles and responsibilities* (2nd ed.). Alexandria, VA: American Counseling Association.

Forgas, J. P. (1995). Mood and judgment: The affect infusion model(AIM). *psychological Bulletin, 117,* 39–66.

Forsyth, D. R. (2006). *Group dynamics* (4th ed.). Belmont, CA: Thomson.

Forsyth, D. R., & Ivey, A. E. (1980). Microtraining: An approach to differential supervision. In A. K. Hess (Ed.), *Psychotherapy supervision: Theory, research and practice*. New York: Wiley.

Forsyth, J., & Eifert, G. (2007). *The mindfulness and acceptance workbook for anxiety*. Oakland, CA: New Harbinger Publication.

Foucault, M. (1980). *Power/knowledge: Selected interviews and other writings*. New York: Pantheon.

Frances, A. (2014). 정신의학적 진단의 핵심: DSM-5의 변화와 쟁점에 대한 대응(*Essentials of psychiatric diagnosis: Responding to the challenge of DSM-5*) (박원명, 민경준, 전덕인, 윤보현, 김문두, 우영성 역). 서울: 시그마프레스. (원저는 2013년에 출판)

Francis, J. T. (2004). 사회복지실천이론의 이해와 적용(*Social Work Treatment*). (연세사회복지실천연구회 역). 경기: 나남출판사. (원저는 1996년에 출판).

Franke, R. H., & Kaul, J. D. (1978). The Hawthorne experiments: first statistical interpretation. *American Sociological Review, 43*, 623-643.

Frankel, B. R. (1990). Process of family therapy live supervision: A brief report. *Commission on Supervision Bulletin, 3*(1), 5-6.

Frankl, V. (1997). *Viktor Frankl-Recollections: An autobiography*. New York: Plenum.

Frankl, V. E. (1984). *Man's search for meaning*. New York: Washington Square Press.

Frankl, V. E.(2012). 죽음의 수용소에서(*Man's Search for Meaning: An Introduction to Logotherapy*, 3rd ed.). (이시형 역). 서울: 청하출판사. (원저는 1984년에 출판).

Frankl, W. E. (2005). 삶의 의미를 찾아서(*The will to meaning: foundations and applications of logotherapy*). (이시형 역). 경기: 청아출판사. (원저는 1988년에 출판).

Freedman, J., & Combs, G. (1996). *Narrative Therapy: the social construction of preferred realities*. New York: Norton.

Freedman, J., & Combs, G. (2002). *Narrative therapy with couples···and a whole lot more!-a collection of papers, essays and exercises*. Adelaide: Dulwich Centre Publications.

Freedman, S. (Ed.) (1995). *The reflecting Team in Action: Collaborative practice in family therapy*. New York: Guilford Press.

Freeman, J. (1980). *Gifted children*. Lancaster, England: MPTT Press.

Freeman, J., Epston, D., & Lobovits, D. (1997). *Playful approaches to serious problem*. New York: W. W. Norton.

French, J. R. P., & Raven, B. (1959). The bases of social power. In D. Cartwright (Ed.), *Studies in social power*. Ann Arbor, MI: Institute for Social Research.

Freud, A. (1927). *The Psychoanalytic Treatment of Children*. New York: International Universities Press.

Freud, A. (1966a). Obsessional neurosis: a summary of psychoanalytic views as presented at the congress. *The International Journal of Psychoanalysis, 47*, 116-122.

Freud, A. (1966b). *The ego and the mechanism of defence*. New York: International Universities Press.

Freud, A. (1981). Insight: Its presence and absence as a factor in normal development. *Psychoanalytic Study of the Child, 36*, 241-249.

Freud, S. (1900). *The interpretation of dreams* (standard edition, vol. 4 & vol. 5). London: Hogarth Press.

Freud, S. (1905). *Three essays on the theory of sexuality* (standard edition, vol. 7). London: Hogarth Press.

Freud, S. (1909). Der Familienroman der Neurotiker. In O. Rank, *Der Mythusvon der Geburt des Helden, Inter.* Psycho. Verlag. Vienncol. Leipzig.

Freud, S. (1913). Totem und Tabu. In A. Mitscherlich, A. Richards, J. Strachey (Hg.), *Sigmund*

Freud—Studienausgabe, Bd. IX: Fragen der Gesellschaft/Ursprünge der Religion. S. 287–444, Frankfurt/M.: Fischer.

Freud, S. (1915). *The unconscious* (standard edition, vol. 14). London: Hogarth Press.

Freud, S. (1920). *Beyond the pleasure principles* (standard edition, vol. 18). London: Hogarth Press.

Freud, S. (1923). *Remarks on the theory and practice of dream interpretation* (standard edition, vol. 19). London: Hogarth Press.

Freud, S. (1926). *Inhibitions, symptoms and anxiety* (standard edition, vol. 20). London: Hogarth Press.

Freud, S. (1937). Analysis terminable and interminable. In J. Strachey & A. Freud, *The standard edition of the complete psychological works of Sigmund Freud, 23*. London: Hogarth Press.

Freud, S. (1940). *An outline of psychoanalysis* (standard edition, vol. 23). London: Hogarth Press.

Freud, S. (1949). *An outline of psychoanalysis*. New York: Norton. (Originally published, 1920).

Freud, S. (1952). *On dreams*. New York: Norton. (Originally published, 1901).

Freud, S. (1953). Three Essays on the Theory of Sexuality. In J. Strachep (Ed.). *The Standard Edition of the Complete Psychological Works of Sigmund Freud, 7*. London: Hogarth Press.

Freud, S. (1957). *On the history of the psycho-analytic movement* (standard edition, vol. 14). London: Hogarth Press.

Freud, S. (1967). *A general introduction to psychoanalysis*. New York: Washington Square Press. (Originally published, 1920).

Freud, S. (2003). 일상생활의 정신병리학(*Gesammelte Werke*). (이한우 역). 경기: 열린책들. (원저는 1904년에 출판).

Freud, S. (2004). 꿈의 해석(*Sigmund Freud Gesammelte Werke*). (김인순 역). 경기: 열린책들. (원저는 1897년에 출판).

Freud, S. (2009). 정신분석 입문(*Vorlesungen zur einführung in die psychoanalyse*). (최석진 역). 서울: 돈을새김. (원저는 1991년에 출판).

Friedberg, R. D., & McClure, J. M. (2009). 아동과 청소년을 위한 인지치료(*Clinical practice of cognitive therapy with children and adolescents*). (정현희, 김미리혜 역). 서울: 시그마프레스. (원저는 2002년에 출판).

Friedenberg, L. (2004). 심리검사: 설계, 분석 및 활용(*Psychological testing: Design, analysis, and use*). (김명소, 오동근 역). 서울: 시그마프레스. (원저는 1995년에 출판).

Friedman, L. (1969). The therapeutic alliance. *Journal of Psychoanalysis, 50*, 139–153.

Frijda, N. H. (1986). *The emotions*. London: Cambridge University Press.

Fristad, M., Gavazzi, S. M., & Soldano, K. W. (1998). Naming the enemy: learning to differentiate mood disorder symptoms from the self that experiences them. *Journal of Family Psychotherapy, 10*, 81–88.

Fromm, E. (1973). *The anatomy of human destructiveness*. New York: Holt, Rinehart and Winston.

Frosch, S. (1989). *Psychoanalysis and psychology*. Basingstoke: Macmillan.

Gabbard, G. O., & Gabbard, K. (1999). *Psychiatry and the Cinema*. Washington, DC: American Psychiatric Publishing, Inc.

Gabriel Mojay. (2006). 마음을 치유하는 아로마테라피(*Aromatherapy for Healing the Spirit*). (최윤정 역). 서울: 군자출판사.

Gall, M. D., Gall, J. P., & Borg, W. P. (2007). *Educational research: An introduction*(8th ed.). Boston: Allyn & Bacon.

Gall, M. D., Gall, J. P., Jacobsen, D. R., & Bullock, T. L. (1990). *Tools for learning: a guide to teaching study skills*. Alexandria, Va: Association for Supervision and Curriculum Development.

Gantt, L. M. (2001). The formal elements art therapy scale: a measurement system for global variables in art. *Art Therapy, 18*, 51–56.

Gantt, L. M. (2004). The case for formal art therapy assessments. *Art Therapy, 21,* 18-29.

Gantt, L., & Tabone, C. (1997). *Rating manual for the Formal Elements Art Therapy Scale.* Morgantown, WV: Gargoyle Press.

Gantt, L., & Tabone, C. (1998). *The Formal Elements Art Therapy Scale: Rating manual.* Morgantown, WV: Gargoyle Press.

Garcia, J., & Koelling, R. A. (1966). The relation of cue to consequence in avoidance in learning. *Psychonimic Science, 4,* 123-124.

Gardner, H. (1983). *Frames of mind: The theory of multiple intelligences.* New York: Basic Books.

Gardner, H. (1985). *The mind's new science: a history of the cognitive revolution.* New York: Basis Books.

Gardner, H. (2000). *Intelligence Reframed: Multiple Intelligences for the 21st Century.* New York: Basic Books.

Gardner, H. (2007). 다중지능(*Multipe intelligences: new horizons*). (문용린, 유경재 역). 서울: 웅진지식하우스. (원저는 2006년에 출판).

Gardner, H., Kornhabe, M., & Wake, W. (2007). 지능심리학(*Intelligence: Multiple Perspectives*). (김정휘 역). 서울: 시그마프레스. (원저는 1997년에 출판)

Gardner, L. L. (1972). Deprivation dwarfism. *Scientific American, 227,* 76-83.

Garfield, S. L. (1980). *Psychotherapy: An eclectic approach.* New York: Wiley.

Garfield, S. L. (1996). 임상심리학(*Clinical Psychology*). (김중술, 원호택 역). 경기: 법문사. (원저는 1989년에 출판).

Garfield, S. L. (2002). 단기 심리치료(*The practice of brief psychotherapy*). (권석만, 김정욱, 문형춘, 신희천 역). 서울: 학지사. (원저는 1989년에 출판).

Garman, E. T., & Forgue, R. E. (2000). *Personal finance.* New York: Houghton Mifflin Company.

Garman, E., & Forgue, R. (1994). *Personal finance* (4th ed.). Boston: Houghton Mifflin Co.

Garnefski, N., Kraaij, V., & Spinhove, P. (2001). Negative llife events, cognitive emotion regulation and emotional problems. *Personality and Individual Differences, 30,* 1311-1327.

Garnets, L., & Pleck, J. H. (2006). Sex role identity, Androgyny, and Sex role Transcendence: A Sex Role Strain Analysis. *Psychology of Women Quarterly, 3*(3), 270-283.

Garreau, B., Barthelemy, C., Domenech, J., Sauvage, D., Num, J. P., Lelord, G., & Callaway, E. (1980). Disturbances in dopamine metabolism in autistic children: Results of clinical tests and urinary dosages of homovanillic acid(HVA). *Acta Psychiatrica Belgica, 80,* 249-265.

Geary, B., & Zeig, J. (2001). *The handbook of Eriksonian psychotherapy.* Phoenix, AZ: Milton H. Erikson Foundation Press.

Geertz, C. (1973). Thick description: Toward an interpretative theory of culture. In C. Geertz, *The interpretation of cultures.* New York: Basic Books.

Geldard, K., & Geldard, D. (2008). 아동상담(*Counseling children*). (김광웅, 박인전, 방은령 역). 서울: 중앙적성. (원저는 1997년에 출판).

Gelles, R. J., & Straus, M. A. (1979). Determinants of Violence in the Family. In W. R. Burr, R. L. Hill, F. I. Nye, & I. L. Reiss, *Contemporary Theories about the Family.* NY: Free Press.

Gelman, R. (1978). Cognitive development. *Annual Review of Psychology, 29,* 297-332.

George, R. L., & Christian, T. S. (1981). *Theory, methods and processes of Counseling and Psychotherapy.* Englewood Chiffs, New York: Prentice Hall.

Gerber, N. (1996). *The brief art therapy screening evaluation(BATSE).* Philadelphia: Author.

Gerkin, C. V. (1997). *An introduction to pastoral care.* Nashville: Abingdon Press.

Gerlach-Spriggs Kaufman, R., & Warner Jr, S. B. (1998). *Restorative Gardens: The Healing Landscape.* Haven & London: Yale Univ. Press.

Germer, C. K., Siegel, R. D., & Fulton, P. R. (2009).

마음챙김과 심리치료: 불교명상과 심리학의 만남 (*Mind-fulness and psychotherapy*). (김재성 역). 서울: 무우수. (원저는 2005년에 출판).

Getz, J. G., & Protinsky, H. O. (1994). Training marriage and family counselors: A family-of-origin approach. *Counselor Education and Supervision. 33*(3), 183-200.

Ghostwriter (1993). PBS drama series focused on illiteracy.

Gilbert, M. C., & Evans, K. (2005). 상담 심리치료 수퍼비전(*Psychotherapy Supervision*). (유영권 역). 서울: 학지사. (원저는 2000년에 출판).

Gill, C. (1985). Ancient Psychotherapy. *Journal of the History of Ideas, 46*(3), 307-325.

Gill, M. (1963). *Topography and systems in psychoanalytic theory*. New York: International University Press.

Gill, M. (1982). *An analysis of transference*. New York: International Universities Press.

Gillberg, C., Svennerholm, L., & Hamilton-Hellberg, C. (1983). Childhood psychosis and monoamine metabolites in spinal fluid. *Journal of Autism and Developmental Disorders, 13*, 383-396.

Gilligan, S., & Price, R. (Eds.) (1993). *Therapeutic conversations*. New York: Norton.

Gilliland, B. (1982). *Steps in crisis counseling*. Memphis, TN: Memphis State University.

Gilliland, B., & James, R. (1998). *Theories and strategies in counseling and psychotherapy* (4th ed.). Boston: Allyn & Bacon.

Gillingham, A., & Stillman, B. (1973). *Remedial training for children with specific difficulty in reading, spelling and penmanship* (7th ed.). Cambridge, MA: Educators Publishing Service.

Gilman, S. L., & Zhou Xun, G. (2006). 흡연의 문화사 (*SMOKE: A Global History of Smoking*). (이수영 역). 서울: 이마고. (원저는 2004년에 출판).

Gilovich, T. D. (1983). Biased evaluation and persistence in gambling. *Journal of Personality and Social Psychology, 44*, 1110-1126.

Gimpel, G. A., Peacock, G. G., & Holland, M. L. (2007). 유아기 정서 및 행동장애(*Emotional and behavioral problems of young children*). (박명애, 이효신 역). 서울: 시그마프레스. (원저는 2003년에 출판).

Ginott, H. (1961). *Group psychotherapy with children: The theory and practice of play therapy*. Lanham, MD: McGraw-Hill.

Ginzberg, E., Ginsburg, S. W., Axelrad, S., & Herma, J. L. (1951). *Occupational choice: an approach to general theory*. New York: Columbia University Press.

Giordano, J., & Giordano, N. (1983). A classification of preretirement program: in search of a new model. *Educational Gerontology, 9*, 123-137.

Gladding, S. T. (1985). Family poems: A way of modifying family dynamics. *The Arts in Psychotherapy, 12*, 239-243.

Gladding, S. T. (2006). *The counseling dictionary: Concise definitions of frequently used terms* (2nd ed.). Upper Saddle River, NJ: Pearson Education, Inc.

Glanz, E. C. (1974). *Guidance: Foundation, principles and techniques*. Boston: Allyn and Bacon.

Glasersfeld, E. V. (1981). Einführung in den radikalen Konstruktivismus. In P. Watzlawick (Hrsg.), *Die erfundene Wirklichkeit* (pp. 16-38). München: Piper.

Glass, G. V. (1976). Primary, secondary, and meta-analysis of research. *Educational Researcher, 5*, 3-8.

Glass, G. V., McGaw, B., & Smith, M. L. (1981). *Meta-analysis in social research*. Beverly Hills, CA: Sage.

Glasser, W. (1975). *Reality therapy: a new approach to psychiatry*. New York: Harper & Row.

Glasser, W. (1976). *Positive addiction*. New York: Happer & Row.

Glasser, W. (1984). *Control theory*. New York: Harper & Row.

Glasser, W. (1992). Reality therapy. *New York State*

Journal for Counseling and Development, 7(1), 5-13.

Glasser, W. (1998a). 현실치료(*Reality therapy*). (김양현 역). 서울: 원미사. (원저는 1995년에 출판).

Glasser, W. (1998b). *Choice theory: a new psychology of personal freedom.* New York: Harper & Row.

Glasser, W. (2000). *Counseling with choice theory.* New York: Harper & Row.

Glasser, W. (2003). 당신의 삶은 누가 통제하는가? (*Control theory, a new explanation of how we control our life*). (김인자 역). 서울: 한국심리상담연구소. (원저는 1984년에 출판).

Glasser, W. (2008). 당신의 삶은 누가 통제하는가? (*Control theory*). (김인자 역). 서울: 한국심리상담연구소. (원저는 1984년에 출판).

Glasser, W., & Zunin, L. M. (1984). Reality therapy. In R. J. Corsini (Ed.), *Current psychotherapies* (3rd ed.). Itasca, IL: Peacock.

Glicken, M. D. (2006). *Learning from resilient people: Lessons we can apply to counseling and psychotherapy.* Thousand Oaks, CA: Sage.

Glosser, G. (1991). *Hyperlexia: A Case of Reading without Meaning* (microform). Pennsylvania: (s.n.).

Glover, E. (1926). The Neurotic Character. *The International Journal of Psychoanalysis, 7,* 11-30.

Gluck, M. A., Mercado, E., & Myers, C. E. (2011). 학습과 기억-뇌에서 행동까지(*Learning and Memory*)-. (최준식, 김현택, 신맹식 역). 서울: 시그마프레스. (원저는 2008에 출판).

Gold, S. N., & Heffner, C. L. (1998). Sexual Addiction: Many Conceptions, Minimal Data. *Clinical Psychology Review, 18*(3), 367-381.

Goldberg, D. A. (1985). Process notes, audio, and videotape: Modes of presentation in psychotherapy training. *Clinical Supervisor, 3,* 3-13.

Goldberg, I. R. (1990). An alternative description of personality: the Big-Five factor structure. *Journal of Personality and Social Psychology,*

59, 1216-1229.

Goldenberg, I., & Goldenberg, H. (1991). *Family Therapy: An overview* (3rd ed.). Monterey. CA: Brooks & Cole Publishing Company.

Goldenberg, I., & Goldenberg, H. (1996). *Family Therapy: An Overview* (4th ed.). Pacific Grove. CA: Brooks & Cole Publishing Company.

Goldenberg, I., & Goldenberg, H. (2000). *Family Therapy: An Overview* (5th ed.). Pacific Grove. CA: Brooks & Cole Publishing Company.

Goldenberg, L., & Goldenberg, H. (2003). 가족치료(*Family Therapy: An overview, 5th ed.*). (김득성, 윤경자, 전영자, 조명희, 현은민 역). 서울: 시그마프레스. (원저는 2000년에 출판).

Goldfried, M. R., & Merbaum, M. (1973). *Behavior Change through Self-Control.* Philadelphia: Harcourt College Publishers.

Goldiamond, I. (1976). Self-reinforcement. *Applied Behavior Analysis, 9*(4), 509-514.

Goldman, L., & Ausiello, D. (Eds.) (2007). *Cecil Medicine* (3rd ed.). Philadelphia, Pa.

Goldman, R. N., & Greenberg, L. S. (2006). Promoting Emotional Expression and Emotion Regulation in Couples. In D. K. Snyder, J. A. Simpson, & J. N. Hughes (Eds.), *Emotion Regulation in Couples and Families* (pp. 231-248). American Psychology Association.

Goldstein, E. B. (2007). 감각과 지각(*Sensation and perception, 7th ed.*). (김정오, 곽호완, 박창호, 박권생, 정상철, 남종호, 도경수 역). 서울: 시그마프레스. (원저는 2007년에 출판).

Goleman, D. (1977). *The varieties of the meditatine experience.* New York: E. P. Dutton.

Goleman, D. (1995). *Emotional intelligence.* NY: Bantam Books.

Gomez, L. (2008). 대상관계 이론 입문(*An introduction to object relations*). (김창대, 김진숙, 이지연, 유성경 역). 서울: 학지사. (원저는 2002년에 출판).

Goodenough, F. (1926). *Measurement of intelligence by drawings.* Oxford, England: World Book Co.

Goodheart. (1994). *A. Laughter Therapy: How to Laugh About Everything in Your Life That Isn't Really Funny.* California: Less Stress Press.

Goodstein, L. D. (1972). Behavioral views of counseling. In B. Sterfire, & W. H. Grant (Eds.). *Theories of counseling.* NY: McGraw-Hill.

Goodyear, R. K., & Nelson, M. L. (1997). The major formats of psychotherapy supervision. In C. E. Watkins Jr. (Ed.), *Handbook of psychotherapy supervision.* New York: John Wiley & Sons.

Goodyear, R. K., & Robyak, J. E. (1982). Supervisors' theory and experience in supervisory focus. *Psychology, 31*(2), 228-237.

Gordon, L., & Mooney, R. (1950). *Manual for the Mooney Problem Checklist-1950 Revison.* Psychological Corporation, New York.

Gortevant, H. D., & Carlson, C. I. (1989). *Family Assessment: A Guide to Methods and Measures.* NY: The Guilford Press.

Gostecnik, C. (2000). The Operative Mechanism in Family Scapegoating. *American Journal of Pastoral Counseling, 3*(2).

Gottesman. (1963). Heritability of personality: A demonstration. *Psychological Monographs, 77* (Whole No. 572).

Gottfredson, L. (1981). Circumscription and compromise: a developmental theory of occupational aspirations (Monograph). *Journal of Counseling Psychology, 28,* 545-579.

Gottfredson, L. (1996). Gottfredson's theory of circumscription and compromise. In Brown, d., & Brooks, L., *Career choice and development* (3rd ed.). San Francisco: Jossey-Bass.

Gough, H. (1956). *California Psychological Inventory.* Palo Alto, CA: Consulting Psychologists Press.

Gough, H. G. (1987). *California Psychological Inventory Administrator's Guide.* Palo Alto, CA: Consulting Psychologists Press, Inc.

Gough, H. G., & Bradley, P. (1996). *CPI Manual* (3rd ed.). Palo Alto, CA: Consulting Psychologists Press.

Gould, J. L., & Gould, C. G. (1999). *Animal Mind.* W. H. Freeman & Company.

Gould, L. J., & Bradley, L. J. (2001). Evaluation in supervision. In L. J. Bradley & N. Ladany (Eds.), *Counselor supervision: Principles process and practice* (3rd ed.). Philadelphia: Brunner-Routledge.

Goulding, M. M. (1993). 재결단치료(*Changing Lives Through Redecision Therapy*). (우재현 역). 대구: 정암서원. (원저는 1982년에 출판).

Goulding, M., & Goulding, R. (1979). *Changing Lives Through Redecision Therapy.* New York: Brunner/Mazel.

Gowing, L., Proudfoot, H., Henry-Edwards, S., & Teesson, M. (2001). *Evidence Supporting Treatment: The Effectiveness of Interventions for Illicit Drug Use.* Woden, ACT: Australian National Council on Drugs.

Grant, A. M., & Cavanagh, M. J. (2007). The Goal-Focused Coaching Skills Questionnaire: Preliminary Findings. *Social Behavior and Personality: an international journal, 35*(6), 751-760.

Gravetter, F. J., & Wallnau, F. B. (2006). *Statistics for the behavioral sciences* (7th ed.). Belmont, CA: Wadsworth.

Green, R. A. & Murray, E. J. (1975). Expression of feeling and cognitive reinterpretation in the reduction of hostile aggression. *Journal of Consulting and Clinical Psychology, 43,* 375-383.

Greenarce, P. (1957). The childhood of the artist. *PSOC, 12,* 57-58.

Greenberg, J., & Mitchell, S. (1983). *Object relations in psychoanalytic theory.* Cambridge, MA: Harvard University Press.

Greenberg, J., Soloman, S., & Pyszczynski, T. (1997). Terror management theory of self-esteem and social behavior: Empirical assessments and conceptual refinements. In M. P. Zanna (Ed.), *Advances in experimental social psychology* (Vol. 29, pp. 61-139). New York: Academic Press.

Greenberg, L. S. (1979). Resolving splits: Use of the two-chair technique. *Psychotherapy: Theory, Research, and Practice, 16,* 316-324.

Greenberg, L. S. (1980). The intensive analysis of recurring events from the practice of Gestalt therapy. *Psychotherapy: Theory, Research, and Practice, 17,* 143-152.

Greenberg, L. S. (1983). Toward a task analysis of conflict resolution in Gestalt therapy. *Psychotherapy: Theory, Research, and Practice, 20,* 190-201.

Greenberg, L. S. (1991). Research in the process of change. *Psychotherapy Research, 1,* 3-1.

Greenberg, L. S. (1994). Acceptance in experiential therapy. In S. C. Hayes, N. S. Jacobson, V. M. Follette, & M. J. Dougher (Eds.), *Acceptance and change: Content and context in psychotherapy* (pp. 53-72). Reno, NV: Context Press.

Greenberg, L. S. (2002). *Emotion-focused therapy: coaching clients to work through their feelings.* American Psychology Association.

Greenberg, L. S., & Paivio, S. C. (2008). 심리치료에서 정서를 어떻게 다룰 것인가(*Working with Emotions in Psychotherapy*). (이흥표 역). 서울: 학지사. (원저는 1997년에 출판).

Greenberg, L. S., & Safran, J. D. (1987). *Emotion in psychotherapy: Affect, cognition, and the process of change.* New York: Guilford Press.

Greenberg, M. A., Wortman, C. B., & Stone, A. A. (1996). Emotional expression and physical health: revising traumatic memories or fostering self-regulation?. *Journal of Personality and Social Psychology, 71*(3), 588-602.

Greene, R. (1992). *Human memory: Paradigms and paradoxes.* Hillsdale, NJ: Erlbaum.

Greenfield, T. K. (2000). Ways of measuring drinking patterns and the difference they make: Experience with graduated frequencies. *Journal of Substance Abuse, 12,* 33-49.

Greenhaus, J. H., Callanan, G. A., & Godshalk, V. M. (2011). 경력개발 및 관리(*Career management*). (탁진국 역). 서울: 시그마프레스. (원저는 2002년에 출판).

Greenson, R. (1967). *The Technique and Practice of Psychoanalysis.* New York: International Universities Press.

Greenwald, H. (1973). *Active psychology.* Northvale, NJ: Jason Aronson.

Gregorc, A. (1979). Learning/teaching styles: Potent forces behind them. *Educational Leadership, January,* 234-236.

Gremmler-Fuhr, M. (1999). Grundkonzepte und Modelle der Gestalttherapie. In Reinhard Fuhr, Milan Sreckovic, & Martina Gremmler-Fuhr (Hrsg.), *Handbuch der Gestalttherapie* (pp. 345-392). Goettingen: Hogrefe.

Griemas, A., & Couetes, J. (1976). The cognitive dimension of narrative discourse. *New Literary History, 7,* 433-447.

Griffith, B. A., & Frieden, G. (2000). Facilitating reflective thinking in counselor education. *Counselor Education and Supervision, 40,* 82-93.

Griffith, J. L., & Griffith, M. E. (1994). *The body speaks: Therapeutic dialogues for mind-body problems.* New York: Basic Books.

Griffith, J., & Powers, R. L. (1984). *An Adlerian lexicon: Fifty-nine terms associated with the individual psychology of Alfred Alder.* Chicago, IL: AIAS.

Griffiths, B. (1984). *Christ in India: Essays towards a Hindu-Christian Dialogue.* Springfield, IL: Templegate.

Griffiths, M. (2001). Gambling: An Emerging Area of Concern for Health Psychologists. *Journal of Health Psychology, September 1, 6*(5), 477-479.

Griffiths, M. D. (2000). Internet addiction: Internet

fuels other addictions. *Student British Medical Journal, 7,* 428-429.

Grinder, R., & Bandler, J. (1976). *The Structure of Magic II.* Palo Alto: Science and Behavior Books, Inc.

Grof, S. (1975). *Realms of the human unconscious: Observations from LSD research.* New York: Viking.

Grof, S., & Grof, C. (1989). *Spiritual emergency: When personal transformation becomes a crisis.* Los Angeles: Tarcher.

Groome, T. (1998). *Educating for life: A spiritual Vision for every teacher and parent.* New York, NY: Crossroads.

Gross, J. J., & John, O. P. (2003). Individual differences in two emotion regulation process: implications for affect, relationships, and well-being. *Journal of Personality and Social Psychology, 85,* 348-362.

Grossberg, S. (1980). How does a brain build a cognitive code?. *Psychological Review, 87,* 1-51.

Grotstein, J. (1993). A reappraisal of W. R. D. Fairbairn. *Bulletin of the Menninger Clinic, 57,* 421-449.

Group, G. (2003). *The Gale Encyclopedia of Mental Disorders.* Detroit.: Thomson Gale.

Grusec, J. E., & Redler, E. (1980). Attribution, reinforcement, and altruism: A developmental analysis. *Developmental Psychology, 16,* 525-534.

Guerney, B. G. (1964). Filial Therapy: Description and Rational. *Journal of Consulting Psychology, 28,* 304-310.

Guerney, L. (1976). *Filial Therapy Program.* In D. H. Olsen (Ed.), *Treating Relationships.* Graphic Publ. Lake Mills, Iowa.

Guilford, J. (1954). *Psychometric methods* (2nd ed.). New York: McGraw-Hill.

Gullone, E., Moor, S., Moss, S., & Boyd, C. (2000). The adolescent risk-taking questionnaire: development and psychometric evaluation. *Journal of Adolescent Research, 15,* 231-250.

Gunnison, H. (2003). *Hypnocounseling: An eclectic bridge between Milton Erickson and Carl Rogers.* Ross-on-Wye, UK: PCCS Books.

Gunnison, H. (2009). 최면상담(*Hypnocounseling*). (설기문 역). 서울: 학지사. (원저는 2003년에 출판).

Guterman, J. T. (2007). 해결중심상담(*Mastering the Art of Solution-Focused Counseling*). (김양현, 김유미 역). 서울: 교육과학사. (원저는 2006년에 출판).

Gysbers, N. C., & Moore, E. J. (1987). *Career counseling, skills and techniques for practitioners.* Englewood Cliffs, NJ: Prentice-Hall.

Gysbers, N. C., Heppner, M. J., & Johnston, J. A. (2003). 진로상담의 실제(*Career counseling: process, issues, and techniques*). (김봉환 역). 서울: 학지사. (원저는 1998년에 출판).

Gysbers, N., & Henderson, P. (1994). *Developing and managing your school guidance program.* Alexandria, VA: American Counseling Association.

Hackett, G., & Betz, N. E. (1981). A self-efficacy approach to the career development of women. *Journal of Vocational Behavior, 18,* 326-339.

Hackney, H. L., & Cormier, L. S. (2004). 심리상담의 과정과 기법: 효과적인 상담자가 되기 위한 안내서 (*The Professional counselor: a process guide to helping,* 4th ed.). (임성문, 이주성, 최국환, 김윤주, 이누미야 요시유키, 안형근, 육성필 역). 서울: 시그마프레스. (원저는 2000년에 출판).

Haddock, D. B. (2001). *Dissociative identity disorder.* New York: McGraw-Hill.

Haden, C. A., Haine, R. A., & Fivush, R. (1997). Developing Narrative Structure in Parent-Child Reminiscing Across the Preschool Years. *Developmental Psychology, 33*(2), 295-307.

Hair, J. F., Anderson, R. E., Tatham, R. L., & Black, W. C. (1995). *Multivariate data analysis* (4th ed.). Englewood Cliffs, NJ: Prentice-Hall.

Halbreich, U., & Kahn, L. S. (2001). Are women with premenstrual dysphoric disorder prone to osteoporosis?. *Psychosomatic Medicine, 63,* 361-364.

Haley, J. (1961). Control in Psychotherapy with Schizophrenics. *Archives of General Psychiatry, 5,* 340-353.

Haley, J. (1963). *Strategies of Psychotherapy.* New York: Grune & Stratton.

Haley, J. (1976). *Problem-solving therapy.* San Francisco, CA: Jossey-Bass.

Haley, J. (1986). *Uncommon Therapy: The Psychiatric Techniques of Milton H. Erickson, M. D.* New York: W. W. Norton.

Haley, J. (1990). *Strategies of Psychotherapy.* Rockville: Triangle Press.

Hall, A. S., & Parsons, J. (2001). Internet Addiction: College Student Case Using Best Practices in Cognitive Behavior Therapy. *Journal of Mental Health Counseling, 23*(4), 312-327.

Hall, C. S., Lindzey, G., & Campbell, J. B. (1998). 성격의 이론(*Theories of Personality,* 4th ed.). (이관용 외 공역). 서울: 중앙적성출판사. (원저는 1997년에 출판).

Hall, Carol, Hall, E., Stradling, P., & Young, D. (2006). *Guided Imagery: Creative Intervention In Coarsely & Psychotherapy.* Sage Pub.

Hall, L. A. (1996). Bartering: a payment methodology whose time has come again or an unethical practice?. *Family Therapy News, 27,* 7-19.

Hallahan, D. P., Lloyd, J. W., Kauffman, J. M., Weiss, M. P., & Martinez, E. A. (2008). 학습장애: 토대, 특성, 효과적 교수(*Learning diabilities: foundations, characteristics, and effective teaching,* 3rd ed.). (박현숙, 신현기, 정대영, 정해진 역). 서울: 시그마프레스. (원저는 2005년에 출판).

Hallahan, D. P., & Kauffman, J. M. (2000). *Exceptional children: Introduction to special education* (8th ed.). Boston: Allyn and Bacon.

Halligan, P. W., Bass, C., & Marshall, J. C. (Eds.) (2001). *Contemporary approach to the study of hysteria: Clinical and theoretical perspectives.* UK: Oxford University Press.

Halprin, A. (1979). *Movement ritual-an organization of structural movement to encourage creative exploration.* Kentfield, CA: Tamalpa Institute: Dancers' Workshop.

Halprin, A. (2002). *Returning to health with dance, movement, and imagery.* Mendocino, CA: LifeRhythm.

Halprin, A. (2002). 치유예술로서의 춤(*Dance as a healing: returning to health with movement & imager).* (임용자, 김용량 역). 서울: 물병자리.

Halprin, D. (1989). *Coming alive: the creative expression method.* Kentfield, CA: Tamalpa Institute.

Halprin, D. (2003). *The expressive body in life, art and therapy-working with movement, metaphore and meaning.* London and Philadelphia: Jassica Kingsley Publishers.

Halprin, D., & Weller, J. S. (2006). 동작중심 표현예술 치료-움직임, 은유, 그리고 의미의 세계(*The expressive body in life ar and therapy).* (김용량, 이정명, 오은영 역). 서울: 시그마프레스. (원저는 2003년에 출판).

Halsted, J. Wynn. (2009). *Some of My Best Friends Are Books: Guiding Gifted Readers from Preschool to High School* (3rd ed.). Scottsdale: Great Potential Press, Inc.

Hamilton, M. A., & Hamilton, S. F. (1997). When is work a learning experience?. *Phi Delta Kappan, 78,* 682-689.

Hamilton, N. G. (2007). 대상관계 이론과 실제: 자기와 타자(*Self and others: Object relations theory in practice).* (김진숙, 김창대, 이지연 역). 서울: 학지사. (원저는 1990년에 출판).

Hamilton, N. G. (2008). 심리치료에서 대상관계와 자아 기능(*The self and the ego in psychotherapy).* (김진숙, 김창대, 이지연, 윤숙경 역). 서울: 학지사. (원저는 1996년에 출판).

Hammer, E. F. (1958). *The clinical application of projective drawings.* Springfield: Thomas.

Handrix, H. (1988). *Getting the Love You Want.*

New York: Henry Holt and Company.

Hanes, M. (1997). *Roads to the unconscious: A manual for understanding road drawings*. Oklahoma, OK: Wood 'N' Barnes.

Hanna, T. (1986). What is Somatics?. *Somatics, 5*(4), 4-8.

Hanna, T. (1988). *Somatics-reawakening the mind's control of movement, flexibility, and training*. Cambridge, Massachusetts: Perseus Books.

Hansen, L. S. (1978). BORN FREE. *Training packets to reduce stereotyping in career options*. Minneapolis: University of Minnesota Press.

Hansen, L. S. (1990). *Integrative life planning: work, family and community*. Paper presented at International Round Table for the Advancement of Counseling. Helsinki, Finland.

Hansen, L. S. (1997). *Integrative life planning: critical tasks for career development and changing life patterns*. San Francisco: Jossey-Bass.

Hansen, L. S. (2001). Integrating work, family, and community through holistic life planning. *The Career Development Quarterly, 49,* 261-274.

Happich, C. (1932). Das bildbewusstsein als ansatzstelle psychischer behandling. *Zeitblatter der Psychotherapie, 5,* 663-667.

Harbin, H. T., & Madden, D. J. (1979). Battered parents: a new syndrome. *The American Journal of Psychiatry, 136,* 1288-1291.

Hardy, J. (1996). *A Psychology with a Soul*. London: Woodgrange Press.

Hare, A. P., & Hare, J. R. (2008). 제이콥 모레노(*J. L. Moreno*). (서수균 역). 서울: 학지사. (원저는 1996년에 출판).

Hare-Mustin, R. (1978). A feminist approach to family therapy. *Family Process, 17*(2), 181-194.

Hare-Mustin, R. (1994). Discourses in the mirrored room: A postmodern analysis of therapy. *Family Process, 33,* 19-35.

Harlow, H. F., & Zimmerman, R. R. (1959). Affectional responses in the infant monkey. *Science, 130,* 421-432.

Harman, R. (1989). *Gestalt therapy with groups, couples, sexually dysfunctional men, and dreams*. Springfield: Charles Thomas.

Harris, D. (1963). C*hildren's drawings as measures of intellectual maturity*. New York: Harcourt, Brace & World, Inc.

Harris, M. B., Benson, S. M., & Hall, C. L. (1975). The Effects of Confession on Altruism. *The Journal of Social Psychology, 96*(2), 187-192.

Harris, T. (1967). *I'm OK, You're OK*. New York: Harper & Row.

Hart, C. H., Burts, D. C., & Charlesworth, R. (2001). 발달중심의 통합교육과정(*Integrated curriculum and developmentally appropriate practice*). (대구교육대학교 열린교육 교수연구회 역). 경기: 양서원. (원저는 1997년에 출판).

Harter, S. (1985). Competence as a dimension of self-evaluation: toward a comprehensive model of self-worth. In R. L. Leahy (Ed.), *The development of the self*. Orlando. FL: Academic Press.

Harter, S., & Pike, R. (1984). The scale of perceived competence and social acceptance for young children. *Child Development, 55,* 1969-1982.

Harter, S., Wright, K., & Bresnick, S. (1987). *A developmental sequence of the emergence of self affects*. Paper presented at the biennial meeting of the Society for Research in Child Development, Baltimore.

Havighurst, R. (1953). *Human development and education*. Oxford, England: Longmans, Green.

Havighurst, R. J. (1972). *Developmental tasks and education* (3rd ed.). New York: David McKay.

Havighurst, Robert J., & Gross, Irma et al. (Eds.) (1955). *A Survey of the Education of Gifted Children*. Chicago: University of Chicago Press.

Hawkins, D., & Shohet, R. (1989). *Supervision in the helping professions*. Milton Keynes, UK: Open University Press.

Hayden-Seman, J. A. (1998). *Action modality couple therapy*. New Jersey: Jason Aronson Inc.

Hayes, R. E., & Lyons, S. J. (1981). The bridge drawing: a projective technique for assessment in art therapy. *The Arts in Psychotherapy, 8,* 208-217.

Hayes, S. (1994). Content, context, and the types of psychological acceptance. In S. Hayes, N. Jacobson, V. Follette, & M. Dougher(Eds.), *Acceptance and change: Content and context in psychotherapy* (pp. 13-32). Reno, NV: Context Press.

Hayes, S. (1999). Science and the success of behavioral healthcare. *Behavioral Healthcare Tomorrow, 8*(3), 54-56.

Hayes, S. C. (2004). Acceptance and commitment therapy and the new behavior therapies. In S. C. Hayes, V. M. Follette, & M. M. Linehan (Eds.), *Mindfulness and acceptance* (pp. 1-29). New York: Guilford Press.

Hayes, S. C., & Smith, S. (2010). 마음에서 빠져나와 삶 속으로 들어가라: 새로운 수용전념치료(*Get out of your mind & into your life*). (문현미, 민병배 역). 서울: 학지사. (원저는 2005년에 출판).

Hayes, S. C., Follette, V. M., & Linehan M. M. (2010). 알아차림과 수용(*Mindfulness and acceptance: Expanding the cognitive-behavioral traditions*). (인경스님, 고진하 역). 서울: 명상상담연구원. (원저는 2004년에 출판).

Hayes, S. C., Luoma, J. B., Bond, F. W., Masuda, A., & Lillis, J. (2006). Acceptance and commitment therapy: Model, processes and outcomes. *Behaviour Research and Therapy, 44*(1), 1-25.

Hayes, S. C., Masuda, A., & De Mey, H. (2003). Acceptance and commitment therapy and the third wave of behavior therapy. *Dutch Journal of Behavior Therapy, 2,* 69-96.

Hayes, S. C., Strosahl, K. D., & Wilson, K. G. (1999). *Acceptance and commitment therapy: An experiential approach to behavior change.* New York: Guilford Press.

Hayes, S., Wilson, K., Gifford, E., Bissett, R.,

Piasecki, M., Batten, S., Byrd, M., & Gregg, J. (2004). A preliminary trial of twelve-step facilitation and acceptance and commitment therapy with polysubstance-abusing methadone-maintained opiate addicts. *Behavior Therapy, 35*(4), 667-688.

Haynes, R., Corey, G., & Moulton, P. (2006). 상담 및 조력 전문가를 위한 수퍼비전의 실제(*Clinical Supervision in the Helping Professions: A Practical Guide*). (김창대, 유성경, 김형수, 최한나 역). 서울: 시그마 프레스. (원저는 2003년에 출판).

Heaton, J. A. (2006). 상담 및 심리치료의 기본 기법(*Buiding basic therapeutic skills: a practical guide for current mental health practice*). (김창대 역). 서울: 학지사. (원저는 1998년에 출판).

Hedtke, L., & Winslade, J. (2004). *Re-membering lives: Conversations with the dying and bereaved.* New York: Baywood Publishers.

Heflin, L. J., & Alaimo, D. F. (2007). 자폐범주성장애 아동 교육의 실제(*Students with Autism Spectrum Disorders: Effective Insrtuctional Practices*). (신현기, 이성봉, 이병혁, 이경면, 김은경 역). 서울: 시그마프레스. (원저는 2007년에 출판).

Heidegger, M. (1996). *Being and time.* Albany: State University Press.

Heiden, L. A., & Hersen, M. (2005). 임상심리학 입문(*Introduction to Clinical Psychology*). (이영호 역). 서울: 학지사. (원저는 1995년에 출판).

Heider, F. (1958). *The Psychology of interpersonal Relations.* USA: Lawrence Eribaum Associates, Inc.

Heinemann, D. (1956). Dynamics of transference interpretations. *International Journal of Psychoanalysis, 37,* 303-310.

Heins, T., & Ritchie, K. (1988). *Beating sneaky poo: Ideas for faecal soiling* (2nd ed.). Phillip, ACT: Phillip Health Center.

Helmer, O. (1967). *Analysis of the future: The Delphi method.* Santa Monica, Calif: Rand Corporation.

Helm-Estabrooks, N., & Albert, M. L. (2013). 실어증

및 실어증 치료(*Manual of aphasia and aphasia therapy*, 2nd ed.). (황영진, 서인효 역). 서울: 시그마프레스. (원저는 2003년에 출판).

Helminiak, D. (1996). *The human core of spirituality: Mind as psyche and spirit*. Albany, NY: State University of New York Press.

Henderson, D. A., & Thompson, C. L. (2010). *Counseling children* (8th ed.). Pacific Grove, CA: Brooks/Cole.

Henke, S. A. (2000). *Shattered Subjects: Trauma and Testimony in Women's Life-Writing*. New York: St. Martin's Press.

Henley, D. (2005). 점토를 통한 미술치료(*Clayworks in art therapy*). (김선현 역). 서울: 이론과 실천. (원저는 2002년에 출판).

Henley, D. (2007). Naming the enemy: an art therapy intervention for children with bipolar and comorbid disorder. *Art Therapy, 24,* 104-110.

Henry-Edwards, S., Gowing, L., White, J., Ali, R., Bell, J., Brough, R., Lintzeris, N., Ritter, A., & Quigley, A. (2003). *Clinical Guidelines and Procedures for the Use of Methadone in the Maintenance Treatment of Opioid Dependence*. Canberra, Australia: National Expert Advisory Committee on Illicit Drugs.

Hentig von, H. (1941). Remarks on the interaction of perpetrator and victim. *Journal of the American Institute of Criminal Law and Criminology, 31,* 303-309.

Hentig, H. (1948). *The Criminal and his Victim: Studies in the Sociology of Crime*. New Haven: Yale Univ. Press.

Heppner, P. P., Wampold, B. E., & Kivlighan, D. M. (2008). *Research design in counseling* (3rd ed.). Belmont, CA: Wadsworth.

Hergenhahn, B. R. (2001). 학습심리학(*Introduction to theories of learning*, 6th ed.). (김영채 역). 서울: 박영사. (원저는 2001년에 출판).

Herman, J. L., Aschbacher, P. R., & Winters, L. (1992). *A practical guide to alternative assessment*. Virgina: Association for Supervision and Curri-

culum Development.

Herman, J., Morris, L., & Fitz-Gibbon, C. (1987). *Evaluators handbook*. Newbury Park, CA: Sage Publications.

Herman, J. (2007). 트라우마: 가정폭력에서 정치적 테러까지(*Trauma and Recovery*). (최현정 역). 서울: 플래닛. (원저는 1992년에 출판).

Hernandez, R. (2008). Reflections across time and space: Using voice recordings to facilitate 'long-distance' definitional ceremonies. *International Journal of Narrative Therapy and Community Work, 3,* 35-40.

Herr, E., Cramer, S., & Niles, S. (2004). *Career guidance and counseling through the lifespan: Systematic approaches* (6th ed.). New York: Harper Collins.

Hersen, M., & Van Hasselt, V. B. (2008). 임상노인심리학(*Handbook of clinical geopsychology*). (이장호, 강숙정, 김지은, 김환, 서수균, 손영미, 신희천, 여정숙, 오경민, 이봉건, 이은경, 주리애 역). 서울: 시그마프레스. (원저는 1998년에 출판).

Hess, A. K. (1980). Theories and models in clinical psychology. In A. K. Hess (Ed.), *Psychotherapy supervision: Theory, research and practice*. New York: Wiley.

Heward, W. L. (2006). 최신특수교육(*Exceptional Children: An Introduction to Special Education*, 8th ed.). (김진호, 박재국, 방명애, 안성우, 유인정, 윤치연, 이효신 역). 서울: 시그마프레스. (원저는 2005년에 출판).

Heyns, L. M., & Pieterse, H. J. C. (1990). *A primer in practical theology*. Pretoria: Gnosis.

Hilgard, E. R., Atkinson, P., & Atkinson, R. C. (1979). *Introduction to psychology*. NY: Harcourt Brace Jovanovich.

Hill, J. L. (1999). *Meeting the needs of students with special physical and health care needs*. Upper Saddle River, NJ: Merrill/Prentice-Hall.

Hillman, J. (1975). *Re-Visioning psychology*. New York: Harper and Row.

Hiltner, S. (1972). *Theological Dynamics*. Nashville,

TN: Abingdon Press.

Hjelle, L. A., & Ziegler, D. J. (1992). *Personality theories: Basic assumption, research and applications* (3rd ed.). New York: McGraw-Hill.

Hjelle, L. A., & Ziegler, D. J. (2000). 성격심리학 (*Personality theories: Basic assumptions, research and applications,* 2nd ed.). (이훈구 역). 서울: 법문사. (원저는 1981년에 출판).

Hoff, E. C. (1974). *Alcoholism: The hidden addiction.* New York: Seabury Press.

Holder, H. D., Cisler, R. A., Longabaugh, R., Stout, R. L., Treno, A. J., & Zweben, A. (2000). Alcoholism treatment and medical care costs from Project MATCH. *Addiction, 95,* 999-1013.

Holifield, E. B. (1983). *A History of Pastoral Care in America: From Salvation to Self-Realization.* Nashville, TN: Abingdon Press.

Holifield, E. B. (2005). *A History of Pastoral Care in America.* Eugene, OR: Wipf & Stock Publishers.

Holland, J. (1992). *Making vocational choices: A theory of vocational personalities and work environments* (2nd ed.). Odessa, FL: Psychological Assessment Resources.

Holland, J. L. (1966). *The psychology of vocational choice: a theory of personality types and model environments.* Waltham, Mass.: Blaisdell.

Holland, J. L. (2004). 홀랜드 직업선택이론(*Making vocational choices: a theory of vocational personalities and work environments*). (안창규, 안현의 역). 서울: 한국가이던스. (원저는 1997년에 출판).

Hollander, E., Stein, D., Kwon, J., Rowland, C., Wong, C., Broatch, J., & Himelein, C. (1998). Psychosocial function and economic costs of obsessive-compulsive disorder. *CNS Spectrums, 3*(5), 48-58.

Holliday, S. G., & Chandler, M. J. (1986). *Wisdom: explorations in adult competence.* Basel: Karger.

Hollingshead, A. B. (1949). *Elmtown's Youth.* New York: Wiley.

Holloway, E. L. (1988). Instruction beyond the facilitative conditions: A response to Biggs. *Counselor education and Supervision, 27,* 252-258.

Holloway, E. L. (1995). *Clinical Supervision: A Systems Approach.* Thousand Oak, CA: Sage.

Holloway, E. L., & Aposhyan, H. M. (1994). The supervisor as teacher, model, and mentor for careers and psychotherapy. *Journal of Career Assesment, 2*(2), 191-197.

Holloway, E., & Johnston, R. (1985). Group supervision: Widely practiced but poorly understood. *Counselor Education and Supervision, 24*(4), 332-340.

Homer, S. (2014). 라캉읽기(*Jacques Lacan*). (김서영 역). 서울: 은행나무. (원저는 2006년에 출판).

Hood, A. B., & Johnson, R. W. (2007). *Assessment in counseling: A guide to the use of psychological assessment procedures* (4th ed.). Alexandria, VA: American Counseling Association.

Hook, J. N., Hook, J. P., & Hines, S. (2008). Reach Out or Act Out: Long-Term Group Therapy for Sexual Addiction. *Sexual Addiction & Compulsivity, 15,* 217-232.

Hope, D. A., Heimberg, R. G., Turk, C. L., & Juster, H. R. (2006). 사회불안증의 인지행동치료(*Managing Social Anxiety*). (최병휘 역). 서울: 시그마프레스. (원저는 2000년에 출판).

Hopkins, K. D., Stanley, J. C., & Hopkins, B. R. (1990). *Educational and psychological measurement and evaluation* (7th ed.). Englewood Cliffs, NJ: Prentice-Hall.

Hoppock, R. (1935). *Job Satisfaction.* New York: Harper and Brothers.

Hops, H., Wills, T. A., Patterson, C. R., & Weiss, R. L. (1972). *Marital interaction coding system.* Eugene: University of Oregon & Oregon Research.

Horn, J. L., & Cattell, R. B. (1966). Refinement and test of the theory of fluid and crystallized general intellignces. *Journal of Educational Psychology, 57,* 253-270.

Horney, K. (1937). *The Neurotic Personality of Our Time*. New York: Norton.

Horovitz, E. (2002). *Spiritual art therapy: An alternate path* (2nd ed.). Springfield, IL: Charles C Thomas Publisher.

Horowitz, L., Alden, L., Wiggins, J., & Pincus, A. (2000). *IIP-64/IIP-32 professional manual*. San Antonio, TX: The Psychological Corporation.

Horvath, A. O., & Symonds, B. D. (1991). Relation between working alliance and outcome in psychotherapy: A meta-analysis. *Journal of Counseling Psychology, 38*, 139-149.

Hosp, J., Howell, K., & Hosp, M. (2003). Characteristics of behavior rating scales: Implications for practice in assessment and behavioral support. *Journal of Positive Behavior Interventions, 5*, 201-208.

Howard, R. (1990). Art therapy as an isomorphic intervention in the treatment of a client with post-traumatic stress disorder. *American Journal of Art Therapy, 28*, 79-86.

Howell, D. C. (2007). *Statistical methods for psychology* (5th ed.). Pacific Grove, CA: Duxbury.

Howell, D. C. (2008). *Fundamental statistics for the behavioral sciences* (6th ed.). Belmont, CA: Thomson.

Howlin, P. (2002). 자폐증과 아스퍼거증후군 아동: 치료자와 부모를 위한 지침서(*Children with autism and Asperger syndrome: A guide for practitioners and carers*). (김혜리, 정명숙, 박선미, 박영신, 이현진 역). 서울: 시그마프레스. (원저는 1998년에 출판).

Hoyer, W. J., Rybash, J. M., & Roodin, P. A. (2001). 성인발달과 노화(*Adult development and aging*). (윤경자, 이기숙, 김은경 역). 서울: 교문사. (원저는 1999년에 출판).

Hug-Hellmuth, H. (1913). *A study of the mental health of a child*. Washington, DC: Nerv. Ment. Dis. Publishing.

Hulse, W. (1951). The emotionally disturbed child draws his family. *Quarterly Journal of Child Techniques, 3*, 152-174.

Humbert, E. G. (1988). *C. G. Jung: The fundamentals of theory and practice*. IL: Chiron Publications.

Hume, D. (2004). A map for the journey: Feminist Empowerment Therapy. *Psychology of Women Quarterly, 28*(1), 97-99.

Hung, D. (1977). Generalization of "curiosity" questioning behavior in autistic children. *Journal of Behavior Therapy and Experimental Psychiatry, 8*, 237-245.

Hunterm, R. J., Malony, H. N., Mills, L. O., & Patton, J. (1990). *Dictionary of Pastoral Care and Counseling*. Nashville: Abingdon Press.

Huntington, G. (1872). On chorea. *Medical and Surgical Reporter of Philadelphia, 26*(15), 317-321.

Hurding, F. F. (1985). *The tree of healing: Psychological and biblical foundations for counseling and pastoral care*. Grand Rapids: Zondervan Publishing House, Ministry Resources Library.

Hurlock, E. B. (1978). *Child development*. NY: McGraw Hill.

Husserl, E. (1988). 현상학의 이념: 엄밀한 학으로서의 철학(*Philosophie als strenge Wissenschaft*). (이영호, 이종훈 역). 경기: 서광사. (원저는 1965년에 출판).

Hutchins, D. E. (1979). Systemic counseling: The T_F_A model for counselor intervention. *Personnel and Guidance Journal, 57*, 529-531.

Hycner, R. A., & Jacobs, L. (1995). *The Healing Relationship in Gestalt Therapy*. Highland, NY: Gestalt Journal Press.

Hynes, A. M., & Hynes-Berry, M. (1994). *Biblio/Poetry Therapy-The Interactive Process: A Handbook*. MN: North Star Press of St. Cloud, Inc.

Individuals with Disabilities Education Act (IDEA) (2006). Public Law 105-17.

Institute for Rational Emotive Therapy. (1993). *The*

RET Resource Book for Practitioners. New York. IRET.

Ireton, H. (1992). *Child development inventories*. Minneapolis, MN: Behavior Science Systems.

Ireton, H. (2004). *Child development review manual*. Minneapolis, MN: Behavior Science Systems.

Irwin, D. M., & Bushnell, M. M. (1980). *Observational strategies for child study*. New York: Holt, Rinehart and Winston.

Israel, A. C., & Wicks-Nelson, R. (1990). 아동기 행동장애(*Behavior Disorders of Childhood*). (김보경, 조현춘, 정대영, 박영균 역). 서울: 성원사. (원저는 1984년에 출판).

Ivey, A. E. (1968). *Micro Counseling: an experiment study of pre-practicum training in communicating test results*. Rockvill, Maryland: Eric.

Ivey, A. E. (1974). Adapting Systems to People. *Personnel and Guidance Journal, 53*(2), 137-139.

Ivey, A. E. (1986). *Developmental therapy: Theory into practice*. San Francisco: Jossey-Bass.

Ivey, A. E., & Rigazio-DiGilio, S. A. (1991). Toward a developmental practice of mental health counseling: Strategies for training, practice and political unity. *Journal of Mental Counseling, 13*(1), 21-36.

Ivey, A. E., Ivey, M. B., & Simek-Morgan, L. (1997). *Counseling and psychotherapy: A multicultural perspective*. Needham Heights, MA: Allyn & Bacon.

Izard, C. (1971). *The face of emotion*. New York: Appleton Century Crofts.

Izard, C. E. (1991). *The psychology of emotions*. New York: Plenum.

Izard, C. E. (1997). *The face of emotion*. New York: Appleton-Century-Crofts.

Izard, C. E., & Ackerman, B. P. (2004). Motivational, organizational, and regulatory functions of discrete emotions. In M. Lewis & J. M. Haviland-Jones (Eds.), *Handbook of Emotions* (2nd ed., pp. 253-264). New York: Guilford.

Jacobi, J. (2006). 분석심리학(*The psychology of C. G. Jung*. (이부영 역). 서울: 일조각. (원저는 1946년에 출판).

Jacobs, E. E., Harvill, R. L., & Masson, R. L. (2003). 놀이치료집단상담-전략과 기술(*Group Counseling: Strategies and skills*). (김춘경 역). 서울: 시그마프레스. (원저는 1994년에 출판).

Jacobs, E., Masson, R. L., Harvill, R., & Schimmel, C. (2003). 집단상담 전략과 기술(*Group counseling: strategies and skills*). (김춘경 역). 서울: 시그마프레스. (원저는 2002년에 출판).

Jacobson, E. (1938). *Progressive relaxation*. Chicago: University of Chicago Press.

Jacobson, E. (1971). Normal and pathological moods. *In Depression*, 66-106.

Jacques, E. (1965). Death and the midlife crisis. *International Journal of Psychoanalysis, 46*, 502-514.

Jaffe, C. A. (1990). *Management by fun-using play to boost morale and motivation*. findaricles.com/p/artkcles/mi_mi1154/.

Jahner, G. (2001). Emboding change: the transformative power of expressive arts and ritual. Unpublished Doctoral Dissertation, Union Institute Graduate School.

James, M. (1995). OK 보스. (우재현 역). 대구: 정암서원. (원저는 1975년에 출판).

James, M., & Jongeward, D. (1993). 자아실현의 열쇠: 교류분석(TA)의 이론과 실제. (우재현 역). 대구: 정암서원.

James, R. K., & Gilliland, B. E. (2002). 위기개입(*Crisis intervention strategies*). (한인영, 김연미, 장수미, 최정숙, 박형원, 이소래 역). 서울: 나눔의 집. (원저는 2001년에 출판).

James, R. K., & Gilliland, B. E. (2008). 위기개입(*Crisis intervention strategies*, 5th ed.). (한인영, 장수미, 최정숙, 박형원, 이소래, 이혜경 역). 서울: 나눔의 집. (원저는 2005년에 출판).

James, W. (1958). *Varieties of religious experience*. New York: Random House.

Janakabhivamsa, S. U. (2003). 위빠사나 수행: 통찰수행

에 대한 가르침(*Vipassana meditation*). (김재성 역). 서울: 불광출판부. (원저는 1992년에 출판).

Jarvis, T. J., Tebbutt, J., & Mattick, R. P. (1995). *Treatment Approaches for Alcohol and Drug Dependence: An Introductory Guide*. Chiche - ster, UK: Wiley.

Jarvis, T. J., Tebbutt, J., Mattick, R. P., & Shand, F. (2010). 중독상담과 재활(*Treatment Approaches for Alcohol and Drug Dependence: An Introductory Guide*). (신성만, 전영민, 권정옥, 이은경, 조현섭 역). 서울: 학지사. (원저는 2005년에 출판).

Jeeves, M. (1976). *Psychology and Christianity*. Downers Grove, ILL: Interversity Press.

Jensen, J., & A. Bergin, A. (1988). Mental health values of professional therapists: A national interdisciplinary survey. *Professional Psychology Research and Practice, 19,* 290-297.

Johnson, D. (1980). Effects of a theatre experience on hospitalized psychiatric patients. *The Arts in Psychotherapy, 7,* 265-272.

Johnson, D. R., & Emunah, R. (2011). 현대 드라마 치료의 세계(*Current approaches in drama therapy*). (김세준, 이상훈 역). 서울: 시그마프레스. (원저는 2009년에 출판).

Johnson, J. H., Rasbury, W. C., & Siegel, L. J. (1994). 아동치료접근-이론과 실제(*Approaches to Child Treatment Introduction to Theory, Research, and Practice*). (김태련 역). 서울: 이화여자대학교 출판부. (원저는 1986년에 출판).

Johnson, R. A. (1986). *Inner work*. Sanfrancisco: Harper Collins Publishers.

Johnson, S. M. (2006). 정서중심적 부부치료: 부부관계의 회복(*The Practice of Emotionally Focused Couple Therapy*). (박성덕 역). 서울: 학지사. (원저는 2004년에 출판).

Johnson, S. W., & Combs, D. C. (1997). The use of interaction television in live supervision. *TCA Journal, 25*(1), 10-18.

Johnson, Vicki. M., & Werner, R. A. (1994). 신변자립기능(*A step-by-step learning guide for re-tarded infants and children*). (박은희, 정영숙 역). 서울: 특수교육. (원저는 1975년에 출판).

Johnston, V. S. (2003). The origin and function of pleasure. *Cognition and Emotion, 17*(2), 167-179.

Joines, V., & Stewart, I. (2012). TA이론에 의한 성격적응론(*Personality adaptation*). (오수희, 이영태, 안범현 역). 서울: 학지사. (원저는 2002년에 출판).

Jones, A. J. (1969). *Principles of guidance*. New York: McGraw-Hill.

Jones, D. (1994). *Innovative Therapy: A Handbook*. Buckingham: Open University Press.

Jones, E. E., & Devis, K. E. (1965). From Acts to Dispositions: The Attribution Process in Person Perception. In Berkowitz, L. (Ed.), *Advances in Experimental Social Psychology, 2*. Academic Press.

Jones, F. P. (1976). *Body awareness in action*. New York: Schocken Books.

Jones, J. M. (1995). *Affect as process: An inquiry into the centrality of affect in psychological life*. Hillsdale, NJ: Analytic Press.

Jones, K. L. (1995). Discrimination of two aspects of cognitive social intelligence from academic intelligence. Unpublished Doctoral Dissertation. University of Notre Dam.

Jones, L. K. (1981). *Occ-U-Sort professional manual*. Monterey, CA: Publishers Test Service of CTB/McGraw-Hill.

Jones, R. S. P., & McCaughey, R. E. (1992). Gentle teaching and applied behavior analysis: A critical review. *Journal of Applied Behavior Analysis, 25,* 853-867.

Joyce, P., & Sills, C. (2010). 게슈탈트 상담과 심리치료기법(*Skills in Gestalt Counselling & Psychotherapy*). (박의순 역). 서울: 시그마프레스. (원저는 2001년에 출판).

Judith, W., & Pamela, R. (2004). 여성주의 상담의 이론과 실제: 여성의 힘을 키워주는 상담여행(*Feminist perspectives in therapy: empowering diverse women*). (김민예숙, 강김문순 역). 경기: 한울.

(원저는 2002년에 출판).

Jung, C. (1954). *Von den Wurzeln des Bewusstseins*. Zürich: Rascher Verlag.

Jung, C. (1967). *Die dynamik des unbewussten, G. W.* Bd.8,. Zürich: Rascher Verlag.

Jung, C. G. (1953). *Two essays on analytical psychology* (Collected Works of C. G. Jung Vol. 7). New York: Pantheon Books.

Jung, C. G. (1961). *Memories, dreams, reflections*. New York: Randon House-Vintage Books.

Jung, C. G. (1967). *The psychology of the transference*. New York: Princeton University Press.

Jung, C. G. (1968). *Der Mensch und seine Symbole*. Olten: Walter-Veriag.

Jung, C. G. (1971). *Psychological types*. New York: Princeton University Press.

Jung, C. G. (1973). *Experimental researches* (Collected Works of C. G. Jung, Vol. 2). New York: Princeton University Press.

Jung, C. G. (1976). *The portable Jung*. New York: Penguin Books.

Jung, C. G. (1980). *The archetypes and the collective unconscious* (2nd ed.). New York: Princeton University Press.

Jung, C. G. (1981). *The collected Works of C. G. Jung*. New York: Pantheon Books.

Jung, C. G. (1983). *Alchemical studies* (Collected Wokrs of C. G. Jung Vol. 13). New York: Princeton University Press.

Jung, C. G. (2002). 원형과 무의식(*Archetyp und unbewubtes*). (이부영, 한오수, 이유경, 변규용 역). 서울: 솔. (원저는 1984년에 출판).

Jung, C. G., Henderson, J. L., Franz, M. L., Jaffé, A., Jacobi, J., & Freeman, J. (2000). 인간과 무의식의 상징(*Man and His Symbols*). (이부영 역). 서울: 집문당. (원저는 1964년에 출판).

Jungkyu, K., & Daniels, V. (2008). Experimental Freedom. In P. Brownell (Ed.), *Handbook for Theory, Research, and Practice in Gestalt Therapy* (pp. 199-227). Newcastle: Cambridge Scholars Publishing.

Kabat-Zinn, J. (1994). *Wherever you go, there you are: Mindfulness meditation in everyday life*. New York: Hyperion.

Kabat-Zinn, J. (2003). Mindfulness-based interventions in context: Past, present, and future. *Clinical Psychology: Science and Practice, 10*(2), 144-156.

Kabat-Zinn, J. (2010). 마음챙김 명상과 자기치유(*Full catastrophe living: using the wisdom of your body and mind to face stress, pain and illness*). (장현갑, 김교헌, 김정호 역). 서울: 학지사. (원저는 2005년에 출판).

Kaemmerling, E. (1997). 도상학과 도상해석학: 이론-전개-문제점(*Ikonographie und ikonologie: theorien, entwicklung, probleme*). (노성두, 박지형, 송혜영, 홍진경, 이한순 역) 서울: 사계절. (원저는 1979년에 출판).

Kagan, J. (1965). Impulsive and reflective children. In J. Krumboltz (Ed.), *Learning and the educational process* (pp.133-161). Chicago: Rand, McNally.

Kagan, J. (1989). *Unstable ideas: Temperament, cognition, and self*. Cambridge: Harvard University Press.

Kagan, J., Reznick, J. S., & Gibbons, J. (1989). Inhibited and uninhibited types of children. *Child Development, 60,* 838-845.

Kagan, N. (1980). Influencing human interaction-eighteen years with IPR. In A. K. Hess (Ed.), *Psychotherapy supervision: Theory, research and practice*. New York: John Wiley.

Kahl, J. A. (1953). Educational and occupational of aspiration of "common man" boys. *Harvard Educational Review, 23,* 186-203.

Kahler, T. (1978). *Transactional analysis revisited*. Human Development Publications.

Kahn, J., & Rowe, J. (2001). 성공적인 노화-새로운 노년문화를 위한 지침서(*Successful aging*). (최혜경, 권유경 역). 서울: 신정. (원저는 1999년에 출판).

Kaiser, A. P. (1993). Parent-implementes language

intervention: An environmental system Perspective. In A. P. Kaiser & D. B. Gray (Eds.), *Enhancing chilren's communication: Research foundation for intervention* (pp. 63-84). Baltimore, MD: Brookes.

Kaiser, L. (1996). Indications of attachment security in a drawing task. *The Arts in Psychotherapy, 3*(4), 333-340.

Kalat, J. W. (2006). 생물심리학(*Biological psychology, 8th ed.*). (김문수, 문양호, 박소현, 박순권 역). 서울: 학지사. (원저는 2003년에 출판).

Kalat, J. W., & Shiota, M. N. (2007). 정서심리학 (*Emotion*). (민경환, 이옥경, 김지현, 김민희, 김수인 역). 서울: 시그마프레스. (원저는 2007년에 출판).

Kanfer, F. H., Reinecker, H., & Schmelzer, D. (1996). *Selbstmanagement- Therapie* (Ein Lehrbuch für die klinische Praxis, 2. Aufl.). Berlin: Springer.

Kanz, J. E. (2001). Clinical-supervision.com: Issues in provision of online supervision. *Professional Psychology: Research and Practice, 32*(4), 415-420.

Kaplan, H. (1997). Speech reading. *Seminars in Hearing, 18*(2), 129-140.

Kaplan, H. B. (1991). Sex differences in social interest. *The Journal of Individual Psychology, 47*, 120-123.

Kaplan, R. M., & Saccuzzo, D. P. (2004). *Psychological testing: Principles, applications, and issues* (6th ed.). Belmont, CA: Wadsworth.

Karlberg, J., Albersson-Wikland, K., Nilsson, K. O., Ritzen, E. M., & Westphal, O. (1991). Growth in infancy and childhood in girls with Turner's syndrome. *Acta Pediatrica Scandinavica, 80*, 1158-1165.

Karp, M. H., Holmes, P., & Tauvon, K. B. (2005). 심리극의 세계(*The Handbook of Psychodrama*). (김광운, 박희석, 김경자, 전은희, 강명옥, 임수진 역). 서울: 학지사. (원저는 1998년에 출판).

Karpman, S. (1968). Script drama analysis. *Transactional Analysis Bulletin, 26*, 16-22.

Katz, A. H., Hedrick, H. L., Isenberg, D. H., Thompson, L. M., & Goodrich, T. (1992). *Self-help concepts and applications*. Philadelphia: The Chales Press.

Kauffman, J. M. (1981). Introduction: Historical trends and contemporary issues in special education in the United States. In J. M. Kauffman & D. P. Hallahan (Eds.), *Handbook of special education* (pp. 3-23). Englewood Cliffs, NJ: Prentice Hall.

Kauffman, J. M. (1989). *Characteristics of behavior disorders of children and youth* (4th ed.). Columbus, OH: Merrill.

Kauffman, J. M., & Landrum, T. J. (2009). *Characteristics of emotional and behavior disorders of children and youth* (9th ed.). Upper Saddle River, NJ: Merrill.

Kaufman, A. S., & Kaufman, N. L. (1983). *Kaufman Assessment Battery for Children*. Cicle Pines, MN: American Guidance Service.

Kaufman, B. N. (1977). *To love is to be happy with*. New York: Fawcett Crest.

Kaufman, B. N. (1981). *A miracle to believe in*. New York: Doubleday.

Kaufman, G., & Elder, G. H. Jr. (2002). Revisiting age identity: a research note. *Journal of Aging Studies, 16*, 169-176.

Kaufman, R., Gerlach-Spriggs, N., & Warner Jr., S. B. (2004). *Restorative Gardens: The Healing Landscape*. Haven & London: Yale University Press.

Kazdin, A. (1975). *Behavior modification in applied settings*. Homewood, IL. Dorsey.

Keeney, B. P., & Ross, J. M. (1985). *Mind in therapy: Constructing systemic family therapies*. New York, NY: Basic Books.

Kefir, N. (1971). *Priorities: A different approach to life style*. Paper presented at ICASSI, Tel Aviv, Israel.

Kefir, N. (1972). Priorities: A different approach to

life style and neurosis. Unpublished manuscript. Tel-Aviv, Israel: Paper presented at ICASSI

Kefir, N., & Corsini, R. (1974). Dispositional sets: A contribution to typology. *Journal of Individual Psychology, 30,* 163-178.

Kegan, R. (1979). *The Evolving Self.* Massachusetts: Harvard University press.

Keifir, N. (1981). Inpasse/priority therapy. In. R. J. Corsini (Ed.), *Handbook of innovative psychologist, 3,* 31-40.

Keleman, S. (1976). Bio-energetic concepts of grounding. In N. Totton, *Body psychotherapy-an introduction.* Maidenhead, Philadelphia: Open University Press.

Keleman, S. (1981). *Your body speaks its mind.* Berkeley, CA: Center press.

Keller, J. M. (2010). *Motivational Design for Learning and Performance: The ARCS Model Approach.* New York: Springer.

Keller, J. M., & Song, S. (1999). 매력적인 수업설계: 주의집중, 관련성, 자신감 그리고 만족감. 서울: 교육과학사.

Keller, K. L. (1993). Conceptualizing, measuring, and managing customer-based brand equity. *Journal of Marketing, 57*(1), 1-22.

Keller, L. M., Bouchard, T. J., Arvey, R. D., Segal, N. L., & Dawis, R. V. (1992). Work values: Genetic and environmental influences. *Journal of Applied Psychology, 77*(1), 79-88.

Kellermann, P. F. (1985). Charismatic leadership in psychodrama. *Journal of Group psychotherapy, Psychodrama, and Sociometry, 38,* 84-95.

Kellermann, P. F. (1991). An essay on the meta-science of psychodrama. *Group Psychotherapy, Psycho-drama, and Sociometry, 44,* 19-31.

Kellermann, P. F. (1992). *Focus on psychodrama: the therapeutic aspects of psychodrama.* Jessica Kingsley: London & Philadelphia.

Kellogg, R. (1970). *Analyzing children's art.* Palo Alto, Calif.: National Press Books.

Kelly, G. (1955). *The Psychology of Personal Constructs* (Vol. I and II). New York: W. Norton.

Kelly, G. A. (1963). *A theory of personality: the psychology of personal constructs.* New York: W. W. Norton & company.

Kelly, G. A. (1980). A psychology of the optimal man. In A. W. Landfield & L. M. Leitner (Eds.), *Personal construct psychology: Psychotherapy and personality.* New York: Wiley.

Kelly, H. H. (1967). Attribution Theory in Social Psychology. In D. Levine (Ed.), Nebraska Symposium on Motivation, 15. University of Nebraska Press.

Kempe, C. H., Silverman, F. N., Steele, B. F., Droegenmueller, W., & Silver, H. K. (1963). The Battered-Child Syndrome. *Journal of the American Academy of Child Psychiatry, 2*(1), 210-211.

Kendall, P. C., & Wilcox, L. E. (1979). Self-control in children: development of a rating scale. *Journal of consulting & Clinical Psychology, 47,* 1020-1029.

Kennell, J., Voos, D., & Klaus, M. (1976) Parent-Infant Bonding. In R. E. Heifer & C. H. Kempe (Eds.), *Child Abuse and Neglect: The Family and the Community.* Cambridge: Mass. Ballinger.

Kerkoff, A. C., & Davis, K. E. (1962). Value consensus and need complementarity in mate selection. *American Sociological Review, 27,* 295-303.

Kerlinger, F. N. (1973). *Foundations of behavioral research* (2nd ed.). New York: Holt, Rinehart, and Winston.

Kermode, F. (1980). Secrets and narrative sequence. *Critical Inquiry, 7*(1), 83-101.

Kernberg, O. (1965). Notes on countertransference. *Journal of the American Psychoanalytic Association, 13,* 38-56.

Kernberg, O. (1976). *Object relations theory and*

clinical psychoanalysis. New York: Jason Aronson.

Kerr, M. E., & Bowen, M. (2005). 보웬의 가족치료이론 (*Family Evaluation*). (남순현, 전영주, 황영훈 역). 서울: 학지사. (원저는 1988년에 출판).

Kerr, M. M., & Nelson, C. M. (1989). *Strategies for managing behavior problems in the classroom* (2nd ed.). New York: MacMillan.

Kertzer, D. I. (1983). Generation as a sociological Problem. *Annual Review of Sociology, 9,* 125–147.

Kessel, B. (1995). Reproductive cycles in women: quality of life impact. In B. P. Sachs, R. Beard, E. Papiernik, & C. Russell (Eds.), *Reproductive healthcare for women and babies.* New York: Oxford University Press.

Kestenberg, J. S. (1985). The flow of empathy and trust between mother and child. In E. J. Anthony & G. H. Pollack (Eds.), *Parental influence: In health and disease.* Boston: Little Brown.

Kiesler, D. J. (1996). *Contemporary interpersonal theory and research: Personality, psychopathology, and psychotherapy.* New York: John Wiley & Sons.

Kim, J., & Mulholland, S. J. (1999). Seating/wheelchair technology in the developing world: Need for a closer look. T*echnology and Disability 11*(1–2): 21–27.

Kinney, J., & Leaton, G. (1987). *Loosening the grip: A Handbook of Alcohol Information.* Mo: Times Mirror & Mosby.

Kirk, S. A., Gallegher, J. J., & Anastasiow, N. J. (2004). 특수아동의 이해와 교육(*Educating Exceptional Children*). (강창욱, 김남순, 김미숙, 김성애, 김용욱, 김원경, 김정권, 김향지, 민천식, 신진숙, 오세용, 윤광보, 이영철, 이해균, 조안나, 한현민 역). 서울: 박학사. (원저는 2003년에 출판).

Kitchener, K. S. (1984). Intuition, critical evaluation and ethical principles: the foundation for ethical decisions in counseling psychology. *The Counseling Psychologist, 12, 43*–55.

Kitchner, K. S., & Brenner, H. G. (1990). Wisdom and reflective judgement: knowing in the face of uncertainty. In R. J. Sternberg (Ed.), *Wisdom: its nature, origins, and development.* Cambridge: Cambridge University Press.

Kläsi, J. (1921). Über Somnifen, eine medikamentose Therapie schizophrener Aufregungszustande. *Schweizer Archiv für Neurologie und Psychiatrie, 8*(3), 4–11.

Klaus, M. H., & Kennell, J. H. (1976). *Maternal-infant bonding.* St. Louis: Mosby.

Klein, A. (1989). *The Healing Power of Humor.* New York: Tarcher/Putnam.

Klein, M. (1948). *The psychoanalysis of children.* London: Hogarth Press.

Klein, M. (1952). *The origins of transference: Envy and gratitude and other works,* London: Hogarth Press.

Knill, P. J. (1999). Soul nourishment or the intermodal language of imagination. In S. K. Levine & E. G. Levine (Eds.), *Foundations of expressive arts therapy-theoritical and clinical perspectives* (37–52). London & Philadelphia: Jessica Kingsley Publishers.

Knill, P. J., Levine, E. G., & Levine, S. K. (2005). *Principles and practice of expressive arts therapy.* London & Philadelphia: Jessica Kingsley Publishers.

Knoff, H. M., & Prout, H. T. (1985). *The Kinetic drawing system: Family and school.* Los Angeles, CA: Western Psychological Services.

Knowdell, R. L. (1993). *Manual for Occupational Interests Card Sort Kit.* San Jose, CA: Career Research and Testing.

Knox, D. (1971). *Marriage Happiness: A behavioral approach to counseling.* Champaign, IL: Research Press.

Knox, J. (2003). *Archetype, attachment, analysis: Jungian psychology and the emergent mind.* New York: Brunner-Routledge.

Koch, K. (1997). *Der Baumtest* (9. Aufl.). Götingen: Hans Huber.

Koch, M. D., & Arnold, W. J. (1972). Effect of early social deprivation on emotionality in rats. *Journal of Comparative and Physiological Psychology, 78*, 391-399.

Kochanska, G., Coy, K. C., & Murray, K. T. (2001). The development of self-regulation in first four years of life. *Child Development, 72*, 1091-1111.

Kohlberg, L. (1958). The development of modes of moral thinking and choice in the years 10 to 16. Unpublished doctoral dissertation. University of Chicago.

Kohlberg, L. (2001). 도덕발달의 심리학(*The Psychology of moral development*). (김민남, 진미숙 역). 경기: 교육과학사. (원저는 1984년에 출판).

Kohut, H. (1977). *The restoration of the self*. New York: International Universities Press.

Kohut, H. (2009). *The analysis of the self: a systematic approach to the psychoanalytic treatment of narcissistic personality disorders*. Chicago: The University of Chicago Press.

Kohut, H., & Wolf, E. (1978). The disorders of the self and their treatment: An outline. *International Journal of Psycho-Analysis, 59*, 413-425.

Kohut, H., Stepansky, P. E., & Goldberg, A. (2007). 정신분석은 어떻게 치료하는가? (*How does analysis cure?*). (이재훈 역). 서울: 한국심리치료연구소. (원저는 1984년에 출판).

Kolb, D. (1984). *Experiential learning: Experiences as the source of learning and development*. Upper Saddle River, NJ: Prentice Hall.

Konorski, J. (1967). *Integrative activity of the brain*. Chicago, IL: University of Chicago Press.

Koppitz, E. M. (1968). *Psychological evaluation of children's human figure drawings*. The Psychological Corporation, Harcourt Brace Jovanovich, Inc.

Korb, M. P., Gorrell, J., & Van de Riet, V. (1989). *Gestalt therapy: Practice and Theory* (2nd ed.). Boston: Allyn & Bacon.

Korn, D. A. (2000). Expansion of gambling in Canada: implications for health and social policy. *Canadian Medical Association Journal, 163*(1), 61-64.

Kornblatt, S. (2009). *A Better Brain at Any Age: The Holistic Way to Improve Your Memory, Reduce Stress, and Sharpen Your Wits*. San francisco: Conari Press.

Kraepelin, E. (1889). *Psychiatrie: Ein kurzes Lehrbuch für Studierende und Ärzte* (3rd ed.). Leibzig: Abel.

Kramer, E. (2002). Quality in art and art therapy. *American Journal of Art Therapy, 40*, 218-222.

Kramer, E. (2007). 치료로서의 미술: 크레이머의 미술치료(*Art as therapy: collected papers*). (김현희, 이동영 역). 서울: 시그마프레스. (원저는 2000년에 출판).

Kramer, G., Bernstein, D. A., & Phares, V. (2012). 임상심리학의 이해(*Introduction to Clinical Psychology*, 7th ed.). (황순택, 강대갑, 권지은 역). 서울: 학지사. (원저는 2008년에 출판).

Krathwohl, D. R. (2006). *Methods of educational and social science research*. Long Grove, IL: Waveland Press.

Krauss, D. A., & Fryrear, J. L. (1983). *Photography in mental health*. Springfield, IL: Charles Thomas.

Krebs, J. R., & Davies, N. B. (1978). *Behavioral ecology: an evolutionary approach*. Blackwell Science: Cambridge.

Krieshok, T. S., Hansen, R. N., & Johnston, J. A. (1989). *Missouri Occupational card sort*. Columbia: Career Planning and Placement Center, University of Missouri.

Kristeller, J. L., & Hallett, C. B. (1999). An exploratory study of a meditation-based intervention for binge eating disorder. *Journal of Health Psychology, 4*, 357-363.

Krumboltz, J. D., & Baker, R. D. (1973). Behavioral counseling for vocational decision. In H. Borow (Ed.), *Career guidance for a new age*. Boston: Houghton Mifflin.

Krumboltz, J. D., & Thoresen, C. E. (1969). *Behavioral counseling: Cases and techniques*. NY: Holt, Linehart & Winston.

Krumboltz, J. D., Mitchell, A. M., & Gelatt, H. B. (1975). Applications of social learning theory of career selection. *Focus on Guidance, 8*(3), 1-16.

Krumm, V. (1981). Verhaltensmodifikation. In H. Schiefele & A. Krapp (Hg.), *Handlexikon zur Pädagogischen Psychologie* (pp. 401-404). München: Ehrenwirth.

Kübler-Ross, E. (1969). *On Death and Dying*. New York: Routledge.

Kübler-Ross, E. (2008). 죽음과 죽어감(*On death and dying*). (이진 역). 경기: 이레. (원저는 1995년에 출판).

Kuder, S. J. (2010). 언어장애와 의사소통장애: 학령기 아동 가르치기(*Teaching Students With Language and Communication Disabilities,* 3rd ed.). (김화수 역). 서울: 시그마프레스. (원저는 2007년에 출판).

Kupfer, D. J., Detre, T., Koral, J., & Fajans, P. (1973). A Comment on the "Amotivational Syndrome" in Marijuana Smokers. *American Journal of Psychiatry, 130,* 1319-1322.

Kurdek, L. A., & Rodgon, M. M. (1975). Perceptual, cognitive and affective perspective taking in kindergarten though six-grade children. *Developmental Psychology, 11,* 643-650.

Kuriakos. (2008). *How to do transcendental meditation*. London: Lightning Source Inc.

Kurtz, E. (1982). Why A. A. Works: The intellectual significance of Alcoholics Anonymous. *Journal of Studies on Alcohol, 43*(1), 38-80.

Kuyper, A. (1909). *Encyclopaedie der Heilige Godgeleerdheid* (Vol. 3). Kampen: Kok.

Kwan, H. Y. (2009). *Retelling the story of young adult Christians-who have non-Christian family*. Saarbrucken: VDMVerlag.

Laban, R. (1960). *The Mastery of Movement* (2nd ed.). London: Macdonald & Evans.

Laban, R., & Lawrence, F. C. (1947). *Effort*. London: Macdonald & Evans.

Labouvie-Vief, G. (1980). Beyond formal operations: Uses and limits of pure logic in life-span development. *Human Development, 23,* 141-161.

Labouvie-Vief, G. (1984). Culture, language, and mature rationality. In H. W. Reese & K. A. McCluskey (Eds.), *Life-span developmental psychology: Historical and generational effects* (pp. 109-128). New York: Academic Press.

Labouvie-Vief, G. (1990). Modes of knowledge and the organization of development. In M. I. Commons, I. Kohlberg, R. Richards, & J. Simmott (Eds.), *Beyond formal operations: models and methods in the study of adult and adolescent thought*. New York: Praeger.

Labouvie-Vief, G. (1994). *Psyche and Bros: Mind and gender in the life course*. New York: Cambridge University Press.

Labouvie-Vief, G. (2003). Dynamic integration: Affect, cognition, and the self in adulthood. *Current Directions in Psychological Science, 12,* 201-206.

Lack, C. R. (1985). Can Bibliotherapy Go Public&quest. *Collection Building, 7*(1), 27-32.

LaFountain, M. R., & Bartos, B. R. (2002). *Research and statistics made meaningful in counseling and student affairs*. Pacific Grove, CA: Brooks-Cole.

LaFromboise, T., Coleman, H. L., & Gerto, J. (1993). Psychological impact of biculturalism: Evidence and theory. *Psychological Bulletin, 114*(3), 395-412.

Lagnenfeld, T. E., & Educational Resources Information Center(ERIC) (1997). *The effects of children's ability to delay gratification on school related behaviors*. U.S.: ERIC.

Lahad, M. (1992). Storymaking: an assessment method for coping with stress. In J. Sue, *Dramatherapy theory and practice, 2*. London: Routledge.

Lakoff, G., & Mark, J. (2006). 삶으로서의 은유 (*Metaphors We Live By*). (나익주, 노양진 역). 서울: 도서출판 박이정. (원저는 1980년에 출판).

Lamott, A. (1995). *Bird by Bird: Some Instructions on Writing and Life*. New York: Anchor Books.

Landgarten, H. B. (1987). *Family art psychotherapy*. New York: Brunner Mazel.

Landreth, G. L. (1991). *Play Therapy: The Art of the Relationship*. Muncie, IN Accelerated Development Inc.

Landy, R. J. (2002). 억압받는 사람들을 위한 연극치료 (*Drama Therapy: Concepts, Theories and Practices*). (이효원 역). 서울: 울력. (원저는 1994년에 출판).

Landy, R. J. (2010). 역할 접근법의 이론과 실제: 페르소나와 퍼포먼스(*Persona and performance*). (이효원 역). 서울: 학지사. (원저는 1993년에 출판).

Lange, A., & Hart, O. (1983). *Directive-family therapy*. Brunner Mazel.

Langenfeld, S. D. (1981). Personality priorities: A factor analytic study. Dissertation Abstracts International, DAI-B 42(05), 8424194.

Larson, L. M., Clark, M. P., Wesley, L. H., Koraleski, S. F., Daniels, J. A., & Smith, P. L. (1999). Videos versus role plays to increase counseling self-efficacy in prepractica trainees. *Counselor Education and Supervision, 38*(4), 237-248.

Lasègue, G., & Falret, J. P. (1977). La folie a deux (of folie communiques). *Annales Medico-Psycholosiques, 18*, 321-355 (Trans. 1964 by Michaud, R. *Supplement to American Journal of Psychiatry, 121*, 1-23).

Laske, O. E. (1999). An integrated model of devel-opmental coaching. *Counseling Psychology Journal: Practice and Research, 51*(3), 139-159.

Latner, J. (1973). *The gestalt therapy book*. New York: Julian Press.

Lazarus, A. A. (1976). *Multimodal behavior therapy*. New York: Springer.

Lazarus, A. A. (1981). *The practice of multimodal therapy*. New York: McGraw-Hill.

Lazarus, A. A. (1989). *The practice of multimodal therapy: Systematic, Comprehensive, and Effective Psychotherapy*. Baltimore: Johns Hopkins University Press.

Lazarus, A. A., & Beutler, L. E. (1993). On technical eclecticism. *Journal of Counseling and Development, 71*(4), 381-385.

Lazarus, R. S. (1966). *Psychological stress and the coping process*. New York: McGraw-Hill.

Lazarus, R. S. (1976). *Patterns of adjustment*. New York: McGraw-Hill.

Lazarus, R. S., & Folkman, S. (1984). *Stress, appraisal, and coping*. New York: Springer.

Lazarus, R. S., & Lazarus, N. N. (1997) 감성과 이성 (*Passion and reason: making sense of our emotions*). (정영목 역). 서울: 문예출판사. (원저는 1994년에 출판).

Leahy, R. L. (2010). 인지치료에서 저항의 극복(*Overcoming resistance in cognitive therapy*). (최영희 역). 서울: 학지사. (원저는 2007년에 출판).

Leary, T. (1957). *Interpersonal diagnosis of personality*. New York: Ronald Press.

Leddick, G. R., & Bernard, J. M. (1980). The history of supervision: A critical review. *Counselor Education and Supervision, 19*, 186-196.

Leddick, G. R., & Dye, H. A. (1987). Counselor supervision: Effective supervision as portrayed by trainee expectation and preferences. *Counselor Education and Supervision, 27*(2), 139-154.

Leedy, J. J. (Ed.) (1986). *Poetry as healer: Mending the troubled mind*. NY: Vanguard.

Leibowitz, J., & Connington, B. (1990). *Body aware-ness in action*. New York: Harperprennial.

Leong, F. T. L. (Ed.) (2008). *Encyclopedia of counseling*. MI: SAGE Publications, Inc.

Lerner, R. M., & Benson, P. L. (Eds.) (2003). *Developmental assets and asset-building communities: Implications for research, policy, and practice*. New York: Kluwer.

Lesieur, H. R., & Blume, S. B. (1987). The South Oaks Gambling Screen (SOGS): a new instrument for the identification of pathological gamblers. *American Journal of Psychiatry, 144,* 1184-1188.

Lester, D. (2002). *Crisis intervention and counseling by telephone* (2nd ed.). Springfield, Ill.: Charles C. Thomas.

Leuba, J. (1986). A study in the psychology of religious Phenomena. *American Journal of Psychology, 7*(3), 309-385.

Leuner, H. (1954). Über die jugendpsychiatrische Bedeutung von Reifestörungen. *Zeitschrift für die Kinderpsychiatrie, 20,* 12.

Leuner, H. (1978). Basic principles and therapeutic efficacy of guided affective imagery (GAI). In J. L. Singer & K. S. Pope (Eds.), *The power of human imagination: New method in psychotherapy*. New York: Plenum.

Leuner, H. (1980). Grundlinien des Katathymen Bilderleben aus neuerer Sicht. In H. Leuner (Ed.), *Katathymes Bilderleben: Ergebnisse in Theorie und Praxis*. Bern: Huber.

Levenson, R. W. (1994). Human emotions: A functional view. In P. J. Davidson (Ed.), *The nature of emotion: Fundamental question*. New York: Oxford University Press.

Levine, S. K. (1999). Poiesis and post-modernism: the search for a foundation in expressive arts therapy. In Levine, S. K. & Levine, E. G. (Eds.), *Foundations of expressive arts therapy-theoretical and clinical perspectives* (pp. 19-36). London & Philadelphia: Jessica Kingsley Publishers.

Levine, S. K. (2005). The philosophy of expressive arts therapy: poiesis as a response to the world. In P. J. Knill, E. G. Levine, & S. K. Levine (2005), *Priciples and practice of expressive arts therapy*. London & Philadelphia: Jessica Kingsley Publishers.

Levine, S. K., & Levine, E. G. (1999). *Foudations of expressive arts: theorectical and clinical perspectives*. London & Philadelphia: Jessica Kingsley Publishers.

Levinson, D. J. (1978). *The seasons of a man's life*. New York: Knopf.

Levinson, D. J. (1986). A conception of adult development. *American Psychologist, 41,* 3-13.

Levinson, D. J. (1996). *The seasons of a woman's life*. New York: Knopf.

Levinthal, C. F. (2008). 약물, 행동, 그리고 현대사회: 정신약물학 입문(*Drugs, Behavior, and Modern Society*, 4th ed.). (박소현, 김문수 역). 서울: 시그마프레스. (원저는 2005년에 출간).

Levy, D. M. (1938). Release therapy in young children. *Psychiatry, 1,* 387-390.

Levy, F. J. (1988). *Dance movement therapy-a healing art*. Reston, Virginia: American Alliance for Health, Physical Education, Recreation and Dance.

Levy, S., & Inderbitzin, L. (2003). Ego psychology and modern structural theory. In A. Tasman, J. Kay, & J. A. Lieberman. *Psychiatry* (2nd ed.). New York: John Wiley & Sons.

Lewin, K. (1944). Level of aspiration. In Hunt, J. McV. (Ed.), *Personality and the behavior disorders*. NY: Ronald Pr.

Lewis, B. A., Pucelik, F., & Antos, L. (1990). *Magic of NLP demystified: A pragmatic guide to communication and change*. Portland, OR: Metamorphous Press.

Lewis, M., Alessandri, S. M., & Sullivan, M. W. (1992). Differences in shame and pride as a function of children's gender and task difficulty.

Child Development, 63, 630-638.

Lickel, J., Nelson, E., Lickel, A. H., & Deacon, B. (2008). Interoceptive exposure exercises for evoking depersonalization and derealization: A pilot study. *Journal of Cognitive Psychotherapy: An International Quarterly 22,* 4.

Liddle, H. A., Breulin, D. C., & Schwartz, R. C. (1988). *Handbook of Family Therapy and Supervision.* New York: Guilford Press.

Lieberman, D. A. (1996). 학습심리학: 행동과 인지 (*Learning: behavior and cognition,* 2nd ed.). (이관용, 김기중 역). 서울: 교육과학사. (원저는 1993년에 출판).

Liebert, R. M., & Liebert, L. L. (2002). 성격심리학 (*Personality: strategies and issues,* 8th ed.). (조현춘, 조현재, 문지혜 역). 서울: 시그마프레스. (원저는 1998년에 출판).

Liebert, R. M., & Spiegler, M. D. (1997). *Personality: Strategies and issues* (8th ed.). Boston, MA: Thomson Wadsworth.

Liese, B. S., & Beck, J. S. (1997). Cognitive therapy supervision. In C. E. Watkins, Jr. (Ed.). *Handbook of psychotherapy supervision.* New York: John Wiley.

Lindemann, E. (1956). The meaning of crisis in individual and family. *Teachers College Record, 57,* 310.

Lindstorm, L. (1992). *Managing Alcoholism: Matching Clients to Treatment.* Oxford: Oxford University Press.

Linehan, M. (1993). *Cognitive-Behavioral Treatment of Borderline Personality Disorder.* New York: the Guilford Press.

Linstone, H. A., & Turoff, M. (Eds.). *The Delphi method: Techniques and applications.* Newark, NJ: Information Systems Department, New Jersey Institute of Technology.

Lintzeris, N., Clark, N., Muhleisen, P., Ritter, A., Ali, R., Bell, J., Brough, R., Lintzeris, N., Ritter, A., & Quigley, A. (2003). *Clinical Guidelines and Procedures for the Use of Methadone in the Maintenance Treatment of Opioid Dependence.* Canberra, Australia: National Expert Advisory Committee on Illicit Drugs.

Lipps, T. (1897). *Raumaesthetik and geometrischeoptische Täuschungen.* Leipzig: Barth.

Littrell, J. M., Marlia, J. A., & Kimpston, B. A. (1991). *Single-session brief counseling in a high school: problem-focused versus solution-focused.* Manuscript submitted for publication.

Littrell, J. M., Marlia, J. A., Nichols, L., Olson, J., Nesselhuf, D., & Crandell, P. (1992). Brief counseling: helping counselors adopt an innovative counseling approach. *The School Counselor, 39,* 171-175.

Loevinger, J. (1976). *Ego Development.* San Francisco: Jossey-Bass.

Loevinger, J. (1979). Construct validity of the sentence completion test of ego development. *Applied Psychological Measurement, 3,* 281-311.

Loewenstein, G. F., Weber, E. U., Hsee, C. K., & Welch, N. (2001). Risk as feeling. *Psychological Bulletin, 127,* 267-286.

Loewenstein, G., & Lerner, J. S. (2003). The role of affect in decision making. In R. Davidson, H. Goldsmith, & K. Scherer (Eds.), *Handbook of affective science* (pp. 619-642). Oxford: Oxford University Press.

Lofquist, L. H., & Dawis, R. V. (1991). *Essentials of person-environment-correspondence counseling.* Minneapolis: University of Minnesota Press.

Loganbill, C., Hardy, E., & Delworth, U. (1982). Supervision: A conceptual model. *Counseling Psychologist, 10*(1), 3-42.

Loman, S. (1995). The case of Warren: a KMP approach to autism. In F. J. Levy, J. P. Fried, & F. Leventhal (Eds.), *Dance and other expressive art therapies.* York & London: Routledge.

Long, S. S., Pickering, L. K., & Prober, C. G. (Eds.)

(2008). *Principles and practice of pediatric infectious diseases* (3rd ed.). Philadelphia, Pa: Churchill Livingstone Elsevier.

Lord, C., Cook, E. H., Leventhal, B. L., & Amaral, D. G. (2000). Autism spectrum disorders. *Neuron, 28,* 355-363.

Lord, F. M. (1980). *Applications of item response theory to practical testing problems.* Hilsdale, NJ: Erlbaum.

Lorin, J. E., & Beborah, M. S. (2007). 임상 및 실험 신경심리학(*Neuropsychology: Clinical and experimental foundation*). (김명선 역). 서울: 시그마프레스. (원저는 2006년에 출판).

Lowen, A. (1975). *Bioenergetics.* Harmondsworth, Middlesex, England: Penguin Books Ltd.

Lowenfeld, M. (1979). *World Technique.* Allen & Unwin.

Lowenfeld, V. (1947). *Creative and Mental Growth.* New York: MacMillan.

Lowenfeld, V., & Britain, W. L. (1993). 인간을 위한 미술교육-어린이와 청소년을 중심으로(*Creative and mental growth*). (서울교육대학교 미술교육연구회 역). 서울: 미진사. (원저는 1964년에 출판).

Lubin, B., & Eddy, W. B. (1973). The laboratory training model: rational, method, and some thoughts for the future, In R. T. Golembiewski & A. Blumberg (Eds.), *Sensitivity training and the laboratory approach* (2nd ed.), Itasca, Ill.: F. E. Peacock.

Luborsky, L., Chandler, M., Auerbach, A. H., Cohen, J., & Bachrach, H. M. (1971). Factors influencing the outcome of psychotherapy: a review of quantitative research. *Psychological Bulletin, 75,* 145-185.

Luhmann, N. (1984). *Soziale Systeme.* Frankfurt/M.: Suhrkamp.

Luhmann, N., & Schorr, K. E. (1985). *Zwischen Intransparenz und Verstehen.* Frankfurt: Suhrkamp.

Lundin, R. W. (1989). *Alfred Adler's Basic Concepts And Implications.* London: Routledge.

Luoma, J. B., Hayes, S. C., & Walser, R. D. (2012). 수용전념치료 배우기(*An acceptance & commitment therapy skills-Training manual for therapists*). (최영희, 유은승, 최지환 역). 서울: 학지사. (원저는 2007년에 출판).

Luquet, W. (2004). 이마고 부부치료(*Short-Term Couples Therapy*). (송정아 역). 서울: 학지사. (원저는 1996년에 출판).

Luthe, W., & Schultz, J. H. (1970). *Autogenic Therapy.* New York: Grune & Stratton.

MacCluskie, K. (2012). 현대 상담기술(*Acquiring counseling skills: Integrating theory, multiculturalism, and self-awareness*). (홍창희, 이숙자, 정정화, 정민 역). 서울: 학지사. (원저는 2010년에 출판).

Maccoby, E. E. (1980). *Social development: psychological growth and the parent-child relationship.* New York: Harcourt Brace Hovanovich.

Machover, K. (1949). *Personality projection in the drawing of the human figure: A method of personality investigation* (11th ed.). Springfield, IL: Charles C. Thomas, Publisher.

Mackewn, J. (1997). *Developing Gestalt Counseling.* London: Sage.

Macklem, G. L. (2003). *Bullying and teasing: social power in children's groups.* New York, NY: Kluwer Academic/Plenum.

Madanes, C. (1980). Protection, Paradox and Pretending. *Family Process, 19,* 73-85.

Madanes, C. (1981). *Strategic Family Therapy.* San Francisco: Jossey-Bass.

Madanes, C. (1984). *Behind the one-way mirror.* San Francisco: Jossey-Bass.

Maddi, S. R. (1980). *Personality theories: A comparative analysis.* Homewood, Ill.: The Dorsey Press.

Madigan, S. P. (1992). The application of Michel Foucault's philosophy in the problem externalizing discourse of Michael White. *Journal of Family Therapy, 14,* 265-279.

Magnuson, S., Norem, K., & Wilcoxon, S. A. (2000). Clinical supervision for licensure: A consumer's guide. *Journal of Humanistic Counseling,*

Education and Development, 41, 52–60.

Mahesh, M. (1963). *Transcendental Meditation: the science of being and art of living.* New York: New American Library.

Mahler, C. A. (1969). *Group counseling in the schools.* Boston: Houghton Mifflin.

Mahler, M. (1952). On Child Psychosis and Schizophrenia: Autistic and Symbiotic Infantile Psychoses. *Psychoanalytic Study of the Child, 7,* 286–305

Mahler, M. S. (1966). Notes on the development of basic moods: the depressive affect in psychoanalysis. *In Psychoanalysis–A General Psychology,* 152–168.

Mahoney, M. J. (1991). *Human change processes: The scientific foundations of psychotherapy.* New York: Basic Books.

Malatesta, C. Z. (1985). The developmental course of emotion expression in the human infant. In G. Zivin (Ed.), *Expressive development: Biological and environmental interactions.* New York: Academic Press.

Malatesta, L., & Cameron-Bandler, L. (1990). *Maps, models, and the structure of reality: NLP technology in psychotherapy.* Portland, OR: Metamorphous Press.

Malchiodi, C. A. (1993). Medical art therapy: contributions to the field of arts medicine. *International Journal of Arts Medicine, 2,* 28–31.

Malchiodi, C. A. (2000). 미술치료 (*Art making for personal growth, insight and transformation*). (최재영, 김진연 역). 서울: 조형교육. (원저는 1998년에 출판).

Malz, M. (2002). *New Psycho-Cybernetics.* Prentice Hall Press.

Manassis, K., & Bradley, S. (1994). The Development of childhood anxiety disorders: toward an integrated mode. *Journal Applied Developmental Psychology, 15.*

Manford, M., & Andermann, F. (1998). Complex visual hallucinations: Clinical and neurobiological insights. *Brain, 121,* 1819–1840.

Manning, R. (1987). Aggression depicted in abused children's drawings. *The Arts in Psychotherapy, 14,* 15–24.

Marcia, J. (1966). Development and validation of ego-identity status. *Journal of Personality and Social Psychology, 3,* 551–558.

Marcia, J. (1988). Identity and intervention. *Journal of Adolescence, 12,* 401–410.

Marcia, J. E. (1978). Development and Validation of Ego Identity Status. *Journal of Personality and Social Psychology, 3*(5), 551–558.

Marcia, J. E. (1980). Identity in adolescence. In J. Adelson (Ed.), *Handbook of adolescent psychology.* New York: Wiley.

Marcia, J. E. (1988). Identity and intervention. *Journal of Adolescence, 12,* 401–410.

Marcus, P., & Rosenberg, A. (1998). *Psychoanalytic versions of the human condition: Philosophies of life and their impact on practice.* New York University Press.

Margaret Lowenfeld. (1952). The Lowenfeld Mosaic Test. *Journal of Projective Techniques, 16*(2).

Marino, T. W. (1995). Caring for the caregivers in Denver: A special event for AIDS counselors. *Counseling Today, 37*(9), 26–27.

Marinoff, L. (1999). *Plato not Prozac: Applying philosophy to everyday problems.* New York: Harper-Collins Publishers.

Marinoff. L. (2003). *The Big Questions.* New York: Bloomsbury.

Mark E. Young, & Lynn L. Long (2003). 부부상담과 치료(*Counseling and Therapy for Couple*). (이정연 역). 서울: 시그마프레스. (원저는 1998년에 출판).

Mark, A. M., Christine, T. L., & Carol, H. M. (1999). 사회복지실천이론의 토대(*The Foundations of Social Work Practice. Second Edition*). (이팔환 외 역). 서울: 나눔의 집. (원저는 1998년에 출판).

Marlowe, H. A. Jr. (1986). Social Intelligence:

Evidence for multidimensionality and construct independence. *Journal of Educational Psychology, 78*(1), 52-58.

Marquis, A. (2011). 통합심리치료: 평가와 사례개념화 (*The integral intake: a guide to comprehensive idiographic assessment in integral psychotherapy*). (문일경 역). 서울: 학지사. (원저는 2008년에 출판).

Marra, T. (2006). 변증법적 행동치료(*Dialectical Behavior Therapy for Private Practice*). (신미란, 박세란, 설순호, 황석혁 역). 서울: 시그마프레스. (원서는 2007년에 출판).

Marshak, L. E., Dandeneau, C. J., Prezant, F. P., & L'Amoreaux, N. A. (2012). 특수아상담: 장애학생을 위한 학교상담(*The school counselor's guide to helping students with disabilities*). (이효정, 오인수, 이영선, 최하영 역). 서울: 학지사. (원저는 2010년에 출판).

Marshal, J. M. (2010). *Healing Using Guided Imagery: The Force and Vivacity Effect*. Xlibris Corporation.

Marshall, S. C. (1965). Synanon Foundation-A Radical Approach to the Problem of Addiction. *American Journal of Psychiatry, May, 121*, 1065-1018.

Marta, J. (1998). Whose consent is it anyway? A poststructuralist framing of the person in medical decision-making. *Theoretical Medicine and Bioethics, 19*, 353-370.

Martin, C. (2010). NLP 라이프 코칭(*The Life Coaching Handbook*). (김환영, 진칠수, 이섭백, 이경숙, 정연웅 역). 서울: The9. (원저는 2001년에 출판).

Martin, G. L., & Pear, J. (1996). *Behavior modification*. NJ: Prentice-Hall.

Martin, G., & Pear, J. (2003). 행동수정(*Behavior modification: What it is and how to do it,* 7th ed.). (이임순, 이은영, 임선아 역). 서울: 학지사. (원저는 2003년에 출판).

Martin, J. M., Slemon, A. G., Hiebert, B., Hallberg, E. T., & Cummings, A. I. (1989). Conceptualizations of novice and experienced counselors. *Journal of Counseling Psychology, 36*, 395-400.

Martin, R. (2000). *Guided Imagery*. H. J. Kramer.

Martin, R., Watson, D., & Wan, C. K. (2000). A three-factor model of trait anger: Dimensions of affect, behavior, and cognition. *Journal of Personality, 68*(5), 869-897.

Martindale, C. (1994). 인지심리학: 신경회로망적 접근 (*Cognitive Psychology: A Neural-Network Approach*). (신현정 역). 서울: 교육과학사. (원저는 1991년에 출판).

Martinez, L. J., Davis, K. C., & Dahl, B. (1999). Feminist ethical challenges in supervision: A trainee perspective. *Women and Therapy, 22*(4), 35-54.

Maruyama, M. (1963). The Second Cybernetics: Deviation-Amplifying Mutual Causal Processes. *American Scientist, 5,* 164-179.

Mash, E. J., & Barkley, R. A. (2001). 아동정신병리 (*Child Psychopathology*). (이현진, 박영신, 김혜리, 정명숙, 정현희 역). 서울: 시그마프레스. (원저는 1996년에 출판).

Mash, E. J., & Wolfe, D. A. (2001). 아동이상심리학 (*Abnormal Child Psychology*). (조현춘, 송영혜, 조현재 역). 서울: 시그마프레스. (원저는 1999년에 출판).

Maslach, C. (2003). *Burnout*. Cambridge, MA: Malor Books.

Maslow, A. H. (1970). *Motivation and Personality* (2nd ed.). New York: Harper & Raw.

Maslow, A. H. (1971). *The farther reaches of human nature*. New York: Viking Press.

Maslow, A. H. (1978). *The Farther Reaches of Human Nature*. Harmondsworth: Penguin.

Mason, B. J., & Ownby, R. L. (2000). Acamprosate for the treatment of alcohol dependence: a review of double-blind, place-controlled trials. *CDS spectrums, 5,* 58-69.

Masten, A. S., & Coatsworth, J. D. (1998). The Development of Competence in Favorable and Unfavorable Environments. *American*

Psychologist, 205-220.

Masters, W. H., & Johnson, V. E. (1970a). *Human Sexual Inadequacy*. New York: Ishi Press.

Masters, W. H., & Johnson, V. E. (1970b). *The pleasure Bond*. New York: Bantam.

Mathewson, R. H. (1962). *Guidance policy and practice*. New York: Harper & Row.

Mathurin, P., & Deltenre, P. (2009). Effect of binge drinking on the liver: an alarming public health issue?. *Gut 58*(5), 613-617.

Matthews, G., Aeidner, M., & Roberts, R. D. (2009). 정서지능: 그 오해와 진실(*Emotional Intelligence: science and myth*). (최경아, 강민수, 곽윤정, 문용린 역). 서울: 학지사. (원저는 2002년에 출판).

Matthews, P. (2004). *The MBTI is a flawed measure of personality*. bmj.com Rapid Responses.

Maturana, U., & Varela, F. (1995). 인식의 나무(*Autopoiesis and cognition*). (최호영 역). 서울: 자작아카데미. (원저는 1980년에 출판).

Maturana, U., & Varela, F. (2007). 앎의 나무(*Der Baum der Erkenntnis*). (최호영 역). 서울: 갈무리. (원저는 1980년에 출판).

Maturana, U., & Varela, F., Rusch, G. (1987). *Erkenntnis, Wissenschaft, Geschichte*. Frankfurt: Suhrkamp.

May, R. (1958). Contributions of existential psychotherapy. In R. May, E. Angel, & H. E. Ellenberger (Eds.), *Existence: A new dimension in psychiatry and psychology* (pp. 37-92). New York: Basic Books.

May, R. (1967). *Psychology and the human dilemma*. New York: D. Van Nostrand.

May, R. (1969). *Love and will*. New York: Dell.

May, R. (1976). *The courage to create*. New York: Bantam.

May, R. (1977). *The meaning of anxiety*. New York: W. W. Norton.

May, R. (1983). *The discovery of being*. New York: W. W. Norton.

May, R. (1999). 카운슬링의 기술(*Art of counseling*). (이봉우 역). 서울: 분도출판사. (원저는 1989년에 출판).

May, R., & Yalom, I. (1989). Existential psychotherapy. In R. J. Corsini & D. Wedding (Eds.), *Current psychotherapies*(4th ed., pp. 363-402). Itasca, IL: F. E. Peacock.

Mayer, J. D. (2001). Emotion, intelligence, and emotional intelligence. In J. P. Forgas (Ed.), *The handbook of affect and social cognition*. Mahwah, NJ: Erlbaum.

Mayne, T. J., & Ramsey, J. (2001). The structure of emotion. In T. J. Mayne & G. A. Bonanno (Eds.), *Emotions*. New York: The Guilford Press.

Mazza, N. (2005). 시치료-이론과 실제-(*Poetry therapy: Theory and Practice*). (김현희, 강은주, 박상희, 강은진, 김세희, 김재숙, 서정숙, 이춘희, 장혜순, 정선혜, 정진 역). 서울: 학지사. (원저는 2004년에 출판).

McCarthy, J. J., & Kirk, S. A. (1961). *The Illinois test of Psycholinguistics Abilities*. Urbana: University of Illinois Press.

McClelland, D. C. (1955). *Studies in motivation*. New York: Appleton-Century-Crofts.

McClelland, D. C. (1985). *Human motivation*. San Francisco: Scott, Foresman.

McClure, J. M., & Friedberg, R. D. (2007). 아동과 청소년을 위한 인지치료(*Clinical practice of cognitive therapy with children and adolescents*). (김미리혜, 정현희 역). 서울: 시그마프레스. (원저는 2002년에 출판).

McConkey, K., & Sheehan, P. W. (1976). Contrasting interpersonal orientations in hypnosis: Collaborative versus contractual modes of response. *Journal of Abnormal Psychology, 85*, 390-397.

McConnell, J. A. (1988). Effects of movement training on body awareness, self concept, and antisocial behavior in forensic psychiatric patients. unpublished Doctoral Dissertation, The Ohio State University.

McCown, W. G., Johnson, J. L., & Shure, M. B.

(1993). *The impulsive client: Theory, research and treatment*. Washington, DC: American Psychological Association.

McCrae, R. R., & Costa, P. T. Jr. (1987). Validation of the five-factor model of personality across instruments and observers. *Journal of Personality and Social Psychology, 52,* 81-90.

McCrae, R. R., & Costa, P. T., Jr. (1997). Personality trait structure as a human universal. *American Psychologist, 52,* 509-516.

McDonald, P., & Haney, M. (1988). *Counseling the Older Adult* (2nd ed.). Lexington, Mass. Lexington Books, D.C, Heath.

McFarlane, W. (1983). *Family Therapy in Schizophrenia*. New York: Guilford Press.

McGee, J. J. (1985). Gentle teaching. *Mental Handicap in New Zealand, 9,* 13-24.

McGilvery, C. Reed, J., & Mehta, M. (2003). 아로마테라피(*AROMATHE-RAPY*). 서울: 학문사.

McGlone, M. S., & Batchelor, J. A. (2006). Looking out for Number one: Euphemism and Face. *Journal of Communication, 53*(2), 251-264.

McGoldrick, M. (1998). *Re-visioning family therapy: Race, culture, and gender in clinical practice*. New York: Guilford.

McGoldrick, M., Gerson, R., & Shellenberger, S. (1999). *Genograms: Assessments and interventions* (2nd ed.). New York: Guilford.

McGoldrick, M., Pearce, J. K., & Giordano, J. (Eds.) (1982). *Ethnicity and family therapy*. New York: Guilford.

McGrath, A. E. (1995). *Christian theology: An Introduction*. MA: Blackwell Publishers.

McGraw, M. (1995). The art studio: a studio-based art therapy program. *Art Therapy, 12,* 167-147.

McGregor, D. M. (1970). The human side of enterprise. In V. H. Vroom & E. L. Deci, *Management and Motivation*. Middlesex: Penguin.

McGregor, R. et al. (1964). *Multiple Impact Therapy with Families*. McGraw-Hill, New York.

McHenry, W., & McHenry, J. (2006). *What Therapists Say and Why They Say It: Effective Therapeutic Responses and Techniques*. London: Allen & Bacon.

McKay, K. M., Hill, M. S., Freedman, S. R., & Enright, R. D. (2007). Towards a feminist empowerment model of forgiveness psychotherapy. *Psychotherapy: Theory, Research, Practice, Training, 44*(1), 14-29.

Mckay, M., & Roger, P. (2004). 자신의 분노를 이기는 방법(*The Anger Control Workbook*). (박애선 역). 서울: 시그마프레스. (원저는 2000년에 출판).

McKenna, J. (1974). Stroking profile. *TA Journal, 4*(4), 20-24.

McMenamin, D., & Cronin-Lampe, K. (1998). Talking with Dak. *Dulwich Centre Journal, 2&3,* 34-38.

McNally, R. J. (2004). The science and folklore of traumatic amnesia. *Clinical Psychology Science and Practice, 11*(1), 29-33.

McNamee, C. M. (2004). Bilateral art: an integration of marriage and family therapy, art therapy, and neuroscience. Unpublished doctoral dissertation, Virginia Polytechnic Institute and State University, Michigan.

McNamee, C. M. (2004). Using both sides of the brain: experience that integrate art and talk therapy through scribble drawings. *Art Therapy, 21,* 136-142.

McNeece, C. A., & DiNitto, D. M. (1998). *Chemical Dependency-A Systems Approach*. Boston: Allyn and Bacon.

McNeil, B. W., & Worthen, V. (1989). The parallel process in psychotherapy supervision. *Professional Psychology: Research and Practice, 20,* 320-333.

Mcneill, J. T. (1976). *Calvin: Institutes of the Christian Religion* (Vol. 1). Philadelphia: The West-minster Press.

McNiff, S. (1992). *Art as medicine*. Boston: Shambhala.

McTighe, J., & Ferrara, S. (1996). Performance assessment in the classroom: A planning framework. In R. E. Blum & J. A. Arter (Eds.), *A handbook for student performance assessment in an era of restructuring.* Virgina: Association for Supervision and Curriculum Development.

McWhirter, J. J., McWhirter, B. T., McWhirter, E. H., & McWhirter, R. J. (2004). *At-risk youth: A comprehensive response.* Belmont, CA: Thomson Brooks/Cole.

McWilliams, N. (2007). 정신분석적 심리치료(*Psychoanalytic psychotherapy: A Practitioner's guide*). (권석만, 이한주, 이순희 역). 서울: 학지사. (원저는 2004년에 출판).

Mead, G. H. (1934). *Mind, self and society.* Chicago: University of Chicago.

Meara, N. M., Schmidt, L. D., & Day, J. D. (1996). Principles and virtues: a foundation for ethical decisions, policies, and character. *The Counseling Psychologist, 24,* 4-77.

Medicine, B. (2011). *Cognitive Impairment.* Retrieved May 27, 2011, from www. bettermedicine.com/article/cognitive-impairment.

Mees-Christeller, E. (2004). 인지학 예술치료(*Kunsttherapie in der Praxis*). (정정순, 정여주 역). 서울: 학지사. (원저는 1988년에 출판).

Meichenbaum, D. H. (1977). *Cognitive-behavior modification: An interactive approach.* New York: Plenum.

Meichenbaum, D. H. (1985). Stress-inoculation Training. New York: Plenum.

Melges, F. T., & DeMaso, D. R. (1980). Grief-resolution therapy: reliving, revising, and revisiting. *American Journal of Psychotherapy, 34,* 51-61.

Mellor, K., & Sigmund, E. (1975). 'Discounting'. *TA Journal, 5*(3), 295-302.

Melzack, R., & Scott, T. H. (1957). The effects of early experience on the response to pain. *Journal of Comparative and Physiological Psychology, 50,* 155-161.

Mendelsohn, B. (1956). Une nouvelle branche de la science bio-psycho-sociale La victimologie. *Revue Internationale de Criminology et Police Technique.*

Mendenhall-Luhmer, S., Smith, S., & Cooper, V. (2008). *Guided imagery meditation: The artistry of words.* Bloomington, IN: Authorhouse.

Menninger, K. (1938). *Man against himself.* London: Harvest Books.

Menvielle, E. (1998). Gender Identity Disorder. *Child & Adolescent Psychiatry, 37*(3), 243-244.

Mertler, C. A., & Vannatta, R. A. (2005). *Advanced multivariate statistical methods* (3rd ed.). Glendale, CA: Pyrczak.

Mesibov, G. B., Adams, L. W., & Klinger, L. G. (2005). 자폐증 개론(*Autism: understanding the disorder*). (박현옥 역). 서울: 시그마프레스. (원저는 1997년에 출판).

Metcalf, L. (1997). *Parenting toward solutions: How parents can use skills they already have to raise responsible, loving kids.* Englewood Cliffs. NJ: Prentice-Hall.

Metcalf, L. (2002). 해결중심 집단치료(*solution focused group therapy: Ideas for groups in private practice, schools, agencies, and treatment programs*). (김성천, 이소영 역). 서울: 청목출판사. (원저는 1998년에 출판).

Meyer, J. P., & Pepper, S. (1977). Need compatibility and marital adjustment in young married couples. *Journal of Personality and Social Psychology, 35,* 331-342.

Meyers, R. J., & Smith, J. E. (1995). *Clinical Guide to Alcohol Treatment: the Community reinforcement approach.* NY: the Guilford Press.

Mikesell, R. H. et al. (Eds.) (1995). Integrative family therapy. American Psychological Association, Washington DC.

Mikkelsen, E. (1982). Efficacy of neuroleptic medication in pervasive developmental disorders of childhood. *Schizophrenia Bulletin, 8,* 320-

328.

Miller, D. C., & Form, W. H. (1951). *Industrial sociology*. New York: Harper and Row.

Miller, G. A., Galanter, E., & Pribram, K. H. (1960). *Plans and the structure of behavior*. New York: Henry Holt.

Miller, J. B. (1976). *Toward a new psychology of women*. Boston: Beacon Press.

Miller, J. C. (2004). *The transcendent function*. New York: State University of New York Press, ALBAN.

Miller, L. C., Barrett, C. L., & Hampe, E. (1974). Pohbias of childhood in a prescientific ara. In A Davids (Ed.), *Child personality and psychopathology*. New York: Willey.

Miller, L., Barrett, C., Hampe, E., & Noble, H. (1972). Comparison of reciprocal inhibition, psychotherapy and waiting list control for phobic children. *Journal of Abnormal Psychology, 79*, 269-279.

Miller, N. E., & Dollard, J. (1941). *Social Learning and Imitation*. New Haven: Yale University Press.

Miller, W. R., & Marlatt, G. A. (1984). *Manual for the Comprehensive Drinker Profile*. Odessa, FL: Psychological Assessment Resources, Inc.

Milliner, C. B., Bretto, D. C., & Grinder, J. (1990). *Framework for excellence: A resource manual for NLP*. Portland, OR: Metamorphous Press.

Milner, P., & Palmer, S. (1998). *Integrative Stress Counseling: A Humanistic Problem-Focused Approach*. London: Cassell.

Miltenberger, R. G. (2002). 행동수정(*Behavior modification: Principles and procedures,* 2nd ed.). (안병환, 윤치연, 이영순, 이효신, 천성문 역). 서울: 시그마프레스. (원저는 2001년에 출판).

Miltenberger, R. G. (2009). 최신행동수정(*Behavior modification: Principles and procedures,* 4th ed.). (안병환, 윤치연, 이영순, 이효순, 천성문 역). 서울: 시그마프레스. (원저는 2008년에 출판).

Mindel, A. (1987). *The freambody in relationships*. New York: Penguin Arkana.

Minkowski, E. (1953). *La Schizophrenie, Desclée de Browier*. Paris. Tr. it. Bertani: Verona.

Minuchin, S. (1974). *Families and Family Therapy*. New York: Harvard University Press, Cambridge.

Minuchin, S., & Fishman, H. S. (1981). *Family Therapy Technique*. Cambridge: Harvard Univ. Press.

Mischel, W. (2002). 성격심리학(*Introduction to personality,* 6th ed.). (손정락 역). 서울: 시그마프레스. (원저는 1999년에 출판).

Misner, I. R., & Mogan, D. (2011). 휴먼 네트워킹(*Masters of Networking*). (윤형섭 역). 서울: 오래. (원저는 2000년에 출판).

Mitchell, L. K., & Krumboltz, J. D. (1990). Social learning approach to career decision making: Krumboltz's theory. In D. Brown et al., *Career choice and development: applying contemporary theories to practice (2nd ed.)*. San Francisco: Jossey-Bass.

Mitchell, L. K., & Krumboltz, J. D. (1996). Krumboltz's learning theory of career choice and counseling. In D. Brown, L. Brooks, & Associates (Eds.), *Career choice and development* (3rd ed.). San Francisco, CA: Jossey Bass.

Mitchell, R. G. (1960). The Moro reflex. *Cerebral palsy bulletin, 2,* 135-141.

Molnar, A., & de Shazer, S. (1987). Solution-focused therapy: Toward the identification of therapeutic tasks. *Journal of Marital and Family Therapy, 13,* 349-358.

Monk, G., & Gehart, D. R. (2003). Sociopolitical Activist or Conversational Partner? Distinguishing the Position of the Therapist in Narrative and Collaborative Therapies. *Family Process, 42*(1), 19-30.

Montalvo, B. (1973). Aspects of live supervision. *Family Process, 12,* 343-359.

Moon, B. (2003). *Essentials of art therapy education and practice*. Springfield, IL.: C. C. Thomas.

Moon, B. (2007). Dialoguing with dreams in existential art therapy. *Art Therapy, 24,* 128–133.

Moore, B. E., & Fine, B. D. (1993). 정신분석용어 해설집(*Psychoanalytic terms and concept*). (황익근 역). 서울: 하나의학사. (원저는 1993년에 출판).

Morahan-Martin, J. (2005). Internet Abuse: Addiction? Disorder? Symptom? Alternative Explanation? *Social Science Computer Review, 23*(1), 39–48.

Moran, M. G., Thompson, T. L., & Nies, A. S. (1988). Sleep disorders in the elderly. *American Journal of Psychiatry, 145,* 1369–1378.

Moreira, P., Beutler, L. E., & Gonçalves, O. F. (2008). Narrative Change in Psychotherapy: Differences between Good and Bad Outcome Cases in Cognitive, Narrative and Prescriptive Therapies. *Journal of Clinical Psychology, 64,* 1181–1194.

Moreno. J. L. (1972). *Psychodrama.* New York: Beacon House.

Moreno, J. L. (1934). *Who shall survive: A new approach to the problem of human interrelations.* Washington, DC: Nervous and Mental Disease Publishing Company.

Moreno, J. L. (1946). *Psychodrama* (Vol. 1). New York: Beacon House.

Moreno, J. L. (1953). *Who shall survive: A new approach to the problem of human interrelationsb* (Rev. ed.). Beacon, NJ: Beacon-House.

Moreno, J. L. (1960). *The Sociometry Reader.* Glencoe: Free Press.

Moreno, J. L. (1973). *The Theatre of Spontaneity.* Beacon, NY: Beacon House.

Moreno, J. L., Blomkvist, L. D., & Ruetzel, T. (2005). 사이코드라마와 잉여현실(*Psychodrama, surplus reality and the art of healing*). (황헌영, 김세준 역). 서울: 학지사. (원저는 2000년에 출판).

Morgan, A. (2003). 이야기치료란 무엇인가?(*What is narrative therapy?*). (고미영 역). 서울: 청목출판사. (원저는 2000년에 출판).

Morris, R. L. (1986). What psi is not: The necessity for experiments. In H. L. Edge, R. L. Morris, J. Palmer, & J. H. Rush, *Foundations of Parapsychology: Exploring the Boundaries of Human Capability.* London: Routledge & Kegan Paul.

Morse, G. (2002). The nocebo effect. *Medicine Today, 3,* 94–96.

Mortensen, D. G. (1976). *Guidance in today's schools.* New York: Willy.

Mosak, H. H. (1977). *The controller: A social interpretation of the anall character. On purpose: Collected papers of Harold H. Mosak.* Chicago: Alfred Adler Institute.

Mosak, H. H. (1987). *Ha, ha and Aha: The role of humor in psychotherapy.* Muncie, In Accelerated Development.

Mosak, H. H., & Dreikurs, R. (1973). Adlerian psychotherapy. In R. Corsini (Ed.), *Current Psychotherapies* (pp. 126–157). Itasca, IL: F. E. Peacock.

Mosak, H., & Maniacci, M. (1999). *A Primer of Adlerian Psychology: The Analytic-Behavioral-Cognitive Psychology of Alfred Adler.* New York: Taylor & Francis.

Moynihan, D. P. (1965). Employment, income and the ordeal of the Negro family. *Daedalus.* 745–770.

Mozdzierz, G. J., Macchitelli, F. J., & Lisiecki, J. (1976). The paradox in psychotherapy: An Adlerian perspective. *Journal of Individual Psychology, 42*(3), 339–349.

Mücke, K. (2001). *Problem sind Lösungen.* Potsdam Ökosysteme Verlag.

Muller, J. C. (1999). *Companions on the journey. The art of pastoral narrative conversation.* Roodepoort: Logos Books.

Muller, J. C., Van Deventer, W., & Human, L. H. (2001). Fiction writing as metaphor for research: a narrative approach. *Practical Theology in South Africa, 16*(2), 76–96.

Munson, C. E. (1983). *An Introduction to Clinical Social Work Supervision.* New York: Haworth

Press.

Munson, C. E. (2002). *Handbook of clinical social work supervision*. New York: Haworth Press.

Murdock, G. P. (1949). *Social Structure*. New York: Macmillan.

Muro, J. J., & Kottman, R. F. (1995). *Guidance and counseling in the elementary and middle school: a practical approach*. Madison, WI.: Brown & Benchmark.

Murphy, M. (1992). *The future of body-exploration into the future evolution of human nature*. New York: Penguin Putnam Inc.

Murray, H. A. (1938). *Explorations in Personality*. New York: Oxford University Press.

Murray, H. A., & The Staff of the Harvard Psychological Clinic. (1971). Thematic Apperception Test Manual. the United States of America.

Murray, L., Fiori-Cowley, A., Hooper, R., & Cooper, P. (1996). The impact of postnatal depression and associated adversity on early mother-infant interactions and later infant outcome. *Child Development, 67*, 2512-2526.

Murty, K. (1998). *Malbuch Mandala*. Bern: Baker & Taylor.

Myerhoff, B. (1982). Life history among the elderly: Performance, visibility, and remembering. In J. Ruby (Ed.), *A crack in the mirror: Reflective perspective in anthropology*. Philadelphia: University of Pennsylvania Press.

Myerhoff, B. (1986). Life not death in Venice: Its second life. In V. Turner & E. Bruner (Eds.), *The anthropology of experience*. Chicago: University of Illinois Press.

Myers, D. G. (2008). 마이어스의 심리학 개론(*Psychology*, 8th ed.). (신현정, 김비아 역). 서울: 시그마프레스. (원저는 2007년에 출판).

Myers, J. E. B. (1993). Expert testimony describing psychological syndroms. *Pacific Law Journal, 24*, 1449-1464.

Myers, J. E., Shoffner, M. F., & Briggs, M. K. (2002). Developmental counseling and therapy: An effective approach to understanding and counseling children. *Professional School Counseling, 5*(3), 194-202.

Mykel, S. J. (1980). Psychoanalytical theory and the role of death instinct. *Issues in Ego Psychology, 13*, 13-23.

Myles, B., & Smith. (2006). 아스퍼거 증후군: 성공적인 통합교육을 위한 전략(*Children and youth with Asperger syndrome: strategies for success in inclusive settings*). (이소현 역). 서울: 학지사. (원저는 2005년에 출판).

Naglieri, J. A., & Das, J. P. (1997). *Cognitive Assessment System: Administration and Scoring Manual*. Itasca, IL: Riverside Publishing.

Naglieri, J. A., & Das, J. P. (2002). Practical implications of general Intelligence and Pass cognitive processes. In R. Sternberg & E. Grigorenko (Eds.), *The general factor of intelligence. How general is it?* (pp. 55-84). New Jersey: Lawrence Erlbaum Associates.

Naglieri, J., McNeish, T., & Bardos, A. (1991). *Draw-A-Person: Screening procedure for emotional disturbance*. Austin: PRO-ED.

Nagy, M. (1948). The child's theories concerning death. *The Journal of Genetic Psychology, 73*, 3-27.

Nance, D. W., & Myers, P. (1991). Continuing the eclectic journey. *Journal of Mental Health Counseling, 13*(1), 119-130.

Naranjo, C. (1993). *Gestalt therapy: The attitude and practice of an atheoretical experientialism*. Nevada City: Gateways/IDHHB, INC.

NASW. (1999). 사회복지대백과사전 1(*Encyclopedia of Social Work*. 19th Edition). (김만두, 김융일, 박종삼 대표감수). 서울: 나눔의 집. (원저는 1995년에 출판).

Naumburg, M. (1953). *Psychoneurotic art: its function in psychotherapy*. New York: Grun and Stratton.

Neale, E. L. (1994). The children's diagnostic drawing series. *Art therapy, 11*(2), 119-126.

Needleman, R. M. (1982). A Linguistic Analysis of Hyperlexia. In C. Johnson (Ed.), *Processing of the secondary international study of child language*. Washington, D.C.: University Press of America.

Neisser, U. (1967). *Cognitive psychology*. New York: Appleton-Century-Crofts.

Neisser, U. (1991). Two perceptually given aspects of the self and their development. *Developmental Review, 11*(3), 197-209.

Nelson, J. R. (1984). *Personal Responsibility Counselling and Therapy: An integrative Approach*. London: Cassell.

Nelson, J. R. (1990). *Human Relationships: A Skills Approach*. California: Brooks/Cole Publishing Company.

Nelson, J. R. (1995). *The Theory and Practice of Counseling* (2nd ed.). London: Cassell.

Nelson, J. R. (1996). *Relating Skills: A Practical Guide to Effective Personal Relationships*. London: Cassell.

Nelson, J. R. (1997). *Practical Counseling and Helping Skills: How to use the Lifeskills Helping Model* (3rd ed.). London: Cassell.

Nelson, J. R. (2006). *Human Relationship Skills: Coaching and Self-Coachings*. East Sussex: Routledge.

Neufeldt, S. A., Karno, M. P., & Nelson, M. L. (1996). A Qualitative analysis of expert's conceptualization of supervisee reflectivity. *Journal of Counseling Psychology, 43,* 3-9.

Neugarten, B. L. (1982). Aging: Policy issues for the developed countries of the world. In H. Thomae & G. L. Maddox (Eds.), *New Perspectives on Old Age: A Message to Decision Makers* (pp. 115-126). New York: Springer.

Neville, R. (1991). *A theology primer*. New York: State University of New York Press.

Newham, P. (1999). *Using voice and movement in therapy*. London & Philadelphia: Jessica Kingsley Publishers.

Nichols, M. P. (2011). 가족치료: 개념과 방법(*Family therapy: Concepts and methods,* 9th ed.). (김영애, 정문자, 김정택, 송성자, 심혜숙, 제석봉 역). 서울: 피어슨코리아. (원저는 2010년에 출판).

Nichols, M. P. (1984). *Family therapy*. New York: Aronson.

Nichols, M. P., & Schwartz, R. C. (1991). *Family Therapy: Concepts and Methods* (3rd ed.). Boston and London: Allyn and Bacon.

Nichols, M. P., & Schwartz, R. C. (1998). *Family Therapy: Concepts and Methods* (4th ed.). Needham Heights, MA: Allyn & Bacon.

Nichols, M. P., & Schwartz, R. C. (2002). 가족치료: 개념과 방법(*Family Therapy: Concepts and Methods,* 5th ed.). (김영애, 김정택, 정문자, 정석환, 송성자, 김계현, 제석봉, 이관직, 심혜숙 역). 서울: 시그마프레스. (원저는 2001년에 출판).

Nichols, M. P., & Schwartz, R. C. (2011). 가족치료: 핵심개념과 실제 적용(*The Essentials of Family Therapy*). (김영애, 김정택, 심혜숙, 정석환, 제석봉 역). 서울: 시그마프레스. (원저는 2004년에 출판).

Nisenbaum, J. (2002). History and development of the Halprin life/art process. In A. Mertz (Ed.), *The body can speak—essays on creative movement education with emphasis on dance and drama* (pp. 88-100). Carbondale and Edwardsville: Sourthern Illinois University Press.

Nisenbaum, J. (2011). *Enhancing therapeutic skills*. Level 2 Seminar of Tamalpa Institute.

Noble, E. (1993). *Primal Connections*. New York: Simon & Schuster.

Norcross, J. C. (2000). Here comes the self-help revolution in mental health. *Psychotherapy, 37,* 370-377.

Norcross, J. C., & Halgin, R. P. (1997). Integrative approaches to psychotherapy supervision. In C. E. Watkins Jr. (Ed.), *Handbook of psychotherapy supervision*. New York: John Wiley & Sons.

Nordby, V. J., & Hall, C. S. (1976). *A guide to psy-*

chologists and their concepts. San Francisco: W. H. Freeman & Co.

Nordoff, P., & Robbins, C. (2011). 특수교육에서의 음악치료(*Music Therapy Special Education*). (박소연 역). 서울: 교육과학사. (원저는 1983년에 출판).

Norman, W. T. (1963). Toward an adequate taxonomy of personality attributes: Replicated factor structure in peer nomination personality ratings. *Journal of Abnormal and Social Psychology, 66,* 574-583.

Novalis, P. N., & Rojcewicz, S. J. (1999). 지지 정신치료(*Clinical Manual of Supportive Psychotherapy*). (박민철 역). 서울: 하나의학사. (원저는 1993년 출판).

Novery, S. (1962). The principle of working through in psychoanalysis. *Journal of the American Psychoanalysis Association, 10,* 658-676.

Nyman, D., & Cocores, J. (1991). "Coaddiction" Treatment of the Family Member. In N. S Miller (Ed.), *Comprehensive Handbook of Drug and Alcohol Addiction.* NY: Marcel Dekker Inc.

O'Conner, J., & McDermott, I. (1996). *An introduction to NLP neuro-linguistic program ming: psychological skills for understanding and influencing people.* New York: Thorsons Pub.

O'Connor, J., & Seymour, J. (2010). NLP입문(*Introducing neuro-linguistic programming: psychological skills for understanding and influencing people*). (설기문, 이차연, 남윤지 역). 서울: 학지사. (원저는 1993년에 출판).

O'Connor, K. J. (1991). *The play therapy primer: An integration of theories and techniques.* New York: Wiley.

O'Connor, K. J., & Braverman, L. M. (2000). 놀이치료: 이론과 실제(*Play Therapy: Theory and Practice*). (송영혜, 이승희 역). 서울: 시그마프레스. (원저는 1997년에 출판).

O'connor, K. J., & Schaefer, C. (1994). *The Handbook of Play Therapy: Advances and innovation* (Vol. 2). New York: Wiley.

O'Hanlon, W. H., & Weiner-Davis, M. (1989). *In search of solutions: A new direction in psychotherapy.* New York: Guilford Press.

Oaklander, V. (1978). *Windows to our children: A Gestalt Therapy Approach to Children and Adilescents.* Highland: Gestalt Journal Press.

Oaklander, V. (2006). 아이들에게로 열린 창(*Windows to Our Children: A Gestalt Therapy Approach to Children and Adolescents*). (김정규, 윤인, 이영이 역). 서울: 학지사. (원저는 1988년에 출판).

Oberndorf, C. P. (1953). Folie à deux. *The International Journal of Psychoanalysis, 15,* 14-24.

Ochsner, K. N., & Feldman-Barrett, L. F. (2001). A multiprocess perspective on the neuroscience of emotion. In T. J. Mayne & G. A. Bonanno (Eds.), *Emotions.* New York: Guilford.

Oden, T. (1983). *Pastoral theology.* New York: Harper and Row.

Oden, T. C. (1984). *Care of Souls in the Classic Tradition.* Philadelphia: Fortress Press.

Ohgi, S., Arisawa, K., & Takahashi, T. (2003). Neonatal behavioral assessment scale as a predictor of later developmental disabilities of low birth-weight and/or premature infants Neonatal behavioral assessment scale as a predictor of later developmental disabilities of low birth-weight and/or premature infants. *Brain & development, 25,* 313-321.

Olk, M. E., & Friedlander, M. L. (1992). Trainees' experiences of role conflict and role ambiguity in supervisory relationships. *Journal of Counseling Psychology, 39*(3), 389-397.

Olsen, D., & Stephens, D. (2009). 부부, 연인보다 아름답게 하는 법-부부심리워크북-(*The Couple's Survival Workbook*). (신희천, 한소영, 윤미혜, 배병훈, 백혜영 역). 서울: 학지사. (원저는 2001년에 출판).

Olson, D. H. (1980). Marriage education: An illustration of the process. *Family Perspectives, 14*(Winter). 27-32.

Olson, David, H., & DeFrain, John (1994). *Marriage and the Family: Diversity and Strengths,* Mountain

View, CA: Mayfield Publishing Company.

Olson, M. H., & Hergenhahn, B. R. (2009). 학습심리학(*An introduction to theories of learning*). (김효창, 이지연 역). 서울: 학지사. (원저는 2009년에 출판).

Olweus (1978). *Aggression in the schools*. Washington, DC: Hemisphere.

Onta, J., & Motiuk, L. L. (1990). Classification to Halfway House: a Quasi-Experimental Evaluation. *Criminology, 28*(3), 197–506.

Orbison, W. D. (1939). Shape as a function of the vector field. *American Journal of Psychology, 52,* 31–45.

Orford, J. (2001). *Excessive appetites: A psychological view of addictions* (2nd ed.). New York: Wiley & Sons.

Ortony, A., & Turner, M. J. (1990). What's basic about basic emotion?. *Psychological Review, 97*(3), 315–331.

Orwoll, L., & Perlmutter, M. (1990). The study of wise persons: integrating a personality perspective. In R. J. Sternberg (Ed.), *Wisdom: its nature, origins, and development.* Cambridge: Cambridge University Press.

Osborn, C. J., & Davis, T. E. (1996). The supervision contract: Making it perfectly clear. *Clinical Supervisor, 14*(2), 121–134.

Osgood, C. E., Suci, G. J., & Tannenbaum, P. S. (1957). *The measurement of meaning.* Urbana, IL: University of Illinois Press.

Osipow, S. H. (1980). *Manual for the career decision scale.* Odessa, FL: Psychological Assessment Resources.

Osmond, M. W., & Thorne, B. (1993). Feminist Theories: The Social Construction of Gender in Families and Society. In P. Boss, W. J. Doherty, R. LaRossa, W. R. Schumm, & S. K. Steinemtz (Eds.), *Sourcebook of Family Theories and Methods: A contextual Approach.* USA: Springer US.

Oster, G. D., & Gould, C. P. (2004). *Using drawings in assessment and therapy: a guide for mental health professionals.* New York: Brunner-Routledge.

Oster, G. D., & Gould, P. (1987). *Using drawings in assessment and therapy: A guide for mantal health professionals.* New York: Bruner/Mazel.

Osterlind, S. J. (2006). *Modern measurement: Theory, principles, and applications of mental appraisal.* Upper Saddle River, NJ: Pearson.

Otto, G. (1974). Praktische Theologie als Kritische Theorie religiös vermittelte Praxis. *Praktische Theologie Heute* (pp. 15–26). München: Kaiser/Grünewald.

Pagano, R. R. (2007). *Understanding statistics in the behavioral sciences* (8th ed.). Belmont, CA: Wadsworth/Thomson Learning.

Paivio, S. C., & Greenberg, L. S. (1995). Resolving "unfinished business": Efficacy of experiential therapy using empty-chair dialogue. *Journal of Consulting and Clinical Psychology, 63,* 419–425.

Palazzoli, M., Boscolo, L., Cecchin, G., & Prata, G. (1978). *Paradox and counterparadox: A new model in the therapy of the family in schizophrenic transaction.* New York: Jason Aronson.

Palazzoli, M., Cirillo, S., Selvini, M., & Sorrentino, A. M. (1989). *Family Games.* London: Karnac Books.

Palazzoli, S. M. (1989). *The hidden games of organizations.* New York: Pantheon Books.

Palmer, S. (Eds.) (2004). 상담 및 심리치료의 이해(*Introduction to Counselling and Psychotherapy*) (김춘경, 이수연, 최웅용, 홍종관 역). 서울: 학지사. (원저는 2000년에 출판).

Palmer, S., & Burton, T. (1996). *Dealing with People Problems at Work.* London: MacGraw-Hill.

Palmer, S., & Dryden, W. (1995). *Counseling for Stress Problems.* London: Sage.

Panel. (1970). Psychoanalytic theory of affects. L. B. Lofgren, reporter. *JAPA, 16,* 638–650.

Panksepp, J. (2000). Emotions as natural kinds within the mammalian brain. In M. Lewis & J. M.

Haviland-Jones (Eds.), *Handbook of emotions* (pp. 137-156). New York: Guilford Press.

Panosky, E. (1983). *Meaning in the visual arts*. New York: Great Britain.

Panosky, E. (1993). *Perspective as symbolic form*. New York: Zone Books.

Pardeck, J. T., & Pardeck, J. A. (1993). *Bibliotherapy A Clinical Approach for Helping Children*. Langhorne, Pa.: Gordon and Breach Science Publishers.

Parke, R. D., Ornstein, P. A., Rieser, J. J., & Zahn-Waxier, C. (2004). 발달심리학 거장들의 핵심이론 연구: 미국 심리학회 100주년 기념기획(*A century of developmental psychology*). (이민희, 정태연 역). 서울: 학지사. (원저는 1994년에 출판).

Parkin, A. (2002). 기억연구의 실제와 응용(*Memory-A Guide for Professionals*). (이영애, 박희경 역). 서울: 시그마프레스. (원저는 2001년에 출판).

Parkinson, B., & Totterdell, P. (1999). Classifying affect-regulation strategies. *Cognition and Emotion, 13*, 277-305.

Parrott, W. G., & Spackman, M. P. (2000). Emotion and memory. In M. Lewis & J. M. Haviland-Jones (Eds.), *Handbook of emotions* (2nd ed., pp. 476-490). New York: Guilford.

Parry, A., & Doan, R. E. (1994). *Story Re-visions: Narrative Therapy in the Postmodern World*. NY: Guilford Press.

Parsons, F. (1909). *Choosing a vocation*. Boston: Houghton Mifflin Co.

Passons, W. R. (1994). 게슈탈트카운슬링(*Gestalt Approaches in Counseling*). (한국게슈탈트치료연구소 역). 대구: 정암서원. (원저는 1975년에 출판).

Paton, M., & O'Meara, N. (1994). *Psychoanalytic counselling*. Chichester: Wiley.

Patterson, C. H. (1964). Counseling: self-clarification and the helping relationship. In H. Bow (Ed.), *Man in a world at work*. Boston: Houghton Mifflin Co.

Patterson, C. H. (1974). *Relationship Counseling and Psychotherapy*. New York: Harper & Row.

Patterson, G. R. (1982). *Coercive family processes: social interactional approach*. Eugene, OR: Castalia Publishing Company.

Patterson, G. R., Littman, R. A., & Bricker, W. (1967). Assertive behavior in children: A step toward a theory of aggression. *Monographs of the Society for Research in Child Development, 32*, No. 5 (Serial No. 113).

Pattison, E. M. (1977). *The experience of dying*. Englewood Clifis, NJ: Prentice-Hall.

Patton, J. (1993). *Pastoral Care in Context: An Introduction to Pastoral Care*. Louisville: Westminster John Knox Press.

Patton, M. Q. (2002). *Qualitative research & evaluation methods* (3rd ed.). Thousand Oaks, CA: Sage.

Paulson, M. J., Coombs, R, H., & Landsverk, J. (1990). Youth who physically assault their parents. *Journal of Family Violence, 5,* 121-133.

Payne, H. (1992). Introduction. In H. Payne (Ed.), *Dance movement therapy: therapy and practice*. London & New York: Routledge.

Payne, J. J. (1948). Comments on the analysis of chromatic drawings. In J. N. Buck, The H-T-P techniques: A quantitative and qualitative scoring manual. *Clinical Psychology Monographs, 5,* 1-120.

Peck, R. C. (1968). Psychological Development in the Second Half. In B. L. Neugarten, *Middle Age and Aging a Reader in Social Psychology* (pp. 88-92). Chicago: University of Chicago Press.

Peckman, L. (1984). The use of interactive group exercises in family therapy. Unpublished manuscript.

Pedersen, P. B. (1991). Multiculturalism as a generic approach to counseling. *Journal of Counseling & Development, 70*(1), 6-12.

Pehrsson, D. E., & McMillen, P. S. (2007). *Bibliotherapy:*

Overview and implications for counselors. University Libraries.

Pennebaker, J. W. (2007). 글쓰기치료(*Writing to Heal: A Guided Journal for Recovering from Trauma & Emotional Upheaval*). (이봉희 역). 서울: 학지사. (원저는 2004년에 출판).

Perls, F. (1973). *The gestalt approach & eye witness to therapy-Perls' last and most comprehensive work.* Science and Behavior Books Inc.

Perls, F. (2013). 펄스의 게슈탈트 심리치료(*The gestalt approach & eye witness to therapy*). (최한나, 변상조 역). 서울: 학지사. (원저는 1973년에 출판).

Perls, F. S. (1966). *Gestalt therapy and human potentialities.* Unknown Binding. Thomas.

Perls, F. S. (1969a). *Ego, Hunger and Aggression.* New York: Vintage Books.

Perls, F. S. (1969b). *Gestalt therapy verbatim.* Lafayette. CA: Real People Press.

Perls, F. S. (1976). *The Gestalt Approach & Eyewitness to Therapy.* New York: Bantam Books.

Perls, F. S. (1985). Vier Vortraege. In H. Petzold (Herg.), *Gestalt, Wachstum, Integration* (pp. 89-118). Paderborn: Junfermann-Verlag.

Perls, F. S., Hefferline, R. F., & Goodman, P. (1951). *Gestalt Therapy: Excitement and Growth in the Human Personality.* New York: The Julian Press.

Perry, L. (1999). There's a garden-somewhere. In A. Morgan (Ed.), *Once upon a time…Narrative approaches with children and their families.* Adelaide: Dulwich Centre Publications.

Perry, W. G. (1970). *Forms of intellectual and ethical development in the college years: A Scheme.* New York: Holt, Rinehart & Winston.

Pervin, L. A., Cervone, D., & John, O. P. (2006). 성격심리학: 이론과 연구(*Personality: Theory and research,* 9th ed.). (이현수, 강은영, 이주영 역). 서울: 중앙적성출판사. (원저는 2004년에 출판).

Pessin, J., & Friedman, I. (1949). The value of art in the treatment of the mentally ill. *Occupational therapy & rehabilitation, 28*(1), 1-20.

Petersen, L., Stahlberg, D., & Dauenheimer, D. (2000). Effects of self-schema elaboration on affective and cognitive reactions to self-relevant information. *Genetic, Social, And General Psychology Monographs, 126*(1), 25-42.

Peterson, C., & Seligman, M. E. P. (2004). *Character strengths and virtues: A handbook and classification.* New York: Oxford University Press/ Washington, DC: American Psychological Association.

Peterson, G. W., Sampson, I. P., & Reardon, R. C. (1991). *Career development and services: a cognitive approach pacific grove.* Calif: Brooks/ Cole Publishing Company.

Petrocelli, J. V.(2002). Processes and stages of change: Counseling with the transtheoretical model of change. *Journal of Counseling and Development, 80,* 22-30.

Petzold, H. (1985). *Mit alten Menschen arbeiten. Bildungsarbeit, Psychotherapie, Soziotherapie.* München: Pfeiffer.

Pew, W. (1976). *The number one priority. Monograph,* International Association of Individual Psychology. Munich, Germany, August 1, 1976.

Phares, E. J. (1999). 성격심리학(*Introduction to personality*). (홍숙기 역). 서울: 박영사. (원저는 1988년에 출판).

Phelps, W. M. (1947). The Cerebral Palsies. In W. E. Nelson (Ed.), *Mitchell-Nelson Textbook of Pediatrics* (4th ed., pp. 1111-1116), Philadelphia, PA: W. B. Saunders Company.

Philippot, P., & Schaefer, A. (2001). Emotion and memory. In T. J. Mayne & G. A. Bonanno (Eds.), *Emotions: Current issues and future directions* (pp. 82-122). New York: Guilford.

Phillips, D. C. (1971). The good, the bad, and the ugly: The many faces of constructivism. *Educational Researcher, 24*(7), 5-12.

Phillips, E. (1978). *The social skills basis of psychopathology.* New York: Grune & Stratton.

Phillips, E. L. (1968). Achievement Place: Token reinforcement procedures in a homestyle rehabilitation for "predelinquent" boys. *Journal of Applied Behavior Analysis, 1*, 213-223.

Piaget, J. (1932). *The moral judgment of the child*. New York: Harcourt Brace Jovanovich.

Piaget, J. (1954). *The construction of reality in the child*. NY: Basic Books.

Piaget, J. (1973). *The psychology of intelligence*. Totowa, NJ: Littlefield & Adams.

Piaget, J. (1983). Piaget's theory. In P. H. Mussen (Ed.). *Handbook of child psychology*. New York: John Wiley & Sons.

piegler, M. D., & Guevremont, D. C. (2004). 행동치료(*Contemporary Behavior Therapy*, 4th ed.). (전윤식, 강영심, 황순영 역). 서울: 시그마프레스. (원저는 2003년에 출판).

Pillari, V. (2008). 가족희생양이 된 자녀의 심리와 상담(*Scapegoating in fame Families: intergenerational patterns of physical and emotional abuse*). (임춘희, 김향은 역). 서울: 학지사. (원저는 1991년에 출판).

Pinnelli, S. (2002). Internet Addiction Disorder and Identity on line: the Educational Relationship. *Informing Science, June,* 1259-1265.

Plante, T. G. (2000). 현대임상심리학(*Contemporary Clinical Psychology*). (손정락 역). 서울: 시그마프레스. (원저는 198년에 출판).

Plutchik, R. (1962). The evolutionary basis of emotional behaviour. In M. B. Arnold (Ed.), *The Nature of Emotion* (pp. 67-80). Penguin Books, Ltd.

Plutchik, R. (1970). Emotions, evolution, and adaptive processes. In M. B. Arnold (Ed.), *Feelings and Emotions: The Loyola Symposium* (pp. 3-24). New York: Academic Press.

Plutchik, R. (1984). Emotions: A general psychoevolutionary theory. In K. R. Scherer & P. Ekman (Eds.), *Approaches to Emotion* (pp. 197-220). LEA, Publishers.

Plutchik, R. (2004). 정서심리학(*Emotions and Life: Perspective From Psychology, Biology, and Evolution*). (박권생 역). 서울: 학지사. (원저는 2003년에 출판).

Plutchik, R. (2010). 정서와 상담의 실제(*Emotions in the Practice of Psychotherapy*). (이지연, 윤숙경, 이인숙 역). 서울: 학지사. (원저는 2000년에 출판).

Polednitschek, T. (2006). *Schoeperische Grenzverletzung oder: Kunst und Philosophische Praxis*. Berlin: Beratung und Bildung.

Poling, J. (2004). What is Christian about Christian Counseling?. 한국기독교상담학회지, 제7권. 7-19.

Polkinghorne, D. E. (1992). Postmodern epistemology of practice. In Kvale, S. (Ed.), *Psychology and postmodernism*. Newbury Park, CA: Sage.

Polster, E. (2006). *Uncommon Ground: Harmonizing Psychotherapy & Community*. Phoenix: Zeig, Tucker, & Theisen, Inc.

Polster, E. (2006). 한국임상심리학회 게슈탈트 연구회. (어빙 폴스터 초청 게슈탈트 치료 학술대회 자료집). 서울: 성신여자대학교(미간행). 5월 20일.

Polster, E., & Polster, M. (1973). *Gestalt Therapy Integrated*. New York: Brunner/Mazel.

Polster, M. (1987). Gestalt therapy: Evolution and application. In J. K. Zeig (Ed.), *The Evolution of psychotherapy* (pp. 312-325). New york: Brunner/Mazel.

Pope, K. S., & Vasquez, M. J. T. (2010). 심리치료와 상담의 윤리학(*Ethics in psychotherapy and counseling*). (박균열, 이정원, 김대군, 최선영, 황수경, 남영주, 윤영돈, 조홍제, 이원봉, 박종태, 성현영, 임여진 역). 서울: 철학과 현실사. (원저는 2007년에 출판).

Popkin, M. H. (2007). 부모코칭 프로그램: 적극적인 부모역할 NOW-부모용 지침서(*Active parenting now-parent's guide*). (홍경자, 노안영, 차영희, 최태산 역). 서울: 학지사. (원저는 2002년에 출판).

Potegal, M., & Davidson, R. J. (1997). Young children's post tantrum affiliation with their parents. *Aggressive Behavior, 23*(5), 329-341.

Precht, R. D. (2007). *Wer bin ich und wenn ja, wie*

viele?. Muenchen.

Presbury, J., Echterling, L. G., & McKee, J. E. (1999). Supervision for inner-vision: Solution-focused strategies. *Counselor Education and Supervision, 39,* 146-155.

Priestly, M. (1994). *Essays on Analytical Music Therapy.* Barcelona Pub.

Prigogine, I. (1978). Time, Structure, and Fluctuation. *Science, 201,* 777-785.

Prigogine, I. (1979). *Vom Sein zum Werden.* München: Piper.

Prochaska, J. O., & DiClemente, C. C. (1986). *The transtheoretical approach.* In J. C. Norcross (Ed.), *Handbook of eclectic psychotherapy.* New York: Brunner/Mazel.

Prochaska, J. O., & Norcross, J. C. (2003). *Systems of psychotherapy: a transtheoretical analysis.* Pacific Grove, CA: Brooks/Cole.

Progoff, I. (1987). *At a Journal Workshop: Writing to Access the Power of the Unconscious and Evoke Creative Ability.* New York: Dialogue House.

Prugh, T. (1986). Recovery Without Treatment. *Alcohol Health & Research World, Fall,* 24-71.

Puddey, I. B., Rakic, V., Dimmitt, S. B., & Beilin, L. J. (1999). Influence of pattern of drinking on cardiovascular disease and cardiovascular risk factors-a review. *Addiction, 94*(5), 649-663.

Quick, E. K. (1996). *Doing what works in brief therapy: a strategic solution focused approach.* San Diego, CA: Academic Press.

Quinnett, P. G. (2006). 돌이킬 수 없는 결정, 자살 (*Suicide: The Forever Decision*). (이혜선, 육성필 역). 서울: 학지사. (원서는 1987년에 출판).

Raabe, P. (2010). 철학상담의 이론과 실제(*Philosophical Counseling: Theory and Practice*). (김수배 역). 서울: 시그마프레스. (원서는 1997년에 출판).

Radebold, H., & Hirsch, R. (1994). *Altern und Psychotherapie.* Hans Huber: München.

Radha, S. S. (2004). 하타요가와 명상(*Hatha yoga: the hidden language symbols, secrets, and metaphor*). (최정음 역). 서울: 정신세계사. (원저는 1995년에 출판).

Rahm, D. (1995). *Gestaltberatung.* Paderborn: Innovative Psychotherapie und Humanwissenschaften.

Rainer, T. (1978). *The New Diary: How to Use a Journal for Self-Guidance and Expanded Creativity.* London: Angus & Robertson.

Ramsden, P. (1992). The action profile system of movement assesment for self development. In H. Payne (Ed.), *Dance movement therapy: theory and practice* (pp. 218-241). London & New York: Routledge.

Rappaport, A. F. (1976). Conjugal relationship enhancement program. In D. H. L. Olson (Ed.), *Treating relationships* (pp. 41-66). Lake Mills, IA: Graphic Publishing.

Rasmussen, S., & Eisen, J. (1992). The epidemiology and clinical features of obsessive compulsive disorder. *Psychiatric Clinics of North America, 15,* 743-758.

Rattner, J. (1963). *Individualpsychologie.* München/Basel.

Ravan, C., & Williams, J. (2005). 심리학의 즐거움(*Joy of Psychology*). (김문성 역). 서울: 휘닉스.

Read, H. (1974). *Education through Art.* New York: Pantheon Books.

Read, K. (1942). Evaluation children's group experiences. *Childhood Education, 19*(1), 393-397.

Reason, P., & Bradbury, H. (Eds.) (2001). *Handbook of action research.* London: Sage.

Reed, S. K. (2006). 인지심리학: 이론과 적용(*Cognition: Theory and applications,* 7th ed.) (박권생 역). 서울: 시그마프레스. (원저는 2006년에 출판).

Reed, T., & Ezra, S. (2008). *Guided Imagery and Beyond.* Outskirts Press.

Reese, E., & Kimbrough, R. D. (1993). Acute toxicity of gasoline and some additives. *Environ Health Perspectives, 101*(Supply 6), 115-131.

Reid, W. (1989). *The Treatment of Psychiatric*

Disorder. Brunner/Mazel, New York.

Reinberg, A. (2006). 생체시계란 무엇인가?(*Nos horloges biologiques sont-elles a l'heure?*). (곽은숙 역). 서울: 황금가지. (원저는 2004년에 출판).

Reinhard, R. (2009). *Die Sinn-Diaet*. München.

Remer, P., & Remer, R. (2000). The Alien Invasion Exercise: Creating an Experience of Diversity. *International Journal of Action Methods: Psychodrama, Skill training, and Role Playing*, 52.

Rest, J. (1983). Morality. In P. Mussen (Ed.), *Handbook of Child Psychology* (pp. 556-628), New York: Wiley.

Rest, J. (1994). Background: Theory and Research. In J. R. Rest & D. Narváez (Eds.), *Moral development in the Professions: Psychology and Alpplied Ethics* (pp. 1-26), Hillsdale, NJ: Lawrence Erlbaum Associates.

Rheingold, H. (1993). *The Virtual Community*. Reading, MA: Addison Wesley.

Rhyne, J. (1980). Gestalt psychology/Gestalt therapy: Forms/contexts. A Festschrift for Laura Perls. *The Gestalt Journal*, *8*(1), 77-78.

Richards, S., Taylor, R. L., Ramasamy, R., & Richards, R. (1999). *Single subject research: Applications in educational and clinical settings*. San Diego: Singular Publishing Co.

Richardson, V. E. (2008). 은퇴상담(*Retirement counseling: a handbook for gerontology practitioners*). (이장호, 김연진, 김현주, 여정숙, 오경민, 윤석주, 이은경, 이화란, 정선화, 조성자 역). 서울: 학지사. (원저는 1993년에 출판).

Richarz, S. (1980). *Understanding Children through Observation*. St. Paul, MN: West Publishing Company

Richman, N. (1985). A double-blind drug trial of treatment in young children with waking problems. *Journal of Child Psychology and Psychiatry, 26*, 591-598.

Riedel, I. (2000). 융의 분석심리학에 기초한 미술치료 (*Maltherapie*). (정여주 역). 서울: 학지사. (원

저는 1992년에 출판).

Rieff, P. (1966). *The triumph of the therapeutic*. New York: Harper & Row.

Riegel, K. F. (1973). Dialectic operations: the final period of cognitive development. *Human Development, 16*, 346-370.

Riesman, F. (1962). *The Culturally Deprived Child*. New York: John Wiley.

Rigazio-DiGilio, S. A., Goncalves, O. F., & Ivey, A. E. (1995). Developmental counseling and therapy: Integrating individual and family theory. In D. Capuzzi & D. R. Gross (Eds.), *Counseling and psychotherapy: Theories and interventions*. Merrill/Prentice Hall.

Riggs, F. W. (1999). *Homonyms, Heteronyms and Allonyms-A Semantic, Onomantic Puzzle*. www.webdata.soc.hawaii.edu/fredr/welcome.htm.

Ritter, J. (1980). *Historische Wörterbuch der Philosophie*. Band 2. Basel/Stuttgart: Schwabe & Co. AG · Verlag.

Ritter, J., & Gründer, K. (1980). *Historische Wörterbuch*. Band 7. Basel/Stuttgart: Schwabe & Co. AG · Verlag.

Roach, W. L. (1976). A comparative study of the two models of communication skills training. Doctoral dissertation. University of Mississippi.

Robertson, S. I. (2003). 사고 유형(*Types of Thinking*). (이영애 역). 서울: 시그마프레스. (원저는 1999년에 출판).

Robinson, L. (1970). Role play with retarded adolescent girls: Teaching and therapy. *Mental Retardation, 8*(2), 36-67.

Roe, A. (1956). *The psychology of occupation*. New York: John Wiley & Sons.

Roe, A., & Lunneborg, P. W. (1990). Personality development and career choice. In Brown, D., & Brooks, L. *Career choice and development*. San Francisco: Jossey-Bass Publishers.

Roethlisberger, F. J., & Dickson, W. J. (1961). *Management and the worker*. New York: Wiley.

Rogenberg, M. (1965). *Society and the adolescent*

self-image. Princeton, NJ: Princeton University Press.

Rogers, C. G. (2007). 칼 로저스의 사람-중심 상담(*A way of being*). (오제은 역). 서울: 학지사. (원저는 1996에 출판).

Rogers, C. R. (1942). The use of electrically recorded interviews in improving psychotherapeutic techniques. *American Journal of Orthopsychiatry, 12,* 429-434.

Rogers, C. R. (1951). *Client-Centered Therapy.* Boston: Houghton Mifflin.

Rogers, C. R. (1957). The necessary and sufficient conditions of therapeutic personality change. *Journal of Counseling Psychology, 21,* 95-103. Springfield, IL: Charles C Thomas.

Rogers, C. R. (1959). The essence of psychotherapy: A client-centered view. *Annals of Psychotherapy, 1,* 51-57.

Rogers, C. R. (1970). *Carl Rogers on encounter groups.* New York: Harper & Row.

Rogers, C. R. (1980). *A way of being.* Boston: Houghton Mifflin Company.

Rogers, C. R., & Houghton, M. (2009). 진정한 사람되기-칼 로저스 상담의 원리와 실제(*Carl Rogers, On becoming a person: a therapist's view of psychotherapy*). (주은선 역). 서울: 학지사. (원저는 1995년에 출판).

Rogers, N. (1993). *The Creative Connection: Expressive Arts as Healing.* CA: Science and Behavior Books.

Rogers, N. (2007). 인간중심 표현예술치료: 창조적 연결(*The Creative Connection-Expressive Arts as Healing*). (이정명, 전미향, 전태옥 역). 서울: 시그마프레스. (원저는 1997년에 출판).

Rohnke, K. (1994). *The bottomless bag again.* Dubuque, Iowa: Kendall/Hunt Publishers.

Ronald B. A. (2004). 인간관계와 자기표현(*The interpersonal relationships and Self-expression*). (김인자 역). 서울: 한국심리상담연구소. (원저는 1975년에 출판).

Room, R. (2000). Measuring drinking patterns: The experience of the last half century. *Journal of Substance Abuse, 12,* 23-31.

Room, R., & Greenfield, T. (1993). Alcoholics Anonymous, other 12-step movements and psychotherapy in the US population, 1990. *Addiction, 88,* 555-562.

Rorschach, H. (1942). *Psychodiagnostics: A diagnostic test based on perception.* New York: Grune & Stratton.

Rosal, M. L. (1996). *Approaches to art therapy with children.* Burlingame, CA: Abbeygate.

Rose, C., & Nicoll, M. J. (1997). *Accelerated learning for the 21st century.* New York: Dell.

Rosenberg, M. (1989). *Society and the adolescent self-image* (Rev. ed.). Middletown, CT: Wesleyan University Press.

Rosenblatt, A. D. (1988). Envy, identification, and pride. *Psychoanalytic Quarterly, 57,* 56-71.

Rosenhan, D. L. (1973). On being sane in insane places. *Science, 179,* 250-258.

Rosenthal, H. (2003). *Human services dictionary.* New York: Routledge.

Rossi, E. L. (1980). *The collected papers of Milton Erickson* (Vol. 4). New York: Irvington Press.

Rotgers, F., Kern, M. F., & Hoeltzel, R. (2002). *Responsible drinking: A moderation management approach for problem drinkers.* Oakland, CA: New Harbinger Publications.

Rothbart, M. K. (1986). Longitudinal observation of infant temperament. *Developmental Psychology, 22*(3), 356-365.

Rothbart, M. K., & Jones, L. B. (1998). Temperament, self-regulation, and education. *School Psychology Review, 27,* 479-491.

Rothgeb, C. L. (1988). *Abstracts of the collected works of C. G. Jung.* London: H. Karnac Books.

Rotter, J. B. (1954). *Social learning and clinical psychology.* Prentice-Hall.

Rotter, J. B. (1960). Some implications of a social learning theory for the prediction of goal directed behavior from testing procedures. *Psychological Review, 67*, 301-316.

Rotter, J. B. (1966). Generalized expectancies of internal versus external control of reinforcements. *Psychological Monographs, 80*(1), 1-28.

Rotter, J. B. (1993). Expectancies. In C. E. Walker (Ed.), *The history of clinical psychology in autobiography* (Vol. II, pp. 273-284). Belmont: Brooks/Cole.

Rowan, J. (1988). Primal integration, In J. Rowan & W. Dryden (Eds.), *Innovative Therapy in Britain*. Milton Keynes: Open University Press.

Rowe, C. E., & Maclsaac, D. S. (1989). *Emapathic attunement: the technique of psychoanalytic self psychology*. Northvale, NJ: Jason Aronson.

Rowe, J., & Kahn, R. (1998). *Successful aging*. New York: Pantheon Books.

Roy, R. (1988). *Childhood abuse and chronic pain*. Toronto: Univ. of Toronto Press.

Rubens. R. L. (1994). Fairbairn's structural theory. In J. S. Grotstein & D. B. Rinsley, *Fairbairn and the origins of object relations*. New York: Guilford Press.

Rubin, A., & Babbie, E. R. (2005). 사회복지조사방법론 (*Research methods for social work*, 4th ed.). (성숙진, 유태균, 이선우, 이기영 역). 서울: 시그마프레스. (원전은 2004년에 출판).

Rubin, A., & Babbie, E. R. (2011). 사회복지조사방법론 (*Essential research methods for social work*). (이선우, 유태균, 김기덕, 이기영, 김용석, 정슬기 역). 서울: 센게이지러닝코리아. (원저는 2009년에 출판).

Rubin, J. A. (1984). *Child art therapy: Understanding and helping children grow through art*. New York: John Wiley & Sons.

Rubin, J. A. (2003). 이구동성 미술치료(*Approaches to art therapy: theory and technique*). (주리애 역). 서울: 학지사. (원저는 2001년에 출판).

Rumelhart, D. E., & McClelland (1986). On learning the past tenses of English verbs. In McClelland, J. L., Rumelhart, D. E., & PDP research group (Eds.), *Parallel distributed processing: Explorations in the microstructure of cognition* (Vol. II, pp. 216-271). Cambridge, MA: MIT Press.

Rundus, D. (1971). Analysis of rehearsal processes in free recall. *Journal of Experimental Psychology, 89*, 63-77.

Rush, S. J. (2000). Acquisition, application, & maintenance of study skills strategies by 5th, 6th, 7th, and 8th graders in the Challenge & Champions Program: An intervention evaluation. Unpublished doctoral dissertation. North Carolina State University.

Russek, P. (2000). 초월명상 TM입문: 마하리쉬 마헤시 요기의 가르침(*The TM technique: an introduction to transcendental meditation and the teachings of Maharishi Mahesh Yogi*). (김용철 역). 서울: 정신세계사. (원저는 1978년에 출판).

Russel-Chapin, L., & Ivey, A. E. (2004). *Your supervised practicum and internship: Field resources for turning theory into action*. Ohio: Thomson Publishers.

Russell, J. A., & Feldman-Barrett, L. F. (1999). Core affect, prototypical episodes, and other things called emotion: Dissecting the elephant. *Journal of Personality and Social Psychology, 76*, 805-819.

Russell, M., Martier, S. S., Sokol, R. J, Mudar, P., Bottoms, S., Jacobson, S., & Jacobson, J. (1994). Screening for Pregnancy Risk-Drinking. *Alcoholism: Clinical and Experimental Research, 18*(5), 1156-1161.

Russell, S., & Carey, M. (2004). *Narrative therapy-responding to your questions*. Adelaide: Dulwich Centre Publications.

Russell-Chapin, L. A., & Ivey, A. E. (2007). 상담 인턴십: 이론에서 실제로(*Your supervised practicum and internship*). (지승희, 이명우 역). 서울: 시그마프레스. (원저는 2003년에 출판).

Ryckman, R. M. (2008). *Theories of personality* (9th ed.). Belmont, CA: Thomson/Wadsworth.

Ryff, C. D. (1989). Beyond Ponce de Leon and life

satisfaction: New directions in quest of successful aging. *International Journal of Behavioral Development, 12,* 35-55.

Sabatelli, R. M., & Shehan, C. L. (1993). Exchange and resource theories. In P. G. Boss, W. J. Doherty, R. LaRossa, W. R. Schumm, & S. K. Steinmetz (Eds.), *Sourcebook of Family Theories and Methods: A Contextual Approach* (pp. 385-411). New York: Plenum Press.

Sachs, M. L. (1981). Running addiction. In M. H. Sachs & M. L. Sachs (Eds.), *Psychology of Running Champaign.* IL: Human Kinetics.

Sacks, O. (2011). 편두통(*Migraine*). (강창래 역). 경기: 알마. (원저는 1992년에 출판).

Sahakian, W. S. (1984). 심리치료와 카운슬링: 기법의 연구(*Psychotherapy and counseling: Studies in technique*). (서봉연, 이관용 역). 서울: 중앙적성출판사. (원저는 1970년에 출판).

Sall, M. (1975). *Faith, psychology, and christian maturity.* Grand Rapids, MI: Zondervan.

Salmivalli, C., Lagerspetz, K., Björkqvist, K., Österman, K., & Kaukiainen, A. (1996). Bullying as a group process: participant roles and their reactions to social status within the group. *Aggressive Behavior, 22,* 1-15.

Salovey, P., & Mayer, J. D. (1990). Emotional intelligence. *Imagination, Cognition and Personality, 9,* 185-211.

Salvendy, J. T. (1993). Selection and preparation of patients and organization of the group. In H. I. Kaplan & B. J. Sadock (Eds.), *Comprehensive group psychotherapy* (pp. 72-83). Philadelphia: Williams & Wilkins.

Samuels, M. (2003). *Healing with the mind's eye: How to use guided imagery and visions to heal body, mind and sprit.* New York: Wiley.

Sanderson, W. C., & Barlow, D. H. (1990). A Description of patients diagnosed with DSM-III revised generalized anxiety disorder. *Journal of Nervous and Mental Disease, 178,* 588-591.

Santrock, J. W. (2006). 아동발달심리학(*Child development,* 10th ed.). (곽금주, 정윤경, 김민화, 박성혜, 송현주 역). 서울: 박학사. (원저는 2004년에 출판).

Sarason, I. G., & Sarason, B. R. (2002). 이상심리학(*Abnormal psychology: The problem of maladaptive behavior*). (김은정, 김향구, 황순택 역). 서울: 학지사. (원저는 1996년에 출판).

Sarbin, T. R. (1954). Role theory. In G. Lindzey. *Handbook of social psychology.* Reading Mass: Addison Wesley.

Satir, V., Banmen, J., Gerbet, J., & Gomori M. (2004). 사티어 모델: 가족치료의 지평을 넘어서 (*The Satir Model: Family Therapy and Beyond*). (한국 버지니아 사티어 연구회 역). 서울: 김영애가족치료연구소. (원저는 1991년에 출판).

Satlin, A., Volicer, L., Ross, V., Herz, L., & Campbell, S. (1992). Bright light treatment of behavioral and sleep disturbances in patients with Alzheimer's disease. *American Journal of Psychiatry, 149,* 1028-1032.

Satyanaratana, S., Enns, M. W., Cox, B. J., & Sareen, J. (2009). Prevalence and correlates of chronic depression in the Canadian Community Health Survey: mental health and wellbeing. *Canadian Journal of Psychiatry, 54*(6), 389-398.

Saunder, J. B., Aasland, O. G., Babor, T. F., De La Fuente, J. R., & Grant, M. (1993). Development of the Alcohol Use Disorders Identification Test(AUDIT): WHO Collaborative Project on Early Detection of Persons with Harmful Alcohol Consumption. II. *Addiction, 88,* 791-804.

Saunders, S. (2001). *Fragile X syndrome: a guide for teachers.* London: David Fulton.

Sautet, M. (1995). *Un café pour Socrate.* Paris: R. Laffont.

Saylor, D. What is a milieu therapist? eHow.com. *Jobs in Health Care Fields.*

Scarr, S. (1994). Culture-fair and culture-free tests. In R. J. Sternberg (Ed.), *Encyclopedia of human intelligence* (pp. 322-328). New York:

McMillan.

Schachter, S., & Singer, J. E. (1962). Cognitive, social and physiological determinants of emotional state. *Psychological Review, 69*, 379–399.

Schacter, D. L., Gilbert, D. T., & Wegner, D. M. (2013). 심리학개론(*Psychology*). (민경환, 김명선, 김영진, 남기덕, 박창호, 이옥경, 이주일, 이창환, 정경미 역). 서울: 시그마프레스. (원저는 2008년에 출판).

Schaefer, C. E. (1993). *Therapeutic powers of play*. Northvale: Jason Aronson Inc.

Schaefer, C. E., & O'Connor, K. J. (1998). 놀이치료 핸드북(*Handbook of play therapy*). (송영혜 외 역). 서울: 시그마프레스. (원저는 1983년에 출판).

Schaefer, E. S. (1985). Parent and correlations of parental modernity. In A. S. Sigel (Ed.), *Parental belief systems: The psychological consequences for children*. NJ: Hillsdale.

Schaffer, H. R., & Emerson, P. E. (1964). The development of social attachments in infancy. *Monographs of the Society for Research in Child Development, 29*, 1–77.

Schaie, K. W. (1978). Toward a stage theory of adult development. *International Journal of Aging and Human Development, 8*, 129–138.

Scheff, T. J. (1981). The distancing of emotion in psychotherapy. *Psychotherapy, 18*, 46–53.

Scheidlinger, S. (1968). The concept of regression in group psychotherapy. *International Journal of Group Psychotherapy, 18*, 3–20.

Scherer, K. R. (1984). On the nature and function of emotions: A component process approach. In K. R. Scherer & P. Ekman (Eds.), *Approaches to emotion* (pp. 293–317). Hillsdale, NJ: Erlbaum.

Scheuermann, B. K., & Hall, J. A. (2009). 긍정적 행동지원: 행동중재를 위한 최신 이론과 실제(*Positive behavior support for the classroom*). (김진호, 김미선 박지연, 김은경 역). 서울: 시그마프레스. (원전은 2007년에 출판).

Schiepek, G. (1999). *Die grundlagen der systemischen therapie*. Göttingen: Vandenhoeck & Ruprecht.

Schifano, F., Di Furia, L., Forza, G., Minicuci, N., & Bricolo, R. (1998). MDMA('ecstasy') consumption in the context of polydrug abuse: a report on 150 patients. *Drug and Alcohol Dependence, 52*, 85–90.

Schmid, W. (1998). *Philosophie der lebenskunst*. Frankfurt am main: Schrkamp Verlag.

Schmidt, J. J. (2000). 학교상담: 본질적 서비스와 종합적 프로그램(*Counseling in schools: Comprehensive programs of responsive services for all students*). (노안영 역). 서울: 학지사. (원저는 1996년에 출판).

Schmidt, S. J. (1987). *Der diskurs des radikalen konstruktivismus*. Frankfurt: Suhrkamp.

Schmitt, B. H. (1999). *Experienced marketing: How to get customers to sense, feel, think, act, relate to your company and brands*. New York: The Free Press.

Schneider, K. (1950). *Klinische Psychopathologie* (8 Aufl.). Georg Thieme Verlag: Stuttgart.

Schofield, A. (1988). The CAGE Questionnaire and psychological health. *British Journal of Addiction, 83*, 761–764.

Schofield, W. (1964). *Psychotherapy: The Purchase of friendship*. New Jersey: Prentice-Hall.

Schulman, B. H. (1973). *What is the life style? Contributions to individual psychology*. Chicago: Alfred Adler Institute.

Schultz, D. P., & Schultz, S. E. (2008). *Theories of Personality* (9th ed.). Belmont: Wadsworth.

Schunk, D., Swartz, H., & Carl, W. (1991). *Process goals and progress feedback effects on children's self-efficacy and skills*. North Carolina.

Schuon, F. (1984). *The transcendent unity of religions*. Wheaton, IL: Theosophical Publishing House.

Schuster, M. (1993). *Kunsttherapie*. Koeln: DuMont Bechverlag.

Schwartz, A. E. (1997). *Guided imagery for group*.

Whole Person Associates.

Schwartz, R. (2010). 내면가족체계치료(*Internal Family Systems therapy*). (김춘경, 변외진 역). 서울: 학지사. (원저는 1997년에 출판).

Schwartz, S. E. (2003). *Jungian analytical theory*. In D. Capuzzi & E. R. Gross (Eds.), *Counseling and psychotherapy: Theories and interventions* (3rd ed.). Upper Saddle River, NJ: Pearson.

Schwarzer, R. (2001). Social-cognitive factors in changing health-related behaviors. *Current Directions in Psychological Science, 10*(2), 47–51.

Science Discussion, Forest therapy. www.eNotes.com

Scott, E. (2011). *The stress management and health benefits of laughter*. About.com.

Scotton, B. W., Chinen, A. B., & Battista, J. R. (2008). 자아초월 심리학과 정신의학(*Textbook of transpersonal psychiatry and psychology*). (김명권, 박성현, 권경희, 김준형, 백지연, 이재갑, 주혜명, 홍혜경 역). 서울: 학지사. (원저는 1996년에 출판).

Scovel, & Thomas. (2001). 심리언어학(*Psycholinguistics*). (성명희, 한호, 권나영 역). 서울: 박이정. (원저는 1998년에 출판).

Secord, P. F., & Backman, C. W. (1964). *Social psychology*. NY: McGraw Hill Co.

Seden, J. (2010). 사회복지상담기술(*Counselling skills in social work practice*). (김용민, 이무영 역). 서울: 청목출판사. (원저는 2004년에 출판).

Seeling, B., & Ginsburg, S. (2003). Object relations theory. In A. Tasman, J. Kay, & J. A. Lieberman, *Psychiatry* (2nd ed.). New York: John Wiley & Sons.

Segal, Z. V., Williams, J. M. G., & Teasdale, J. D. (2006). 마음챙김명상에 기초한 인지치료(*Mindfulness-Based cognitive therapy for depression: A new approach to preventing relapse*). (이우경, 조선미, 황태연 역). 서울: 학지사. (원저는 2002년에 출판).

Seligman, L. (1998). *Selecting effective treatments* (2nd ed.). San Francisco: Jossey-Bass.

Seligman, L. (2004). *Diagnosis and treatment planning in counseling* (3rd ed.). New York: Kluwer/Plenum.

Seligman, L. (2011). 상담 및 심리치료의 이론(*Theories of Counseling and Psychotherapy: Systems, Strategies and Skills*, 2nd ed.). (김영혜, 박기환, 서경현, 신희천, 정남운 역). 서울: 시그마프레스. (원저는 2006년에 출판).

Selman, R. L. (1976). Social-cognitive understanding: a guide to educational and clinical practice. In T. Lickona (Ed.), *Moral development and behavior: Theory, research, and social issues*. New York: Holt, Renehart & Winston.

Selman, R. L., & Byrnee, D. F. (1980). *The growth of interpersonal understanding, development and clinical analysis*. New York: Academic Press.

Selye, H. (1936). A syndrome produced by diverse nocuous agents. *Nature, 138*, 32.

Selye, H. (1976). *The stress of life*. New York: Mcgraw-Hill.

Sequin, C. (1965). *Love and psychotherapy*. New York: Libra.

Shaffer, D. R. (2008). 발달심리학(*Development psychology: childhood and adolescence,* 6th ed.). (송길연, 장유경, 이지연, 장윤경 역). 서울: 시그마프레스. (원저는 2002년에 출판).

Shaffer, D. R. & Kipp, K. (2005). 발달심리학 (*Developmental Psychology: Childhood and Adolescence*). (송길연 외 역). 서울: 시그마프레스. (원저는 1989년에 출판).

Shaklee, H., & Fischhoff, B. (1982). Strategies of information search in causal analysis. *Memory & Cognition, 10*, 520–530.

Sharf, R. S. (2000). *Theories of Psychotherapy & Counseling* (2nd ed.). Pacific Grove: Brooks/Cole Publishing Company.

Sharf, R. S. (2003). *Theories of psychotherapy and counseling: concepts and cases* (3rd ed.). Pacific Grove, CA: Brooks/Cole.

Sharp, D. (1983). *Personality types: Jung's model of typology*. Toronto: Inner City Book.

Shaughnessy, P., & Kivlighan, D., Jr. (1995). Using group participants' perceptions of therapeutic factors to form client typologies. *Small Group Research, 26,* 250−268.

Shaver, P., Schwartz, J., Kirson, D., & O'Connor, G. (2001). Emotion Knowledge: Further exploration of a prototype approach. In W. G. Parrott (Ed.), *Emotions in social psychology*. New York: Taylor & Fracis.

Shebib, B. (2006). 사회복지 상담심리학(*Choices counselling kills for social workers and other professionals*). (제석봉, 이윤주, 박충선, 이수용 역). 서울: 학지사. (원저는 2003년에 출판).

Shepard, L. (1980). An evaluation of the regression discrepancy method for identifying children with learning disabilities. *Journal of Special Education, 14,* 79−91.

Sherman, R., & Dinkmeyer, D. (1987). *Systems of family therapy: An Adlerian integration*. New York: Brunner Mazel.

Sherman, R., & Fredman, N. (1986). *Handbook of structured techniques in marriage and family therapy*. Levittown: Brunner/Mazel.

Sherman, R., & Fredman, N. (1996). 부부 가족치료기법(*Handbook of structured techniques in marriage and family therapy*). (김영애 역). 서울: 하나의학사. (원전은 1986년에 출판).

Shiwach, R. (1994). Psychopathology in Huntington's disease patients. *Acta Psychiatrica Scandinavica, 90,* 241−246.

Shoham, V., Rohrbaugh, M., & Patterson, J. (1995). Problem and solutions focused therapies The MRI and Milwaukee model. In N. S. Jacobson & A. S. Gurman (Eds.), *Clinical Handbook of Couple Therapy*. New York.

Shorr, J. E. (1967). *The existential question and the imaginary situation as therapy*.

Shorr, J. E. (1984). *Go see the movie in your head*. New York: Samuel French Trade.

Shorr, J. E. (1995). *Psychotherapy through imagery*. Santa Barbara: Fithian Press.

Shorr, J. E. (1998). *The psychologist's imagination and the fantastic world of imagery*. Santa Barbara: Fithian Press.

Shulman, B. H. (1964). Psychological disturbances which interfere with the patient's cooperation. *Psychosomatics, 5,* 213−220.

Siegel, A. (2002). 하인즈 코헛과 자기심리학(*Heinz Kohut and the psychology of the self*). (권명수 역). 서울: 한국심리치료연구소. (원저는 1996년에 출판).

Silver, R. (1988). *Draw a story*. New York: Ablin Press.

Silver, R. (2007). *The silver drawing test and draw a story*. New York: Routledge.

Silver, R. (2007). 세 가지 그림검사(*Three art assessments*). (이근매, 조용태, 최외선 역). 서울: 시그마프레스. (원저는 2002년에 출판).

Silver, R. A. (1993). *Draw a story: screening for depression and age or gender difference*. Sarasota, Fla.: Ablin Press Distributors.

Silvera, D. H., Martinussen, M., & Dahl, T. I. (2001). The Troms ø Social Intelligence Scale, a self-report measure of social intelligence. *Scandinavian Journal of Psychology, 42*(4), 313−319.

Silverstone, L., & Thorne, B. (2009). 인간중심미술치료(*Art therapy the person-centred way: art and the development of the person*). (주리애, 이재현 역). 서울: 학지사. (원저는 2002년에 출판).

Simmons, B. A., & Betschild, M. J. (2001). Women's retirement, work and life paths: Changes, disruptions and discontinuities. *Journal of Women & Aging, 13*(4), 53−70.

Simon, F. B. (1997). *Lebende systeme*. Frankfurt: Suhrkamp.

Simon, R. (1982). Beyond the one-way mirror. *Family Therapy Networker, 26*(5), 19, 28−29, 58−59.

Simonton, C. O., Simonton, S. M., & Creighton, J. L. (2009). 칼 사이먼튼의 마음 의술(*Getting well again)*. (이영래 역). 서울: 살림Life. (원저는 1992년에 출판)

Simpkin, C. A., & Simpkin, A. (2000). *Self-hypnosis: Plain and simple*. Boston, MA: Journey Editions.

Simpkins, A. M., & Simpkins, C. A. (2011). *Meditation and yoga in psychotherapy: techniques of clinical practice*. NJ: Wiley & Sons.

Sims, A. (2009). 마음의 증상과 징후(*Symptoms in the Mind: An Introduction to Descriptive Psychopathology*). (김용식, 김임렬, 정성훈 역). 서울: 중앙문화사. (원저는 2002년에 출판).

Singer, J. L. (1974). *Imagery and daydream methods in psychotherapy and behavior modification*. New York: Academic Press.

Sinnott, J. D. (1980). *Correlates of sex-role complexity in older adults*. Paper presented ar the Eastern Psychological Association, Hartford, Connecticut.

Sites, E. C., Garzon, F. L., Milacci, F. A., & Boothe, B. (2009). A Phenomenology of the integration of faith and learning. *Journal of Psychology and Theology, 37*(1), 28-38.

Sivananda Yoga Vedanta Centre (2004). 라자 요가 명상(*The Sivananda book of meditation*). (이의영 역). 서울: 하남출판사. (원저는 2004년에 출판).

Skinner, B. F. (1948). *Walden two*. New York: MacMillan.

Skinner, B. F. (1953). *Science of human behavior*. New York: MacMillan.

Skinner, B. F. (1971). *Beyond freedom and dignity*. New York: Knopf.

Skinner, H. A. (1979). A Multivariate Evaluation of the MAST. *Journal of Studies on Alcohol, 40*, 831-844.

Skinner, H. A., & Allen, B. A. (1982). Alcohol dependence syndrome: Measurement and validation. *Journal of Psychology, 91*, 199-209.

Skinner, H. A., & Horn, J. L. (1984). *Alcohol dependence scale user's guide*. Toronto: Addiction Research Foundation.

Skovholt, T. M., & Ronnestad, M. H. (1992). *The evolving professional self: Stages and themes in therapist and counselor development*. Chichester, England: Wiley.

Slaney, R. B. (1978). Expressed and inventoried vocational interests: a comparison of instruments. *Journal of Counseling Psychology, 25,* 520-529.

Slavson, S. (1943). *Introduction to group therapy*. New York: The Commonwealth.

SMART Recovery. (2004). *Self Management and Recovery Training*. http://www.smartrecovery.org/index.html.

Smiles, S. (1994). *The image of antiquity: Ancient britain and the romantic imagination*. New Haven, CT: Yale University Press.

Smiles, S. (2006). *Self-help*. USA: Waking Lion Press.

Smith, G. M. (1967). Usefulness of peer ratings of personality in educational research. *Educational and Psychological Measurement, 27,* 967-984.

Smith, P. K., & Thompson, D. (1991). *Practical approaches to bullying*. London: David Fulton Publishers.

Smith, S. (1984). *The mask in modern drama*. Berkeley: University of California.

Smith, W., Compton, W., & West, W. (1995). Meditation as an adjunct to a happiness enhancement program. *Journal of Clinical Psychology, 51,* 269-273.

Sobell, L. C., & Sobell, M. B. (1992). Timeline followback: A technique for assessing self-reported alcohol consumption. In R. Z. Litten & J. Allen (Eds.), *Measuring alcohol consumption: Psychosocial and biological methods*. New Jersey: Humana Press.

Sobell, M. B., & Sobell, L. C. (1993). *Problem drinkers: guided self-change treatment*. New York: The Guilford Press.

Sokal, A. (2000). 지적 사기(*Fashionable nonsense: postmodern intellectuals' abuse of science)*.

(이희재 역). 서울: 민음사. (원저는 1999년에 출판).

Solomon, L., & Berzon, B. (1972). *New perspectives on encounter groups*. San Francisco: Jossey-Bass.

Solovey, A. D., & Rusk, G. S. (1992). *Changing the rules: A client-directed approach to therapy*. New York: The Guilford Press.

Sommer, A. U. (2009). *Die kunst der seelenruhe*. München.

Sossin, K. M., & Loman, S. (1992). Clinical applications of the KMP. In S. Loman & R. Brandt (Eds.), *The body mind connection in human movement analysis* (pp. 21-55). Keene, NH: Antioch New England Graduate School.

Soto, G. H. (1988). *Ideokinesis-BodyMind integrity and integration*. Self-published. San Anselmo, CA.

Sousa, D. A. (2006). *How the brain learns* (3rd ed.). Thousand Oaks, CA: Corwin Press.

Sparrow, S. S., Balla, D. A., & Cicchetti, D. V. (1984). *Vineland adaptive behavior scale; Interview edition, expanded manual*. Circle Pines, Minn.: American Guidance Service.

Speedy, J. (2000). 'The storied' helper: Narrative ideas and practices in counselling and psychotherapy. *The European Journal of Psychotherapy, Counselling & Health, 3*(3), 361-375.

Spencer, M. J. (1983). *The healing role of the arts: A european perspective*. Rockefeller Foundation, NYC.

Sperling, G. A. (1960) The information available in brief visual presentation. *Psychological Monographs, 74*(11), 1-29.

Sperry, L., & Shafranske, E. P. (2008). 영성지향 심리치료(*Spiritually Oriented Psychotherapy*). (최영민, 조아라, 김민숙 역). 서울: 하나의학사. (원저는 2005년에 출판됨).

Spezzano, C. (1993). *Affect in psychoanalysis: A clinical synthesis*. London: The Analytic Press.

Spiegler, M. D. (2005). . 행동치료(*Contemporary be-havior therapy*, 4th ed.). (전윤식 역). 서울: 센게이지러닝. (원저는 2003년에 출판).

Spiegler, M. D., & Guevremont, D. C. (2004). 행동치료(*Contemporary Behavior Therapy*, 4th ed.). (전윤식, 강영심, 황순영 역). 서울: 시그마프레스. (원저는 2003년에 출판)

Spielberger, C. D. (1977). Theory and measurement of anxiety states, In Cattell, R. B. & Dreger, R. M. *Handbook of modern personality theory*. New York: Wiley.

Spitz, R. (1945). Hospitalism: an inquiry into the genesis of psychiatric conditions in early childhood. *Psychoanalytic Study of the Child, 1*, 53-74.

Spitz, R. A. (1946). Anaclitic depression. *Psychoanalytic Study of the Child, 2*, 313-342.

Sprakfin, R. P., Gershaw, N. J., & Goldstein, A. P. (1981). *Social skills for mental health: A structured learning approach*. Needham Heights, Mass.

Sreckovic, M. (1999). Geschichte und Entwicklung der Gestalttherapie. In Reinhard Fuhr, Milan Sreckovic, & Martina Gremmler-Fuhr (Hrsg.). *Handbuch der gestalttherapie* (pp. 439-462). Goettingen: Hogrefe.

Sroufe, L. A. (1979). *The coherence of individual development: Early care, attachment, and subsequent developmental issues*. New York: Wiley.

Sroufe, L. A. (1990). Considering normal and abnormal together: The essence of developmental psychopathology. *Development and Psychopathology, 2*, 335-347.

Sroufe, L. A., & Rutter, M. (1984). The domain of developmental psychopathology. *Child Development, 55*(1), 17-29.

St. Clair, M. (2009). 대상관계이론과 자기심리학(*Object relations and self psychology: An introduction*, 4th ed.). (안석모 역). 서울: 시그마프레스. (원저는 2004년에 출판).

Staemmler, F. M. (1999). Gestalttherapeutische

Methoden und Techniken. In R. Fuhr, M. Sreckovic, & M. Gremmler-Fuhr (Hrsg.), *Handbuch der gestalttherapie* (pp. 439-462). Goettingen: Hogrefe.

Stake, R. E. (1995). *The art of case study research*. Thousand Oaks, CA: Sage.

Standal, S. (1954). The need for positive regard: A contribution to client-centered theory. Unpublished doctoral dissertation, University of Chicago.

Stanton, M. D. (1981). Strategic Approaches to Family. In A. S. Gurman & D. P. Kniskem (Eds.), *Handbook of family therapy*. New York: Brunner/Mazel Publishers.

Stanton-Jones, K. (1992). *An introduction to dance movement therapy in psychiatry*. London & New York: Tavistock/Routledge.

Starlanyl, D., & Copeland, E. G. (1996). *Fibromyalgia & chronic myofascial pain syndrome: a survival manual*. Oakland, CA: New Harbinger Publication, Inc.

Stein, R. (1991). *Psychoanalytic theories of affect*. New York: Praeger.

Steiner, C. (1971). The stroke economy. *TA Journal, 1*(3), 9-15.

Steinhardt, L. (2006). The eight frame colored squiggle technique. *Art Therapy, 23*, 112-118.

Stern, D. B., Spiegel, H., & Nee, J. C. (1979). The Hypnotic Induction Profile: Normative observations, reliability, and validity. *American Journal of Clinical Hypnosis, 21*(2-3), 109-133.

Stern, D. N. (1985). *The interpersonal world of the infant*. New York: Basic Books.

Stern, D. N. (1992). The 'pre-narrative envelope': An alternative view of 'unconscious phantasy' in infancy. *Bulletin of the Anna Freud Centre, 15*, 291-318.

Stern, D. N. (1993). The role of feelings for an interpersonal self. In U. Neisser (Ed.), *The perceived self: Ecological and interpersonal sources of self-knowledge* (pp. 205-215). New York: Cambridge University Press.

Sternberg, R. (1991). 신지능 이론: 인간지능의 삼위일체 이론(*Beyond IQ: a triarchic theory of human intelligence*). (하대현 역). 서울: 박영사. (원저는 1985년에 출판).

Sternberg, R. J. (1985). General intellectual ability. In R. J. (Ed.), *Human abilities: An information-processing approach* (pp. 5-29). New York. Freeman.

Sternberg, R. J. (1986). A triangular theory of love. *Psychological Review, 93*, 119-135.

Sternberg, R. J. (1996). *Successful intelligence*. New York: Simon & Schuster.

Sternberg, R. J. (1997). 인지학습과 문제해결(*Thinking and problem solving*). (김경옥, 김선, 김수동, 김정원, 이신동, 임혜숙 역). 서울: 상조사. (원저는 1994년에 출판).

Sternberg, R. J. (1998). A balance theory of wisdom. *Review of General Psychology, 2*, 347-365.

Sternberg, R. J. (2005). 인지심리학(*Cognitive psychology*, 3rd ed.). (김민식, 손영숙, 안서원 역). 서울: 박학사. (원저는 2002년에 출판).

Stevens, A. (1990). *On Jung*. New York: Penguin Books.

Stevens, J. O. (1993). *Die kunst der wahrnehmung*. Guetersloh: Chr. Kaiser.

Stewart, I. (2007). *Transactional analysis counselling in action* (3rd ed.), Newbury Park, CA: Sage.

Stewart, I., & Joines, V. (1987). *TA Today*. North Carolina: Lifespace Publishing.

Stewart, I., & Joines, V. (2010). 현대의 교류분석(*TA today*). (제석봉, 최외선, 김갑숙, 윤대영 역). 서울: 학지사. (원저는 1987년에 출판).

Stewart, L. H. (1987). A brief report: Affect and archetype. *Journal of Analytical Psychology, 32*(1), 36-46.

Stieglitz, A. (1929). Equivalent(Series) photographs.

Stoff, D. M., Breiling, J., & Maser, J. D. (1997). *Handbook of antisocial behavior*. New York: John Wiley & Sons.

Stogdill, R. M. (1974). *Handbook of leadership: A survey of theory and research*. NY: The Free Press.

Stoller, R. (1972). The bedrock of masculinity and femininity: Bi-sexuality. *Archives of General Psychiatry, 26*, 207-212.

Stoltenberg, C. D., McNeill, B., & Delworth, U. (1998). *IDM supervision, An integrated developmental model for supervising counselors and therapists*. San Francisco: Jossey-Bass.

Stonequist, E. (1973). Geneticists and the biology of race crossing. *Science, 182*, 790-796.

Story, F. (2002). 불교의 명상(*Buddhist meditation*). (정승석 역). 서울: 고요한 소리. (원저는 1977년에 출판).

Stouffer, R. L. (2003). Progesterone as a mediator of gonadotrophin action in the corpus luteum: beyond steroidogenesis. *Human Reproduction Update, 9*, 99-117.

Strang R. (1960). *Helping your gifted child*. New York: Dutton.

Streib, G., & Schneider, C. (1971). *Retirement in American society*. Durham: Cornell University Press.

Strong, E. K. (1943). *Vocational interests of men and women*. Stanford, CA: Stanford University Press.

Strong, E. K. Jr. (1938). *Psychological aspects of business*. New York: McGraw-Hill.

Strong, E. K. Jr., Hansen, J. C., & Campbell, D. (1994). *Strong Interest Inventory*. Palo Alto, CA: Consulting Psychologists Press.

Strosahl, K. D., Hayes, S. C., Wilson, K. G., & Gifford, E. V. (2004). An ACT primer: Core therapy processes, intervention strategies, and therapist competencies. In S. C. Hayes & K. D. Strosahl (Eds.), *A practical guide to acceptance and commitment therapy* (pp. 31-58). New York: Springer-Verlag.

Struempfel, U. (2004). Research on Gestalt Therapy. *International Gestalt Journal, 27*(1), 9-54.

Stuart, R. B. (1971). Behavior contracting within the families of delinquents. *Journal of Behavior Therapy and Experimental Psychiatry, 2*, 1-11.

Stuart, R. B. (1976). An operant interpersonal psychotherapy for couples. In D. H. L. Olsen (Ed.), *Treating relationships* (pp. 327-351). Lake Hills, NY: Alpine.

Sue, D. W. (1990). Culture specific techniques in counseling: A conceptual framework. *Professional Psychology, 21*, 424-433.

Sue, D. W. (2001). Multidimensional facets of cultural competence. *The Counseling Psychologist, 29*, 790-821.

Sue, D. W. (2006). Multicultural perspectives on multiple relationships. In B. Herlihy & G. Corey (Eds.), *Boundary issues in counseling multiple roles and responsibilities* (2nd ed.). Alexandria, VA: American counselling Association.

Sue, D. W., & Sue, D. (2008). 다문화 상담-이론과 실제(*Counseling the Culturally Diverse*). (하혜숙, 김태호, 김인규, 이호준, 임은미 역). 서울: 학지사. (원저는 2008년에 출판).

Sue, D. W., & Sue, D. (2011). 다문화상담-이론과 실제 (*Counseling the culturally Diverse: Theory and Practice*). (하혜숙, 김태호, 김인규, 이호준, 임은미 역). 서울: 학지사. (원저는 2008년에 출판).

Sue, D. W., Arredondo, P., & McDavis, R. J. (1992). Multicultural competencies/standards: A pressing need. *Journal of Counseling and Development, 70*, 477-486.

Sue, D. W., Ivey, A. E., & Pedersen, P. B. (2008). 다문화상담의 이론과 실제(*Theory of Multicultural Counseling and Therapy*). (김태호, 임은미, 김인규, 은혁기, 김명식, 서혜석, 하혜숙, 김영혜, 김수아, 정성진 역). 서울: 태영출판사. (원저는 1996년에 출판).

Sullivan, H. S. (1953). *The interpersonal theory of psychiatry*. New York: W. W. Norton & Company.

Summers, F. (2004). 대상관계이론과 정신병리학(*Object relations theories and psychopathology*). (이재훈 역). 서울: 한국심리치료연구소. (원저는 1994년에 출판).

Super, D. E. (1953). A theory of vocational development. *American Psychologist, 8*, 185-190.

Super, D. E. (1955). The dimensions and measurement of vocational maturity. *Teachers college Record, 57,* 151-163.

Super, D. E. (1957). *The psychology of careers.* New York: Harper.

Super, D. E. (1990). A life-span, life-space approach to career development. In D. Brown & L. Brooks (Eds.), *Career choice and development: Applying contemporary approaches topractice* (2nd ed., pp. 197-261). San Francisco, CA: Jossey-Bass.

Super, D. E., Bohn, M. J., Forest, D. J., Jordan, J. P., Lindeman, R. H., & Thompson, A. A. (1971). *Career development Inventory.* New York: Columbia University Press.

Super. D. E., & Crites, J. O. (1962). *Appraising vocational fitness* (Rev. ed.). New York: Harper & Row.

Sustainable Urban Landscape Information Series. University of Minnesota. www.sustland.umn.edu

Sutherland, A., & Beth, T. (2003). *Kidfluence: The Marketer's Guide to Understanding and Reaching Generation Y-Kids, Tweens, and Teens.* New York: McGraw-Hill.

Sweeney, T. J. (1981). *Adlerian counseling: Proven concepts and strategies.* Muncie, IN: Accelerated Development.

Sweeney, T. J. (1998). *Adlerian counseling: a practitioner's approach* (4th ed.). London: Taylor & Francis.

Sweeney, T. J. (2005). 아들러상담이론과 실제(*Adlerian counseling: a practitioner's approach*). (노안영, 강만철, 오익수, 김광운, 송현종, 강영신, 오명자 역). 서울: 학지사. (원저는 1998년에 출판).

Sweller, J., van Merrienboer, J. J. G., & Paas, F. (1998). Cognitive architecture and instructional design. *Educational Psychology Review, 10,* 251-296.

Swenson, W., & Morse, R. (1975). The use of a self-administered alcoholism screening test(SAASAT) in a medical centre. *Mayo Clinic Proceedings, 50,* 204-208.

Szer, R., & Renner, B. (2000). Social-cognitive predictors of health behavior: Action self-efficacy and coping self-efficacy. *Health Psychology, 19*(5), 487-495.

Tallis, F., Eynck, M., & Mathews, A. (1992). A questionnaire for the measurement of nonpathological Worry. *Personality and Individual Differences, 13*(2), 161-168.

Talmon, M. (1990). *Single-session therapy.* CA: Jossey-Bass.

Tamalpa Institute. Soto, G. H. (2005/2006). Ideokinesis. *DTAA Quarterly, V. 4*(4), 5-11.

Tang, M., Addison, K. D., LaSure-Bryant, d., Norman, R., O'Xonnell, W., Stewart-Sicking, J. A. (2004). Factors that influence self-efficacy of counseling students: An exploratory study. *Counselor Education and Supervision, 44,* 70-80.

Tapscott, D. (1999). *Growing up digital: Net generation.* New York: McGraw-Hill.

Taylor, A. (1994). The four foundations of family mediation: Implication for training and certification. *Mediation Quarterly, 14*(3), 215-236.

Taylor, D. (2007). Biomedical Music Therapy Origins, Research and Applications. Musictherapy2007.com.

Terman, L. M. (1916). *The Measurement of Intelligence.* Boston: Houghton Mifflin Co.

Terry, P. E. (1960). Patterns of permissiveness among preliterate people. *Journal of Abnormal and Social Psychology, 61,* 151-154.

Textor, M. R. (2004). *Entscheidungskonflikte losen.* In Das Online-Familienhandbuch.

Thaut, M. H. (2009). 리듬, 음악 그리고 뇌(*Rhythm, Music, and the Brain: Scientific Foundation and Clinical Applications*). (차영아 역). 서울: 학지사. (원저는 2005년에 출판).

The American Psychiatric Association. (1995). 정신장애의 진단 및 통계 편람(*Diagnostic and statistical manual of mental disorders: DSM-IV*, 4th ed.). (이근후, 강병조, 이길홍, 곽동일, 이무석, 민성길, 이정호, 박민철, 정성덕, 박영숙, 정인과, 신석철, 한오수, 우종인, 황익근 역). 서울: 하나의학사. (원저는 1994년에 출판).

The Association for Clinical Pastoral Education. (2010). who we are. www.acpe.edu. accessed on 2 Nov. 2010.

The National Federation for Biblio/Poetry Therapy. (2006). *Guide to training requirements for certification and registration in poetry therapy*. National Federation of Biblio/Poetry Therapy.

Thibaut, J., & Kelley, H. (1959). *The Social Psychology of Group*. New York: Wiley.

Thibeault, V. J. (1990). *Effective time management strategies for school counselors* (microform). Maine: (s.n.).

Thomas, A., & Chess, S. (1977). *Temperament and development*. New York: Brunner/Mazel.

Thomas, A., & Chess, S. (1984). Genesis and evolution of behavioral disorders: From infancy to early adult life. *The American Journal of Psychiatry, 141,* 1-9.

Thomas, J. L. (2002). Bartering. In A. A. Lazarus & O. Zur (Eds.), *Dual relationships and psychotherapy*. New York: Springer.

Thompson, C. L., & Henderson, D. A. (2009). 아동상담(*Counseling children,* 7th ed.). (김택호, 박제일, 송재홍, 안이환, 양재혁, 윤호열, 은혁기, 이동훈, 이상민, 이승희, 이영순, 이희백, 천성문, 최명식, 허재홍 역). 서울: 시그마프레스. (원저는 2008년에 출판).

Thompson, R. A. (2004). *Crisis intervention strategies: strategies that work in schools and communities*. New York: Brunner-Routledge.

Thompson, R. A. (2007). 상담기법: 우리 자신, 다른 사람, 우리 가족, 우리 환경과의 관계 증진을 위하여 (*Counseling techniques: improving relationships with others, ourselves, our families, and our environment*). (김춘경 역). 서울: 학지사. (원저는 2003년에 출판).

Thomsen, K. (2002). *Building resilient students: Integrating resiliency into what you already know and do*. Thousand Oaks, CA: Corwin Press.

Thomson, L. (1998). *Personality type*. MA: Shambhala Publication.

Thorndike, E. L. (1920). Intelligence and its Uses. *Harpres Magazine, 140,* 227-235.

Ticho, E. (1972). Termination of psychoanalysis of adults: treatment goals, life goals. *Psychoan Quarterly, 41,* 315-333.

Tiedeman, D. V., & O'Hara, R. P. (1963). *Career development: choice and adjustment*. NY: College Entrance Examination Board.

Tillich, P. (1952). *The courage to be*. New Haven: Yale University Press.

Tinbergen, N., & Tinbergen, E. A. (1983). *Autistic children: New hope for a cure*. London: Allen & Unwin.

Tjossem, T. D. (1976). *Intervention strategies for high risk infants and young children*. Baltimore: University Park Press.

Todd, J., & Dewhurst, K.(1955). The Othello syndrome: a study in the psychopathology of sexual jealousy. *Journal of Nervous and mental Disease, 122,* 367-374.

Tolbert, E. L. (1980). *Counseling for career development* (2nd ed.). Boston: Houghton Mifflin.

Tolfrey, M., Fox, S., & Jeffcote, N. (2011). Beliefs about substance use and the attribution of blame for offending. *The Journal of Forensic Psychiatry & Psychology, 1,* 1-12.

Tolman, E. C., & Honzik, C. H. (1930). Introduction and removal of reward, and maze performance in rats. *University of California Publications in Psychology, 4,* 257-275.

Tomer, A., Eliason, G., & Wong, P. (Eds.) (2007). *Existential and spiritual issues in depth attitudes*. Boca Raton, FL: Taylor & Francis-Erlbaum.

Tomkins, S. S. (1962). *Affect, image, consciousness* (Vol. 1): *The positive affects*. New York: Springer.

Tomkins, S. S. (1963). Affect, image, consciousness (Vol. 2): The negative affects. New York: Springer.

Tomm, K. (1989). Externalizing the problem and internalizing personal agency. *Journal of Strategic and Systemic Therapies, 8*(1), 54-59.

Tootell, A. (2004). *Decentring research practice. The International Journal of Narrative Therapy and Community Work, 3, 54-60.*

Topping, K. J., Holmes, E. A., & Bremner, W. G. (2000). The effectiveness of school-based programs for the promotion of social competence. In R. Bar-On & J. D. A. Parker (Eds.), *The handbook of emotional intelligence* (pp. 411-432). San Francisco: Jossey-Bass.

Toseland, R. W., & Rivas, R. E. (1995). *An introduction of group work practice*. Allan and Bacon: Massachusetts.

Totton, N. (2003). *Body psycho therapy: An introduction*. Maidenhead, Philadelphia: Open University Press.

Tourette Syndrome Association. (2000). *What is Tourette syndrome*. Bayside, NY: Author.

Tracey, T. J., Ryan, J. M., & Jaschik-Herman, B. (2001). Complementarity of interpersonal circumplex traits. *Personality and Social Psychology Bulletin, 27,* 786-797.

Traxler, A. E. (1945). *Techniques of guidance*. New York: Harper & Row.

Trimboli, F., & Farr, K. L. (2000). A psychodynamic guide for essential treatment planning. *Psychoanalytic Psychology, 17,* 336-359.

Trimpey, J. (1996). *Rational Recovery: The new cure for substance addiction*. New York: Simon and Schuster.

Trull, T. J. (2008). 임상심리학(*Clinical psychology*, 7th ed.). (권정혜, 강연욱, 이훈진, 김은정, 정경미 역). 서울: 시그마프레스. (원전은 2004년에 출판).

Tschudi, F., & Rommetveit, R. (1982). Sociality, intersubjectivity and social processes. In J. C. Mancuso & J. R. Adams-Webber (Eds.), *The construing person* (pp. 235-261). London: Academic Press.

Tuckman, B. W. (1974). An age-graded model for career development education. *Journal of Vocational Behavior, 4,* 193-212.

Tulving, E. & Pearstone, Z. (1966). Availability versus accessibility of information in memory for words. *Journal of Verbal Learning and Verbal Behavior, 5,* 381-391.

Tulving, E. (2002). Episodic memory: From mind to brain. *Annual Review of Psychology, 53,* 1-25.

Tupes, E. C., & Christal, R. E. (1961). Recurrent personality factors based on trait raitings. *USAF ASD Technical Repor,* 61-97.

Turiel, E. (1983). *The development of social knowledge: morality and convention*. Cambridge: Cambridge University Press.

Turiel, E., Killen, M., & Helwig, C. C. (1987). Morality: its structure, functions and vagaries. In J. Kagan, S. Lamb, J. D. MacArthur, & C. T. MacArthur (Eds.), *The emergence of morality in young children*. Chicago: Chicago University Press.

Turner, V. (1969). *The ritual process*. Harmondsworth: Penguin Books.

Tyler, L. E. (1961). Research explorations in the realm of choice. *Journal of counseling Psychology, 8,* 195-201.

Tyson, P., & Tyson, R. (1990). *Psychoanalytic theory of development*. New Haven: Yale University Press.

Ullmann, L., & Krasner, L. (1975). *A psychological*

approach to abnormal behavior (2nd ed.). Englewood Cliffs, NJ: Prentice-Hall.

Ulman, E., & Dachinger, P. (1996). Art therapy in theory and practice. Chicago: Magnolia Street.

Ungar, M. (2005). A thicker description of resilience. International Journal of Narrative Therapy and Community Work, 3(4), 89-96.

Ungerleider, J. T., Fisher, D. D., Fuller, M., & Caldwell, A. (1968). The "Bad trip": The etiology of the adverse LSD reaction. American Journal of Psychiatry, 124, 1483-1490.

Unzner, U.(1990). Das Mittlere Kind in der Geschwisterkonstellationsforschung. Aachen RWTH, Phil. Dissertation.

Upton, A. L. (1982) The development of a comprehensive guidance and counseling plan for the state of California. Vocational Guidanace Quarterly, 30(4), 293-299.

Ursula Avé-Lallemant. (2012). 심리상담과 미술치료를 위한 발테그 그림검사(Der Wartegg-Zeichentest in der Lebensberatung). (전영숙, 김현숙, 유신옥 역). 서울: 이문출판사. (원저는 2010년에 출판).

Ursula, A. (1994). Der sterne-wellen-test. München: Ernst Reinhardt.

Utsey, S. O., McCarthy, E., Eubanks, R., & Adrian, G. (2002). White racism and suboptimal psychological functioning among White Americans: Implications for counseling and prejudice prevention. Journal of Multicultural Counseling and Development, 30, 81-95.

Vaillant, G. E. (1977). Adaptation to life. Boston: Little Brown.

Vaillant, G. E. (1979). Natural history of male psychological health: Effects of mental health on physical health. New England Journal of Medicine, 301, 1249-1254.

Vaillant, G. E. (2008). 성공적인 삶의 심리학(Adaptation to life). (한성열 역). 서울: 나남출판사. (원저는 1995년에 출판).

Vaillant, G. E., & Mukamal, K. (2001). Successful aging. American Journal of Psychiatry, 158, 839-847.

Vallerand, R. J., & Bissonnette, R. J. (1992). Intrinsic, extrinsic, and amotivational styles as predictors of behavior: a prospective study. Journal of Personality, 60, 599-620.

Valleur, M. (2010). 도박중독(Le Jeu Pathologique). (최의선 역). 서울: 도서출판 NUN. (원저는 2005년에 출판).

Van Acker, R. (1991). Rett syndrome: A review of current knowledge. Journal of Autism and Developmental Disorders, 21, 381-406.

Van de Riet, V., Korb, M. P., & Gorrell, J. J. (1980). Gestalt therapy: An introduction. New York: Pergamon Press.

Van Deurzen-Smith, E. (1998). Paradox and passion in psychotherapy: An existential approach to therapy and counseling. Chichister, UK: Wiley.

van Gennep, A. (1960). The rites of passage. Chicago: University of Chicago Press.

Van Liere, E. J. (1942). Anoxia: its effect on the body. Chicago, Ill: University of Chicago Press.

Van Ornum, W., & Mordock, J. B. (1991). 아동과 청소년을 위한 위기상담(Crisis counseling with children and adolescents: a guide for nonprofessional counselors). (강문희 역). 서울: 교문사. (원저는 1983년에 출판).

Van Tassel-Baska. (1994). Comprehensive curriculum for gifted learners (2nd ed.). Boston: Allyn and Bacon.

Vapaa, Annalisa Gartman. (2002). Healing gardens: Creating places for restoration, meditation, and sanctuary. Master's thesis, Virginia Polytechnic Institute and State University College of Architecture.

Varela, F. J. (1979). Principles of biological autonomy. New York: Elsevier North Holland.

Varela, F. J. (1981). Autonomy and Autopoiesis. In G. Roth & H. Schwegler (Eds.), Self-organizing systems (pp. 14-23). Frankfurt/M.: Campus.

Varela, F., Thompson, E., & Rosch, E. (1991). The

embodied mind. Cambridge, MA: MIT Press.

Vaughan, F. (1977). Transpersonal perspectives in psychotherapy. *Journal of humanistic psychology, 70*, 69-81.

Verheggen, C. (2000). The meaningfulness of meaning questions. *Synthese, 123, 195-216*.

Verny, T. (1972). *The secret life of the unborn child*. London: Sphere.

Vignaux, G. (2002). 인지과학입문(*Les sciences cognitives, une introduction*). (김언자, 임기대, 박동열 역). 서울: 만남. (원저는 1991년에 출판).

Vine, W. E. (1966). *An expository dictionary of new teastament worlds*. New Jersey: Revell.

Volkan, V. D. (1975.) More on re-grief therapy. *Journal of Thanatology, 3,* 77-91.

Von Bertalanffy, L. (1968). *General systems theory*. New York: Braziller.

Vygotsky, L. S. (1962). *Thought and language*. Cambridge, MA: MIT Press.

Vygotsky, L. S. (1978). *Mind in society: The development of higher psychological processes*. Cambridge, MA: Harvard University Press.

Vygotsky, L. S. (1986). *Thought and language*. Cambridge, MA: MIT Press.

Vygotsky, L. S. (2009). 마인드 인 소사이어티: 비고츠키의 인간 고등심리과정의 형성과 교육(*Mind in society: the development of higher psychological processes*). (정희욱 역). 서울: 학이시습. (원저는 1978년에 출판).

Wachtel, P. L. (1977). *Psychoanalysis and behavior therapy: Toward an integration*. New York: Basic Books.

Wachtel, P. L. (1990). Psychotherapy from an integrative psychodynamic perspective. In J. K. Zeig & W. M. Munion (Eds.), *What is psychotherapy?*. San Francisco: Jossey-Bass.

Wadeson, H. (1987). *The dynamics of art psychotherapy*. New York: John Wiley & Sons.

Wadeson, H. (2008). 미술심리치료학(*Dynamics of Art Psychotherapy*). (장연집 역). 서울: 시그마프레스. (원저는 1985년에 출판).

Wahl, C. W. (1980). The differential diagnosis of normal and neurotic grief following bereavement. *Psychosomatics, 11*. 104-106.

Walker, L. E. (1984). *The battered women syndrome*. New York: Springer.

Wallin, D. J. (2010). 애착과 심리치료(Attachment in psychology). (김진숙, 이지연, 윤숙경 역). 서울: 학지사. (원전은 2007년에 출판).

Walsh, D. C. (1982). Employee Assistance Programs. *Health & Society, 60,* 492-517.

Walsh, F. (1993). Conceptualization of normal family processes. In F. Walsh (Ed.), *Normal family processes* (2nd ed., pp.1-25). New Yok: Guilford.

Walsh, J. (2000). *Clinical case management with persons having mental illness: A relationship-based perspective*. Pacific Grove, CA: Wadsworth-Brooks/Cole.

Walter, J. S., & Peller, J. H. (1996). 단기 가족치료: 해결중심으로 되어가기(*Becoming solution-focused in brief therapy*). (가족치료연구모임 역). 서울: 하나의학사. (원저는 1992년에 출판).

Walter, M., Betty, C., Peggy, P., & Olga, S. (1988). *The invisible web: Gender patterns in family relationships*. New York: Guilford.

Walter, T., & Sibert, A. (1984). *Student success*. New York: Holt, Rinehart & Winston.

Walters, P. A. (1961). Student apathy. In G. B. Blaine & C. C. McArthur (Eds.), *Emotional problems of the student*. New York: Appleton Century Crofts.

Wanberg, K. W., Horn, J. L., & Foster, F. M. (1977). A differential assessment model for alcoholism: The scale of the alcohol use inventory. *Journal of Studies on Alcohol, 38*(3), 512-543.

Warner Jr, S. B. (1993). Restorative gardens. *British medical journal, 306*, 1080-1081.

Warshak, R. A. (2005). 이혼, 부, 모, 아이들(Divorced Poison). 서울: 도서출판 아침이슬. (원전은 2002년에 출판).

Waschulewski-Floruβ, H., Miltner, W., & Haag, G.

(1993). Biofeedback. In: M. Linden & M. Hautzinger (Hg.), *Verhaltenstherapy* (pp. 99–105). Berlin: Springer.

Wasdell, D. (1994). A Study in Primal Integration Therapy. www.meridian.org.uk

Wasik, B. (1984). Teaching parents effective problem-solving: A handbook for professionals. Unpublished manuscript. Chapel Hill: University of North Carolina.

Watkins, J. G. (1971). The affect bridge: A hypnoanalytic technique. *International Journal of Clinical and Experimental Hypnosis, Vol. 19(1), 21–27.*

Watson, J. B. (1913). Psychology as the behaviorist views it. *Psychological Review, 20,* 158–177.

Watts, R. E., & Pietrzak, D. (2000). Adlerian 'encouragement' and the therapeutic process of solution-focused brief therapy. *Journal of Counseling and Development, 78,* 442–447.

Watzlawick, P. (1981). Die erfundene Wirklichkeit: *Wie wissen wir, was wir zu wissen glauben?.* München: Piper.

Watzlawick, P. Janet, H. B., & Don, D. S. (1968). *Pragmatics of human communication.* New York: Norton.

Watzlawick, P., Weakland, J. H., & Richard, F. (1974). *Change: Principle of problem formation and problem resolution.* New York: W. W. Norton & Company.

Webster, D. (2003). An exploratory analysis of a self-assessed wisdom scale. *Journal of Adult Development, 10,* 13–22.

Wechsler, D. (1942). *Wechsler memory scale.* San Antonio, TX: Psychological Corporation.

Wedding, D., & Niemiec, R. M. (2003). The clinical use of in psychotherapy. *Journal of Clinical Psychology, 59*(2), 207–215.

Weick, K. E. (1976). Educational organizations as loosely coupled systems. *Administrative Science Quarterly, 21,* 1–19.

Weiner, W.J., & Tolosa, E. (2011). *Hyperkinetic movement disorders.* Edinburgh: Elsevier.

Weiner-Davis, M. (2007). 부부의 심리학(*Divorce Busting: A Step-by-Step to Making Your Marriage Loving Again).* (이인수, 최대헌, 최명구 역). 서울: 학지사. (원저는 1993년에 출판).

Weinshel, E. M. (1968). Some psychoanalytic considerations on moods. *International Journal of Psychoanalysis, 51,* 313–320.

Weinstein, C. E., Goetz, E. T., & Alexander, P. A. (1988). *Learning and study strategies: Issues in assessment, instruction, and evaluation.* San Diego: Academic Press.

Weinstein, C. E., Zimmerman, S. A., & Palmer, D. R. (1988). Assessing learning strategies: The design and development of the LASSI. In C. E. Weinstein, E. T. Goetz, & P. A. Alexander (Eds.), *Learning and study strategies* (pp. 25–40). New York: Academic Press.

Weiser, J. (1993). *Phototherapy techniques: Exploring the secrets of personal snapshots and family albums.* San Francisco: Jossey-Bass.

Weiss, R. L., & Perry, B. A. (1979). *Assessment and treatment of marital dysfunction.* Eugene: Oregon Marital Studies Program.

Weiten, W., & Lloyd, M.A. (2008). *Psychology applied to modern life* (9th ed.). Wadsworth Cengage Learning.

Welch, E. P. (2007). *The philosophy of Edmund Husserl: The origin and development of his phenomenology.* Kessinger Publishing.

Welch, M. (1988). *Holding time.* London: Century Hutchinson.

Welfel, E. R., & Patterson, L. E. (2009). 상담과정의 통합적 모델: 다이론적 통합적 접근(*The counseling process: a multitheoretical integative approach,* 6th ed.). (한재희 역). 서울: 시그마프레스. (원저는 2005년에 출판).

Wellman, H. M., & Woolley, J. (1990). From simple desires to ordinary beliefs: the early development of everyday psychology. *Cognition, 35,* 245–275.

Welwood, J. (2008). 깨달음의 심리학(*Toward a psychology of awakening: Buddhism, psychotherapy, and the path of personal and spiritual transformation*). (김명권, 주혜명 역). 서울: 학지사. (원저는 2000년에 출판).

Werder, L. V. (2006). *Heilsam: philosophie als Psychotherapie.* Berlin.

Wertheimer, M. (1945). *Productive thinking.* New York: Harper and Broters.

Wexberg, E. (1974). *Individualpsychologie.* Stuttgart.

Whitaker, C. A., & Bumberry, W. M. (1988). *Dancing with the family: A symbolic-experiential approach.* New York: Brunner Mazel.

White, A. (1997). *Narratives of therapists' lives.* Adelaide: Dulwich Centre Publications.

White, C. (2009). Where did it all begin?: Reflecting on the collaborative work of Michael White and David Epston. *Context, 105,* 57-58.

White, C., & Denborough, D. (1998). *Introducing narrative therapy: A collection of practice-based writings.* Adelaide: Dulwich Centre Publications.

White, C., & Hales, J. (Eds.) (1997). *The personal is the professional.* Adelaide: Dulwich Centre Publication.

White, L. D. (1957). *Introduction to the study of public administration* (4th ed.). New York: Macmillan.

White, M. (1986). Negative explanation, restraint and double description: A template for family therapy. *Family Process, 25,* 169-184.

White, M. (1988). Saying hullo again: The incorporation of the lost relationship in the resolution of grief. *Dulwich Centre Newsletter. Spring.* 7-11.

White, M. (1988/9). The externalising of the problem and the re-authoring of lives and relationships. *Dulwich Centre Newsletter (Special ed.),* 3-21.

White, M. (1992). *Deconstruction and therapy.* In Epston, D., & White, M. (Eds.), *Experience, contradiction, narrative, and imagination.* Adelaide: Dulwich Centre Publications.

White, M. (1992). *Experience, contradiction, narrative & imagination.* Adelaide: Dulwich Centre Publications.

White, M. (1995). *Re-authoring lives: Interviews & essays.* Adelaide: Dulwich Centre Publications.

White, M. (1997). *Narratives of therapists' lives.* Adelaide: Dulwich Centre Publications.

White, M. (1999). Reflecting-team work as definitional ceremony revisited. *Gecko, 2,* 55-82.

White, M. (2000). *Reflections on narrative practice: Essays and interviews.* Adelaide: Dulwich Centre Publications.

White, M. (2003). Narrative practice and community assignments. *International Journal of Narrative Therapy and Community Work, 2,* 17-56.

White, M. (2005a). Children, trauma and subordinate storyline development. *International Journal of Narrative Therapy and Community work, 3(4), 10-22.*

White, M. (2005b). *Michael white workshop notes.* www.dulwichcentre.com.au accessed on 30 September 2010.

White, M. (2006). Working with people who are suffering the consequences of multiple trauma: A narrative perspective. In D. Denborough (Ed.), *Trauma: Narrative responses to traumatic experience.* Adelaide: Dulwich Centre Publications.

White, M. (2007). *Maps of narrative therapy.* New York: W. W. Norton & Company

White, M., & Epston, D. (1990). *Narrative means to Therapeutic Ends.* New York: W. W. Norton, & Company.

White, M., & Morgan, A. (2006). *Narrative therapy with children and their families.* Adelaide: Dulwich Centre Publications.

Whitehouse, M. S. (1956). Creative expression in physical movement is language without word. In Patrizia Pallaro (Ed., 1999). *Authentic mo-*

vement-essays by Mary Starks Whitehouse, Janet Adler, Joan Chodorow (pp. 33-40). London & Philadelphia: Jessica Kingsley Publishers.

Whitmore, D. (1991). *Psychosynthesis counseling in action*. London: Sage.

Whitney, P. (2003). 언어심리학(*The psychology of language*). (이승복, 한기선 역). 서울: 시그마프레스. (원저는 1997년에 출판).

Whyte, L. L. (1962). *The unconscious before Freud*. London: Tavistock.

Wickens, C. D. (2003). 공학심리학(3판) (*Engineering psychology and human performance*, 3re ed.). (곽호완, 김영진, 박창호, 남종호, 이재식 역). 서울: 시그마프레스. (원저는 1999년에 출판).

Wicks-Nelson, R., & Israel, A. C. (2011). 아동·청소년 이상심리학(*Abnormal child and adolescent psychology*, 7th ed.). (정명숙, 손영숙, 정현희 역). 서울: 시그마프레스. (원저는 2009년에 출판).

Wieland, D. M. (2005). Computer Addiction: Implications for Nursing Psychotherapy Practice. *Perspectives in Psychiatric Care, 41*(4), 153-161.

Wiener, D. J. (Ed.) (2001). *Beyond talk therapy-using movement and expressive techniques in clinical practice*. Washington, DC: American Psychological Association.

Wiener, N. (1965). *Cybernetics: or Control and Communication in the Animal and the Machine*. Cambridge: The MIT Press.

Wier, J. (1563). *De Praestigiis Daemonum, et incantationibus, ac veneficiis, libri V*. Basilea: Oporinus.

Wikler, A. (1973). Dynamics of drug dependence: Implications of a conditioning theory for research and treatment. *Archives of General Psychiatry, 28*, 611-616.

Wilber, K. (1993). *The spectrum of consciousness*. Wheaton, Ill: Theosophical Pub. House.

Wilber, K. (1996). *A brief history of everything*. Boston, MA.: Shambhala Publications.

Wilber, K. (2005). 무경계: 자기성장을 위한 동서양의 통합접근(*No boundary: eastern and western approaches to personal growth*). (김철수 역). 서울: 무우수. (원저는 2001년에 출판).

Wilber, K. (2008). 켄 윌버의 통합심리학(*Integral psychology*). (조옥경 역). 서울: 학지사. (원저는 1999년에 출판).

Wilgram, T. (2004). *Improvisation: Methods and Techniques for Music Therapy Clinicians, Educators and Students*. New York: Jessica Kingsley Pub.

Willams, G., & Wood, M. (1977). *Developmental art therapy*. Baltimore: University Park Press.

Williams, P., & Davis, D. C. (2002). *Therapist as Life Coach: Transforming your practice*. New York: Norton.

Williamson, E. G. (1939). *How to counsel students*. New York: McGraw-Hill.

Williamson, E. G. (1950). *Counseling and psychology*. Boston: Houghton Mifflin.

Williamson, E. G. (1965). *Vocational counseling*. New York: McGraw-Hill.

Williamson, M. (1996). *A return to love*. London: Thorsons.

Willke, H. (1978). Systemtheorie und handlungstheorie: Bemerkung zum verrhaeltnis von aggregation und emergenz. *Zeitschrift fuer Soziologie, 7*(4), 380-389.

Willke, H. (1982). *Systemtheorie*. Stuttgart: Fischer.

Wilmer, H. A., & Lamb, H. R. (1973). Using Therapeutic Community Principles. In H. R. Lamb, D. Healt, & J. Downing (Eds.), *Handbook of Community Mental Health Practice* (pp. 62-81). London: Jossey-Bass.

Wilson, S., & Thornton, S. (2006). To heal and enthuse: Developmental bibliotherapy and pre-service primary teachers' reflections on learning and teaching mathematics. *Identities, Cultures and Learning Spaces: Proceedings of the 29th annual conference of the Mathematics Education Research Group of Australasia,*

Canberra 1-5 July, 2006. AAMT: Adelaide.

Wingard, B., & Lester, J. (2001). *Telling our stories in ways that make us stronger*. Adelaide: Dulwich Centre Publications.

Wink, P., & Helson, R. (1997). Practical and transcendent wisdom: their nature and some longitudinal findings. *Journal of Adult Development, 4,* 1-15.

Winnicott, D. W. (1960). The theory of the parent-infant relationships. *International Journal of Psychoanalysis, 41,* 585-595.

Winnicott, D. W. (1965). *The maturational process and the facilitating environment: Studies in the theory of emotional development*. London: Hogarth.

Winnicott, D. W. (1971). *Playing and reality* (pp. 149-159). London: Routledge.

Wise, R. A., & Bozarth, M. A. (1985). Brain mechanisms of drug reward and euphoria. *Psychiatric Medicine, 3*(4), 415-460.

Witherspoon, R., & White, R. P. (1996). Executive coaching: A continuum of roles. *Consulting Psychology Journal: Practice and Research, 48*(2), 124-133.

Witkin, H. (1977). Role of the field dependent and field independent cognitive styles in academic evolution: A longitudinal study. *Journal of Educational Psychology, 69,* 197-211.

Witkin, H., Oltman, P., Raskin, E., & Karp, S. (1971). *A manual for the group embedded figures test*. Palo Alto, CA: Consulting Psychologists Press.

Witmer, J. M., Sweeney, T. J., & Myers, J. E. (1998). *The wheel of wellness*. Greensboro, NC: Authors.

Wittgenstein, L. (1958). *Philosophical investigations*. Oxford, England: Blackwell.

Wittrock, M. C. (1967). Focus on educational psychology. *Educational Psychologist, 4,* 7-20.

Wolf, A. D. (1996). *Nurturing the spirit in non-sectarian classrooms*. Hollidaysburg, PA: Parent Child Pr.

Wolf, R. S., & Pillemer, K. A. (1989). *Helping elderly victims: the reality of elder abuse*. New York: Columbia University Press.

Wolfe, J., & Brand, E. (Eds.) (1977). *Twenty years of rational therapy*. New York: Institute for Rational Emotive Therapy.

Wolmerath, M. (2000). *Mobbing im Betrieb. Rechtsansprüche und deren Durchsetzbarkeit*. Baden-Baden: Nomos.

Wolpe, J. (1958). *Psychotherapy by reciprocal inhibition*. Stanford, CA: Stanford University Press.

Wolz, B. (2006). 시네마테라피(*Cinema Therapy*). (심영섭, 김준형, 김은하 역). 서울: 을유문화사. (원저는 2005년에 출판).

Wood, E. (1962). *Yoga*. Baltimore: Penguin Books.

Wood, S. E., Wood, E. G., & Boyd, D. (2010). 심리학의 세계(*Mastering the world of psychology*, 3rd ed.). (장문선, 김지호, 진영선, 곽호완, 박영신, 조현춘 역). 서울: 학지사. (원저는 2008년에 출판).

Woodfield, A. (1976). *Teleology*. Cambridge: Cambridge University Press.

Woody, R. H. (1998). Bartering for psychological services. *Professional Psychology: Research and Practice, 29,* 174-178.

Wooley, S. C., Blackwell, B., & Winget, C. (1978). A learning theory model of chronic illness behaviors: Theory, treatment and research. *Psychosomatic. Medicine, 40,* 379-401.

Worden, J. W. (1991). *Grief counseling and grief therapy: A handbook for mental health practioner*. New York: Springer Publishing Company.

Worden, J. W. (2009). *Grief counseling and grief therapy: A handbook of the mental heath practitioner*. New York: Springer Publishing company

Worell, J. W., & Johnson, N. G. (1997). *Shaping the future of feminist psychology: education, re-*

search, and practice. Washington D.C.: American Psychological Association.

Worthen, B. R., Sanders, J. R., & Fitzpatrick, J. L. (1997). *Educational evaluation: Alternative approaches and practical guidelines* (2nd ed.). White Plains, NY: Longman.

Wright, H. N. (1993). *Crisis counseling: What to do and say during the first 72 hours.* Ventura, CA: Regal Books.

Wright, H. N. (2002). 위기상담학(*Crisis counseling: Helping people in crisis and stress*). (전요섭, 황동현 역). 서울: 쿰란출판사. (원저는 1985년에 출판).

Wright, J. H., Basco, M. R., & Thase, M. E. (2009). 인지행동치료(*Learning cognitive-behavior therapy*). (김정민 역). 서울: 학지사. (원저는 2006년에 출판).

Wright, T. P. (1936). Factors affecting the cost of airplanes. *Journal of the Aeronautical Sciences, 3*(4), 122-128.

Wubbolding, R. E. (1990). *Expanding reality therapy: Group counseling and multicultural dimensions.* Cincinnati, OH: Real World.

Wubbolding, R. E. (1991). *Understanding reality therapy.* New York: Harper & Row.

Wubbolding, R. E. (2000). 21세기와 현실요법(*Reality therapy for the 21st century*). (박애선 역). 서울: 시그마프레스. (원저는 2000년에 출판).

Wundt, W. (1903). *Physiologischen psychologie.* Leipzig: Engelmann.

Wyche, K. F., & Rice, J. K. (1997). Feminist therapy: From dialogue to tenets. In J. Worell & N. G. Johnson (Eds.), *Shaping the future of feminist psychology: Education, research, and practice.* Washington D.C.: American Psychology Association.

Wynne, L. C. (1961). The study of intrafamilial alignments and splits in exploratory family therapy. In N. W. Ackerman, F. L. Beatman, & S. N. Sherman (Eds.), *Exploring the base for family therapy.* New York: Family Services Association.

Wynne, L. C., Ryckoff, I., Day, J., & Hirsch, S. I. (1958). Pseudo-mutuality in the Family Relationships of Schizophrenics. *Psychiatry, 21,* 205-220.

Yablonsky, L. (1962). The Anticriminal Society: Synanon. *Probation, Feb,* 50-58.

Yalom, I. D. (1980). *Existential psychotherapy.* New York: Basic Books.

Yalom, I. D. (1985). *The Theory and Practice of Group Psychotherapy* (3rd ed.). New York: Basic Books.

Yalom, I. D. (1992). *When Nietzsche wept.* New York: Basic Books.

Yalom, I. D. (1995). *The theory and practice of group psychotherapy* (4th ed.). New York: Basic Books.

Yalom, I. D. (2005). 치료의 선물(*The gift of therapy*). (최웅용, 천성문, 김창대, 최한나 역). 서울: 시그마프레스. (원저는 2002년에 출판).

Yalom, I. D. (2007). 실존주의 심리치료(*Existential psychotherapy*). (임경수 역). 서울: 학지사. (원저는 1980년에 출판).

Yalom, I. D. (2008). 최신 집단정신치료의 이론과 실제 (*Theory and practice of group psychotherapy*). (최해림, 장성숙 역). 서울: 하나의학사. (원저는 2005년에 출판).

Yamazaki, K. (1997). 일본의 가정 내 청소년 폭력: 동아시아권의 가정 내 청소년 폭력. 서울: 삼성생명 사회정신건강연구소.

Yontef, G. M. (1979). Gestalt therapy: Clinical phenomenology. *Gestalt Journal, 2*(1), 27-45.

Yontef, G. M. (2008). 알아차림, 대화 그리고 과정. 게슈탈트치료에 대한 이론적 고찰(*Awareness, dialogue and process: Essays on gestalt therapy*). (김정규, 김영주, 심정아 역). 서울: 학지사. (원저는 1993년에 출판).

Yontef, G. M., & Jacobs, L. (2000). Gestalt therapy. In R. J. Corsini & D. Wedding (Eds.), *Current psychotherapies* (6th ed., pp. 303-339). Itasca, IL: Peacock.

Young, J. E., Klosko, J. S., & Weishaar, M. E. (2003). *Schema therapy*. New York: Guilford Publications.

Young, J. G., Kavanagh, M. E., Anderson, G. M., Shaywitz, B. A., & Cohen, D. J. (1982). Clinical neurochemistry of Autism and associated disorders. *Journal of autism and Developmental Disorders, 12,* 147-165.

Young, K. (1997). *What makes the internet addictive: Potential explanations for pathological Internet use.* Paper presented at the annual meeting of the American Psychological Association, Chicago, IL.

Young, K. (1999). *Cyber-disorders: The mental illness concern for the millennium.* Paper presented at the 108th Annual Meeting of the American Psychological Association. Boston, MA.

Young, K. (1999). Internet addiction: Symptoms, evaluation and treatment. In L. VandeCreek & T. Jackson (Eds.) *Innovations in clinical practice: A source book*(vol. 17, pp. 19-31). Sarasota, FL: Professional Resource.

Young, K. S. (1996). Internet addiction: the emergence of a new clinical disorder. proceedings of American Psychological Association, Toronto, Canada.

Young, K. S. (2000). 인터넷 중독증(*Caught in the Net*). (김현수 역). 서울: 나눔의 집. (원저는 1998년에 출판).

Young, K., Pistner, M., O'Mara, J., & Buchanan, J. (1999). Cyber-disorders: The mental health concern for the new millennium. Paper presented at 107th APA convention, August 20.

Young, M. E. (1992). *Counseling methods and techniques: An eclectic approach.* New York: Macmillan.

Zalcman, M. (1987) Game analysis and racket analysis In Keynote Speeches Delivered at the EATA Conference, July 1986. (pp. 11-14). Geneva: European Association for Transactional Analysis.

Zera, D. A. (2001). A reconceptualization of learning disabilities via a self-organizing systems paradigm. *Journal of Learning Disabilities, 34,* 79-94.

Zestrow, C. (2006). 사회복지개론(*Introduction to social work and social welfare: empowering people*). (강흥구, 김미옥, 박현선, 백종만, 서혜경, 신은주, 윤명숙, 윤홍식, 정슬기, 최옥채, 최원규, 한동우 역). 서울: 시그마프레스. (원저는 2004년에 출판).

Zettle, R. D. (1994). Discussion of Dougher: On the use of acceptable language. In S. C. Hayes, N. S. Jacobson, V. M. Follette, & M. J. Dougher (Eds.), *Acceptance and change: Content and context in psychotherapy* (pp. 46-50). Reno, NV: Context Press.

Zettle, R. D. (2013). 우울증을 위한 ACT: 우울증 치료에 활용하는 수용전념치료 지침서(*ACT for depression: A clinician's guide to using acceptance and commitment therapy in treating depression*). (문현미 역). 서울: 학지사. (원저는 2007년에 출판).

Zetzel, E. R. (1958). *The theraptic alliance in the analysis of hysteria.* New York: International Universities Press.

Zhou, J. N. (2003). Diurnal rhythm of free estradiol during the menstrual cycle. *European Journal of Endocrinology, 148,* 227-232.

Ziegler, D. J., & Hjelle, Laary A. (1990). 성격심리학(*Personality Theories*). (이훈구 역). 서울: 법문사. (원저는 1989년에 출판).

Ziegler, F. J., Imboden, J. B., & Rodgers, D. A. (1963). Contemporary conversion reactions: III. Disgnostic considerations. *Journal of the American Medical Association, 186,* 91-95.

Zigmond, N., & Baker, J. M. (1995). An exploration of the meaning and practice of special education in the context of full inclusion of students with learning disabilities. *The Journal of Special Education, 29*(2), 109-115.

Zimbardo, P. G. (1977). *Shyness: What it is, what to do about it*. MA: Addison-Wesley.

Zimbardo, P. G., Keough, K. A., & Boyd, J. N. (1997). Present time perspective as a predictor of risky driving. *Personality and Individual Differences, 23*, 1007-1023.

Zimmerman, J. L., & Dickerson, V. C. (1994). Using a narrative metaphor: Implications for theory and clinical practice. *Family Process, 33*, 233-246.

Zimmerman, J. L., & Dickerson, V. C. (1996). *If problems talked*. New York: Guilford.

Zinker, J. (1977). *Creative process in gestalt therapy*. New York: Brunner/Mazel.

Zinker, J. (1991). Creative process in gestalt therapy. *Gestalt Journal, 14*, 71-88.

Zunker, V. G. (2004). 커리어상담: 생애설계의 응용개념 (*Career counseling: applied concepts of life planning*). (김완석, 김선희 역). 서울: 시그마프레스. (원저는 1994년에 출판).

Zwingli, H. (1962). *Auswahl Seiner Schriften*. hg. v. E. Künzli: Stuttgart.

blog.daum.net/cci2007c/7167626(시각장애인 안내법)
http://blog.naver.com
http://cafe.daum.net/artintherapy
http://cafe.daum.net/arttherapycj
http://cafe.daum.net/katci
http://cafe.daum.net/sugal
http://cafe.daum.net/whee21
http://cafe.daum.net/yonseikidart
http://health.naver.com/medical/disease/detail.nhn?selectedTab = detail&diseaseSymptomTypeCode=AA&diseaseSymptomCode = AA000292&cpId = ja2#con
http://jidam.blogspot.kr/2011/03/blog-post_21.html
http://media.daum.net/press/newsview?newsid = 20100117124910086
http://poetrytherapy.org
http://upload.wikimedia.org/wikipedia/commons/2/23/Labanotation1.JPG
http://www.aistudy.com/physiology/brain/temporal_lobe.htm
http://www.brainmedia.co.kr/BrainScience/6444
http://www.momtest.com
http://www.readersnews.com/sub_read.html?uid = 25307
Wikipedia. http://en.wikipedia.org
www.harvardcounselors.net 하버드 카운슬링센터.
www.kops.co.kr 학지사 심리검사연구소.
www.mindpress.co.kr 마인드프레스.
www.nordoff-robbins.org.uk Nordoff Robbins music transforming lives.
www.silwel.or.kr.(실로암시각장애인복지관. 시각장애인의 안내법)
www.wellnessmusictherapy.com Wellness Music Therapy.
대한의료 사회복지사협회 http://www.kamsw.or.kr/
동아일보. 2010. 9. 5.
인터넷 네이버 백과사전. http://100.naver.com
인터넷 다음 국어사전. http://dic.daum.net/index.do?dic=kor
일본노동후생성. http://www.mhlw.go.jp/topics/2003/07/tp0728-1.html 10대 20대를 중심으로 한 '히키코모리와 관련한 지역정신보건 활동의 가이드라인.
한국 브리태니커 온라인. http://preview.britannica.co.kr

상담학 사전 ❹ (ㅊ~ㅎ/기타)
Encyclopedia of counseling

2016년 1월 5일 1판 1쇄 인쇄
2016년 1월 15일 1판 1쇄 발행

연구 책임자 • 김춘경
공동 연구자 • 이수연 · 이윤주 · 정종진 · 최웅용
펴낸이 • 김진환
펴낸곳 • (주) **학지사**

　　　　　121-838 서울특별시 마포구 양화로 15길 20 마인드월드빌딩
대표전화 • 02)330-5114　　　팩스 • 02)324-2345
등록번호 • 제313-2006-000265호

홈페이지 • http://www.hakjisa.co.kr
페이스북 • https://www.facebook.com/hakjisa

ISBN 978-89-997-0824-4　94180
　　　978-89-997-0820-6 (set)

세트 정가 200,000원

인터넷 학술논문 원문 서비스 **뉴논문** www.newnonmun.com

이 도서의 국립중앙도서관 출판시도서목록(CIP)은 서지정보유통지원시스템
홈페이지(http://seoji.nl.go.kr)와 국가자료공동목록시스템(http://www.
nl.go.kr/kolisnet)에서 이용하실 수 있습니다.
(CIP 제어번호: CIP2015024800)

개정판
카운슬링의 실제

서울대학교 김계현 저

2002년
크라운판 · 양장 · 460면 · 16,000원
ISBN 978-89-7548-778-1 93180

유능한 상담자의 심리치료
－내담자에게 집중하라－

Scott D. Miller · Barry L. Duncan ·
Mark A. Hubble 공저
김희정 · 조민아 · 송소원 ·
장석진 · 이정화 공역

2009년
신국판 · 양장 · 328면 · 14,000원
ISBN 978-89-6330-183-9 93180

제럴드 코리에게서 배우는
성장하는 상담전문가의 길

Gerard Corey 저
김인규 역

2014년
신국판 · 반양장 · 368면 · 18,000원
ISBN 978-89-997-0536-6 93180

공감
그 이상을 추구하며
－진정한 만남을 통한 상담－

Richard G. Erskine · Janet P. Moursund ·
Rebecca L. Trautmann 공저
김병석 · 서은경 · 이연미 · 고은영 ·
고경희 · 김수영 · 유순덕 · 조중신 공역

2011년
크라운판 · 반양장 · 592면 · 20,000원
ISBN 978-89-6330-668-1 93180

공감학
－어제와 오늘－

청주교육대학교 박성희 저

2004년
4×6배판변형 · 양장 · 464면 · 19,000원
ISBN 978-89-7548-984-6 93370

사례개념화
－원리와 실제－

Pearl S. Berman 저
이윤주 역

2007년
크라운판 · 반양장 · 328면 · 14,000원
ISBN 978-89-5891-492-1 93180

TA이론에 의한 성격적응론

Vann Joines · Ian Stewart 공저
오수희 · 이영태 · 안범현 공역

2012년
4×6배판변형 · 양장 · 512면 · 20,000원
ISBN 978-89-6330-768-8 93180

교육현장에서 교류분석의 적용

Giles Barrow · Trudi Newton 공편
이영호 · 박미현 공역

2012년
신국판 · 반양장 · 320면 · 15,000원
ISBN 978-89-6330-775-6 93180

교류분석(TA)적 접근을 통한
자살 상담과 치료

Tony White 저
한국교류분석상담학회 편역

2013년
크라운판 · 반양장 · 368면 · 17,000원
ISBN 978-89-997-0110-8 93180

상담 · 심리치료 실습과 수련감독 전략

Susan Allstetter Neufeldt 저
강진령 역

2010년
크라운판 · 반양장 · 464면 · 18,000원
ISBN 978-89-6330-496-0 93180

상담 수퍼비전

Nicholas Ladany ·
Loretta J. Bradley 공편
유영권 · 안유숙 · 이정선 ·
은인애 · 류경숙 · 최주희 공역

2013년
4×6배판 · 양장 · 560면 · 20,000원
ISBN 978-89-6330-981-1 93180

임상 슈퍼비전
－단계별 효과적인 슈퍼비전이란 무엇인가－

Carol A. Falender ·
Edward P. Shafranke 공저
유미숙 · 전성희 · 정윤경 공역

2015년
4×6배판변형 · 반양장 · 416면 · 19,000원
ISBN 978-89-997-0586-1 93180

대학생과의 소통을 위한 상담 기법

김은실 · 손현동 공저

2014년
신국판 · 반양장 · 184면 · 13,000원
ISBN 978-89-997-0264-8 93180

조직개발 · 인사관리 관점에서 접근한
기업상담

Jenny Summerfield ·
Lyn van Oudtshoorn 공저
김계현 · 왕은자 ·
권경인 · 박성욱 공역

2014년
신국판 · 양장 · 360면 · 16,000원
ISBN 978-89-997-0226-6 93180

기업상담

Michael Carroll 저
전종국 · 왕은자 · 심윤정 공역

2010년
신국판 · 양장 · 424면 · 16,000원
ISBN 978-89-6330-486-1 03180

학지사는 깨끗한 마음을 드립니다

상담학총서

학습상담

김동일 · 신을진 ·
이명경 · 김형수 공저

2011년
4×6배판변형 · 양장 · 384면 · 18,000원
ISBN 978-89-6330-297-3 93370

2판

담임이 이끌어 가는 학급상담

청주교육대학교 박성희 저

2009년
크라운판 · 반양장 · 344면 · 13,000원
ISBN 978-89-6330-155-6 93180

2판

학교 또래상담

노성덕 저

2014년
크라운판 · 반양장 · 464면 · 18,000원
ISBN 978-89-997-0461-1 93180

ADHD 학교상담

George Dupaul ·
Gary Stoner 공저
김동일 역

2007년
크라운판 · 양장 · 416면 · 17,000원
ISBN 978-89-5891-459-4 93180

다문화사회의 학교심리학

Danielle Martines 저
신현숙 · 이승연 · 이동형 공역

2011년
4×6배판 · 반양장 · 576면 · 20,000원
ISBN 978-89-6330-555-4 93370

2판

행복한 학교를 위한

학교집단상담의 실제

천성문 · 함경애 · 차명정 · 송부옥 ·
이형미 · 노진숙 · 김세일 · 이봉은 공저

2013년
4×6배판 · 반양장 · 432면 · 20,000원
ISBN 978-89-997-0224-2 93180

학교폭력과 괴롭힘 예방

원인진단과 대응

이화여자대학교 학교폭력예방연구소 편
한유경 · 이주연 · 김성식 · 신민섭 ·
정제영 · 정성수 · 김성기 · 박주형 ·
장원경 · 이동형 · 김영화 · 오인수 ·
이승연 · 신현숙 공저

2014년
4×6배판 · 반양장 · 488면 · 20,000원
ISBN 978-89-997-0444-4 93370

학교폭력 예방의 이론과 실제

(재)청소년학교폭력예방재단
학교폭력문제연구소 편
이규미 · 지승희 · 오인수 · 송미경 ·
장재홍 · 정제영 · 조용선 · 이정윤 ·
유형근 · 이은경 · 고경희 · 오혜영 ·
이유미 · 김승혜 · 최희영 공저

2014년
4×6배판 · 반양장 · 416면 · 19,000원
ISBN 978-89-997-0341-6 93370

회복적 정의와
실제적 대처 방안을 중심으로 한

학교폭력 예방 및 대책

류혜옥 · 박옥식 · 김세광 공저

2014년
크라운판 · 반양장 · 328면 · 17,000원
ISBN 978-89-997-0176-4 93370

심층 직업상담

-사례적용 접근-

황매향 · 김계현 · 김봉환 ·
선혜연 · 이동혁 · 임은미 공저

2013년
크라운판 · 반양장 · 320면 · 16,000원
ISBN 978-89-997-0098-9 93180

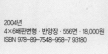

아동상담

-이론과 실제-

경북대학교 김춘경 저

2004년
4×6배판변형 · 반양장 · 556면 · 18,000원
ISBN 978-89-7548-958-7 93180

청소년 상담학 개론

김동일 · 김은하 · 김은향 · 김형수 ·
박승민 · 박중규 · 신을진 · 이명경 ·
이영선 · 이원이 · 이은아 · 이제경 ·
정여주 · 최수미 · 최은영 공저

2014년
4×6배판변형 · 반양장 · 584면 · 20,000원
ISBN 978-89-997-0272-3 93180

종교행동의 심리학적 이해

김동기 저

2013년
4×6배판 · 반양장 · 640면 · 22,000원
ISBN 978-89-997-0108-5 93180

2판

분석심리학과 기독교

김성민 저

2012년
크라운판 · 양장 · 456면 · 20,000원
ISBN 978-89-6330-942-2 93180

융심리학과 성서적 상담

박종수 저

2009년
크라운판 · 반양장 · 456면 · 17,000원
ISBN 978-89-6330-215-7 93180